Gestiftet von
Alexander Castell
1980

Vahlens Handbücher
der Wirtschafts- und Sozialwissenschaften

Theorie der Außenwirtschaft

von

Dr. Klaus Rose

ord. Professor der Volkswirtschaftslehre
an der Universität Mainz

Siebente, überarbeitete Auflage

Verlag Franz Vahlen München 1978

CIP-Kurztitelaufnahme der Deutschen Bibliothek

Rose, Klaus
Theorie der Aussenwirtschaft. – 7., überarb.
Aufl. – München : Vahlen, 1978.
  Vahlens Handbücher der Wirtschafts- und
Sozialwissenschaften)
ISBN 3-8006-0724-7

ISBN 3 8006 0724 7
© 1978 Verlag Vahlen GmbH, München
Druck: Kastner & Callwey, München

Vorwort zur siebenten Auflage

In den letzten Jahren hat sich das Interesse der Außenwirtschaftstheoretiker vor allem auf die monetären Aspekte der Zahlungsbilanztheorie sowie auf den Ausbau von Politikmodellen offener Volkswirtschaften konzentriert. Dieser Entwicklung trägt die Neuauflage Rechnung: So wurde der Abschnitt über die monetäre Zahlungsbilanztheorie erheblich erweitert (II. Teil, 3. Kapitel, Abschnitt IV). Ferner habe ich einen Abschnitt über „Die Wirksamkeit der Geld- und Fiskalpolitik in offenen Volkswirtschaften" (II. Teil, 6. Kapitel, Abschnitt III) aufgenommen, in dem einige Modifikationen der grundlegenden Mundell-Modelle erörtert werden. Außerdem finden sich zahlreiche weitere Änderungen und Ergänzungen, z. B. bei der Darstellung der Kaufkraftparitätentheorie und des absorption-approach, dessen Beziehung zur monetären Zahlungsbilanztheorie erörtert wird.

Für wertvolle Hinweise danke ich Herrn Dr. Sauernheimer. Die Herren Brandmüller, Emrich und Voigt haben bei der Anfertigung von Abbildungen und bei der Neufassung des Schlagwortregisters mitgewirkt.

Mainz, Frühjahr 1978   Klaus Rose

Vorwort zur sechsten Auflage

Die vorliegende Auflage wurde in allen Teilen gründlich überarbeitet. Leider ließ es sich auch diesmal nicht vermeiden, zusätzliche Abschnitte einzufügen, um neuere Entwicklungstendenzen im Bereich der Außenwirtschaftstheorie wenigstens teilweise zu berücksichtigen. Durch Kürzungen und Fortlassen ganzer Abschnitte war es jedoch möglich, die Erweiterung des Umfangs in Grenzen zu halten.

Vor allem die folgenden Änderungen sind erwähnenswert: Im zweiten Teil (3. Kap., Abschnitt III, 2) wurde ein Abschnitt über die Grundgedanken der monetären Zahlungsbilanztheorie eingefügt. Außerdem habe ich das Kapitel über den „absorption-approach" (5. Kap., Abschnitt II) durch eine exakte Analyse der Abwertungswirkungen auf Zins, Hortungsquote und Kassenhaltung ergänzt. Mit diesen neuen Teilen wurde der Tatsache Rechnung getragen, daß das neuerwachte Interesse an Fragen der Geldtheorie auch in der Außenwirtschaftstheorie seinen Niederschlag gefunden hat.

In der „reinen" Theorie wurde zunächst der I. Teil des 2. Kapitels (Ursachen des Außenhandels) durch einen Überblick über verschiedene Varianten der „Verfügbarkeitshypothese" erweitert. Neu aufgenommen wurde ein Abschnitt über „Zwischenprodukte und internationaler Handel" (3. Kapitel, Abschnitt V). Schließlich haben mich die in letzter Zeit an Intensität zunehmenden Angriffe gegen die reine Theorie veranlaßt, ein kurzes Kapitel aufzunehmen, in dem Erkenntniswert und Grenzen der reinen Außenwirtschaftstheorie behandelt werden (Kap. 7).

Für Hilfe bei der Anfertigung von Abbildungen, beim Lesen der Korrekturen und bei der Neufassung des Schlagwortregisters danke ich den Herren R. Emrich, Dr. K. H. Sauernheimer und B. Voigt. Wertvolle Anregungen verdanke ich Herrn Prof. D. Bender.

Mainz, März 1976   Klaus Rose

Vorwort zur ersten Auflage

Diese „Theorie der Außenwirtschaft" behandelt nur die grundsätzlich-theoretischen Aspekte der internationalen Wirtschaftsbeziehungen, ohne daß institutionelle, historische und technische Probleme in die Betrachtung einbezogen werden. Für diese Beschränkung sprechen zwei Gründe: Einmal verfügen wir auch im deutschen Sprachbereich über eine Reihe von Veröffentlichungen, die der Behandlung der institutionellen, historischen und technischen Fragen einen breiten Raum zuweisen, zum anderen fehlt es an einer zusammenfassenden deutschsprachigen Arbeit, die dem Studenten einen Überblick über den gegenwärtigen Stand der Außenwirtschaftstheorie erlaubt. In der Auswahl des Stoffes liegt also kein Werturteil; zum vollen Verständnis — das sei gerne eingeräumt — wird man nur dann vordringen, wenn das Gerippe der reinen Theorie mit dem Fleisch und Blut der Fakten gefüllt und dadurch zum Leben erweckt wird. Wegen des theoretischen Charakters dieses Buches habe ich mich auch darauf beschränkt, aus dem Bereich der Außenwirtschaftspolitik nur das Zollproblem herauszugreifen, und zwar vor allem deshalb, weil am Beispiel des Zolles die Anwendung der Theorie besonders klar verdeutlicht werden kann. Darüber hinaus habe ich mich in den übrigen Teilen bemüht, auf wirtschaftspolitische Konsequenzen der einzelnen Modelle zumindest hinzuweisen, ohne einer mechanischen und unkritischen Anwendung auf praktische Probleme das Wort zu reden.

In Lehrbüchern — und ein solches wollte ich schreiben — findet sich oft der Satz, daß nur allgemein akzeptierte Lehrstücke aufgenommen worden sind. Das kann man von diesem Buch nicht unbedingt behaupten. Die Verwendung gesellschaftlicher Indifferenzkurven, das Theorem vom Ausgleich der Faktorpreise, der „absorption-approach" – um nur einige Beispiele zu nennen — sind sicherlich nicht unbestritten, doch halte ich es für richtig, auch solche strittigen Fragen zu behandeln, denn m. E. kann dem Studenten nicht früh und nicht oft genug gesagt werden, wo die offenen Probleme unseres Faches liegen. Nur so ist es möglich, unkritisches Denken zu vermeiden.

Dieses Buch behandelt kein ganz einfaches Gebiet; es setzt Grundkenntnisse in der Preis-, Geld-, Verteilungs- und Beschäftigungstheorie voraus, denn die Außenwirtschaftstheorie ist nichts anderes als eine Anwendung der Sätze der allgemeinen Wirtschaftstheorie zur Erklärung eines besonderen Sachverhalts, eben der internationalen Transaktionen. Insofern kann auch die Außenwirtschaftstheorie für sich in Anspruch nehmen, was früher Bergmann von der Konjunkturtheorie behauptet hat: Abschluß und krönendes Resultat der Wirtschaftstheorie zu sein. Wegen der Schwierigkeiten der Materie habe ich mich bemüht, jeden einzelnen Schritt genau zu erklären —

auch auf die Gefahr hin, hier und da pedantisch zu wirken. Zudem habe ich es vorgezogen, jeweils mit den einfachsten Modellen zu beginnen und erst später — wenn der Grund gefestigt ist — zu wirklichkeitsnäheren, dafür aber auch schwierigeren Theoremen überzugehen. In diesem Vorgehen hat mich die Lektüre des sachlich ausgezeichneten Buches von Vanek[1]) bestärkt, das ohne irgendwelche Konzessionen an den Leser den allgemeinen Fall voranstellt und daraus — als Spezialfälle — die geläufigeren Theoreme deduziert (und die ökonomische Interpretation des Ergebnisses oft noch dem Leser überläßt). Zumindest für ein Lehrbuch scheint es mir zweckmäßiger zu sein, den Leser Schritt für Schritt an die Gipfel der Theorie oder — falls diese für ein Lehrbuch zu steil sind — bis an die halbe Höhe heranzuführen. Die Art des Hinführens hängt natürlich jeweils auch von den Neigungen des Autors ab. In besonders starkem Maße habe ich die m. E. besonders anschauliche geometrische Darstellung benutzt, gelegentlich aber auch — wenn die Zahl der Variablen eine geometrische Behandlung nicht zuläßt — auf algebraische Verfahren zurückgegriffen.

Zum Schluß bleibt mir noch die angenehme Aufgabe, Frl. Dipl.-Volkswirt Helga Luckenbach sowie den Herren Dipl.-Volkswirt Lammenett und Dipl.-Volkswirt Mackscheidt für manche Diskussionen, die das Buch befruchtet haben, zu danken. Frl. Luckenbach hat überdies die Zeichnungen angefertigt. Mein Dank gilt auch Herrn Dr. Gutowski, der das Manuskript gelesen und mich auf einige unklare Stellen aufmerksam gemacht hat.

Mainz, März 1963
Klaus Rose

Vorwort zur zweiten Auflage

Eine der schwierigsten Fragen, vor die sich wohl jeder Verfasser eines Lehrbuches gestellt sieht, ist die der Auswahl des zu behandelnden Stoffes. So fällt auch bei der Vorbereitung einer Neuauflage die Entscheidung nicht leicht, ob und welche Teilgebiete, die in der ersten Auflage nicht erörtert wurden, in die Neuauflage aufgenommen werden sollen. Eine solche Entscheidung kann niemals völlig frei von Willkür sein. Dennoch hoffe ich, daß die Änderungen und Ergänzungen, durch welche sich diese Neuauflage von der ersten Auflage unterscheidet, zumindest einige Wünsche der Leser dieses Buches erfüllen werden.

Im I. Teil wurden nur kleinere Änderungen vorgenommen; vor allem habe ich nunmehr scharf zwischen der Kapitalbilanz im engeren Sinne und der Kapitalbilanz im weiteren Sinne — welche die Devisenbilanz umfaßt — unterschieden.

Umfangreicher sind die Änderungen im II. Teil. Das 2. Kapitel enthält nunmehr eine kurze Darstellung der Beziehungen zwischen Devisenkassa- und Devisenterminmarkt (Abschnitt I, 2). Die Ausführungen zu diesem Problemkreis sind bewußt knapp gehalten, da trotz vielversprechender Ansätze die Theorie des Devisenterminmarktes noch in den Kinderschuhen steckt. Im III. Abschnitt des 2. Kapitels wurde die Robinson-Bedingung unter der Annahme einer unausgeglichenen Leistungsbilanz angeführt und ferner auf den

---

[1]) V a n e k , J., International Trade: Theory and Economic Policy, Homewood/Ill. 1962.

partialanalytischen Charakter der Elastizitätsanalyse hingewiesen (S. 83 f.). Im 4. Kapitel behandelt ein neuer Abschnitt (III, 4) die Grenzen der Multiplikatoranalyse. Das 5. Kapitel wurde durch einen Abschnitt V, der die Multiplikatorwirkungen bei beweglichem Zins erörtert, ergänzt. Umfangreiche Änderungen sind schließlich im 6. Kapitel zu finden. Dieses Kapitel ist durch eine exakte Analyse des klassischen und Keynesschen Transfermechanismus ergänzt und — so hoffe ich — bereichert worden.

Der III. Teil weist die wichtigsten Änderungen auf. So wurde das bisherige 5. Kapitel (Wohlstandseffekte des internationalen Handels) fast völlig neu geschrieben und als 7. Kapitel an den Schluß des III. Teils gestellt. Hinzugefügt habe ich ein neues Kapitel über „Datenänderungen und Weltmarktgleichgewicht", in dem neben den Wirkungen des Transfers auf das Tauschverhältnis vor allem die Bedeutung von Wachstumsprozessen für Handelsvolumen und terms of trade behandelt wird. Kleinere Änderungen finden sich auch in den anderen Kapiteln, so z. B. im Abschnitt III, 3 des 3. Kapitels, wo die Bedeutung umschlagender Faktorintensitäten für das Leontief-Paradoxon erörtert wurde.

Im IV. Teil ist der Abschnitt über den Optimalzoll erweitert und vollständig neu geschrieben worden. Bei der Analyse des Erziehungsarguments für Zölle wurde die Bedeutung von Lernprozessen diskutiert.

Trotz dieser nicht unbeträchtlichen Änderungen und Ergänzungen bin ich mir bewußt, daß auch jetzt noch nicht alle Teile des Gesamtgebiets behandelt werden. Vorwürfe, die in diese Richtung zielen, muß ich hinnehmen. Allerdings bin ich der festen Überzeugung, daß es dem Leser mit Hilfe der in diesem Buch erörterten Theoreme und Instrumente möglich sein muß, auch die nicht diskutierten Problemkreise (wie etwa die Theorie der Zollunion) zu analysieren.

Es bleibt mir noch die angenehme Aufgabe, den Lesern dieses Buches für Anregungen und Verbesserungsvorschläge zu danken. Besonders verpflichtet bin ich meinem Kölner Kollegen Prof. Willgerodt für wertvolle Hinweise. Dank schulde ich auch den Herausgebern des Weltwirtschaftlichen Archivs für die freundliche Erlaubnis, Teile meines Aufsatzes „Freihandel, Optimalzoll und wirtschaftlicher Wohlstand" für die Neuauflage zu verwenden.

Mainz, März 1966

Klaus Rose

Vorwort zur dritten Auflage

Die dritte Auflage unterscheidet sich von der zweiten Auflage durch mehrere Änderungen und Ergänzungen. Im I. Teil wurde ein Abschnitt „Überschüsse und Defizite der Zahlungsbilanz" (1. Kapitel, Abschnitt V) eingefügt, in dem die wichtigsten Zahlungsbilanzkonzepte erörtert und auf ihre Relevanz überprüft werden. Außerdem ist Abschnitt I des 2. Kapitels (Die Zahlungsbilanz als Bestandteil des Volkseinkommens) erweitert und neu geschrieben worden.

Das 3. Kapitel des II. Teils wurde durch einen Abschnitt über den „direkten internationalen Preiszusammenhang" ergänzt; hier wird die vom Sachverständigenrat zur Begutachtung der gesamtwirtschaftlichen Entwicklung konzipierte Variante der Theorie des Inflationsimports erörtert und vor allem der Versuch unternommen, die „Saldeneffekte" einer Auslandsinflation von den „direkten Preiseffekten" abzuheben. Neu ist das 7. Kapitel des II. Teils, in dem die Grundlagen der Arbitrage und Spekulation behandelt werden. Das in diesem Kapitel entwickelte Modell erlaubt vor allem die simultane Bestimmung der Wechselkurse auf Kassa- und Terminmärkten.

Im 2. Kapitel des III. Teils wurde ein Abschnitt über die „Ursachen des Außenhandels" eingefügt, um damit deutlich zu machen, daß Richtung und Struktur des Außenhandels außer durch Kostendifferenzen auch durch andere Faktoren bedingt sein können. In diesem Kapitel wird ferner gezeigt, daß das Prinzip der komparativen Kosten durchaus mit der These vereinbar ist, absolute Geldpreisunterschiede seien für den Außenhandel von Bedeutung. Der III. Teil enthält schließlich eine alternative Darstellung des Theorems vom Ausgleich der Faktorpreise, um diese schwierigen Zusammenhänge möglichst vielseitig zu beleuchten (3. Kapitel, Abschnitt III, 4).

Kleinere Änderungen und Einfügungen finden sich an vielen anderen Stellen. Außerdem wurde das Literaturverzeichnis auf den neuesten Stand gebracht.

Mainz, März 1969

Klaus Rose

Vorwort zur vierten Auflage

Auch in dieser Auflage wurden Änderungen, Umstellungen und Ergänzungen vorgenommen. Neu hinzugekommen ist im II. Teil das 6. Kapitel; hier suche ich zu zeigen, wie die Instrumente der monetären Außenwirtschaftstheorie zur Analyse der wirtschaftspolitisch besonders interessanten Problematik des externen und internen Gleichgewichts verwendet werden können. Im III. Teil wurde das 6. Kapitel, Abschnitt I (Wachstum und Außenhandel) weitgehend mit dem Ziel umgeschrieben, die Herleitung der „Gesamteffekte" des Wachstums aus den Produktions- und Konsumeffekten durchsichtiger zu machen. Der IV. Teil (Zolltheorie) wurde um ein kurzes Kapitel über den Effektivzoll ergänzt.

Kleinere Änderungen finden sich auch an anderen Stellen; so habe ich im 7. Kapitel des III. Teils die Kompensationskriterien kurz erläutert, um dem Leser das Eindringen in den schwierigen Problemkreis „Wohlfahrt und Außenhandel" zu erleichtern.

April 1972

Klaus Rose

Vorwort zur fünften Auflage

Nachdem sämtliche Neuauflagen dieses Buches gründlich überarbeitet und erweitert worden sind, habe ich mich bei der schon nach kurzer Zeit erforderlichen Vorbereitung der fünften Auflage auf kleinere Änderungen, Präzisierungen und Korrekturen beschränkt. Der nunmehr auf ca. 500 Seiten angewachsene Umfang ließ es nicht angebracht erscheinen — jeder Lehrbuchautor wird die Schwere dieses Verzichts zu würdigen wissen —, weitere Kapitel hinzuzufügen.

Als dieses Buch im Jahre 1963 geschrieben wurde, stand der Dollarkurs bei DM 4,—. Den vielen Zahlenbeispielen habe ich daher diesen Kurs zugrunde gelegt. Inzwischen hat sich der Dollarkurs weit von diesem Niveau entfernt. Da es aber dem Verfasser nicht zuzumuten ist, seine Zahlenbeispiele unter der Annahme eines Dollarkurses von DM 2,5475 (Stand am 8. 11. 1973) durchzurechnen, bleiben die hypothetischen Zahlenbeispiele unverändert; sie werden erst dann revidiert, wenn der Dollarkurs einen Stand (vielleicht von DM 3,— oder DM 2,—) erreicht hat, der wieder ein Rechnen mit „vernünftigen" Zahlen erlaubt.

März 1974   Klaus Rose

Inhalt

Einleitung XV
Allgemeine Literatur XVII

I. Teil: Die Zahlungsbilanz 1

1. Kapitel: Begriff und Zusammensetzung der Zahlungsbilanz 3
   I. Definitionen 3
   II. Die Leistungsbilanz 3
      1. Posten der Leistungsbilanz und unentgeltliche Leistungen 3
      2. Bewertung und Erfassung 6
   III. Kapitalbilanz und Devisenbilanz 8
   IV. Der statistische Ausgleich der Zahlungsbilanz 10
   V. Überschüsse und Defizite der Zahlungsbilanz 14

2. Kapitel: Die Zahlungsbilanz im Wirtschaftskreislauf 21
   I. Die Leistungsbilanz als Bestandteil des Volkseinkommens 21
   II. Sparen, Investieren und Zahlungsbilanz 28
   Literatur zum I. Teil 32

II. Teil: Die monetäre Theorie 33

1. Kapitel: Der Gegenstand 35

2. Kapitel: Wechselkursänderungen und Zahlungsbilanz 38
   I. Der Devisenmarkt 38
   II. Die Reaktion der Leistungsbilanz auf Änderungen des
      Wechselkurses 45
      1. Die Leistungsbilanz in Inlandswährung 45
      2. Die Leistungsbilanz in Auslandswährung 54
   III. Wertelastizitäten, Mengenelastizitäten und Reaktion
      der Leistungsbilanz 57
      1. Die Bedeutung der Wertelastizitäten 57
      2. Die Bedeutung der Mengenelastizitäten
        (Die Marshall-Lerner-Bedingung) 66
      3. Die Robinson-Bedingung 69
      4. Der Elastizitätspessimismus 74
   IV. Wechselkursänderungen und reales Austauschverhältnis 75
   V. Die Kaufkraftparitätentheorie

3. Kapitel: Preisveränderungen und Zahlungsbilanz 84
   I. Die Reaktion der Leistungsbilanz auf Preisveränderungen 84
   II. Der Geldmengen-Preismechanismus des Zahlungsbilanzausgleichs.. 87
   III. Der direkte internationale Preiszusammenhang 91

   IV. Die Grundgedanken der monetären Zahlungsbilanztheorie 97
      1. Die Beziehungen zwischen Geldmarkt und Zahlungsbilanz 97
      2. Geldmarkt, Gütermarkt und Zahlungsbilanz 101

Inhalt

4. Kapitel: Einkommensänderungen und Zahlungsbilanz 106
   I. Das Gleichgewichtseinkommen bei Außenhandel 106
   II. Multiplikatoreffekte, Volkseinkommen und Leistungsbilanz 112
      1. Grundlagen und Voraussetzungen 112
      2. Der Exportmultiplikator 114
      3. Investitions- und Gesamtausgabenmultiplikator in der offenen Wirtschaft 119
   III. Einkommensänderungen und Leistungsbilanz im Zwei-Länder-Modell 122
      1. Exportänderungen und internationale Rückwirkungen 123
      2. Investitionsänderungen und internationale Rückwirkungen 128
   IV. Variabler Zinssatz und Multiplikatorwirkung 130
   V. Grenzen der Multiplikatoranalyse 134

5. Kapitel: Die Verbindung von Preis-, Einkommens- und Wechselkurseffekten 136
   I. Variable Preise und variable Einkommen 136
   II. Variable Wechselkurse und variable Geldeinkommen 137
   III. Monetäre Zahlungsbilanztheorie und absorption-approach 148
   IV. Reales Austauschverhältnis und Einkommenswirkungen 149
   V. Die internationale Übertragung von Beschäftigungsschwankungen bei flexiblen Kursen 152

6. Kapitel: Externes und internes Gleichgewicht 155
   I. Externes und internes Gleichgewicht bei stabilen Kursen 155
      1. Die Kriterien des externen und internen Gleichgewichts 155
      2. Unterbeschäftigung und Zahlungsbilanzdefizit 157
      3. Unterbeschäftigung und Zahlungsbilanzüberschuß 160
      4. Überbeschäftigung und Zahlungsbilanzüberschuß 160
      5. Überbeschäftigung und Zahlungsbilanzdefizit 162
   II. Externes und internes Gleichgewicht bei flexiblen Kursen 162
      1. Fiskalpolitik bei flexiblen Kursen 163
      2. Geldpolitik bei flexiblen Kursen 166
   III. Die Wirksamkeit der Geld- und Fiskalpolitik in offenen Volkswirtschaften 167
      1. Verzicht der Zentralbank auf Kompensationspolitik 171
      2. Der Fall des kleinen Landes 174
      3. Anomale Reaktion der Leistungsbilanz 176
      4. Einkommensabhängige Kapitalbewegungen 177
      5. Zusätzliche Modellerweiterungen 178

7. Kapitel: Die Wirkungen autonomer Kapitalbewegungen auf die Zahlungsbilanz (Das Transferproblem) 181
   I. Der klassische Transfermechanismus 182
   II. Der Keynessche Transfermechanismus 184

8. Kapitel: Zinsarbitrage, Spekulation und Devisenterminmärkte 195
   I. Der Devisenterminmarkt 195
   II. Devisentransaktionen auf Kassa- und Terminmarkt 196
      1. Die Zinsarbitrage 196
      2. Die Devisenspekulation 200
      3. Die Transaktionen der Exporteure und Importeure 204

Inhalt XIII

III. Die Gleichgewichtskurse auf dem Kassa- und Terminmarkt 205
IV. Die Wirkungen von Datenänderungen auf die Gleichgewichtswerte des Systems 208
Literatur zum II. Teil 210

III. Teil: Die reine Theorie 221

1. Kapitel: Der Gegenstand 223
   I. Die Annahmen der reinen Theorie 223
   II. Die Fragestellung der reinen Theorie 224
2. Kapitel: Grundlagen der reinen Theorie des Außenhandels 226
   I. Ursachen des Außenhandels 226
      1. Verfügbarkeit als Ursache des Außenhandels 226
      2. Preisdifferenzen als Ursache des Außenhandels 228
      3. Produktdifferenzierung als Ursache des Außenhandels 228
   II. Das Grundprinzip des komparativen Vorteils 229
   III. Transformationsraten, Kostenverläufe und Außenhandel 234
      1. Spezialisierung und Außenhandel bei konstanten Kosten 234
      2. Spezialisierung und Außenhandel bei steigenden Kosten 239
      3. Spezialisierung und Außenhandel bei sinkenden Kosten 243
3. Kapitel: Produktionsgrundlagen des internationalen Handels 246
   I. Produktionsfunktionen und Transformationskurven 246
      1. Die geometrische Darstellung einer Produktionsfunktion 246
      2. Identische Faktorintensitäten 248
      3. Unterschiedliche Faktorintensitäten 251
      4. Nichtlineare Produktionsfunktionen (sinkende und steigende Niveaugrenzprodukte) 255
   II. Ursachen komparativer Kostendifferenzen 257
      1. Produktivitätsunterschiede 257
      2. Unterschiedliche Faktorausstattung 260
   III. Einkommensverteilung und internationaler Handel 262
      1. Änderungen der Faktorpreise 262
      2. Das Theorem vom Ausgleich der Faktorpreise 265
      3. Ist vollständiger Faktorpreisausgleich wahrscheinlich? 270
         3.1. Vollständige Spezialisierung 271
         3.2. Umschlagende Faktorintensitäten 272
         3.3. Weitere Bemerkungen 276
      4. Eine alternative Darstellung des Faktorpreisausgleichstheorems 278
   IV. Außenhandel und variables Faktorangebot 284
   V. Zwischenprodukte und internationaler Handel 288
4. Kapitel: Nachfragegrundlagen des internationalen Handels 293
   I. Indifferenzkurven und Außenhandelstheorie 293
      1. Individuelle Indifferenzkurven 293
      2. Gesellschaftliche Indifferenzkurven 295
      3. Verteidigung gesellschaftlicher Indifferenzkurven 301
   II. Die Bedeutung der Nachfrage für Richtung und Ausmaß des Außenhandels 303
      1. Produktions- und Nachfragegleichgewicht 303
      2. Außenhandel bei unterschiedlichen Nachfrage- und Angebotskonstellationen 305

Inhalt

5. Kapitel: Totales Gleichgewicht und reales Austauschverhältnis 313
   I. Die Bestimmung des Tauschgleichgewichts 313
      1. Das Tauschverhältnis bei konstanten Kosten 313
      2. Das Tauschverhältnis bei steigenden Kosten 319
   II. Stabilitätskriterien und Elastizitäten 323

6. Kapitel: Datenänderungen und Weltmarktgleichgewicht 330
   I. Wachstum und Außenhandel 330
      1. Die Wirkung von Produktivitätsänderungen auf das Weltmarktgleichgewicht 330
      2. Die Bedeutung unterschiedlicher Wachstumsformen für Handelsvolumen und Tauschverhältnis 335
   II. Einseitige Kapitalübertragungen und Austauschverhältnis 347

7. Kapitel: Erkenntniswert und offene Probleme der reinen Außenwirtschaftstheorie 351

8. Kapitel: Wohlstandseffekte des internationalen Handels 355
   I. Die Gewinne aus dem Außenhandel 355
      1. Die traditionelle Analyse 356
      2. Freihandelsgewinne und Kompensationskriterien 359
   II. Wohlfahrtsverluste durch den Außenhandel 367
      1. Unterbeschäftigung und starre Faktorpreise 367
      2. Soziale und private Kosten; unvollständige Konkurrenz 369
      Literatur zum III. Teil 376

IV. Teil: Die Zolltheorie   385

1. Kapitel: Grundlegende Bemerkungen 388
   I. Die wichtigsten Zollwirkungen im Überblick 388
   II. Zölle und Importkontingente 390

2. Kapitel: Der Schutzeffekt der Zölle (Der Effektivzoll) 393

3. Kapitel: Zölle und reales Austauschverhältnis 396
   I. Die Preiseffekte von Zöllen 396
   II. Der Optimalzoll 402
      1. Definition und Ableitung 402
      2. Optimalzoll und Kompensationskriterien 409
   III. Optimalzolltheorie und Retorsionszölle 414

4. Kapitel: Zölle und Einkommensverteilung 418
   I. Finanzzölle und Staatseinnahmen 418
   II. Zölle und Faktorpreise 420

5. Kapitel: Der Erziehungseffekt von Zöllen 425

6. Kapitel: Zölle, Zahlungsbilanz und Volkseinkommen 430
   I. Die Wirkung von Zöllen auf die Zahlungsbilanz 430
   II. Die Wirkung von Zöllen auf die Beschäftigung 433
      Literatur zum IV. Teil 434

Sachregister 437
Anhang   .... Klappkarte

Einleitung

Oft wurde und wird in der Literatur darüber diskutiert, wodurch sich die Außenwirtschaft von der Binnenwirtschaft unterscheidet, und ob es überhaupt gerechtfertigt sei, eine eigene Theorie der Außenwirtschaft aufzustellen. Die Klassiker bejahen diese Frage mit dem Hinweis, daß die Produktionsfaktoren nur innerhalb eines geschlossenen Wirtschaftsgebietes beweglich seien. Offensichtlich handelt es sich dabei aber nur um Gradunterschiede: Weder sind die Produktionsfaktoren innerhalb der Grenzen voll beweglich, noch können internationale Wanderungen von Arbeit und Kapital gänzlich ausgeschlossen werden. Jüngere Autoren griffen daher auf andere Merkmale zurück, um Außen- und Binnenwirtschaft voneinander abzugrenzen. So wurden erwähnt: Die Unterschiedlichkeit der nationalen Währungssysteme, die Existenz von handelspolitischen Schranken, Unterschiede des Rechts, der nationalen Wirtschaftspolitik, der Mentalität der Völker, Transportkosten und räumliche Distanz und viele Faktoren mehr. Aber auch hier geht es oft nur um graduelle, nicht um grundsätzliche Unterschiede. Ohne uns über das „Wesen" der Außenwirtschaft weiter den Kopf zu zerbrechen, können wir durchaus konzedieren, daß es eine „besondere" Theorie der Außenwirtschaft — losgelöst von der allgemeinen Theorie — nicht gibt. Diese war nur möglich im Rahmen der klassischen Arbeitswertlehre, von der das Theorem der komparativen Kosten eine wichtige Ausnahme bildet. Außenwirtschaftstheorie — wie wir sie heute verstehen — ist allgemeine Wirtschaftstheorie, angewendet auf bestimmte Sonderfälle und für diese Zwecke verfeinert und ausgebaut.

Man unterscheidet normalerweise zwischen der „monetären" und der „reinen" Außenwirtschaftstheorie. Gegenstand der monetären Theorie ist die Theorie vom Zahlungsbilanzausgleich, also die Untersuchung der Zusammenhänge zwischen Zahlungsbilanz einerseits und Wechselkurs, Volkseinkommen und Preisen andererseits. Da das Verständnis der monetären Theorie — wir werden sie im II. Teil behandeln — die genaue Kenntnis des Begriffs der Zahlungsbilanz voraussetzt, beschäftigt sich der I. Teil mit den Kategorien der Zahlungsbilanz und ihrer Stellung im Wirtschaftskreislauf. Die im III. Teil erörterte reine Theorie abstrahiert vom Gelde und sucht die realwirtschaftlichen Zusammenhänge des Außenhandels zu erfassen. Dabei bedient sie sich im wesentlichen der Methoden der Theorie des allgemeinen Gleichgewichts, wenn auch gelegentlich die partielle Gleichgewichtsanalyse zu Ehren kommt. Der IV. Teil enthält schließlich eine Darstellung der Zolltheorie; hier kommt es vor allem darauf an, die Ergebnisse der reinen — in geringerem Maße auch der monetären — Theorie für die Untersuchung eines handelspolitischen Instruments nutzbar zu machen.

Zum Schluß ist es notwendig, das Verhältnis der Theorie des internationalen Handels zur Standorttheorie kurz zu beleuchten, vor allem deshalb, weil die reine Theorie oft auch als Standorttheorie bezeichnet und mit dieser identifiziert wird. Das logische Verhältnis dieser Theorien läßt sich wohl am besten mit den Worten Haberlers umreißen — eines Ökonomen, der wie kaum ein anderer an der Entwicklung der modernen Außenhandelstheorie beteiligt war: „Die traditionelle Theorie des internationalen Handels steht auf einer höheren Stufe der Abstraktion; sie behandelt Länder als raumlose Punkte (Märkte) und abstrahiert (abgesehen von gelegentlichen Ausnahmen) vom binnenwirtschaftlichen Raum und Transportkosten. Die Standortlehre hingegen betont den Raumfaktor und ist „wirklichkeitsnäher". Gerade aus diesem Grunde, d. h. weil sie weniger abstrakt ist, ist es ihr aber noch nicht gelungen, ein umfassendes System des allgemeinen Gleichgewichts zu konstruieren. (Lösch kommt einer befriedigenden Lösung wohl am nächsten.) Erst wenn ihr dies gelingt, wird sie die Theorie des internationalen Handels als Spezialfall umfassen. Es empfiehlt sich wohl, das Ziel einer umfassenden Theorie von beiden Seiten her anzustreben"[1]). Die Standorttheorie hat zwar in jüngster Zeit den Anschluß an die allgemeine Gleichgewichtstheorie, vor allem durch das raumwirtschaftlich erweiterte Walras-System Lefebers[2]) und eine darauf aufbauende „Theorie des räumlichen Gleichgewichts" von v. Böventer[3]) gefunden. Damit ist jedoch zunächst nur eine grundsätzliche Verbindung, noch keine Fusion auf operativer Basis mit der Außenhandelstheorie erreicht. Nach wie vor stellt diese eine Fülle von Einzelinstrumenten zur Verfügung, die wir in der Standorttheorie nicht finden. Die meisten Lehrstücke der klassischen Außenhandelstheorie können wiederum einzelnen Forderungen der Standorttheorie Genüge tun, indem Transportkosten berücksichtigt werden; selbst das Theorem der komparativen Kosten kann seit Lösch und Isard mit dem raumwirtschaftlichen Aspekt versehen werden. Dennoch soll auf die Darstellung derartiger Implikationen durchgängig verzichtet werden, weil der Standorttheorie — wie Predöhl zu Recht bemerkt[4]) — mit dem primitiven Einbau der Transportkosten in die Modelle der reinen Theorie nicht viel gedient ist: Das eigentliche raumorientierte Wirtschaften kommt dadurch nicht genügend zum Ausdruck.

[1]) Haberler, G., Art. „Außenhandel (Theorie)", Handwörterbuch der Sozialwissenschaften, 1. Band, Göttingen 1956, S. 459.
[2]) Lefeber, L., Allocation in Space. Production, Transport and Industrial Location, Amsterdam 1958.
[3]) v. Böventer, E., Theorie des räumlichen Gleichgewichts, Tübingen 1962.
[4]) Predöhl, A., Neuere Literatur zur Außenwirtschaft, Jahrbuch für Sozialwissenschaft, Bd. 4/10, 1959, S. 99.

Allgemeine Literatur zur Außenwirtschaft

Bhagwati, J. N. (Hrsg.), International Trade, Harmondsworth 1969.
Bhagwati, J N., Jones, R. W., Mundell, R. A., Vanek, J. (Hrsg.), Trade, Balance of Payments and Growth, Amsterdam 1971.
Bombach, G. (Hrsg.), Beiträge zur Theorie der Außenwirtschaft, Berlin 1970.
Borchert, M., Außenwirtschaftslehre, Theorie und Politik, Opladen 1977.
Caves, R. E., Johnson, H. G. u. Kenen, P. B., Trade, Growth, and the Balance of Payments, Amsterdam 1965.
Caves, R., Johnson, H. G. (Hrsg.), Readings in International Economics, Homewood 1968.
Caves, R. E., Jones, R. W., World Trade und Payments — An Introduction, Boston 1973.
Clement, M. O., Pfister, R. L., Rothwell, K. J., Theoretical Issues in International Economics, London 1967.
Corden, W. M., Recent Developments in the Theory of International Trade, Princeton 1965.
Ellsworth, P. T., International Economics, New York 1945.
Ders., The International Economy, 3. Aufl., New York 1964.
Friedrich, K., International Economics, Concepts and Issues, New York/London/Düsseldorf/Tokyo 1974.
Funck, R., Außenwirtschaftstheorie, in: Kompendium der Volkswirtschaftslehre, Band 1, hrsg. von Ehrlicher, W. u. a., Göttingen 1975.
Glastctter, W., Außenwirtschaftspolitik, Köln 1975.
Graham, F. D., The Theory of International Values, Princeton 1948.
Gray, H. P., A Generalized theory of international trade, New York 1976.
Grubel, H., International Economics, Homewood 1977.
Haberler, G., Der internationale Handel, Berlin 1933 (englische Ausgabe: Theory of International Trade: With its Applications to Commercial Policy, New York 1950).
Ders., A Survey of International Trade Theory, Princeton 1961.
Harrod, R. F., International Economics, London 1963 (deutsche Ausgabe: Die internationalen Wirtschaftsbeziehungen, Bern 1945).
Hicks, J. R., Essays in World Economics, Oxford 1959.
Ders., Free Trade and Modern Economcis, Manchester 1951.
Johnson, H. G., International Trade and Economic Growth, London 1961.
Ders., Money, Trade and Economic Growth, London 1962.
Kemp, M. C., The Pure Theory of International Trade, Englewood Cliffs, New Jersey 1964.
Ders., The Pure Theory of International Trade and Investment, Englewood Cliffs, New Jersey 1969.
Kenen, P. B. (Hrsg.), International Trade and Finance: Frontiers for Research, Cambridge 1975.
Kindleberger, C. P., International Economics, 5. Aufl., Homewood/Ill. 1973.
Kruse, A., Außenwirtschaft. Die internationalen Wirtschaftsbeziehungen, 2. Aufl., Berlin 1965.

Leamer, E. und Stern, R., Quantitative International Economics, Boston 1973.
Marsh, D. B., World Trade and Investment, New York 1951.
McDougall, I. A., Snape, R. H. (Hrsg.), Studies in International Economics, Amsterdam 1970.
Metzler, L. A., The Theory of International Trade, in: A Survey of Contemporary Economics, hrsg. von H. S. Ellis, Philadelphia 1948.
Mundell, R. A., International Economics, New York—London 1968.
Negishi, T., General Equilibrium Theory and International Trade, Amsterdam—London 1972.
Pearce, I. F., International Trade, New York 1970.
Predöhl, A., Außenwirtschaft. Weltwirtschaft, Handelspolitik und Währungspolitik, 2. Aufl., Göttingen 1971.
Root, F. R., Kramer, R. L., d'Arlin, M. Y., International Trade and Finance, Cincinatti 1966.
Rose, K. (Hrsg.), Theorie der internationalen Wirtschaftsbeziehungen, Köln—Berlin 1965.
Schelling, Th., International Economics, Boston 1958.
Schittko, U., Lehrbuch der Außenwirtschaftstheorie, Stuttgart 1976.
Siebert, H., Außenhandelstheorie, 2. Aufl., Stuttgart 1977.
Södersten, B., International Economics, London 1970.
Staley, C. E., International Economics, Englewood Cliffs, New Jersey 1970.
Takayama, A., International Trade, New York 1972.
Vanek, J., International Trade: Economic Theory and Policy, Homewood/Ill. 1962.
Viner, J., International Economics, London 1952.
Ders., Studies in the Theory of International Trade, London 1960.
Walter, I., International Economics, 2. Aufl., New York 1975.
Wells, S. J., International Economics, London 1969.

Teil I

Die Zahlungsbilanz

1. Kapitel:
Begriff und Zusammensetzung der Zahlungsbilanz

I. Definitionen

a) Als Zahlungsbilanz eines Landes bezeichnet man die Aufzeichnung aller ökonomischen Transaktionen zwischen Einwohnern, Regierungen und Institutionen des Inlandes (Inländer) und Einwohnern, Regierungen und Institutionen des Auslandes (Ausländer) für eine bestimmte Periode, normalerweise für ein Jahr. Eine solche Aufzeichnung dient einmal Informationszwecken. Sie ermöglicht einen Überblick über den Grad der internationalen Verflechtung der heimischen Volkswirtschaft mit dem Ausland und — wenn Zahlen für eine Reihe von Jahren verfügbar sind — über zeitliche Entwicklung und Strukturwandlungen der internationalen Transaktionen. Solche Angaben haben einmal einen rein wissenschaftlichen Wert, unabhängig von der Möglichkeit zur praktischen Auswertung. Sie dienen aber auch zur Orientierung der wirtschaftspolitisch Verantwortlichen, da geld-, fiskal- und wettbewerbspolitische Maßnahmen oftmals durch die Lage der Zahlungsbilanz veranlaßt sind, in jedem Falle aber internationale Rückwirkungen haben, die aus einer genügend gegliederten Zahlungsbilanz abgelesen werden können.

b) Im Sinne der Zahlungsbilanzstatistik sind Inländer solche Wirtschaftssubjekte, die ihren festen Wohnsitz im Inland haben. Reisende aus anderen Ländern gelten demnach als Ausländer, ebenso diplomatische Vertreter fremder Staaten und Angehörige ausländischer Streitkräfte. Alle Käufe und Verkäufe, die diese Personen im Gastland tätigen, werden demnach als Transaktionen zwischen In- und Ausland angesehen und in der Zahlungsbilanz erfaßt.

c) Ökonomische Transaktionen zwischen In- und Ausland sind Übertragungen von Gütern, Dienstleistungen und Vermögenstiteln. Je nach der Art der Transaktionen kann man die Zahlungsbilanz in einzelne Positionen unterteilen: In die Leistungsbilanz (einschließlich Bilanz der Übertragungen), in der im wesentlichen Einfuhr und Ausfuhr von Gütern und Dienstleistungen erfaßt werden, und in die Kapitalbilanz (einschließlich Devisenbilanz), die die Veränderung der Verbindlichkeiten und Ansprüche gegenüber dem Ausland registriert.

II. Die Leistungsbilanz

1. Posten der Leistungsbilanz und unentgeltliche Leistungen

a) In der Leistungsbilanz wird zunächst der Wert aller Aus- und Einfuhren von Gütern und Dienstleistungen aufgezeichnet. Der Leistungsverkehr zerfällt in zwei große Kategorien: den Export und Import von Waren — deren Gegenüberstellung als Handelsbilanz bezeichnet wird — und den

Begriff und Zusammensetzung der Zahlungsbilanz

als „unsichtbaren" Export und Import bezeichneten Dienstleistungsverkehr. Als Dienstleistungen sind eine Fülle von Transaktionen registriert, die teilweise nur deshalb unter diesem Namen zusammengefaßt sind, weil man sie schlecht an anderer Stelle einordnen kann. Zu diesen Dienstleistungen gehören die Einnahmen aus dem internationalen Touristenverkehr, Frachtkosten, die durch den Export und Import von Gütern entstehen, Einnahmen aus Patenten und Lizenzen, internationale Versicherungszahlungen (z. B. durch die Versicherung von Wareneinfuhren bedingte Zahlungen) sowie Ausgaben von im Inland stationierten fremden Streitkräften, ein Posten, der gerade in der Bundesrepublik von großer Bedeutung ist. Schließlich gehören auch Zinsen, Gewinne und Dividenden aus Kapitalanlagen im Ausland in die Leistungsbilanz, weil man diese Erträge als Entgelt für geleistete Kapitaldienste deuten kann.

Tabelle 1 zeigt die Leistungsbilanz der Bundesrepublik für das Jahr 1975.

Tabelle 1

Leistungsbilanz (außer Übertragungen)

Mill. DM

	Ausfuhr bzw. Einnahmen	Einfuhr bzw. Ausgaben
Warenverkehr (fob-Werte)	249 811	207 883
Reiseverkehr	7 144	20 830
Seefrachten	5 811	4 560
Binnenschiffsfrachten	89	299
Sonstige Frachten	1 395	1 307
Personenbeförderung	2 139	2 345
Hafendienste	2 272	3 199
Reparaturen an Transportmitteln	344	45
Sonstige Transportleistungen	177	837
Versicherungen	1 501	2 402
Provisionen, Werbe- und Messekosten	841	5 119
Lizenzen und Patente	796	2 052
Kapitalerträge	12 553	11 686
Arbeitsentgelte	2 373	3 869
Bauleistungen, Montagen, Ausbesserungen	2 633	3 036
Regierung	464	2 133
Leistungen für ausl. milit. Dienststellen	7 838	—
Andere Dienstleistungen	3 305	3 686
Insgesamt:	301 486	275 287
Ausfuhrüberschuß (+):	+ 26 199	

(Quelle: Statistisches Jahrbuch für die Bundesrepublik Deutschland 1976, S. 532)

Aus dieser Aufstellung geht hervor, daß der Warenverkehr die übrigen Posten an Bedeutung weit überragt. Ähnlich sind die Verhältnisse in den meisten anderen Ländern, obwohl es natürlich auch Ausnahmen gibt, wie z. B. bei ausgesprochenen Reiseländern oder Schiffahrtsnationen (Norwegen), wo die Einnahmen aus Dienstleistungen selbst in Relation zu den Exporteinnahmen nicht unbeträchtlich sind.

Exporte werden als Credit-Posten verbucht, weil der Ausfuhr von Gütern Zahlungseingänge entsprechen oder entsprechen können. Entscheidend für die Verbuchung von Exporten als Credit-Posten ist nicht, daß Zahlungen

II. Die Leistungsbilanz

tatsächlich geleistet werden. Auch unentgeltliche Exporte oder Exporte auf Kredit sind Credit-Posten. Es ist lediglich die Überlegung von Bedeutung, daß Exporte zu Zahlungseingängen führen m ü ß t e n , wenn Zahlungen getätigt w ü r d e n. Ob und wann die Zahlung tatsächlich erfolgt, spielt keine Rolle für die Verbuchung der Exporte (wohl aber — wie später zu zeigen ist — für die Art der Gegenbuchung). Analoge Überlegungen gelten für die Behandlung von Importen. Eine Wareneinfuhr erscheint als Debet-Posten, denn Importe können Zahlungen an das Ausland bewirken[1]).

Hält man sich an die Regel, daß alle Transaktionen, die zu Zahlungseingängen führen oder führen könnten, als Credit-Posten und alle Transaktionen, die zu Zahlungsausgängen führen oder führen könnten, als Debet-Posten registriert werden, so fällt es nicht schwer, zu entscheiden, auf welcher Seite der Bilanz die übrigen Leistungen aufzuführen sind. So wirken die Käufe ausländischer Touristen wie eine W a r e n a u s f u h r , da sie dem Inland Einnahmen verschaffen.

Gleiches gilt für Zinszahlungen aus ausländischen Kapitalanlagen, Einnahmen aus der Beförderung ausländischer Waren mit eigenen Schiffen, Ausgaben ausländischer Streitkräfte im Inland usw.: Alle Leistungen, für die diese Zahlungen getätigt werden, bringen dem Inland Zahlungseingänge und sind folglich als Credit-Posten zu behandeln.

b) Wie jede Bilanz wird auch die Zahlungsbilanz grundsätzlich nach den Regeln der doppelten Buchführung aufgestellt. Den in der Leistungsbilanz erfaßten Güter- und Dienstleistungstransaktionen entsprechen daher Gegenbuchungen in anderen Teilbilanzen der Zahlungsbilanz, z. B. der Kapitalbilanz, wenn die Leistungstransaktionen kreditiert werden, oder der Devisenbilanz, wenn Exporte und Importe zu Änderungen der Devisenreserven der Zentralbank führen (vgl. Abschnitt III). Gelegentlich werden Leistungen aber auch unentgeltlich getätigt. Die Gegenbuchungen zu diesen Güter- und Dienstleistungsbewegungen, aber auch den finanziellen Transaktionen, die unentgeltlich erfolgen, sind dann in der Bilanz der unentgeltlichen Leistungen — auch Bilanz der Übertragungen genannt — zu finden. In diese Bilanz gehören: Geschenke von Privaten an Ausländer, Reparationsleistungen an ausländische Regierungen, Leistungen an das Ausland aus Wiedergutmachungsabkommen (z. B. deutsche Zahlungen an Israel), Beiträge für internationale Organisationen und — für die USA — unentgeltliche Militärhilfen. Auch die Überweisungen ausländischer Gastarbeiter in ihre Heimatländer werden in dieser Bilanz erfaßt.

Während früher nur die Gegenüberstellung aller Güter- und Dienstleistungsbewegungen als Leistungsbilanz bezeichnet wurde, nimmt die Bundesbank seit dem Herbst 1971 auch die „Übertragungen" in diese Bilanz auf. W i r w o l l e n d a h e r i m f o l g e n d e n z w i s c h e n d e r L e i s t u n g s b i l a n z i m e n g e r e n S i n n e (o h n e Ü b e r t r a g u n g e n) u n d d e r L e i s t u n g s b i l a n z i m w e i t e r e n S i n n e u n t e r s c h e i d e n. Während der Saldo der Leistungsbilanz im engeren Sinne — der im wesentlichen mit dem „Außenbeitrag" der volkswirtschaftlichen Gesamtrechnung identisch ist — die für kreislauftheoretische ex ante-Untersuchungen relevante Größe ist, gibt der Saldo der Leistungsbilanz im weiteren Sinne die Änderung der Vermögensposition des Inlands gegenüber dem Ausland an (vgl. Abschnitt IV). Wenn nicht ausdrücklich anderes gesagt ist, w i r d i m f o l g e n d e n a l s L e i s t u n g s b i l a n z s t e t s d i e L e i s t u n g s b i l a n z i m e n g e r e n S i n n e v e r s t a n d e n. In den meisten Kapiteln

---

[1]) Zahlungseingänge und Zahlungsausgänge entsprechen den „receipts" und „payments" der anglo-amerikanischen Literatur.

dieses Buches ist die Unterscheidung ohnehin nicht von Bedeutung, da oft von unentgeltlichen Leistungen abstrahiert wird.

2. Bewertung und Erfassung

a) In den bisherigen Ausführungen wurde die Frage vernachlässigt, wie Exporte und Importe zu bewerten sind; wir haben implizit unterstellt, daß die Bewertungsfragen ohne Schwierigkeiten gelöst werden können. Das ist nun keineswegs so. Eine Ware, die im Exportland einen Preis von DM 50,— erzielt, wird z. B. durch Transport- und Versicherungskosten um DM 10,— verteuert, so daß sie bei Ankunft im Importland DM 60,— kostet. Sollen nun die Importe mit einem Wert von DM 50,— oder von DM 60,— eingesetzt werden?

Von beiden Möglichkeiten kann bei der Aufstellung von Zahlungsbilanzen Gebrauch gemacht werden. Dort sind diese Möglichkeiten der Bewertung unter den Namen „fob" (free on board) und „cif" (cost, insurance, freight) bekannt. Eine Bewertung nach dem fob-Verfahren bedeutet, daß für Exporte und Importe der Wert bei Überschreiten der Grenzen des Exportlandes — einschließlich anfallender Kosten der Beladung auf ein Transportmittel — zugrunde gelegt wird. Für das betrachtete Land ist also der fob-Wert der Exporte gleich dem Wert der Exporte an der eigenen Grenze und der fob-Wert der Importe gleich dem Wert der Importe bei Überschreiten der Grenze des Lieferlandes. Dagegen umfaßt der cif-Wert auch die Kosten für Transport und Versicherung bis zur Grenze des Empfängerlandes. Ein Land, das seine Warenströme mit dem cif-Wert ansetzt, legt also für die Importe den Wert an der eigenen Grenze — d. h. den fob-Wert plus Transport- und Versicherungskosten — zugrunde, während der Wert seiner Exporte dem Wert bei Überschreiten der fremden Grenze entspricht. Eine dritte Bewertungsmethode, das fas-Verfahren (free alongside ship), ist schließlich nur eine Variante der fob-Methode und unterscheidet sich von dieser dadurch, daß keine Ladekosten einbezogen sind.

In den Außenhandelsstatistiken wird die Ausfuhr allgemein mit dem fob-Wert (evtl. auch dem fas-Wert) angesetzt, während es gelegentlich üblich ist, die Einfuhr mit dem cif-Wert zu erfassen; dann werden beide Handelsströme, Exporte und Importe, mit dem Wert an der eigenen Grenze aufgezeichnet. Andererseits wird manchmal nicht nur die Ausfuhr, sondern auch die Einfuhr mit dem fob-Wert angesetzt (vgl. die Zahlungsbilanz-Aufstellungen des Statistischen Bundesamtes). Durch solche Umstellungen erhält die Zahlungsbilanz ein anderes Gesicht, wie an einem einfachen Beispiel leicht gezeigt werden kann. Wir wollen annehmen, daß Exporte und Importe mit fob-Werten von DM 500,— und DM 700,— angesetzt werden. Für die Importe wendet das betrachtete Land DM 100,— an Transportkosten auf, von denen DM 60,— an ausländische und DM 40,— an eigene Transportunternehmen gezahlt werden. Die fob-Bilanz zeigt dann folgendes Bild:

Leistungsbilanz

Credit		Debet	
Güterexporte fob	500	Güterimporte fob	700
Saldo	260	Dienstleistungsimporte	60
Insgesamt	760	Insgesamt	760

Werden die Importe jedoch mit dem cif-Wert angesetzt, so erhält man eine Leistungsbilanz mit neuen Werten:

Leistungsbilanz

Credit		Debet	
Güterexporte fob	500	Güterimporte cif	800
Dienstleistungsexporte	40		
Saldo	260		
Insgesamt	800	Insgesamt	800

Der Wert der Warenimporte ist jetzt um DM 100,—, also um den Betrag der Transportkosten höher. Folglich wird der Dienstleistungsimport von DM 60,— (Zahlungen an ausländische Transporteure) nicht mehr gesondert ausgewiesen, denn er ist im cif-Wert der Importe enthalten. Die verbleibenden DM 40,— des gestiegenen Importwertes repräsentieren Einnahmen inländischer Transportunternehmen, die diesen für die Beförderung ausländischer Waren in das Inland zufließen. Da dieser Betrag im Werte der Importe enthalten ist, kann man die Summe von DM 40,— als Wert eines Dienstleistungsexportes ansehen, der von den inländischen Transporteuren durch Beförderung ausländischer Waren in das Inland erbracht wird.

Ein Vergleich beider Methoden zeigt, daß zwar der Saldo der Leistungsbilanz unverändert bleibt, die Gesamtsummen der Credit- und Debet-Posten aber und ihre Aufteilung auf Güter- und Dienstleistungsverkehr unterschiedlich sind. Diese Unterschiede sind keineswegs nur formaler Natur, wie sich am besten zeigen läßt, wenn man annimmt, daß nur zwei Länder am Außenhandel beteiligt sind. Erfaßt nämlich jedes Land die Ausfuhr mit dem fob-Wert und die Einfuhr mit dem cif-Wert, so ist der Einfuhrwert des Landes A größer als der Exportwert des Landes B. (Im Beispiel würden die cif-Werte der Importe nach A DM 800,—, die fob-Werte der Exporte in dieses Land DM 700,— betragen.) Wird andererseits die fob-Methode auch bei der Bewertung der Importe angewendet, so repräsentiert der Importwert des Landes A auch den Exportwert des Landes B. Um die Leistungsbilanz von Land B zu erhalten, ist es nur notwendig, die Bezeichnung „Credit" und „Debet" in der Bilanz des Landes A auszutauschen. Bei genereller fob-Bewertung wird der Güterverkehr von B nach A in beiden Bilanzen ausschließlich Fracht und Versicherung erfaßt, und alle Transport- und Versicherungsleistungen, die von Bürgern des Landes B mit dem Ziel erbracht werden, Waren nach A zu schaffen, erscheinen dann als Dienstleistungsexport in der Bilanz von B und als Dienstleistungsimport in der Bilanz von A. Daher dürfte die Bewertung von Aus- und Einfuhr nach der gleichen Methode vorzuziehen sein.

b) Bei der Aufstellung von Zahlungsbilanzen muß aber nicht nur über die Bewertung, sondern auch über den Zeitpunkt, in dem die Handelsströme zu erfassen sind, entschieden werden. Hier bieten sich wieder mehrere Möglichkeiten an. Transaktionen können erfaßt werden, 1. wenn Güter die Grenzen überschreiten, 2. wenn Zahlungen geleistet werden und 3. wenn ein Vertrag über die Lieferung von Waren abgeschlossen ist. Die Werte der Zahlungsbilanz würden durch solche unterschiedlichen Erfassungsmethoden kaum beeinflußt werden, wenn das Volumen des Güterstromes im Zeitablauf unverändert bleibt und die Zeitdifferenzen zwischen Vertragsabschluß, Lieferung und Zahlung in etwa konstant sind. Treffen diese Voraussetzungen hingegen nicht zu, so können sich erhebliche Unterschiede in den Bilanzposten ergeben, je nachdem, welche Methode man anwendet. Jedes der möglichen Verfahren hat seinen Nachteil. Ein starker Anstieg der Importe würde

z. B. nicht in der Periode, in der die Importerhöhung stattfindet, erfaßt werden können, wenn die Zahlungen erst in der nächsten Periode getätigt werden und eine Verbuchung auf Zahlungsbasis (Fall 2) erfolgt. Auch das Vertragsabschlußverfahren kann in die Irre führen, z. B. dann, wenn im laufenden Jahr Verträge über größere Güterimporte in zukünftigen Jahren abgeschlossen werden. Es entsteht dann leicht ein falsches Bild, weil diese Einfuhren, obwohl sie erst in künftigen Perioden getätigt werden, schon in der Bilanz des laufenden Jahres erscheinen. Nach allem dürfte es daher am zweckmäßigsten sein, die Güterströme in dem Zeitpunkt zu erfassen, in welchem sie tatsächlich die Grenzen überschreiten. Wir werden allerdings später sehen, daß die Lieferung von Gütern auf Kredit bei dieser Erfassungsmethode einen unerfreulichen Posten — verschämt als „ungeklärte Beträge" deklariert — in der Zahlungsbilanz entstehen läßt.

III. Kapitalbilanz und Devisenbilanz

a) Der Begriff „Kapitalbilanz" wird nicht einheitlich definiert. Im weiteren Sinne umfaßt dieser Begriff alle Kapitalbewegungen, d. h. solche Transaktionen, durch welche die Ansprüche und Verbindlichkeiten gegenüber dem Ausland ihrer Höhe oder Zusammensetzung nach geändert werden. Nach der Definition des Statistischen Bundesamtes sind Ansprüche wirtschaftliche Rechte gegen das Vermögen fremder Volkswirtschaften und Verbindlichkeiten Anrechte auf Teile des eigenen Volksvermögens, die sich in der Hand von Ausländern befinden. Den Saldo zwischen Forderungen und Verbindlichkeiten eines Landes gegenüber dem Ausland bezeichnet man als Netto-Auslandsposition oder (positives oder negatives) Netto-Auslandsvermögen. Das Netto-Auslandsvermögen einer Volkswirtschaft nimmt demnach zu, wenn die Ansprüche durch Kapitalbewegungen größer und/oder die Verbindlichkeiten kleiner werden. Indessen bewirken nicht alle Kapitalbewegungen Änderungen der Netto-Auslandsposition eines Landes, z. B. dann nicht, wenn der Kauf ausländischer Grundstücke durch den Verkauf ausländischer Wertpapiere oder Kreditaufnahme im Ausland finanziert wird. Da in diesen Fällen nur eine Umschichtung der Forderungen (Aktivtausch) oder eine gleich große Zunahme der Forderungen und Verbindlichkeiten (Bilanzverlängerung) stattfindet, bleibt der Saldo zwischen Ansprüchen und Verbindlichkeiten unverändert.

Die Kapitalbilanz im weiteren Sinne enthält außer vielen anderen Transaktionen auch die Änderungen der bei der Zentralbank gehaltenen Währungsreserven. Diese Währungsreserven bestimmen das Ausmaß der Zahlungsfähigkeit einer Volkswirtschaft gegenüber dem Ausland; sie bestehen aus Gold, Devisen, der Reserveposition des Landes im Internationalen Währungsfonds sowie den Sonderziehungsrechten[2]). In der Kapitalbilanz wird eine Änderung dieser Aktiva deshalb erfaßt, weil eine Zunahme der Reserven ceteris paribus zusätzliche Ansprüche an das Ausland entstehen läßt. Oft werden jedoch die Bewegungen der Währungsreserven bei der Zentralbank in einer gesonderten Devisenbilanz erfaßt, so daß die Kapitalbilanz in weiteren Sinne nunmehr zwei Teilbilanzen umfaßt: die D e v i s e n b i l a n z und die K a p i t a l b i l a n z im e n g e r e n S i n n e, welche

---

[2]) Sonderziehungsrechte sind Gutschriften in den Büchern des IWF zugunsten eines Landes, mit deren Hilfe sich dieses Land Währungen anderer Länder beschaffen kann. Solche Sonderziehungsrechte wurden erstmals 1970 ausgeteilt.

III. Kapitalbilanz und Devisenbilanz

alle Kapitalbewegungen im Bereiche der privaten Haushalte und Unternehmungen, des Staates und der Geschäftsbanken registriert.

b) In der Kapitalbilanz im engeren Sinne wird demnach die Änderung der Ansprüche und Verbindlichkeiten von Wirtschaftssubjekten außer der Zentralbank gegenüber dem Ausland erfaßt. Man spricht von einem Kapitalexport, wenn die Summe dieser Forderungen ansteigt, neue begründete Forderungen also nicht durch den Abbau anderer Forderungen kompensiert werden. Umgekehrt liegt ein Kapitalimport dann vor, wenn das Volumen der zusätzlich entstehenden Verbindlichkeiten die Liquidation von Verbindlichkeiten übersteigt.

Kapitalexporte und Kapitalimporte umfassen eine Fülle verschiedener Transaktionen. Zum Kapitalexport rechnen z. B. der Erwerb von Vermögenstiteln im Ausland, sei es in Form von Landkäufen, Eigentum an Zweigbetrieben oder Wertpapierbesitz und die Gewährung von Anleihen an Personen, Unternehmen oder Regierungen des Auslands. Auch die Erhöhung der Auslandsforderungen von Geschäftsbanken in Form von Bankguthaben oder Geldmarktanlagen kann zum (kurzfristigen) Kapitalexport gerechnet werden. Schon die Aufzählung dieser Transaktionen macht deutlich, daß die Kapitalbewegungen eines Landes unter verschiedenen Gesichtspunkten geordnet werden können. Man trennt zunächst zwischen kurz- und langfristigen Transaktionen. Zu den kurzfristigen Ansprüchen und Verbindlichkeiten rechnet das Statistische Bundesamt Bargeld, Guthaben, Wechsel und andere Forderungen und Verpflichtungen bis zur Laufzeit von einem Jahr. Dagegen gehören alle Forderungen und Verpflichtungen mit mehr als einjähriger Laufzeit sowie alle Eigentumsrechte wie Aktien, GmbH-Anteile und Eigentum an Zweigbetrieben zu den langfristigen Ansprüchen und Verbindlichkeiten. Neben der Aufteilung nach der Fristigkeit findet man regelmäßig auch eine Trennung des Kapitalverkehrs nach Sektoren, indem z. B. zwischen den Transaktionen der privaten Haushalte und Unternehmen, des Staates und der Geschäftsbanken differenziert wird.

c) Der Kapitalexport wird in der Zahlungsbilanz als Debet-Posten, der Kapitalimport als Credit-Posten erfaßt. Oft hat der Anfänger Schwierigkeiten, diese Regel zu verstehen, denn er ist nur zu leicht geneigt, eine Ausfuhr von Kapital — z. B. die Gewährung eines Kredits — ebenso wie eine Warenausfuhr, nämlich als Credit-Posten zu behandeln. Die Regel wird aber verständlich, wenn man überlegt, daß ein Kapitalexport — geradeso wie die Wareneinfuhr — Zahlungen an das Ausland notwendig macht; wir haben aber gesehen, daß alle Transaktionen, die Zahlungsausgänge bewirken, als Debet-Posten registriert werden. Ob Inländer dem Ausland Anleihen gewähren, ob sie ausländische Wertpapiere kaufen oder Eigentum an fremden Betrieben erwerben — in jedem Falle handelt es sich um auszahlungswirksame Transaktionen, also Debet-Posten. Oft hilft zum Verständnis auch die Überlegung, daß Kapitalexporte eine Einfuhr von Forderungsrechten darstellen, die eben in der gleichen Weise wie Güterimporte behandelt werden. Schließlich mag der Leser sich vor Augen führen, daß die Verbuchung von Kapitalexporten der Behandlung von Forderungsrechten in der Geschäftsbuchhaltung entspricht, wo eine Erhöhung der Debitoren ebenfalls auf der Sollseite (Debetseite) des Kontos „Debitoren" gebucht wird.

Umgekehrt stellen Kapitalimporte Credit-Posten dar, weil solche Transaktionen erstens zu Zahlungen an das Inland führen (wie Warenexporte auch) und zweitens als Ausfuhr von Forderungsrechten angesehen werden können. Kapitalimporte und Warenexporte werden also in gleicher Weise behandelt. Das ist auch deshalb verständlich, weil beide Transaktionen das Angebot an Devisen (ausländischem Geld) auf dem Devisenmarkt vergrößern, während Kapitalexporte und Warenimporte zur Nachfrage nach Devisen beitragen.

d) Monetäre Goldexporte erscheinen in der Kapitalbilanz (im weiteren Sinne) auf der Credit-Seite, Goldimporte auf der Debet-Seite. Der Export von Gold wird also dem Export von Waren gleichgestellt, weil diese wie jene Transaktion dem Inland ausländische Währung verschafft. Der effektiven Goldversendung gleichgesetzt ist die Übertragung des Anspruches auf Goldbestände von der inländischen an die ausländische Zentralbank, ohne daß dieses Gold wirklich exportiert wird.

Ebenso wie eine Erhöhung der Goldbestände wird auch eine Zunahme der zentralen Devisenreserven sowie der Sonderziehungsrechte[3]) als Debet-Posten verbucht. Da sich die Forderungen an das Ausland durch eine Verbesserung der Devisenposition erhöhen, muß ein Zugang an Devisen wie andere Formen des Kapitalexports behandelt werden. Zur Verdeutlichung der Zusammenhänge mag ferner der Hinweis nützlich sein, daß eine Erhöhung von Kassenbeständen auch in der Geschäftsbuchhaltung als Debet-Posten registriert wird.

IV. Der statistische Ausgleich der Zahlungsbilanz

a) Die Teilbilanzen einer Zahlungsbilanz sind normalerweise niemals ausgeglichen. Entscheidungen über Ausfuhren und Einfuhren, Kapitalexporte und Kapitalimporte werden jeweils von verschiedenen Personen getroffen, so daß es schon sonderbar zugehen müßte, wenn die Pläne der Exporteure mit denen der Importeure und die der Kapitalexporteure mit denen der Kapitalimporteure übereinstimmen würden. Während aber Leistungs- und Kapitalbilanz für sich genommen praktisch niemals ausgeglichen sind, müssen sich die Seiten der Zahlungsbilanz, als Zusammenfassung aller Teilbilanzen, stets entsprechen. „Stets entsprechen" heißt hier: Sie sind immer gleich und nicht nur in einem irgendwie definierten Gleichgewichtszustand. Diese Aussage wird durch Tabelle 2 verdeutlicht.

Auf der linken Seite dieser fiktiven Zahlungsbilanz stehen alle Transaktionen, die den Inländern Verfügungsgewalt über ausländische Kaufkraft verschafft haben, sei es durch Waren- und Dienstleistungsexporte, unentgeltliche Leistungen des Auslandes und Kapitalimporte in den verschiedensten Formen. Es handelt sich in unserer Terminologie um Transaktionen, die zu Zahlungseingängen führen. Auf der rechten Seite wird gezeigt, in welcher Weise die Inländer über die ausländische Kaufkraft verfügt haben. Sie importieren Güter und Dienstleistungen, tätigen unentgeltliche Leistungen, kaufen Gold, gewähren Anleihen, erhöhen ihre Devisenbestände — um nur einige der Möglichkeiten zu nennen. Da auf der Creditseite alle Quellen aufgeführt sind, aus denen dem Inland ausländische Kaufkraft zufließt, und auf der Debetseite registriert wird, in welcher Art die Inländer von diesen Eingängen Gebrauch gemacht haben, müssen beide Seiten der Bilanz notwendig übereinstimmen[4]). Die Teilbilanzen sind dagegen unausgeglichen: Die Leistungsbilanz hat einen Überschuß von DM 140,—, der aber durch ein

---

[3]) Da Sonderziehungsrechte den Ländern ohne Gegenleistung vom IWF zur Verfügung gestellt werden, erfolgt bei der Zuteilung von Sonderziehungsrechten (Debet-Posten) die Gegenbuchung auf der Credit-Seite unter dem Titel „Ausgleichsposten für zugeteilte Sonderziehungsrechte".

[4]) Diese (heute allgemein gebräuchliche) Erklärung des statistischen Zahlungsbilanzausgleichs findet sich in besonders klarer Form bei M e a d e , J. E., The Theory of International Economic Policy, Bd. I, The Balance of Payments, London, New York, Toronto 1951, nachgedruckt 1961, S. 33 ff.

IV. Der statistische Ausgleich der Zahlungsbilanz

Tabelle 2
Zahlungsbilanz

Credit (Zahlungseingänge aus)		Debet (Zahlungsausgänge an)	
1. Warenexporte	500	5. Warenimporte	400
2. Dienstleistungsexporte	100	6. Dienstleistungsimporte	60
3. Unentgeltliche Leistungen (Geschenke und Hilfszahlungen des Auslandes)	50	7. Unentgeltliche Leistungen (Geschenke und Hilfszahlungen an das Ausland)	70
4. Kapitalimporte (Zunahme der Verpflichtungen gegenüber dem Ausland abzüglich Liquidation von Verpflichtungen)	300	8. Kapitalexporte (neu begründete Forderungen an das Ausland abzüglich Liquidation von Forderungen)	380
		9. Nettozunahme der zentralen Gold- und Devisenreserven	40
Insgesamt	950	Insgesamt	950

Defizit der Übertragungsbilanz von DM 20,— (Überschuß der Übertragungen an das Ausland) und durch eine Zunahme des Netto-Auslandsvermögens von DM 120,— (Überschuß der Kapitalexporte über die Kapitalimporte und Nettozunahme an Gold und Devisen) finanziert worden ist.

Nun mag man dieser Konstruktion entgegen halten, daß nicht alle Credit-Transaktionen zu Zahlungseingängen führen, z. B. dann nicht, wenn Exporte auf Kredit getätigt werden, also gleichzeitig ein Kapitalexport stattfindet. In solchen Fällen ist es indessen möglich, Zahlungsvorgänge zu fingieren und somit anzunehmen, daß der Unternehmer Zahlungen in seiner Eigenschaft als Exporteur empfangen und in seiner Funktion als Kreditgeber (Kapitalexporteur) getätigt hat. Die Zahlungsbilanz ist also deshalb ausgeglichen, weil stets die triviale Beziehung gilt, daß die Summe der tatsächlichen oder fingierten Zahlungseingänge der Summe der Verwendungen dieser Mittel entspricht.

b) Daß die Zahlungsbilanz stets ausgeglichen ist, wird auch durch die Überlegung klar, daß jede Transaktion gemäß dem Prinzip der doppelten Buchführung zweimal aufgezeichnet wird[5]). Wir wählen als Beispiel einen Warenimport von DM 100,—, der entweder durch Goldversendung (Fall 1), Devisenkauf bei der Zentralbank (Fall 2), Gewährung eines Kredits durch den ausländischen Lieferanten (Fall 3) finanziert worden ist oder ohne Gegenleistung, d. h. als Geschenk (Fall 4) zustande kommt. Der Import wird auf der Debetseite der Leistungsbilanz gebucht.

Leistungsbilanz

Credit	Debet	
	Import	100

[5]) Das gilt im Prinzip. Durch statistische Schwierigkeiten bedingt ist es aber manchmal nur möglich, Salden zu erfassen.

Begriff und Zusammensetzung der Zahlungsbilanz

Die Gegenbuchungen erfolgen in den einzelnen Fällen wie folgt:

Fall 1
Kapitalbilanz im weiteren Sinne
(einschl. Devisenbilanz)

Credit		Debet
Goldexport	100	

Fall 2[6])
Kapitalbilanz im weiteren Sinne
(einschl. Devisenbilanz)

Credit	Debet	
	Abnahme des Devisenbestandes	— 100

Fall 3
Kapitalbilanz

Credit		Debet
Kapitalimport: Aufgenommener Kredit	100	

Fall 4
Unentgeltliche Leistungen

Credit	Debet	
Geschenke des Auslandes 100		

In jedem Fall ist die Zahlungsbilanz ausgeglichen, weil das Defizit der Leistungsbilanz durch entsprechende Salden der Kapitalbilanz (Fälle 1—3) oder der Übertragungsbilanz (Fall 4) kompensiert wird. Der Ausgleich kommt jedoch auch dann zustande, wenn die Transaktionen sich nicht in der realen u n d finanziellen Sphäre, sondern nur im finanziellen Bereich vollziehen, also nur die Kapitalbilanz im weiteren Sinne berühren. Auch dazu zwei Beispiele:

Fall 1: Eine Regierungsanleihe an das Ausland wird in Gold gewährt:

Kapitalbilanz im weiteren Sinne

Credit		Debet	
Goldexport	100	Kapitalexport: Gewährung einer Anleihe	100

Fall 2: Inländer kaufen ausländische Wertpapiere durch Auflösung von Devisenkonten.

Kapitalbilanz

Credit	Debet	
	Kapitalexport: Kauf von ausländischen Wertpapieren	100
	Abnahme des Devisenbestandes	— 100

---

[6]) Die Abnahme des Devisenbestandes könnte man auch mit einem Pluszeichen versehen auf der linken Seite buchen, da eine Abnahme der Ansprüche einer Zunahme der Verpflichtungen entspricht.

IV. Der statistische Ausgleich der Zahlungsbilanz

In den bisher behandelten Fällen waren Änderungen der zentralen Währungsreserven stets die Folge von Transaktionen im Leistungs- und Kapitalverkehr. Variationen von Währungsreserven können aber auch dann zustande kommen, wenn das betreffende Land Sonderziehungsrechte ohne spezifisches Entgelt vom IWF enthält oder aber der Wechselkurs geändert wird und sich der DM-Wert der Devisenbestände auf diese Weise ändert. So bedeutet z. B. eine Abwertung des Dollars (Aufwertung der DM), daß der DM-Wert der Dollarreserven fällt. Zum Zwecke des rechnerischen Ausgleichs der Gesamtzahlungsbilanz werden dann — wie die folgenden zwei Beispiele zeigen — Ausgleichsposten eingesetzt.

Zahlungsbilanz

Ausgleichs-posten für Sonderziehungsrechte + 100	Zunahme der Währungsreserven durch Zuteilung von Sonderziehungsrechten + 100

Zahlungsbilanz

	Abnahme des DM-Wertes der Devisenreserven durch Kursänderung — 100
	Ausgleichsposten für Wechselkursänderung + 100

c) Wenn alle internationalen Transaktionen vollzählig und genau erfaßt werden, muß die Debetseite der zusammengefaßten Teilbilanzen größenmäßig genau mit der Creditseite übereinstimmen. In der Praxis ergibt sich diese Übereinstimmung jedoch nur höchst selten, so daß die Zahlungsbilanz nur durch einen fiktiven Posten „Ungeklärte Beträge" (errors and omissions; Saldo der statistisch nicht aufgliederbaren Transaktionen) ausgeglichen werden kann. Betrachten wir z. B. die Zahlungsbilanz für die Bundesrepublik Deutschland im Jahre 1976 (Tabelle 3).

Tabelle 3

Zahlungsbilanz

Credit (Zahlen in Mill. DM) Debet

Überschuß der Güter und Dienstleistungsausfuhr	26 240	Überschuß der Übertragungen an das Ausland	17 785
Nettokapitalimporte (im engeren Sinn)	766	Zunahme der Währungsreserven	1 301
		Ausgleichsposten für Kursänderungen und Sonderziehungsrechte	7 489
	27 006		26 575
		Ungeklärte Beträge	431
			27 006

Der Überschuß der Leistungs- und Kapitalbilanz (beide im engeren Sinn) von 27 006,— wurde durch den Saldo der Übertragungen (17 785,—) nicht ausgeglichen, so daß insofern ein Zufluß von Währungsreserven von 9 221,— unvermeidlich war. Tatsächlich war die Zunahme der Währungsreserven — vor allem als Folge von Wechselkursänderungen — beträchtlich kleiner (1 301,—), wie durch die Existenz des Ausgleichspostens deutlich wird. Dennoch ist auch nach Berücksichtigung dieser Positionen die Zahlungsbilanz nicht ausgeglichen, so daß der Posten "Ungeklärte Beträge" die Ausgleichsfunktion zu übernehmen hatte.

Dieser "Lückenbüßer" der Zahlungsbilanzstatistik verdankt seine Existenz der Tatsache, daß bestimmte Transaktionen nicht erfaßt werden können, oder aber bei der arithmetischen Schätzung irgendwelcher Posten Irrtümer unterlaufen. Bedeutend war hier vor allem früher die ungenaue Erfassung der privaten Kreditgewährung im Rahmen des Warenhandels, da diese „Handelskredite" von der Bundesbank bis 1973 großenteils nur geschätzt wurden. Normalerweise konnte daher angenommen werden, daß anomale Veränderungen der „Ungeklärten Beträge" auf einen Wechsel der Kreditbeziehungen zurückzuführen sind (Veränderungen der „terms of payments"). Solche Änderungen waren vor allem dann wahrscheinlich, wenn eine Aufwertung, also eine Erhöhung des Kurses der Währung — z. B. des Landes A — erwartet wurde. Die Importeure des Landes B leisten dann Vorauszahlungen an die Exporteure des Landes A, da sie eine Verteuerung der A-Währung befürchten. Diese Vorauszahlung stellt für Land A einen nicht registrierten Kapitalimport dar, so daß z. B. ein Überschuß der Kapitalexporte über die Kapitalimporte, der in der Zahlungsbilanz von A ausgewiesen ist, als zu hoch erscheint und durch den Posten „Ungeklärte Beträge" — in dem eben die Kredite (Vorauszahlungen) der B-Importeure enthalten sind — korrigiert werden muß. Daher ist z. B. nicht erstaunlich, daß bei Aufwertungsgerüchten die „Ungeklärten Beträge" in der Zahlungsbilanz der BRD einen recht hohen Wert annahmen. Umgekehrt wäre es bei erwarteten Währungsabwertungen: Hier würden die Importeure des von der Abwertung bedrohten Landes Vorauszahlungen tätigen, die ihrem Wesen nach Kapitalexporte — wenn auch nicht registrierte Kapitalexporte — sind und insofern in der Irrtumsrubrik erscheinen. So erklärt sich z. B. auch, warum in den vor dem Kriege veröffentlichten Zahlungsbilanzen Deutschlands der zum Ausgleich benötigte Restposten nicht als „Ungeklärte Beträge", sondern als „Nicht aufgliederbare Kapitalbewegung" ausgewiesen wurde. Man war eben der Meinung, daß es sich bei den ausgleichenden Posten vor allem um nicht erfaßbare Kapitalbewegungen, insbesondere um Lieferantenkredite handelte.

V. Überschüsse und Defizite der Zahlungsbilanz

a) Obwohl die Zahlungsbilanz stets ausgeglichen ist, wird doch immer wieder von aktiven und passiven Zahlungsbilanzen, Zahlungsbilanzüberschüssen und Zahlungsbilanzdefiziten oder schlechthin von unausgeglichenen Zahlungsbilanzen gesprochen. Dieses offensichtliche Paradoxon ist offenbar nur dann verständlich, wenn sich die Begriffe „Defizit" und „Überschuß" nicht auf die gesamte Zahlungsbilanz, sondern nur auf Teilbilanzen der Gesamtbilanz beziehen. Für die Auswahl dieser Teilbilanzen gibt es jedoch kein festes Kriterium, und so ist es nicht erstaunlich, daß die Frage nach der Höhe

IV. Der statistische Ausgleich der Zahlungsbilanz

des Saldos der Zahlungsbilanz in verschiedenen Ländern und von verschiedenen Zahlungsbilanzinterpreten unterschiedlich beantwortet wird[7].

Eines der wohl ältesten Zahlungsbilanzkonzepte knüpft an Veränderungen der zentralen Währungsreserven an. Danach ist eine Zahlungsbilanz „aktiv" (Überschuß), wenn der Gold- und Devisenbestand der Währungsbehörden (z. B. der Zentralbank) zunimmt; das aber ist nur möglich, wenn die mit Zahlungseingängen verbundenen Transaktionen der zusammengefaßten Leistungs-, Übertragungs- und Kapitalbilanz größer sind als die entsprechenden, zu Zahlungsausgängen führenden Transaktionen, beides allerdings ausschließlich der Gold- und Devisenbewegungen bei der Zentralbank. Der Überschuß der so definierten Bilanz wird dann durch Gold- und Devisenzuflüsse ausgeglichen[8]).

Umgekehrt wäre die Zahlungsbilanz „passiv", wenn die zusammengefaßte Leistungs-, Übertragungs- und Kapitalbilanz — wiederum ohne Gold- und Devisenbewegungen — ein Defizit aufweist, das durch Verminderung des Gold- und Devisenbestandes der Währungsbehörden (oder eine Zunahme der Verpflichtungen) kompensiert wird. Nach diesem Kriterium würde also die in Tabelle 2 dargestellte Zahlungsbilanz einen Überschuß aufweisen, wie aus der in Tabelle 4a gewählten Darstellungsform ersichtlich wird. (In dieser wie in den folgenden Aufstellungen wird ein Überschuß der Credit- über die Debet-Posten mit einem Pluszeichen, ein Überschuß der Debet- über die Creditposten mit einem Minuszeichen gekennzeichnet.)

Tabelle 4a

Saldo der Leistungsbilanz	+ 140
Saldo der unentgeltlichen Leistungen	— 20
Saldo der Kapitalbilanz im engeren Sinne (Nettokapitalexport)	— 80
Änderung der zentralen Gold- und Devisenreserven (Zunahme —, Abnahme +)[9]	— 40

Nach dieser Konzeption wird eine Trennungslinie zwischen Devisenbilanz einerseits sowie Leistungs-, Übertragungs- und Kapitalbilanz andererseits gezogen. „Über dem Strich" ist die als „Saldo der Zahlungsbilanz" bezeichnete Größe (+ 40) ausgewiesen; „unter dem Strich" wird gezeigt, wie dieser Saldo ausgeglichen wurde.

b) Für bestimmte Zwecke kann es nützlich sein, die Trennungslinie zwischen auszugleichenden und ausgleichenden Transaktionen anders zu bestimmen. So liegt dem Konzept der Grundbilanz die Vorstellung zugrunde, dem zusammengefaßten Saldo des Leistungs-, Übertragungs- und langfristigen Kapitalverkehrs (Saldo der Grundbilanz) die kurzfristigen Kapitalbewegungen und die Veränderung der zentralen Währungsreserven als ausgleichende Transaktionen gegenüberzustellen. Nach dieser Definition wäre also ein „Überschuß der Zahlungsbilanz" identisch mit einem Überschuß der einnahmewirksamen Transaktionen über die ausgabewirksamen Trans-

---

[7] Einen guten Überblick gibt F. Scholl, Die Zahlungsbilanz, in: Umrisse einer Wirtschaftsstatistik, Festgabe für P. Flaskämper, hrsg. von A. Blind, Hamburg 1966.

[8] Der Ausgleich erfolgt gegebenenfalls auch über eine Abnahme der Verbindlichkeiten der Währungsbehörden. Diese Möglichkeit ist von besonderer Bedeutung für die sogenannten Reservewährungsländer.

[9] Da eine Zunahme der Gold- und Devisenreserven auf der Debetseite der Zahlungsbilanz verbucht ist (vgl. Tab. 2), wird diese Zunahme durch ein Minuszeichen gekennzeichnet. Gleiches gilt für unentgeltliche Leistungen an das Ausland und Kapitalexporte.

aktionen in der Grundbilanz. In Tabelle 4b ist dieser Überschuß gleich 80, wenn man den Nettokapitalexport von 80 aus Tabelle 4a in kurz- und langfristige Kapitalverkehrssalden von jeweils 40 aufteilt.

Tabelle 4b

Saldo der Grundbilanz	Saldo der Leistungsbilanz	+ 140
	Saldo der unentgeltlichen Leistungen	— 20
	Saldo des langfristigen Kapitalverkehrs	— 40
	Saldo des kurzfristigen Kapitalverkehrs	— 40
	Änderung der zentralen Gold- und Devisenreserven (Zunahme: —)	— 40

Wie ein Vergleich zwischen den Tabellen 4a und 4b deutlich macht, wird nunmehr ein größerer „Überschuß" verzeichnet, obwohl die Teilbilanzen den Werten der Tab. 4a entsprechen. Für die Trennung der Positionen in der Grundbilanz von den übrigen Transaktionen ist die Idee von Bedeutung, den „harten Kern" der Außenwirtschaftstransaktionen (Scholl) — wie er in der Grundbilanz zum Ausdruck kommt — von den für Fluktuationen anfälligeren Positionen abzuheben. Diese Trennung ist jedoch recht problematisch, da langfristige Kapitalbewegungen — wie z. B. Wertpapierbewegungen — oftmals heftiger schwanken können als der in der Zahlungsbilanz als kurzfristig ausgewiesene Kapitalverkehr.

c) Will man Änderungen der Liquiditätsposition eines Landes, also Variationen der „Devisenkasse" einer Volkswirtschaft, erfassen, so empfiehlt sich das Konzept der L i q u i d i t ä t s b i l a n z. In einer solchen Zahlungsbilanzaufstellung wird gezeigt, wie die Positionen über dem Strich durch Änderungen der g e s a m t e n Währungsreserven eines Landes, also nicht nur der z e n t r a l e n Gold- und Devisenreserven, sondern auch der Nettodevisenposition der Geschäftsbanken — dem Saldo der Forderungen an das Ausland und der Verbindlichkeiten gegenüber dem Ausland — ausgeglichen worden sind. Wie aus Tab. 4c deutlich wird, kann ein Überschuß der Zahlungsbilanz bei diesem Konzept nicht nur in einer Erhöhung der zentralen Reserven, sondern auch in einer Verbesserung der Nettodevisenposition der Geschäftsbanken — einer Zunahme des Überschusses der Forderungen über die Verbindlichkeiten — ihren Ausdruck finden.

Tabelle 4c

Saldo der Leistungsbilanz	+ 140
Saldo der unentgelt. Leistungen	— 20
Saldo des langfr. Kapitalverkehrs	— 40
Saldo des kurzfr. Kapitalverkehrs (ohne Forderungen u. Verbindlichkeiten der Geschäftsbanken)	— 20
Änderung der Nettodevisenposition der Geschäftsbanken (Nettokapitalexport: —)	— 20
Änderung der zentralen Gold- und Devisenreserven (Zunahme: —)	— 40

Eine solche Einteilung ist vor allem immer dann zweckmäßig, wenn die Devisenguthaben der Geschäftsbanken der Kontrolle der Zentralbank unterliegen. Ist eine solche Kontrolle indessen nicht gegeben, so können wichtige Zahlungsbilanzprobleme eher verschleiert werden, wenn man die Veränderung der Zentralbank- und Geschäftsbankreserven zu einer Position zusammenfaßt und damit den Eindruck erweckt, daß eine Kompensation verminderter Zentralbankreserven durch eine Zunahme der Geschäftsbankreserven ohne zahlungsbilanzpolitische Bedeutung sei.

V. Überschüsse und Defizite der Zahlungsbilanz

d) Aus der Sicht des Theoretikers weitaus befriedigender als die genannten Konzepte ist der 1949 vom Internationalen Währungsfond unterbreitete Vorschlag, zwischen einer **Bilanz der autonomen Transaktionen** und einer **Bilanz der Anpassungstransaktionen** — auch Ausgleichstransaktionen, kompensatorische oder induzierte Transaktionen genannt — zu unterscheiden[10]). Als autonome Transaktionen werden alle privaten sowie diejenigen öffentlichen Transaktionen bezeichnet, **die ohne Rücksicht auf die Situation der Zahlungsbilanz zustande kommen**, also nicht mit der Absicht vorgenommen werden, die Zahlungsbilanz in bestimmter Weise zu manipulieren. Demgegenüber betrachtet man als Anpassungstransaktionen jene Leistungen vor allem der öffentlichen Stellen (einschließlich Zentralbank), die zahlungsbilanzinduziert in dem Sinne sind, daß der Saldo der autonomen Transaktionen finanziert werden soll. Als Unterscheidungskriterium fungiert also das den einzelnen Transaktionen zugrunde liegende Motiv.

Zur Kategorie der autonomen Transaktionen rechnen alle privaten Exporte und Importe: Unternehmer exportieren und importieren Waren nicht mit der Absicht, Teilsalden zwischen irgendwelchen Bilanzpositionen auszugleichen; die Warenströme folgen vielmehr internationalen Preisdifferenzen, den Verbraucherwünschen usw. Auch private Kapitalbewegungen sind überwiegend autonomer Natur, z. B. der Kauf von ausländischen Wertpapieren, wenn diese eine höhere Verzinsung versprechen oder die Errichtung von Zweigbetrieben im Ausland, um Zollmauern zu überspringen. Auch private und staatliche Geschenke können zur autonomen Kategorie gerechnet werden, wenn diese durch familiäre Verpflichtungen bedingt sind oder mit der Absicht gegeben werden, die Erschließung von Bodenschätzen in fremden Ländern zu finanzieren.

Die Natur der Anpassungstransaktionen kann an einem Beispiel erläutert werden: Wir wollen unterstellen, daß die Einwohner des Landes B mehr aus Land A zu importieren als dorthin zu exportieren planen (autonome Transaktionen). Dieser Importüberschuß muß von Land B irgendwie finanziert werden: durch Verminderung der zentralen Gold- und Devisenreserven; durch Aufnahme einer Anleihe bei der Regierung des Landes A, der das Motiv zugrundeliegt, den Saldo der Leistungsbilanz zu kompensieren; durch Devisenkredite internationaler Institutionen oder ähnliche Transaktionen. Diese Beispiele zeigen nur einige Möglichkeiten auf; sie alle beziehen sich jedoch auf Transaktionen, die nicht zustande gekommen wären, wenn sich nicht autonome Posten der Zahlungsbilanz — hier private Importe und Exporte — in der genannten Richtung verändert hätten. Es handelt sich um Transaktionen, die im Hinblick auf die Situation der Zahlungsbilanz veranlaßt werden. Solche Anpassungstransaktionen finden statt, wenn zwischen autonomen Credit- und Debetposten der Zahlungsbilanz Differenzen bestehen, die irgendwie — nämlich durch diese Transaktionen — kompensiert werden müssen und tatsächlich auch immer ausgeglichen werden, da sich die Seiten der Gesamtbilanz stets entsprechen.

Auf der Grundlage dieser Unterscheidung werden autonome Transaktionen „über dem Strich", Anpassungstransaktionen dagegen „unter dem Strich" verbucht. Eine solche (fiktive) Aufspaltung der in den Tabellen 2 und 4a aufgezeichneten Zahlungsbilanz ist in Tab. 4d vorgenommen worden.

---

[10]) Balance of Payments Year-Book 1938, 1946, 1947. International Monetary Fund, Washington 1949. Dieses Konzept wurde von vielen Theoretikern übernommen. Vgl. z. B. Vanek, J., International Trade, Theory and Economic Policy, Homewood/Ill. 1962, S. 26 ff.; Meade, J. E., The Balance ... a. a. O., S. 9 ff.; Haberler, G., A Survey of International Trade Theory, Princeton 1961, S. 30.

Tabelle 4d

Saldo der autonomen Transaktionen		+ 75
darin enthalten: Leistungsbilanz	+ 140	
unentg. Leistungen	− 15	
Kapitalbilanz	− 50	
Saldo der Anpassungstransaktionen		− 75
darin enthalten: unentgeltl. Leistungen	− 5	
Kapitalbilanz	− 30	
Änderung der zentralen Gold- und Devisenreserven (Zunahme: —)	− 40	

Die Zahlungsbilanz wird nunmehr als „aktiv" bezeichnet (sie hat einen Überschuß), wenn die Summe der autonomen Credit-Posten (Zahlungseingänge) die Summe der autonomen Debet-Posten (Zahlungsausgänge) übersteigt. In Tabelle 4d hat das betrachtete Land demnach einen Überschuß von + 75, der durch Anpassungstransaktionen in Form von Geschenken (− 5) und Krediten an andere Länder (− 30) sowie durch eine Zunahme der Währungsreserven (− 40) vollständig kompensiert wird. Demgemäß wird als Defizit der Zahlungsbilanz ein Zustand definiert, in dem die Summe der autonomen Debet-Posten größer ist als die Summe der autonomen Credit-Posten. Der Leser beachte ferner, daß diese Definition nicht notwendig der Begriffsfassung entspricht, wie sie in Abschnitt a) gegeben wurde. Ein (autonomer) Importüberschuß, der vollständig durch kompensatorische Auslandsanleihen (z. B. Devisenhilfe ausländischer Regierungen) finanziert wird, ist nach unserer Definition Zeichen einer passiven Zahlungsbilanz, während nach der unter a) gegebenen Deutung die Zahlungsbilanz einen Null-Saldo zeigt, weil die Gold- und Devisenbestände durch den Importüberschuß nicht angegriffen werden, also unverändert bleiben.

e) Obwohl die Trennung zwischen autonomen und kompensatorischen Transaktionen den Theoretiker voll befriedigt, stößt sie doch im konkreten Fall auf Schwierigkeiten, denn es ist nicht immer leicht, bestimmte Transaktionen unter die eine oder andere Kategorie zu subsumieren. Schwierigkeiten ergeben sich vor allem deshalb, weil als Abgrenzungskriterium das Motiv der Transaktionen gilt. „So ist es zum Beispiel außerordentlich schwierig zu bestimmen, ob der Emission einer Auslandsanleihe durch die Regierung eines Landes die Absicht zugrunde liegt, Mittel zur Finanzierung eines Haushaltsdefizits zu beschaffen (dann wäre es eine autonome Transaktion), die zentralen Reserven aufzustocken (dann wäre es eine ausgleichende Transaktion), oder ob beide Überlegungen eine Rolle spielen."[11]) Solche Überlegungen haben den Bernstein-Ausschuß in seinen Untersuchungen zur amerikanischen Zahlungsbilanzstatistik[12]) veranlaßt, das Motiv der Transaktionen als Abgrenzungskriterium aufzugeben. Da die offiziellen Stellen für die Vermeidung von Zahlungsbilanzstörungen (wie immer diese auch definiert sein mögen) verantwortlich sind, schlägt der Ausschuß vor, in die Anpassungstransaktionen im wesentlichen nur „Reservetransaktionen" aufzunehmen, unter denen er die Veränderung des zentralen Gold- und Devisenbestandes sowie die Veränderung in der Position gegenüber dem Internationalen Währungsfonds und ausländischen Währungsbehörden versteht. Es würde zu weit führen, auf Einzelheiten einzugehen. Beachtung verdient jedoch, daß dieser Vorschlag dem unter a) erläuterten Konzept recht nahe kommt.

---

[11]) Scholl, F., a. a. O., S. 348.
[12]) The Balance of Payments Statistics of the United States — A Review and Appraisal, Report of the Review Committee for Balance of Payments Statistics to the Bureau of the Budget, Washington 1965.

V. Überschüsse und Defizite der Zahlungsbilanz

In den folgenden Ausführungen wird an der Unterscheidung zwischen autonomen und anpassenden Transaktionen festgehalten[13]), wobei offen bleiben mag, wo im Einzelfall der Trennungsstrich gezogen wird. Es hängt im starken Maße von den konkreten Gegebenheiten des Einzelfalles ab, ob in die Anpassungstransaktionen lediglich Reservetransaktionen oder auch noch andere Positionen einbezogen werden.

f) Ein Überschuß oder Defizit der Zahlungsbilanz wird indessen nicht in jedem Falle durch eine Differenz zwischen autonomen Credit- und Debet-Posten sinnvoll gemessen. Ein Überschuß der autonomen Debet- über die Credit-Posten kann z. B. vermieden werden, wenn die Regierung durch Importrestriktionen oder Maßnahmen der Devisenbewirtschaftung ein Ansteigen der Importe und Kapitalexporte, also das Entstehen eines tatsächlichen Defizits, verhindert. Weil aber das Defizit nur künstlich „versteckt" ist und sofort zutage treten müßte, wenn die genannten Handelshemmnisse beseitigt würden, wäre es nach Meade[14]) wohl auch in diesem Falle sinnvoll, von einer passiven Zahlungsbilanz zu sprechen. Obwohl diese Maßnahmen ein Defizit verhindern, sind sie doch selbst Symptome dieses Defizits; ohne den Einsatz der genannten Instrumente wäre das Defizit offenbar geworden. Meade unterscheidet daher zwischen **aktuellem** und **potentiellem Defizit**: Das potentielle Defizit ist gleich dem Saldo der Anpassungstransaktionen (mit umgekehrtem Vorzeichen: dem Saldo der autonomen Transaktionen), der in einer Periode angefallen wäre, wenn man auf Importrestriktionen und andere protektionistische Maßnahmen, die der Schließung der Lücke zwischen den autonomen Posten dienen, verzichtet hätte. Die Ermittlung eines solchen „latenten" Defizits stößt jedoch auf unüberwindliche statistische Schwierigkeiten; das Problem verliert indessen an Bedeutung, wenn „wahres" und „aktuelles" Defizit zusammenfallen, weil die Länder die Konvertierbarkeit der Währungen und freien Außenhandel garantieren.

g) Oftmals werden Zahlungsbilanzüberschüsse und Zahlungsbilanzdefizite als Situationen eines Zahlungsbilanzungleichgewichts beschrieben, während ein Null-Saldo der autonomen Transaktionen als „Zahlungsbilanzgleichgewicht" bezeichnet wird. Diese Identifizierung ist nun gelegentlich angegriffen worden[15]). Nach Ansicht der Kritiker ist der Gleichgewichtsbegriff auf statistische Zahlungsbilanzen nicht anzuwenden; man zieht es stattdessen vor, von einem Gleichgewicht der Zahlungsbilanz nur dann zu sprechen, wenn ein Gleichgewicht der Zahlungsbilanz „im Marktsinn" (Machlup), also die Übereinstimmung von Devisenangebot und Devisennachfrage, gemeint ist. Nun dürfte hier kein Gegensatz bestehen, wenn sich die statistische Zahlungsbilanz auf eine kurze Periode bezieht. Da nämlich — wie später noch zu zeigen ist (S. 39 ff.) — aus den autonomen Transaktionen Akte des Devisen-

---

[13]) Auch der Sachverständigenrat zur Begutachtung der gesamtwirtschaftlichen Entwicklung trifft der Sache nach diese Unterscheidung. Im Jahresgutachten 1968/69 (Alternativen außenwirtschaftlicher Anpassung, Stuttgart und Mainz, 1968, S. 59) wird „außenwirtschaftliches Gleichgewicht" als Zustand definiert, in dem die Währungsreserven unverändert bleiben, ohne daß zahlungsbedingte Restriktionen oder Transaktionen (d. h. also Anpassungstransaktionen) vorgenommen werden. Als Anpassungstransaktionen werden z. B. genannt: Stützungskredite an ausländische Regierungen, Kredite an den Internationalen Währungsfonds, vorzeitige Schuldentilgung usw. „Außenwirtschaftliches Gleichgewicht" muß nach Ansicht des Sachverständigenrates allerdings auch noch die Bedingung erfüllen, daß keine Gefahren für die binnenwirtschaftlichen Ziele (z. B. Preisstabilität) von der Außenwirtschaft ausgehen.
[14]) Meade, J. E., The Balance ... a. a. O., S. 15.
[15]) Schneider, E., Zahlungsbilanz und Wechselkurs, Tübingen 1968, S. 55 ff. und S. 67 ff.

angebots (z. B. aus Exporterlösen) und der Devisennachfrage (z. B. für Importzwecke) resultieren, repräsentiert ein Null-Saldo der autonomen Transaktionen zugleich einen Zustand des Gleichgewichts auf dem Devisenmarkt. Weil dieses Marktgleichgewicht nur bei einem bestimmten Devisenpreis zustande kommt, impliziert auch der Null-Saldo der autonomen Transaktionen, daß der Devisenpreis seinen Gleichgewichtswert erreicht hat, so daß für Anpassungstransaktionen offizieller Stellen keine Notwendigkeit besteht.

Ein Null-Saldo der autonomen Transaktion läßt jedoch keinen Schluß auf die laufenden Vorgänge an den Devisenmärkten zu, wenn sich die statistische Zahlungsbilanz auf längere Perioden, z. B. auf ein Jahr, bezieht. Der Ausgleich der autonomen Debet- und Credit-Posten über diese Periode schließt nicht aus, daß autonomes Devisenangebot und autonome Devisennachfrage bei gegebenem Devisenpreis an jedem Tag auseinanderfallen, so daß Anpassungstransaktionen notwendig sind. Immerhin zeigt der Ausgleich der autonomen Transaktionen über die gesamte Periode an, daß Angebotsüberschüsse auf dem Devisenmarkt, die in Teilperioden möglich sind, durch Nachfrageüberschüsse in anderen Teilperioden kompensiert und folglich „negative" Anpassungstransaktionen (z. B. Devisenkäufe der Zentralbank) durch „positive" Anpassungstransaktionen (z. B. Devisenverkäufe der Zentralbank) ausgeglichen worden sind. Beobachtungen der Devisenmärkte über längere Perioden erlauben daher Schlüsse auf die Konstitution der statistischen Zahlungsbilanz. Wird ein Überhang der Devisennachfrage (z. B. aufgrund von Importüberschüssen) an bestimmten Tagen nur unvollkommen durch einen Angebotsüberhang (z. B. aufgrund von Exportüberschüssen) an anderen Tagen kompensiert, so entspricht diese Unausgeglichenheit während des gesamten Beobachtungszeitraums einem Defizit der statistischen Zahlungsbilanz, d. h. es finden Anpassungstransaktionen z. B. in Form von Gold- und Devisenverlusten der Zentralbank statt.

2. Kapitel:
Die Zahlungsbilanz im Wirtschaftskreislauf

I. Die Leistungsbilanz als Bestandteil des Volkseinkommens

In diesem Abschnitt sollen die aus der ex post-Analyse der Wirtschaftskreislaufs bekannten Beziehungen zwischen Volkseinkommen und Leistungsbilanz erörtert werden. Es ist dabei nicht möglich, Einzelfragen der Berechnung des Sozialprodukts mit all ihren Komplikationen zu diskutieren; der Leser sei dazu auf die entsprechenden Veröffentlichungen verwiesen[1]).

Als Volkseinkommen bezeichnet man die Summe aller Einkommen einer Volkswirtschaft, die den heimischen Wirtschaftssubjekten im Rahmen der Erstellung von Gütern und Dienstleistungen zufallen. Zum Volkseinkommen rechnen daher Löhne und Gehälter, Zinsen, Grundrenten und schließlich auch Gewinne, die nach Abzug aller Aufwendungen von den Erträgen übrig bleiben. Diese Einkommen entstehen im Prozeß der Güter- und Leistungserstellung bei Unternehmen, Haushalten und Staat. Da der größte Teil des Volkseinkommens durch die Tätigkeit der Unternehmungen erzeugt wird, ist es zweckmäßig, zunächst den Beitrag der Unternehmungen zum Volkseinkommen zu bestimmen. Zu diesem Zweck betrachten wir zunächst die Erfolgsrechnung eines Unternehmens, welche den Aufwendungen in einer Periode die Erträge gegenüberstellt (Tab. 5).

Zu den Erträgen rechnet einmal der Wert der Verkäufe an Inländer, also des Absatzes von Gütern und Dienstleistungen an Unternehmen, Haushalte und staatliche Institutionen. Als weiterer Ertragsposten erscheint der Export von Gütern und Dienstleistungen, zu dem auch die Zinsen und Dividenden zu rechnen sind, die dem Unternehmen aus im Ausland angelegten Vermögenswerten zufließen. Wie wir bei der Besprechung der Leistungsbilanz gesehen haben, werden solche Zins- und Dividendenzahlungen unter der Rubrik „Dienstleistungsexport" registriert. Schließlich erscheinen als Ertragsposten auch die selbsterstellten Anlagen sowie die Bestandsmehrungen an eigenen Produkten.

Als Aufwandsposten ist zunächst der Verbrauch an Vorleistungen aufgeführt; unter Vorleistungen versteht man dabei die von anderen Unternehmen gelieferten Vorprodukte und Dienstleistungen, die für den Produktionsprozeß benötigt werden. Weitere Aufwandsposten sind die Abschreibungen, Zahlung von Kostensteuern — also indirekten Steuern — an den Staat (vermindert um vom Staat erhaltene Subventionen) und schließlich alle als „Wertschöpfung" bezeichneten Leistungseinkommen, die Inländern oder Ausländern (z. B. Grenzgängern) als Entgelt für ihre Tätigkeit im Unternehmen zufließen. Zwischen dem Einkommensempfang durch In- und Ausländer wird deshalb differenziert, weil nur die an Inländer gezahlten Einkommen zum Volkseinkommen rechnen.

---

[1]) Vgl. z. B. S c h n e i d e r , E., Einführung in die Wirtschaftstheorie, I. Teil, Theorie des Wirtschaftskreislaufs, 14. Auflage, Tübingen 1969; S t o b b e , A., Volkswirtschaftliches Rechnungswesen, 3. Aufl., Berlin—Heidelberg—New York 1972.

Tabelle 5
Erfolgsrechnung eines Unternehmens

1. Verbrauch von Vorleistungen	6. Verkäufe an Inländer
2. Abschreibungen	6.1. Verkäufe an Unternehmen
3. Indirekte Steuern ./. Subventionen	6.2. Verkäufe an Haushalte
	6.3. Verkäufe an den Staat
4. Einkommen an Ausländer	6.31. Konsumgüter einschl. Dienstleistungen
	6.32. Investitionsgüter
5. Einkommen an Inländer	7. Exporte
5.1. Löhne und Gehälter	8. Mehrbestand an Halb- und Fertigfabrikaten (eigene Erzeugnisse)
5.2. Zinsen	
5.3. Grundrenten	
5.4. Gewinne	9. Selbsterstellte Anlagen
	Bruttoproduktionswert

Tabelle 6
Produktionskonto eines Unternehmens

1. Einkäufe von inländischen Unternehmen	7. Verkäufe an Inländer
1.1. Verbrauch von Vorleistungen	7.1. Verkäufe an Unternehmen
1.2. Nichtverbrauchte Vorleistungen	7.2. Verkäufe an Haushalte
1.3. Einkäufe von Anlagen	7.3. Verkäufe an den Staat
2. Einkäufe von ausländischen Unternehmen	7.31. Konsumgüter einschl. Dienstleistungen
2.1. Verbrauch von Vorleistungen	7.32. Investitionsgüter
2.2. Nichtverbrauchte Vorleistungen	8. Exporte
2.3. Einkäufe von Anlagen	9. Private Bruttoinvestition
3. Abschreibungen	9.1. Private Lagerinvestition
4. Indirekte Steuern ./. Subventionen	9.11. Nichtverbrauchte Vorleistungen (z. B. Rohstoffe)
5. Einkommen an Ausländer	9.12. Mehrbestand an Halb- und Fertigfabrikaten
6. Einkommen an Inländer	9.2. Private Bruttoanlageinvestition
6.1. Löhne und Gehälter	9.21. Gekaufte Anlagen
6.2. Zinsen	9.22. Selbsterstellte Anlagen
6.3. Grundrenten	
6.4. Gewinne	

Für die Zwecke der Kreislaufanalyse ist es nun sinnvoll, die Erfolgsrechnung der Tab. 5 in ein sogenanntes „Produktionskonto" (Tab. 6) umzuwandeln, welches explizit die Veränderung des Realvermögens in der betrachteten Periode ausweist. Auf der linken Seite addieren wir die Posten „Nichtverbrauchte Vorleistungen" (Vorprodukte) und „Einkäufe von Anlagen" und differenzieren zugleich zwischen Käufen von Inländern und Ausländern. Hinzugefügt werden also die Positionen 1.2., 1.3., 2.2. und 2.3., während gleichzeitig der Posten 1. aus Tab. 5 in die Positionen 1.1. und 2.1. aufgespal-

I. Die Leistungsbilanz als Bestandteil des Volkseinkommens 23

ten wird. Die nichtverbrauchten, also den Lagerbestand erhöhenden Vorleistungen (Vorprodukte) werden zusammen mit den gekauften Anlagen auch auf der rechten Seite ausgewiesen, so daß die Posten 1.2. und 2.2. dem Posten 9.11. und die Positionen 1.3. und 2.3. der Position 9.21. entsprechen. Aufgrund der beschriebenen Addition wird auf der rechten Seite des Produktionskontos nunmehr der als „private Bruttoinvestition" bezeichnete Realvermögenszuwachs ausgewiesen, der in Lagerinvestition und Bruttoanlageinvestition aufgespalten werden kann.

Tabelle 7
Zusammengefaßtes Produktionskonto der Unternehmen

1. Abschreibungen	5. Verkäufe an inländische Haushalte
2. Indirekte Steuern ./. Subventionen	
3. Importe von Gütern und Dienstleistungen	6. Verkäufe von Konsumgütern einschl. Dienstleistungen an den Staat
4. Beitrag der Unternehmen zum Volkseinkommen (Einkommen an Inländer)	7. Bruttoinvestition
4.1. Löhne und Gehälter	7.1. Private Bruttoinvestition
4.2. Zinsen	7.2. Staatliche Bruttoinvestition
4.3. Grundrenten	8. Exporte
4.4. Gewinne	

Um den Beitrag aller Unternehmen zum Volkseinkommen zu ermitteln, ist es nun notwendig, die einzelwirtschaftlichen Produktionskonten zu einem gemeinsamen Produktionskonto aller Unternehmen zusammenzufassen (Tab. 7). Da in Tab. 6 der Wert aller Verkäufe an inländische Unternehmen (Posten 7.1.) notwendig dem Wert aller Käufe von inländischen Unternehmen (Posten 1.1.—1.3.) gleich sein muß, heben sich bei einer solchen Aggregation beide Positionen gegenseitig auf, so daß diese Transaktionen fortgelassen werden können. Zur Vereinfachung des konsolidierten Produktionskontos werden ferner die „Einkäufe von ausländischen Unternehmen" mit der Position „Einkommen an Ausländer" (Posten 2. und 5. der Tab. 6) zu der Rubrik „Importe von Gütern und Dienstleistungen" (Posten 3. der Tab. 7) zusammengefaßt. Addiert man schließlich zu den „privaten Bruttoinvestitionen" die Verkäufe von Investitionsgütern an den Staat (Posten 7.32. der Tab. 6), so erhält man die gesamte Bruttoinvestition (Posten 7. der Tab. 7), die in private und staatliche Investition aufgeteilt wird.

Aus Tabelle 7 wird deutlich, daß der Anteil, den die Unternehmungen zum Volkseinkommen beitragen, sich durch Abzug der Posten 1.—3. von den Posten 5.—8. errechnet. Verwendet man an Stelle der Bruttoinvestition die sich durch Abzug der Abschreibungen ergebende Nettoinvestition (Nettoinvestition = Bruttoinvestition — Abschreibung), so kann man auch schreiben:

Einkommen im Sektor „Unternehmungen" (Beitrag der Unternehmungen zum Volkseinkommen) = Verkäufe an inländische Haushalte + Verkäufe an den Staat für Konsumzwecke + Nettoinvestition + Exporte — Importe — indirekte Steuern + Subventionen.

Es ist zu beachten, daß in den Verkäufen an die Haushalte und den Staat, sowie in der Nettoinvestition nicht nur die inländische Wertschöpfung, sondern auch die des Auslandes in Form von Importen enthalten ist, sei es, daß die Unternehmer die auf der linken Seite aufgeführten Importgüter ohne Weiterverarbeitung verkaufen — dieselben Güter, die unter 3. aufgeführt sind, also auch in 5., 6. und 7. erscheinen — oder aber, daß die importierten Waren zur Erstellung anderer Produkte verwendet werden, so daß in den verkauften Waren und Leistungen (einschließlich Nettoinvestitionen) ein Importgüteranteil enthalten ist.

Die in den Unternehmungen entstandenen Einkommen stellen nur einen Teil des Volkseinkommens dar. Um das gesamte Volkseinkommen zu erhalten, müssen auch diejenigen Einkommen berücksichtigt werden, die durch die Leistungskäufe des Staates und der Haushalte von Nichtunternehmern entstehen.

a) Zur Erfüllung seiner laufenden Aufgaben kauft der Staat Güter und Dienstleistungen, die — soweit sie von Unternehmen bereitgestellt werden — im Sektor „Unternehmungen" Einkommen entstehen lassen und insofern Bestandteil der unternehmerischen Wertschöpfung sind. Daneben beschäftigt der Staat Beamte, Angestellte und Arbeiter; er kauft also deren Dienstleistungen und zahlt dafür Einkommen, die ebenfalls Bestandteil des Volkseinkommens sind. Die oben dargestellte Gleichung muß also auf der linken Seite durch den Posten „Einkommen der Staatsbediensteten", auf der rechten Seite durch die Rubrik „Verkäufe von Leistungen durch Staatsbedienstete an den Staat" erweitert werden. In Tab. 8 wird auf der linken Seite die Position 3.2. und auf der rechten Seite die Position 5.2. hinzugefügt.

b) Auch die Haushalte beziehen Güter und Leistungen nicht nur von Unternehmern, sondern auch von anderen Personen. Sie kaufen z. B. die Leistungen der Hausangestellten oder die Nutzung von Mietwohnungen. Durch diese

Tabelle 8
Gesamtwirtschaftliches Produktionskonto

1. Indirekte Steuern ./. Subventionen	4. Verkäufe an Haushalte
2. Importe von Gütern und Dienstleistungen	4.1. durch inländische Unternehmen
2.1. durch Unternehmen	4.2. durch inländische Nichtunternehmer
2.2. durch Haushalte und Staat (Zinsen, Reiseverkehr, direkte Warenimporte)	4.3. durch das Ausland (Direktimporte, Zinsen usw.)
3. Volkseinkommen	5. Verkäufe von Konsumgütern einschl. Dienstleistungen an den Staat
3.1. im Unternehmenssektor	5.1. durch inländische Unternehmen
3.11. Löhne und Gehälter	5.2. durch Nichtunternehmer (Staatsbedienstete)
3.12. Zinsen	5.3. durch das Ausland
3.13. Grundrenten	
3.14. Gewinn	6. Nettoinvestitionen[2])
3.2. im Staatssektor (Einkommen der Staatsbediensteten)	6.1. Private Nettoinvestition
3.3. im Haushaltssektor (Einkommen der Hausangestellten usw.)	6.2. Staatliche Nettoinvestition
3.4 Einkommen der Haushalte aus dem Ausland (Zinsen, Dividenden, Löhne)	7. Exporte
	7.1. durch Unternehmen
	7.2. durch Haushalte

[2]) Nettoinvestition = Bruttoinvestition minus Abschreibungen.

I. Die Leistungsbilanz als Bestandteil des Volkseinkommens

Transaktionen entstehen ebenfalls Leistungseinkommen, die zu den Einkommen im Unternehmensbereich hinzugezählt werden müssen. Wir erweitern also die linke Seite unserer Gleichung um die Einkommen von Nichtunternehmern, die diese durch Verkäufe ihrer Leistungen an Haushalte erzielen und fügen dementsprechend auf der rechten Seite die Verkäufe von Leistungen der Nichtunternehmer (Hausangestellte usw.) an Haushalte hinzu (Posten 3.3. und 4.2. in Tab. 8).

c) Im Produktionskonto der Tabelle 7 sind nur die Exporte und Importe der Unternehmungen aufgezeichnet. Zwar wird der Waren- und Dienstleistungsverkehr mit dem Ausland überwiegend von Firmen vermittelt, doch gibt es auch Exporte und Importe, die direkt vom Staat und den Haushalten getätigt werden. Ein Güter- und Dienstleistungsimport der Haushalte würde dann vorliegen, wenn Privatpersonen als Touristen im Ausland Güter kaufen, fremde Transportmittel benutzen oder sich Waren direkt, d. h. ohne Vermittlung inländischer Firmen, aus dem Ausland beschaffen. Ähnliches gilt für den Staat. Desgleichen zahlen Haushalte Zinsen an ausländische Wirtschaftseinheiten, die — wie wir wissen — ebenfalls als Ausdruck eines Dienstleistungsimports gewertet werden. Durch solche Importe wird das Volkseinkommen aber nicht beeinflußt, wenn die importierenden Wirtschaftseinheiten ihre Nachfrage nach Inlandsgütern nicht zugunsten der Nachfrage nach Auslandsgütern reduzieren. Das wird ganz deutlich, wenn wir die Direktimporte des Staates und der Haushalte in die Einkommensgleichung und in Tab. 8 einbeziehen: Einerseits werden diese Einfuhren zu den Importen der Unternehmungen hinzugefügt (Posten 2.2.), andererseits werden die Verkäufe an Haushalte und Staat durch Unternehmungen des Inlandes durch die Verkäufe des Auslandes an inländische Haushalte und Staat ergänzt (Posten 4.3. und 5.3.). Da die Importe in der Einkommensgleichung mit einem Minus-, die Verkäufe an Haushalte und Staat mit einem Pluszeichen versehen sind, heben sich beide Posten gegenseitig auf: Das Volkseinkommen bleibt folglich unverändert. Das gilt natürlich nicht, wenn diese Direktimporte nicht neben, sondern an die Stelle von Käufen bei inländischen Unternehmungen treten, diese also vermindert werden. Weil in diesem Falle der Gesamtwert aller durch Inländer und Ausländer getätigten Verkäufe an Haushalte und Staat konstant ist, der Wert der Importe aber größer wird, muß — wie aus der Einkommensgleichung sofort ersichtlich ist — das Volkseinkommen sinken.

Haushalte und Staat werden Leistungen nicht nur importieren, sondern auch — und zwar ohne Vermittlung von Inlandsfirmen — exportieren. Die Haushalte beziehen z. B. Zinsen und Dividenden aus Auslandsforderungen; sie empfangen überdies Löhne und Gehälter, wenn Inländer (z. B. als Grenzgänger) bei ausländischen Unternehmungen beschäftigt sind. Diese Einkommen müssen zu den übrigen Leistungseinkommen hinzugerechnet werden, die im inländischen Produktionsprozeß verdient worden sind (Posten 3.4.). Andererseits treten zu den Exporten der inländischen Firmen die Dienstleistungsexporte der Nichtunternehmer, da Zinsen, Dividenden und Löhne, die aus dem Ausland zufließen, als Wert des Exports von Kapital- und Arbeitsleistungen angesehen werden (Posten 7.2.).

Größere Komplikationen als bei den erwähnten Transaktionen entstehen, wenn Haushalte und Staat Güter exportieren, die sie ihrerseits von inländischen Unternehmen bezogen haben. Da der Wert dieser Güter im Produktionskonto des Sektors „Unternehmen" bereits erfaßt ist — unter den Rubriken „Verkäufe an Haushalte und Staat" —, kann er nicht noch einmal als Export registriert werden, denn es würde sonst zu Doppelzählungen kommen. Will man andererseits nicht darauf verzichten, die Direktexporte der Nichtunternehmer in die Einkommensrechnung einzubeziehen, so muß der Posten „Verkäufe an Haushalte und Staat" um den Wert des Direktexports vermindert werden — ebenso wie man die Käufe von anderen Unternehmern als Vorleistungen abzieht, wenn der Beitrag eines Unternehmens zum Sozialprodukt ermittelt werden soll. Um die Darstellung nicht weiter zu komplizieren, soll jedoch im folgenden von diesem Teil der Gesamtausfuhren abgesehen werden.

d) Das Produktionskonto (Tab. 7) des Sektors „Unternehmungen" ist in Tab. 8 um die genannten Transaktionen erweitert worden. Aus dem gesamtwirtschaftlichen Produktionskonto, das sich nach dieser Erweiterung ergibt, kann unmittelbar die Höhe des Volkseinkommens abgelesen werden.

Ein Vergleich zwischen Tabelle 8 und Tabelle 7 zeigt, daß zusätzlich die Rubriken 2.2., 3.2., 3.3., 3.4., 4.2., 4.3., 5.2., 5.3. und 7.2. aufgenommen worden sind. Alle Vorgänge, die sich hinter diesen Ziffern verbergen, sind in den vorhergehenden Abschnitten erörtert worden. Aus Tabelle 8 geht hervor, daß das Volkseinkommen gleich der Summe aller Leistungseinkommen ist, die den Inländern entweder durch Abgabe von Leistungen an das Ausland oder durch ihre Tätigkeit im Unternehmens-, Staats- oder Haushaltsbereich zugeflossen sind. Dieses Volkseinkommen kann ermittelt werden, wenn von dem Gesamtwert der rechten Seite die indirekten Steuern und der Wert der Importe abgezogen, die Subventionen dagegen hinzugefügt werden.

Wir bezeichnen den Wert der Güter- und Leistungsverkäufe an Haushalte als privaten Konsum C_{pr} (Rubrik 4) und den Wert der Güter- und Leistungsverkäufe an den Staat zum laufenden Konsum als staatlichen Konsum C_{st} (Rubrik 5); verwenden wir ferner die Symbole I_{pr} für die private Netto-Investition (6.1.), I_{st} für die staatliche Investition (6.2.), X für die Exporte (7), T_{ind} und Z für die indirekten Steuern und Subventionen (1) und M für die Importe (2), so wird das Volkseinkommen Y_f durch folgende Gleichung bestimmt:

$$Y_f = C_{pr} + C_{st} + I_{pr} + I_{st} + X - M + Z - T_{ind} \qquad (1)$$

Y_f ist in der Statistik unter dem Namen Volkseinkommen oder Nettosozialprodukt zu Faktorkosten bekannt. Addiert man zu Y_f die indirekten Steuern und subtrahiert die Subventionen, so erhält man das Volkseinkommen (Netto-Sozialprodukt) zu Marktpreisen Y:

$$Y = Y_f + T_{ind} - Z$$
$$Y = C_{pr} + C_{st} + I_{pr} + I_{st} + X - M. \qquad (2)$$

Diese Gleichung läßt sich weiter vereinfachen, wenn C_{pr} und C_{st} zum Gesamtkonsum C und I_{pr} und I_{st} zur gesamten Netto-Investition I zusammengefaßt werden:

$$Y = C + I + X - M. \qquad (3)$$

Bevor Gleichung (3) erläutert werden kann, ist es noch einmal notwendig zu betonen, daß C und I den Gesamtkonsum und die Gesamtinvestition darstellen, also auch die importierten Leistungen enthalten, die den Inländern entweder direkt vom Ausland zugeflossen (Posten 4.3. und 5.3.) oder aber — was bedeutend wichtiger ist — als Wertanteil in den von inländischen Firmen produzierten Konsum- und Investitionsgütern enthalten sind[3].

---

[3] Auch in den exportierten Gütern (z. B. Textilien) kann ein Importgüteranteil (z. B. Baumwolle) enthalten sein. Davon sei vorläufig abgesehen.

I. Die Leistungsbilanz als Bestandteil des Volkseinkommens

Unter Berücksichtigung dieser Zusammenhänge besagt Gleichung (3) — real betrachtet — ganz einfach, daß das Realeinkommen (reales Sozialprodukt) einer Volkswirtschaft entweder konsumiert, investiert oder exportiert worden ist. Sofern C, I und X das im Inland erzeugte Realeinkommen übersteigen, muß die Lücke durch Importe geschlossen worden sein. Schreiben wir (3) in der Form

$$Y + M = C + I + X, \tag{4}$$

so können wir auch sagen: Es kann insgesamt nur so viel konsumiert, investiert oder exportiert werden, wie der Volkswirtschaft an Gütern und Leistungen entweder aus eigener Kraft (Y) oder aus dem Ausland (M) zugeflossen ist[4]. In monetärer Betrachtung impliziert (3) den Satz, daß das zu den Marktpreisen bewertete Volkseinkommen stets den Gesamtausgaben des Auslandes (X), der Konsumenten (C) und der Investoren (I) entspricht, allerdings abzüglich all jener Ausgaben, die nicht im Inland, sondern im Ausland einkommensbildend wirken (M). Unsere Volkseinkommensgleichung ist also nur eine andere Fassung der trivialen Aussage, daß die Gesamtausgaben für Inlandsgüter stets Einkommen in der gleichen Höhe schaffen. Daher sind die Gleichungen (3) und (4) nicht als Gleichgewichtsbedingungen zu interpretieren, sondern als Identitäten, die immer und zu jeder Zeit erfüllt sind.

e) Aus Gleichung (3) wird deutlich, daß die Gesamtausgaben der Inländer für Güter und Leistungen $C + I$ — in der angelsächsischen Literatur als „domestic expenditures" oder „absorption" bezeichnet — nicht dem Volkseinkommen zu Marktpreisen entsprechen, da diese Ausgaben zum Teil ins Ausland fließen, also nicht nur im Inland, sondern auch im Ausland Einkommen erzeugen. Andererseits werden Einkommen nicht nur durch Ausgaben der Inländer, sondern auch durch Exporte geschaffen. Das Volkseinkommen könnte mit den Gesamtausgaben nur dann identisch sein, wenn die Volkswirtschaft entweder vom Außenhandel abgeschnitten ist oder Exporte und Importe übereinstimmen. Im ersten Falle würde Gleichung (3) durch die Kreislaufgleichung $Y = C + I$ für eine geschlossene Volkswirtschaft zu ersetzen sein.

Da die Unterscheidung von Gesamtausgaben (Absorption) und Volkseinkommen in der Außenhandelstheorie von großer Bedeutung ist, soll das Verhältnis beider Größen noch etwas näher diskutiert werden. Wir wissen, daß sich der Wert der verbrauchten und investierten Güter zusammensetzt aus einem Teil, der der inländischen (heimischen) Wertschöpfung zu verdanken ist (C_h und I_h) und einem anderen Teil, der auf die Anstrengung des Auslandes zurückzuführen und insofern als Importgüteranteil in C und I enthalten ist (C_f und I_f)[5]. Für die nationalen Ausgaben C und I — also die Absorption von Gütern durch die Inländer — gilt dann die Beziehung:

$$\begin{aligned}C &= C_h + C_f \\ I &= I_h + I_f.\end{aligned} \tag{5}$$

---

[4] Ein Blick auf Tabelle 8 zeigt unmittelbar, daß der Wert aller Güter und Leistungen, die im Inland produziert worden sind, dem Volkseinkommen (indirekte Steuern und Subventionen einbezogen) plus dem Importwert entspricht.

[5] Wieder wird davon abgesehen, daß auch in den exportierten Waren ein Importgüteranteil enthalten sein kann.

C_f und I_f lassen sich zusammenfassen zum Gesamtwert der importierten Leistungen:

$$M = C_f + I_f, \tag{6}$$

die den Inländern entweder direkt oder nach Umwandlung durch den Unternehmenssektor zugute kommen. Nach Einsetzen der Gleichungen (5) in (3) ergibt sich unter Berücksichtigung von (6):

$$Y = C_h + I_h + X. \tag{7}$$

Das Volkseinkommen zu Marktpreisen entspricht demnach dem Export plus den Ausgaben der Inländer für im Inland erzeugte Güter: Die Ausgaben für heimische Güter und Leistungen bestimmen die Höhe des Einkommens. Dagegen wird die Höhe aller durch Inländer getätigten Ausgaben (Absorption), also

$$A = C + I$$

unter Verwendung von (5) und (6) durch die Gleichung

$$A = C_h + I_h + M \tag{8}$$

bestimmt. Die Inländer absorbieren Güter dadurch, daß sie entweder heimische oder fremde Produkte kaufen. Nach Zusammenfassen von (7) und (8) läßt sich das Verhältnis zwischen Volkseinkommen und Ausgaben der Inländer durch die Gleichung

oder
$$Y - X = A - M$$
$$Y - A = X - M \tag{9}$$

bestimmen. Volkseinkommen und Absorption sind nur dann gleich, wenn auch M und X übereinstimmen. Ist X größer als M, so wird auch Y größer als A: Nicht das gesamte Volkseinkommen wird an die Inländer verteilt, da der „Kuchen" durch Abflüsse in das Ausland (X) um mehr verkleinert, als durch Zuflüsse aus dem Ausland vergrößert worden ist. Umgekehrt können die Inländer mehr Leistungen absorbieren, als die eigene Volkswirtschaft hervorgebracht hat, wenn die Importe die Exporte übersteigen.

II. Sparen, Investieren und Zahlungsbilanz

a) Aus der Kreislauftheorie ist dem Leser bekannt, daß Gesamtersparnis und Gesamtinvestition in einer geschlossenen Volkswirtschaft stets übereinstimmen müssen: dem nicht verbrauchten Teil des Einkommens (Sparen) entspricht ein nicht verbrauchter, also investierter Teil der Produktion. Diese Beziehung ist jedoch nicht gültig, wenn die Annahme der geschlossenen Volkswirtschaft aufgegeben, das Modell also durch internationale Transaktionen erweitert wird[6]). Um dies zu zeigen, ergänzen wir die Gleichung des Volkseinkommens zu Faktorkosten

$$Y_f = C_{pr} + C_{st} + I_{pr} + I_{st} + X - M + Z - T_{ind} \tag{1}$$

durch eine Gleichung, die die Aufteilung des Einkommens darstellt:

$$Y_f + TR = C_{pr} + S_{pr} + T_{dir}$$
$$Y_f = C_{pr} + S_{pr} + T_{dir} - TR. \tag{2}$$

---

[6]) Die Ableitung folgt S c h n e i d e r , E., Einführung in die Wirtschaftstheorie, I. Teil, a. a. O.

II. Sparen, Investieren und Zahlungsbilanz

In dieser Gleichung bedeuten T_{dir} die direkten Steuern (Einkommens- und Lohnsteuern) und TR die vom Staat gezahlten Transfereinkommen. Transferzahlungen des Staates sind Unterstützungszahlungen an Personen ohne Gegenleistung (Renten usw.). Da von den Beziehern solcher Einkommen keine Gegenleistungen erbracht werden, gehören Transfereinkommen nicht zum Volkseinkommen, das als Summe aller Leistungseinkommen definiert ist. Um das Gesamteinkommen einer Periode zu erhalten, ist es folglich notwendig, zu den Leistungseinkommen Y_f die Transfereinkommen zu addieren. Gleichung (2) besagt jetzt, daß das Gesamteinkommen $(Y_f + TR)$ einer Periode, das den Haushalten zugeflossen oder als unverteilter Gewinn in den Unternehmungen verblieben ist, konsumiert, gespart oder zur Zahlung von direkten Steuern verwendet worden ist. Dabei wird zunächst von unentgeltlichen Übertragungen vom und an das Ausland abgesehen. Durch Gleichsetzen von (1) und (2) ergibt sich dann

$$S_{pr} + T_{\text{dir}} + T_{\text{ind}} = C_{st} + I_{pr} + I_{st} + X - M + Z + TR. \quad (3)$$

Fassen wir T_{dir} und T_{ind} zum Gesamtbetrag der Steuern T zusammen:

$$T = T_{\text{dir}} + T_{\text{ind}}$$

und summieren wir C_{st}, Z und TR zum Gesamtbetrag der Staatsausgaben G für den laufenden Konsum, Subventionen und Transferbedarf:

$$G = C_{st} + Z + TR,$$

so geht (3) über in

$$S_{pr} + T - G = I_{pr} + I_{st} + X - M. \quad (4)$$

Die Differenz zwischen T und G ist aber gleich der positiven $(T > G)$ oder negativen Ersparnis $(T < G)$ des Staates S_{st}. Eine positive Differenz zwischen T und G $(T > G)$ besteht z. B. aus den Ausgaben des Staates für Investitionszwecke, Kassenbeständen und Forderungen aus Investitionskrediten — die alle nicht in G enthalten sind — und deren Summe folglich die staatliche Ersparnis darstellt. Mithin:

$$S_{pr} + S_{st} = I_{pr} + I_{st} + X - M$$
$$S = I + X - M. \quad (5)$$

In einer Volkswirtschaft mit internationalen Wirtschaftsbeziehungen ist also die Ersparnis um den Wert des Exportüberschusses $(X > M)$ größer oder um den Wert des Importüberschusses $(X < M)$ kleiner als die Investition. Sieht man von unentgeltlichen Übertragungen vom und an das Ausland ab, so entspricht dem Saldo der Leistungsbilanz ein genau gleich großer Saldo der Kapitalbilanz. Ein Überschuß der Exporte über die Importe wird durch einen Überschuß der Kapitalexporte K^+ über die Kapitalimporte K^- ausgeglichen[7]). Entsprechendes gilt für ein Defizit der Leistungsbilanz. Daher kann man auch schreiben:

$$S = I + K^+ - K^-. \quad (6)$$

$K^+ - K^-$ entspricht der „net foreign investment" der angelsächsischen Literatur: Wie in der geschlossenen Wirtschaft stimmt das Sparen wieder mit der Investition überein, nur setzt sich I jetzt aus einem inländischen und ausländischen Teil zusammen.

In dieser Formulierung wird der ökonomische Gehalt von (6) unmittelbar klar: Die Gleichung besagt ganz einfach, daß durch die Spartätigkeit einer

---

[7]) Einschließlich Gold- und Devisenbewegungen bei der Zentralbank.

Periode zusätzliches Vermögen in gleicher Höhe entstanden ist. Dieses zusätzliche Vermögen setzt sich zusammen aus der Veränderung des Netto-Auslandsvermögens ($K^+ - K^-$) und dem Sachvermögenszuwachs im Inland, also der (geplanten und nicht geplanten) Investition als dem nicht verbrauchten Teil der Produktion. Diese Beziehung gilt natürlich immer und nicht nur in einem irgendwie definierten Gleichgewichtszustand. Unter Beachtung dieser Zusammenhänge reduziert sich (6) also auf die triviale Beziehung:

Vermögenszuwachs (S) = Sachvermögenszuwachs (I)+ Veränderung des Netto-Auslandsvermögens

oder, da sich der Vermögenszuwachs (Sparen) aus Geldvermögenszuwachs (Geldvermögen = Kasse + Forderungen — Verbindlichkeiten) und Sachvermögenszuwachs[8]) zusammensetzen kann:

Geldvermögenszuwachs + Sachvermögenszuwachs = Sachvermögenszuwachs + Veränderung des Netto-Auslandsvermögens
oder
Geldvermögenszuwachs = Zuwachs des Netto-Auslandsvermögens[9]).

Es muß also gelten, daß die inländische Volkswirtschaft ihr Geldvermögen nur vergrößern kann, wenn sie Forderungen an das Ausland erwirbt. Der Zuwachs des Geldvermögens einer Volkswirtschaft ist stets genau gleich der Veränderung — hier dem Zuwachs — des Netto-Auslandsvermögens, die ihrerseits unter unseren speziellen Annahmen (Nichtberücksichtigung von unentgeltlichen Leistungen) mit dem Saldo der Leistungsbilanz identisch ist. Die Gleichung impliziert demnach, daß die Geldvermögensbildung einer Volkswirtschaft ohne internationale Transaktionen stets Null sein muß. Diese Folgerung wird plausibel durch die Überlegung, daß dem Geldvermögenszuwachs irgendwelcher Gruppen, sei es eine Erhöhung der Kassenbestände und Forderungen oder eine Verringerung der Verbindlichkeiten, stets eine Geldvermögensminderung bei anderen Gruppen — Personen, Unternehmen, Geschäftsbanken und Zentralbank[10]) — entspricht. Insofern enthält die Gleichung (6) den Satz: **Die Geldvermögensänderung einer Volkswirtschaft ist Null, es sei denn, daß der Kapitalexport nicht mit dem Kapitalimport übereinstimmt.**

b) Während bisher von unentgeltlichen Leistungen abgesehen wurde, sollen nunmehr unentgeltliche Übertragungen von Staat und Privaten an das Ausland (L_{st}^+ und L_{pr}^+) und Übertragungen des Auslandes an Regierung und Private des Inlandes (L_{st}^- und L_{pr}^-) in das Modell einbezogen werden. Ein Überschuß (Defizit) der Leistungsbilanz muß dann durch eine positive (negative) Differenz zwischen $K^+ + L_{st}^+ + L_{pr}^+$ einerseits und $K^- + L_{st}^- + L_{pr}^-$ andererseits, also durch den Saldo der zusammengefaßten

---

[8]) Das Sparen der Unternehmungen zum Zwecke der Selbstfinanzierung impliziert einen Sachvermögenszuwachs.
[9]) Zum Geldvermögen im weiteren Sinne werden auch die im Ausland vorgenommenen Direktinvestitionen gezählt (vgl. z. B. Möller, H., Kapitalexport und Wachstum, Jahrbücher für Nationalökonomie und Statistik, Bd. 178, 1965, S. 187).
[10]) Es werden also Banknoten und Zentralbankguthaben als Forderungen an die Zentralbank bzw. als Verpflichtungen der Zentralbank angesehen. Die mit Hilfe der Vermögensrechnung abgeleiteten Beziehungen sind klar erörtert bei S t ü t z e l , W., Volkswirtschaftliche Saldenmechanik, Tübingen 1958, vor allem S. 59—82.

II. Sparen, Investieren und Zahlungsbilanz

Übertragungs- und Kapitalbilanz im weiteren Sinne ausgeglichen werden. Die Zahlungsbilanzgleichung lautet dann:

$$X - M = K^+ - K^- + L_{st}^+ - L_{st}^- + L_{pr}^+ - L_{pr}^-. \tag{6a}$$

Einsetzen in Gleichung (1) ergibt:

$$Y_f = C_{pr} + C_{st} + I_{pr} + I_{st} + K^+ - K^- + L_{st}^+ - L_{st}^- + L_{pr}^+ - L_{pr}^- + Z - T_{\text{ind}}. \tag{7}$$

Auch Gleichung (2), in der die Aufteilung des Einkommens beschrieben ist, erhält ein anderes Gesicht: Das Gesamteinkommen einer Periode besteht jetzt aus dem Leistungseinkommen Y_f, dem Transfereinkommen TR und den unentgeltlichen Übertragungen des Auslandes an Private L_{pr}^-. Dieses Einkommen wird in Ausgaben für Konsumzwecke C_{pr}, direkte Steuern T_{dir}, Ersparnis S_{pr} und unentgeltliche Übertragungen an das Ausland L_{pr}^+ aufgespalten:

$$Y_f + TR + L_{pr}^- = C_{pr} + S_{pr} + T_{\text{dir}} + L_{pr}^+$$
$$Y_f = C_{pr} + S_{pr} + T_{\text{dir}} - TR + L_{pr}^+ - L_{pr}^-. \tag{8}$$

Aus (7) und (8) folgt unter Benutzung der Gleichung $T = T_{\text{dir}} + T_{\text{ind}}$:

$$S_{pr} + (T + L_{st}^-) - (C_{st} + L_{st}^+ + Z + TR) = I_{pr} + I_{st} + K^+ - K^-.$$

Zu den Staatseinnahmen gehören jetzt also auch die Übertragungen aus dem Ausland L_{st}^- und zu den Staatsausgaben die Übertragungen an das Ausland L_s^+. Wenn man die Differenz zwischen Staatseinnahmen in der ersten Klammer und Staatsausgaben in der zweiten Klammer wieder als staatliche Ersparnis bezeichnet, erhält man:

$$S_{pr} + S_{st} = I_{pr} + I_{st} + K^+ - K^-.$$
$$S = I + K^+ - K^-. \tag{9}$$

Gleichung (9) ist also mit Gleichung (6) identisch: Die Existenz von unentgeltlichen Leistungen ändert nichts an der Aussage, daß das Sparen der Investition plus dem Saldo der Kapitalbilanz entspricht. Allerdings läßt sich (9) nicht mehr durch Gleichung (5) ($S = I + X - M$) substituieren. Wenn nämlich unentgeltliche Leistungen getätigt werden, entspricht der Saldo der Kapitalbilanz nicht mehr dem Saldo der Leistungsbilanz, sondern es gilt die Beziehung: Saldo der Kapitalbilanz = Saldo der Leistungsbilanz — Saldo der Übertragungsbilanz (Vgl. die Zahlungsbilanz-Gleichung 6a). Gleichung (9) wird daher gemäß (6a) zu

$$S = I + (X - M) - (L_{st}^+ - L_{st}^-) - (L_{pr}^+ - L_{pr}^-) \tag{10}$$

Wenn in kreislauftheoretischen Überlegungen (im Rahmen einer ex ante-Betrachtung) dennoch regelmäßig die Gleichung $S = I + X - M$ verwendet wird, so folgt dies — wie später zu zeigen ist — aus der Überlegung, daß Nettoübertragungen an das Ausland ähnlich wie das Sparen auf die Gesamtnachfrage wirken, so daß derartige Transfers in S einbezogen werden können.

Literatur zum I. Teil

Bochud, R., Zahlungsbilanz und Währungsreserven, Tübingen 1970.

Colm, G., Über den Inhalt und Erkenntniswert der Zahlungsbilanz, Weltwirtschaftliches Archiv, Bd. 29, 1929.

Funck, R., Artikel: „Zahlungsbilanz" in: Handwörterbuch der Sozialwissenschaften, Band 12, Stuttgart-Tübingen-Göttingen 1965.

Kemp, D. S., Balance-of-Payments Concepts — What Do They Really Mean?, Federal Reserve Bank of St. Louis-Review, Bd. 57, 1975.

Kepper, G., Artikel: „Zahlungsbilanz" in: Enzyklopädisches Lexikon für das Geld-, Bank- und Börsenwesen, 2. Band, Frankfurt/M. 1968.

Kindleberger, C. P., Measuring Equilibrium in the Balance of Payments, Journal of Political Economy, Bd. 77, 1969.

Krelle, W., Volkswirtschaftliche Gesamtrechnung, Berlin 1967.

Lederer, W., The Balance on Foreign Transactions: Problems of Definition and Measurement, Princeton 1963.

Machlup, F., Three Concepts of the Balance of Payments and the Socalled Dollar Shortage, Economic Journal, Bd. 60, 1950.

Meade, J. E., The Theory of International Economic Policy, Bd. I, The Balance of Payments, London — New York — Toronto 1963.

Mossé, R., Die Messung der Zahlungsbilanzsalden mit besonderer Berücksichtigung der Kontroverse Bernstein—Lederer, Weltwirtschaftliches Archiv, Bd. 100, 1968.

Salant, W., International Transactions in National Income Account, Review of Economics and Statistics, Bd. 33, 1951.

Schneider, E., Einführung in die Wirtschaftstheorie, I. Teil, Theorie des Wirtschaftskreislaufs, 14. Aufl., Tübingen 1969.

Scholl, F., Die Zahlungsbilanz, in: Umrisse einer Wirtschaftsstatistik, Festgabe für P. Flaskämper, hrsg. von A. Blind, Hamburg 1966.

Stobbe, A., Volkswirtschaftliches Rechnungswesen, Berlin-Heidelberg-New York, 3. Aufl. 1972.

Stützel, W., Volkswirtschaftliche Saldenmechanik, Tübingen 1958.

Tiedtke, J., Alternative Interpretationen des Zahlungsbilanzausgleichs — Darstellung und wirtschaftspolitische Implikationen der einzelnen Konzepte, Außenwirtschaft, 29. Jg., 1974.

Geschäftsberichte und Monatsberichte der Deutschen Bundesbank.

Teil II

Die monetäre Theorie

1. Kapitel: Der Gegenstand

Im Mittelpunkt der monetären Außenwirtschaftstheorie steht die Erklärung von Veränderungen der autonomen Zahlungsbilanz, sei es, daß diese Veränderungen durch den Marktmechanismus hervorgerufen oder aber durch bewußte Eingriffe der wirtschaftspolitischen Instanzen verursacht sind. Dieser Problemkreis hat einen doppelten Aspekt: Ebenso wie Veränderungen von Angebot und Nachfrage Folge und Ursache von Preisbewegungen zugleich sind, so ist auch die Änderung des Saldos der Zahlungsbilanz einmal die Folge, das andere Mal die Ursache der Variation bestimmter ökonomischer Größen[1]). Das wird besonders deutlich, wenn das Volkseinkommen die betrachtete Variable ist. Aus den Ausführungen des I. Teiles wissen wir, daß sich das Volkseinkommen ceteris paribus ändert, wenn der Leistungsbilanzsaldo größer oder kleiner wird. Umgekehrt läßt sich aber auch zeigen, daß Prozesse der Einkommensexpansion oder -kontraktion ihrerseits die Leistungsbilanz beeinflussen. Ähnliche Beziehungen gelten für den Zusammenhang zwischen Zahlungsbilanz und anderen ökonomischen Größen, es sei denn, daß diese Größen dem Marktmechanismus entzogen sind, so daß ihre Änderung nur autonom, nicht aber als Folge der Zahlungsbilanzentwicklung erfolgen kann.

Sofern die relevanten Variablen sich frei verändern können, werden die Beziehungen zwischen Zahlungsbilanz und diesen Variablen durch die Theorien vom „Mechanismus des Zahlungsbilanzausgleichs" beschrieben. Nach der Art der betrachteten Variablen bezeichnet man die wichtigsten dieser Mechanismen als Wechselkurs-, Geldmengen-Preis- und Einkommensmechanismus. In der Theorie des Wechselkursmechanismus sucht man zu zeigen, wie Zahlungsbilanz und Wechselkurs durch das Zusammenspiel von Devisenangebot und Devisennachfrage beeinflußt werden. Da aber der Wechselkurs dem Spiel von Angebot und Nachfrage heute weitgehend entzogen und durch die politischen Instanzen bestimmt ist, tritt die Frage nach der Reaktion des Wechselkurses auf Marktverschiebungen an Bedeutung weit hinter der Frage zurück, wie die Zahlungsbilanz auf einmalige Änderungen des Kurses reagiert. Diesen Problemkreis werden wir im 2. Kapitel behandeln. Da die hier erläuterten Zusammenhänge teilweise recht schwierig sind, folgt die Darstellung dem bewährten Verfahren, die Beziehungen zunächst unter vereinfachten Annahmen zu untersuchen und erst später — wenn der Grund gefestigt ist — realistischere Prämissen einzuführen, die allerdings auch kompliziertere Ergebnisse bringen. So wird die generell gültige, aber auch recht komplizierte Robinson-Bedingung für eine „normale" Reaktion der Leistungsbilanz erst dann analysiert, wenn die bedeutend einfachere, dafür jedoch nur beschränkt geltende Marshall-Lerner-Bedingung abgehandelt ist. Sicherlich ist es intellektuell befriedigender, den allgemeinen Fall voranzustellen und daraus die Spezialfälle abzuleiten, doch dürfte ein solches Vorgehen das Verständnis oft erschweren.

---

[1]) Angebots- und Nachfrageänderungen infolge von Preisbewegungen sind als Bewegungen auf gegebenen Kurven zu interpretieren. Angebots- und Nachfrageänderungen als Ursache von Preisbewegungen implizieren jedoch Verschiebungen der Kurven. In gleicher Weise muß zwischen zwei Bedeutungen des Ausdrucks „Veränderung der Zahlungsbilanz" unterschieden werden.

Neben dem Wechselkurs sind immer auch die Güterpreise als für die Zahlungsbilanzentwicklung bedeutsam angesehen worden. Die klassische Theorie vom Goldautomatismus stellte die Güterpreise gar in den Mittelpunkt ihrer Betrachtung. Nach dieser von Hume und anderen ausgebauten Theorie rufen Störungen der Zahlungsbilanz Preisänderungen hervor, die ihrerseits das Gleichgewicht der Zahlungsbilanz wieder herstellen. Die Analyse baut auf quantitätstheoretischen Überlegungen auf; es wird nämlich unterstellt, daß Goldzuflüsse und Goldabflüsse, die durch den Saldo der autonomen Zahlungsbilanz induziert sind, stets auch das Preisniveau verändern; nur dann kann offenbar der Preisbewegung die Rolle des ausgleichenden Faktors zugeschrieben werden. Inzwischen hat aber das Preissystem viel an Beweglichkeit eingebüßt, welche die Klassiker — in einer anderen wirtschaftlichen Umwelt lebend — noch zu Recht unterstellten. Dennoch ist es wichtig zu wissen, auf welche Weise die Zahlungsbilanz durch Preisvariationen beeinflußt wird, nur darf man nicht mehr unterstellen — wie die Klassiker es taten —, daß solche Preisverschiebungen durch ein Ungleichgewicht der Zahlungsbilanz, also durch Goldbewegungen, automatisch hervorgerufen werden. Die Frage lautet einfach: Wie verändert sich der Saldo der Zahlungsbilanz, wenn die Preise — aus welchen Gründen auch immer — eine Änderung erfahren? Wir werden diese Frage im 3. Kapitel untersuchen.

Die Zusammenhänge zwischen Preisentwicklung und Zahlungsbilanz sind in jüngerer Zeit vor allem unter dem Aspekt der Inflationsübertragung von Land zu Land erörtert worden. Daher enthält das 3. Kapitel auch die Grundgedanken der „Theorie des internationalen Preiszusammenhangs". Skizziert wird ebenfalls die vor allem von Mundell und Johnson entwickelte „monetäre Zahlungsbilanztheorie", die auf den Modellen des „Geldmengen-Preis-Mechanismus" und des „internationalen Preiszusammenhangs" aufbaut.

Mit der Entwicklung der makroökonomischen Theorie — die eng mit dem Namen K e y n e s verbunden ist — wich das Denken in Preisen einer stärkeren Betonung des Volkseinkommens als dem zentralen Element, das den Wirtschaftsablauf steuert. Diese Entwicklung hat auch vor der Außenhandelstheorie nicht haltgemacht. Die Untersuchung des Zusammenhanges zwischen Preisen, Wechselkursen und Zahlungsbilanz wurde ergänzt — nicht wie oft behauptet: ersetzt — durch eine Analyse der Beziehungen zwischen Einkommensschwankungen und Zahlungsbilanz. Im Rahmen dieser Untersuchungen werden Preise und Wechselkurs normalerweise als konstant angenommen, ebenso wie die klassische Theorie von der Annahme eines konstanten Volkseinkommens ausging. Diese nur auf Einkommensbewegungen abstellende Theorie — wir werden sie im 4. Kapitel untersuchen — ist so lange voll befriedigend, wie generelle Unterbeschäftigung existiert, da in diesem Falle die Annahme konstanter Preise weitgehend zu Recht bestel.t. Ist aber die Wirtschaft vollbeschäftigt, so variieren die Preise, und es wird folglich notwendig, den Einfluß von Preis- und Einkommensbewegungen auf die Zahlungsbilanz zugleich zu untersuchen. Der Zwang zur Kombination von Preis- und Einkommenseffekten ist noch stärker, wenn auch der Wechselkurs geändert wird, denn es läßt sich zeigen, daß die Relation zwischen Export- und Importgüterpreisen durch den Wechselkurs verschoben wird. Die kombinierten Preis-Einkommenswirkungen sind erst in den letzten Jahren untersucht worden, und es ist daher nicht erstaunlich, daß noch keine Lösungen gefunden werden konnten, die vollauf befriedigen. Hier zeigt sich das Dilemma der Wirtschaftstheorie mit aller Deutlichkeit: Zu eindeutigen Ergebnissen gelangt man nur durch einfache, d. h. aber in vielen Fällen nicht der Wirklichkeit entsprechende Prämissen. Will man dagegen die Realität mit all ihren Komplikationen einfangen, so wird das Modell zu unanschaulich und die Zahl der möglichen Lösungen so groß, daß an eine sinnvolle Anwendung der Theorie nicht mehr zu denken ist. Die „allgemeine", mit variablen Preisen, Wechselkursen und Einkommen operierende Zahlungsbilanztheorie zeigt dies mit aller Klarheit. Wir werden uns daher — dem Zweck dieses Buches entsprechend — darauf beschränken müssen, nur die Grundlinien der modernen Entwicklung zu skizzieren. Dies geschieht im 5. Kapitel.

Im Brennpunkt der monetären Außenwirtschaftspolitik stand in den letzten Jahren ohne Zweifel die Frage der Vereinbarkeit von internem und externem Gleichgewicht. Wir werden daher im 6. Kapitel zu zeigen versuchen, wie die in den ersten fünf Kapiteln entwickelten Instrumente und Zusammenhänge auf diese Frage angewendet werden können. Dabei zeigt sich, daß Konflikte vor allem auch durch die Existenz von internationalen Kapitalbewegungen bedingt sind. Gegenstand des 7. und 8. Kapitels sind daher diese Kapitalbewegungen. Diese Ausführungen ergänzen die Analyse der ersten Kapitel, die vorwiegend der Leistungsbilanz als dem vielleicht wesentlichsten Bestandteil der Zahlungsbilanz gewidmet sind. Die Untersuchung kurzfristiger Kapitalbewegungen zwingt ferner dazu, in der Theorie des Wechselkurses auch solche Transaktionen zu berücksichtigen, die über Terminmärkte abgewickelt werden.

2. Kapitel:
Wechselkursänderungen und Zahlungsbilanz

I. Der Devisenmarkt

a) Aus der Abgabe von Gütern, Dienstleistungen und Forderungsrechten an das Ausland fließen den Inländern Devisen zu, welche von anderen Inländern, die Auslandsleistungen zu erwerben trachten, nachgefragt werden. Dieses Zusammentreffen von Devisenangebot und Devisennachfrage bezeichnet man als D e v i s e n m a r k t. Auf dem Devisenmarkt bildet sich wie auf jedem anderen Markt ein Preis für das gehandelte Gut — hier für Devisen. Der Preis auf dem Devisenmarkt wird W e c h s e l k u r s genannt.

Bei der Klassifikation von Märkten wird üblicherweise zwischen vollkommenen und unvollkommenen Märkten unterschieden: Während auf dem vollkommenen Markt die umgesetzten Waren homogen und ihre Preise folglich gleich sind, ist der unvollkommene Markt durch das Bestehen sachlicher, räumlicher, zeitlicher oder personeller Differenzierungen gekennzeichnet. Die Preise der auf diesem Markt gehandelten (heterogenen) Güter weichen folglich voneinander ab. Im Sinne dieser Unterscheidung ist der Devisenmarkt einer der vollkommensten Märkte überhaupt, einmal deshalb, weil die verkaufte Ware „Geld" homogen in der Weise ist, daß der eine Dollarschein nicht dem anderen wegen personeller Präferenzen oder sachlicher Differenzierungen vorgezogen wird, zum anderen, weil Preisunterschiede zwischen räumlich getrennten Märkten schnellstens beseitigt werden, wenn die Devisenarbitrage nicht durch Bewirtschaftungsmaßnahmen behindert wird. Es ist also möglich, von d e m Devisenmarkt zu sprechen, ohne daß es notwendig wäre, einen solchen Markt in Elementarmärkte zu zerlegen. Indessen muß beachtet werden, daß es nicht nur eine Auslandswährung gibt; Angebot an und Nachfrage nach Devisen beziehen sich vielmehr auf die Währungseinheiten vieler Länder. Wie in der übrigen Außenhandelstheorie ist es allerdings auch in der Theorie des Devisenmarktes üblich, die Analyse auf die Beziehungen zweier Länder — Inland und Ausland — zu beschränken, wobei das Ausland als die gesamte übrige Welt aufgefaßt werden kann. Diese Beschränkung vereinfacht die Untersuchung wesentlich, was um so mehr gerechtfertigt werden kann, als viele Ergebnisse der Zwei-Länder-Analyse auf den Mehr-Länder-Fall übertragen werden können[1]). Wir werden uns daher auf die Untersuchung der Beziehungen zweier Länder beschränken. Die Währungseinheit des Inlandes wird als DM, die des Auslandes als Dollar bezeichnet.

b) Nach unseren Annahmen werden auf dem Devisenmarkt nur Dollar gehandelt. Ebenso wie Angebot an und Nachfrage nach einer Ware abhängige Variable des Warenpreises sind, so können auch Dollar-Angebot und -Nachfrage als Funktionen des Preises für den Dollar — des Wechselkurses — behandelt werden. Der Wechselkurs (w) — auch als Dollar-Kurs bezeichnet — ist demnach als Preis für einen Dollar, ausgedrückt in DM, definiert. Wird für einen Dollar ein Preis von DM 4,— bezahlt, so wäre der Wechsel-

---

[1]) L. A. M e t z l e r zeigt dies etwa am Beispiel der internationalen Einkommenstheorie. Vgl. seinen Aufsatz „A Multiple-Region Theory of Income and Trade", Econometrica, Bd. 18, 1950.

kurs also DM 4,—. Für viele Zwecke ist es allerdings nützlich, an Stelle des Dollar-Kurses den DM-Kurs (w_1) zugrunde zu legen, der dem reziproken Wert des Dollar-Kurses entspricht:

$$w_1 = \frac{1}{w}$$

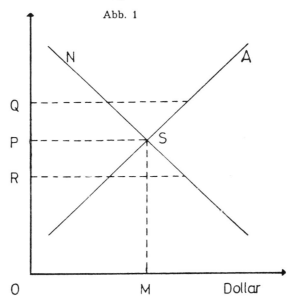

Abb. 1

Beträgt der Dollar-Kurs z. B. DM 4,—, so ist der DM-Kurs, der Dollar-Preis für DM 1,—, gleich $ 0,25. Viele Mißverständnisse können leicht vermieden werden, wenn diese beiden Bedeutungen des Wortes Wechselkurs scharf getrennt werden. Sprechen wir im folgenden vom Wechselkurs, so ist stets der Dollar-Kurs w gemeint; andernfalls wird die Bezeichnung DM-Kurs verwendet.

Die auf dem Dollar-Markt herrschenden Marktbeziehungen lassen sich besonders klar veranschaulichen, wenn wir die Angebots- und Nachfragefunktionen für die Ware „Dollar" graphisch darstellen. Dies geschieht in Abb. 1. Hier wird für die Kurven des Dollar-Angebots A und der Dollar-Nachfrage N normaler Verlauf angenommen, eine Annahme, die — wie wir später sehen werden — nicht in jedem Fall gerechtfertigt ist. Vorläufig sei jedoch unterstellt, daß Dollar-Angebot und Dollar-Nachfrage auf Änderungen des Wechselkurses normal reagieren, die Angebotskurve also positiv, die Nachfragekurve hingegen negativ geneigt ist.

Dollar-Angebot und -Nachfrage stammen aus mehreren Quellen. Dabei sei zur Vereinfachung unterstellt, daß Zahlungen an das Ausland stets in Fremdwährung abzuwickeln sind und auch Zahlungen aus dem Ausland in fremder Währung erfolgen. So kommt es zu einer Devisennachfrage, wenn Inländer Güter und Dienstleistungen zu importieren wünschen, Reparationszahlungen zu tätigen haben, Auslandsschulden tilgen und Vermögenstitel im Ausland erwerben, um nur einige der Möglichkeiten zu nennen. Die Devisennachfrage entspricht daher dem Wert des Imports plus Kapitalexport plus unentgeltliche Übertragungen an das Ausland. Umgekehrt fließen den Inländern aus Leistungsexporten, Kapitalimporten und unentgeltlichen Übertragungen Devisen zu, die am Devisenmarkt angeboten werden. Um unsere Unterscheidung zwischen autonomen und kompensatorischen Transaktionen nutzbar zu machen, ist es zweckmäßig, die dargestellten Kurven als Kuven des a u t o n o m e n A n g e b o t s und der a u t o n o m e n N a c h f r a g e zu deuten, also die Aufmerksamkeit auf jene Dollarströme zu lenken, die ihre Existenz den Kategorien der autonomen Zahlungsbilanz verdanken. Unter dieser Voraussetzung ist das Gleichgewicht auf dem Devisenmarkt identisch mit dem Gleichgewicht der Zahlungsbilanz (Marktzahlungsbilanz nach Machlup). Der Wechselkurs OP wäre also Gleichgewichtskurs nicht nur insofern, als Dollar-Angebot und -Nachfrage übereinstimmen, sondern auch in dem Sinne, daß die Bedingung:

Wert des Exports + Kapitalimport + Übertragungen aus dem Ausland = Wert des Imports + Kapitalexport + Übertragungen an das Ausland

erfüllt ist. Dabei ist es gleichgültig, ob man die Posten der Zahlungsbilanz in Dollar oder DM ausdrückt. Bewertet man alle Transaktionen in Auslandswährung, so wird die Summe der autonomen Credit-Posten (= Debet-Posten) durch die Strecke OM repräsentiert; mißt man dagegen in Inlandswährung, so wird jede Seite der autonomen Zahlungsbilanz durch den Inhalt des Rechtecks $OPSM$ angegeben, denn $OPSM$ entspricht als Produkt aus Dollar-Menge OM und DM-Preis des Dollars OP dem DM-Wert der autonomen Transaktionen.

Nun mag man dem Gesagten entgegenhalten, daß nicht alle Transaktionen Akte des Devisenangebots und der Devisennachfrage implizieren. Legt z. B. ein Exporteur die von ihm verdienten Deviseneinlöse in ausländischen Wertpapieren an, tätigt er also zugleich einen Kapitalexport, so tritt er (bzw. seine Bank) weder als Anbieter noch als Nachfrager von Devisen auf. Dennoch kann die These, daß das Devisenangebot dem Wert des Exports, des Kapitalimports und der Übertragungen vom Ausland entspricht, und die Devisennachfrage dem Wert des Imports, des Kapitalexports und der Übertragungen an das Ausland gleich ist, aufrecht erhalten werden, wenn man in Nachfrage und Angebot auch die „Eigennachfrage" und das „Eigenangebot" einbezieht. Der oben angeführte Unternehmer, der seine Exporterlöse für Zwecke des Kapitalexports verwendet, würde also Devisen an sich selbst „verkaufen" (Angebot) und diese, seine eigenen Devisen in seiner Eigenschaft als Kapitalexporteur selbst „kaufen" (Nachfrage): Er ist also Devisenanbieter und Devisennachfrager zugleich. Unter Berücksichtigung dieser Zusammenhänge enthalten also die in Abb. 1 gezeichneten Angebots- und Nachfragekurven auch fingierte „Käufe von sich selbst" und „Verkäufe an sich selbst". An der Höhe des Gleichgewichtskurses ändert sich durch Einbeziehung solcher fingierten Transaktionen nichts, da die Nachfrageseite um den gleichen Betrag (Kapitalexport) wie die Angebotsseite (Güterexport) vergrößert wird.

Um die Eigenschaften dieses Gleichgewichts zu untersuchen, sei nunmehr angenommen, daß an die Stelle des Gleichgewichtskurses OP ein neuer Kurs OR tritt, bei dem die Dollar-Nachfrage das Dollar-Angebot übersteigt. Will man die Wirkungen einer solchen Abweichung untersuchen, so muß zunächst gefragt werden, ob der Wechselkurs frei beweglich oder durch Entscheidungen der währungspolitischen Instanzen gebunden ist. Bei freier Preisbildung auf dem Devisenmarkt würde der sich zum Kurs OR ergebende Nachfrageüberhang den Wechselkurs in die Höhe treiben, so daß die Dollar-Nachfrage abnimmt und das Dollar-Angebot größer wird, bis sich beide Marktseiten zum Kurs OP erneut entsprechen. Umgekehrt müßte ein Überhang des Angebots, der beim Kurs OQ auftritt, so lange eine Senkung des Kurses zur Folge haben, bis dieser Überhang beseitigt ist. Das in Abb. 1 dargestellte Gleichgewicht ist also stabil in dem Sinne, daß jede Abweichung vom Gleichgewichtskurs durch den Marktmechanismus korrigiert wird. Beachtet man

I. Der Devisenmarkt

ferner, daß die Begriffe Nachfrage nach und Angebot an Devisen durch die Werte der autonomen Zahlungsbilanz ersetzt werden können, so impliziert ein stabiler Devisenmarkt zugleich die Stabilität des Zahlungsbilanzgleichgewichts.

Solche automatischen Kurskorrekturen sind indessen nur dann zu erwarten, wenn sich der Wechselkurs frei bewegen kann. Weil aber die politischen Instanzen oft der Ansicht sind, daß der internationale Handels- und Zahlungsverkehr bei flexiblen Kursen mit zu großen Risiken belastet ist, wird das Prinzip der freien Kurse manchmal durch eine politische Fixierung der Devisenpreise ersetzt. Eine solche Fixierung wäre völlig unproblematisch, wenn der festgesetzte stets dem gleichgewichtigen Kurs entsprechen würde; dies aber ist nur möglich, sofern Angebots- und Nachfragefunktionen im Zeitablauf annähernd unverändert bleiben. Da aber mit einer solchen Konstanz der Daten nicht gerechnet werden kann, ist es sehr wahrscheinlich, daß bei fixiertem Wechselkurs — auch wenn dieser im Ausgangszustand mit dem Gleichgewichtskurs identisch ist — schon nach kurzer Zeit Defizite oder Überschüsse der Zahlungsbilanz auftreten. Zum Kurs OR ist z. B. die Devisennachfrage größer als das Devisenangebot. Zur Stützung dieses Kurses sind die Währungsbehörden gezwungen, das Defizit der autonomen Transaktionen durch Dollarabgaben, die das autonome Dollarangebot ergänzen, zu schließen. Die Stabilisierung des Kurses auf dem Niveau OR würde demnach die Bereitschaft der Zentralbank voraussetzen, zu diesem Kurs beliebig viele ausländische Zahlungsmittel zu verkaufen, um die Lücke zwischen autonomem Devisenangebot und autonomer Devisennachfrage zu schließen. Die Dollarabgaben ihrerseits implizieren Anpassungstransaktionen; Dollarverkäufe werden ermöglicht: 1. durch Minderung der eigenen Dollarreserven; 2. durch Goldverkäufe, welche der Zentralbank die notwendigen Devisen verschaffen; 3. durch Zahlungsbilanzhilfen des Auslands in Form ausgleichender Kapitalimporte oder Übertragungen, durch welche die Währungsbehörde in den Besitz geliehener oder geschenkter Dollar kommt, die sie zur Stützung des Kurses verwenden kann, ohne daß die eigenen Währungsreserven sich vermindern. Analoge Überlegungen gelten für den Wechselkurs OQ; hier hat die Zahlungsbilanz einen Überschuß — das Dollarangebot übersteigt die Dollarnachfrage —, so daß die Lücke wiederum mit Hilfe von Anpassungstransaktionen, z. B. durch Goldzuflüsse, Zahlungsbilanzkredite an das Ausland und Vermehrung der Devisenreserven der Zentralbank geschlossen werden muß.

Bei lang andauernden Defiziten oder Überschüssen kann sich die Regierung allerdings gezwungen sehen, den an sich starren Wechselkurs durch einen anderen, höheren oder niedrigeren Kurs zu ersetzen, der dann ebenfalls — nur auf neuem Niveau — fixiert bleibt. Solche Wechselkurskorrekturen können in beiden Richtungen vorgenommen werden. Man spricht von einer Abwertung, wenn der Dollar-Kurs erhöht wird. Das Wort „Abwertung" bezieht sich also auf den DM-Kurs, der — wie wir wissen — dem reziproken Wert des Dollarkurses entspricht. Eine Abwertung der DM bedeutet also, daß für eine ausländische Währungseinheit mehr DM hingegeben werden müssen (= Steigerung des Dollarkurses) oder für eine DM weniger Dollar eingelöst werden können (= Senkung des DM-Kurses). Aus Abb. 1 ist sofort ersichtlich, daß eine Abwertung (Erhöhung von w) die Nachfrage nach Devisen mindert und das Angebot erhöht, so daß ein (z. B. bei OR) bestehendes Defizit verkleinert und der Verlust an Devisenreserven gestoppt werden kann. Nimmt man eine Korrektur des Wechselkurses in größerem Umfange vor, so ist sogar denkbar, daß ein Defizit nicht nur beseitigt, sondern gar ein Überschuß erzielt wird. Das wäre der Fall, wenn der Kurs OR

durch den Kurs OQ ersetzt wird. Wir bezeichnen die Verminderung eines Defizits und die Zunahme (oder das Entstehen) eines Überschusses als „Verbesserung" der Zahlungsbilanz. (Die Anführungszeichen sollen besagen, daß das Wort „Verbesserung" nicht notwendig — wie zu Zeiten des Merkantilismus — mit einem positiven Akzent versehen werden soll.) Weil eine Abwertung regelmäßig vorgenommen wird, um die Zahlungsbilanz in diesem Sinne zu verbessern, spricht man von einer **normalen Reaktion** der Zahlungsbilanz, wenn durch eine Abwertung tatsächlich dieses Ziel erreicht wird. Das muß stets der Fall sein, wenn die Devisenkurven wie in Abb. 1 verlaufen. Wir werden aber später sehen, daß die Zahlungsbilanz auf Abwertungen auch anomal reagieren, d. h. eine Verschlechterung erfahren kann.

Andererseits wird mit einer Aufwertung das Ziel verfolgt, die Zahlungsbilanz zu verschlechtern, also vor allem einen Überschuß zu verringern. Deshalb entspricht der Verbesserung als normale Reaktion auf eine Abwertung eine Verschlechterung als normale Reaktion auf eine Aufwertung. Haben Angebots- und Nachfragekurven den in Abb. 1 dargestellten Verlauf, so wird durch eine Aufwertung (Senkung von w) stets das gewünschte Ziel erreicht: Durch Herabsetzen des Kurses OQ würde das Angebot an Devisen abnehmen, die Nachfrage aber zunehmen, so daß der Überschuß der Zahlungsbilanz verkleinert, beseitigt oder gar in ein Defizit verwandelt wird.

Vergleicht man das System flexibler Wechselkurse mit der Methode einmaliger Kurskorrekturen, so zeigt sich, daß zwar der Weg ein anderer, das Ergebnis aber tendenziell dasselbe ist. Abweichungen vom Ausgangsgleichgewicht werden im Falle eines Defizits entweder durch automatische Kurserhöhungen korrigiert oder aber durch bewußtes Hinaufsetzen des Wechselkurses (Abwertung) zumindest teilweise aus dem Wege geschafft. Die normale Reaktion der Zahlungsbilanz ist somit nur ein anderer Ausdruck dafür, daß das Gleichgewicht auf dem Devisenmarkt stabil ist. Diese Bedingungen sind immer dann erfüllt, wenn die Angebotskurve positiv, die Nachfragekurve aber negativ geneigt ist, was in Abb. 1 unterstellt wurde.

c) Die bisherigen Ausführungen bezogen sich auf Gesamtangebot und Gesamtnachfrage am Devisenmarkt. Beide Marktgrößen ergeben sich durch Aggregation einzelner Angebots- und Nachfrageakte, die jeweils spezifischen Transaktionen zugeordnet sind. Eine gründliche Analyse der Marktvorgänge ist daher nur möglich, wenn man die totalen Devisenkurven in Einzelkurven zerlegt und untersucht, wie die nach Art der Transaktionen getrennten Angebots- und Nachfragemengen auf Wechselkursänderungen reagieren. Die Aufspaltung kann beliebig weit getrieben werden: Man mag sich damit begnügen, zwischen Leistungsverkehr, Kapitalbewegungen und Übertragungen zu unterscheiden und Devisenangebot und -nachfrage aus jeder dieser Quellen getrennt darzustellen. Die totalen Kurven würden dann in jeweils drei Kurven für die Angebots- und Nachfrageseite zu unterteilen sein. Es wäre aber auch möglich, in noch stärkerem Maße aufzuspalten und zu fragen, wie sich Angebot und Nachfrage z. B. aus dem Austausch von Investitionsgütern, Konsumgütern, Dienstleistungen usw. verhalten. Eine solche Aufteilung stößt jedoch recht bald auf Grenzen, weil normalerweise ausreichende Informationen zur Bestimmung der Kursreagibilität einzelner Transaktionen fehlen.

Wir werden uns im folgenden auf die Analyse von Devisenangebot und -nachfrage aus Exporten und Importen beschränken und die Devisenkurven, welche durch Kapitalverkehr und Übertragungen bestimmt sind, nur mit einigen Worten streifen. Der Verlauf dieser Kurven wird wesentlich dadurch

I. Der Devisenmarkt

bestimmt, ob Zahlungen in Inlands- oder Auslandswährung getätigt werden. Wenn sich das Inland zur Rückzahlung einer Anleihe oder zur Zahlung einer Reparation in Auslandswährung verpflichtet hat, verläuft die entsprechende Dollarnachfragekurve parallel zur Ordinate — ihre Elastizität ist null —, da unabhängig von der Höhe des Dollarkurses ein konstanter Dollarbetrag aufgebracht werden muß. Sind diese Zahlungen jedoch in Inlandswährung zu entrichten, so ist die Nachfragekurve eine gleichseitige Hyperbel — ihre Elastizität hat einen absoluten Wert von eins —, weil unabhängig von der Kurshöhe eine feste DM-Summe, also ein konstantes Produkt aus Dollar-Summe und Wechselkurs, aufgebracht werden muß. Ähnliches gilt für Zahlungen an das Inland. Bei Festlegung in Auslandswährung ist die Angebotskurve völlig unelastisch. Bei Festlegung in Inlandswährung steigt sie gar von rechts unten nach links oben, weil das Ausland zum Kauf von DM um so weniger Devisen aufzubringen hat, je höher der Wechselkurs ist. Es ist also durchaus denkbar, daß das Devisenangebot mit steigenden Kursen kleiner wird, ganz im Gegensatz zu dem in Abb. 1 angenommenen normalen Verlauf, wo höheren Kursen auch größere Angebotsmengen zugeordnet sind. Schon aus diesen Gründen können die Devisenkurven der Abb. 1 nicht als für jeden Fall gültig angenommen werden.

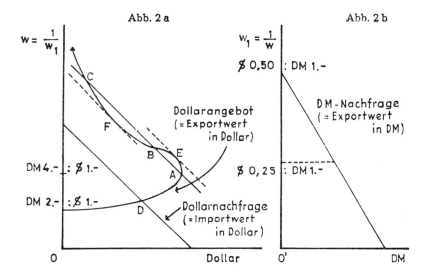

Diese Folgerung wird bekräftigt, wenn wir uns nun allein dem Güter- und Dienstleistungsverkehr als Quelle von Devisenangebot und -nachfrage zuwenden. In Abb. 2a wurde angenommen, daß die Dollar-Nachfrage für Importe — die dem Importwert in Dollar entspricht — auf Wechselkursänderungen normal reagiert, mit steigendem Kurs geringer und mit sinkendem Kurs größer wird. (Nur aus Vereinfachungsgründen ist ein geradliniger Verlauf der Nachfragekurve angenommen; normalerweise nähert sie sich asymptotisch der Abszisse.) Diese Annahme kann durch eine einfache Überlegung gerechtfertigt werden. Wenn der Wechselkurs hinaufgesetzt wird, müssen die Inländer für einen Dollar und folglich auch für Auslandswaren einen höheren DM-Preis bezahlen. Auf diese Preiserhöhung reagieren die Inländer normalerweise mit einer Einschränkung ihrer mengenmäßigen Importnachfrage, so daß sich die Auslandsproduzenten veranlaßt sehen, den Dollar-

Preis ihrer angebotenen Produkte zu vermindern. Da der Dollarwert der Importe dem Produkt aus importierten Mengen und Dollar-Preis der Importe entspricht, muß mithin der Importwert — also auch der aufzubringende Dollar-Betrag — kleiner werden, wenn der Wechselkurs heraufgesetzt wird. Nicht ganz so einfach ist die Bestimmung des Dollar-Angebots, das dem Exportwert in Dollar entspricht. Die Konstruktion dieser Angebotskurve wird durch die Überlegung erleichtert, daß dem Diagramm für den Dollar-Markt, wo der Dollar als Ware und der DM-Wert des Dollars als Preis erscheint, ein Diagramm für den DM-Markt entspricht, wo umgekehrt die DM als getauschte Ware und der Dollar-Wert der DM als Preis betrachtet wird. Dollar und DM werden also einmal als Ware, das andere Mal als Wertmaßstab behandelt. In Abb. 2b ist die DM-Nachfrage als Funktion des DM-Kurses, d. h. des Dollar-Preises für DM dargestellt. Die DM-Nachfrage stimmt mit dem DM-Wert der inländischen Exporte überein, da unsere Exporteure die Dollarerlöse aus ihren Verkäufen in DM einzutauschen suchen. Die Nachfragekurve für DM verläuft normal, weil mit steigenden DM-Kursen die deutschen Waren für den Ausländer teurer werden, die Nachfrage nach Exportgütern sich vermindert und deren Preise folglich sinken: Mithin schrumpft der DM-Exportwert — das Produkt aus exportierter Menge und Exportgüterpreisen —, wenn der DM-Kurs erhöht wird.

Die Kurve des DM-Exportwertes (der DM-Nachfrage) läßt sich leicht in eine Kurve des Dollar-Exportwertes (des Dollar-Angebots) transformieren, wenn man die DM-Werte mit Hilfe des DM-Kurses in Dollar-Werte umrechnet und überlegt, daß der Exportwert in Dollar (z. B. $ 100.—) dem Produkt aus Exportwert in DM (DM 400,—) und DM-Kurs w_1 ($ 0,25 für DM 1,—) entspricht. Der Dollarexportwert wird daher durch den Inhalt der Rechtecke bestimmt, den die DM-Exportwertkurve in Abb. 2b mit den Achsen bildet. Aus Abb. 2b lesen wir nun ab, daß der DM-Exportwert bei einem DM-Kurs w_1 von $ 0,50 für DM 1,— = Null ist. Da dem DM-Kurs w_1 von $ 0,50 ein Dollar-Kurs w von DM 2,— entspricht, ist auch der Dollar-Exportwert bei einem Dollar-Kurs von DM 2,— gleich Null (Abb. 2a). Wird jetzt der DM-Kurs herabgesetzt, so steigt der DM-Exportwert zunächst überproportional, dann unterproportional, weil die absoluten Elastizitätswerte im oberen Bereich der Kurve größer, im unteren Abschnitt aber kleiner als 1 sind. Mithin wird der Dollarexportwert als Produkt von w_1 und DM-Exportwert zuerst größer, später aber kleiner, wenn w_1 gesenkt wird, w sich also erhöht. Abb. 2a veranschaulicht den Zusammenhang. Die Kurve des Dollar-Angebots nähert sich asymptotisch der Ordinate, die sie im Unendlichen erreicht. Dies folgt aus der Tatsache, daß der Dollar-Kurs w wegen der Beziehung $w = \dfrac{1}{w_1}$ mit sinkendem w_1 gegen Unendlich geht. Die Reaktion des Dollar-Exportwertes auf Änderungen von w läßt sich also leicht bestimmen, wenn der DM-Exportwert bekannt ist und man sich daran erinnert, daß der DM-Kurs dem reziproken Wert des Dollarkurses entspricht. Umgekehrt wäre es genauso möglich, die Dollarnachfragekurve in eine DM-Angebotskurve umzuformen. Ein Marktbild kann stets in das andere überführt werden. Der Transformationsprozeß wird dadurch ermöglicht, daß man die eine Währung, die auf dem ersten Markt als „numéraire" fungiert, auf dem zweiten Markt als gehandeltes Gut betrachtet und die andere Währung, die man auf dem ersten Markt als gehandeltes Gut ansieht, auf dem zweiten als „numéraire" benutzt.

Aus Abb. 2a ist sofort ersichtlich, daß das Angebot an Dollar mit steigendem Kurs zunehmen, konstant bleiben oder abnehmen kann, je nachdem, wie groß die Elastizität der zugrunde liegenden DM-Kurve in den korrespondierenden Punkten ist. Diese Tatsache ist von großer Bedeutung für die Frage, ob auf dem Devisenmarkt das Gleichgewicht stabil ist. Wird dieses Gleichgewicht durch Punkt D bestimmt, so sind die Bedingungen der Stabilität erfüllt, weil die Angebotskurve in der Umgebung dieses Punktes positiv, die Nachfragekurve aber negativ geneigt ist. Das Stabilitätsproblem gewinnt indessen an Bedeutung, wenn die Nachfragekurve so weit nach rechts verschoben ist, daß mehrere Gleichgewichtspunkte A, B und C gleichermaßen denkbar sind. Von diesen Punkten repräsentiert B ein unstabiles Gleichgewicht: Erhöht sich der Wechselkurs nur etwas über das durch B bestimmte Niveau, so wird die Dollar-Nachfrage größer als das Dollar-Angebot. Somit steigt der Wechselkurs noch weiter, bis der stabile Zustand C erreicht ist. In gleicher Weise würde sich bei einer Abweichung von B nach unten zeigen, daß der Kurs nicht mehr zu seinem alten Stand zurückfindet, sondern weiter nach unten getrieben wird, weil das Dollar-Angebot die Dollar-Nachfrage übersteigt. Wie wir wissen, ist Unstabilität des Gleichgewichts nur ein anderer Ausdruck dafür, daß die Leistungsbilanz[2]) auf Ab- und Aufwertungen anomal reagiert. In dem durch E und F umgrenzten Bereich würde die Leistungsbilanz durch eine Abwertung der DM (Erhöhung von w) anstatt verbessert nur verschlechtert werden, weil der Exportwert stärker sinkt als der Importwert. Wird die Abwertung von einem Ausgangszustand zwischen E und B vorgenommen, so schrumpft der Überschuß, wird sie zwischen B und F durchgeführt, so wächst das Defizit der Leistungsbilanz. Ähnliche Überlegungen gelten auch für die in DM ausgedrückte Leistungsbilanz. Leitet man aus der Dollar-Nachfragekurve die entsprechende Angebotsfunktion für DM ab, so ergeben sich — bei entsprechendem Verlauf der DM-Nachfragekurve — mehrere Schnittpunkte, von denen einer wiederum ein unstabiles Gleichgewicht repräsentiert.

II. Die Reaktion der Leistungsbilanz auf Änderungen des Wechselkurses

Die Reaktion der Leistungsbilanz wird von der Veränderung zweier Größen bestimmt: des Exportwertes und des Importwertes. Eine Veränderung dieser Wertgrößen ist aber wieder das Ergebnis der Veränderung zweier anderer Größen: der Preise und der Mengen von Export- und Importgütern. Zum tieferen Verständnis des Devisenmarktes ist es also notwendig, sich nicht auf eine Analyse des Zusammenhanges von Wechselkurs einerseits und Devisenangebot und -nachfrage oder Export- und Importwert andererseits zu beschränken, sondern bis auf die Gütermärkte vorzudringen und zu zeigen, wie die Konstellation auf den Devisenmärkten durch die Vorgänge auf den Märkten der Export- und Importgüter erklärt werden kann.

1. Die Leistungsbilanz in Inlandswährung

a) In Abb. 2a sind Export- und Importwerte in Dollar, in Abb. 2b in DM ausgedrückt: Die Betrachtung richtet sich einmal auf den Dollar-Markt, zum anderen auf den DM-Markt. Unser Ziel ist zunächst, die DM-Kurven aus den zugrunde liegenden Gütermärkten abzuleiten; daher ist es notwendig, Export- und Importwerte in DM auszudrücken. Wir beginnen mit einer Analyse der Exportseite, betrachten also die Wirkungen einer Wechselkurs-

---

[2]) Wir sprechen jetzt nicht mehr von der Zahlungsbilanz, da nur noch Exporte und Importe betrachtet werden.

änderung auf den Markt der Exportgüter. Dies geschieht mit Hilfe von Abb. 3. Hier sind die Angebots- und Nachfragekurven für ein beliebiges Gut dargestellt, das sowohl im Inland als auch im Ausland produziert wird. Die Marktsituation im Inland wird durch die Kurven N und A, die im Ausland durch N' und A' repräsentiert. Angebot und Nachfrage im Inland sind auf den DM-Preis des Gutes bezogen, ebenso Angebot und Nachfrage im Ausland. Obwohl die ausländischen Marktteilnehmer ihren Entscheidungen den Dollar-Preis zugrunde legen, können Auslandsangebot und -nachfrage gleichwohl als Funktionen des DM-Preises gedeutet werden, da bei gegebenem Wechselkurs jedem Dollar-Preis ein bestimmter DM-Preis entspricht.

Vor der Eröffnung des Handels ist das Gut im Ausland teurer als im Inland, wie leicht durch Gegenüberstellen der Gleichgewichtspreise OP' und OP festgestellt werden kann. Solche Preisdifferenzen sind indessen nur so lange möglich, wie vom Außenhandel abgesehen wird. Wenn man räumliche Differenzierungen in Form von Zöllen, Transportkosten usw. vernachlässigt, ergibt sich nach Öffnung der Grenzen ein einheitlicher Preis, da beide Länder nun zu einem vollkommenen Markt verschmolzen sind. Die Höhe dieses Preises kann durch eine einfache Überlegung bestimmt werden: Bei allen Preisen, die höher als OP sind, würde das Inlandsangebot die Inlandsnachfrage übersteigen, also ein Überschuß des Angebots entstehen, der als Exportangebot des Inlands auf den Weltmarkt drängt. Umgekehrt würde zu allen Preisen, die niedriger als OP' sind, im Ausland ein Nachfrageüberschuß auftreten, der nur aus dem Exportangebot des Inlandes gedeckt werden kann. Der Weltmarktpreis liegt also zwischen OP und OP' in einer Höhe OQ, bei der das Exportangebot des Inlandes RS mit der Überschußnachfrage des Auslandes TV übereinstimmt. Wäre der Preis höher als OQ, so würde das Angebot der inländischen Exporteure die Nachfrage des Auslandes nach Exportgütern übertreffen; der Weltmarktpreis muß also sinken, bis der Angebotsüberschuß des Inlandes vom Ausland gerade abgenommen wird. Analoges gilt für einen Preis geringer als OQ.

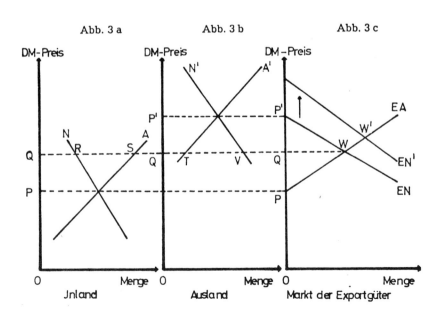

Abb. 3 a   Abb. 3 b   Abb. 3 c

II. Die Reaktion der Leistungsbilanz auf Änderungen des Wechselkurses 47

Mit Hilfe der Abb. 3a und 3b läßt sich der Gleichgewichtspreis nur auf wenig elegante Art ableiten. Der Preisabschnitt OQ muß so lange nach oben oder unten verschoben werden, bis zwei übereinstimmende Strecken RS und TV gefunden sind. Diese etwas schwerfällige Methode der Preisbestimmung kann jedoch umgangen werden, wenn man aus den Nachfrage- und Angebotsfunktionen des Inlandes die Kurve des Angebotsüberschusses und aus den entsprechenden Funktionen des Auslandes die Kurve des Nachfrageüberschusses konstruiert (Abb. 3c)[3]. EA ist hier die Kurve des inländischen Exportangebots (= Angebotsüberschusses); sie wird abgeleitet, indem man die Differenzen zwischen Angebot und Nachfrage, also die Angebotsüberschüsse, die bei verschiedenen Preisen auftreten, aus Abb. 3a auf Abb. 3c überträgt. Daher entspricht z. B. die Strecke QW in Abb. 3c der Strecke RS in Abb. 3a. Andererseits gewinnt man aus dem Marktdiagramm des Auslandes die Kurve der Exportnachfrage (= der Überschußnachfrage); diese zeigt an, welche Mengen inländischer Exportgüter das Ausland bei alternativen Preisen nachfragt[4]). EA und EN schneiden sich beim Preis OQ; hier ist das Exportangebot des Inlandes gleich der Exportnachfrage des Auslandes $(QW = RS = TV)$.

Da EA und EN jeweils aus einer Angebots- und Nachfragekurve abgeleitet werden, sind die Elastizitäten des Exportangebots und der Exportnachfrage abhängig von den Elastizitäten des Gesamtangebots und der Gesamtnachfrage. Die Elastizität des Exportangebots ist größer als die Elastizität des inländischen Gesamtangebots, weil die Vergrößerung des Exportangebots, die bei steigenden Preisen auftritt, nicht nur durch Zunahme des Inlandsangebots, sondern auch durch Verkleinerung der Inlandsnachfrage bedingt ist. Exportangebot und Inlandsangebot würden nur dann in gleicher Weise reagieren, wenn die Inlandsnachfrage in bezug auf den Preis völlig unelastisch oder das Inlandsangebot in bezug auf den Preis völlig elastisch ist. Bei Unelastizität der Inlandsnachfrage steigt die Kurve des Exportangebots in gleichem Maße wie die Kurve des Inlandsangebots, weil ein Angebotsüberschuß bei steigenden Preisen nur dadurch entstehen kann, daß die Inlandsproduzenten ihr Angebot vergrößern. Trotz gleicher Steigung der Kurven ist allerdings die Elastizität des Exportangebots nach wie vor größer als die Elastizität des Gesamtangebots, da die Basismengen im Nenner des Koeffizienten der Elastizität des Exportangebots kleiner sind. Bei völliger Elastizität des Inlandsangebots verläuft nicht nur die Kurve des Inlandsangebots, sondern auch die des Exportangebots als Parallele zur Abszisse: Zu einem bestimmten Preis ist das Inlandsangebot und somit auch das Exportangebot beliebig groß. Ähnliche Überlegungen gelten für die Kurve der ausländischen Exportnachfrage. Die Elastizität der Exportnachfrage ist größer als die Elastizität der ausländischen Gesamtnachfrage, weil die Überschußnachfrage bei steigenden Preisen nicht nur durch Abnahme der Nachfrage, sondern auch durch Zunahme des Angebots verringert wird. Ausnahmen sind allerdings auch hier denkbar.

Unsere Überlegungen bezogen sich bisher auf ein bestimmtes Gut. Da wir aber fragen, wie eine Änderung des Wechselkurses den Gesamtexport beeinflußt, genügt es nicht, die Marktsituation nur eines Gutes zu betrachten; es wäre vielmehr notwendig, Marktdiagramme für jedes Exportgut zu kon-

---
[3]) Diese Darstellung findet sich wohl erstmalig bei J ö h r, W. A., Soll der Schweizer Franken aufgewertet werden, in: Überbeschäftigung und Frankenparität, St. Gallen 1947, S. 80 ff.
[4]) Die Begriffe „Export" und „Import" bezeichnen immer die vom I n l a n d exportierten und importierten Güter.

struieren. Da ein solches Verfahren aber viel zu unhandlich ist, wollen wir annehmen, daß die abgebildeten Kurven des Exportangebots und der Exportnachfrage die Gesamtmenge der exportierten Güter — ausgedrückt durch einen Mengenindex — repräsentieren. Wir folgen damit Marshalls Vorbild, der mit „Güterballen" anstatt mit Einzelgütern operiert.

b) Nach diesen vorbereitenden Erörterungen ist es möglich, die Wirkungen einer Wechselkursänderung auf den Exportwert zu untersuchen. Wir unterstellen eine Abwertung der DM, also eine Erhöhung des Dollar-Kurses und fragen, ob und in welcher Weise das Kurvensystem der Abb. 3c durch diese Änderung betroffen wird. Betrachten wir zunächst die Kurve des Exportangebots. Obwohl die Exporteure für jeden erlösten Dollar nunmehr einen größeren Markbetrag erhalten, bleibt die Kurve des Exportangebots dennoch unverändert, da das Angebot eine Funktion des DM-Preises ist. Was als Folge der Abwertung denkbar ist, sind Bewegungen auf der Kurve, nicht aber Verschiebungen der Kurve. Die Angebotspläne richten sich nach den DM-Preisen, die die Exporteure erzielen können: Entscheidend ist die Zuordnung des Angebots zum DM-Preis, gleichgültig, ob der Dollar-Wert der DM größer oder kleiner ist.

Hingegen verschiebt sich die Kurve der Exportnachfrage, wenn der Wechselkurs geändert wird. Eine Abwertung der DM bedeutet nämlich, daß die Ausländer für Inlandswährung und somit auch für Inlandsgüter weniger Dollar hinzugeben haben, so daß die auf den DM-Preis bezogene Exportnachfrage größer wird, die Kurve der Exportnachfrage sich also nach rechts oben verschiebt (Kurve EN'). Das Ausmaß der Verschiebung wird durch den Kursänderungssatz bestimmt. Wird der DM-Kurs von $ 0,25 auf $ 0,20 gesenkt, so entspricht dies einer 20%igen Abwertung der DM, aber einer 25%igen Steigerung des Dollarkurses, da der Dollarkurs in diesem Falle von DM 4,— auf DM 5,— erhöht wird. Die Ausländer werden die gleiche Warenmenge, für die sie früher DM 4,— je Einheit bezahlt haben, nunmehr zum Preis von DM 5,— abnehmen; in beiden Fällen zahlen sie $ 1.—, fragen somit auch die gleiche Menge nach, da die Kaufentscheidungen der ausländischen Importeure letztlich von den Dollar-Preisen abhängen. Man erhält dann die neue Exportnachfragekurve EN', indem die vertikalen Distanzen zwischen EN und Abszisse um 25% verlängert, zu jedem Abszissenpunkt von EN also 25% hinzugerechnet werden. Aus dieser Konstruktion folgt natürlich, daß die vertikal gemessenen Distanzen zwischen EN' und EN um so größer sind, je weiter EN von der Abszisse entfernt liegt.

Die Wirkungen einer Abwertung können jetzt aus Abb. 3c abgelesen werden. Da der Gleichgewichtspunkt W durch W' ersetzt worden ist, sind der DM-Preis und die Menge der Exportgüter größer geworden. Daher erhöht sich auch der in DM gemessene Exportwert, das Produkt aus DM-Preis und Exportgütermenge. Von der Elastizität des Exportangebots hängt es ab, in welchem Maße Menge und Preis als Komponenten des Exportwertes steigen. Ist das Exportangebot völlig unelastisch, so erhöht sich der Preis bei konstanter Menge; ist das Exportangebot dagegen voll elastisch, so steigt nur die Menge bei konstantem Preis. In beiden Fällen wächst aber auch der Exportwert, nur setzt sich diese Zunahme nicht aus Mengen- u n d Preiserhöhung, sondern aus Mengen- o d e r Preiserhöhung zusammen.

Mit Hilfe unserer Graphiken läßt sich nun nachweisen, daß der Exportwert um so mehr steigt, je größer die Elastizität der ausländischen Exportnachfrage ist. Um dies zu zeigen, unterscheiden wir in Abb. 4 drei Kurven der Exportnachfrage EN_1, EN_2 und EN_3, von denen EN_1 als unendlich elastisch,

II. Die Reaktion der Leistungsbilanz auf Änderungen des Wechselkurses 49

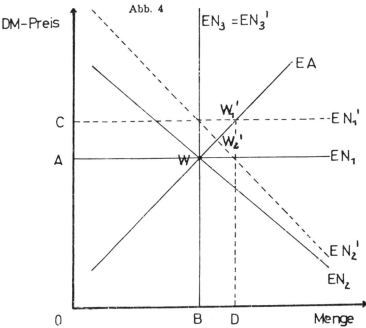

Abb. 4

EN_3 als völlig unelastisch und EN_2 als normal, d. h. alle Elastizitätswerte durchlaufend, angenommen wurde. Unterstellt man nun eine 25%ige Erhöhung des Dollar-Kurses, so ergeben sich in den genannten Fällen folgende Wirkungen: a) Wenn die Exportnachfrage unendlich elastisch ist, wird die Kurve EN_1 durch die um 25% höher liegende Kurve EN_1' ersetzt. Da die exportierte Menge von OB auf OD, der Preis aber von OA auf OC steigt, erhöht sich der Exportwert — das Produkt aus Preis und Menge — von $OAWB$ auf $OCW_1'D$. b) Ist die Elastizität der Exportnachfrage im relevanten Bereich endlich groß (EN_2), so steigt der Exportwert um weniger als im Falle a, denn dem neuen Gleichgewichtspunkt W_2' — welcher der um 25% erhöhten Kurve EN_2' entspricht — ist eine kleinere Menge und ein niedrigerer Preis zugeordnet als dem Punkt W_1'. c) Unterstellt man schließlich, daß die Nachfrage völlig unelastisch ist, so bleibt die Kurve der Exportnachfrage unverändert ($EN_3 = EN_3'$): Die „Aufwärtsverschiebung" einer vertikalen Kurve bedeutet, daß die Kurve sich „in sich selbst" verschiebt. Die ausländischen Importeure kaufen eine konstante Menge zu jedem beliebigen Dollar-Preis, also auch zu dem durch die Abwertung verringerten Preis. Folglich ist auch die auf den DM-Preis bezogene Elastizität gleich Null; die Nachfrage der Importeure bleibt unverändert, obwohl den DM-Preisen nach der Abwertung geringere Dollar-Preise entsprechen. Wenn sich nun die Kurve der Exportnachfrage nicht verschiebt, ist W der alte und neue Gleichgewichtspunkt und $OAWB$ der alte und neue Exportwert zugleich: die Abwertung hat den Exportwert nicht erhöht.

Nach allem kann man also sagen: Wird die DM abgewertet, so bleibt der in DM gemessene Exportwert nur dann unverändert, wenn die ausländische Exportnachfrage völlig unelastisch ist. In allen anderen Fällen nimmt der Exportwert zu, und zwar um so mehr, je elastischer die Exportnachfrage ist. Eine Zunahme des DM-Exportwertes bedeutet gleichzeitig eine Erhöhung der Nachfrage nach DM. Unsere Überlegungen bestätigen also die

Annahme, welche der Konstruktion der DM-Nachfrage- oder DM-Exportwertkurve in Abb. 2b zugrunde lag, die Annahme nämlich, daß diese Kurve negativ geneigt ist, sinkenden DM-Kursen also eine höhere DM-Nachfrage zugeordnet ist. Unsere Analyse hatte den Sinn, den Verlauf dieser Kurve durch die Vorgänge auf den Märkten der Exportgüter zu erklären.

c) Wir wollen nunmehr fragen, wie eine Abwertung den in DM gemessenen Importwert beeinflußt. Zur Beantwortung dieser Frage müssen wir die Kurven der Importnachfrage des Inlandes und des Auslandsangebots der vom Inland importierten Güter bestimmen. Diese Kurven können aus den Marktdiagrammen des In- und Auslandes, ähnlich wie sie in den Abb. 3a und 3b gezeichnet wurden, abgeleitet werden, indem man die zu den jeweiligen Preisen bestehenden Nachfrage- und Angebotsüberschüsse bestimmt und in ein gesondertes Diagramm einzeichnet[5]). Das Ergebnis dieser Ableitung zeigt Abb. 5. JN repräsentiert die inländische Importnachfrage in Abhängigkeit vom DM-Preis, JA das ausländische Importangebot — genauer: das Angebot der vom Inland bezogenen Importgüter — ebenfalls als Funktion des DM-Preises.

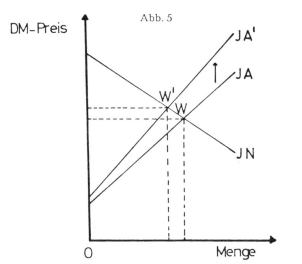

Abb. 5

Unterstellt man nun wieder eine Erhöhung des Dollar-Kurses (DM-Abwertung), so bleibt die Kurve der Importnachfrage unverändert, da die Importentscheidungen unmittelbar von den DM-Preisen, nicht aber von den Dollar-Preisen beeinflußt werden. Die Auslandsexporteure rechnen dagegen in ihrer eigenen Währung, also in Dollar-Preisen. Da die Ausländer nach der Abwertung für ihre DM-Erlöse einen geringeren Dollar-Betrag erhalten, werden sie bei gegebenem DM-Preis ihrer Waren — dem nach der Abwertung ein niedrigerer Dollar-Preis entspricht — nur eine kleinere Menge zum Verkauf anbieten oder aber die gleiche Menge nur zu einem höheren DM-Preis anbieten. Die Kurve des Importangebots verschiebt sich also nach links oben, von JA nach JA'. Das Ausmaß der Verschiebung wird wiederum von dem Kursänderungssatz bestimmt. Wird der Dollarkurs von DM 4,—

---

[5]) Da nunmehr die vom Inland importierten Güter betrachtet werden, müssen sich die Kurvenpaare des Inlandes bei einem höheren Preis schneiden als die des Auslandes. Abb. 3a kann also als Auslandsdiagramm, Abb. 3b als Inlandsdiagramm angesehen werden.

II. Die Reaktion der Leistungsbilanz auf Änderungen des Wechselkurses

auf DM 5,—, also um 25 % erhöht (die DM also um 20 % abgewertet), so bietet der ausländische Produzent die gleiche Menge nur zu einem um 25 % erhöhten DM-Preis zum Verkauf an, denn der höhere DM-Preis repräsentiert nach der Änderung des Kurses die gleiche Dollar-Summe wie der geringere DM-Preis vor der Abwertung. Verlangt der Ausländer z. B. für 40 Einheiten seines Gutes einen Preis von $ 5.— pro Einheit, so ist sein Angebotspreis beim Kurs von 4:1 gleich DM 20,—, beim Kurs 5:1 aber gleich DM 25,—. Man erhält also die neue Kurve des Importangebots, wenn man die Ordinatenwerte der jeweiligen Punkte auf JA um 25 % verlängert.

Der Gleichgewichtspunkt W wird nunmehr durch W' ersetzt. Die Abwertung hat demnach bewirkt, daß der DM-Preis der Importgüter gestiegen, die importierte Menge aber gesunken ist. Der Importwert in DM als Produkt von Menge und Preis wird also von zwei Seiten beeinflußt: Positiv dadurch, daß sich der Preis erhöht, negativ dadurch, daß die Menge abnimmt. Die Frage nach dem relativen Einfluß von Mengen- und Preisveränderung kann nur beantwortet werden, wenn die Importelastizität bekannt ist: Ist die Elastizität der Importnachfrage absolut größer als 1, so wird bei einer Preissteigerung der Importgüter die Nachfrage um einen größeren Prozentsatz sinken als der Preis gestiegen ist und der Importwert in DM folglich kleiner werden. Der Importwert schrumpft am stärksten, wenn die Nachfrage unendlich elastisch ist; dann sinkt nur die Menge bei konstantem Preis. Ist die Elastizität absolut gleich 1, so bleibt der Importwert unverändert, weil der Preis um den gleichen Prozentsatz steigt wie die Menge sinkt. Unterstellt man schließlich eine Elastizität kleiner als 1, so nimmt der Importwert zu. Er steigt am stärksten, wenn die Importnachfrage völlig unelastisch ist; dann erhöht sich nur der Preis bei konstanter Menge. Wir

Tabelle 9

Fall	Exportwert in DM	Elastizität der inländischen Importnachfrage (absolut gemessen)	Importwert in DM	Reaktion der Leistungsbilanz
1	steigt immer (um so mehr, je elastischer die ausländische Exportnachfrage; Ausnahme: Elastizität = 0)	> 1	sinkt	Verbesserung = normal
2		= 1	konstant	Verbesserung = normal
3		< 1	steigt	a) Verbesserung = normal b) Verschlechterung = anomal

sehen also, daß der Importwert steigen, fallen oder konstant bleiben kann, ganz im Unterschied zum Exportwert, der normalerweise immer zunimmt und nur im Grenzfall unverändert bleibt.

d) Wir sind jetzt in der Lage, die Wirkungen einer Abwertung auf Export- und Importwert zu kombinieren und somit die Frage zu beantworten, welche Änderung die in DM gemessene Leistungsbilanz erfährt. In Tabelle 9 sind die möglichen Ergebnisse einer DM-Abwertung zusammengestellt.

Da der Exportwert normalerweise immer zunimmt, wird sich die Leistungsbilanz stets verbessern, d. h. ein Überschuß wird größer oder ein Defizit kleiner, wenn der Importwert sinkt (Fall 1) oder zumindest konstant bleibt (Fall 2). Die Leistungsbilanz reagiert daher in den Fällen 1 und 2 normal. Wenn aber der Importwert zunimmt — der absolute Wert der Importelastizität ist dann kleiner als 1 —, kann sich die Leistungsbilanz verbessern oder verschlechtern, also normal oder anomal reagieren, je nachdem, ob der Exportwert um mehr oder weniger zunimmt als der Importwert. Generell kann man sagen: E i n e n o r m a l e R e a k t i o n i s t u m s o e h e r z u e r w a r t e n , j e e l a s t i s c h e r d i e I m p o r t n a c h f r a g e u n d d i e E x p o r t n a c h f r a g e s i n d .

Die in Tabelle 9 enthaltenen Fälle lassen sich in einfacher Weise graphisch darstellen. Abb. 6 zeigt die Export- und Importwerte in DM, beide als Funktionen des DM-Kurses w_1. Die Figuren repräsentieren zugleich die Vorgänge auf dem DM-Markt, weil dem Importwert in DM ein DM-Angebot und dem Exportwert in DM eine DM-Nachfrage auf den Devisenmärkten entspricht. Die in Abb. 6 dargestellten Kurven dürfen keinesfalls mit den Export- und Importkurven der Abb. 3, 4 und 5 verwechselt werden. Dort geht es um die Beziehungen zwischen Mengen und Güterpreisen, hier um die Beziehungen zwischen Wertgrößen und Wechselkursen. Die Wertkurven sind lediglich aus den Mengenkurven abgeleitet.

Die Abb. 6 a, 6 b und 6 c zeigen die normale Reaktion der Leistungsbilanz: Das bei einem DM-Kurs w'_1 auftretende Defizit kann durch eine Abwertung verringert werden, so daß sich die Leistungsbilanz verbessert. Ebenso läßt sich ein Überschuß, der beim Kurs w_1'' besteht, durch eine Aufwertung verkleinern. Das Ausmaß, in dem sich die Leistungsbilanz nach einer Abwertung verbessert, ist allerdings sehr unterschiedlich, je nachdem, ob nur die Exportseite oder auch die Importseite an der Verbesserung beteiligt ist. Bei gleicher Abwertung um Δw_1 wird im Falle 1 ein relativ großes, im Falle 3 a aber nur ein relativ kleines Defizit beseitigt, weil der

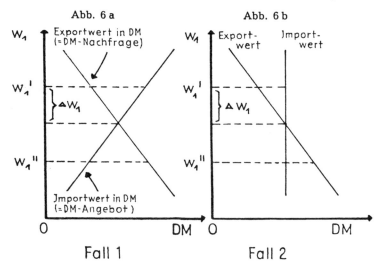

Verbesserungseffekt der Exporterhöhung im Falle 1 durch eine Senkung des Importwertes unterstützt, im Falle 3 a aber durch eine Zunahme des Importwertes teilweise zunichte gemacht wird. Daraus folgt zugleich, daß

II. Die Reaktion der Leistungsbilanz auf Änderungen des Wechselkurses 53

bei gleich großem Defizit die Herstellung des Gleichgewichts jeweils einen unterschiedlichen Abwertungssatz verlangt: Dieser muß um so größer sein, je mehr jene Bilanzverbesserung, die durch Steigerung des Exportwertes bedingt ist, durch Zunahme des Importwertes wieder ausgeglichen wird.

Abb. 6 d demonstriert schließlich die anomale Reaktion der Leistungsbilanz. Ein Defizit tritt hier nicht beim Kurs w_1', sondern beim Kurs w_1'' auf. Eine Abwertung würde jetzt bedeuten, daß das Defizit sich weiter ver-

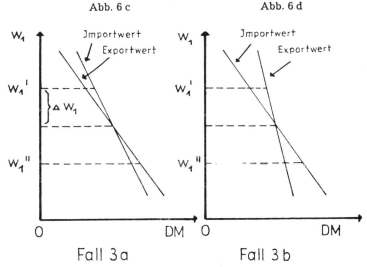

Abb. 6 c   Abb. 6 d

Fall 3 a   Fall 3 b

größert, denn der Importwert wächst stärker als der Exportwert. Daher würde nicht die Abwertung, sondern eine Aufwertung das geeignete Mittel sein, um durch Verbesserung der Leistungsbilanz das Ungleichgewicht zu beseitigen[6]).

e) Die für die Export- und Importseite gewonnenen Ergebnisse sind mit einer wichtigen Einschränkung zu versehen. Sie gelten streng genommen nur dann, wenn das Volkseinkommen trotz einer Abwertung unverändert bleibt. Die Analyse des Wirtschaftskreislaufs hat aber gezeigt, daß der Saldo der Leistungsbilanz ebenso wie Konsum und Investition Bestandteil des Volkseinkommens ist. Wenn die Abwertung den Saldo der Leistungsbilanz vergrößert, also ein Überschuß zunimmt oder ein Defizit kleiner wird, erhöht sich demnach ceteris paribus auch das Volkseinkommen, sei es monetär durch Preissteigerungen oder real durch Produktionszunahme. Berücksichtigt man diese expansiven Effekte, so ist nicht mehr ohne weiteres einsichtig, daß eine Abwertung die Kurven des inländischen Exportangebots (in Abb. 3 c) und der inländischen Importnachfrage (in Abb. 5) unverändert lassen soll. Diese Kurven behalten ihre alte Lage nur, soweit der „Primäreffekt", nicht aber soweit der „Sekundäreffekt" der Abwertung betrachtet wird: Steigt nämlich das Volkseinkommen, so erhöht sich die Importnachfrage auch bei gegebenen DM-Preisen; die Kurve der Importnachfrage verschiebt sich also nach rechts. Auch die Kurve des Exportangebots wird verändert, und zwar im Sinne einer Linksverschiebung.

---

[6]) Dies gilt normalerweise nur für einen bestimmten Bereich. Die Importwertkurve wird in der Regel nur in Teilbereichen negativ geneigt sein; in anderen Bereichen verläuft sie normal, also von links unten nach rechts oben.

Bei einer nicht nur realen Erhöhung des Volkseinkommens steigen nämlich die Preise, normalerweise also auch die Preise der Produktionsmittel, und die Kosten der Exporteure erhöhen sich demnach. Diese Abwertungswirkungen sind aber Sekundäreffekte der Abwertung: Sie treten erst auf, wenn die Abwertung die Leistungsbilanz bereits verbessert hat. Daher kann man sie zu Recht vernachlässigen, wenn nur nach den unmittelbaren Wirkungen einer Abwertung auf die Leistungsbilanz gefragt ist. Zur Analyse der „Fernwirkungen" bedarf es aber einer Einbeziehung der Einkommenseffekte, wenn man ein vollständiges Bild des Ablaufs gewinnen will.

2. Die Leistungsbilanz in Auslandswährung

a) Alle Erörterungen bezogen sich bisher auf den Export- und Importwert in DM: Die Leistungsbilanz war in Inlandswährung ausgedrückt. Die Betrachtung in Inlandswährung ist vor allem angebracht, sofern Wechselkursänderungen mit dem Ziele vorgenommen werden, Volkseinkommen und Beschäftigung durch Beeinflussung der Leistungsbilanz zu ändern. Wenn eine Abwertung z. B. dem Zwecke dient, Volkseinkommen und Beschäftigung zu erhöhen, muß die Leistungsbilanz in Inlandswährung gemessen werden, da nur der Saldo dieser Bilanz in die Volkseinkommensrechnung eingeht. Für andere Belange ist es aber angebracht, die Leistungsbilanz in Auslandswährung auszudrücken. Das wird sich vor allem dann empfehlen, wenn eine Abwertung im Hinblick auf die Devisenposition des Inlandes vorgenommen wird, ein Defizit also verkleinert oder ein Überschuß vergrößert werden soll, um weitere Devisenverluste zu vermeiden oder den Devisenvorrat wieder aufzufüllen.

Da wir Export- und Importwerte nunmehr in Dollar messen, müssen auch Export- und Importmengen als Funktionen des Dollarpreises betrachtet werden. Abb. 7 zeigt das Exportangebot des Inlandes und die Exportnachfrage des Auslandes — also die Nachfrage des Auslandes nach unseren Exportgütern —, beide bezogen auf den Dollar-Preis der Exportwaren.

Abb. 7

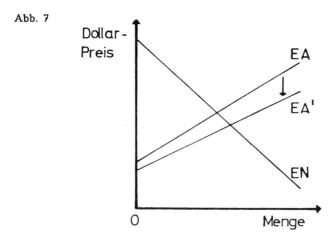

Nach einer DM-Abwertung bleibt die Kurve der ausländischen Exportnachfrage unverändert, weil auf der Ordinate nicht mehr DM-Preise (wie in der korrespondierenden Abb. 3c), sondern Dollar-Preise abgetragen sind

II. Die Reaktion der Leistungsbilanz auf Änderungen des Wechselkurses 55

und die ausländischen Importeure ihre Kaufentscheidungen in Hinsicht auf die Dollarpreise treffen. Dagegen verschiebt sich die Kurve des Exportangebots um den Abwertungssatz nach unten. Haben die Inländer bisher eine bestimmte Menge zum Preis von DM 50,— und damit — bei einem DM-Kurs von $ 0,25 — zum Preis von $ 12,50 angeboten, so verkaufen sie diese Menge nach einer Senkung des DM-Kurses auf $ 0,20 zum Preis von $ 10.—, da sie für diese Dollarsumme nunmehr ebenfalls DM 50,— erhalten. Man erhält also die neue Kurve des Exportangebots EA', wenn man die Ordinaten der alten Angebotskurve EA um den Abwertungssatz von 20 % verkürzt. Der Leser beachte, daß die Kurven nunmehr um den Änderungssatz des DM-Kurses, nicht des Dollar-Kurses — wie bei Rechnung in Inlandswährung — verändert werden müssen.

Aus Abb. 7 wird deutlich, daß die exportierte Menge steigt, der Dollar-Preis der Exportgüter aber sinkt, so daß der Exportwert in Dollar zunehmen, konstant bleiben oder fallen kann, je nachdem, ob die prozentuale Zunahme der Menge den Prozentsatz der Preissenkung übertrifft, diesem gleich ist oder hinter ihm zurückbleibt. Das Ergebnis wird durch die Elastizität der ausländischen Exportnachfrage bestimmt. Ist diese absolut größer als 1, nimmt der Exportwert in Dollar zu, ist sie gleich 1, bleibt der Exportwert konstant, und ist sie kleiner als 1, wird der Exportwert geringer. Die Rechnung in Auslandswährung bringt also ein völlig anderes Ergebnis als die Rechnung in Inlandswährung: Während der DM-Exportwert nach einer Abwertung immer steigt (im Grenzfall konstant bleibt), kann der Dollar-Exportwert durchaus auch abnehmen. Diese Erkenntnis liegt z. B. der Konstruktion von Abb. 2 a zugrunde.

Betrachten wir schließlich noch den Importwert in Dollar (Abb. 8).

Abb. 8

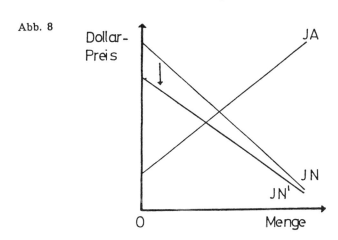

Nach einer Abwertung bleibt die Kurve des ausländischen Importangebots unverändert, während sich die Kurve der Importnachfrage um den Abwertungssatz nach unten verschiebt. Da dem Dollar-Preis der importierten Waren nunmehr ein höherer DM-Preis entspricht, wird bei gegebenem Dollar-Preis nur eine geringere Menge nachgefragt, oder — was das gleiche ist — die gleiche Menge nur bei einem geringeren Dollar-Preis gekauft. Folglich sinken Menge und Dollar-Preis der importierten Güter, abgesehen von den

Grenzfällen eines völlig elastischen oder unelastischen Importangebots, bei denen nur die Menge (Elastizität = ∞) oder der Preis (Elastizität = *0*) zurückgehen. In jedem Fall vermindert sich aber der Dollarimportwert, das Produkt aus Menge und Dollar-Preis. Der Rückgang des Importwertes ist um so größer, je elastischer die Importnachfrage des Inlandes ist. Nur bei unelastischer Importnachfrage — *JN* verläuft vertikal — würde der Importwert unverändert bleiben, da eine senkrechte Linie sich nicht nach unten verschieben kann: Obwohl den Dollar-Preisen nunmehr höhere DM-Preise entsprechen, wird die gleiche Menge nachgefragt. Wir sehen also, daß auch der Dollar-Importwert auf eine Abwertung anders reagieren kann als der DM-Importwert. Während der DM-Importwert steigt, konstant bleibt oder fällt, wird der Dollar-Importwert — von dem geschilderten Grenzfall abgesehen — immer fallen und das um so mehr, je elastischer die inländische Importnachfrage ist.

Die Ergebnisse einer Abwertung sind in Tabelle 10 zusammengefaßt.

Tabelle 10

Fall	Importwert in Dollar	Elastizität der Exportnachfrage (absolut gemessen)	Exportwert in Dollar	Reaktion der Leistungsbilanz
1	sinkt immer (um so mehr, je elastischer die Importnachfrage; Ausnahme: Elastizität = 0)	> 1	steigt	Verbesserung = normal
2		= 1	konstant	Verbesserung = normal
3		< 1	sinkt	a) Verbesserung = normal b) Verschlechterung = anomal

Der Leser stellt fest, daß die Auslandsrechnung andere Ergebnisse bringt als die Inlandsrechnung (Tabelle 9): Während in der Dollar-Rechnung die Veränderungsrichtung des Importwerts eindeutig ist, die des Exportwerts aber unterschiedlich sein kann, gelten für die DM-Rechnung die umgekehrten Beziehungen. Es ist also wichtig, niemals von den Wirkungen einer Abwertung auf die „Leistungsbilanz" schlechthin zu sprechen, sondern stets genau zu unterscheiden, ob die DM- oder Dollar-Bilanz betrachtet wird.

Die Fälle der Tabelle 10 lassen sich wieder graphisch darstellen. Die Export- und Importwertkurven repräsentieren dann die Angebots-Nachfrage-Konstellation auf dem Markt für Dollar, da dem Dollar-Importwert eine Dollar-Nachfrage und dem Dollar-Exportwert ein Dollar-Angebot entspricht. Man erhält dann ein der Abb. 2 a entsprechendes Diagramm. Dort zeigte sich, daß die Dollar-Nachfrage (Importwert) bei einer Erhöhung von *w* (Abwertung der DM) sinkt, das Dollar-Angebot (Exportwert) aber unterschiedlich reagieren kann, wie auch in Tabelle 10 gezeigt wird. Unsere Erörterungen haben uns in die Lage versetzt, die Vorgänge auf dem Devisenmarkt, welche an Hand von Abb. 2 a diskutiert wurden, besser zu verstehen, d. h. aber: die Konstellation auf dem Devisenmarkt aus den Vorgängen auf den Gütermärkten abzuleiten.

III. Wertelastizitäten, Mengenelastizitäten und Reaktion der Leistungsbilanz

1. Die Bedeutung der Wertelastizitäten

a) Wie im letzten Abschnitt gezeigt wurde, hängt es vor allem von den Importelastizitäten[7]) beider Länder ab, ob die Leistungsbilanz auf Änderungen des Wechselkurses normal oder anomal reagiert. Bei einer Erhöhung des Dollar-Kurses (DM-Abwertung) steigt der Exportwert in DM um so mehr, je elastischer die Exportnachfrage des Auslandes ist. Andererseits kann der Importwert in DM nur abnehmen, wenn die inländische Importelastizität absolut über 1 liegt; andernfalls wird der Importwert zunehmen oder konstant bleiben. Eine normale Reaktion der Leistungsbilanz ist folglich um so eher zu erwarten, je größer die Summe aus den absoluten Werten der Importelastizitäten beider Länder ist. Es liegt aber nahe, sich nicht mit einer solchen allgemeinen Formulierung zufrieden zu geben, sondern die Werte der Importelastizitäten, bei denen eine normale oder anomale Reaktion eintreten muß, quantitativ zu bestimmen. Marshall[8]) hat nun behauptet, daß die Leistungsbilanz immer dann normal reagieren wird, wenn die Summe der Nachfrageelastizitäten für Importe im In- und Ausland absolut größer als 1 ist; nur wenn diese Summe unter 1 liegt, kann eine anomale Reaktion auftreten. In diesem Falle würde eine Abwertung die Leistungsbilanz verschlechtern, weil die DM-Exportwerte um weniger zunehmen als die DM-Importwerte. Marshalls Behauptung wurde später von Lerner[9]) übernommen, so daß die von diesen Autoren formulierte Bedingung für eine normale und anomale Reaktion der Leistungsbilanz als „Marshall-Lerner-Bedingung" in die Literatur eingegangen ist. Obwohl beide Autoren mit Mengenelastizitäten (Reaktion der Mengen auf Preisänderungen) operieren, wollen wir einen Umweg wählen und zunächst Wert- an Stelle von Mengenelastizitäten verwenden, um die Zusammenhänge zwischen Leistungsbilanz und Wechselkursen möglichst vielseitig zu beleuchten.

Die Marshall-Lerner-Bedingung soll im folgenden unter der Annahme einer Erhöhung des Dollar-Kurses w (Verringerung des DM-Kurses w_1) abgeleitet werden. Um die Übersicht zu erleichtern, werden alle Gleichungen umrandet, die wirklich wichtige Ergebnisse bringen. Dem Leser sei ferner empfohlen, die am Schluß des Buches eingefügte Seite aufzuschlagen, auf der die verwendeten Symbole zusammengestellt sind, um lästiges Zurückblättern zu vermeiden und eine bessere Übersicht über die — leider notwendige — Vielfalt der Symbole zu ermöglichen. In der folgenden Ableitung wird die Leistungsbilanz in Inlandswährung (DM) zugrunde gelegt. Die Leistungsbilanz wird sich in diesem Falle immer dann verbessern (normal reagieren), wenn die sichere Zunahme des Exportwertes in DM[10])

---

[7]) Genauer: von der Elastizität der Importnachfrage des Inlandes und der Elastizität der Exportnachfrage des Auslands. Die ausländische Nachfrage nach unseren Exporten ist vom Ausland her gesehen eine Nachfrage nach Importen. Daher wird in der Literatur oft von den Importelastizitäten beider Länder gesprochen.
[8]) Marshall, A., Money, Credit and Commerce, London 1932, S. 171, und Appendix, S. 354.
[9]) Lerner, A. P., The Economics of Control, New York 1944, S. 378 f.
[10]) Nur im Grenzfall einer ausländischen Importelastizität von Null bleibt der Exportwert in DM konstant.

größer ist als die m ö g l i c h e Zunahme des Importwertes in DM[11]) (beide bezogen auf eine Erhöhung von w). Bezeichnet man mit

X_{DM} den Exportwert in DM,
M_{DM} den Importwert in DM,

so ist

$$\frac{dX_{DM}}{dw} > \frac{dM_{DM}}{dw} \qquad (1)$$

die Bedingung für eine normale Reaktion der Leistungsbilanz. Diese Ungleichung kann man auch in der Form

$$\frac{dX_{DM}}{dw} \cdot \frac{w}{X_{DM}} \cdot \frac{X_{DM}}{w} > \frac{dM_{DM}}{dw} \cdot \frac{w}{M_{DM}} \cdot \frac{M_{DM}}{w} \qquad (2)$$

schreiben. Wir definieren:

$$\eta_{X_{DM}} = \frac{dX_{DM}}{dw} \cdot \frac{w}{X_{DM}} = \frac{dX_{DM}}{X_{DM}} : \frac{dw}{w} \qquad (3)$$

als die Elastizität des Exportwertes in DM in bezug auf den Wechselkurs oder — da unser Exportwert der DM-Nachfrage des Auslandes entspricht — als Elastizität der DM-Nachfrage bezogen auf den Wechselkurs. Wir bezeichnen ferner

$$\eta_{M_{DM}} = \frac{dM_{DM}}{dw} \cdot \frac{w}{M_{DM}} = \frac{dM_{DM}}{M_{DM}} : \frac{dw}{w} \qquad (4)$$

als Elastizität des Importwertes in DM in bezug auf den Wechselkurs oder — da dem DM-Wert der Importe ein DM-Angebot auf den Devisenmärkten entspricht — als Elastizität des DM-Angebots bezogen auf den Wechselkurs. Unter Berücksichtigung von (3) und (4) geht (2) über in

$$\eta_{X_{DM}} \cdot \frac{X_{DM}}{w} > \eta_{M_{DM}} \cdot \frac{M_{DM}}{w} \qquad (5)$$

oder

$$\boxed{\eta_{X_{DM}} \cdot \frac{X_{DM}}{M_{DM}} > \eta_{M_{DM}}} \qquad (6)$$

Bei im Ausgangszustand ausgeglichener Leistungsbilanz ($X_{DM} : M_{DM} = 1$) kann also eine Abwertung der DM die Leistungsbilanz nur verbessern, wenn die Elastizität des Exportwertes größer ist als die Elastizität des Importwertes. Gleiches gilt für eine Aufwertung: Hier muß der Wert des Exportes stärker fallen als der des Importes.

b) $\eta_{M_{DM}}$ läßt sich jetzt durch die Elastizität des Importwertes in Dollar ($M_\$$)

$$\eta_{M_\$} = \frac{dM_\$}{M_\$} : \frac{dw}{w} \qquad (7)$$

substituieren, wenn man überlegt, daß $M_{DM} = M_\$ \cdot w$ (z. B. 400,— = 100.—·4) ist. Die Beziehungen zwischen beiden Elastizitäten können an Hand

---

[11]) Der DM-Importwert kann auch sinken.

III. Wert- und Mengenelastizitäten, Reaktion der Leistungsbilanz

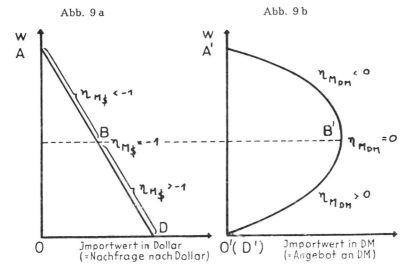

Abb. 9a   Abb. 9b

von Abb. 9 deutlich gemacht werden. Abb. 9a zeigt die Kurve des Importwertes in Dollar, die zugleich die Reaktion der Dollar-Nachfrage auf Änderungen von w wiedergibt. Wir haben früher gesehen, daß der Importwert in Dollar bei einer Erhöhung von w (DM-Abwertung) normalerweise fällt, aber niemals zunimmt und bei einer Verringerung von w (DM-Aufwertung) normalerweise steigt — im Gegensatz zu dem Importwert in DM, der bei einer bestimmten Änderung von w sowohl fallen als auch steigen kann. Deshalb verläuft die Importwertkurve in Abb. 9a stets normal, d. h. von links nach rechts fallend. Daraus folgt zugleich, daß $\eta_{M\$}$ stets negativ sein wird. Einer Zunahme von w entspricht eine Abnahme von $M\$$ und vice versa. Aus der Preistheorie ist nun bekannt, daß man die Elastizität in den einzelnen Punkten einer (geradlinigen) Nachfragekurve ermittelt, indem man die durch diese Punkte getrennten Kurvenabschnitte zueinander in Beziehung setzt: Zwischen A und B ist die Elastizität < -1 (z. B. -2), in B als dem Mittelpunkt der Kurve ist sie $= -1$ und zwischen B und D > -1 (z. B. $-0,5$)[12]. Aus der Dollar-Importwertkurve kann man leicht eine DM-Importwertkurve (Abb. 9b) ableiten, da der Importwert in DM dem Produkt aus Dollar-Importwert und Wechselkurs, also dem Inhalt des Rechtecke entspricht, welche die Dollar-Importwertkurve mit den Achsen bildet. Senkt man den Wechselkurs von A ausgehend, so wird bis B der Dollar-Importwert prozentual stärker steigen als w verringert wird, da die Elastizität < -1 ist. Folglich wird auf Grund der Beziehung $M_{DM} = M\$ \cdot w$ der Importwert in DM zunächst größer werden, wenn w abnimmt. Der Verlauf des Kurvenabschnitts $A'B'$ in Abb. 9b macht diese Zusammenhänge deutlich. Hier ist $\eta_{M_{DM}}$ — die Elastizität des Importwertes in DM in bezug auf den Wechselkurs — negativ, denn einer Abnahme von w entspricht eine Zunahme von M_{DM}. Im Punkte B der Abb. 9a hat das Produkt $M_{DM} = M\$ \cdot w$ sein Maximum erreicht, weil B durch die Bedingung $\eta_{M\$} = -1$ gekennzeichnet ist, der Abnahme von w also eine prozentual gleich

---

[12] Oft wird man lesen, daß die Elastizität zwischen A und $B > 1$, in $B = 1$ und zwischen B und $D < 1$ ist. Das ist kein Widerspruch zu unserer Feststellung, da man — der Marshallschen Tradition folgend — die negativen Elastizitäten durch ein Minuszeichen positiv machen kann.

große Zunahme von $M_\$$ entspricht. M_{DM} steigt folglich nicht mehr weiter. Im korrespondierenden Punkt B' wäre demnach $\eta_{M_{DM}} = 0$. Schließlich wird — zwischen B' und O' — $\eta_{M_{DM}} > 0$, weil bei einer weiteren Verringerung des Wechselkurses $M_\$$ prozentual schwächer steigt, M_{DM} also sinkt. Sind aber Zähler und Nenner im Koeffizienten der DM-Importelastizität negativ, so wird der Ausdruck positiv. Die hier dargestellten Beziehungen zwischen beiden Kurven entsprechen völlig dem aus der Preistheorie bekannten Verhältnis von Preis-Absatzfunktion (= Nachfragekurve) und Gesamterlöskurve (= Gesamtausgabenkurve), nur daß letztere nicht auf die Menge, sondern auf den Preis (w) bezogen ist. Die Ableitung macht deutlich, daß zwischen den Elastizitätswerten beider Kurven eine feste Relation besteht, die durch die Gleichung

$$\eta_{M_{DM}} = \eta_{M_\$} + 1 \tag{8}$$

fixiert werden kann. Einer DM-Elastizität von O entspricht z. B. eine Dollar-Elastizität von -1. Ist die DM-Elastizität $< O$ (z. B. -1), so ist die Dollar-Elastizität < -1 (z. B. -2). Schließlich kann man ablesen, daß eine DM-Elastizität $> O$ eine Dollar-Elastizität > -1 impliziert.

Gleichung (8), die durch Betrachtung von Abb. 9 gewonnen ist, kann auch analytisch abgeleitet werden. Ausgangspunkt ist die Gleichung

$$M_{DM} = M_\$ \cdot w, \tag{9}$$

welche die Konstruktion der DM-Importwertkurve aus der Dollar-Importwertkurve ermöglicht hat. Differenziert man (9) nach w — es ist nach der Reaktion der Importwerte auf Veränderungen des Wechselkurses gefragt —, so erhält man

$$\frac{dM_{DM}}{dw} = \frac{dM_\$}{dw} \cdot w + M_\$ = M_\$ \left(\frac{dM_\$}{dw} \cdot \frac{w}{M_\$} + 1 \right)$$

Da das Produkt in der Klammer als Elastizität des Importwertes in Dollar definiert ist (s. Gleichung 7), kann man auch schreiben

$$\frac{dM_{DM}}{dw} = M_\$ (\eta_{M_\$} + 1)$$

oder wegen Gleichung (9)

$$\frac{dM_{DM}}{dw} \cdot \frac{w}{M_{DM}} = \eta_{M_\$} + 1$$

oder wegen Gleichung (4)

$$\eta_{M_{DM}} = \eta_{M_\$} + 1. \tag{8}$$

c) Unter Berücksichtigung von (8) kann man daher (6), welche die normale Reaktion der Leistungsbilanz beschreibt, auch in der Form

$$\eta_{X_{DM}} \cdot \frac{X_{DM}}{M_{DM}} > \eta_{M_\$} + 1$$

$$\boxed{\eta_{X_{DM}} \cdot \frac{X_{DM}}{M_{DM}} - \eta_{M_\$} > 1} \tag{10}$$

schreiben. $\eta_{X_{DM}}$ ist immer positiv, weil bei einer Erhöhung von w der Exportwert in DM immer zunimmt (im ungünstigsten Fall konstant bleibt). Dagegen ist $\eta_{M_\$}$ stets negativ (Abb. 9 a), so daß durch das Minuszeichen der Ausdruck positiv wird. Mithin kann man sagen: Eine Abwertung wird

III. Wert- und Mengenelastizitäten, Reaktion der Leistungsbilanz

die Leistungsbilanz in Inlandswährung stets verbessern — der Exportwert in DM steigt stärker als der Importwert in DM (welcher fallen kann) —, wenn die Summe aus den absoluten Werten der Elastizitäten des DM-Exportwertes und des Dollar-Importwertes den Wert 1 übersteigt und die Leistungsbilanz im Ausgangszustand ausgeglichen ist ($X_{DM} : M_{DM} = 1$). Überlegt man ferner, daß dem DM-Exportwert eine Nachfrage des Auslandes nach DM und dem Dollar-Importwert eine Nachfrage des Inlandes nach Dollar entspricht, so läßt sich (10) auch in folgender Form charakterisieren: Die Leistungsbilanz wird unter der Annahme $X_{DM} = M_{DM}$ nur dann verbessert, wenn die absoluten Werte der Elastizitäten der DM-Nachfrage und der Dollar-Nachfrage insgesamt größer als 1 sind[13]). Ist die

[13]) In unserer Ableitung sind beide Elastizitäten auf den Dollar-Kurs w bezogen. Gelegentlich deutet man aber die Elastizität des DM-Exportwertes als Reaktion des Exportwertes in DM auf Änderungen des DM-Kurses w_1, der dem reziproken Wert von w entspricht (so etwa Hirschman, A. O., Devaluation and the Trade Balance: A Note, Review of Economics and Statistics, Bd. 31, 1949, S. 50 ff.). Diese Elastizität wird also durch den Ausdruck

$$\eta^{w_1}_{X_{DM}} = \frac{dX_{DM}}{dw_1} \cdot \frac{w_1}{X_{DM}} \tag{a}$$

definiert. Wir können aber zeigen, daß sich durch diese Umformulierung an (10) nichts ändert. Zu diesem Zwecke schreiben wir (a) in der Form

$$\eta^{w_1}_{X_{DM}} = \frac{dX_{DM}}{dw_1} \cdot \frac{w_1}{X_{DM}} \cdot \frac{dw}{dw} = \frac{dX_{DM}}{dw} \cdot \frac{w_1}{X_{DM}} \cdot \frac{dw}{dw_1}. \tag{b}$$

Weil der Dollar-Kurs dem reziproken Wert des DM-Kurses entspricht:

$$w = \frac{1}{w_1}, \tag{c}$$

erhält man durch Differenzieren von (c) nach w_1

$$\frac{dw}{dw_1} = -\frac{1}{w_1^2} \tag{d}$$

und Einsetzen von (d) in (b) den Ausdruck

$$\eta^{w_1}_{X_{DM}} = -\frac{dX_{DM}}{dw} \cdot \frac{w_1}{X_{DM}} \cdot \frac{1}{w_1^2} = -\frac{dX_{DM}}{dw \cdot X_{DM} \cdot w_1} \tag{e}$$

oder wegen (c)

$$\eta^{w_1}_{X_{DM}} = -\frac{dX_{DM}}{X_{DM}} \cdot \frac{w}{dw} = -\eta_{X_{DM}} \tag{f}$$

$$\eta_{X_{DM}} = -\eta^{w_1}_{X_{DM}}. \tag{g}$$

Die auf w bezogene Exportwertelastizität ist also gleich dem negativen Wert der auf w_1 bezogenen Elastizität. Dieser Zusammenhang wird durch die Überlegung deutlich, daß einer (infinitesimal kleinen) Erhöhung von w eine genau gleiche Änderung von w_1 — nur mit umgekehrtem Vorzeichen — entspricht. Dies gilt jedoch nur für sehr kleine Änderungen: Eine 1 %ige Abwertung der DM impliziert zwar noch eine (ungefähr) 1 %ige Aufwertung des Dollars, doch bedeutet eine 20 %ige Abwertung der DM schon eine 25 %ige Aufwertung des Dollars. Für kleine Änderungen — und Elastizitäten sind als Punktelastizitäten zugleich Differentialquotienten — kann man aber $\eta_{X_{DM}}$ in (10) durch $-\eta^{w_1}_{X_{DM}}$ ersetzen. Da $\eta^{w_1}_{X_{DM}}$ negativ ist — eine Abwertung bedeutet immer eine Erhöhung des Exportwertes —, wird die rechte Seite von (g) durch das Minuszeichen wieder positiv.

Summe der Elastizitäten dagegen kleiner als 1, so reagiert die Leistungsbilanz anomal: Der Importwert steigt stärker als der Exportwert. Mithin bleibt die Leistungsbilanz unverändert, sofern die Elastizitäten zusammen gleich 1 sind.

Diese Beziehungen lassen sich durch ein Zahlenbeispiel leicht verdeutlichen. Unterstellt sei eine Erhöhung des Wechselkurses um 1 % bei einer im Ausgangszustand ausgeglichenen Leistungsbilanz. Wenn für $\eta_{M\$}$ ein Wert von $-0{,}25$ angenommen wird, geht der Importwert in Dollar um $^1/_4$ % zurück; gleichzeitig steigt aber der Importwert in DM um $^3/_4$ %, da wegen der Beziehung $\eta_{M\,DM} = \eta_{M\$} + 1$ einer Dollar-Importwertelastizität von $-0{,}25$ eine DM-Importwertelastizität von $+0{,}75$ entsprechen muß. Diese Zunahme des DM-Importwertes um $^3/_4$ % würde nur dann nicht eine Verschlechterung, also eine anomale Reaktion der Leistungsbilanz zur Folge haben, wenn der DM-Exportwert auf eine Wechselkurssteigerung von 1 % mit einer Zunahme von mindestens $^3/_4$ % reagiert, $\eta_{X\,DM}$ also zumindest $+0{,}75$ ist. Der Grenzfall zwischen normaler und anomaler Reaktion ist also in unserem Beispiel durch die Bedingung $\eta_{X\,DM} - \eta_{M\$} = +0{,}75 - (-0{,}25) = 1$ gekennzeichnet. Sofern $\eta_{X\,DM}$ nur etwas größer als $0{,}75$ (etwa $+0{,}8$) oder $\eta_{M\$}$ etwas kleiner als $-0{,}25$ (etwa $-0{,}3$) wird, muß sich die Leistungsbilanz verbessern, da entweder der Exportwert in DM um mehr als $^3/_4$ % (etwa $^4/_5$ %) oder der Importwert in DM um weniger als $^3/_4$ % (etwa $^7/_{10}$ %) zunehmen würde.

Dieses Zahlenbeispiel ist indessen nur unter der Annahme gültig, daß Export und Import zum Zeitpunkt der Wechselkurserhöhung ausgeglichen sind. Nur in diesem Falle bedeutet eine $^3/_4$ %ige Erhöhung von DM-Exportwert und DM-Importwert eine gleiche a b s o l u t e Steigerung der Exporte und Importe, da beide Prozentsätze auf die gleichen Ausgangswerte ($X_{DM} = M_{DM}$) bezogen sind. Ist aber der ursprüngliche Importwert größer als der Exportwert, so impliziert eine $^3/_4$ %ige Zunahme des DM-Importwertes eine größere a b s o l u t e Zunahme als eine $^3/_4$ %ige Erhöhung des Exportwertes: Die Leistungsbilanz reagiert anomal, obwohl sich DM-Exportwertelastizität ($+0{,}75$) und Dollar-Importwertelastizität ($-0{,}25$; entsprechende DM-Importwertelastizität $= +0{,}75$) zu 1 ergänzen. Unter der Voraussetzung $M_{DM} > X_{DM}$ muß die Summe der Elastizitäten über 1, evtl. beträchtlich über 1 liegen, wenn sich die Leistungsbilanz verbessern soll. Dies geht deutlich aus der Bedingung (10) für eine normale Reaktion der Leistungsbilanz hervor. Damit vermindert sich aber die Chance für eine Verbesserung der Leistungsbilanz, denn eine Wechselkurserhöhung (DM-Abwertung) wird normalerweise nicht durchgeführt, wenn X_{DM} und M_{DM} übereinstimmen, sondern wenn es darum geht, ein Defizit der Leistungsbilanz zu beseitigen. Umgekehrt gilt natürlich für einen Exportüberschuß, daß eine Erhöhung von w die Leistungsbilanz selbst dann verbessern, d. h. den Überschuß weiter vergrößern kann, wenn die Summe der Elastizitäten unter 1 liegt.

d) Die Bedingung (10) für eine normale Reaktion der Leistungsbilanz beantwortet die Frage: Welches sind die Voraussetzungen für eine Verbesserung der Leistungsbilanz in Inlandswährung? Eine ähnliche Bedingung kann man konstruieren, wenn die Leistungsbilanz nicht in Inlands-, sondern in Auslandswährung ausgedrückt ist. Aus den Erörterungen des Abschnitts II, 2 ist bekannt, daß ein Hinaufsetzen des Dollarkurses w (DM-Abwertung) stets eine Abnahme des Importwertes in Dollar zur Folge hat, während der Dollar-Exportwert entweder steigen, fallen oder konstant bleiben kann. Die Leistungsbilanz in Dollar reagiert daher normal, wenn die sichere Ab-

III. Wert- und Mengenelastizitäten, Reaktion der Leistungsbilanz 63

nahme des Importwertes $(M_\$)$ größer ist als die **m ö g l i c h e** Verringerung des Exportwertes $(X_\$)$. Es muß daher gelten:

$$\frac{dM_\$}{dw} < \frac{dX_\$}{dw} \cdot \left[\text{z. B.}: \frac{-10}{+1} < \frac{-5}{+1}\right] \qquad (11)$$

Es ist wichtig, genau die Vorzeichen zu beachten. Zwar ist $dM_\$$ **a b s o l u t** größer als $dX_\$$ $(10 > 5)$, weil aber beide Größen (zumindest $dM_\$$) negativ sind, ist $dM_\$$ unter Beachtung der Vorzeichen kleiner als $dX_\$$ $(-10 < -5)$. Die Bedingung für eine normale Reaktion entspricht daher ganz der Bedingung (1) für die Leistungsbilanz in DM. Führt man an Stelle der Änderungsraten die Elastizitäten des Dollarimportwertes (Gleichung 7) und des Dollarexportwertes ein:

$$\eta_{X_\$} = \frac{dX_\$}{X_\$} : \frac{dw}{w}, \qquad (12)$$

so wird (11) zu

$$\boxed{\eta_{M_\$} \cdot \frac{M_\$}{X_\$} < \eta_{X_\$}.} \qquad (13)$$

Ausdruck (13) ist die Stabilitätsbedingung in Auslandswährung, die ihr Gegenstück für die Inlandswährung in (6) findet. Auch das weitere Vorgehen folgt den gleichen Bahnen: Wie wir die rechte Seite von (6) — die Elastizität des DM-Angebots (= DM-Importwert) — durch die Elastizität der Dollar-Nachfrage (= Dollar-Importwert) ersetzt haben, so substituieren wir die rechte Seite von (13) — die Elastizität des Dollar-Angebots (= Dollar-Exportwert) — durch die Elastizität der DM-Nachfrage (= DM-Exportwert): In beiden Fällen kann man die Elastizität des Angebots der entsprechenden Währungen durch die Elastizität der Nachfrage nach der anderen Währung austauschen. Der Substitutionsprozeß bringt folgendes Ergebnis[14]:

$$\eta_{X_\$} = \eta_{X_{DM}} - 1. \qquad (14)$$

[14]) Beweis: $X_\$ = \dfrac{X_{DM}}{w}$ (a)

$$\frac{dX_\$}{dw} = \frac{w \cdot \dfrac{dX_{DM}}{dw} - X_{DM}}{w^2} = \frac{w \cdot \dfrac{dX_{DM}}{dw}}{w^2} - \frac{X_{DM}}{w^2}$$

$$= \frac{1}{w} \cdot \frac{dX_{DM}}{dw} - \frac{X_{DM}}{w^2}$$

$$= \frac{X_{DM}}{w^2} \left(\frac{w}{X_{DM}} \cdot \frac{dX_{DM}}{dw} - 1\right).$$

Da der Klammerausdruck der Elastizität des DM-Exportwertes entspricht, folgt unter Berücksichtigung von (a):

$$\frac{dX_\$}{dw} = \frac{X_\$}{w} (\eta_{X_{DM}} - 1)$$

$$\frac{w}{X_\$} \cdot \frac{dX_\$}{dw} = \eta_{X_{DM}} - 1$$

$$\eta_{X_\$} = \eta_{X_{DM}} - 1. \qquad (14)$$

Nach Einsetzen in (13) erhält man

$$\eta_{M\$} \cdot \frac{M\$}{X\$} < \eta_{X_{DM}} - 1$$

oder, da

$$\eta_{X_{DM}} - \eta_{M\$} \cdot \frac{M\$}{X\$} > 1 \qquad (15)$$

$$M\$ = \frac{M_{DM}}{w} \quad \text{und} \quad X\$ = \frac{X_{DM}}{w}$$

$$\boxed{\eta_{X_{DM}} - \eta_{M\$} \cdot \frac{M_{DM}}{X_{DM}} > 1.} \qquad (16)$$

Tabelle 11   Exportüberschuß
D = positiv

Fall	w	D_{DM}		$D\$ = \frac{D_{DM}}{w}$		Bewegungen von D_{DM} und L
		Wert	Reaktion	Wert	Reaktion	
Ausgangslage	4	+200		+50		
1	5	+225	schwach n.	+45	a	entgegengesetz
2	5	+275	stark n.	+55	n	gleichgerichtet
3	5	+150	a.	+30	a	gleichgerichtet

Ausdruck (16) fixiert die Bedingung für eine normale Reaktion der Leistungsbilanz in Auslandswährung. Vergleichen wir (16) mit der für die Leistungsbilanz in Inlandswährung geltenden Bedingung

$$\boxed{\eta_{X_{DM}} \cdot \frac{X_{DM}}{M_{DM}} - \eta_{M\$} > 1,} \qquad (10)$$

so wird deutlich, daß beide Ausdrücke unter der Annahme $X_{DM} = M_{DM}$ identisch sind: Eine Abwertung verbessert also die Leistungsbilanz sowohl in Inlands- als auch in Auslandswährung, wenn die Summe der absoluten Elastizitätswerte über 1 liegt. **Stimmen aber Export und Import nicht überein, so ist es möglich, daß sich die Leistungsbilanz in DM verschlechtert und die Dollar-Bilanz zugleich verbessert oder umgekehrt.** Bei der Analyse von (10) wurde bereits gezeigt, daß sich im Falle eines Importüberschusses $\left(\frac{X_{DM}}{M_{DM}} < 1\right)$ die Leistungsbilanz in DM selbst dann verschlechtert, wenn die Summe der Elastizitäten dem Werte 1 entspricht oder sogar etwas darüber liegt. Andererseits ist aus (16) zu entnehmen, daß unter der Voraussetzung eines Importüberschusses $\left(\frac{M_{DM}}{X_{DM}} > 1\right)$ die Dollar-Bilanz auch eine Verbesserung erfährt, wenn die Summe der Elastizitäten gleich 1 ist oder gar etwas unter 1 liegt. So ergibt sich die wichtige Konsequenz, daß eine Abwertung, die zur Verringerung eines Importüberschusses vorgenommen wird, zugleich die Dollar-Bilanz verbessern und die DM-

III. Wert- und Mengenelastizitäten, Reaktion der Leistungsbilanz

Bilanz verschlechtern kann, womit die Erwartungen, welche an eine Abwertung geknüpft werden, sowohl erfüllt (Dollar-Bilanz) als auch nicht erfüllt (DM-Bilanz) worden sind. Entsprechende Beziehungen gelten für einen Exportüberschuß. Hier wird eine Abwertung die DM-Bilanz in jedem Falle verbessern, wenn die Elastizitäten insgesamt gleich oder nur wenig kleiner als 1 sind, während gleichzeitig die Dollar-Bilanz eine Verschlechterung erfährt. Bei anderen Elastizitätswerten sind natürlich gleichgerichtete Bewegungen denkbar.

Die Möglichkeit entgegengesetzter Reaktionen kann in besonders klarer Form aus der Gleichung

$$D_\$ = \frac{D_{DM}}{w}$$

Importüberschuß
D = negativ

D_{DM}		$D_\$ = \frac{D_{DM}}{w}$		Bewegungen von D_{DM} und $D_\$$
Wert	Reaktion	Wert	Reaktion	
−200		−50		
−225	schwach a.	−45	n	entgegengesetzt
−275	stark a.	−55	a	gleichgerichtet
−150	n.	−30	n	gleichgerichtet

abgelesen werden, wobei $D_\$$ den Leistungsbilanzsaldo des Inlandes in Dollar ($X_\$ - M_\$$) und D_{DM} den DM-Saldo ($X_{DM} - M_{DM}$) bezeichnen. Aus dieser Gleichung lassen sich folgende Beziehungen zwischen D_{DM} und $D_\$$ ablesen:

Fall 1: Erhöht sich w und steigt der (positive oder negative) Wert von D_{DM} um weniger als w, so verringert sich der absolute Wert von $D_\$$: Die Leistungsbilanzsalden verändern sich entgegengesetzt, wenn die DM-Bilanz nur schwach normal (Ausgangszustand: D_{DM} positiv) oder schwach anomal (Ausgangszustand: D_{DM} negativ) reagiert.

Fall 2: Erhöht sich w und steigt der (positive oder negative) Wert von D_{DM} um mehr als w, so steigt auch der absolute Wert von $D_\$$: Die Leistungsbilanzsalden bewegen sich in die gleiche Richtung, wenn die DM-Bilanz stark normal (Ausgangszustand: D_{DM} positiv) oder stark anomal (Ausgangszustand: D_{DM} negativ) reagiert.

Fall 3: Erhöht sich w und sinkt der (positive oder negative) Wert von D_{DM}, so sinkt auch der absolute Wert von $D_\$$: Die Leistungsbilanzsalden bewegen sich in die gleiche Richtung, wenn die DM-Bilanz anomal (Ausgangszustand: D_{DM} positiv) oder normal (Ausgangszustand: D_{DM} negativ) reagiert.

Diese Fälle können durch Tabelle 11, in der die Wirkungen einer 25%igen Erhöhung von w (20%ige DM-Abwertung) auf die Leistungsbilanz aufgezeichnet sind, verdeutlicht werden. Hier bedeuten: n = normal, a = anomal.

Die Wirkungen einer Abwertung auf die DM-Bilanz sind hier willkürlich angenommen; liegen die Werte jedoch fest — sie werden durch die Elastizitäten bestimmt —, so ist damit bei gegebenem Kurs auch die Veränderung der Dollar-Bilanz bekannt.

Die Möglichkeit einer entgegengesetzten Reaktion der Leistungsbilanzsalden in Inlands- und Auslandswährung zwingt dazu, die Wirkungen einer Wechselkursänderung auf DM- und Dollar-Bilanz gleichzeitig zu untersuchen. Diese Frage ist wirtschaftspolitisch nicht ohne Interesse, wenn mit einer Abwertung zwei Ziele verfolgt werden sollen: eine Milderung der Devisennöte durch Verbesserung der Dollar-Bilanz und eine Erhöhung von Volkseinkommen und Beschäftigung durch eine Verbesserung der DM-Bilanz. Beide Ziele sind unter Umständen nicht miteinander vereinbar: Wird die Devisenbilanz durch eine Abwertung verbessert, so können negative Konsequenzen für Volkseinkommen und Beschäftigung nicht völlig ausgeschlossen werden. Umgekehrt kann eine Zunahme des Volkseinkommens evtl. nur um den Preis eines verminderten Devisenvorrates erreicht werden[15]). Auch hier ist es also notwendig, eine Rangskala der wirtschaftspolitischen Werte aufzustellen.

2. Die Bedeutung der Mengenelastizitäten
(Die Marshall-Lerner-Bedingung)

In den Ungleichungen (10) und (16) sind die Stabilitätsbedingungen mit Hilfe von Wertelastizitäten formuliert worden: Die Leistungsbilanz wird sich unter der Annahme $X_{DM} = M_{DM}$ verbessern, wenn die Elastizitäten des DM-Exportwertes und des Dollar-Importwertes oder — was das gleiche wäre — die Elastizitäten der DM-Nachfrage und der Dollar-Nachfrage insgesamt größer als 1 sind. Marshall und Lerner verwenden aber keine Wertelastizitäten, sie operieren vielmehr mit Mengenelastizitäten: der Elastizität der mengenmäßigen Importnachfrage des Inlandes in bezug auf den DM-Preis der Importe:

$$\eta_m = \frac{d n_m}{n_m} : \frac{d P_m^{DM}}{P_m^{DM}} \quad \begin{pmatrix} n_m = \text{mengenmäßige Importnachfrage des Inlands;} \\ P_m^{DM} = \text{DM-Preis der Importe} \end{pmatrix}$$

und der Elastizität der mengenmäßigen Exportnachfrage des Auslandes (der Nachfrage nach unseren Exporten) in bezug auf den Dollar-Preis dieser Exporte

$$\eta_x = \frac{d n_x}{n_x} : \frac{d P_x^\$}{P_x^\$} \quad \begin{pmatrix} n_x = \text{mengenmäßige Exportnachfrage des Auslands;} \\ P_x^\$ = \text{Dollar-Preis der Exporte} \end{pmatrix}$$

Unter bestimmten Annahmen ist es nun möglich, die bisher verwendeten Wertelastizitäten durch diese Mengenelastizitäten zu ersetzen. Es läßt sich zeigen, daß Wert- und Mengenelastizitäten übereinstimmen müssen, wenn das Exportangebot des Inlandes und das Importangebot des Auslandes unendlich elastisch sind. Zunächst soll diese Behauptung an Hand der Beziehungen zwischen der Importelastizität des Inlandes η_m und der Elasti-

---

[15]) Zu dem ganzen Problemkreis vgl. W o l l, A., Wechselkursvariationen und Beschäftigungsniveau, Freiburger Diss. 1958. In dieser Arbeit ist überdies die Problematik der modernen Wechselkurstheorie verbal, tabellarisch und analytisch vollständig dargestellt.

III. Wert- und Mengenelastizitäten, Reaktion der Leistungsbilanz 67

zität des Dollarimportwertes (=Dollar-Nachfrage) $\eta_{M\$}$ demonstriert werden. Zu diesem Zwecke schreiben wir die Gleichung

$$M_{DM} = M_\$ \cdot w$$

in der Form

$$n_m \cdot P_m^{DM} = n_m \cdot P_m^\$ \cdot w, \tag{17}$$

da der DM-Wert der Importe dem Produkt aus mengenmäßigem Import und DM-Preis entspricht, während der Dollar-Wert der Importe dem Produkt aus mengenmäßigem Import und Dollar-Preis der Importe $\left(P_m^\$\right)$ gleich ist. Es sei nun unterstellt, daß das Importangebot des Auslandes unendlich elastisch, die ausländische Importangebotskurve bezogen auf den Dollar-Preis also eine Parallele zur Abszisse ist. Unter dieser Voraussetzung bleibt nach einer Erhöhung von w (Abwertung der DM) der Dollar-Preis unserer Importe unverändert[16]). Dann lassen sich aus (17) folgende Beziehungen ablesen:

1. Wenn $P_m^\$$ konstant ist, muß bei einer Erhöhung von w der Wert von P_m^{DM} in gleichem Maße steigen wie w: $\dfrac{dw}{w} = \dfrac{dP_m^{DM}}{P_m^{DM}}$.

2. Wenn $P_m^\$$ konstant ist, muß sich bei einer Erhöhung von w (= Erhöhung von P_m^{DM}) das Produkt $n_m \cdot P_m^\$ = M_\$$ auf der rechten Seite in gleichem Maße ändern wie n_m auf der linken Seite: $\dfrac{dn_m}{n_m} = \dfrac{d\left(n_m \cdot P_m^\$\right)}{n_m P_m^\$} = \dfrac{dM_\$}{M_\$}$

Demnach kann man schreiben

$$\frac{dM_\$}{M_\$} : \frac{dw}{w} = \frac{dn_m}{n_m} : \frac{dP_m^{DM}}{P_m^{DM}}$$

oder $\eta_{M\$} = \eta_m.$ \hfill (18)

Die Dollar-Importwertelastizität stimmt mit der Elastizität der mengenmäßigen Importnachfrage überein. Beide Elastizitäten haben darüber hinaus gleiche Vorzeichen, da bei einer Erhöhung von w der Dollar-Importwert und bei einer Steigerung von P_m^{DM} die mengenmäßige Importnachfrage kleiner werden.

Die Gültigkeit von (18) kann auch an einem Zahlenbeispiel demonstriert werden:

Tabelle 12

		Importe		
w	n_m	$P_m^\$$	P_m^{DM}	$M_\$ \left(= n_m \cdot P_m^\$\right)$
2	50	100	200	5000
2,4	45	100	240	4500

[16]) In Abb. 8 würde nach einer Linksverschiebung der Kurve der Importnachfrage $P_m^\$$ unverändert bleiben, wenn die Kurve des Importangebots horizontal verläuft.

68 Wechselkursänderungen und Zahlungsbilanz

Unterstellt ist eine 20 %ige Erhöhung des Wechselkurses von 2 auf 2,4. Wenn der Dollar-Preis der Importe unverändert bleibt, müssen die Inländer folglich einen um 20 % höheren DM-Betrag aufwenden, um eine Einheit des ausländischen Produktes zu kaufen. Folglich ist $\dfrac{\Delta P_m^{DM}}{P_m^{DM}} = \dfrac{\Delta w}{w}$. Auf die Erhöhung des DM-Preises sollen nun die Inländer mit einer Einschränkung ihrer Importnachfrage von 50 auf 45 reagieren. Der Prozentsatz dieser Importabnahme stimmt mit dem Prozentsatz der Verringerung des Dollar-Importwertes überein: $\dfrac{\Delta n_m}{n_m} = \dfrac{\Delta M\$}{M\$}$. Gleichung (18) ist daher gültig.

Auf ähnliche Weise kann man zeigen, daß auch die Elastizität des DM-Exportwertes (= DM-Nachfrage) $\eta_{X_{DM}}$ mit der Elastizität der mengenmäßigen Exportnachfrage η_x übereinstimmen muß, wenn das inländische Exportangebot in bezug auf den DM-Preis unendlich elastisch ist. Allerdings sind hier die Vorzeichen umgekehrt: Einer Steigerung von w (DM-Abwertung) entspricht regelmäßig eine Zunahme des DM-Exportwertes. Gleichzeitig bedeutet aber eine Abwertung, daß der Dollar-Preis der exportierten Waren sinkt — die Ausländer haben für DM und deutsche Produkte weniger Dollar hinzugeben —, so daß die Exportnachfrage des Auslandes größer wird. Unter Beachtung der Vorzeichen kann man also die Übereinstimmung von Mengen- und Wertelastizitäten durch die Gleichung

$$\dfrac{dX_{DM}}{X_{DM}} : \dfrac{dw}{w} = -\dfrac{dn_x}{n_x} : \dfrac{dP_x^\$}{P_x^\$}$$

beschreiben. Mithin gilt:

$$\eta_{X_{DM}} = -\eta_x. \tag{19}$$

Das folgende Beispiel, in dem erneut eine Erhöhung des Dollarkurses auf 2,4 unterstellt ist, macht die Zusammenhänge deutlich:

Tabelle 13

w	n_x	$P_x^\$$	P_x^{DM}	$X_{DM}\left(=n_x \cdot P_x^{DM}\right)$
2	100	120	240	24.000
2,4	110	100	240	26.400

Die relative Änderung des DM-Exportwertes entspricht also der relativen Änderung der Exportgüternachfrage: $\dfrac{\triangle X_{DM}}{X_{DM}} = \dfrac{\triangle n_x}{n_x}$. Ferner gilt: $\dfrac{\triangle w}{w} = -\dfrac{\triangle P_x^\$}{P_x^\$}$, wobei allerdings zu berücksichtigen ist, daß $\triangle w$ und $\triangle P_x^\$$ nicht auf die Ausgangswerte von w (2) und $P_x^\$$ (120), sondern — wie es bei Berechnung von Durchschnittselastizitäten üblich ist — auf die Mittelwerte von w (2,2) und $P_x^\$$ (110) bezogen werden müssen[17]). Gleichung (19) ist daher erfüllt.

Die Gleichungen (18) und (19) gestatten es nun, in den Bedingungen für eine normale Reaktion der Leistungsbilanz die Wert- durch Mengenelastizi-

---

[17]) Zur Elastizitätsberechnung bei endlich großen Änderungen vgl. z. B. C. E. Ferguson, Microeconomic Theory, Homewood/Ill., 1966, S. 77 ff. Bei infinitesimalen Änderungen (dw/w usw.) fallen Ausgangs- und Mittelwerte zusammen.

III. Wert- und Mengenelastizitäten, Reaktion der Leistungsbilanz

täten zu ersetzen. Dieser Substitutionsprozeß ergibt für die Stabilitätsbedingung in Inlandswährung (10):

$$-\eta_x \cdot \frac{X_{DM}}{M_{DM}} - \eta_m > 1 \tag{20}$$

oder, wenn $X_{DM} = M_{DM}$:

$$\boxed{-\eta_x - \eta_m > 1.} \tag{21}$$

Ausdruck (21) ist die Marshall-Lerner-Bedingung. Sie besagt, daß eine Abwertung die Leistungsbilanz in Inlandswährung (für die Dollar-Bilanz gilt das gleiche) verbessert, wenn die Summe aus den absoluten Werten der Elastizitäten der Import- und Exportnachfrage größer als 1 ist. Zu beachten ist jedoch, daß dieser Satz nur unter zwei Annahmen gilt: E r s t e n s m ü s s e n E x p o r t - u n d I m p o r t w e r t i m A u s g a n g s z u s t a n d ü b e r e i n s t i m m e n, z w e i t e n s i s t e s n o t w e n d i g, d a ß d i e E l a s t i z i t ä t e n d e s E x p o r t - u n d I m p o r t a n g e b o t s u n e n d l i c h s i n d. Insofern sind die in Wertelastizitäten formulierten Bedingungen (10) und (16) allgemeiner als die Marshall-Lerner-Bedingung; die Annahme endlich großer Angebotselastizitäten ist hier nicht ausgeschlossen.

3. Die Robinson-Bedingung

a) Will man andererseits auf die Verwendung von Mengenelastizitäten nicht verzichten, so müssen (10) und (16) für den Fall endlicher Angebotselastizitäten so umgestaltet werden, daß die Stabilitätsbedingungen nicht nur mit Hilfe von Nachfrage-, sondern auch unter Verwendung von Angebotselastizitäten formuliert werden können. Eine solche Formel verdanken wir J. Robinson[18]). Bezeichnet man mit

ε_x: die Elastizität des inländischen Angebots an Exportgütern in bezug auf den DM-Preis dieser Güter,

ε_m: die Elastizität des ausländischen Angebots an Importgütern in bezug auf den Dollar-Preis dieser Güter,

so läßt sich zeigen, daß die Stabilitätsbedingung in Auslandswährung (13)

oder

$$\eta_{M\$} \cdot \frac{M\$}{X\$} < \eta_{X\$}$$

$$\eta_{X\$} \cdot \frac{X\$}{M\$} > \eta_{M\$} \tag{13}$$

unter der Annahme $X\$ = M\$$ [19]) in der Form:

$$\boxed{\frac{\eta_x + 1}{\frac{\eta_x}{\varepsilon_x} - 1} > \frac{\varepsilon_m + 1}{\frac{\varepsilon_m}{\eta_m} - 1}} \tag{22}$$

[18]) R o b i n s o n , J., The Foreign Exchanges, in: Essays in the Theory of Employment, Oxford 1947, wiederabgedr. in: Readings in the Theory of International Trade, London 1958; ferner M e t z l e r , L. A., The Theory of International Trade, in: A Survey of Contemporary Economics, Philadelphia-Toronto 1948; eine zusammenfassende Darstellung gibt H a b e r l e r , G., The Market for Foreign Exchange and the Stability of the Balance of Payments, Kyklos, Bd. 3, 1949.

[19]) Die Ableitung ist auch möglich, wenn $X\$$ und $M\$$ unterschiedlich sind. Wir wollen aber eine ausgeglichene Leistungsbilanz unterstellen, da es uns in diesem Zusammenhang nur auf die Bedeutung der Angebotselastizitäten ankommt.

geschrieben werden kann. Für die DM-Rechnung gilt dieselbe Bedingung, da DM-Bilanz und Dollar-Bilanz in gleicher Weise reagieren, wenn die Leistungsbilanz im Ausgangszustand ausgeglichen ist.

Der Beweis wird durch folgende Ableitung erbracht, die der Leser, der sich nur für die ökonomischen Implikationen, nicht aber für die mathematische Herleitung von (22) interessiert, ruhigen Gewissens überschlagen kann. Entscheidend sollte für den Ökonomen nur die volkswirtschaftliche Deutung des Ergebnisses sein.

Es ist unser Ziel, die Ungleichung (22) aus (13) abzuleiten. Zunächst soll gezeigt werden, daß die Elastizität des Dollar-Exportwertes $\eta_{X_\$}$ durch den Ausdruck auf der linken Seite von (22) ersetzt werden kann. Zu diesem Zwecke legen wir unserer Ableitung die Ausgangsgleichung für den Dollar-Exportwert

$$X_\$ = P_x^\$ \cdot n_x \left(P_x^\$\right) \tag{23}$$

zugrunde. Der Dollar-Exportwert ergibt sich durch Multiplikation des Preises der vom Ausland nachgefragten Exportgüter mit der Menge der nachgefragten Exportgüter n_x, die ihrerseits eine Funktion des Dollar-Preises der Exporte ist: $n_x = n_x\left(P_x^\$\right)$.

Durch Differenzieren nach dem Wechselkurs w erhalten wir:

$$\frac{dX_\$}{dw} = \frac{dP_x^\$}{dw}\left(P_x^\$ \cdot \frac{dn_x}{dP_x^\$} + n_x\right). \tag{24}$$

Nun ist aber im Gleichgewicht die Nachfrage nach Exportgütern $n_x = n_x\left(P_x^\$\right)$ gleich dem Angebot an Exportgütern x, das seinerseits eine Funktion des DM-Preises der Exporte ist: $x = x\left(P_x^{DM}\right) = x\left(P_x^\$ \cdot w\right)$.

Daher gilt

$$x\left(P_x^\$ \cdot w\right) = n_x\left(P_x^\$\right). \tag{25}$$

Beachtet man, daß $P_x^\$ \cdot w = P_x^{DM}$ ist, so erhält man durch Differenzieren von (25):

$$\frac{dx}{dP_x^{DM}} \cdot P_x^\$ + \frac{dx}{dP_x^{DM}} \cdot \frac{dP_x^\$}{dw} \cdot w = \frac{dn_x}{dP_x^\$} \cdot \frac{dP_x^\$}{dw}$$

oder

$$\frac{dx}{dP_x^{DM}} \cdot P_x^\$ = \left[\frac{dn_x}{dP_x^\$} - \left(\frac{dx}{dP_x^{DM}} \cdot w\right)\right] \cdot \frac{dP_x^\$}{dw}$$

oder

$$\frac{\dfrac{dx}{dP_x^{DM}} \cdot P_x^\$}{\dfrac{dn_x}{dP_x^\$} - \dfrac{dx}{dP_x^{DM}} \cdot w} = \frac{dP_x^\$}{dw}. \tag{26}$$

Einsetzen von (26) in (24) ergibt:

$$\frac{dX_\$}{dw} = \frac{\dfrac{dx}{dP_x^{DM}} \cdot P_x^\$}{\dfrac{dn_x}{dP_x^\$} - \dfrac{dx}{dP_x^{DM}} \cdot w} \cdot \left(P_x^\$ \cdot \frac{dn_x}{dP_x^\$} + n_x\right). \tag{27}$$

Nach Ausklammern von n_x erhält man unter Berücksichtigung von (23):

$$\frac{dX_\$}{dw} = \frac{X_\$ \cdot \dfrac{dx}{dP_x^{DM}}}{\dfrac{dn_x}{dP_x^\$} - \dfrac{dx}{dP_x^{DM}} \cdot w} \cdot \left(\frac{P_x^\$}{n_x} \cdot \frac{dn_x}{dP_x^\$} + 1\right)$$

III. Wert- und Mengenelastizitäten, Reaktion der Leistungsbilanz 71

oder

$$\frac{dX_\$}{dw} = \frac{X_\$ \cdot \frac{dx}{dP_x^{DM}}}{w\left(\frac{1}{w}\frac{dn_x}{dP_x^\$} - \frac{dx}{dP_x^{DM}}\right)} \cdot \left(\frac{P_x^\$}{n_x} \cdot \frac{dn_x}{dP_x^\$} + 1\right). \tag{28}$$

Gleichung (28) enthält jetzt die Elastizität des Dollar-Exportwertes in bezug auf den Wechselkurs $\eta_{X\$}$ (definiert in Gleichung (12)) und die Elastizität der ausländischen Exportnachfrage in bezug auf den Dollar-Preis η_x. Deshalb kann man schreiben

$$\eta_{X\$} = \frac{\frac{dx}{dP_x^{DM}}}{\frac{1}{w}\frac{dn_x}{dP_x^\$} - \frac{dx}{dP_x^{DM}}} \cdot (\eta_x + 1). \tag{29}$$

Nach einigen weiteren Umformungen erhält man schließlich unter Berücksichtigung der Gleichgewichtsbedingung $n_x = x$ und der Beziehung $\frac{1}{w} = \frac{P_x^\$}{P_x^{DM}}$:

$$\eta_{X\$} = \frac{1}{\frac{dn_x}{dP_x^\$} \cdot \frac{n_x}{P_x^\$}} (\eta_x + 1). \tag{30}$$

$$\frac{dx}{dP_x^{DM}} \cdot \frac{x}{P_x^{DM}} - 1$$

Im Nenner erkennen wir die Elastizität der Exportnachfrage η_x und des Exportangebots ε_x. Also folgt:

$$\eta_{X\$} = \frac{\eta_x + 1}{\frac{\eta_x}{\varepsilon_x} - 1}. \tag{31}$$

Durch eine analoge Ableitung ergibt sich die Elastizität des Dollar-Importwertes in bezug auf den Wechselkurs:

$$\eta_{M\$} = \frac{\varepsilon_m + 1}{\frac{\varepsilon_m}{\eta_m} - 1}. \tag{32}$$

Nun lautet aber die Bedingung für eine normale Reaktion der Leistungsbilanz in Auslandwährung:

$$\eta_{X\$} \cdot \frac{X_\$}{M_\$} > \eta_{M\$} \tag{13}$$

Nach Einsetzen von (31) und (32) erhalten wir also unter der Annahme $X_\$ = M_\$$:

$$\boxed{\frac{\eta_x + 1}{\frac{\eta_x}{\varepsilon_x} - 1} > \frac{\varepsilon_m + 1}{\frac{\varepsilon_m}{\eta_m} - 1}.} \tag{22}$$

Um die Stabilitätsbedingung (22) für die ökonomische Interpretation durchsichtig zu machen, formen wir sie weiter um. Zu diesem Zwecke wird (22) mit dem Produkt der Nenner multipliziert.

$$(\eta_x + 1)\left(\frac{\varepsilon_m}{\eta_m} - 1\right) > (\varepsilon_m + 1)\left(\frac{\eta_x}{\varepsilon_x} - 1\right). \tag{33}$$

Nach Ausmultiplizieren und Ausklammern erhält man:

$$\frac{\varepsilon_m}{\eta_m}(\eta_x + 1) - \eta_x > \frac{\eta_x}{\varepsilon_x}(\varepsilon_m + 1) - \varepsilon_m. \tag{34}$$

Wechselkursänderungen und Zahlungsbilanz

Durch Erweitern mit $\frac{\eta_m}{\varepsilon_m}$ — einem negativen Wert, der das Ungleichheitszeichen umkehrt — folgt:

$$(\eta_x + 1) - \frac{\eta_m \eta_x}{\varepsilon_m} < \frac{\eta_m \eta_x}{\varepsilon_m \varepsilon_x}(\varepsilon_m + 1) - \eta_m. \tag{35}$$

Durch Ordnen und Einklammern ergibt sich:

$$\eta_x + \eta_m + 1 < \frac{\eta_m \eta_x}{\varepsilon_m \varepsilon_x}(\varepsilon_m + \varepsilon_x + 1). \tag{36}$$

Für die Rechnung in Inlandswährung gilt die gleiche Bedingung, da bei im Ausgangszustand ausgeglichener Leistungsbilanz die Bedingungen für eine normale Reaktion der Leistungsbilanz in DM und Dollar identisch sind.

Der Ausdruck (36) ersetzt die Marshall-Lerner-Bedingung für den Fall, daß die Angebotselastizitäten nicht unendlich sind. Es ist jedoch leicht zu sehen, daß die Marshall-Lerner-Bedingung als Spezialfall in (36) enthalten ist. Nimmt man nämlich ε_x und ε_m als unendlich an, so wird die rechte Seite von (36) Null, und es ergibt sich der uns bekannte Ausdruck

$$-\eta_x - \eta_m > 1 \quad \text{oder} \quad \eta_x + \eta_m < -1.$$

Es zeigt sich aber jetzt, daß die Marshall-Lerner-Bedingung zwar eine hinreichende, keineswegs aber eine notwendige Stabilitätsbedingung ist. Da die rechte Seite von (36) bei endlich großen Angebotselastizitäten stets positiv sein muß, kann die Leistungsbilanz auch dann normal reagieren, wenn die linke Seite positiv, d. h. $\eta_x + \eta_m > -1$ ist, vorausgesetzt natürlich, daß der positive Wert der linken Seite kleiner bleibt als der der rechten Seite. Obwohl die Marshall-Lerner-Bedingung $\eta_x + \eta_m < -1$ nicht mehr gilt, wird sich die Leistungsbilanz nach einer Abwertung dennoch verbessern, wenn die Angebotselastizitäten kleiner als unendlich sind. Im allgemeinen kann man sagen, daß die Nachfrageelastizitäten um so mehr über —1, die a b soluten Elastizitätswerte also um so mehr unter 1 liegen können, je kleiner die Angebotselastizitäten sind. Setzt man z. B. die Angebotselastizitäten gleich Null — die rechte Seite von (36) ist dann unendlich —, so wird sich die Leistungsbilanz immer verbessern, wie klein auch die absoluten Werte der Nachfrageelastizitäten gewählt sein mögen. Dieses Ergebnis läßt sich auch aus den Abb. 3 c und 5 ableiten: Unterstellt man eine Abwertung, so erhöht sich bei unelastischer Angebotskurve *(EA* in Abb. 3 c verläuft vertikal) der DM-Exportwert proportional zur Erhöhung des Dollar-Kurses. Der DM-Importwert bleibt dagegen unverändert, wenn die Kurve des Importangebots in Abb. 5 als völlig unelastisch angenommen wird; in diesem Falle kann sich *JA* nach einer Abwertung nicht nach oben verschieben (die Kurve „verschiebt sich in sich selbst"). Zunahme des Exportwertes bei Konstanz des Importwertes bedeutet aber, daß die Leistungsbilanz verbessert wird.

Bei der Untersuchung der Stabilitätskriterien ist es somit nicht gerechtfertigt, nur die Nachfrageelastizitäten zu beachten. Die traditionelle Überbetonung der Nachfrageelastizitäten muß der Einsicht weichen, daß die Angebotselastizitäten von nicht geringerer Bedeutung sind. Generell kann man sagen: Die anomale Reaktion der Leistungsbilanz als Folge geringer Nachfrageelastizitäten kann dann vermieden werden, wenn die Angebotselastizitäten hinreichend klein sind. Andererseits läßt sich aber zeigen, daß der bei großen Nachfrageelastizitäten auftretende Verbesserungseffekt um so stärker

III. Wert- und Mengenelastizitäten, Reaktion der Leistungsbilanz 73

ist, je größer die Angebotselastizitäten sind. Dies läßt sich geometrisch leicht verdeutlichen[20]). Beide Seiten — Angebot und Nachfrage — sind gleichermaßen von Bedeutung.

Obwohl nun Ausdruck (36) weniger restriktiv als die einfache Marshall-Lerner-Bedingung ist, bleibt ihr Erkenntniswert doch noch insofern beschränkt, als eine ausgeglichene Leistungsbilanz unterstellt wird. Da sich die Notwendigkeit einer Abwertung nun kaum im Falle einer ausgeglichenen Leistungsbilanz ergibt, ist es schließlich noch erforderlich, in (36) den Saldo der Leistungsbilanz zu berücksichtigen und die Ungleichung entsprechend umzuformen. Wird die Leistungsbilanz in Dollar bewertet, so läßt sich die gesuchte Bedingung für eine Verbesserung der Leistungsbilanz durch ähnliche Operationen, mit deren Hilfe (36) gefunden wurde, aus (22) gewinnen. Sie lautet:

$$\varepsilon_x \varepsilon_m \cdot \frac{X_\$}{M_\$} \left(\eta_m \frac{M_\$}{X_\$} + \eta_x + 1 \right) < \eta_m \eta_x \left(\varepsilon_m + \varepsilon_x \frac{X_\$}{M_\$} + 1 \right)$$

$$- \left(1 - \frac{X_\$}{M_\$} \right) \eta_m \varepsilon_x \,. \tag{36a}$$

Wenn die Leistungsbilanz ausgeglichen ist, $X_\$: M_\$$ demnach gleich 1 wird, geht (36a) in (36) über.

b) Wenn auch die Robinson-Bedingung einen wesentlichen Fortschritt gegenüber der einfachen Marshall-Lerner-Bedingung darstellt, haften ihr doch noch insofern Mängel an, als nur die Primäreffekte der Abwertung auf die Leistungsbilanz erfaßt werden können. Wie aber früher schon betont worden ist, sind Sekundäreffekte der Abwertung zu erwarten, so daß die endgültige Änderung von der primären Änderung des Saldos der Leistungsbilanz abweichen kann. So wird z. B. das Volkseinkommen durch eine abwertungsbedingte Veränderung der Leistungsbilanz beeinflußt; da ferner lohnpolitische Reaktionen auf die Erhöhung der Importgüterpreise wahrscheinlich sind, können Rückwirkungen dieser Einkommensänderungen auf die Leistungsbilanz kaum ausgeschlossen werden. Insofern reicht die Elastizitätsanalyse allein nicht aus, wenn man die Gesamteffekte der Abwertung erfassen will.

Im übrigen liegen der Elastizitätsanalyse alle jenen einschränkenden Annahmen zugrunde, welche für die Partialanalyse typisch sind. Vorausgesetzt ist insbesondere, daß die Kreuzpreiselastizität der Importnachfrage in bezug auf eine Änderung des Exportgüterpreises und die des Exportangebots in bezug auf eine Variation des Importgüterpreises Null sind. So wurde z. B. unterstellt, daß bei einer DM-Abwertung die Kurve der Importnachfrage in bezug auf den DM-Preis unverändert bleibt, obwohl der DM-Preis der Exportgüter steigt. Die Importnachfrage entspricht aber als Überschußnachfrage der Differenz zwischen der inländischen Gesamtnachfrage und dem inländischen Angebot der betreffenden Güter. Eine abwertungsbedingte Preiserhöhung der exportierten Güter wird nun immer dann, wenn diese Produkte auch im Inland konsumiert werden, Substitutionsprozesse induzieren, so daß sich auch die Gesamtnachfrage nach den importierten Gütern und damit die Kurve der Importnachfrage ändert. Solche Möglichkeiten können offenbar nur dann vernachlässigt werden, wenn die Kreuzpreiselastizitäten Null oder zumindest sehr klein sind. Diese einschränkenden Voraussetzungen mindern natürlich den Wert der Elastizitätsanalyse. Verwendet man andererseits „totale" an

[20]) Wie der Leser z. B. durch Verwendung der Abb. 5 feststellen kann, nimmt im Falle $\eta_m < 1$ (bzw. > -1) der Importwert nach einer Abwertung umso weniger zu, je kleiner die Angebotselastizität ist. Umgekehrt gilt für $\eta_m > 1$ (bzw. < 1), daß der Importwert umso weniger schrumpft, je geringer die Angebotselastizität ist.

Stelle der „partiellen" Elastizitäten, so daß z. B. die Änderung der Importnachfrage nicht nur als Folge der Variation des Importgüterpreises (wie in Abb. 5), sondern auch als Folge der abwertungsbedingten Änderung des Exportgüterpreises und des Volkseinkommens erscheint, so steht man vor der kaum lösbaren Schwierigkeit, den Einfluß dieser Faktoren hinreichend genau zu isolieren.

Der Aussagewert der Elastizitätsanalyse wird weiter durch die Annahme der vollständigen Konkurrenz begrenzt. Daß diese Marktform unterstellt ist, ergibt sich schon aus dem Operieren mit Angebots- und Nachfragekurven, durch deren Schnittpunkte die Gleichgewichtspreise auf den Weltmärkten bestimmt sind.

Schließlich kann auch die Zusammenfassung von Importnachfrage- und Importangebotsfunktionen bzw. Exportnachfrage- und Eportangebotsfunktionen für einzelne Güter zu Gesamtkurven für Import- und Exportgüter nicht ohne Bedenken vorgenommen werden. Hier treten alle jene Aggregationsprobleme auf, die aus anderen Bereichen der Wirtschaftstheorie zu Genüge bekannt sind. Der Leser, der sich näher mit den hier genannten Grenzen der Elastizitätsanalyse beschäftigen möchte, sei vor allem auf eine Veröffentlichung von K l e i n e w e f e r s [21]) verwiesen.

4. Der Elastizitätspessimismus

Nachdem die grundlegenden Fragen der Wechselkurstheorie weitgehend geklärt worden waren, entbrannte die Diskussion vor allem um die Frage, ob in der Wirklichkeit mit einer normalen oder anomalen Reaktion auf Wechselkursänderungen zu rechnen sei. Lange Zeit dominierte der „Elastizitätspessimismus"; man war also der Ansicht, daß eine Abwertung die Dinge nur schlechter, aber keineswegs besser machen könne, da die Nachfrageelastizitäten zu niedrig seien, um irgendwelche Hoffnungen auf eine Verbesserung der Leistungsbilanz zu rechtfertigen. Dieser Abwertungspessimismus krankt indessen an den unzureichenden Methoden zur Messung der Importelastizitäten. So erwähnt Machlup, daß für die US-Importelastizität einmal ein Wert von 0,09, ein anderes Mal aber ein Wert von 0,97 gemessen worden sei[22]). Wenn auch solche scharfen Diskrepanzen selten sind, so werfen sie doch ein bezeichnendes Licht auf die zum Teil noch unbefriedigenden Verfahren zur Bestimmung der Nachfrageelastizitäten. Allgemein ist man heute der Ansicht, daß die Importelastizitäten in früheren Veröffentlichungen systematisch unterschätzt worden sind. Da der Außenhandel indessen nur mit zeitlichen Verzögerungen auf Kursänderungen reagiert, dürften die Elastizitäten kurzfristig kleiner als langfristig sein. Daher ist die Möglichkeit einer anomalen Reaktion kurzfristig nicht ganz auszuschließen.

Zudem genügt es nicht, die Nachfrageelastizitäten allein zu bestimmen; auch wenn der auf die Importelastizität bezogene Pessimismus vollauf gerechtfertigt wäre, könnte die Leistungsbilanz noch immer normal reagieren, wenn nur die Angebotselastizitäten genügend klein sind. Allerdings stecken die Versuche zur Messung der Angebotselastizitäten noch weitgehend in den Kinderschuhen.

Im ganzen hat sich heute eine optimistischere Auffassung durchgesetzt. Die meisten Autoren sind der Ansicht, daß zumindest langfristig die Elastizitäten derart sind, daß die Leistungsbilanz sich bei einer Abwertung verbessern und bei einer Aufwertung verschlechtern wird[23]).

---

[21]) K l e i n e w e f e r s , H., Theorie und Politik der Abwertung, Basel-Tübingen 1969, S. 14 ff.
[22]) M a c h l u p , F., Elasticity Pessimism in International Trade, Economia Internazionale, Bd. 3, 1950, S. 127.
[23]) Vgl. z. B. S o h m e n , E., Flexible Exchange Rates, Chicago 1969, S. 20 ff.

Allerdings bleibt die Frage offen, ob Wechselkursänderungen unabhängig von den Elastizitätswerten nicht Fernwirkungen zur Folge haben, die den primären Erfolg nach einiger Zeit zunichte machen. Solche Fernwirkungen sind in der Tat wahrscheinlich. Bei nicht ausdehnungsfähiger Produktion, d. h. bei Vollbeschäftigung, kann die Leistungsbilanz sich nur verbessern, der Export zunehmen und der Import abnehmen, wenn Inlandskonsum und Inlandsinvestitionen verringert, also weniger Güter im Inland absorbiert werden. Will man aber Konsum und Investition durch expansive Lohn- und Kreditpolitik auf der alten Höhe halten, so kommt es zu Preissteigerungen, die die Leistungsbilanz normalerweise verschlechtern und den Erfolg der Abwertung wieder zunichte machen. Der Abwertung ist also ein Mißerfolg beschieden, ohne daß man diesen Mißerfolg auf zu kleine Importelastizitäten zurückführen könnte. Verantwortlich ist der mangelnde Wille, die Absorption im Inland zu verringern. Bei Vollbeschäftigung kann die Volkswirtschaft nicht größere Gütermengen exportieren, wenn nicht zugleich durch Konsum- und Investitionsverzicht Mittel für die Ausfuhr freigesetzt worden sind. Wirtschaftliche Wunder gibt es nur bei Unterbeschäftigung: Hier kann man den Kuchen an andere verteilen und ihn doch selbst aufessen, hier kann man mehr Güter exportieren und gleichzeitig Verbrauch und Investition erhöhen.

IV. Wechselkursänderungen und reales Austauschverhältnis

Die Wirkung einer Abwertung auf die Leistungsbilanz ist das Resultat der Änderungen von Preisen und Mengen der Export- und Importgüter. Wir wollen uns nun etwas näher mit den Preiseffekten der Abwertung beschäftigen und die Frage stellen, wie das Verhältnis zwischen den Preisen der Export- und Importgüter durch die Variation des Wechselkurses beeinflußt wird. Man bezeichnet das in den gleichen Währungseinheiten ausgedrückte Preisverhältnis zwischen Exporten und Importen, also

$$\frac{P_x^{DM}}{P_m^{DM}} \quad \text{oder} \quad \frac{P_x^{\$}}{P_m^{\$}}$$

als reales Austauschverhältnis (terms of trade), da diese Relation angibt, welche Importgütermengen die Volkswirtschaft durch Hergabe einer Einheit des Exportgutes zu kaufen vermag. Eine Verbesserung der terms of trade — die Exportpreise steigen (fallen) stärker (um weniger) als die Importpreise — würde also bedeuten, daß man mit dem Erlös für eine exportierte Einheit eine größere Menge an Importgütern erhält als bisher und umgekehrt. Wir werden im III. Teil dieser Arbeit sehen, daß eine Verbesserung oder Verschlechterung der terms of trade unter bestimmten Voraussetzungen auch eine Zunahme oder Abnahme des Wohlfahrtsgrades einer Volkswirtschaft bedeuten kann. Vor allem unter diesem Aspekt ist es wichtig zu wissen, wie das Tauschverhältnis durch eine Variation des Kurses beeinflußt wird.

a) Es wurde früher als selbstverständlich angenommen, daß eine Abwertung die terms of trade stets verschlechtert. Dieser Ansicht lag die Vorstellung zugrunde, daß nach einer Abwertung die Inlandswaren für das Ausland billiger, die Auslandswaren aber für das Inland teurer werden, die Exportgüterpreise also sinken und die Importgüterpreise steigen. Der Fehler dieser Argumentation liegt in dem Vergleich von nicht vergleichbaren Größen: Die Exporte verbilligen sich gemessen in der Auslandswährung, und die Importe verteuern sich gemessen in der Inlandswährung. Um aber einen Vergleich überhaupt möglich zu machen, müssen beide Preise — wie in den Formeln oben geschehen — stets in derselben Währung ausgedrückt werden. Dann aber ist es keineswegs sicher, daß eine Abwertung das Austauschverhältnis immer verschlechtert. Wird nämlich die DM abgewertet, so erhöhen sich sowohl der DM-Preis der Exportgüter als auch der DM-Preis der Importgüter (vgl. Abb. 3 c und 5), und die terms of trade können sich somit verbessern oder verschlechtern, je nachdem, ob die Exportpreise relativ stärker oder schwächer steigen als die Importpreise. Im Grenzfall – bei gleich starkem Anstieg beider Preise – bleibt das Tauschverhältnis unverändert. Mißt man Exporte und Importe dagegen in Dollar-Preisen, so folgt aus einer Abwertung eine Senkung der Ausfuhr- und Einfuhrpreise (Abb. 7 und 8), und es hängt wiederum von der relativen Stärke der Veränderung dieser Preise ab, in welche Richtung sich die terms of trade bewegen. Jedenfalls sind keine generellen Aussagen über die terms of trade-Effekte einer Abwertung möglich.

Will man über die Veränderung der terms of trade genauere Vorstellungen gewinnen, so muß man die Kräfte untersuchen, die '')s Ausmaß der Preisänderung von Export- und Importgütern bestimmen. Die Größe dieser Preisänderungen wird offenbar beeinflußt: erstens von der Lage und Steigung der Kurven des Export- und Importangebots, zweitens von der Lage und Steigung der Kurven der Export- und Importnachfrage, mit anderen Worten: von den Angebots- und Nachfrageelastizitäten der Export- und Importgüter. Wir wollen die Bedeutung der Elastizitäten für den terms of trade-Effekt der Abwertung an einigen extremen Beispielen deutlich machen und zunächst unterstellen, daß die Elastizitäten des Export- und Importangebots

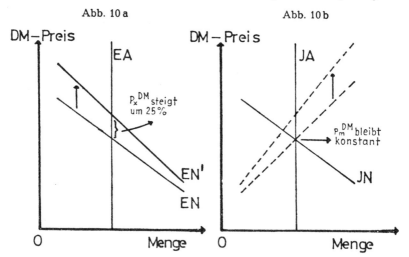

Abb. 10 a   Abb. 10 b

Null sind. Die Wirkung der Abwertung auf die DM-Preise kann dann aus den Abb. 10 a und 10 b abgelesen werden. Unterstellt man eine 25 %ige Erhöhung des Dollarkurses (20 %ige Abwertung der DM), so verschiebt sich — wie wir aus der Analyse von Abb. 3 c wissen — die Kurve der ausländischen Exportnachfrage um den Satz von 25 % nach oben (die Ordinaten von *EN* werden um 25 % verlängert). Folglich steigt bei völlig unelastischem Exportangebot auch der DM-Preis der Exporte um 25 %. Der DM-Preis der Importe bleibt dagegen unverändert (Abb. 10 b), da sich eine vertikal verlaufende Kurve des Importangebots (Elastizität = 0) nicht nach oben verschieben kann. Sind also die Angebotselastizitäten in beiden Ländern Null, so verbessert sich das Tauschverhältnis, denn es steigen die Preise der Ex-

IV. Wechselkursänderungen und reales Austauschverhältnis

portgüter bei konstanten Preisen der Importgüter. Eine Verbesserung tritt indessen auch dann ein, wenn eine der Angebotskurven — etwa JA — nicht völlig unelastisch ist (vgl. gestrichelte Kurven in Abb. 10 b). Zwar erhöhen sich dann auch die Preise der Importgüter, doch steigen sie um weniger als 25 %, den Fall ausgenommen, daß die Kurve der Importnachfrage völlig unelastisch ist. Unsere Analyse legt daher den allgemeinen Schluß nahe, daß das reale Tauschverhältnis um so eher verbessert wird, je geringer die Angebotselastizitäten für Export- und Importgüter sind.

Wir wollen nunmehr unterstellen, daß die Nachfrage nach den jeweiligen Importgütern in beiden Ländern völlig unelastisch ist. Dann bleiben nach einer Dollar-Kurserhöhung von 25 % die Preise der Exportgüter unverändert (Abb. 11 a), während die Preise der Importgüter um den Satz der Kurserhöhung steigen (Abb. 11 b). Das reale Austauschverhältnis erfährt also

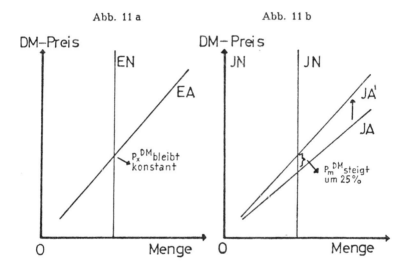

Abb. 11 a   Abb. 11 b

eine Verschlechterung. Dies wäre auch dann der Fall, wenn eine der Nachfragekurven — z. B. JN — nicht völlig unelastisch ist; nach wie vor würde bei konstanten Exportgüterpreisen der Preis der Importgüter (wenn auch um weniger als 25 %) in die Höhe gehen — abgesehen von dem Grenzfall eines völlig unelastischen Importangebots. Eine Verschlechterung der terms of trade scheint also geringe absolute Werte der Nachfrageelastizitäten vorauszusetzen.

Verbindet man die beiden diskutierten Fälle, indem man jeweils eine Angebots- und Nachfrageelastizität gleich Null setzt, so ist nach allem zu erwarten, daß der Verbesserungseffekt des unelastischen Angebots durch den Verschlechterungseffekt der unelastischen Nachfrage gerade ausgeglichen wird. Tatsächlich zeigt z. B. ein Vergleich der Abb. 10 a und 11 b, daß bei unelastischem Exportangebot und unelastischer Importnachfrage der Preis der Exportgüter um denselben Satz steigt wie der Preis der Importgüter. Auch bei unelastischem Importangebot und unelastischer Exportnachfrage würden die terms of trade sich nicht verändern, da sowohl die Exportgüter- als auch die Importgüterpreise in diesem Falle konstant bleiben (Abb. 10 b und 11 a).

b) Der Einfluß der Elastizitäten auf die terms of trade läßt sich graphisch nur bei extremen Elastizitäten hinlänglich deutlich machen. Was aber für die Extremfälle gesagt worden ist, gilt auch für den „normalen" Fall endlicher Elastizitätswerte: Das reale Tauschverhältnis wird sich um so eher verbessern, je unelastischer das Angebot an Exportgütern und je elastischer die Nachfrage nach Importgütern in beiden Ländern ist. Die genaue Bedingung für die Verbesserung der terms of trade lautet[24]:

$$\eta_m \eta_x > \varepsilon_m \varepsilon_x. \tag{37}$$

Eine Abwertung wird das Austauschverhältnis immer dann verbessern, wenn das Produkt aus den Elastizitäten der Nachfrage des Inlandes nach Importgütern und der Nachfrage des Auslandes nach den inländischen Exportgütern größer ist als das Produkt aus den Elastizitäten des Export- und Importangebots.

Der Beweis für (37) wird wie folgt erbracht: Das Austauschverhältnis wird durch eine Abwertung verbessert, wenn die DM-Preise der Exportgüter relativ stärker steigen als die DM-Preise der Importgüter:

$$\frac{dP_x^{DM}}{P_x^{DM}} > \frac{dP_m^{DM}}{P_m^{DM}} \tag{38}$$

oder

$$\frac{dP_x^{DM}}{P_x^{DM}} \cdot \frac{w}{dw} > \frac{dP_m^{DM}}{P_m^{DM}} \cdot \frac{w}{dw}.$$

Bezeichnet man den Ausdruck auf der linken (rechten) Seite als Elastizität der Exportgüterpreise (Importgüterpreise) in bezug auf den Wechselkurs η_{P_x} (η_{P_m}), so kann man schreiben:

$$\eta_{P_x} > \eta_{P_m} \tag{39}$$

Diese Elastizitäten lassen sich nun durch andere Ausdrücke ersetzen, in denen die Angebots- und Nachfrageelastizitäten enthalten sind. Wie wir in den Abb. 10a und 11a gesehen haben, wird z. B. η_{P_x} — die Reaktion der Exportgüterpreise auf Änderungen von w — durch die Elastizität des Exportangebots

$$\varepsilon_x = \frac{dx}{x} : \frac{dP_x^{DM}}{P_x^{DM}}$$

$$\frac{dx}{x} = \varepsilon_x \cdot \frac{dP_x^{DM}}{P_x^{DM}} \tag{40}$$

und die Elastizität der Exportnachfrage

$$\eta_x = \frac{dn_x}{n_x} : \frac{dP_x^{\$}}{P_x^{\$}} \tag{41}$$

---

[24] Die Formel stammt von Robinson, J., Beggar-my-Neighbour Remedies for Unemployment, in: Essays in the Theory of Employment, Oxford 1947, wiederabgedr. in: Readings in the Theory of International Trade, a. a. O., S. 400, Fußnote.

IV. Wechselkursänderungen und reales Austauschverhältnis 79

bestimmt. x ist dabei das Exportgüterangebot, n_x die Nachfrage nach Exportgütern. Da diese Größen im Gleichgewicht übereinstimmen, ändern sie sich auch im gleichen Maße, wenn nach einer Abwertung das Ausgangsgleichgewicht durch ein anderes Gleichgewicht ersetzt wird:

$$\frac{dx}{x} = \frac{dn_x}{n_x}. \tag{42}$$

Unter Berücksichtigung von (42) ergibt sich daher nach Einsetzen von (40) in (41):

$$\eta_x = \varepsilon_x \frac{dP_x^{DM}}{P_x^{DM}} : \frac{dP_x^\$}{P_x^\$}. \tag{43}$$

Da nun lediglich die Veränderung der DM-Preise der Exportgüter interessiert (vgl. Ausdruck (38)), muß der Dollar-Preis in (43) durch den DM-Preis ersetzt werden. Wenn die Kursveränderung sehr klein gewählt wird, gilt zwischen beiden Preisen die Beziehung[25])

$$\frac{dP_x^{DM}}{P_x^{DM}} = \frac{dP_x^\$}{P_x^\$} + \frac{dw}{w}, \tag{44}$$

wie der Leser leicht durch ein Zahlenbeispiel (man gehe z. B. von einer 1%igen Kurserhöhung aus) überprüfen kann. (43) wird dann unter Berücksichtigung von (44) zu

$$\eta_x = \varepsilon_x \cdot \frac{dP_x^{DM}}{P_x^{DM}} : \left(\frac{dP_x^{DM}}{P_x^{DM}} - \frac{dw}{w}\right)$$

oder

$$\frac{dP_x^{DM}}{P_x^{DM}} = \frac{\eta_x \cdot \frac{dP_x^{DM}}{P_x^{DM}} - \eta_x \frac{dw}{w}}{\varepsilon_x}$$

oder

$$\frac{dP_x^{DM}}{P_x^{DM}} = \frac{\frac{dw}{w}\left(\eta_x \frac{dP_x^{DM}}{P_x^{DM}} \frac{w}{dw} - \eta_x\right)}{\varepsilon_x} \tag{45}$$

oder — unter Verwendung der Definition für die Elastizität der Exportgüterpreise:

$$\eta_{P_x} = \frac{\eta_x \cdot \eta_{P_x} - \eta_x}{\varepsilon_x}$$

---

[25]) Beweis: $P_x^{DM} = w \cdot P_x^\$$

$$dP_x^{DM} = \frac{\partial P_x^{DM}}{\partial P_x^\$} \cdot dP_x^\$ + \frac{\partial P_x^{DM}}{\partial w} \cdot dw$$

$$dP_x^{DM} = w \cdot dP_x^\$ + P_x^\$ \cdot dw$$

$$\frac{dP_x^{DM}}{P_x^{DM}} = \frac{w \cdot dP_x^\$}{w \cdot P_x^\$} + \frac{P_x^\$ \cdot dw}{w \cdot P_x^\$}$$

$$\frac{dP_x^{DM}}{P_x^{DM}} = \frac{dP_x^\$}{P_x^\$} + \frac{dw}{w} \tag{44}$$

oder
$$\eta_{P_x} = \frac{\eta_{P_x}\left(\eta_x - \frac{\eta_x}{\eta_{P_x}}\right)}{\varepsilon_x}$$

oder
$$\eta_{P_x} = \frac{-\eta_x}{\varepsilon_x - \eta_x}. \tag{46}$$

Analog ergibt sich für die rechte Seite von (39):

$$\eta_{P_m} = \frac{\varepsilon_m}{\varepsilon_m - \eta_m}. \tag{47}$$

(39) geht daher über in

$$\frac{-\eta_x}{\varepsilon_x - \eta_x} > \frac{\varepsilon_m}{\varepsilon_m - \eta_m} \tag{48}$$

oder
$$\eta_m \eta_x > \varepsilon_m \varepsilon_x. \tag{37}$$

Wie sich das reale Tauschverhältnis nach einer Abwertung tatsächlich verändert, ist eine Frage der empirischen Forschung. Hier sind in der Literatur die unterschiedlichsten Meinungen vertreten worden[26]): Während einige Autoren der Ansicht waren, daß die Angebotselastizitäten im Verhältnis zu den Nachfrageelastizitäten groß sind, so daß mit einer Verschlechterung des Tauschverhältnisses zu rechnen ist, brachten andere Autoren plausible Argumente für die Auffassung vor, daß sich das Tauschverhältnis zugunsten des abwertenden Landes verändert. Die Frage ist bis heute unentschieden. Nur für den seltenen Fall einer anomalen Reaktion der Leistungsbilanz kann man zeigen, daß sich auch das Tauschverhältnis stets zuungunsten des abwertenden Landes verändert, daß also die Bedingung

oder
$$\eta_m \, \eta_x < \varepsilon_m \, \varepsilon_x$$

$$\frac{\eta_m \eta_x}{\varepsilon_m \varepsilon_x} < 1 \tag{49}$$

erfüllt sein muß[27]). Der Beweis ist einfach: Aus dem Ausdruck (36), der die normale Reaktion der Leistungsbilanz beschreibt, wird durch Umkehren des Ungleichheitszeichens die Bedingung für eine anomale Reaktion:

$$\frac{\eta_m \cdot \eta_x}{\varepsilon_m \cdot \varepsilon_x} (1 + \varepsilon_x + \varepsilon_m) < \eta_x + \eta_m + 1$$

oder
$$\frac{\eta_m \cdot \eta_x}{\varepsilon_m \cdot \varepsilon_x} < \frac{\eta_x + \eta_m + 1}{\varepsilon_x + \varepsilon_m + 1}. \tag{50}$$

Da η_x und η_m im Realfall negativ, ε_x und ε_m aber positiv sind, muß der Zähler der rechten Seite von (50) immer kleiner als 1 (evtl. negativ), der Nenner aber größer als 1 sein. Folglich ist die rechte Seite, damit aber auch die linke Seite von (50) kleiner als 1. Mithin kann man sagen, daß bei Geltung von (50) auch (49) stets erfüllt sein muß: Verschlechtert sich die

---

[26]) Eine Zusammenstellung der Auffassungen findet sich bei M a c h l u p , F., The Terms of Trade Effect of Devaluation upon Real Income and the Balance of Trade, Kyklos, Bd. 9, 1956.

[27]) Vgl. H a b e r l e r , G., Currency Depreciation and the Terms of Trade, in: Wirtschaftliche Entwicklung und soziale Ordnung, Wien 1952, S. 153 ff.

Leistungsbilanz nach einer Abwertung, so verschlechtert sich auch das Tauschverhältnis. Umgekehrt kann man zeigen, daß einer Verbesserung der Leistungsbilanz nicht unbedingt auch eine Verbesserung der terms of trade entspricht; hier sind alle Reaktionen denkbar.

V. Die Kaufkraftparitätentheorie

Wir haben in den vorhergehenden Erörterungen stets eine Änderung des Wechselkurses als gegeben angenommen, ohne zu fragen, wodurch diese Änderung bedingt ist. Die Frage nach den Bestimmungsgründen der Wechselkursänderung hat auch nicht viel Sinn, sofern der Kurs durch die politischen Instanzen fixiert ist; sie wird aber bedeutsam, wenn der Kurs flexibel ist und als echter Marktpreis auf Variationen von Angebot und Nachfrage reagiert. Lange Zeit ist nun die Ansicht vertreten worden, daß Höhe und Änderung des Wechselkurses durch die Preisniveaus der am Handel beteiligten Nationen erklärt werden können. Diese als Kaufkraftparitätentheorie bekannte Ansicht stammt dem Namen nach von C a s s e l , obwohl der Sachverhalt selbst schon den Klassikern bekannt war. In ihrer einfachsten Formulierung besagt diese Theorie, daß der Wechselkurs durch das Verhältnis von Inlandspreisniveau in Inlandswährung P_i und Auslandspreisniveau in Auslandswährung P_a bestimmt wird. Das Verhältnis der Preisniveaus wird also nach dieser Theorie als Determinante des Wechselkurses betrachtet:

$$w = \frac{P_i}{P_a} \text{ oder } P_a \cdot w = P_i. \tag{51}$$

Als Ergebnis stellt sich somit ein, daß das Auslandspreisniveau nach Umrechnung über den Kurs der Fremdwährung dem Inlandspreisniveau entspricht und die Kaufkraft des Geldes somit in beiden Ländern übereinstimmt. Die strenge Fassung dieser Theorie setzt indessen voraus, daß ein vollkommener Weltmarkt unterstellt ist, daß also die Produkte — deren Preise man miteinander vergleicht — homogen sind und außerdem keine Kosten der Raumüberwindung in Form von Transportkosten und Zöllen existieren. In diesem Falle ist (51) Ausdruck für die Gültigkeit des „Gesetzes der Unterschiedslosigkeit der Preise" auf einem vollkommenen Markt; die Übereinstimmung der Preise wird dann einfach durch die Wirksamkeit der Arbitrage, also die Ausnutzung räumlicher Preisunterschiede, erzwungen. Dies gilt auch bei konstanten Wechselkursen: Wenn sich zum Beispiel die Nachfrage im Inland erhöht und dort einen Preisanstieg erzwingt, so werden Inlandsgüter bei gegebenem Wechselkurs solange durch Auslandsgüter substituiert (mit der Wirkung eines Anstiegs von P_a bei gleichzeitigem Rückgang von P_i), bis deren Preisniveau — in DM umgerechnet — dem Inlandspreisniveau entspricht; in (51) steigen P_i und P_a also letztlich in der gleichen Rate. Etwas anders vollzieht sich der Ablauf bei flexiblen Kursen: Da die Substitution von Inlandsgütern durch Auslandsgüter den Importwert erhöht (und möglicherweise auch den Exportwert reduziert), steigt der Dollarkurs solange, bis P_i dem Preis der Auslandsgüter gemessen in Inlandswährung ($P_a \cdot w$) entspricht. Die Arbitrage ist also auch bei beweglichen Kursen wirksam.

Bei der Interpretation von (51) muß nun beachtet werden, daß Änderungen der Preisniveaurelationen entgegen den Thesen von r i g o r o s e n Versionen dieser Theorie keineswegs die einzige Ursache von Wechselkursvariationen sind, daß vielmehr der Wechselkurs bei z u n ä c h s t konstantem Preisverhältnis auch durch die Änderungen anderer ökonomischer Größen beeinflußt wird. So induzieren Kapitalexporte aus dem Inland eine Erhöhung von w auch bei gegebenen Werten von P_i und P_a. Da (51) nun nicht mehr erfüllt ist, die in DM gemessenen Auslandspreise ($P_a \cdot w$) also höher als die Inlandspreise sind, wird die Arbitrage wirksam, bis sich $P_a \cdot w$ und P_i erneut entsprechen. Gleichung (51) ist erneut erfüllt, obwohl man nun nicht mehr ohne Einschränkung sagen kann, daß die Veränderung der Preise stets als Ursache und die Variation des Kurses als Wirkung fungiert. Die Geltung von (51) ist also nicht unbedingt identisch mit der Gültigkeit der Kaufkraftparitätentheorie im Sinne einer eindeutigen Beziehung von Ursache und Wirkung[28]).

Schließlich ist selbst die Realisierung von (51) ausgeschlossen, sofern der Weltmarkt unvollkommen ist. So verhindern heterogene Güter die vollkommene Preisangleichung. Wenn ferner die Versendung von Gütern Transferkosten (Transportkosten, Zölle usw.) verursacht, kann die Kaufkraft auch auf Dauer unterschiedlich sein, da der Bezug von Auslandsgütern durch die Kosten der Raumüberwindung behindert wird oder gar völlig zum Erliegen kommt. Die Übertragungskosten verhindern den Austausch vieler Güter. Überhaupt berücksichtigt die Kaufkraftparitätentheorie nicht die Existenz typisch nationaler Güter. Steigt das Inlandspreisniveau, weil Preise für Grundstücke, Wohnungsnutzung oder andere, räumlich gebundene Dienstleistungen hinaufgetrieben werden, so wird sich der Wechselkurs sicherlich nicht anpassen. Aus diesen Gründen akzeptiert man die Kaufkraftparitätentheorie heute überwiegend nur noch in ihrer komparativen Form

$$w_{t+1} : w = \frac{P_{i,\,t+1}}{P_{a,\,t+1}} : \frac{P_{i,\,t}}{P_{a,\,t}}.$$

Es wird also behauptet, daß die Änderung des Kurses zwischen zwei Zeitpunkten $t+1$ und t der Änderung des relativen Preisspiegels zwischen diesen Zeitpunkten entspricht, ohne daß der Wechselkurs in jedem einzelnen Zeitpunkt unbedingt mit dem Verhältnis der Preisniveaus übereinstimmen muß. Auch in dieser Form ist die Kaufkraftparitätentheorie allerdings nur dann gültig, wenn die Abweichung zwischen Wechselkurs und Preisniveauverhältnis im Zeitablauf in etwa konstant ist. Nur unter dieser Voraussetzung verändert sich der Wechselkurs im gleichen Maße wie das Verhältnis der Preisniveaus. Steigt das Inlandspreisniveau z. B. um das Vierfache, das Auslandspreisniveau aber nur um das Doppelte, so ist der neue Wechselkurs doppelt so hoch wie der alte Kurs:

$$4 : 2 = \frac{4}{2} : \frac{1}{1}$$

Der Anstieg des Wechselkurses mißt also die Unterschiede in den Inflationsgraden der einzelnen Länder. Man sagt, daß der r e a l e Wechselkurs konstant bleibt. Die Kursanpassung kommt zustande, weil es für die Inländer nach der relativ stärkeren Inlandspreiserhöhung sinnvoll ist, ihre Bezüge von Auslandsgütern zu intensivieren und mehr Devisen zum Kauf dieser Güter nachzufragen.

Auch in ihrer komparativen Form gibt die Kaufkraftparitätentheorie nur eine ziemlich grobe Erklärung für Variationen des Wechselkurses — zumindest dann, wenn auch kurzfristige Kursänderungen erfaßt werden sollen. Hier gilt der gleiche Einwand wie gegen die absolute Version der Theorie, daß nämlich unabhängig von irgendwelchen Divergenzen in den Inflationsraten Wechselkursänderungen auch durch andere Datenänderungen — vor allem

---

[28]) Vgl. auch S c h n e i d e r , E., Zahlungsbilanz und Wechselkurs, Tübingen 1968, S. 131 f.

V. Die Kaufkraftparitätentheorie

Vorgänge in der Kapitalbilanz — verursacht werden können. Man sollte indessen der Kaufkraftparitätentheorie nicht jegliche Bedeutung absprechen. Wenn die Inflationsraten in den einzelnen Ländern beträchtlich differieren, wird der Einfluß der Preisdivergenzen auf den Wechselkurs wahrscheinlich die Bedeutung anderer, wechselkursbestimmender Komponenten zumindest auf längere Sicht so stark überwiegen, daß die komparative Fassung der Kaufkraftparitätentheorie ein treffendes Bild der tatsächlichen Vorgänge vermittelt. Tatsächlich hat die Kaufkraftparitätentheorie in jüngster Zeit als integrierender Bestandteil der Theorie des internationalen Preiszusammenhangs und der monetären Zahlungsbilanztheorie (3. Kap., III. und IV. Abschnitt) erneut an Bedeutung gewonnen.

3. Kapitel:
Preisveränderungen und Zahlungsbilanz

I. Die Reaktion der Leistungsbilanz auf Preisveränderungen

Die Zahlungsbilanz wird nicht nur durch Änderung des Wechselkurses, sondern auch durch die Variation anderer ökonomischer Größen beeinflußt. Wir wollen in diesem Kapitel die Wirkung von Preisveränderungen auf die Zahlungsbilanz untersuchen und zu diesem Zweck annehmen, daß der Wechselkurs konstant ist. Nur so ist es möglich, die Preiseffekte in aller Reinheit zu verfolgen. Den Preisbewegungen wurde vor allem in der klassischen Theorie entscheidende Bedeutung zugemessen. Man war der Ansicht, daß Defizite oder Überschüsse der Zahlungsbilanz immer auch Preisveränderungen zur Folge haben, die ihrerseits das Gleichgewicht der Zahlungsbilanz wiederherstellen. In diesem Abschnitt interessieren wir uns nur für die Reaktion der Zahlungsbilanz auf Preisveränderungen, ohne zu fragen, ob die Zahlungsbilanz ihrerseits Einfluß auf die Preisentwicklung hat.

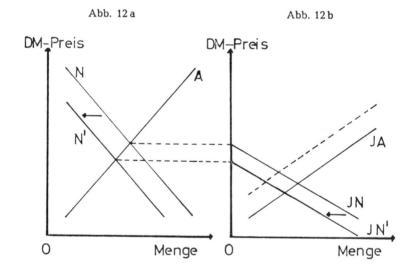

Abb. 12a   Abb. 12b

Begrenzen wir die Untersuchung auf die Preise der Güter und Dienstleistungen, so steht im Mittelpunkt der Analyse auch hier wieder die Leistungsbilanz. Es soll also gefragt werden, wie die Leistungsbilanz auf eine Änderung der Preise reagiert. Um diese Frage beantworten zu können, müssen wir wiederum wissen, wie sich der Wert des Exports und der Wert des Imports — die beide in Inlandswährung gemessen werden sollen — mit den Preisen verändern. Betrachten wir zunächst die Importseite. Abb. 12b zeigt neben der Kurve des Importangebots JA auch die Kurve der Importnachfrage JN, die in der bekannten Weise aus dem Überschuß der Inlandsnachfrage N über das Inlandsangebot A (Abb. 12a) gewonnen ist. Im Zuge einer Einkommenskontraktion soll nun die Gesamtnachfrage im Inland

I. Die Reaktion der Leistungsbilanz auf Preisveränderungen

schrumpfen, so daß sich die Nachfragekurve N nach links verschiebt und der Preisindex der Inlandsgüter sinkt. Da eine Überschußnachfrage nunmehr erst bei geringeren Preisen auftritt, setzt auch die Kurve der Importnachfrage, die ja als Kurve der Überschußnachfrage definiert ist, erst bei geringeren Ordinatenwerten, also niedrigeren Preisen an. Sie verschiebt sich ferner nach links, weil der Nachfrageüberschuß bei allen unter dem Gleichgewichtsniveau liegenden Preisen infolge der Einkommenskontraktion gesunken ist. Somit verringern sich Preis und Menge der importierten Güter, abgesehen von den Grenzfällen eines völlig elastischen oder unelastischen Importangebots, wo nur die Mengen oder die Preise sinken. In jedem Falle schrumpft aber der in DM gemessene Importwert, das Produkt von importierter Menge und DM-Preis der Importgüter.

Das Ergebnis wird nicht unbeträchtlich modifiziert, wenn sich neben den Inlandspreisen auch die Auslandspreise ändern. Unterstellt man z. B. eine Zunahme der Gesamtnachfrage im Ausland, so steigen die Auslandspreise bei gleichzeitiger Abnahme des ausländischen Angebotsüberschusses. Von den bei alternativen Preisen angebotenen Mengen wird nunmehr ein größerer Teil im eigenen Land abgenommen, und es schrumpft folglich jener Teil des Angebots, der für den Export zur Verfügung steht. Die Kurve des Importangebots in Abb. 12 b würde sich also nach links verschieben (gestrichelte Linie). Dadurch wird die Verringerung des Importwertes, welche von der Reduktion der Importnachfrage ausgeht, einerseits verstärkt, andererseits aber abgeschwächt: Verstärkt dadurch, daß die importierten Mengen nicht nur wegen der Abnahme der Importnachfrage, sondern auch wegen der Abnahme des Importangebots vermindert werden. Abgeschwächt dadurch, daß dem preissenkenden Effekt der verminderten Importnachfrage nunmehr der preiserhöhende Effekt des verkleinerten Importangebots gegenübersteht. Ist die Elastizität von JN' im relevanten Bereich absolut größer als 1, so ist der prozentuale Mengenrückgang stärker als der prozentuale Preisanstieg: Der Nettoeffekt des verminderten Importangebots ist dann eine Abnahme des Importwertes, die zu jener Reduktion des Importwertes hinzukommt, welche allein durch das Schrumpfen der Importnachfrage bedingt ist. Bei unelastischer Nachfrage muß der Angebotsrückgang dagegen den Importwert erhöhen; die durch den Rückgang der Importnachfrage verursachte Abnahme des Importes würde dann teilweise durch diese angebotsbedingte Zunahme ausgeglichen und im Extremfall sogar überkompensiert werden. Allerdings ist es sehr unwahrscheinlich, daß der Importwert als Resultat der entgegengesetzt wirkenden Angebots- und Nachfrageänderungen steigt. Dies wäre nur möglich, wenn sich die Kurve der Importnachfrage nur geringfügig, die Kurve des Importangebots aber stark nach links verschiebt und die neue Kurve der Importnachfrage im relevanten Bereich sehr unelastisch ist.

Betrachten wir nunmehr die Veränderung des Exportwertes. Die Nachfragekontraktion im Inland bewirkt eine Rechtsverschiebung der Kurve des Exportangebots (Abb. 13), da nach Senkung der Inlandsnachfrage und der Inlandspreise der Angebotsüberschuß bei allen über dem Gleichgewichtsniveau liegenden Preisen größer wird. Folglich steigt die Menge der exportierten Güter, während ihre Preise sinken (abgesehen von den Grenzfällen einer vollständig elastischen oder unelastischen Nachfrage). Der Exportwert kann also steigen, fallen oder konstant bleiben, je nachdem, ob die Elastizität der Exportnachfrage größer als 1, kleiner als 1 oder gleich 1 ist. Auch dieses Ergebnis bedarf wieder der Modifikation, wenn zusätzlich die Auslandspreise variieren. Eine Erhöhung der Nachfrage und Preise im Ausland bedingt z. B. eine Rechtsverschiebung der Kurve der Exportnachfrage, die eine Zunahme des Exportwertes zur Folge hat. Somit wird die Abnahme des Exportwertes, welche bei unelastischer Exportnachfrage durch die Erhöhung des Exportangebots verursacht ist, teilweise oder völlig ausgeglichen oder aber die bei elastischer Nachfrage zu erwartende Tendenz zur Er-

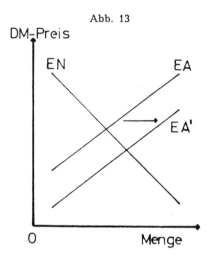

Abb. 13

höhung des Exportwertes noch weiter verstärkt. Die Wahrscheinlichkeit, daß sich der Exportwert in Reaktion auf eine Senkung der Inlandspreise vergrößert, nimmt also zu, wenn gleichzeitig die Auslandspreise steigen.

Tabelle 14 zeigt die Wirkungen einer Senkung der Inlandspreise bei konstanten Auslandspreisen. Das Schema ließe sich leicht erweitern, wenn auch die Auslandspreise als variabel angenommen werden.

Tabelle 14

Fall	Importwert in DM	Elastizität der Exportnachfrage (absolute Werte)	Exportwert in DM	Reaktion der Leistungsbilanz
1		> 1	steigt	Verbesserung $= n$
2	sinkt immer	$= 1$	konstant	Verbesserung $= n$
3		< 1	sinkt	a) Verbesserung $= n$ b) Verschlechterung $= a$

Wir sehen also, daß die Leistungsbilanz sich stets verbessert (normal reagiert), wenn die Elastizität der Exportnachfrage größer als 1 oder gleich 1 ist. Bei unelastischer Exportnachfrage kann sich die Leistungsbilanz verbessern oder verschlechtern, je nachdem, ob der Exportwert um weniger oder um mehr sinkt als der Importwert. Welcher Fall eintritt, hängt wieder von den Werten der Nachfrageelastizitäten ab. Eine genauere Analyse der Zusammenhänge findet sich im III. Teil.

Diese für die bei Rechnung in Inlandswährung gewonnenen Ergebnisse gelten in gleicher Weise auch für die Leistungsbilanz in Auslandswährung. Da der Wechselkurs als konstant angenommen wird, bedeutet eine Änderung des Import- oder Exportwertes in DM auch eine prozentual gleich große Änderung des Import- oder Exportwertes in Dollar. Es ist also nicht — wie bei der Analyse von Wechselkurseffekten — notwendig, zwischen den Reaktionen der DM- und Dollar-Bilanz streng zu unterscheiden.

Die in Tabelle 14 zusammengestellten Ergebnisse lassen sich leicht auch graphisch veranschaulichen. In den Abb. 14 sind Export- und Importwert in DM (X_{DM} und M_{DM}) in Abhängigkeit vom DM-Kurs w_1 dargestellt, wobei normale Reaktion auf Wechselkursänderungen unterstellt ist. Abb. 14a veranschaulicht Fall 1 der Tabelle 14: Eine Preissenkung verursacht eine Linksverschiebung der Importwertkurve und eine Rechtsverschiebung der Exportwertkurve, wodurch ein beim Wechselkurs OP bestehendes Defizit verkleinert oder — wie in Abb. 14a — beseitigt wird. Fall 3 ist in Abb. 14b

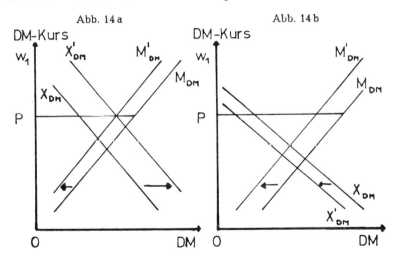

Abb. 14a   Abb. 14b

dargestellt. Hier verschiebt sich die Exportwertkurve nach links, so daß das Defizit zunehmen oder abnehmen kann, je nachdem, ob die Linksverschiebung von X_{DM} größer oder kleiner ist als die von M_{DM}. Die Zusammenhänge lassen sich natürlich auch unter Benutzung von Dollar-Werten darstellen. Es sei dem Leser überlassen, die entsprechenden Figuren zu konstruieren.

II. Der Geldmengen-Preismechanismus des Zahlungsbilanzausgleichs

In den bisherigen Ausführungen wurde eine Nachfrageänderung als gegeben angenommen und gefragt, wie die Zahlungsbilanz auf die dadurch ausgelöste Änderung der Preise reagiert. Die Preisvariation erschien als unabhängige Variable, die Änderung des Saldos der Leistungsbilanz dagegen als abhängige Variable. Unter bestimmten Voraussetzungen läßt sich aber zeigen, daß auch die umgekehrte Beziehung gilt, autonome Störungen der Leistungsbilanz also Preisveränderungen induzieren. Auf diesem Gedanken fußt die klassische Theorie vom Geldmengen-Preismechanismus des Zahlungsbilanzausgleichs.

Dieser Mechanismus ist ursprünglich unter den Annahmen des Goldstandards entwickelt worden. Da die Zentralnotenbanken in diesem Währungssystem zum An- und Verkauf von Gold zu einem festen Preis verpflichtet sind, besteht in den Ländern eine feste Relation zwischen der Gewichtseinheit Gold und dem Nennwert der jeweiligen Währungseinheit. Damit ist aber auch der Wechselkurs bestimmt: Stehen nämlich alle Währungen in einer festen Relation zum Gold, so stehen sie auch untereinander in einem festen Wertverhältnis. So würde der Dollar-Kurs z. B. RM 4,— betragen, wenn die Gewichtseinheit Gold in den Vereinigten Staaten einen Preis von $ 35.— und in Deutschland einen Preis von RM 140,— hat. Der Wechselkurs kann sich nur in geringem Maße von diesem durch die relativen Goldpreise bestimmten Stand entfernen, weil bei stärkeren Abweichungen die Goldarbitrage stabilisierend wirkt. Steigt der Wechselkurs z. B. über RM 4,— für $ 1.—, so werden die Inländer bei der deutschen Zentralbank Mark gegen Gold eintauschen, dieses Gold in den Vereinigten Staaten gegen Dollar verkaufen, um durch Abgabe von Dollar gegen Mark die Differenz zwischen Wechselkurs und relativen Goldpreisen auszunutzen. Für RM 4,— erhalten sie $4/140 = 1/35$ Gewichtseinheiten Gold; da diese Goldmenge in den Vereinigten Staaten $ 1.— erbringt, erzielen die Inländer einen Gewinn, wenn sie den erlösten Dollar am Devisenmarkt zum herrschenden Wechselkurs, also gegen mehr als RM 4,— eintauschen. Diese Transaktion wird allerdings erst ausgelöst, wenn der Kurs um so viel über den Stand von 4:1 gestiegen ist, daß die Gewinne aus der Goldarbitrage nicht durch Versendungs- und Versicherungskosten des Goldes sowie durch Zinsverluste aufgezehrt werden. Man bezeichnet diese kritische Kursobergrenze als o b e - r e n G o l d p u n k t oder G o l d e x p o r t p u n k t. Von diesem Punkte an wird das Angebot an Dollar unendlich elastisch, da so lange ein Anreiz zur Versendung von Gold besteht, wie die für das Gold erlösten Dollar-Beträge (abzüglich der genannten Kosten) am Devisenmarkt eine größere Mark-Summe erbringen, als man selbst zum Kauf des exportierten Goldes aufgewendet hat. In analoger Weise ist der u n t e r e G o l d p u n k t oder G o l d i m p o r t p u n k t bestimmt. Nach einer Senkung des Kurses unter diese Grenze wird die Nachfrage nach Dollar unendlich elastisch; es würde sich in diesem Falle lohnen, beliebige Dollarmengen am Devisenmarkt zu kaufen, damit in den USA Gold zu beschaffen und dieses Gold in Deutschland gegen Mark einzutauschen. Die genaue Lage des unteren Goldpunktes wird wieder durch die Transport- und Versicherungskosten der Goldversendung — hier des Goldimportes — sowie durch das Ausmaß der Zinsverluste bestimmt. Sinkt der Wechselkurs nicht bis auf diese Untergrenze, so ist die Differenz zwischen Kurs und relativen Goldpreisen angesichts der Kosten zu gering, um den Goldimport mit Erfolg durchzuführen.

Die Dollar-Angebots- und -Nachfragekurven AA' und NN', die sich auf Grund dieser Überlegungen ergeben, sind in Abb. 15 dargestellt. Wenn von autonomen Kapitalbewegungen abgesehen wird, fließen Angebot und Nachfrage aus zwei Quellen: den Exporten und Importen von Leistungen und den Goldexporten und Goldimporten. Der Kurvenabschnitt AC der Angebotskurve (für den normaler Verlauf angenommen wird) repräsentiert das

II. Der Geldmengen-Preismechanismus des Zahlungsbilanzausgleichs

Abb. 15

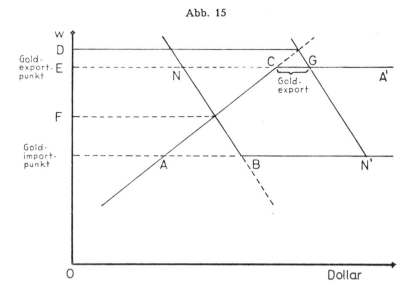

Dollar-Angebot aus den Leistungsexporten (Exportwert in Dollar). Im oberen Goldpunkt wird das Angebot aus den Leistungsexporten durch das Angebot aus der Goldausfuhr ergänzt. Hier ist das Dollar-Angebot vollständig elastisch, weil zu diesem Kurs beliebige Dollar-Mengen von den Goldexporteuren an den Markt gebracht werden. Entsprechend ist die Nachfragekurve konstruiert; während der Kurvenabschnitt NB die Dollarnachfrage für Importe von Gütern und Dienstleistungen zeigt, repräsentiert der Abschnitt BN' die Dollar-Nachfrage der Goldimporteure, welche am unteren Goldpunkt unendlich elastisch ist[1]).

Beim Wechselkurs OF ist die autonome Zahlungsbilanz ausgeglichen; hier stimmt die Devisennachfrage für Importe mit dem Devisenangebot aus Exporten überein. Unterstellt man nun eine autonome Zunahme der Importe, so verschiebt sich die Kurve der Dollar-Nachfrage nach rechts, z. B. von NB nach GN'. Wenn keine Goldpunkte existieren, wird sich ein neuer Kurs OD einspielen, bei dem der Wert der Exporte wieder mit dem Wert der Importe übereinstimmt. Unter den Bedingungen des Goldstandards kann der Kurs jedoch nur bis OE — dem oberen Goldpunkt — steigen. Da nämlich das Angebot zu diesem Kurs unendlich elastisch ist, schneiden sich die Kurven des Dollar-Angebots und der Dollar-Nachfrage im Punkte G, dem ein Kurs OE zugeordnet ist. Beim Kurs OE wird die Dollar-Nachfrage für Importe EG teilweise — nämlich im Betrag EC — durch das Dollar-Angebot aus Exporten und zum anderen Teil — im Betrag CG — durch das Dollar-Angebot aus Goldexporten befriedigt. Obwohl das Devisenangebot nunmehr der Devisennachfrage entspricht, bleibt die autonome Zahlungsbilanz dennoch im Ungleichgewicht: Der Importüberschuß CG impliziert ein Defizit der autonomen Transaktionen, das nur durch induzierte Transaktionen, in diesem Falle durch Goldexporte, ausgeglichen werden kann.

---
[1]) Diese Darstellung geht wohl zurück auf M a c h l u p , F., The Theory of Foreign Exchange, Economica, N. S., Bd. 6, 1939, wiederabgedr. in: Readings in the Theory of International Trade, a. a. O., S. 129 ff.

Offenbar ist eine solche Finanzierung des Defizits nicht auf die Dauer denkbar. Kein Land kann ständig Gold abgeben, ohne seine Goldvorräte schließlich zu erschöpfen. Spätestens zu diesem Zeitpunkt wäre es nicht mehr möglich, die Importüberschüsse weiter durchzuhalten. Die klassischen Nationalökonomen — Hume, J. St. Mill u. a. — waren nun der Ansicht, daß im Goldstandard selbst ein Mechanismus zum Wiederausgleich der Zahlungsbilanz eingebaut ist, ohne daß es notwendig wäre, das Defizit durch völlige Freigabe des Kurses oder durch Importrestriktionen aus dem Wege zu schaffen. Das zur Finanzierung des Defizits exportierte Gold ist nämlich von der Zentralbank gegen Mark abgegeben worden, so daß der Geldumlauf im Inland schrumpft, und zwar zunächst um den Wert der Goldabgabe. In einer Goldkernwährung endet aber der Prozeß im Regelfalle nicht mit dieser automatischen Geldmengenreduktion. Wenn die Geldmenge zu weniger als 100 %, etwa nur zu 33 % in Gold gedeckt ist, kommt es nach dieser primären Kontraktion zu einer sekundären Kontraktion des Geldvolumens. Da die Notenbank zur Einhaltung der Deckungsrelation verpflichtet ist, müßte sie im Falle der Drittdeckung durch Erhöhung des Diskontsatzes, evtl. auch durch kontraktive Offenmarktpolitik, das Geldvolumen insgesamt um das Dreifache der Goldverluste reduzieren.

Nach klassischer Ansicht — die in der Quantitätstheorie zum Ausdruck kommt — folgt aber aus der Abnahme der Geldmenge eine proportionale Senkung des Preisniveaus bei konstantem Produktionsvolumen. In der Sprache der Cambridge-Version[2]) der Quantitätstheorie ist nach Reduktion des Geldvolumens die tatsächliche Kasse kleiner als die geplante Kasse, so daß die Wirtschaftssubjekte ihre Geldausgaben drosseln und bei gegebenem realen Sozialprodukt einen Preisverfall bewirken. Diese Preissenkung ist indessen auch abzuleiten, wenn man Keynes'sche Gedankengänge in das System einführt: Da die Importerhöhung bei gegebenen Gesamtausgaben zu einer Reduktion der Nachfrage nach heimischen Konsum- und Investitionsgütern führt, entwickelt sich ein negativer Multiplikatorprozeß, in dessen Verlauf bei Flexibilität des Preissystems die Preise sinken. Dieser Prozeß wird möglicherweise noch verstärkt, wenn man die Gedankengänge der Liquiditätstheorie des Zinses[3]) akzeptiert, also den Zinssatz durch Liquiditätspräferenz (Transaktions- und Spekulationsnachfrage) und Geldvolumen bestimmt sieht. Da mit sinkendem Preisniveau zwar die Liquiditätspräferenz aus dem Transaktionsmotiv zurückgeht, gleichzeitig aber das Defizit der Leistungsbilanz einen Rückgang des Geldvolumens bewirkt, erhöht sich der Zinssatz, sofern die Geldmenge stärker als die Geldnachfrage sinkt. Wenn die Investition in bezug auf den Zins nicht völlig unelastisch ist, geht die Gesamtnachfrage erneut zurück, so daß sich der Preisverfall weiter fortsetzt.

Im Ausland erfolgt dagegen eine preiserhöhende Ausdehnung der Geldmenge, da die ausländische Zentralbank das aus dem Inland abgeflossene Gold gegen Hergabe von Dollar angekauft hat. Selbstverständlich kann man auch diesen Preisanstieg mit Hilfe des Keynes'schen Instrumentariums erklären. So entsteht zwischen In- und Ausland ein Preisniveaugefälle, welches das Gleichgewicht zwischen Import- und Exportwerten wiederherstellen soll. Diese Preisniveauverschiebung bedingt nach klassischer Ansicht in jedem Falle einen Rückgang des Importwertes und eine Erhöhung des Exportwertes — die Devisennachfragekurve bewegt sich also nach links und die Devisenangebotskurve nach rechts —, so daß bei genügend starker

---

[2]) Vgl. Rose, K., Einkommens- und Beschäftigungstheorie, in: Ehrlicher, W. u. a. (Hrsg.), Kompendium der Volkswirtschaftslehre, Bd. I, 5. Aufl., Göttingen 1975.
[3]) Vgl. Rose, K., Einkommens- und Beschäftigungstheorie, a. a. O.

III. Der direkte internationale Preiszusammenhang 91

Verschiebung der Devisenkurven der Wechselkurs unter den Goldexportpunkt sinkt. Die autonome Zahlungsbilanz ist dann wieder ausgeglichen, ohne daß es zu weiteren Goldexporten kommt. Ist die Verschiebung der Devisenkurven nicht groß genug, um den Goldstrom auf Anhieb zum Stillstand zu bringen, so verringern sich Geldumlauf und Inlandspreise weiter, bis schließlich die Leistungsbilanz doch ausgeglichen ist. In jedem Falle wird aber eine normale Reaktion der Leistungsbilanz vorausgesetzt; es wird also angenommen, daß ein Defizit stets durch Senkung der Inlandspreise bei gleichzeitiger Erhöhung der Auslandspreise ausgeräumt werden kann.

Der unter den Voraussetzungen des Goldstandards abgeleitete Ausgleichsmechanismus bleibt auch gültig, wenn die Zentralbank nicht zur Abgabe von Gold verpflichtet ist, sich statt dessen aber bereit erklärt, den Wechselkurs durch Kauf und Verkauf von Devisen innerhalb einer Ober- und Untergrenze — den Interventionspunkten — stabil zu halten. Droht der Wechselkurs über den oberen Interventionspunkt zu steigen, so verkauft die Zentralbank aus ihren Beständen so viel Devisen, wie notwendig sind, um den Kurs an der Obergrenze festzuhalten. Entsprechend würde ein Kursfall unter den unteren Interventionspunkt durch Devisenkäufe der Zentralbank verhindert werden. Oberer und unterer Goldpunkt werden also durch den oberen und unteren Interventionspunkt ersetzt. Die horizontalen Abschnitte repräsentieren jetzt Dollar-Angebot und -Nachfrage der Zentralbank; diese Markteingriffe der Zentralbank treten also an die Stelle der Goldbewegungen. Ansonsten funktioniert das System in gleicher Weise wie beim Goldstandard. Verkauft die Zentralbank zur Stabilisierung des Wechselkurses Devisen, so entzieht sie dem Wirtschaftskreislauf Zahlungsmittel. Wenn diese Geldvernichtung nicht durch eine Geldschöpfung aus anderen Quellen kompensiert wird, kommt es zu einer Preissenkung, die das Defizit der Leistungsbilanz beseitigt.

Der Geldmengenpreismechanismus ist indessen auf einem recht schwachen Fundament errichtet: der Quantitätstheorie des Geldes. Aus der Kontraktion des Geldvolumens folgt keineswegs in jedem Falle eine Senkung des Preisniveaus; tatsächlich wäre es denkbar, daß nicht das Preisniveau, sondern das Realeinkommen sinkt und die Leistungsbilanz folglich nicht durch den Preismechanismus ausgeglichen werden kann. Gleichwohl mag das Defizit auch jetzt verringert werden, da die Inländer bei sinkendem Volkseinkommen nicht nur ihre Nachfrage nach Inlandsgütern, sondern normalerweise auch ihre Importnachfrage einschränken. Diesen Einkommensmechanismus des Zahlungsbilanzausgleichs werden wir näher im nächsten Kapitel behandeln.

III. Der direkte internationale Preiszusammenhang

Nach den Erörterungen des II. Abschnitts sind Überschüsse oder Defizite der Leistungsbilanz für Veränderungen des Binnenpreisniveaus verantwortlich zu machen, wenn auch das Maß der Preisbewegung je nach Beschäftigungslage und Preisflexibilität variieren kann. Auf diesem Fundament beruht die Theorie des Inflationsimports, mit deren Hilfe man vor allem die „schleichende Inflation" in der Bundesrepublik zu erklären versuchte. Wenn das Ausland — so lautet der Gedankengang — eine Politik der Inflation betreibt, erzielt das auf Preisstabilität bedachte Inland Überschüsse in seiner Leistungsbilanz, sofern man normale Reaktion der Leistungsbilanz unterstellt. Da die Gesamtnachfrage als Folge dieser Überschüsse zunimmt[4]) (Nachfrageeffekt), da ferner die durch den Überschuß bedingte monetäre Expansion die Liquidität erhöht, die Zinssätze somit möglicherweise senkt [5]) und damit die Investitionstätigkeit stimuliert, sind in einer vollbeschäftigten Wirtschaft Preiserhöhungen unvermeidlich. Das Inland erleidet also eine „Anpassungsinflation", durch die das Binnenpreisniveau auf den Stand des Auslandspreisniveaus gehoben wird.

a) Nun läßt sich aber mit Hilfe der in diesem Kapitel erörterten Instrumente zeigen, daß eine derartige „Preisansteckung" nicht unbedingt auf die genannten Saldeneffekte angewiesen ist, sondern auch dann zustande kommt, wenn anomale Reaktionen der Leistungsbilanz auf Preiserhöhungen im Ausland zu verzeichnen sind, also z. B. ein Überschuß in ein Defizit verwandelt oder ein gegebenes Defizit vergrößert wird. Dieses Ergebnis mutet auf den ersten Blick sicherlich paradox an, da nach traditioneller Ansicht — wie sie im Geldmengen-Preismechanismus zum Ausdruck kommt — eine solche Verschlechterung der Leistungsbilanz dämpfend wirkt, nicht aber mit einem Inflationsimport vereinbar ist. Dieser herkömmlichen Ansicht kann man jedoch entgegenhalten, daß ein Land, welches durch Handelsbeziehungen mit einer stärker inflationierenden Umwelt verbunden ist, sich diesen Preiseinflüssen kaum entziehen kann, weil die inländischen Unternehmer angesichts des Weltpreisniveaus im Export hohe Preise erzielen und im Import hohe Preise zahlen müssen. Nach dieser, vor allem vom Sachverständigenrat zur Begutachtung der gesamtwirtschaftlichen Entwicklung propagierten These vom „direkten internationalen Preiszusammenhang" kommt es somit, unabhängig von irgendwelchen Salden der Leistungsbilanz, also auch bei einer Passivierung der Bilanz, zu einer unmittelbaren Preisansteckung — zumindest im Sektor der Außenhandelsgüter —, da für eng verbundene Märkte ein Prozeß der Preisanpassung und des Preisausgleichs ganz unvermeidlich ist[6]).

Diese Zusammenhänge, die im Falle homogener Güter besonders deutlich sind, können mit Hilfe der Abb. 16 und 17 erörtert werden. In Abb. 16b ist die Kurve der Exportnachfrage EN abgebildet, welche sich aus den Gesamtangebots- und Gesamtnachfragefunktionen A_a und N_a des Auslands („Rest der Welt") in Abb. 16a ergibt. Die Exportgüter erzielen einen Preis in Höhe von P_1, wenn EA das Exportangebot des Inlands darstellt. Entsprechend wird für Importgüter der Preis P_3 bezahlt, wenn JN (Abb. 17b) die inländische Importnachfrage und JA das ausländische Importangebot bezeichnen. Die Kurve JA ist wiederum in der bekannten Weise aus dem Überschuß des Auslandsangebots A_a über die Auslandsnachfrage N_a (Abb. 17a) abgeleitet worden.

---

[4]) Dieser Nachfrageeffekt kann als der im folgenden noch zu erörternde Multiplikatoreffekt gedeutet werden. Eine Zunahme des Exportüberschusses impliziert, wie wir aus den bereits behandelten Kreislaufgleichungen wissen, eine Erhöhung des nominalen Volkseinkommens, also eine Preissteigerung bei konstantem Realeinkommen.

[5]) Der Zinssatz wird sich dann vermindern, wenn die Zunahme der Liquiditätspräferenz als Folge der erhöhten Güternachfrage (Liquiditätspräferenz aus dem Transaktionsmotiv) kleiner als die Expansion des Geldvolumens ist.

[6]) Vgl. vor allem: Jahresgutachten 1967/68 „Stabilität im Wachstum", Stuttgart und Mainz 1967, Ziffer 429 ff. Auf den internationalen Preiszusammenhang hat früher schon W. Stützel aufmerksam gemacht: Ist die schleichende Inflation durch monetäre Maßnahmen zu beeinflussen? Beihefte der Konjunkturpolitik, Heft 7, Berlin 1960.

III. Der direkte internationale Preiszusammenhang 93

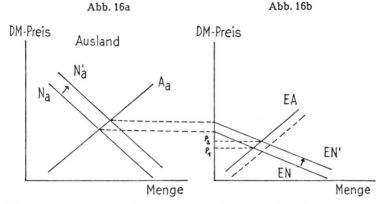

Abb. 16a   Abb. 16b

Unterstellt man nun im Ausland einen inflationistischen Expansionsprozeß — die Nachfragefunktionen verschieben sich nach rechts (N_a') —, so steigen die Exportpreise auf P_2 und die Importpreise auf P_4, da die Kurven EN und JA durch EN' und JA' ersetzt werden[7]): Der im Ausland ausgelöste Preisanstieg wird auf den Weltmarkt und damit auf das Inland übertragen, da auf

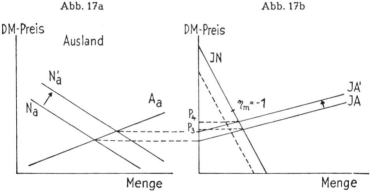

Abb. 17a   Abb. 17b

einem vollkommenen Markt das Gesetz der Preisunterschiedslosigkeit erfüllt ist, auf Wettbewerbsmärkten also keine Preisdifferenz zwischen homogenen Gütern existieren kann[8]).

Wie wird nun die Leistungsbilanz durch den geschilderten Prozeß beeinflußt? Um zu zeigen, daß der unmittelbare Preiszusammenhang auch bei einer Verschlechterung der Leistungsbilanz besteht, haben wir in Abb. 17b eine Zunahme des Importwertes — des Produkts aus Menge und Preis — unterstellt: Da die Importnachfrage zwischen P_3 und P_4 unelastisch ist, entspricht dem Prozentsatz der Preiserhöhung ein geringerer prozentualer Rückgang der importierten Menge. Steigt nun der Wert des Imports stärker als der Wert des Exports (das Produkt aus Preis und exportierter Menge in

---

[7]) Eine Übertragung der Inflation kommt auch dann zustande, wenn das Importgut nur im Ausland, das Exportgut dagegen nur im Inland produziert wird. Die Kurve der Exportnachfrage wäre dann mit der Kurve der Gesamtnachfrage für dieses Gut im Ausland identisch. Analoges gilt für den Import.

[8]) Die Preisangleichung ist nur unvollkommen, wenn Auslands- und Inlandsgüter heterogen sind oder Transportkosten und Zölle berücksichtigt werden.

Abb. 16b wird größer), so verschlechtert sich die Leistungsbilanz; es liegt also eine anomale Reaktion vor, und es ist z. B. denkbar, daß eine im Ausgangszustand aktive oder ausgeglichene Leistungsbilanz nunmehr ein Defizit aufweist oder ein schon anfangs bestehendes Defizit sich noch vergrößert. Da aber auch in diesem Fall die Preise der Außenhandelsgüter im Inland steigen, beeinflußt das steigende Weltpreisniveau das Binnenpreisniveau selbst dann, wenn die Leistungsbilanz ins Defizit gerät. Damit wird nicht die praktische Relevanz einer anomalen Reaktion propagiert. Aus analytischen Gründen ist es jedoch sinnvoll, auf diesen Fall ausdrücklich zu verweisen, um damit deutlich zu machen, daß ein Inflationsimport nicht auf eine Aktivierung der Leistungsbilanz angewiesen ist (wie die traditionelle Theorie unterstellte).[9]

Der internationale Inflationstrend wird nun in vielen Fällen nicht nur die Preise der Außenhandelsgüter erfassen. Vielmehr werden die Exporteure, welche höhere Preise für ihre Güter erzielen, ihrerseits eher zur Zahlung höherer Preise für die von ihnen benötigten Vorprodukte und Faktorleistungen bereit sein. Auch ein Anstieg der Importpreise wälzt sich gegebenenfalls auf andere Märkte fort, weil Importgüter z. B. als Kostengüter Verwendung finden. Nun wird der Versuch zur Preisfortwälzung allerdings erschwert oder gar unmöglich gemacht, wenn die Passivierung der Leistungsbilanz zu einer Reduktion der Gesamtnachfrage (Nachfrageeffekt) und einer Verengung des Liquiditätsspielraums (Liquiditätseffekt), damit aber auch zu kontraktiv wirkenden Zinserhöhungen führt und wenn kompensierende Expansionsmaßnahmen unterbleiben. Läßt man demnach die durch die Leistungsbilanz bedingte Verringerung der Gesamtnachfrage zu, so verschieben sich die Nachfragefunktionen für die einzelnen Güter im Inland nach links, was tendenziell preissenkend wirkt[11]). Werden auch die Export- und Importgüter von diesem Nachfragerückgang im Inland erfaßt, so verschieben sich — wie anhand der Abb. 12 und 13 gezeigt worden ist — die Kurve des Exportangebots nach rechts (gestrichelte Kurve in Abb. 16b) und die Kurve der Importnachfrage nach links (gestrichelte Kurve in Abb. 17b). Dadurch werden jene Preiserhöhungen, die durch den unmittelbaren Preiszusammenhang bedingt sind, aufgrund des kontraktiv wirkenden Leistungsbilanzeffekts (Nachfrage- und Liquiditätseffekt) zumindest teilweise wieder rückgängig gemacht. Hat der Auslandsinflation — wie im Normalfall anzunehmen — indessen eine Aktivierung der Leistungsbilanz zur Folge, so trägt der Leistungsbilanzeffekt, der in diesem Falle expansiv ist, zu einer Forcierung der durch den Preiszusammenhang bedingten Preiserhöhung bei. Dies kann auch bei einer Passivierung der Leistungsbilanz der Fall sein, wenn der hierdurch ausgelöste Kontraktionseffekt durch eine Erhöhung der Binnennachfrage aus anderen Quellen mehr als kompensiert wird, z. B. dadurch, daß Unternehmer der Exportgüterindustrie angesichts gestiegener Exportpreise die Investitionstätigkeit mit Hilfe zusätzlicher Kredite vergrößern. Es entsteht eine Anpassungs-

---

[9] Vgl. dazu die Diskussion zwischen Issing und mir: Issing, O., Die Theorie des direkten internationalen Preiszusammenhangs, Jahrbücher f. Nationalökonomie und Statistik, Bd. 181, 1967/68, S. 295 ff.; Issing, O., Die Theorie des direkten internationalen Preiszusammenhangs bei anomaler Reaktion der Leistungsbilanz, Ztschr. f. Nationalökonomie, Bd. 31, 1971; Rose, K., Die Theorie des direkten internationalen Preiszusammenhangs bei anomaler Reaktion der Leistungsbilanz. Bemerkungen zu einem Aufsatz von Issing, Ztschr. f. Nationalökonomie, Bd. 31, 1971.

[11] Als Folge des Inflationsimports wird es oft jedoch auch zu Kostenerhöhungen kommen, welche die Angebotskurven nach links verschieben und den Prozeß der Preisdämpfung verhindern.

III. Der direkte internationale Preiszusammenhang

inflation im Inland, durch die bei normaler Reaktion die Leistungsbilanz verschlechtert wird.

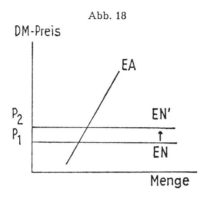

Abb. 18

b) Leistungsbilanzeffekte sind zur Erklärung des Inflationsimports von weit geringerer Bedeutung — es gilt vor allem der unmittelbare Preiseffekt —, wenn das betrachtete Land im Vergleich zum Rest der Welt sehr klein ist, also die Sätze der vollständigen Konkurrenz für dieses Land anwendbar sind. In diesem Falle ist das Inland kaum in der Lage, den Preis der Exportgüter durch Änderungen seines Exportangebots zu variieren; die Preis-Absatz-Funktion des Inlandes, also die Kurve der Exportnachfrage, verläuft annähernd parallel zur Mengenachse (Abb. 18)[12]).

Andererseits kann sich das Inland Importgüter zu einem nahezu konstanten Preis beschaffen, so daß auch seine Preis-Beschaffungsfunktion, also die Kurve des ausländischen Importangebots, als Parallele zur Mengenachse gezeichnet werden kann (Abb. 19).

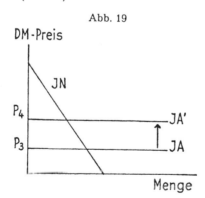

Abb. 19

---

[12]) Die Preisabsatzfunktion eines kleinen Landes bei autonomer Mengenvariation kann man aus der Kurve der Weltnachfrage (Inlands- plus Auslandsnachfrage) deduzieren, ebenso wie man die Preisabsatzfunktion eines Unternehmens bei Mengenvariation in vollständiger Konkurrenz aus der Gesamtnachfragefunktion für das betreffende Gut ableiten kann. Zur Methode der Ableitung vgl. Ott, A., Grundzüge der Preistheorie, Göttingen 1968, S. 159 f. Der Fall eines kleinen Landes wird behandelt von J. Schröder, Zur partialanalytischen Darstellung des direkten internationalen Preiszusammenhangs, Jahrb. f. Nationalök. u. Stat., Bd. 183, 1969, S. 306 ff.

Da ein inflationistischer Expansionsprozeß im „Rest der Welt" die Kurven der Exportnachfrage und des Importangebots nach oben verschiebt (EN' und JA'), erhöhen sich wieder die Preise der Export- und Importgüter, unabhängig davon, ob der Exportwert — der in diesem Falle immer zunimmt — stärker oder schwächer steigt als der Wert des Imports (der auch sinken kann). Auch hier gilt also der unmittelbare Preiszusammenhang, möge sich die Leistungsbilanz verbessern oder verschlechtern[13]). Im Unterschied zu den in den Abb. 16 und 17 dargestellten Fällen können die durch den direkten Preiszusammenhang bedingten Preisvariationen allerdings nicht durch Leistungsbilanzeffekte revidiert werden. Führt die Auslandsinflation zu einem Überschuß (Defizit) der Leistungsbilanz, also zu einer Zunahme (Verminderung) der im Inland wirksamen Gesamtnachfrage, damit auch der Inlands-Nachfrage nach Export- und Importgütern, so verschiebt sich die EA-Kurve nach links (rechts) und die JN-Kurve nach rechts (links). Da die EN- und JA-Kurven indessen horizontal verlaufen, bleiben die Export- und Importpreise unverändert, und wir müssen folgern, daß ein kleines Land unter den getroffenen Annahmen nicht in der Lage ist, die Preise seiner Außenhandelsgüter durch Variation der Gesamtnachfrage wirksam zu beeinflussen[14]). Die Preise dieser Güter sind allein durch den unmittelbaren Preiszusammenhang bestimmt. Dagegen werden die Preise der Binnengüter natürlich auch in diesem Falle durch die Nachfrageänderungen als Folge des Leistungsbilanzeffekts beeinflußt.

Die Preisansteckung auf dem Inkubationsweg unmittelbarer, durch den Konkurrenzmechanismus bedingter Preiseffekte kann allerdings durch eine Aufwertung der heimischen Währung — der DM — vermieden werden. Wie aus den Ausführungen auf S. 56 ff. bekannt ist, hat eine DM-Abwertung eine Aufwärtsverschiebung der EN- und JA-Funktionen zur Folge; umgekehrt verschieben sich die Funktionen nach unten, wenn die DM aufgewertet wird. Hat also die Weltinflation die EN- und JA-Funktionen nach oben verschoben, so wird die dadurch ausgelöste Preiserhöhung der Außenhandelsgüter teilweise oder vollständig rückgängig gemacht werden können, wenn die DM-Aufwertung eine kompensierende Abwärtsverschiebung dieser Kurven bewirkt. Nimmt man die Kurven der Exportnachfrage und des Importangebots als unendlich elastisch an, so kann der internationale Preiszusammenhang durch eine DM-Aufwertung nur dann vollständig neutralisiert werden, wenn sich die Preise der Export- und Importgüter als Folge der Weltinflation um den gleichen Satz, z. B. von 25 % — also etwa von DM 4,— auf DM 5,— — erhöhen, die Ordinatenwerte der EN- und JA-Kurve mithin um 25 % vergrößert werden. Im Falle einer 20 %igen Verminderung des Dollarkurses werden nun die Ordinatenwerte der EN- und JA-Kurven um 20 % verkürzt (von DM 5,— auf DM 4,—), so daß die Ausgangssituation erreicht wird, die Preise also dem alten Stand entsprechen. Da einer 20 %igen Senkung des Dollarkurses aber eine DM-Aufwertung um 25 % entspricht, kann eine 25 %ige Erhöhung der Außenhandelspreise durch eine DM-Aufwertung um den gleichen Prozentsatz vermieden oder rückgängig gemacht werden.

c) Da eine Aufwertung den Inflationsimport verhindern kann, liegt die Frage nahe, ob nicht auch flexible Wechselkurse zur Bekämpfung des Infla-

---

13) Eine Verschlechterung der Leistungsbilanz ist umso eher zu erwarten, je weniger sich die EN-Kurve nach oben verschiebt, so daß der Exportwert nur geringfügig zunimmt. Wenn sich ferner die JA-Kurve beträchtlich nach oben bewegt und die JN-Kurve im relevanten Bereich unelastisch ist, nimmt der Wert des Imports in starkem Maße zu.

14) Vgl. auch Bosch, A. und Veit, R., Theorie der Geldpolitik, Tübingen 1966; Rose, K., Die Ohnmacht der nationalen Geldpolitik, Ordo, Jahrbuch für die Ordnung von Wirtschaft und Gesellschaft, Bd. 18, Düsseldorf und München 1967, S. 397 ff.

tionsimports geeignet sind. Die Analyse beschränkt sich wieder auf die Leistungsbilanz[15]. Führt die Inflation im Ausland zu einem Exportüberschuß (normale Reaktion), so sinkt der Dollarkurs, bis die Leistungsbilanz ihr Gleichgewicht gefunden hat. Der sich über Leistungsbilanzsalden vollziehende Inflationsimport — der Nachfrage- und Liquiditätseffekt — wird mithin unterbleiben. Gleichzeitig kompensiert die Senkung des Dollarkurses zumindest teilweise die Preiserhöhung der Außenwirtschaftsgüter: Der internationale Preiszusammenhang wird unterbrochen, wenn auch eine totale Abschirmung gegenüber der Auslandsinflation nur in Sonderfällen zu erreichen ist.

Flexible Kurse verstärken indessen den Inflationsimport, wenn die Leistungsbilanz auf eine Auslandsinflation anomal reagiert, also ins Defizit gerät. Da der Dollarkurs in diesem Falle steigt, wird der Effekt der Auslandspreiserhöhung auf die Inlandspreise durch die Verteuerung der Auslandswährung noch verstärkt.

IV. Die Grundgedanken der monetären Zahlungsbilanztheorie

1. Die Beziehungen zwischen Geldmarkt und Zahlungsbilanz

a) Die Vorstellung des internationalen Preiszusammenhanges ist in jüngerer Zeit als integrierender Bestandteil eines neuen Ansatzes zur Zahlungsbilanztheorie[16] verwendet worden, dessen Kerngedanke darin besteht, Ungleichgewichte in der Zahlungsbilanz — hier gedeutet als Änderung der zentralen Währungsreserven — auf Geldmarktungleichgewichte zurückzuführen. Feste Wechselkurse sind dabei vorausgesetzt. Um die relevanten Gedankengänge dieses Ansatzes in der gebotenen Kürze zu schildern, sei davon ausgegangen, daß sich das nationale Preisniveau über den internationalen Preiszusammenhang an das gestiegene Auslandspreisniveau angepaßt hat, die Zahlungsbilanz des betrachteten Landes jedoch zunächst im Gleichgewicht verbleibt. Unterstellt man nun eine stabile Geldnachfragefunktion in dem Sinne, daß die Wirtschaftssubjekte bei alternativen Preisniveaus, Realeinkommen und Zinssätzen bestimmte Kassenbestände zu halten wünschen, so induziert der Preisanstieg eine Zunahme der nominellen Geldnachfrage (im Keynesschen System erhöht sich z. B. die Nachfrage nach Geld für Transaktionszwecke). Auf dem Geldmarkt existiert nunmehr ein Überhang der Nachfrage nach Geld über das verfügbare Geldvolumen.

Um zu prüfen, auf welchen Wegen dieses Ungleichgewicht beseitigt werden kann, geht die monetäre Zahlungsbilanztheorie von der tautologisch richtigen Behauptung aus, daß unter bestimmten vereinfachenden Annahmen die Geldmenge — bestehend aus Notenumlauf (einschließlich Münzen) und Sichteinlagen bei den Geschäftsbanken — der Summe aus Krediten und Währungsreserven entspricht[17]. Der Nachfrageüberhang auf dem Geldmarkt könnte daher zunächst durch Ausweitung des Geldvolumens auf dem Wege einer Kreditexpansion (erleichterte Refinanzierungsbedingungen der Zentralbank) beseitigt werden, womit zugleich die durch den Preiszusammenhang bedingte Inflation monetär alimentiert worden wäre. Wie aber sind die Konsequenzen,

---

[15] Zu Einzelheiten vgl. R o s e , K. und B e n d e r , D., Flexible Wechselkurse und Inflationsimport, Jahrbücher für Nationalökonomie und Statistik, Bd. 187, 1973. In diesem Aufsatz wird auch die Kapitalbilanz berücksichtigt.

[16] Vgl. Johnson, H. G., Der monetäre Ansatz zur Zahlungsbilanztheorie, in: Inflation, Theorie und Politik, München 1975, S. 85 ff.; Mundell, R. A., Monetary Theory, Inflation, Interest and Growth in the World Economy, Pacific Palisades, 1971, Kap. 15 und 16; Claassen, E. M., Der monetäre Ansatz zur Zahlungsbilanztheorie. Weltwirtschaftl. Archiv, Bd. 111, 1975. Zur Anwendung und Kritik dieser Theorie vgl. auch Rose, K., Der monetäre Ansatz in der Zahlungsbilanztheorie, Jahrb. f. Sozialw., Bd. 28, 1977.

wenn die Zentralbank in dem Bestreben, die Preisansteckung aus dem Ausland zu verhindern, einen harten geldpolitischen Kurs einschlägt und die Ausdehnung des Kreditvolumens unterbindet? Die Vertreter der monetären Zahlungsbilanztheorie würden diesen Versuch als erfolglos deklarieren und darauf verweisen, daß bei fehlender Kreditexpansion die Ausdehnung des Geldvolumens über einen Zufluß an Währungsreserven zustande kommt. Nach ihrer Ansicht induziert nämlich der Nachfrageüberhang auf dem Geldmarkt — also der Überschuß der geplanten Kasse über die tatsächliche Kasse — Versuche der Wirtschaftssubjekte, die tatsächliche Kasse durch Zurückhaltung bei den Güter- und/oder Wertpapierkäufen aufzufüllen. Folgt man nun den bei der Darstellung des Geldmengen-Preis-Mechanismus entwickelten Gedanken, so müßte das Überschußangebot auf dem Gütermarkt eine Senkung der Inlandspreise unter das Preisniveau des Auslandes erzwingen. Damit käme es zu Überschüssen in der Leistungsbilanz. Gleichzeitig würden die Zinssätze (Kurse) als Folge der zu geringen Wertpapiernachfrage sinken (fallen), so daß zinsinduzierte Kapitalimporte einen Kapitalbilanzüberschuß erzeugen, der die Zahlungsbilanz noch weiter aktiviert. Vertreter der monetären Zahlungsbilanztheorie stimmen zwar dem Ergebnis dieser Gedankenkette zu — daß also ein Nachfrageüberhang auf dem Geldmarkt Zahlungsbilanzüberschüsse induziert — sie würden indessen kaum die Vorstellung akzeptieren, daß der Prozeß der Zahlungsbilanzanpassung über eine Abweichung der inländischen Preise und Zinssätze von denen des Auslandes zustande kommt, da üblicherweise ein homogener Weltmarkt unterstellt wird, auf dem das Gesetz der Unterschiedslosigkeit der Preise erfüllt ist. Diese Annahme wird u. a. mit dem Hinweis auf den steigenden Anteil der international gehandelten Güter sowie auf Verbesserungen der Transport-Technologien, durch welche die Kosten der Raumüberwindung an Bedeutung verlieren, gestützt. Wie aber — wenn nicht durch einen temporären Preisdruck — soll ein Nachfrageüberhang am Geldmarkt, der die Ausgaben für Güter und/oder Wertpapiere reduziert, einen Überschuß der Zahlungsbilanz erzeugen? Bei der Beantwortung dieser Frage sei zunächst von Kapitalbewegungen abgesehen.

Die Beziehung zwischen Geldmarktungleichgewicht und Zahlungsbilanz läßt sich auf einfache Weise anhand von Abb. 19a deutlich machen. Hier sind unter der vereinfachenden Annahme, daß nur ein homogenes Gut existiert, die Angebots- und Nachfragekurven für dieses Gut im Inland und Ausland dargestellt. Es herrsche ein einheitlicher Weltmarktpreis P_1, der in beiden Ländern den Markt räumt. Außenhandelsbeziehungen kommen bei diesem Preis zum Erliegen; die Zahlungsbilanz eines jeden Landes ist bei Exporten und Importen von Null „ausgeglichen". Im Inland entstehe nun ein Nach-

---

[17] Diese Beziehung läßt sich am besten aus den Annahmen ableiten, daß a) die Zentralbank neues Geld nur durch den Ankauf von Währungsreserven und durch Refinanzierungsgeschäfte mit den Geschäftsbanken (z. B. Wechselankauf) produziert und b) die Geschäftsbanken Kredite auf der Grundlage von Sichteinlagen des Publikums und Refinanzierungskrediten der Zentralbank vergeben. Die Bilanzen von Zentralbank und Geschäftsbanken haben dann (bei Vernachlässigung der Mindestreserven) die folgende Form:

Zentralbank		Geschäftsbanken	
Währungsreserven	Notenumlauf	Kredite	Sichteinlagen
Refinanzierung			Refinanzierung

Aus der konsolidierten Bilanz ergibt sich dann die Identität von Geldvolumen und Kredit plus Währungsreserven:

Konsolidierte Bilanz	
Währungsreserve	Notenumlauf
Kredite	Sichteinlagen

IV. Grundgedanken der monetären Zahlungsbilanztheorie 99

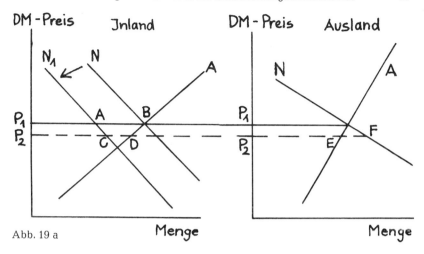

Abb. 19 a

frageüberhang am Geldmarkt. Dieser induziert einen Rückgang der Güternachfrage (Kurve N_1), so daß der Angebotsüberschuß AB als Exportangebot auf den Weltmarkt drängt, bis der Weltmarktpreis auf P_2 gesunken ist und das Exportangebot CD auf eine entsprechende Nachfrage des Auslands (= EF) trifft. Das Inland erzielt also in dieser „Ein-Gut-Welt" einen Exportüberschuß. Für den Fall des „kleinen" Landes, dessen Anteil am Weltmarkt nur gering ist, wären diese Folgerungen insoweit zu revidieren, als der Angebotsüberschuß auch ohne Preissenkungen am Weltmarkt abgesetzt werden kann. Aus Störungen des Geldmarktes in einem solchen Land resultieren also direkt Ungleichgewichte in der Zahlungsbilanz, ohne daß das Weltmarktpreisniveau, dem das Inlandspreisniveau entsprechen muß, beeinflußt wird[18]).

Ob man nun aber ein großes oder ein kleines Land unterstellt — in beiden Fällen vollzieht sich die Überwälzung der Geldmarktstörung auf die Zahlungsbilanz unter Wahrung der Einheitlichkeit des Preises. Diese Annahme unterscheidet die monetäre Zahlungsbilanztheorie von den Modellen des Geldmengen-Preismechanismus, in denen Zahlungsbilanzungleichgewichte durch Preisdivergenzen zwischen In- und Ausland bedingt sind. Offensichtlich wird in solchen Modellen ein heterogener Weltmarkt angenommen[19]).

Eine Überwälzung der Geldmarktstörung kann sich nicht nur über die Leistungsbilanz, sondern auch über die Kapitalbilanz vollziehen — dies jedenfalls dann, wenn die Wirtschaftssubjekte außer Geld auch andere Vermögenstitel (assets) halten. Da sich im Falle eines Nachfrageüberhangs am Geldmarkt die Kassenbestände als zu gering erweisen, wird im Rahmen einer Portfolioumstrukturierung die Nachfrage nach Wertpapieren sinken. Bei einheitlichem Weltmarktzinsniveau drängt der Angebotsüberhang an Wertpapieren in Form von Kapitalimporten (bzw. eines Rückgangs von Kapitalexporten) auf den Weltmarkt und erzwingt mithin einen Überschuß der Kapital- und Zahlungsbilanz.

Entsteht nun in der oben beschriebenen Weise ein Überschuß in der Zahlungsbilanz, so kommt es zu einem Zufluß an Währungsreserven aus dem Ausland, also einer außenwirtschaftlich bedingten Geldmengenexpansion,

---

[18]) Vgl. z. B. C l a a s s e n , E. M., a.a.O., S. 11, 12 und 16.
[19]) Auf diese Unterschiede weist z. B. H. G r u b e l hin: Domestic Origins of the Monetary Approach to the Balance of Payments, Essays in International Finance, Nr. 117, Princeton 1976.

die den Überhang der Geldnachfrage über das Angebot an Geld beseitigt. Damit wird der harte, auf das Vermeiden einer Kreditexpansion angelegte Kurs der Zentralbank unterlaufen und die Voraussetzung geschaffen, den durch die Weltwirtschaft bedingten Preisanstieg von der Geldseite her zu stützen. Damit kommt die monetäre Zahlungsbilanztheorie zu dem Ergebnis, daß ein Inflationsimport über den internationalen Preiszusammenhang zwar zunächst vom Saldo der Zahlungsbilanz unabhängig ist — also auch bei ausgeglichener oder passiver Zahlungsbilanz möglich ist —, daß aber eben dieser Preisanstieg letztlich doch einen Zahlungsbilanzüberschuß erzwingt (bei unveränderter Kreditpolitik).

Da ein Nachfrageüberhang auf dem Geldmarkt — bei gegebenem Geldvolumen — nicht nur durch einen Anstieg des Preisniveaus, sondern auch durch eine Zunahme des Realeinkommens bedingt sein kann, führt nach der hier dargelegten Theorie auch ein Realeinkommenszuwachs zu einem Überschuß der Zahlungsbilanz. Dieses Ergebnis ist deshalb interessant, weil es der im nächsten Kapitel abgeleiteten Keynesschen Hypothese, nach der ein Einkommenszuwachs zu Defiziten führt, diametral widerspricht.

b) Die hier kurz skizzierten Zusammenhänge lassen sich wie folgt formalisieren: Das monetäre Gleichgewicht ist durch Übereinstimmung der nominellen Werte von Geldvolumen G und Liquiditätspräferenz L (gewünschte Kassenhaltung) bestimmt.

$$G = L. \tag{1}$$

Das Geldvolumen setzt sich aus Währungsreserven R und Kreditvolumen K zusammen

$$G = R + K. \tag{2}$$

Unterstellt man, daß die Wirtschaftssubjekte bei einer gegebenen Konstellation der Determinanten der Kassenhaltung (z. B. Zins, Realeinkommen usw.) ein bestimmtes Volumen an realer Kasse halten wollen — die nominelle Kasse also proportional zu den Preisen verändern —, so erhält man die Liquiditätspräferenzfunktion

$$L_r = \frac{L}{P} = L_r(\ldots) \quad \text{bzw.} \quad L = L_r(\ldots)P. \tag{3}$$

Hier bedeuten: L_r = reale Liquiditätspräferenz, P = Inlandspreisniveau.

Der vollständig internationale Preiszusammenhang impliziert schließlich die Übereinstimmung des inländischen Preisniveaus P in Inlandswährung mit dem Produkt aus Auslandspreisniveau in Auslandswährung P_a und Kurs der Auslandswährung w (Geltung der Kaufkraftparitätentheorie[20]):

$$P = P_a \cdot w. \tag{4}$$

Durch Kombination von (1), (2), (3) und (4) folgt

$$R + K = L_r(\ldots) w P_a. \tag{5}$$

als Bedingung für Bestandsgleichgewicht auf dem Geldmarkt.

Bei fixen Wechselkursen ist w gegeben. Erhöhen sich nun P_a oder L_r (z. B. wegen einer Erhöhung des Realeinkommens), so erfordert die Beseitigung des Nachfrageüberhangs auf dem Geldmarkt bei gegebenem K eine Erhöhung von R, also einen Überschuß in der Zahlungsbilanz, der erst dann verschwindet, wenn das neue Geldmarktgleichgewicht erreicht ist.

---

[20] Diese Annahme ist wegen der Existenz von nationalen Gütern und wegen der Kosten der Raumüberwindung natürlich problematisch. Die Hypothese der Kaufkraftparitätentheorie gilt bestenfalls auf lange Sicht.

Bei flexiblen Kursen ist indessen R fixiert, da Überschüsse der Zahlungsbilanz durch den Kursanstieg der eigenen Währung, d. h. durch ein Fallen von w verhindert werden. Das durch eine Erhöhung z. B. von P_a bedingte Geldmarktungleichgewicht wird mithin im Fall flexibler Kurse durch ein Fallen von w aus dem Wege geräumt: Da gemäß (4) die Inlandspreise fallen — genauer: da der ursprüngliche Anstieg von P_a in seiner Wirkung auf P durch die Reduktion des Wechselkurses neutralisiert wird —, sinkt die nominelle Geldnachfrage $L = L_r \cdot P$, so daß der Nachfrageüberhang auf dem Geldmarkt beseitigt wird. Ähnliche Überlegungen gelten für den Fall einer Erhöhung von L_r, die ebenfalls einem Nachfrageüberhang auf dem Geldmarkt, also einen Zahlungsbilanzüberschuß und mithin ein Fallen von w verursacht. Das Sinken des Wechselkurses kompensiert die Zunahme von L_r, so daß gemäß (5) ein neues Geldmarktgleichgewicht erreicht wird. Das gleiche Ergebnis folgt aus einem Rückgang von K. Diese Übertragung von Grundideen der monetären Zahlungsbilanztheorie auf den Fall flexibler Kurse führt damit zu der für diese Theorie zentralen These, daß die Höhe des Wechselkurses letztlich durch die Bedingungen des Bestandsgleichgewichts auf den Märkten für Vermögenstitel (den „Asset-Märkten") — vor allem auf dem Geldmarkt — bestimmt ist[21]).

2. Geldmarkt, Gütermarkt und Zahlungsbilanz

Die Grundgedanken der monetären Zahlungsbilanztheorie können für den Fall fixierter Wechselkurse in besonders instruktiver Form mit Hilfe eines von Dornbusch entwickelten Modells verdeutlicht werden[22]). Unterstellt werden zwei Länder, in denen ein homogenes Gut erzeugt wird. Das reale Sozialprodukt Y_r sei in beiden Ländern konstant. Der Dollarkurs w (z. B. 4/1) entspreche dem Verhältnis zwischen dem DM-Preis des Gutes im Inland P (z. B. DM 8,—) und dem Dollar-Preis des gleichen Gutes im Ausland P_a (z. B. $ 2,—).

$$P = P_a \cdot w. \quad (1)$$

Es gilt demnach der internationale Preiszusammenhang, d. h. der Auslandspreis des Gutes entspricht — umgerechnet zum Wechselkurs — dem Inlandspreis. Eine Variation des Geldvolumens komme in beiden Ländern nur dadurch zustande, daß Ungleichgewichte der Zahlungsbilanz zu Änderungen der Devisenreserven führen. Bezeichnet B den in DM gemessenen Überschuß der Zahlungsbilanz des Inlands (das Defizit der Zahlungsbilanz des Auslands), G das Geldvolumen des Inlands und G_a das Geldvolumen des Auslands, so folgt

$$\Delta G = B = -w \, \Delta G_a. \quad (2)$$

Die Geldnachfrage L wird in beiden Ländern nach Maßgabe des Kassenhaltungskoeffizienten k vom Nominaleinkommen, also vom Produkt aus konstantem Realeinkommen und Preisen abhängig gemacht[23]) (Cambridge-Version der Geldnachfrage):

$$L = kY_r P; \quad (3a) \qquad L_a = k_a Y_{ra} P_a. \quad (3b)$$

---

[21]) Vgl. dazu vor allem die Ergebnisse einer Konferenz über „Flexible Exchange Rates and Stabilization Policy", die im Scandinavian Journal of Economics, Bd. 78, 1976, abgedruckt sind. Von Interesse sind hier vor allem die Aufsätze von Frenkel, Mussa, Dornbusch und Kouri.

[22]) Dornbusch, R., Devaluation, Money and Nontraded Goods, American Economic Review, Bd. 63, 1973, S. 871 ff. Dornbusch abstrahiert vom Kapitalverkehr und betrachtet nur die Leistungsbilanz.

[23]) Aus Vereinfachungsgründen wird von der zinsabhängigen Geldnachfrage abgesehen.

Der Buchstabe a steht wieder für das Ausland.

Das monetäre Gleichgewicht wird durch Übereinstimmung von L und G bestimmt. Auf einen Überhang der Geldnachfrage (der geplanten Kasse) L über das tatsächliche Geldvolumen (die tatsächliche Kasse) G reagieren die Wirtschaftssubjekte mit dem Versuch einer Aufstockung ihrer Kassenbestände. Dieses Horten H ist eine Funktion der Überschußnachfrage nach Geld (L—G) — nach Maßgabe eines Anpassungskoeffizienten π, der angibt, welcher Teil des Geldmarktungleichgewichts in einer Periode durch Horten beseitigt wird

$$H = \pi\,(L-G) = H\,(P, Y_r, G);\qquad(4a)$$

$$H_a = \pi_a\,(L_a - G_a) = H_a\,(P_a, Y_{ra}, G_a).\qquad(4b)$$

Positives Horten, also der Versuch zur Aufstockung der Kassenbestände, impliziert die Nichtverausgabung von Teilen des Einkommens. Faßt man den Gesamtkonsum C und die gesamte Investition I zur Absorption A zusammen (vgl. S. 28), so ist das Horten jener Teil des Einkommens, der nicht verausgabt wird:

$$H = PY_r - A;\qquad(5a)\qquad H_a = P_a\,Y_{ra} - A_a.\qquad(5b)$$

In Abb. 20a wird zunächst die Hortungsfunktion des Inlandes (4a) in Abhängigkeit von P, dem Preis des Gutes in Inlandswährung, dargestellt.

Bei P_2 herrsche monetäres Gleichgewicht (L — G = O), so daß H gemäß (4a) gleich Null ist. Mit steigenden Preisen erhöht sich jedoch die Geldnachfrage L (Gleichung 3a); das Horten wird positiv, da bei gegebenem Geldvolumen G die geplante Kasse nunmehr die tatsächliche Kasse übersteigt.

Abb. 20 a

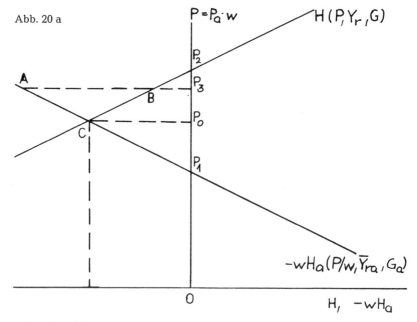

Positives Horten impliziert zugleich einen Angebotsüberschuß an Gütern. Aus (5a) folgt nämlich

$$PY_r > A\,(= C+I),$$

IV. Grundgedanken der monetären Zahlungsbilanztheorie 103

wenn H > O. Das Angebot zu herrschenden Preisen (PY_r) übersteigt also die Gesamtnachfrage A — eine Konstellation, die mit güterwirtschaftlichem Gleichgewicht nur dann vereinbar ist, wenn ein Exportüberschuß für eine Absorption des Angebotsüberschusses durch das Ausland sorgt. Analoge Überlegungen gelten für den Verlauf der Hortungsfunktion bei Preisen unterhalb von P_2. Da das Geldvolumen nunmehr größer als die geplante Kasse L ist, werden Enthortungsakte (negatives Horten) mit dem Ziel der Verminderung der Kassenbestände ausgelöst. Dieses Enthorten impliziert zugleich einen Nachfrageüberhang auf dem Gütermarkt, der nur durch einen Importüberschuß befriedigt werden kann.

Abb. 20a enthält ferner die Enthortungsfunktion (4b) des Auslands in Abhängigkeit von P (= $P_a \cdot w$). Die Hortungsbeträge H_a (Enthortungsbeträge — H_a), die in Auslandswährung gemessen sind, werden durch Multiplikation mit w in Inlandswährung ausgedrückt. Bei einem Preis P_1 herrscht monetäres Gleichgewicht im Ausland (— H_a = O). Steigende Preise lassen die Enthortung negativ werden, d. h. sie intensivieren die Hortungstätigkeit (Angebotsüberhang im Ausland), sinkende Preise führen zur positiven Enthortung (Nachfrageüberhang).

Da dem Modell die Annahme eines homogenen Gutes, also eines vollkommenen Weltmarktes zugrundeliegt, bewirkt der internationale Preiszusammenhang die Existenz nur eines Preises für beide Länder. Liegt dieser Preis z. B. bei P_3, so entspricht einem Angebotsüberhang (= Horten) des Auslandes im Ausmaß der Strecke AP_3 ein inländischer Nachfrageüberhang (Enthorten) von BP_3. Der Angebotsüberschuß auf dem Weltmarkt (AB) reduziert den Preis bis auf P_0: Das Enthorten im Inland stimmt mit dem Horten im Ausland überein, so daß das Welteinkommen den Weltausgaben entspricht. Der Weltmarkt wird total geräumt, denn der Angebotsüberhang im Ausland wird durch die Übernachfrage des Inlands absorbiert.

Dieses Weltmarktgleichgewicht ist indessen mit Ungleichgewichten auf den nationalen Geldmärkten sowie in den Leistungsbilanzen der beiden Länder verbunden. Positives Horten im Ausland bedeutet nämlich gemäß (4b) einen Überschuß der geplanten über die tatsächliche Kasse ($L_a > G_a$) sowie einen Angebotsüberhang, der sich bei Gleichgewicht am Weltmarkt in Form eines Exportüberschusses niederschlägt. Da umgekehrt im Inland enthortet wird — H in (4a) ist also negativ — muß das Volumen der tatsächlichen Kasse die geplante Geldnachfrage übersteigen (G > L); zugleich manifestiert sich der Nachfrageüberhang auf dem Gütermarkt als Defizit der Leistungsbilanz. Diese Thesen untermauern den oben schon erläuterten Kerngedanken der monetären Zahlungsbilanztheorie, daß Überschüsse bzw. Defizite in der Zahlungsbilanz auf einen Nachfrageüberhang (L > G) bzw. Angebotsüberhang (G > L) am Geldmarkt zurückgeführt werden können.

Das Gleichgewicht bei P_0 ist nun auf Dauer nicht aufrechtzuerhalten, da Leistungsbilanzüberschüsse im Ausland zu einer Expansion des Geldvolumens und Defizite im Inland zu einer Kontraktion des Geldvolumens führen. Die Reduktion von G im Inland führt gemäß (4a) zu einer Intensivierung der Hortungstätigkeit (bzw. zu einer Verminderung der Enthortungstätigkeit), so daß sich die H-Funktion bei gegebenen Preisen nach rechts verschiebt. Ähnliche Überlegungen machen deutlich, daß sich die Enthortungsfunktion des Auslands (hier steigt G_a) ebenfalls nach rechts verschiebt. Hortungstätigkeit im Ausland und Enthortungstätigkeit im Inland — die zum Ausgangspreis P_0 der Strecke CP_0 entsprechen — werden also durch entgegengesetzte Geldmengenvariationen in beiden Ländern verkleinert. Die H-Funktionen verschieben sich so weit nach rechts, bis zu irgendeinem Preis zwischen P_1 und P_2 ein neuer Schnittpunkt auf der Ordinate gefunden ist.

Beide Länder haben nunmehr ihr Gleichgewicht am Geldmarkt realisiert: Da in der Ausgangsposition P_0 der inländische Geldmarkt durch die Konstellation $G > L$, der ausländische Geldmarkt hingegen durch $L_a > G_a$ gekennzeichnet war, haben (neben Variationen von L und L_a, die durch Änderung des Ausgangspreises P_0 bedingt sind) eine Geldmengenkontraktion im Inland und eine Geldmengenexpansion im Ausland für den Abbau dieser Ungleichgewichte gesorgt. Zum Gleichgewicht am Geldmarkt korrespondiert ein Gleichgewicht der Leistungsbilanz, da mit der Eliminierung der Hortungs- und Enthortungsaktivität auch die Angebots- bzw. Nachfrageüberschüsse auf den Gütermärkten in den beiden Ländern beseitigt wurden.

Das vorgeführte Modell macht es nun möglich, die bereits diskutierten Beziehungen zwischen internationalem Preiszusammenhang und Zahlungsbilanzanpassung näher zu erörtern. In der Ausgangslage existiere totales Gleichgewicht bei einem Preis P_0: Für jedes Land herrscht außenwirtschaftliches und monetäres Gleichgewicht; Hortungs- und Enthortungsvolumen sind Null (vgl. Abb. 20b). Im Ausland trete nun eine Störung derart auf, daß

Abb. 20b

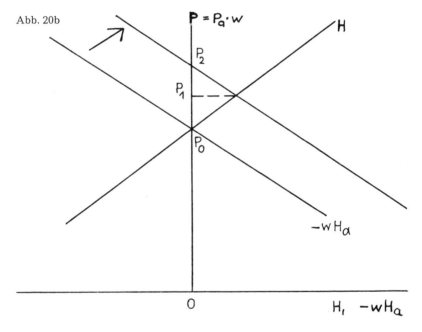

die Geldnachfrage L_a bei gegebenen Preisen sinkt oder das Geldvolumen G_a steigt. Da nunmehr $L_a - G_a < O$, führt dieser Angebotsüberhang auf dem Geldmarkt — der Überschuß der tatsächlichen über die geplante Kasse — zu Enthortungsaktivitäten, also einer Rechtsverschiebung der ausländischen Enthortungsfunktion. Die Überschußnachfrage auf dem Gütermarkt, welche mit der Auflösung von Kassenbeständen verbunden ist, erhöht den Auslandspreis und damit — via Preiszusammenhang — auch den Inlandspreis des homogenen Gutes auf P_1. Der Preisanstieg im Inland läßt nun die Geldnachfrage steigen ($L > G$), so daß die dadurch induzierte Hortungstätigkeit einen Angebotsüberhang erzeugt, der sich in Form eines Exportüberschusses niederschlägt. Damit vollzieht sich die Preisansteckung an das Ausland zwar zunächst nur über die nivellierenden Kräfte des Preiszusammenhangs,

IV. Grundgedanken der monetären Zahlungsbilanztheorie 105

doch erzwingt eben diese Preisanpassung einen Exportüberschuß, der zu Geldzuflüssen führt und damit letztlich die Preiserhöhung auch von der monetären Seite her alimentiert.

Da der Geldzufluß im Inland (und der Geldabfluß im Ausland) die Geldmarktgleichgewichte in beiden Ländern wieder restauriert — die Hortungs- und Enthortungsfunktionen sich also nach links verschieben — wird sich im Endzustand ein Preis einstellen, der höher als P_0 und geringer als P_2 ist.

4. Kapitel:
Einkommensänderungen und Zahlungsbilanz

Nach der im letzten Kapitel (Abschnitt II) behandelten traditionellen Lehre führt ein Einfuhrüberschuß zu Preissenkungen und ein Ausfuhrüberschuß zu Preiserhöhungen, die das gestörte Gleichgewicht der Zahlungsbilanz wiederherstellen. Verschiedene Untersuchungen haben aber gezeigt, daß sich dieses Gleichgewicht zeitlich viel früher einzustellen pflegte, als man nach der klassischen Theorie erwarten sollte. Diese Erkenntnis hat nun zu der Entdeckung geführt, daß der Ausgleichsmechanismus der Zahlungsbilanz nicht nur durch Preisbewegungen in Gang gesetzt wird: Störungen der Zahlungsbilanz induzieren vielmehr Einkommensänderungen, die neben den Preiseffekten oder auch ohne ihre Mithilfe bei der Erstellung eines neuen Gleichgewichts mitwirken. Ein Überschuß der Leistungsbilanz, der durch Zunahme des Exportes bedingt sein mag, verursacht nach dieser Lehre über steigende Beschäftigung in den Exportgüterindustrien eine Vergrößerung des Volkseinkommens, die ihrerseits neben der Nachfrage nach Inlandsgütern auch die Importnachfrage anregt. So schafft sich der Export den zum Ausgleich der Leistungsbilanz notwendigen Import: Das Saysche Theorem ist auf die Außenwirtschaft übertragen. Wir werden allerdings zu fragen haben, ob der Einkommensmechanismus in jedem Falle ausreicht, um Störungen der Zahlungsbilanz aus dem Wege zu räumen.

I. Das Gleichgewichtseinkommen bei Außenhandel

a) Zur Ableitung der Einkommenseffekte ist es nützlich, von den im I. Teil entwickelten Volkseinkommensgleichungen auszugehen. Da diese Gleichungen die Leistungsbilanz als Bestandteil des Volkseinkommens zeigen, eignen sie sich recht gut zur Demonstration des Zusammenhanges von Einkommensschwankungen und Leistungsbilanz. Wir haben im I. Teil gesehen, daß das Volkseinkommen von der Verwendungsseite her betrachtet der Summe aus Konsum C, Investition I und Differenz zwischen Export- und Importwert $X-M$ entspricht:

$$Y = C + I + X - M. \qquad (1)$$

Wir wollen zur Vereinfachung von der Existenz des Staates absehen, so daß die in (1) enthaltenen Größen sich nur auf den privaten Sektor beziehen. Es bereitet indessen keine Schwierigkeiten, den Staatssektor in die Analyse einzubeziehen.

Die durch (1) beschriebene Beziehung ist nun in jedem Zeitpunkt gültig; sie enthält — wie wir aus Teil I wissen — nur den trivialen Satz, daß die der Volkswirtschaft aus eigener Kraft oder aus dem Ausland zugeflossenen Güter und Leistungen $(Y + M)$ entweder konsumiert, investiert oder exportiert worden sind. Vor allem Konsum und Investition können aber neben einem geplanten auch einen ungeplanten Teil enthalten, so daß (1) nicht unbedingt auch das Gleichgewichtseinkommen repräsentiert. Übersteigt z. B. die Nachfrage das Angebot zu den herrschenden Preisen, so kommt es entweder zu einem ungeplanten Abbau der Lagervorräte — einer negativen ungeplanten Investition — oder aber zu Lieferfristen, also einem ungeplanten Konsumverzicht. Gleichung (1) ist dann in der Form

$$Y + M = C_g + C_u + I_g + I_u + X$$

I. Das Gleichgewichtseinkommen bei Außenhandel

zu schreiben (g = geplant, u = ungeplant), wobei C_u und I_u im Beispiel negativ sind. Diese Bedingung charakterisiert jetzt offenbar ein Ungleichgewicht, weil die zu den herrschenden Preisen bestehende Gesamtnachfrage $Cg + Ig + X$ das Gesamtangebot $Y + M$ aus der heimischen Produktion und den Importen übertrifft:

$$Y + M < Cg + Ig + X.$$

Da aber die Differenz zwischen linker und rechter Seite durch die ungeplanten (im Beispiel negativen) Teile des Gesamtkonsums und der Gesamtinvestition geschlossen wird, bleibt Gleichung (1) auch weiter gültig. Folglich ist das durch (1) determinierte Einkommen nur dann auch das Gleichgewichtseinkommen, wenn C und I als geplante Größen gedeutet werden und das Einkommen eine solche Höhe hat, daß die Pläne der Wirtschaftssubjekte in Erfüllung gehen, geplante und tatsächliche Werte also übereinstimmen.

Zur Bestimmung des Gleichgewichtseinkommens ist es nun notwendig, die geplanten Werte von C, I, X und M durch Verhaltensannahmen näher zu fixieren. Der Keynesschen Tradition folgend schreiben wir die Konsumfunktion in der Form

$$C = C(Y). \tag{2}$$

Wir nehmen also an, daß der geplante Konsum vom Einkommen abhängt. Bei ökonometrischen Untersuchungen ist es allerdings notwendig, kompliziertere Konsumfunktionen etwa vom Duesenberry-Modigliani-Typ zu verwenden, doch genügt für unsere Zwecke diese einfache, von Keynes aufgestellte Beziehung. Das dem Leser aus der Beschäftigungstheorie bekannte Bild der Konsumfunktion zeigt Abb. 21. Der Gesamtkonsum setzt sich demnach aus einem autonomen, einkommensunabhängigen Teil C^a und einem induzierten, mit wachsendem Einkommen zunehmenden Teil C^{ind} zusammen. Das Maß der Zunahme des induzierten Konsums wird durch die Grenzneigung zum Konsum c (marginale Konsumquote):

$$c = \frac{\Delta C^{ind}}{\Delta Y} = \frac{\Delta C}{\Delta Y} \tag{2 a}$$

bestimmt, die angibt, um wieviel der induzierte Konsum steigt, wenn das Einkommen um ΔY zunimmt. Da C^a ex definitione einkommensunabhängig

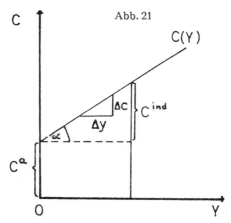

Abb. 21

ist, bestimmt c auch die Zunahme des Gesamtkonsums. Bei geradlinigem Verlauf der Konsumfunktion, der in Abb. 21 unterstellt ist, wird die marginale Konsumneigung durch den Tangens des Winkels α, also durch den in jedem Punkt gleichen Anstieg der Kurve $C(Y)$ gemessen. Die marginale Konsumquote ist unter dieser Annahme nicht nur gleich dem Verhältnis zwischen Konsumzuwachs und Einkommenszuwachs, sondern auch gleich dem Verhältnis zwischen Gesamtwert des induzierten Konsums und Gesamteinkommen:

$$c = \frac{\Delta C}{\Delta Y} = \frac{C^{ind}}{Y} \qquad (2\,b)$$

Die Gleichung der Konsumfunktion lautet also wegen (2 b):

$$C = C^a + C^{ind} = C^a + cY. \qquad (2\,c)$$

Ebenso wie der Konsum wird in der Einkommenstheorie auch der Import als abhängige Variable des Einkommens angenommen:

$$M = M(Y). \qquad (3)$$

Da im Regelfall der Import mit steigendem Einkommen zunimmt, hat die Importfunktion den in Abb. 22 gezeigten Verlauf. Wir nehmen also an, daß sich auch der Import aus einem autonomen, einkommensunabhängigen Teil M^a und einem induzierten, einkommensabhängigen Teil M^{ind} zusammensetzt[1]). Die Größe der Importzunahme bei einem Anstieg des Einkommens wird durch die Grenzneigung zum Import g (marginale Importquote)

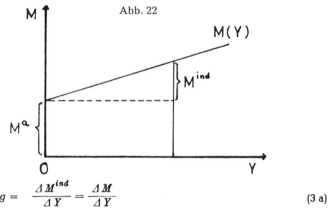

Abb. 22

$$g = \frac{\Delta M^{ind}}{\Delta Y} = \frac{\Delta M}{\Delta Y} \qquad (3\,a)$$

bestimmt; die marginale Importquote bestimmt bei linearer Importfunktion zugleich das Verhältnis zwischen induziertem Gesamtimport und Gesamteinkommen:

$$g = \frac{M^{ind}}{Y} \qquad (3\,b)$$

[1]) Diese Aufteilung hat nichts zu tun mit der Unterscheidung der Zahlungsbilanzposten in autonome und induzierte Transaktionen (Anpassungstransaktionen). Wird z. B. ein Wirtschaftssubjekt durch Zunahme seines Einkommens zu einem Mehrimport veranlaßt, so ist dieser Import „induziert" in bezug auf das Einkommen, aber „autonom" in bezug auf die Zahlungsbilanz, da es seine Importentscheidungen sicher nicht mit Rücksicht auf die Zahlungsbilanz faßt. (Es spielt hier auch keine Rolle, daß die Einkommensänderung ihrerseits durch die Zahlungsbilanz bedingt sein mag, da das Wort „induziert" sich immer nur auf die unmittelbare Ursache bezieht.) Die Begriffe „autonom" und „induziert" haben nur Sinn, wenn man klarstellt, in bezug auf welche Größe sie autonom oder induziert sind. In einem weiteren Sinne ist natürlich die Änderung jeder ökonomischen Größe „irgendwie" induziert.

I. Das Gleichgewichtseinkommen bei Außenhandel

Somit ist die Gleichung der Importfunktion:

$$M = M^a + M^{ind} = M^a + gY. \tag{3c}$$

Ähnliche Verhaltensgleichungen wie sie für Konsum und Import entwickelt wurden, ließen sich auch für Investition und Export aufstellen. Wenn wir aber I und X vorläufig als autonome, also von der Höhe des Einkommens unabhängige Größen ansehen — die I- und X-Kurven verlaufen parallel zur Einkommensachse —, so wird das Gleichgewichtseinkommen durch die Bedingung

$$Y = C(Y) + I + X - M(Y) \tag{4}$$

oder — unter Verwendung von (2 c) und (3 c) — durch

$$Y = C^a + cY + I + X - (M^a + gY) \tag{4a}$$

bestimmt. Diese Gleichungen sind streng von der stets erfüllten Beziehung (1) zu trennen. Während (1) neben geplanten Größen auch ungeplante Größen enthält und folglich immer — auch im Ungleichgewicht — erfüllt ist, beziehen sich (4) und (4 a) nur auf geplante Größen, deren Werte für jedes Einkommensniveau durch unsere Verhaltensannahmen bestimmt sind. Ein gegebenes Volkseinkommen ist somit dann und nur dann ein Gleichgewichtseinkommen, wenn die Pläne der Wirtschaftssubjekte bei diesem Einkommen in Erfüllung gehen, die durch die Verhaltensfunktionen bestimmten Werte also mit den effektiven, sich am Ende der Periode ergebenden Werten des Konsums und der anderen Größen übereinstimmen. Es besteht dann keine Veranlassung, die Dispositionen zu ändern, so daß auch das Volkseinkommen unverändert, das Gleichgewicht also erhalten bleibt.

b) Die Bedingung (4) läßt sich in einfacher Weise graphisch darstellen, wenn sie in der Form

$$Y + M(Y) = C(Y) + I + X$$

Abb. 23

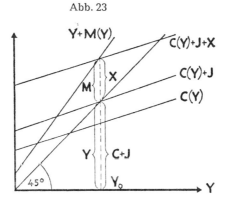

geschrieben wird. In Abb. 23 ergibt sich die Linie $C(Y)+I+X$ durch Addition von Konsum, Investition und Export, wobei I und X gemäß Annahme bei allen Einkommen gleiche Werte haben. Diese Kurve repräsentiert die Größe der monetären Gesamtnachfrage bei alternativen Einkommenshöhen. Die Linie $Y + M(Y)$ zeigt dagegen das Gesamtangebot aus der heimischen Produktion Y und aus dem Ausland. Sie ergibt sich aus der Addition von Importfunktion und Einkommenskurve, die mit der bekannten 45°-Linie identisch ist. Das Gleichgewichtseinkommen Y_0 wird durch den Schnittpunkt der $Y + M(Y)$-Linie mit der Kurve $C(Y) + I + X$ bestimmt: Nur bei diesem Einkommen stimmen Gesamtangebot und Gesamtnachfrage zu den herrschenden Preisen überein. Bei einem Einkommen größer als Y_0 wird das Gesamtangebot die Gesamtnachfrage übersteigen, so daß ein Kontraktionsprozeß einsetzt, in dessen Verlauf das Einkommen wieder auf seinen Gleichgewichtswert Y_0 absinken muß. Ist das Einkommen dagegen kleiner als Y_0, so entsteht ein Nachfrageüberhang, der das Volkseinkommen im Zuge eines Expansionsprozesses wieder steigen läßt. Das durch Y_0 gekennzeichnete Gleichgewicht ist also bei dem in Abb. 23 angenommenen Verlauf der Funktionen stabil. Wie Abb. 23 zeigt, ist diese Stabilität immer dann gegeben, wenn das Anstiegsmaß der $C(Y) + I + X$-Linie — also die marginale Konsumquote c — kleiner ist als das Anstiegsmaß der $Y + M(Y)$-Linie, das der Summe 1 + Grenzneigung zum Import (g) entspricht. Es gilt also $c < 1 + g$. Diese Bedingung läßt sich auch in der Form $c' + g < 1 + g$ schreiben, wobei sich c' nur auf den Konsum von heimischen Gütern bezieht. Sofern zusätzliche Importe nur für Konsumzwecke getätigt werden, ist c die Summe aus der marginalen Konsumquote heimischer Güter c' und der marginalen Konsumquote fremder Güter g (= marginale Importquote). Die Stabilitätsbedingung für eine offene Wirtschaft entspricht also der Stabilitätsbedingung $c' < 1$ für eine geschlossene Volkswirtschaft.

Das in Abb. 23 dargestellte Gleichgewicht impliziert auch eine ausgeglichene Leistungsbilanz. Die Übereinstimmung von X und M ist indessen keine notwendige Bedingung für das Zustandekommen des Gleichgewichtszustandes. Ein Gleichgewichtseinkommen kann auch bei einem Überschuß der Exporte (Importe) über die Importe (Exporte) bestehen, nur muß in diesem Falle Y größer (kleiner) als $C + I$ sein, um den Saldo der Leistungsbilanz zu kompensieren. Ein Ungleichgewicht der Leistungsbilanz impliziert also keineswegs ein totales Ungleichgewicht; im Gegenteil: Wenn die Ausgaben der Inländer $C + I$ nicht ausreichen, um die gesamte Produktion Y zu absorbieren, so muß der Export den Import übersteigen, weil nur auf diese Weise Überproduktion vermieden, das Gleichgewicht also durch besonders großen Auslandsabsatz erhalten werden kann.

c) Die Gleichgewichtsbedingung (4) läßt sich auch in anderer Weise formulieren, wenn man (bei Vernachlässigung des Staates) die aus dem I. Teil (S. 31) bekannte Identitätsgleichung (10)

$$S + M + \left(L_{\mathrm{pr}}^+ - L_{\mathrm{pr}}^-\right) = I + X \tag{5}$$

als Ausgangspunkt der Analyse benutzt. Diese Beziehung wird nun wieder in eine Gleichgewichtsbedingung überführt, wenn man mit geplanten Größen operiert. Gleichung (5) beschreibt dann eine Situation, in der die Gesamtnachfrage nach Inlandsgütern bei gegebener Produktion (Y) konstant bleibt. Da die Nachfrage nach Inlandsgütern der Summe aus Konsum, Investition und Export abzüglich der Nachfrage nach Auslandsgütern entspricht $(C+I+X-M)$, wird diese Nachfrage durch eine Zunahme von I und X erhöht und sowohl durch eine Steigerung der Ersparnisse und der Nettoübertragungen an das Ausland, die normalerweise bei gegebenem Ausgangseinkommen den Konsum reduzieren, als auch durch eine Zunahme der Importe vermindert. Der dämpfende Effekt von Nettoübertragungen ist im Falle rein monetärer Transfers ganz offensichtlich: Überweisen z. B. Gastarbeiter Teile ihrer Bezüge an das Ausland, so vermindern sich bei gegebenem Einkommen ihre Verbrauchsausgaben, wenn das Sparen unverändert bleibt. Werden indessen unentgeltliche Leistungen an das Ausland in Form von Gütersendungen vorgenommen, so steht dem dämpfenden Effekt der

I. Das Gleichgewichtseinkommen bei Außenhandel 111

Nettoübertragung (via Konsumeinschränkung) ein expansiver Effekt durch die Zunahme des Exports gegenüber. Die Wirkung ist die gleiche, als ob Gastarbeiter finanzielle Leistungen für ihre Familien im Ausland tätigen, diese aber das empfangene Geld für Güterimporte aus dem Inland verwenden. Da Übertragungen an das Ausland insofern die gleichen Effekte wie das Sparen haben — den Konsum vermindern —, ist es gerechtfertigt, „eigentliches" Sparen und Nettoübertragungen zusammenzufassen und nunmehr die Summe beider Größen als Sparen zu bezeichnen[2]. Gleichung (5) wird daher zu

$$S + M = I + X \qquad (5a)$$

Um nun deutlich zu machen, daß (5a) als Gleichgewichtsbedingung interpretiert werden soll, bestimmen wir die geplanten Größen der in ihr enthaltenen Werte durch Verhaltensannahmen:

$$S(Y) + M(Y) = I + X. \qquad (6)$$

Gleichung (6) unterscheidet sich von (4) dadurch, daß die Konsumfunktion durch die Sparfunktion $S(Y)$ ersetzt worden ist. Dieser Unterschied ist aber nur formaler Art, da sich Konsum und Sparen zum Einkommen ergänzen, $S(Y)$ in (6) also durch den Ausdruck $Y - C(Y)$ ersetzt werden kann.

Auch die Gleichgewichtsbedingung (6) läßt sich in einfacher Form graphisch darstellen. An Abb. 24 stellt die Linie $S(Y)$ die Sparfunktion dar, deren Anstiegsmaß

$$s = \frac{\Delta S}{\Delta Y}$$

als Grenzneigung zum Sparen (marginale Sparquote) bezeichnet wird. Die Lage und der Anstieg dieser Kurve wird durch die Konsumfunktion bestimmt, da sich wegen der Beziehung

$$Y = C + S$$

Grenzneigung zum Konsum und Grenzneigung zum Sparen zu Eins ergänzen:

$$\frac{\Delta Y}{\Delta Y} = \frac{\Delta C}{\Delta Y} + \frac{\Delta S}{\Delta Y}$$

oder

$$1 = c + s.$$

So entspricht z. B. in Abb. 23 dem Schnittpunkt der Konsumfunktion mit der 45°-Linie — hier ist $Y = C$ — der Schnittpunkt der Sparfunktion mit der Abszisse in Abb. 24 ($S = O$).

Addiert man nun Importfunktion und Sparfunktion, so determiniert der Schnittpunkt der $S(Y) + M(Y)$-Linie mit der $I + X$-Kurve das Gleichgewichtseinkommen Y_0. Wir haben die Kurven so gezeichnet, daß auch X und M (und S und I) übereinstimmen. Natürlich ist das Gleichgewicht des Gesamtsystems auch hier wieder mit einem Ungleichgewicht der Leistungsbilanz wie z. B. $X > M$ vereinbar; nur muß dann ein gleich großer Überschuß von S über I bestehen, damit der aus der Konstellation $X > M$ resul-

---

[2] Werden Nettoübertragungen durch Geldschöpfung oder Enthorten finanziert, so schrumpfen die Konsumausgaben nicht. Da eine solche Finanzierung zumindest bei der Betrachtung privater Übertragungen (vom Staat wird hier abgesehen) recht selten ist, werden solche Fälle nicht weiter beachtet. Wir unterstellen also, daß Nettoübertragungen stets zu einer Reduktion der Konsumausgaben (vielleicht auch zu einer Verminderung der Investitionsausgaben) führen; allgemein: sie werden generell als „Absickerungsverluste" behandelt.

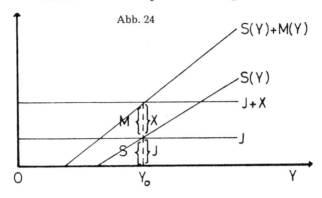

Abb. 24

tierende Expansionseffekt durch die kontraktive Wirkung des Sparüberhanges neutralisiert werden kann. Für das Gleichgewicht des Gesamtsystems sind letztlich immer nur die jeweiligen Summen $S(Y) + M(Y)$ einerseits und $I + X$ andererseits von Bedeutung.

II. Multiplikatoreffekte, Volkseinkommen und Leistungsbilanz

1. Grundlagen und Voraussetzungen

a) Nach Bestimmung des Gleichgewichtseinkommens sind wir nunmehr in der Lage, die eigentlich interessierende Frage zu beantworten, wie eine Änderung der Parameter des Systems — insbesondere der Exporte und der autonomen Importe — Volkseinkommen und Leistungsbilanz beeinflußt. Gewisse Anhaltspunkte zur Beantwortung dieser Frage liefert bereits die Gleichgewichtsbedingung (4 a):

$$Y = C^a + cY + I + X - (M^a + gY). \tag{4 a}$$

Bei konstanten marginalen Konsum- und Importquoten muß sich das Volkseinkommen immer dann erhöhen, wenn C^a, I und X größer werden oder M^a eine Abnahme erfährt, mit anderen Worten: wenn die Ausgaben für im Inland erzeugte Güter und Leistungen zunehmen, weil entweder bei konstantem autonomem Import die Gesamtausgaben steigen oder bei konstanten Gesamtausgaben die Importe sinken. Eine nähere Betrachtung von (4 a) zeigt nun sofort, daß sich das Volkseinkommen nicht nur um den Betrag der Ausgabensteigerung, sondern um ein Mehrfaches der zusätzlichen Ausgabe erhöht. Dieser M u l t i p l i k a t o r e f f e k t folgt aus der Abhängigkeit des induzierten Konsums $C^{ind} = cY$ von der Höhe des Einkommens. Erhöht sich z. B. die Exportnachfrage X, so steigt in der ersten Phase Y um den gleichen Betrag. Diese Erhöhung des Einkommens induziert aber nach Maßgabe der Grenzneigung zum Konsum zusätzliche Konsumausgaben, die ihrerseits neue Einkommen schaffen, aus denen wieder Konsumausgaben getätigt werden usw. Die gesamte Einkommenszunahme wird nach (4 a) um so stärker sein, je größer die marginale Konsumquote, also jener Teil des zusätzlichen Einkommens ist, der als Einkommen schaffende Ausgabe weitergegeben wird. In diesem Falle ist die Grenzsparneigung klein, so daß in jeder Phase nur ein geringer Bruchteil des zusätzlichen Einkommens als Absickerverlust aus dem Wirtschaftskreislauf ausscheidet.

II. Multiplikatoreffekte, Volkseinkommen und Leistungsbilanz 113

In einer offenen Volkswirtschaft bestimmt sich aber die Größe des multiplikativen Effektes nicht nur durch den Wert der marginalen Konsum- bzw. Sparneigung, sondern zusätzlich auch durch die marginale Importquote. Da der Import eine wachsende Funktion des Volkseinkommens ist, führen steigende Konsumausgaben nur insoweit zu einer Einkommensexpansion im Inland, als die zusätzliche Nachfrage sich nicht auf Auslandsgüter richtet. Importe wirken also wie Ersparnisse: Die in jeder Phase getätigten Importausgaben verringern zusammen mit dem Sparen den Strom der auf Inlandsgüter gerichteten, also Einkommen schaffenden Konsumausgaben, so daß das Ausmaß der gesamten Einkommenssteigerung entscheidend davon abhängt, ob in den jeweiligen Perioden ein großer oder kleiner Teil der zusätzlichen Einkommen entweder als Ersparnis im Inland versickert oder als Importausgabe in das Ausland abfließt. Beide Absickerverluste bestimmen mit der Breite des Einkommensstromes die Größe des multiplikativen Effekts.

Der hier in wenigen Worten dargestellte Expansionsprozeß unterscheidet sich in zweifacher Hinsicht von dem Multiplikatorprozeß in einer geschlossenen Wirtschaft, wie er vor allem durch den K e y n e s s c h e n Investitionsmultiplikator beschrieben wird. Im Modell der geschlossenen Wirtschaft resultiert die Einkommenszunahme aus einer Erhöhung der Inlandsausgaben, also der Investition, aber auch des autonomen Konsums. In einem offenen System kann jedoch der Anstoß auch von einer Erhöhung des Exports ausgehen, da die Käufe der Ausländer in gleichem Maße einkommenschaffend wirken wie die Ausgaben der Inländer. Das offene System enthält aber nicht nur zusätzliche Möglichkeiten des Anstoßes; ebenso wichtig ist die Tatsache, daß der induzierte Import als ein die Einkommensausweitung bremsender Faktor in Erscheinung tritt und insofern den Bremseffekt erhöhten Sparens verstärkt.

b) Zur exakten Analyse der Multiplikatorwirkungen ist es nun notwendig, die Annahmen des Modells genau zu bestimmen. Zunächst unterstellen wir konstante Preise, eine Annahme, die nur bei genereller Unterbeschäftigung, also unendlich großer Angebotselastizität gerechtfertigt ist. In diesem Falle stoßen zusätzliche Ausgaben auf ein ausdehnungsfähiges Angebot, so daß sich eine Expansion des Geldeinkommens allein in einer Erhöhung des Realeinkommens bei konstanten Preisen niederschlägt. Sprechen wir also im folgenden von Änderungen des Einkommens, des Konsums, des Imports usw., so sind stets Änderungen der realen Werte dieser Größen oder — was das gleiche ist — der monetären Werte bei konstanten Preisen gemeint. Bei variablen Preisen ist es dagegen notwendig, zwischen Änderungen des Geld- und Realeinkommens scharf zu unterscheiden, vor allem deshalb, weil die marginalen Konsum- und Importquoten unterschiedlich sind, je nachdem ob Konsum und Import als Funktionen des Geldeinkommens oder des Realeinkommens gedeutet werden. Auf der gegenwärtigen Stufe der Argumentation ist es aber aus methodischen Gründen nicht nur zulässig, sondern sogar notwendig, Preisschwankungen aus dem Modell auszuklammern: Nur so ist es möglich, die Bedeutung von Einkommenseffekten für die Leistungsbilanz in aller Reinheit, ungestört von Preisvariationen, zu untersuchen. Bei variablen Preisen verschmelzen die Ergebnisse der Multiplikatortheorie mit denen des Geldmengen-Preis-Mechanismus. Aus demselben Grund unterstellen wir Konstanz des Wechselkurses und des Zinssatzes. Die Invarianz des Zinssatzes ist bei Geltung der Liquiditätstheorie des Zinses dann gesichert, wenn sich 1. das Geldvolumen in der gleichen Rate ändert wie die durch eine Einkommensexpansion bedingte Erhöhung der Liquiditätspräferenz oder 2. bei konstantem Geldvolumen die Liquiditätspräferenz in bezug auf den Zinssatz vollständig elastisch ist. Die Annahme des konstanten Zinssatzes wird später aufgegeben.

In den weiteren Ausführungen wird ferner die Möglichkeit einer unbegrenzten Finanzierung von Defiziten und Überschüssen unterstellt. Salden der autonomen Zahlungsbilanz, die durch autonome Variationen des Exports oder Imports zustande kommen, werden also stets durch induzierte Transaktionen wie Gold- und Kapitalbewegungen ausgeglichen. Da die gesamte Zahlungsbilanz ex definitione immer ausgeglichen ist, würde das Fehlen induzierter Transaktionen offenbar bedeuten, daß die autonome Zahlungsbilanz sich stets im Gleichgewicht befinden muß; es wäre dann nicht möglich, die Beziehungen zwischen gestörter Zahlungsbilanz und Volkseinkommen zu untersuchen.

Schließlich nehmen wir an, daß in den exportierten Gütern kein Importanteil, z. B. in Form importierter Rohstoffe, enthalten ist. Weiterhin erfolgen Exporte nur aus der laufenden Produktion, nicht aber aus Lagerbeständen. Die Bedeutung dieser Annahmen wird im Verlauf der Untersuchung deutlich werden.

2. Der Exportmultiplikator

a) Nach diesen vorbereitenden Bemerkungen wollen wir nunmehr fragen, wie sich Volkseinkommen und Saldo der Leistungsbilanz quantitativ verändern, wenn der Export eine Änderung um ΔX erfährt. Das Ergebnis des im vorhergehenden Abschnitt geschilderten Ablaufs soll also in exakter Form bestimmt werden. Nimmt man die Investition, den autonomen Konsum und den autonomen Import als konstant an, so verändert sich das durch (4 a) bestimmte Gleichgewichtseinkommen um

$$\Delta Y = c\Delta Y + \Delta X - g\Delta Y. \qquad (7)$$

Bei positivem ΔX ergibt sich die Zunahme des Gleichgewichtseinkommens also aus der Erhöhung des Exports und den induzierten zusätzlichen Konsumausgaben $\Delta C^{ind} = c\Delta Y$ (Gleichung 2 a) abzüglich den induzierten zusätzlichen Importausgaben $\Delta M^{ind} = g\Delta Y$ (Gleichung 3 a). Aus (7) folgt:

$$\Delta Y (1 - c + g) = \Delta X$$
$$\Delta Y = \frac{1}{1 - c + g} \Delta X. \qquad (8)$$

Da Grenzkonsumneigung und Grenzsparneigung sich zu 1 ergänzen, kann man auch schreiben:

$$\Delta Y = \frac{1}{s + g} \Delta X. \qquad (9)$$

Der reziproke Wert der Summe aus marginaler Spar- und Importquote gibt also an, um wieviel das Einkommen steigt (sinkt), wenn der Export vergrößert (verkleinert) wird. Wir bezeichnen den Ausdruck $\frac{1}{s+g}$ als **Exportmultiplikator**. Da die Summe $s + g$ normalerweise unter 1 liegt, ist der Multiplikator größer als 1: Die Zunahme (Abnahme) des Einkommens beträgt also im Regelfall ein Mehrfaches der Zunahme (Abnahme) des Exports. Generell wird die Änderung des Einkommens um so größer sein, je kleiner s und g sind, je weniger Einkommensteile also durch Sparen und Importe versickern. Es muß jedoch beachtet werden, daß die Er-

II. Multiplikatoreffekte, Volkseinkommen und Leistungsbilanz 115

sparnis nur dann im vollen Umfang als Sickerverlust betrachtet werden kann, wenn die Investition als autonom bestimmte, also von der Veränderung des Einkommens unabhängige Größe angesehen wird. Der durch eine Einkommensbewegung induzierten Variation des Sparens entspricht dann keine Änderung der Investition: Die Grenzneigung zum Sparen ist also unter diesen Voraussetzungen mit der Grenzneigung zum Horten identisch.

Die Multiplikatorrelation (9) läßt sich auch mit Hilfe der Sparfunktion bestimmen, wenn man der Ableitung die Gleichgewichtsbedingung

$$S(Y) + M(Y) = I + X \qquad (6)$$

zugrunde legt. Nach einer Änderung des Exports ändern sich die geplanten Werte des Sparens und des Imports um

und
$$\Delta S = s\Delta Y$$
$$\Delta M = g\Delta Y,$$

so daß die Gleichgewichtsbedingung gemäß (6) nunmehr lautet:

$$s\Delta Y + g\Delta Y = \Delta X. \qquad (6\,a)$$

Man erhält:

$$\Delta Y = \frac{1}{s+g} \cdot \Delta X. \qquad (9)$$

Man kann schließlich den Multiplikator auch für den Fall nicht-linearer Spar- und Importfunktionen unter der Annahme ableiten, daß der Export um einen infinitesimalen Betrag geändert wird. Aus (6) ergibt sich durch Differenzieren nach X:

$$\frac{dS}{dY} \cdot \frac{dY}{dX} + \frac{dM}{dY} \cdot \frac{dY}{dX} = 1$$

$$\frac{dY}{dX} = \frac{1}{\frac{dS}{dY} + \frac{dM}{dY}}$$

Hier sind $\frac{dS}{dY}$ die marginale Sparquote und $\frac{dM}{dY}$ die marginale Importquote.

Wir erhalten also:

$$dY = \frac{1}{s+g} dX. \qquad (9)$$

b) Da es nun unser eigentliches Ziel ist, die Wirkungen der Einkommensbewegung auf die Leistungsbilanz zu untersuchen, müssen wir weiter fragen, wie die durch eine Erhöhung (Verminderung) der Exporte bedingte Zunahme (Abnahme) des Saldos der Leistungsbilanz durch den Prozeß der Einkommensexpansion (Einkommenskontraktion) beeinflußt wird. Wir unterstellen eine im Ausgangszustand ausgeglichene Leistungsbilanz. Erhöhen sich nun die Exporte bei konstantem autonomem Import, so entsteht ein Überschuß der Leistungsbilanz, der eine durch (9) bestimmte Einkommensexpansion zur Folge hat. Dadurch erhöhen sich die induzierten Importe, so daß der primäre Überschuß verkleinert oder im Grenzfall gar beseitigt wird. Bei konstanten autonomen Importen wird nun die endgültige Änderung des Saldos der Leistungsbilanz D gegeben durch

$$\Delta D = \Delta X - \Delta M^{ind}$$
$$\Delta D = \Delta X - g\Delta Y.$$

Unter Benutzung von (9) erhält man:

oder
$$\Delta D = \Delta X - g \cdot \frac{1}{s+g} \cdot \Delta X$$

oder
$$\Delta D = \Delta X \left(1 - \frac{g}{s+g}\right)$$

$$\Delta D = \frac{s}{s+g} \cdot \Delta X. \tag{10}$$

Für die Größe der Veränderung der Leistungsbilanz ist also der Ausdruck $\frac{s}{s+g}$ entscheidend. Wir bezeichnen diesen Ausdruck als **Leistungsbilanzmultiplikator**. Wenn s oder g nicht Null ist, hat der Multiplikator einen positiven, aber unter 1 liegenden Wert, so daß ΔD bei gegebener Exporterhöhung ebenfalls positiv; aber kleiner als ΔX ist. Ein durch eine Exportzunahme bedingter Überschuß der Leistungsbilanz wird also durch die ausgelöste Einkommensexpansion nur zum Teil aus dem Wege geschafft. **Es ergibt sich somit die wichtige Konsequenz, daß der Einkommensmechanismus allein nicht in der Lage ist, Störungen der Leistungsbilanz vollständig zu beseitigen — und das um so weniger, je größer s und je kleiner g ist.** Bei großer marginaler Sparquote kann das Volkseinkommen gemäß (9) nur wenig steigen; es bleibt mithin nur wenig Raum für induzierte Importe, die den primären, durch eine Exportzunahme bedingten Überschuß verkleinern. Eine kleine marginale Importquote würde den Ausgleichsmechanismus gleichfalls schwächen und ihn im Extremfall $g = 0$ gar völlig außer Kraft setzen. In diesem Falle wäre der Multiplikator gleich 1, so daß der durch ΔX bedingte Überschuß erhalten bleibt, auch wenn das neue Gleichgewicht gefunden ist ($\Delta D = \Delta X$). Der andere Grenzfall ist durch eine marginale Sparquote von Null gekennzeichnet; da für $s = 0$ der Multiplikator gleichfalls Null ist, würde der Einkommenseffekt in diesem Falle ausreichen, um die Störung der Leistungsbilanz völlig zu beseitigen und das Gleichgewicht wiederherzustellen ($\Delta D = 0$). In allen anderen Fällen kann aber der Ausgleich nur unvollkommen sein.

c) Die durch (9) und (10) bestimmte Änderung von Volkseinkommen und Leistungsbilanz läßt sich in einfacher Form auch geometrisch ermitteln. In

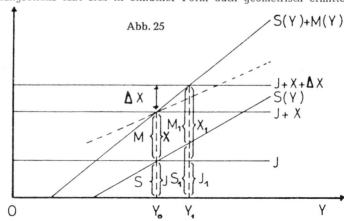

Abb. 25

II. Multiplikatoreffekte, Volkseinkommen und Leistungsbilanz 117

Abb. 25 wird das Gleichgewichtseinkommen Y_0 durch den Schnittpunkt der $I + X$- mit der $S(Y) + M(Y)$-Kurve bestimmt; zugleich wird angenommen, daß sich auch die Leistungsbilanz im Gleichgewicht befindet. Erfährt nun der Export eine Zunahme um ΔX, so verschiebt sich die Kurve $I + X$ nach oben, und das Gleichgewichtseinkommen steigt folglich auf Y_1. Wenn die Summe $s + g$ unter 1 liegt, der von der $S(Y) + M(Y)$-Kurve mit der Abszisse gebildete Winkel also kleiner als 45° ist, beträgt die Zunahme des Einkommens ein Mehrfaches der Exporterhöhung. Aus Abb. 24 wird auch sofort ersichtlich, daß die Expansion des Einkommens um so stärker ist, je flacher die $S + M$-Linie verläuft, je kleiner also die Summe aus marginaler Spar- und Importquote ist (vgl. gestrichelte Linie).

Abb. 25 zeigt ferner die Veränderung der Leistungsbilanz. Nach der Exportzunahme um ΔX entsteht im Ausgangszustand ein Überschuß der Exporte über die Importe im Betrage $X + \Delta X - M$. Der dadurch ausgelöste Expansionsprozeß läßt zwar die Importe steigen, doch reicht die Importerhöhung nicht aus, um die Leistungsbilanz zum Ausgleich zu bringen: Die Exporte übersteigen auch im neuen Gleichgewicht die Importe $(X_1 > M_1)$. Dies wäre nur dann nicht der Fall, wenn die Grenzsparneigung gleich Null, $S(Y)$ also eine Parallele zur Abszisse ist. Läßt man z. B. die $S(Y)$-Linie mit der I-Kurve zusammenfallen, so würde M_1 als Differenz zwischen $S + M$- und S-Linie genau dem Wert der Exporte X_1 entsprechen.

d) Die bisherige Betrachtung war komparativ-statischer Natur. Wir haben also das nach einer Störung erreichte Endgleichgewicht mit dem Ausgangsgleichgewicht verglichen, ohne daß der Versuch unternommen wurde, den sich in der Zeit vollziehenden Ablauf zwischen Primärstörung und Erreichen eines neuen Gleichgewichts zu verfolgen. Dies ist nur möglich mit Hilfe einer dynamischen Analyse, einer Analyse also, die Variable verschiedener Perioden miteinander verknüpft und es dadurch gestattet, die Fortwälzung einer Störung in der Zeit zu untersuchen. Betrachtet man den Multiplikatorprozeß im Rahmen einer Periodenanalyse, so ist es notwendig, den Zeitfaktor in die Verhaltensgleichungen einzuführen. Wir unterstellen, daß Konsum und Import der Periode t vom Einkommen der vorhergehenden Periode $t-1$ bestimmt werden:

und
$$\Delta C_t = c \Delta Y_{t-1}$$
$$\Delta M_t = g \Delta Y_{t-1}.$$

Setzt man weiter

$g = 0{,}3$ und $s = 0{,}2$ (also $c = 0{,}8$),

so läßt sich der dynamische Multiplikatorprozeß an Hand von Tabelle 15 darstellen.

Tabelle 15

Periode	ΔX	ΔS	ΔC	ΔM^{ind}	$\Delta X - \Delta M$	ΔY
1	100				100	100
2	100	20	80	30	70	150
3	100	30	120	45	55	175
4	100	35	140	52,5	47,5	187,5
.	.	.	.	.	.	.
.	.	.	.	.	.	.
.	.	.	.	.	.	.
∞	100	40	160	60	40	200

Es wird unterstellt, daß die Exporte um 100 steigen und auf diesem erhöhten Niveau verbleiben. Aus dem dadurch entstehenden Zusatzeinkommen von 100 werden in der 2. Periode 20 Teile gespart und 80 Teile konsumiert. Gleichzeitig steigt der Import um 30, so daß nur 50 Teile des Zusatzkonsums zum Kauf von Inlandsgütern verwendet werden. Die Ausgaben der 2. Phase ergeben (bezogen auf den Ausgangszustand) ein höheres Zusatzeinkommen als in der 1. Phase; dieses Einkommen errechnet sich nach Gleichung (1) zu $\Delta Y = \Delta C + \Delta X - \Delta M$ oder — was das gleiche ist — durch die Summe aus den Konsumausgaben für Inlandsgüter (50) und den Exporten (100).

Fragt man nun nach dem Motor der Entwicklung, so zeigt Tabelle 15 sofort, daß der Expansionsprozeß durch einen Überschuß der einkommenssteigernden Exporte über die kontraktiv wirkenden Absickerverluste in Form von Ersparnissen und Importen in Gang gehalten wird. So entspricht die Einkommenssteigerung von der 1. zur 2. Phase (50) genau der Differenz zwischen der Änderung der Exporte (100) und der Änderung des Sparens und der Importausgaben (50). Da nun der Zusatzexport konstant gehalten wird, Sparen und Import mit wachsendem Einkommen aber steigen, muß die Differenz im Zeitablauf ständig kleiner werden und das Volkseinkommen folglich in immer geringeren Raten wachsen. Der Wachstumsprozeß findet sein Ende, wenn die von den Exporten ausgehenden expansiven Effekte durch die kontraktiven Wirkungen des Sparens und des Imports ausgeglichen werden; dann ist gemäß (6 a) die Gleichgewichtsbedingung $\Delta S + \Delta M = s \Delta Y + g \Delta Y = \Delta X$ erfüllt. Dies ist genau genommen erst im Unendlichen der Fall, doch zeigt das Zahlenbeispiel mit aller Deutlichkeit, daß der Endwert des Einkommenszuwachses (200) bis auf einen kleinen Bruchteil schon nach wenigen Perioden erreicht wird. Weil die Anpassungsperiode, die theoretisch unendlich lang wäre, praktisch auf eine kleinere Zeitspanne begrenzt ist, gewinnt die Annahme konstanter marginaler Quoten eine größere Realitätsnähe, als wenn ewige Konstanz der Quoten gefordert wäre.

e) Dem Multiplikatormodell lag u. a. die Annahme zugrunde, daß Zusatzexporte weder einen Importanteil enthalten noch aus Lagerbeständen getätigt werden. Diese Annahme impliziert vor allem, daß alle Exporte in ihrer vollen Höhe Einkommen in der Form von Löhnen, Gewinnen, Zinsen u. a. entstehen lassen (wie ja auch in unserem Zahlenbeispiel unterstellt war, in welchem in jeder Periode der Export von 100 zu gleich hohem Einkommen führte). Nun ist es aber in der Wirklichkeit wahrscheinlich, daß Zusatzexporte nicht in ihrer ganzen Höhe einkommensbildend wirken, und zwar vor allem dann nicht, wenn die ausgeführten Güter einen Importanteil enthalten, sei es, daß in die exportierten Waren eingeführte Leistungen (z. B. Rohstoffe und Halbfabrikate) eingegangen sind oder aber Exporte im Rahmen des Durchfuhrhandels getätigt werden[3]). Die Berücksichtigung dieser Importanteile bietet indessen keine Schwierigkeiten. Man muß sich nur klar machen, daß einer Zunahme des Exports in diesem Falle eine Erhöhung der Importe zugeordnet ist. Während Exporte immer einkommensbildend wirken, wird nun durch Steigerung der Importe eine kontraktive Wirkung ausgelöst; man verschiebe nur die S + M-Kurve in Abb. 25 nach oben, um sofort zu sehen, daß das Gleichgewichtseinkommen ceteris paribus verringert wird. Die in den Exporten enthaltenen Importanteile könnten dann durch Erweiterung der Multiplikanden in den Multiplikatorrelationen (9) und (10)

---

[3]) Durch Verminderung der Lagerbestände ermöglichte Exporte sind ebenfalls nicht einkommensbildend, da Einkommen schon durch die Bildung der Läger — also durch eine Lagerinvestition — entstanden sind.

II. Multiplikatoreffekte, Volkseinkommen und Leistungsbilanz 119

berücksichtigt werden, indem man den Anstoßfaktor ΔX durch $\Delta X - \Delta M^a$ ersetzt (wobei ΔM^a den Importanteil in ΔX darstellt). Diese Erweiterung macht deutlich, daß mit dem positiven, durch Exportzunahme ausgelösten Multiplikatorprozeß ein negativer, durch Steigerung der autonomen Importe bedingter Prozeß einhergeht, so daß die Einkommensexpansion kleiner als in jenem Falle ist, in dem der Export kein Importelement enthält[4]).

Der Nachteil der hier geschilderten Methode liegt aber darin, daß der einheitliche Exportmultiplikator zugunsten eines kombinierten Ausdrucks aufgegeben wird, aus dem nicht klar hervorgeht, daß die Zunahme des autonomen Imports notwendig mit der Änderung des Exports, verbunden ist. Dieser Nachteil läßt sich vermeiden, wenn man die Gleichgewichtsbedingung (7) in der Form

$$\Delta Y = c\Delta Y + t\Delta X - g\Delta Y \tag{11}$$

schreibt. t wird dabei als jener Teil des Zusatzexports definiert, der einkommensbildend wirkt. Ist ΔX z. B. 100 und der Importanteil des Exports 20, so ist $t = 0,8$, weil Zusatzeinkommen unmittelbar nur in Höhe von 80 entstehen. Durch die Einführung von t kann man also deutlich machen, daß Exporte nur zum Teil, nämlich soweit sie aus der heimischen Wertschöpfung stammen, zum Volkseinkommen beitragen. Aus (11) ergibt sich nun die Multiplikatorrelation

$$\Delta Y = \frac{1}{s + g} \cdot t\Delta X. \tag{12}$$

Ausdruck (12) ist mit der Gleichung (9) identisch, wenn $t = 1$ ist, der Export also in voller Höhe Einkommen schafft. Diese Annahme, die in der traditionellen Multiplikatoranalyse stets enthalten ist, impliziert aber offenbar den Grenzfall, daß Exporte nur aus heimischen Quellen getätigt werden. In der Wirklichkeit ist es aber cher wahrscheinlich, daß t unter dem Grenzwert 1 liegt, weil Exporte, die zum Teil aus importierten Werten bestehen, nur im Umfang der im Inland hinzugefügten Wertschöpfung einkommenswirksam werden[5]).

3. Investitions- und Gesamtausgabenmultiplikator in der offenen Wirtschaft

a) Während in den bisherigen Erörterungen der Anstoß für eine Einkommensänderung stets von einer Variation der Außenhandelsgrößen ausging, wollen wir nunmehr fragen, wie sich Einkommen und Leistungsbilanz verändern, wenn die Inlandsgrößen variiert werden. Unterstellt man zunächst eine Erhöhung (Abnahme) der autonomen Investititon bei Konstanz von C^a, M^a und X, so verändert sich das Gleichgewichtseinkommen gemäß (4a) um

$$\Delta Y = c\Delta Y + \Delta I - g\Delta Y$$

---

[4]) Die Zunahme der autonomen (also einkommensunabhängigen) Importe — die hier als Importanteil des Exports auftritt — muß streng von der Veränderung der durch Einkommenssteigerung induzierten Importe unterschieden werden.
[5]) Die Existenz von Importanteilen ist nur ein Grund dafür, daß t unter 1 liegt. Vgl. dazu H o l z m a n , F. D. und Z e l l n e r , A., The Foreign Trade and Balanced-Budget-Multipliers, American Economic Review, Bd. 48, 1958; ferner R e t t i g , R., Über den Einfluß des Außenhandels auf Beschäftigung, Einkommenskreislauf und Preisniveau im Inland, Kölner Diss., 1962, S. 52 ff.

oder
$$\Delta Y = \frac{1}{1-c+g} \cdot \Delta I$$

oder
$$\Delta Y = \frac{1}{s+g} \cdot \Delta I. \tag{13}$$

Ein Vergleich der Relation (13) mit der entsprechenden Beziehung (9) für den Exportmultiplikator zeigt unmittelbar, daß der Multiplikator sich in beiden Relationen nicht unterscheidet. Für die Größe des multiplikativen Effektes ist es also bedeutungslos, ob der primäre Anstoß einer Erhöhung (Verminderung) der autonomen Investitionen oder des Exports zuzuschreiben ist. Mag das System durch eine Zunahme der Exporte oder der Investitionen angestoßen werden — in jedem Falle entsteht ein Expansionsprozeß, dessen Stärke durch die Größen der marginalen Spar- und Importquote bestimmt ist.

Die Wirkung auf die Leistungsbilanz ist dagegen eine andere, wenn man das System anstatt durch eine Änderung der Exporte durch eine Änderung der Investition anstößt. Weil die Zunahme der Investition das Volkseinkommen und somit auch die induzierten Importe steigen läßt, verschlechtert sich die Leistungsbilanz — ein Überschuß wird kleiner oder ein Defizit größer —, sofern der Export unverändert bleibt. Die Änderung des Saldos der Leistungsbilanz D wird wiederum gegeben durch:

$$\Delta D = \Delta X - g\Delta Y.$$

Diese Gleichung vereinfacht sich zu

$$\Delta D = -g\Delta Y,$$

da nur die Investition geändert, der Export aber konstant gehalten wird. Durch Einsetzen von (13) erhält man

$$\Delta D = -\frac{g}{s+g} \cdot \Delta I. \tag{14}$$

Das Minuszeichen vor dem Leistungsbilanzmultiplikator macht deutlich, daß die Leistungsbilanz nach einer Zunahme (Abnahme) der Investition verschlechtert (verbessert) wird, wenn sich auch D im Regelfall um weniger als I verändert, da der Multiplikator — absolut gesehen — normalerweise unter 1 liegt. Auch hier sind wieder die Grenzfälle interessant: Unterstellt man eine marginale Importquote von Null, so erfährt die Leistungsbilanz keine Änderung ($\Delta D = 0$); die durch Investitionsänderungen bedingte Änderung des Volkseinkommens beeinflußt nur die Ausgaben für Inlandsgüter, und es folgt mithin, daß bei Ausgangszustand, sei es ein Defizit, ein Überschuß oder ein Gleichgewicht der Leistungsbilanz, auch nach der Störung unverändert bleibt. Andererseits wird sich die Leistungsbilanz genau im Ausmaß von ΔI verändern, wenn die marginale Sparquote Null ist. Eine durch vergrößerte Investitionen ausgelöste Steigerung des Volkseinkommens führt dann nicht zu einer Zunahme der Ersparnis; folglich ist das Gleichgewichtseinkommen erst dann erreicht, wenn die expansiven Wirkungen der Investition von den kontraktiven Effekten der Importe gerade ausgeglichen werden.

Die Multiplikatorrelationen (13) und (14) zeigen mit aller Deutlichkeit die aus der Theorie der Wirtschaftspolitik bekannten Konflikte zwischen innerem und äußerem Gleichgewicht. Führt man z. B. im Rahmen einer expansiven Beschäftigungspolitik Zusatzinvestitionen durch, so steigen zwar Volkseinkommen und Beschäftigung, doch verschlechtert sich zugleich die Leistungsbilanz, so daß das Ziel einer hohen Beschäftigung nur um den Preis

II. Multiplikatoreffekte, Volkseinkommen und Leistungsbilanz 121

eines äußeren Ungleichgewichts erkauft werden kann. Andererseits muß die Vollbeschäftigung geopfert werden, wenn man Defizite der Leistungsbilanz durch eine kontraktive Investitionspolitik zu beseitigen sucht. Starre Wechselkurse vorausgesetzt, ist es also in dem hier untersuchten Falle notwendig, zwischen innerer und äußerer Stabilität eine Wahl zu treffen.

b) Die bisher entwickelten Multiplikatorrelationen waren partieller Natur, denn der Anstoß des Systems ging immer nur von einer Größe, der Investition, dem Export oder dem Import aus. Es ist nun möglich, alle Parameter des Systems (4a) zu variieren und den Multiplikatoreffekt zu bestimmen, der durch eine gleichzeitige Änderung aller autonomen Größen bedingt ist. Zugleich wollen wir die Investition nicht länger als eine nur autonom gegebene Größe ansehen und stattdessen unterstellen, daß die Investition — ebenso wie Import und Konsum — neben einem autonomen auch einen induzierten Teil enthält, der eine wachsende Funktion des Volkseinkommens ist. Die durch eine Einkommensänderung bedingte Änderung der induzierten Investitionen wird dann durch die marginale Investitionsquote i bestimmt:

$$i = \frac{\Delta I^{ind}}{\Delta Y}.$$

Bei linearem Verlauf der Investitionsfunktion repräsentiert i zugleich das Verhältnis zwischen den absoluten Werten der induzierten Investition und des Einkommens:

$$i = \frac{I^{ind}}{Y},$$

so daß die Gleichung der Investitionsfunktion lautet:

$$I = I^a + iY.$$

Die Gleichgewichtsbedingung (4a) ändert sich folglich in:

$$Y = C^a + cY + I^a + iY + X - (M^a + gY).$$

Erfahren nun die autonomen Werte des Konsums, der Investition, des Exports und des Imports eine Änderung — es ändern sich die Ordinatenwerte der $C + I + X$-Funktion und der $Y + M$-Kurve —, so variiert das Gleichgewichtseinkommen um

oder
$$\Delta Y = \Delta C^a + c\Delta Y + \Delta I^a + i\Delta Y + \Delta X - (\Delta M^a + g\Delta Y)$$

oder
$$\Delta Y (1 - c - i + g) = \Delta C^a + \Delta I^a + \Delta X - \Delta M^a$$

$$\Delta Y = \frac{1}{1 - (c + i) + g} \cdot (\Delta C^a + \Delta I^a + \Delta X - \Delta M^a). \quad (15)$$

Wegen $1 - c = s$ kann man auch schreiben:

$$\Delta Y = \frac{1}{s - i + g} \cdot (\Delta C^a + \Delta I^a + \Delta X - \Delta M^a). \quad (15a)$$

Im Multiplikanden steht jetzt die Änderung aller autonomen Größen, wodurch deutlich wird, daß sich der gesamte Multiplikatoreffekt durch die kombinierten Einkommenswirkungen der Variation aller Parameter einstellt. Überlegt man weiter, daß die Summe $\Delta C^a + \Delta I^a + \Delta X$ die autonome Änderung der Gesamtausgaben, ΔM^a aber die autonome Änderung der Ausgaben für Auslandsgüter anzeigt, so repräsentiert der Multiplikand in (15) die Variation der Ausgaben für im Inland erzeugte Güter und Dienste (ΔA_i).

Gleichzeitig summieren sich c und i zur marginalen Ausgabenquote (Absorptionsquote) a. Demnach läßt sich (15) auch in der Form

$$\Delta Y = \frac{1}{1 - a + g} \cdot \Delta A_i \qquad (15b)$$

schreiben. Gleichung (15b) läßt sofort erkennen, daß jede Zunahme der für Inlandsgüter getätigten Ausgaben eine Einkommensexpansion bewirkt, sei es, daß die Gesamtausgaben bei Konstanz der autonomen Importe steigen oder aber die autonomen Importe bei Konstanz der Gesamtausgaben sinken. Insofern sind die für den Export- und Investitionsmultiplikator aufgestellten Relationen nur Spezialfälle eines generellen Ausgabenmultiplikators. Aber nicht nur der Multiplikand, auch der Multiplikator ist geändert worden. Die Einführung der marginalen Ausgabenquote hat den Zweck zu zeigen, daß der Prozeß der Einkommensexpansion nicht nur durch induzierte Konsumausgaben, sondern schlechthin durch jede einkommensbedingte Zusatzausgabe — also auch durch induzierte Investitionsausgaben — in Gang gehalten wird. Folglich kann man auch das Sparen, wie Gleichung (15a) zeigt, nur noch insofern als Sickerverlust betrachten, als erhöhte Ersparnisse nicht durch induzierte Investitionen ausgeglichen werden. Man kann diesen Sachverhalt auch anders ausdrücken, wenn man die Differenz 1 — marginale Ausgabenquote als Grenzneigung zum Horten bezeichnet. Der Multiplikator wäre dann nicht als reziproker Wert der Summe aus marginaler Spar- und Importquote zu definieren; an die Stelle dieses Ausdrucks träte vielmehr der reziproke Wert der Summe aus marginaler Hortungs- und Importquote. Nur wenn die Grenzneigung zur Investition gleich null ist — alle Investitionen wären dann autonom —, würde die Grenzspareigung mit der Grenzhortungsneigung identisch sein.

III. Einkommensänderungen und Leistungsbilanz im Zwei-Länder-Modell

Obwohl die im vorhergehenden Abschnitt behandelten Multiplikatorrelationen schon eine Reihe wertvoller Erkenntnisse vermitteln, bleibt ihr Aussagewert doch insofern gering, als sie nicht die internationalen Rückwirkungen beachten, d. h. also nicht berücksichtigen, daß von der Änderung der Außenhandelsgrößen z. B. des Landes 1 Wirkungen auf die übrige Welt ausgehen, die wieder auf Land 1 zurückstrahlen. Die Existenz solcher Rückwirkungen ergibt sich aus der Tatsache, daß der Export des Landes 1 mit den Importen aller anderen Länder (wir wollen die übrige Welt in Zukunft als Land 2 bezeichnen) identisch ist. Der von einer Exportsteigerung des Landes 1 ausgelöste Prozeß würde dann etwa wie folgt verlaufen: Bedingt durch die Zunahme des Exports expandiert das Volkseinkommen des Landes 1. Gleichzeitig bedeutet aber die Exporterhöhung eine Steigerung der von Land 2 getätigten Importe, wodurch das Volkseinkommen dieses Landes sinkt — vorausgesetzt natürlich, daß die autonomen Werte des Konsums und der Investition unverändert bleiben. Im Zuge der Einkommenskontraktion sinken nun die Importe, d. h. die Exporte des Landes 1. Durch diese Rückwirkungen wird im Land 1 ein Schrumpfungsprozeß ausgelöst, welcher jenem Expansionsprozeß entgegenwirkt, der durch die primäre, den Anstoß gebende Erhöhung der Exporte in Gang gebracht worden ist. Das System wird also von dem Pfade abgedrängt, der durch das „reine", die Rückwirkungen nicht beachtende Modell beschrieben wird.

Um die von einer Änderung der Exporte und Investitionen ausgehenden Wirkungen zu untersuchen, ist es zunächst notwendig, die Gleichgewichts-

III. Einkommensänderungen und Leistungsbilanz im Zwei-Länder-Modell   123

einkommen beider Länder zu bestimmen. Dabei ist jetzt zu beachten, daß der Export und folglich auch das Einkommen des einen Landes Funktionen des Einkommens des anderen Landes sind: Das Volkseinkommen des Landes 2 bestimmt den Import dieses Landes, damit aber auch den Export und das Volkseinkommen des Landes 1. Offensichtlich kann das Einkommen eines Landes nur dann ein Gleichgewichtseinkommen sein, wenn auch das Ausland seine Gleichgewichtsposition gefunden hat. So lange nämlich das Einkommen des einen Landes sich noch im Zuge eines Expansions- oder Kontraktionsprozesses ändert, variiert mit dem Import dieses Landes auch der Export und das Einkommen des anderen Landes. Beide Länder haben erst ihr Gleichgewicht erreicht, wenn gemäß (6) die Bedingungen

und
$$S_1(Y_1) - I_1 = X_1 - M_1(Y_1)$$
$$S_2(Y_2) - I_2 = X_2 - M_2(Y_2)$$
(16)

erfüllt sind. Beachtet man die Identitäten $X_1 = M_2(Y_2)$ und $X_2 = M_1(Y_1)$, so kann man diese Gleichungen auch in der Form

$$S_1(Y_1) - I_1 = M_2(Y_2) - M_1(Y_1)$$
$$S_2(Y_2) - I_2 = M_1(Y_1) - M_2(Y_2)$$
(17)

schreiben und damit deutlich machen, daß die Höhe des Gleichgewichtseinkommens eines Landes ganz wesentlich vom Einkommen des anderen Landes abhängt.

1. Exportänderungen und internationale Rückwirkungen

a) Die allgemeinen Erörterungen sollen nun durch eine Ableitung von Multiplikatorrelationen, welche die Rückwirkungen einbeziehen, ergänzt und vertieft werden. Wir stützen uns dabei auf Untersuchungen von Machlup[6]), die gegenüber den zur gleichen Zeit veröffentlichten Beiträgen von Metzler[7]) und Lange[8]) den Vorzug größerer Anschaulichkeit haben, ohne wesentliche Aspekte zu vernachlässigen.

Zur Ableitung der Multiplikatorwirkungen im Zwei-Länder-Fall ist es notwendig, zwischen autonomen und induzierten Exporten genau zu unterscheiden. Als induziert werden solche Exporte definiert, die durch die Einkommenshöhe im anderen Land bestimmt sind. Da Exporte des einen die Importe des anderen Landes sind, ist die induzierte Ausfuhr des ersten Landes zugleich die induzierte, also einkommensabhängige Einfuhr des zweiten Landes:

$$X_1^{ind} = M_2^{ind} = g_2 Y_2$$
(18)

Weil die Einfuhr des zweiten Landes außer einem induzierten auch einen autonomen, z. B. von den Präferenzen und der Zollhöhe abhängigen Teil enthält, setzt sich auch der Export des Landes 1 aus einem induzierten und autonomen (d. h. nicht vom Einkommen des Landes 2 bestimmten) Teil zusammen. Analog zu (18) gilt demnach:

$$X_1^a = M_2^a.$$
(19)

---

[6]) M a c h l u p , F., International Trade and the National Income Multiplier, Philadelphia 1943, wiederabg. 1950.
[7]) M e t z l e r , L. A., The Transfer Problem Reconsidered, Journal of Political Economy, Bd. 50, 1942, wiederabg. in: Readings in the Theory of International Trade, a. a. O.
[8]) L a n g e , O., The Theory of the Multiplier, Econometrica, Bd. 11, 1943.

Nimmt man die Investition als autonom bestimmt an, so kann unter Berücksichtigung der hier getroffenen Unterscheidung die Gleichgewichtsbedingung (4a) für Land 1 in der Form

$$Y_1 = C_1^a + c_1 Y_1 + I_1 + X_1^a + X_1^{ind} - (M_1^a + g_1 Y_1) \qquad (20)$$

geschrieben werden. Einsetzen von (18) ergibt

$$Y_1 = C_1^a + c_1 Y_1 + I_1 + X_1^a + g_2 Y_2 - (M_1^a + g_1 Y_1). \qquad (21)$$

Steigt jetzt der autonome Export des Landes 1 (d. h. der autonome Import des Landes 2) — die Importfunktion des Landes 2 verschiebt sich nach oben —, so ändert sich bei Konstanz der autonomen Werte des Konsums, der Investition und des Imports das Gleichgewichtseinkommen des Landes 1 um

$$\Delta Y_1 = c_1 \Delta Y_1 + \Delta X_1^a + g_2 \Delta Y_2 - g_1 \Delta Y_1. \qquad (22)$$

Die Einkommenserhöhung ΔY_1 ergibt sich nicht mehr allein aus dem Einkommenseffekt der autonomen Exporterhöhung ΔX_1^a und dem Zuwachs der für Inlandsgüter getätigten Konsumausgaben $(c_1 \Delta Y_1 - g_1 \Delta Y_1)$; da die Exportzunahme im Lande 1 (= autonome Importzunahme im Lande 2) das Einkommen des Landes 2 verringert, sinken die induzierten Importe des Landes 2 und damit die induzierten Exporte des Landes 1 um $g_2 \Delta Y_2$ (der Ausdruck $g_2 \Delta Y_2$ ist also negativ). Die Einbeziehung dieses Wertes in (22) macht jetzt deutlich, daß die expansive Wirkung der autonomen Exporterhöhung durch die kontraktive Wirkung der induzierten Exportabnahme teilweise ausgeglichen wird.

Um nun die Einkommensänderung des ersten Landes zu bestimmen, müssen wir ΔY_2 — neben ΔY_1 die zweite Unbekannte — aus (22) eliminieren. Dies kann geschehen, indem man eine dem Ausdruck (22) analoge Gleichung für Land 2 aufstellt. Wir erhalten dann zwei Gleichungen mit zwei Unbekannten, deren Auflösung die gesuchten Werte von ΔY_1 und ΔY_2 ergibt. Instruktiver scheint aber der folgende, von Machlup eingeschlagene Weg zu sein.

Bei konstanter Investition in beiden Ländern ist die Anpassung an eine Störung generell immer dann vollzogen, wenn das zusätzliche (positive oder negative) Sparen der (positiven oder negativen) Veränderung der Leistungsbilanz entspricht:

$$\Delta S_1 = \Delta X_1 - \Delta M_1$$
$$\Delta S_2 = \Delta X_2 - \Delta M_2. \qquad (23)$$

Nun entspricht aber der Saldo der Leistungsbilanz des einen Landes dem mit einem negativen Vorzeichen versehenen Saldo des anderen Landes, also $\Delta X_1 - \Delta M_1 = -(\Delta X_2 - \Delta M_2)$. Ferner ist die Änderung des geplanten Sparens gleich dem Produkt aus marginaler Sparquote und Einkommensänderung: $s \Delta Y$. Daher gilt:

$$s_1 \cdot \Delta Y_1 = -s_2 \cdot \Delta Y_2$$
$$\Delta Y_2 = -\frac{s_1}{s_2} \cdot \Delta Y_1. \qquad (24)$$

Gleichung (24) ist insofern interessant, als sie deutlich macht, daß das Verhältnis der Einkommensänderungen nur vom Verhältnis der marginalen Sparquoten abhängt, ganz unabhängig davon, wie groß die marginalen Importquoten sind. Diese bestimmen gemäß (22) zwar das absolute Ausmaß der Einkommensänderung, nicht aber deren Verhältnis zur Einkommensänderung im anderen Land.

III. Einkommensänderungen und Leistungsbilanz im Zwei-Länder-Modell 125

Durch Einsetzen von (24) in (22) erhält man:

$$\Delta Y_1 = c_1 \Delta Y_1 + \Delta X_1^a - g_2 \frac{s_1}{s_2} \Delta Y_1 - g_1 \Delta Y_1$$

oder

$$\Delta X_1^a = \Delta Y_1 \left(1 - c_1 + g_1 + g_2 \frac{s_1}{s_2}\right)$$

oder (wegen $1 - c_1 = s_1$):

$$\Delta Y_1 = \frac{1}{s_1 + g_1 + g_2 \dfrac{s_1}{s_2}} \Delta X_1^a. \tag{25}$$

In ähnlicher Weise läßt sich auch die Einkommensänderung des Landes 2 bestimmen. Die autonome Exporterhöhung des Landes 1 ist eine autonome Importerhöhung im Lande 2, welche kontraktive Effekte zur Folge hat. Daher muß $\Delta X_1^a (= \Delta M_2^a)$ in der Relation des Auslandes mit einem Minuszeichen versehen werden:

$$\Delta Y_2 = \frac{1}{s_2 + g_2 + g_1 \dfrac{s_2}{s_1}} \cdot (-\Delta X_1^a). \tag{26}$$

Auf der rechten Seite von (25) und (26) stehen die die Einkommensänderungen bestimmenden Exportmultiplikatoren, welche sich gegenüber den Relationen des Ein-Land-Modells durch Einbeziehung der internationalen Rückwirkungen unterscheiden. Ein Vergleich von (25) mit dem Exportmultiplikator ohne Rückwirkungsfaktoren $\left(\dfrac{1}{s_1 + g_1}\right)$ zeigt z. B., daß sich der Nenner des Multiplikators um den Ausdruck $g_2 \dfrac{s_1}{s_2}$ erweitert hat. Dadurch wird der Multiplikator, somit aber auch die von einer Exporterhöhung ausgelöste Zunahme des Volkseinkommens kleiner als im Falle des Ein-Land-Modells, das von Rückwirkungen völlig abstrahiert. Der Grund für die Schwächung der Expansionstendenzen liegt natürlich in der induzierten Exportabnahme, die durch den Kontraktionsprozeß im zweiten Land bedingt ist. Diese Bremse kann sogar so stark sein, daß die endgültige Zunahme des Einkommens geringer als die primäre Exporterhöhung ist, der Multiplikator also unter 1 liegt.

Die Gleichungen (25) und (26) zeigen ferner, daß der Einkommenserhöhung des Landes 1 — hier steigen die autonomen Exporte — eine Einkommensminderung im Land 2 entgegensteht. Das Ergebnis der geometrischen Ableitung wird somit bestätigt. Über die Stärke der Einkommensänderung entscheiden die Werte der Multiplikatoren: Die Zunahme des Einkommens ist um so größer, je kleiner die marginale Sparquote im eigenen Land und die marginalen Importquoten in beiden Ländern sind, und je größer die marginale Sparquote im anderen Land ist. Die Bedeutung der Spar- und Importquoten im eigenen Land ist uns bereits bekannt. Neu dagegen ist der Einfluß der „fremden" Quoten: Bei kleiner marginaler Importquote des Landes 2 ist die Einkommenserhöhung im Lande 1 deshalb groß, weil die Einfuhr des Partnerlandes nur in geringem Maße sinkt; folglich erfährt Land 1 nur eine geringe, die Einkommenssteigerung bremsende Exportabnahme. Je größer andererseits die marginale Sparquote des zweiten Landes ist, um so geringer sind die Werte der induzierten Konsumabnahme und Einkommensschrumpfung, so daß auch der Import dieses Landes, d. h. der induzierte Export des ersten Landes, nur um wenig abnimmt.

Diese Interpretation ist unter den Annahmen gültig, die der Ableitung von (25) und (26) zugrunde liegen. So wurde die Investition als autonome Größe angesehen, die marginale Investitionsquote also gleich Null gesetzt. Wir haben ferner angenommen, daß zusätzliche Exporte in voller Höhe zusätzliche Einkommen schaffen, was — wie wir wissen — nur möglich ist, wenn die Exporte keinen Importanteil enthalten. Es ist indessen ohne Schwierigkeiten möglich, die Multiplikatorrelation auch abzuleiten, wenn diese Annahmen aufgehoben werden. Die Konsequenzen wären ähnlich jenen, die wir im Falle des Ein-Land-Modells erläutert haben.

b) Die Multiplikatorrelationen (25) und (26) erlauben die Konstruktion eines Leistungsbilanzmultiplikators für den Zwei-Länder-Fall. So wird die Veränderung der Leistungsbilanz des Landes 1 durch die Änderung des autonomen und induzierten Exports (ΔX_1^a und $\Delta X_1^{ind} = g_2 \Delta Y_2$) sowie des induzierten Imports $g_1 \Delta Y_1$ bestimmt:

$$\Delta D_1 = \Delta X_1^a + g_2 \Delta Y_2 - g_1 \Delta Y_1.$$

Setzt man für ΔY_2 und ΔY_1 die Werte von (25) und (26) ein, so erhält man den Leistungsbilanzmultiplikator des Landes 1 in bezug auf eine Exportänderung des Landes 1:

$$\Delta D_1 = \frac{s_1 \cdot s_2}{s_1 \cdot s_2 + s_2 \cdot g_1 + s_1 \cdot g_2} \cdot \Delta X_1^a. \tag{27}$$

Da der Multiplikator in der Regel positiv, aber kleiner als 1 ist, führt eine Exporterhöhung zu einer Vergrößerung des Saldos der Leistungsbilanz des Landes 1 (= Abnahme des Saldos von Land 2), die geringer als die autonome Exportzunahme ist. Die Bilanzverbesserung wird um so kleiner sein, je größer u. a. die marginalen Importquoten beider Länder sind; um so stärker sind dann die Gegenkräfte, also die induzierte Importzunahme sowie die induzierte Exportabnahme, welche den Verbesserungseffekt der autonomen Exporterhöhung zunichte machen. Ähnlich wie im Falle des Ein-Land-Modells schafft der Einkommenseffekt einen vollen Ausgleich ($\Delta D = 0$) allerdings nur dann, wenn zumindest eine der marginalen Sparquoten gleich Null ist. Da für $s_1 = 0$ der Dämpfungseffekt des Sparens in diesem Falle ausfällt, kann der Expansionsprozeß im Lande 1 erst dann sein Ende finden, wenn der autonome Zusatzexport durch die kontraktive Wirkung der induzierten Importerhöhung und der induzierten Exportabnahme ausgeglichen wird. Die Gleichgewichtsbedingung $\Delta S + \Delta M = \Delta X$ reduziert sich dann auf $\Delta M = \Delta X$.

c) Die komparativ statische Betrachtung soll auch jetzt durch ein dynamisches Modell ergänzt werden. Konsum und Import einer Periode seien wieder abhängige Variable des Einkommens der vorhergehenden Periode. Der von einer Exporterhöhung um 100 ausgelöste Prozeß verläuft dann in der durch Tabelle 16 angegebenen Form.

In der ersten Phase erhöhen sich Export und Einkommen des Landes 1 um 100; um denselben Wert steigt der Import und sinkt das Einkommen des Landes 2. Die in der Tabelle angegebenen marginalen Spar- und Importquoten bestimmen dann in der bekannten Weise die Veränderung des Konsums, des Sparens und des Imports in der zweiten Phase. Die Interdependenz der beiden Länder wird in der 2. Phase dadurch deutlich, daß die induzierte Importzunahme des Landes 1 von 30 als induzierte Exportzunahme auch in der entsprechenden Spalte des Landes 2 erscheint, und die induzierte Importabnahme des Landes 2 von 15 als induzierte Exportabnahme des Lan-

III. Einkommensänderungen und Leistungsbilanz im Zwei-Länder-Modell 127

TABELLE 16

			Land 1 $s_1 = 0{,}2$ $g_1 = 0{,}3$						Land 2 $s_2 = 0{,}1$ $g_2 = 0{,}15$						
Periode	ΔS	ΔC	$\Delta M_{ind.}$	ΔX^a	$\Delta X_{ind.}$ $\Delta X - \Delta M$	ΔY	ΔS	ΔC	$\Delta M_{ind.}$	ΔM^a	$\Delta X_{ind.}$ $\Delta X - \Delta M$	ΔY
1	+20	+80		+100		+100	−10	−90		+100	−100	−100
2	+27	+108	+30	+100	−15 +55	+135	−14,5	−130,5	−15	+100	+55	−145
3	+29,15	+116,60	+40,5	+100	−21,75 +37,75	+145,75	−16,82	−151,43	−21,75	+100	+37,75	−168,25
4	+29,53	+118,10	+43,73	+100	−25,24 +31,03	+147,63	−18,25	−164,21	−25,24	+100	+31,03	−182,46
5	+29,29	+117,15	+44,29	+100	−27,37 +28,34	+146,44	−19,26	−173,29	−27,37	+100	+28,34	−192,55
6			+43,93	+100	−28,88 +27,19	+144,34			−28,88	+100	+27,19	−200,48
.	.	.	.	.	. .	.	.	.	.	.	.	.
.	.	.	.	.	. .	.	.	.	.	.	.	.
∞	+25	+100	+37,50	+100	−37,50 +25	+125	−25	−225	−37,50	+100	+25	−250

des 1 auftaucht. Ansonsten verläuft der Prozeß wie in Tabelle 15. Die der Summe $\Delta C + \Delta X - \Delta M$ entsprechenden Zusatzeinkommen des Landes 1 steigen (bezogen auf das Grundeinkommen) nur so lange, wie der expansive Effekt des zusätzlichen Exportüberschusses die kontraktive Wirkung des Zusatzsparens überwiegt. Das System erreicht folglich sein Gleichgewicht erst dann, wenn die Bedingung $\Delta S = \Delta X - \Delta M$ in beiden Ländern erfüllt ist. Das Einkommen des Landes 1 steigt somit um 125, das Einkommen des Landes 2 sinkt um 250. Obwohl für Land 1 dieselben Werte für s und g angenommen wurden wie in Tabelle 15, ist die Einkommenserhöhung geringer als im Ein-Land-Modell (dort betrug sie 200). Diese unterschiedlichen Ergebnisse sind natürlich auf die in Tabelle 15 nicht berücksichtigte Exportabnahme zurückzuführen. Die Einführung des induzierten Exports hat aber noch die andere interessante Konsequenz, daß das Einkommen nicht ständig zunimmt, sondern in der 5. Phase sinkt, bis es seinen Endwert von 125 erreicht. Der von der Exportabnahme ausgelöste Kontraktionseffekt unterstützt also die dämpfende Wirkung des Sparens und des Imports in so starkem Maße, daß das Einkommen von seinem in der 4. Phase erreichten Maximalstand wieder absinkt.

Von dieser Wellenbewegung wird die Leistungsbilanz indessen nicht ergriffen. Der durch die Exportzunahme bedingte Überschuß von 100 wird ständig kleiner, bis der Endwert von 25 (dem ein gleich großes Defizit im Lande 2 entspricht) erreicht ist. Wir sehen die mangelnde Kraft der Ausgleichsfaktoren, die im Rahmen des Einkommensmechanismus wirksam sind, auch hier bestätigt.

2. Investitionsänderungen und internationale Rückwirkungen

a) Es bleibt schließlich nur noch übrig, die multiplikativen Effekte einer Veränderung der Inlandsgrößen zu bestimmen. Wir nehmen an, daß die Investition des Landes 1 bei Konstanz der autonomen Größen C_1^a, X_1^a und M_1^a vergrößert wird. Gemäß (21) verändert sich dann das Gleichgewichtseinkommen um

$$\Delta Y_1 = c_1 \Delta Y_1 + \Delta I_1 + g_2 \Delta Y_2 - g_1 \Delta Y_1. \tag{28}$$

Gegenüber den Einkommenswirkungen im Ein-Land-Modell treten auch hier wieder induzierte Exporte ($g_2 \Delta Y_2$) auf. Die Erhöhung der Investitionsausgaben führt nämlich über eine Steigerung des Einkommens und der Importe im Lande 1 zu einer Einkommensexpansion auch im Land 2, die zusätzliche Exporte von Land 1 nach Land 2 zur Folge hat.

Um ΔY_2 aus (28) auszuschalten — es gilt ΔY_1 zu suchen —, schreiben wir die Gleichgewichtsbedingung des Landes 2 in der Form

$$\Delta S_2 = \Delta X_2^{ind} - \Delta M_2^{ind}. \tag{29}$$

Die Berechtigung dieser Formulierung ergibt sich aus der Unterstellung, daß nur die Investition des Landes 1 geändert wird, während alle anderen Parameter — also auch die Investition sowie die autonomen Exporte und Importe des Landes 2 — konstant gehalten werden. Bestimmt man die Änderung der Zuwachsgrößen durch die marginalen Quoten:

$$\Delta S_2 = s_2 \Delta Y_2; \quad \Delta X_2^{ind} = \Delta M_1^{ind} = g_1 \Delta Y_1; \quad \Delta M_2^{ind} = g_2 \Delta Y_2,$$

so geht (29) über in:

$$s_2 \Delta Y_2 = g_1 \Delta Y_1 - g_2 \Delta Y_2$$

oder

$$\Delta Y_2 = \frac{1}{s_2 + g_2} \cdot g_1 \Delta Y_1. \tag{30}$$

Durch Einsetzen von (30) in (28) erhält man den Investitionsmultiplikator im Zwei-Länder-Fall:

$$\Delta Y_1 = \frac{1 + \dfrac{g_2}{s_2}}{s_1 + g_1 + g_2 \dfrac{s_1}{s_2}} \cdot \Delta I_1. \tag{31}$$

III. Einkommensänderungen und Leistungsbilanz im Zwei-Länder-Modell 129

Die analog zu ermittelnde Formel für Land 2 lautet:

$$\Delta Y_2 = \frac{\frac{g_1}{s_2}}{s_1 + g_1 + g_2 \frac{s_1}{s_2}} \cdot \Delta I_1. \tag{32}$$

Eine einfache Überlegung zeigt nun sofort, daß der Investitionsmultiplikator (31) größer ist als der entsprechende, die Rückwirkungen vernachlässigende Multiplikator $\frac{1}{s_1 + g_1}$ (vgl. Gleichung 13)[9]. Dies ist deshalb so, weil der expansive Effekt der Investitionserhöhung im Falle des Zwei-Länder-Modells durch die Wirkungen einer induzierten Exportzunahme verstärkt und unterstützt wird.

Der Investitionsmultiplikator (31) ist auch größer als der Exportmultiplikator (25) im Zwei-Länder-Fall, denn bei gleichen Nennern hat der Zähler von (31) einen um $\frac{g_2}{s_2}$ größeren Wert als der Zähler von (25). In der Tat wird die Einkommenserhöhung stärker sein, wenn das Gleichgewicht anstatt durch eine Zunahme der autonomen Exporte durch eine Steigerung der Investitionen angestoßen wird. Die Vergrößerung der Investitionsausgaben im Land 1 führt nämlich gemäß (32) zu einer Einkommenssteigerung auch im Land 2, ganz im Gegensatz zum Falle der Exporterhöhung, wo das Einkommen des Partnerlandes sinkt. Die Werte der Investitions- und Exportmultiplikatoren sind dann vor allem deshalb unterschiedlich, weil der durch eine Investition erfolgte Anstoß Einkommen und Importe auch des Partnerlandes, d. h. die induzierten Exporte des Landes 1 erhöht, während mit der Steigerung des Exports im Lande 1 eine Kontraktion im Land 2 einhergeht, welche die Einkommensentwicklung des ersten Landes hemmt. Land 1 tut also unter beschäftigungspolitischen Aspekten gut daran, Unterbeschäftigung vor allem durch expansive Investitionspolitik, nicht aber durch Forcierung des Exports (oder Bremsung des Imports) zu bekämpfen. Zudem kann auch das andere Land gewinnen, da der Nachteil der „beggar my neighbour-policy" vermieden wird: Die Einkommensexpansion im Land 1 führt im Falle eines Investitionsanstoßes zu einer Einkommenserhöhung auch im Land 2, so daß der durch Ausfuhrsteigerung bedingte „Export von Unterbeschäftigung" durch einen „Export von Beschäftigung" ersetzt wird.

b) Wir wollen schließlich noch fragen, wie die Leistungsbilanz des Landes 1 durch eine Zusatzinvestition beeinflußt wird. Da der autonome Export konstant gehalten wird, ändert sich die Leistungsbilanz um

$$\Delta D_1 = \Delta X_1^{ind} - \Delta M_1^{ind} = g_2 \Delta Y_2 - g_1 \Delta Y_1.$$

[9] Dazu folgender Indirekter Beweis:
Es wird behauptet, daß
$$\frac{1}{s_1 + g_1} < \frac{1 + \frac{g_2}{s_2}}{s_1 + g_1 + g_2 \frac{s_1}{s_2}}$$
gültig ist. Ausmultiplizieren ergibt:
$$s_1 + g_1 + g_2 \frac{s_1}{s_2} < s_1 + g_1 + s_1 \frac{g_2}{s_2} + g_1 \frac{g_2}{s_2}.$$
$$0 < g_1 \frac{g_2}{s_2}. \tag{x}$$
Da die marginalen Quoten positiv sind, ist Bedingung (x) erfüllt.

Durch Einsetzen der Werte von (31) und (32) für ΔY_1 und ΔY_2 erhält man den Leistungsbilanzmultiplikator in bezug auf eine Investitionsänderung im Land 1:

$$\Delta D_1 = - \frac{g_1 \cdot s_2}{s_1 \cdot s_2 + s_2 \cdot g_1 + s_1 \cdot g_2} \cdot \Delta I_1. \qquad (33)$$

Das Minuszeichen verdeutlicht, daß eine Investitionserhöhung die Leistungsbilanz verschlechtert, wenn auch — da der Multiplikator absolut kleiner als 1 ist — der Saldo der Leistungsbilanz um weniger abnimmt als die Investition vergrößert wird. Bei einer im Ausgangszustand ausgeglichenen Leistungsbilanz wird also eine Steigerung der Beschäftigung, die durch Anhebung der Investition veranlaßt ist, nur durch ein Defizit der Leistungsbilanz erkauft. Andererseits würde aber auch die Möglichkeit bestehen, die Investitionspolitik in den Dienst des Leistungsbilanzausgleichs zu stellen. So könnte ein Überschuß durch eine Vergrößerung, ein Defizit durch eine Verminderung der Investitionsausgaben beseitigt werden. Nur entstehen dann oft Konflikte mit dem Ziel des inneren Gleichgewichts; zwar wird die Leistungsbilanz durch kontraktive Investitionspolitik verbessert, doch werden negative Konsequenzen für die Beschäftigung in diesem Fall ganz unvermeidlich sein. Ist andererseits die wirtschaftliche Situation durch Unterbeschäftigung und einen Überschuß der Leistungsbilanz gekennzeichnet, so kann man beide Ungleichgewichte zur gleichen Zeit beseitigen, wenn man die Investitionsausgaben (oder allgemeiner: die Gesamtnachfrage) ausdehnt. Ob das Ziel der Vollbeschäftigung mit dem Gleichgewicht der Leistungsbilanz vereinbar ist, hängt also jeweils von den konkreten Gegebenheiten ab (zu Einzelheiten vgl. das 6. Kapitel des II. Teils).

IV. Variabler Zinssatz und Multiplikatorwirkung

In den vorangegangenen Abschnitten dieses Kapitels wurde der Zinssatz als konstant angenommen. Diese Annahme wird jetzt aufgegeben. Sehen wir mit Keynes den Zins als durch Liquiditätspräferenz und Geldmenge bestimmt an, so erfordert die Beantwortung unserer Frage eine Ableitung der Multiplikatorwirkungen unter Beachtung der von Keynes entwickelten Relationen. Von internationalen Rückwirkungen wird dabei abgesehen.

Wie der Leser aus der Theorie des Volkseinkommens weiß, wird im Keynesschen System das Volkseinkommen nicht nur durch Spar- und Importfunktion sowie Investition und Export, sondern zusätzlich auch durch Liquiditätspräferenz und Geldmenge bestimmt. Ferner wird die Investition als abhängige Variable des Zinssatzes angesehen. Alle Größen sind in realen Werten (Nominalwerte dividiert durch einen Preisindex) definiert. Zur Vereinfachung sei jedoch Konstanz des Preisniveaus unterstellt; setzt man ferner den Preisindex gleich 1, so bezeichnet Y das Geldeinkommen und Realeinkommen zugleich. Unter Berücksichtigung dieser Zusammenhänge kann ein statisches Keynessches System — in das der Außenhandel einbezogen ist — durch die Gleichungen

$$S(Y) + M(Y) = I(z) + X \qquad (34)$$

$$L(Y, z) = \overline{G} \qquad (35)$$

wiedergegeben werden. Es ist also unterstellt, daß die Investition vom Zinssatz z abhängt. Die erste Gleichung, welche das güterwirtschaftliche Gleichgewicht beschreibt, wird sodann durch eine Bedingung für das monetäre Gleichgewicht ergänzt. Monetäres Gleichgewicht ist dann gegeben, wenn die als konstant angenommene Geldmenge $\overline{G}$ mit der Liquiditätspräferenz L übereinstimmt. Die Gesamtnachfrage nach Geld (= Liquiditätspräferenz)

IV. Variabler Zinssatz und Multiplikatorwirkung 131

kann ihrerseits in eine zinsabhängige Geldnachfrage für Spekulationszwecke L_s und eine einkommensabhängige Geldnachfrage für Transaktionszwecke L_t unterteilt werden: Es gilt also $L_s(z) + L_t(Y) = L(z, Y)$.

Unter Beachtung dieser Zusammenhänge läßt sich nun zeigen, daß die Einkommensexpansion, welche als Folge einer Exporterhöhung auftritt, im Regelfall kleiner als jene Einkommenssteigerung ist, die nach dem Multiplikator $\dfrac{1}{s+g}$ zu erwarten wäre: Die durch eine Exportzunahme ausgelöste Einkommenserhöhung bewirkt zunächst eine Erhöhung der Nachfrage nach Geld für Zwecke der Transaktion. Dieser Bedarf kann aber bei gegebener Geldmenge nur dann befriedigt werden, wenn die spekulative Geldnachfrage durch eine Zinserhöhung (via Wertpapierverkäufe) zurückgedrängt und die Spekulationskasse so weit vermindert wird, daß Mittel für Transaktionszwecke in genügendem Umfang zur Verfügung stehen. Als Folge der Zinserhöhung geht nun die Investition zurück. Daher kommt es zu einer Einkommenskontraktion, welche der exportbedingten Einkommensexpansion entgegensteht, und es folgt somit, daß der Multiplikator kleiner als $\dfrac{1}{s+g}$ sein muß. Die Multiplikatorformel bleibt indessen weiter gültig, sofern der Zinssatz sich nicht ändert. Diese Bedingung wäre dann erfüllt, wenn 1. die Liquiditätspräferenz in bezug auf den Zinssatz unendlich elastisch ist, der Abbau der spekulativen Kasse also auch ohne Erhöhung des Zinses gelingt, oder wenn 2. eine so starke Vermehrung des Geldvolumens erfolgt, daß es möglich wird, den Zinssatz trotz steigender Geldnachfrage stabil zu halten. Schließlich können die Ergebnisse des einfachen Multiplikatormodells auch bei veränderlichem Zinssatz dann akzeptiert werden, wenn die Investition in bezug auf den Zinssatz vollständig unelastisch ist, der expansive Effekt der Exporterhöhung also nicht durch die kontraktiven Wirkungen einer Investitionsverminderung kompensiert wird.

Die hier angedeuteten Zusammenhänge können durch Differenzieren der Gleichgewichtsbedingungen (7) und (8) nach X präzisiert werden:

$$\frac{dS}{dY} \cdot \frac{dY}{dX} + \frac{dM}{dY} \cdot \frac{dY}{dX} = \frac{dI}{dz} \cdot \frac{dz}{dX} + 1 \qquad (36)$$

$$\frac{\partial L}{\partial Y} \cdot \frac{dY}{dX} + \frac{\partial L}{\partial z} \cdot \frac{dz}{dX} = 0 \qquad (37)$$

$$\frac{dz}{dX} = \frac{-\dfrac{\partial L}{\partial Y} \cdot \dfrac{dY}{dX}}{\dfrac{\partial L}{\partial z}}. \qquad (38)$$

Einsetzen von (38) in (36) ergibt:

$$\frac{dS}{dY} \cdot \frac{dY}{dX} + \frac{dM}{dY} \cdot \frac{dY}{dX} = \frac{dI}{dz} \cdot \frac{-\dfrac{\partial L}{\partial Y} \cdot \dfrac{dY}{dX}}{\dfrac{\partial L}{\partial z}} + 1.$$

Nach Multiplikation mit $\dfrac{\partial L}{\partial z}$ und einigen Umstellungen erhalten wir:

$$\frac{dY}{dX} = \frac{\dfrac{\partial L}{\partial z}}{\dfrac{dS}{dY} \cdot \dfrac{\partial L}{\partial z} + \dfrac{dM}{dY} \cdot \dfrac{\partial L}{\partial z} + \dfrac{dI}{dz} \cdot \dfrac{\partial L}{\partial Y}}.$$

Da $\frac{dS}{dY} = s$ und $\frac{dM}{dY} = g$ ist, folgt:

$$dY = \frac{1}{s + g + \dfrac{\dfrac{dI}{dz} \cdot \dfrac{\partial L}{\partial Y}}{\dfrac{\partial L}{\partial z}}} \cdot dX. \tag{39}$$

Der Bruch in dieser Gleichung stellt den Exportmultiplikator (im Ein-Land-Fall) bei zinsabhängigen Investitionen dar. Da $\frac{dI}{dz}$ und $\frac{\partial L}{\partial z}$ im Normalfall negative Werte haben, ist der Nenner des Bruches größer als $s + g$ und der Multiplikator somit kleiner als $\frac{1}{s+g}$. Der Multiplikator wäre sogar Null, wenn auch $\frac{\partial L}{\partial z} = 0$ ist. Eine solche Annahme ist grundlegend für die klassische Theorie: Da im klassischen System von einer Kassenhaltung aus spekulativen Zwecken abgesehen wird, ist es nicht möglich, den zur Befriedigung des gewachsenen Transaktionsbedarf notwendigen Abbau der spekulativen Kasse auch durch eine noch so starke Zinserhöhung zu erreichen. Wenn aber die Transaktionskasse unverändert bleibt, kann auch das Volkseinkommen seinen Ausgangswert nicht übersteigen. Die Zunahme des Volkseinkommens wird durch die Zinserhöhung unterbunden: Unter klassischen Annahmen muß der Zinssatz so stark steigen, daß die exportbedingte Expansion des Volkseinkommens durch jene Einkommenskontraktion, welche durch den zinsinduzierten Rückgang des Investitionsvolumens bedingt ist, gerade kompensiert wird. Andererseits geht Ausdruck (39) in den einfachen Exportmultiplikator über, sofern die Investition in bezug auf den Zins völlig unelastisch $\left(\frac{dI}{dz} = 0\right)$ oder die Liquiditätspräferenz völlig zinselastisch ist $\left(\frac{\partial L}{\partial z} = \infty\right)$.

Diese Zusammenhänge können auch mit Hilfe einer von Hicks entwickelten Methode zur Bestimmung der Gleichgewichtswerte des Keynesschen Systems erörtert werden[10]). In Abb. 26 gibt die durch Gleichung (35) bestimmte LG-Kurve alle Kombinationen zwischen Zins und Volkseinkommen an, bei denen Liquiditätspräferenz und Geldmenge übereinstimmen. Angenommen, daß in C die Bedingung $L=G$ erfüllt ist. Nimmt nun mit steigendem Volkseinkommen die Transaktionsnachfrage zu, so kann die Konstellation $L\,(=L_T+L_S) > G$ bei gegebenem Geldvolumen offenbar nur dann verhindert werden, wenn der Zinssatz steigt und die Spekulationsnachfrage zurückdrängt. Die Kurve hat daher positives Steigungsmaß. Im horizontal verlaufenden Teil der Kurve ist die Liquiditätspräferenz in bezug auf den Zins unendlich elastisch, während der vertikal verlaufende Teil besagt, daß Geld nur für den Transaktionsbedarf benötigt wird, da der Zins jenen kritischen Wert übersteigt, bei dem die Wirtschaftssubjekte Geld auch für spekulative Zwecke halten wollen. Andererseits bezeichnet die durch (34) determinierte $IXSM_1$-Kurve alle Kombinationen von Zins und Volkseinkommen, welche Übereinstimmung von Investition und Export einerseits und Ersparnis und Import andererseits garantieren. Diese Kurve verläuft von links oben nach rechts unten: Mit steigendem Einkommen erhöht sich Import und Ersparnis,

---

10) H i c k s , J. R., Mr. Keynes and the Classics, A Suggested Interpretation, Econometrica, Bd. 5, 1937; vgl. auch die ausführliche Darstellung bei D e r n b u r g , T. F. und M c - D o u g a l l , D. M., Macro-Economics, New York 1960, S. 116 ff.; ferner: S c h n e i d e r , E., Einführung in die Wirtschaftstheorie, Bd. 3, 10. Aufl. Tübingen 1967, S. 207 ff.; R o s e , K., Einkommens- und Beschäftigungstheorie, a. a. O.

IV. Variabler Zinssatz und Multiplikatorwirkung

so daß zur Erhaltung des güterwirtschaftlichen Gleichgewichts der Zinssatz sinken muß, um die Investition in genügend starkem Maße anzuregen.

Abb. 26

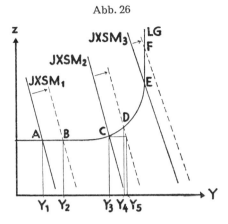

Das Ausgangsgleichgewicht sei durch Punkt A repräsentiert. Unterstellt man nun eine Zunahme der Exporte, so verschiebt sich die $IXSM_1$-Funktion nach rechts oben, da die Konstellation $I+X>S+M$ nach dieser Störung nur zu vermeiden ist, wenn Einkommen und/oder Zinssatz steigen und eine Zunahme von S und M bzw. einen Rückgang von I erzwingen. Die neue Kurve gibt folglich unter den geänderten Daten (gestiegener Export) alle Zins-Einkommenskombinationen an, die güterwirtschaftliches Gleichgewicht bedingen. Als Folge dieser Rechtsverschiebung wandert der Gleichgewichtspunkt von A nach B[11]. Weil sich diese Verschiebung im horizontalen Teil der LG-Kurve vollzieht, steigt das Volkseinkommen, während der Zinssatz unverändert bleibt. Die Einkommenserhöhung wird durch den Wert des Multiplikators $\dfrac{1}{s+g}$ bestimmt, da $\dfrac{\partial L}{\partial z}$ in diesem Fall unendlich ist. Wird die ursprüngliche Gleichgewichtsposition allerdings durch den Schnittpunkt C der LG-Kurve mit der $IXSM_2$-Kurve angegeben, so steigt neben dem Einkommen auch der Zins (vgl. Punkt D), und der Multiplikatoreffekt wird abgeschwächt. Hätte sich der Zinssatz nicht verändert — z. B. bei entsprechender Expansion des Geldvolumens, also bei einer Rechtsverschiebung der LG-Funktion — so wäre das Volkseinkommen nicht um Y_3Y_4, sondern um den größeren Betrag Y_3Y_5 gestiegen. Der Einkommenseffekt ist schließlich Null, sofern sich die $IXSM$-Kurve im vertikalen Bereich der LG-Kurve verschiebt; da in diesem Bereich kein spekulatives Geld gehalten wird, ist es bei gegebenem Geldvolumen nicht möglich, die für ein zusätzliches Einkommen erforderliche Transaktionskasse zur Verfügung zu stellen $\left(\dfrac{\partial L}{\partial z}=0\right)$.

---

[11] Die Datenänderung in Form einer Exporterhöhung führt auch zu einer Expansion des Geldvolumens – d. h. einer Rechtsverschiebung der LG-Kurve –, wenn sich mit der Exporterhöhung auch die Zahlungsbilanz verbessert und ein Devisenzufluß einsetzt. Von diesem Effekt kann abgesehen werden, sofern man eine die Geldzuflüsse neutralisierende Geldpolitik (z. B. durch Mindestreserveerhöhung) unterstellt. Dies ist zumindest kurzfristig möglich.

V. Grenzen der Multiplikatoranalyse

Das Kapitel über Multiplikatoreffekte soll nicht abgeschlossen werden, ohne den Leser vor einer allzu naiven Interpretation und unkritischen Anwendung der Multiplikatorformeln zu warnen. Nicht geringe Mißverständnisse sind vor allem mit der These verbunden, daß ebenso, wie Exporte einkommensbildend wirken, eine Zunahme der autonomen Importe das Volkseinkommen mindert. Einer solchen Theorie des „negativen Importmultiplikators" liegt selbstverständlich die Annahme zugrunde, daß trotz einer Steigerung der Importe die Gesamtausgaben $C + I$ unverändert bleiben, was immer dann der Fall ist, wenn die Käufe von Inlandsgütern um den Betrag der Zusatzimporte verringert werden. Eine solche Hypothese ist sicherlich plausibel, wenn heimische und importierte Güter in einem Substitutionsverhältnis stehen. Für komplementäre Güter sind dagegen andere Überlegungen anzustellen. Man stelle sich z. B. vor, daß ein Land zur Durchführung von Investitionen auf die Einfuhr von Rohstoffen oder Produktionsmitteln angewiesen ist, die im eigenen Land nicht oder nur in unzureichenden Mengen verfügbar sind. Gelingt es, die Importe dieser Güter anzuregen, so kann das Volkseinkommen trotz oder gerade wegen der Importerhöhung steigen, da nunmehr die Investitionstätigkeit vergrößert wird. Selbstverständlich kann man einen solchen Fall in der Volkseinkommensgleichung dadurch berücksichtigen, daß nicht nur für M, sondern auch für I ein höherer Wert angesetzt wird: Wenn I um mehr als M steigt, wird der (bei isolierter Betrachtung) kontraktive Effekt der Importerhöhung durch die expansive Wirkung der Investitionszunahme mehr als ausgeglichen. Indessen ist eine solche Betrachtungsweise zu formal, denn sie bringt nicht klar zum Ausdruck, daß die Zunahme der Investitionen keineswegs unabhängig von der Erhöhung der Importe ist, sondern geradezu als Folge der Importzunahme auftritt: Eine Einkommenserhöhung ist in dem geschilderten Fall nicht möglich, wenn nicht auch die Einfuhr steigt. Unter solchen Umständen wirkt es etwas gekünstelt, von den „kontraktiven Effekten" zusätzlicher Importe zu sprechen, denen man dann die expansiven Effekte höherer Investitionen gegenüberstellt. Bei einer solchen Argumentation wird der tatsächlich bestehende Sachzusammenhang nur zu leicht vergessen.

Die hier vorgebrachten Überlegungen, welche vor einer allzu unkritischen Verwendung der Multiplikatorformel warnen, sind natürlich um so stärker von Bedeutung, je mehr sich die Wirtschaft dem Zustand der Vollbeschäftigung nähert. Wenn Engpässe entstehen und die Produktion in einigen Branchen kaum noch wachsen kann, ist die Zunahme der Investitionen ohne Einfuhrsteigerung oft nicht möglich. Die Anwendung der Multiplikatortheorie scheint also nur dann völlig unbedenklich, wenn keine produktionstechnischen Grenzen die Ausdehnung der Inlandserzeugung verhindern. Andernfalls wäre in jedem einzelnen Fall zu überlegen, ob zusätzliche Importe an die Stelle der Nachfrage nach Inlandsgütern treten — so daß ein Kontraktionseffekt eintritt —, oder ob die Steigerung der Importe nicht geradezu Voraussetzung auch für eine Erhöhung der Ausgaben für Inlandsgüter ist. Diese Zusammenhänge lassen sich in der Multiplikatorgleichung allerdings dadurch berücksichtigen, daß man einen Koeffizienten einführt, der die Abhängigkeit der Ausgaben für Inlandsgüter von den Zusatzimporten beschreibt.

Die hier vorgetragenen Gedanken dürften auch dazu beitragen, ein anderes, mit der Multiplikatortheorie oft verbundenes Mißverständnis aus dem Wege zu räumen. Wenn Importe und Exporte in gleichem Maße steigen, bleibt der Saldo der Leistungsbilanz konstant, und man könnte schließen,

V. Grenzen der Multiplikatoranalyse

daß sich auch das Volkseinkommen nicht verändert. Eine solche Interpretation verkennt jedoch die fundamentale, in der „reinen" Theorie noch näher zu erläuternde Tatsache, daß eine Zunahme des internationalen Gütertausches von einer Verbesserung der internationalen Arbeitsteilung begleitet ist und somit zumindest auf längere Sicht die Chance besteht, Volkseinkommen, Konsum und Investition zu erhöhen. Insofern ist nicht nur die Differenz zwischen X und M, sondern auch die absolute Größe dieser Werte von entscheidender Bedeutung für die Höhe des Volkseinkommens. Sicherlich kann man solchen Zusammenhängen in den Einkommensgleichungen dadurch Rechnung tragen, daß man für C und I höhere Werte einsetzt, wenn X und M im gleichen Maße steigen. Allerdings wird dabei nur zu leicht vergessen, daß die Erhöhung von C und I kein „Zufall" ist, sondern daß es gerade die Intensivierung des Außenhandels möglich macht, Ausgaben und Einkommen zu erhöhen. Dieser Zusammenhänge sollte sich der Leser stets bewußt sein, wenn bei der Darstellung von Multiplikatormodellen davon die Rede ist, daß eine Importerhöhung ceteris paribus das Volkseinkommen mindert, daß bei gegebenem Saldo der Leistungsbilanz ceteris paribus das Einkommen unverändert bleibt usw. Die Probleme liegen in der Klausel „ceteris paribus". Wenn nicht Inhalt und Berechtigung der „ceteris-paribus"-Annahme in jedem Fall geprüft und durchdacht werden, gerät zumindest der Anfänger in die Gefahr, daß er, geblendet von der Eleganz der einfachen Multiplikatorarithmetik, die relevanten Zusammenhänge zwischen den in der Einkommensgleichung enthaltenen Variablen vergißt.

5. Kapitel:
Die Verbindung von Preis-, Einkommens- und Wechselkurseffekten

In den bisherigen Erörterungen wurde von der ceteris paribus-Voraussetzung in reichlichem Maße Gebrauch gemacht. So ist der Zusammenhang zwischen Volkseinkommen und Zahlungsbilanz unter der Annahme abgeleitet worden, daß Wechselkurs und Preise unverändert bleiben, während der Analyse des Wechselkurseffektes umgekehrt die Prämisse eines konstanten Einkommens zugrunde lag. So nützlich diese isolierende Betrachtung sein mag, um die „reinen" und „unverfälschten" Effekte jeder einzelnen Störung aufzuzeigen, so notwendig ist es doch, alle Effekte schließlich in einem Totalmodell zu kombinieren, das als „krönender" Abschluß der Analyse die Wirkung von gleichzeitig auftretenden Preis-, Einkommens- und Wechselkursänderungen auf die Zahlungsbilanz berücksichtigt. Wir beschränken uns im Rahmen eines Lehrbuchs auf die Darstellung einiger einfacher Ansätze, die sicherlich nur Teilaspekte des komplexen Gesamtzusammenhangs berühren.

I. Variable Preise und variable Einkommen

Während in der traditionellen Multiplikatoranalyse eine Zunahme der Ausgaben stets zu einer Erhöhung des Volkseinkommens bei konstanten Preisen führt — Geldeinkommen und Realeinkommen also pari passu steigen —, wollen wir nunmehr fragen, wie die Zahlungsbilanz durch gleichzeitig auftretende Preis- und Einkommensänderungen beeinflußt wird. Der Wechselkurs wird weiter als konstant angenommen.

Als primäre Störung sei eine Erhöhung der Investitionsausgaben im Inland angenommen. Ist die Leistungsbilanz im Ausgangszustand ausgeglichen, so entsteht nunmehr ein Defizit, da die Einkommensexpansion nach Maßgabe der marginalen Importquote zusätzliche Einfuhren aus dem Ausland anregt. Folglich wird der Aufschwung auch auf das Ausland übertragen. Sofern die Angebotselastizitäten nicht unendlich sind, kommt es in beiden Ländern im Zuge des Expansionsprozesses zu Preissteigerungen, welche die von den Einkommensänderungen ausgehenden Wirkungen auf die Leistungsbilanz — je nach den Werten der Nachfrageelastizitäten — verstärken oder abschwächen können. Da der Anstoß zur Expansion im Inland erfolgt, kann normalerweise auch erwartet werden, daß die Preise im Ausland um weniger als die Inlandspreise steigen. Dieser relativ stärkere Anstieg der Inlandspreise bewirkt dann eine weitere Passivierung der Leistungsbilanz, wenn man voraussetzt, daß die Leistungsbilanz des Inlandes auf Preisänderungen normal reagiert, die Importelastizitäten also genügend groß sind. Preis- und Einkommenseffekte arbeiten in diesem Falle Hand in Hand; das durch die Einkommenserhöhung bedingte Defizit wird durch die Preisveränderung noch vergrößert. Damit wächst aber auch der Leistungsbilanzüberschuß des Auslandes, wodurch ein neuer Preisauftrieb verursacht und der Vorsprung des Inlandspreisniveaus verkleinert wird. Die neben den Einkommenseffekten auftretenden Preisvariationen wirken also auf eine Angleichung der Inflationsgrade in den beiden Ländern hin.

Ganz andere Konsequenzen ergeben sich dagegen bei anomaler Reaktion der Leistungsbilanz. Der im Vergleich zum Ausland stärkere Preisanstieg im Inland würde dann die Inlandsbilanz verbessern und somit der Passivierungstendenz entgegenwirken, die durch die Einkommensexpansion bedingt ist. Dadurch erhält der Preisauftrieb im Inland neue Nahrung. Gleichzeitig wird aber die Preiserhöhung im Ausland gebremst, da jener Überschuß der Auslandsbilanz, der durch den Einkommenseffekt zustande kommt, durch die anomale Reaktion auf Preisveränderungen zum Teil beseitigt wird. Es kommt also in diesem Falle nicht zu einer Anpassung der Inflationsgrade; im Gegenteil: Die ursprünglich stärkere Preiserhöhung im Inland wird noch weiter beschleunigt, der Preisauftrieb im Ausland dagegen verlangsamt.

II. Variable Wechselkurse und variable Geldeinkommen

Während die Multiplikatoranalyse Konstanz der Wechselkurse unterstellt, basiert die Elastizitäts-Betrachtung, mit deren Hilfe die Wechselkurseffekte untersucht werden, auf der Annahme eines konstanten Volkseinkommens. So bestimmen die von Marshall-Lerner und Robinson entwickelten Formeln nur die primäre Reaktion der Leistungsbilanz auf Änderungen des Wechselkurses, welche durch die Elastizität des Angebots und der Nachfrage determiniert ist. Damit endet aber die Analyse; es wird also nicht berücksichtigt, daß die primäre Änderung der Leistungsbilanz Einkommensbewegungen induziert, die ihrerseits die Leistungsbilanz erneut verändern, s o d a ß d e r e n d g ü l t i g e , n a c h E r r e i c h e n e i n e s n e u e n G l e i c h g e w i c h t s v o r h a n d e n e S a l d o n i c h t m i t d e m p r i m ä r e n , d u r c h d i e E l a s t i z i t ä t s w e r t e b e s t i m m t e n S a l d o ü b e r e i n s t i m m t. Eine Verbindung der Elastizitäts- und Multiplikatoranalyse ist also unumgänglich, wenn die endgültige Reaktion der Leistungsbilanz auf eine Variation des Wechselkurses bestimmt werden soll.

Eine solche Verbindung führt nun zu dem Resultat, daß die endgültige Verbesserung der Leistungsbilanz, die sich nach einer erfolgreichen Abwertung ergibt, kleiner als jene Verbesserung ist, welche bei gegebenen Elastizitätswerten nach der Robinson-Bedingung zu erwarten wäre. Vergrößert sich der Saldo der Leistungsbilanz nach einer Abwertung um $\Delta X - \Delta M$ (primäre Wirkung), so wächst das Volkseinkommen in der ersten Phase um denselben Betrag $(\Delta Y = \Delta X - \Delta M)$, wenn man voraussetzt, daß autonome Konsum- und Investitionsausgaben unverändert bleiben. Die Zunahme des Volkseinkommens verursacht aber eine Erhöhung der Importe, evtl auch einen Rückgang der Exporte, sofern man die vom Ausland ausgehenden Rückwirkungen beachtet. Somit ist die endgültige kleiner als die primäre Verbesserung der Leistungsbilanz, und es folgt mithin, daß der „reine" Abwertungseffekt — und nur auf diesen stellt die Elastizitätsbetrachtung ab — durch den induzierten Einkommenseffekt zum Teil, ja vielleicht vollständig neutralisiert wird. I n s o f e r n r e c h t f e r t i g t d e r E l a s t i z i t ä t s o p t i m i s m u s k e i n e s w e g s a u c h e i n e n A b w e r t u n g s o p t i m i s m u s.

Die hier kurz skizzierten Beziehungen sind in der jüngsten Zeit Gegenstand ausgedehnter Diskussionen gewesen. Wir wollen daher diese unter dem Namen „A b s o r p t i o n s t h e o r i e"[1]) erörterten Zusammenhänge etwas näher erläutern. Ausgangspunkt ist die im I. Teil abgeleitete Identitätsgleichung

$$X - M = Y - A, \qquad (1)$$

in der A die Absorption von Gütern durch Inländer, also die Summe des Konsums und der Investition ($A = C + I$) bedeutet. Schon diese einfache Beziehung zeigt eins mit aller Deutlichkeit: Eine Abwertung kann den Saldo der Leistungsbilanz offenbar nur dann vergrößern, wenn 1. das Volkseinkommen bei konstanter Absorption steigt oder 2. die Absorption bei konstantem Volkseinkommen sinkt oder 3. kombinierte Wirkungen auftreten, also die Absorption z. B. um weniger zunimmt als das Volkseinkommen. Wenn aus der Produktion mehr an Exporten abgezweigt werden muß, als der Volkswirtschaft an Importen zufließt, können die Inländer in jedem Falle weniger Güter absorbieren, als die eigene Volkswirtschaft hervorgebracht hat. Ist dies nicht zu erreichen, so kann sich die Leistungsbilanz nach einer Abwertung endgültig nicht verbessern, ganz unabhängig davon, wie groß die Nachfrage- und Angebotselastizitäten sind.

a) Um die Konsequenzen einer Abwertung unter Berücksichtigung der Einkommenseffekte zu überprüfen, ist es notwendig, Gleichung (1) als Gleichgewichtsbedingung zu interpretieren und gleichzeitig auch zu unterstellen, daß dieses Gleichgewicht zustande kommt. Die Stabilitätsbedingung c $<$ 1 + g (vgl. S. 110) bzw. c + i $<$ 1 + g (bei positiver marginaler Investitionsquote) sei also erfüllt. Zum Zweck der Gleichgewichtsanalyse unterteilen wir die Absorption in einen autonomen Teil A^a, der der Summe von autonomem Konsum und autonomer Investition entspricht, und einen induzierten Teil, dessen Veränderung $a\varDelta Y$ durch die marginale Ausgabenquote a (die Summe aus marginaler Konsum- und Investitionsquote) bestimmt wird. Desgleichen wäre es möglich, auch die Variation des Exports und des Imports in die autonomen (direkt durch die Abwertung bedingten) und die induzierten, einkommensabhängigen Änderungen aufzuspalten, wie dies in der Multiplikatoranalyse gezeigt wurde. Der Saldo der Leistungsbilanz und das Gleichgewichtseinkommen erhöhen sich dann nach einer Abwertung um

$$\varDelta X - \varDelta M = \varDelta Y - a\varDelta Y - \varDelta A^a. \qquad (2)$$

Wir wollen zunächst annehmen, daß die Volkswirtschaft zum Zeitpunkt der Abwertung unterbeschäftigt ist, die Angebotselastizitäten also unendlich sind. Eine den Saldo der Leistungsbilanz vergrößernde Abwertung führt dann

---

[1]) Der „absorption-approach" geht zurück auf A l e x a n d e r, S. S., Effects of a Devaluation on a Trade Balance, International Monetary Fund, Staff Papers, Bd. 2, 1952; A l e x a n d e r, S. S., Effects of a Devaluation: A Simplified Synthesis of Elasticities and Absorption Approaches, American Economic Review, Bd. 49, 1959; vgl. ferner: A l l e n, W. R., A Note on Some Mechanics of the Absorption Approach, Weltwirtschaftliches Archiv, Bd. 68, 1961; B r e m s, H., Devaluation, A Marriage of the Elasticity and the Absorption Approaches, Economic Journal, Bd. 67, 1957; B l a c k, J. A., A Saving and Investment Approach to Devaluation, Economic Journal, Bd. 69, 1959; M a c h l u p, F., Relative Prices and Aggregate Spending in the Analysis of Devaluation, American Economic Review, Bd. 45, 1955; M a c h l u p, F., The Terms of Trade Effect of Devaluation ... a. a. O.; T s i a n g, S. C., The Role of Money in Trade--Balance Stability: Synthesis of the Elasticity and Absorption Approaches, American Economic Review, Bd. 51, 1961.

II. Variable Wechselkurse und variable Geldeinkommen 139

zu einer Expansion des Realeinkommens, also des Geldeinkommens bei konstanten Preisen, die ihrerseits die induzierte Absorption — je nach dem Wert von a — mehr oder weniger stark vergrößert. Für die endgültige Reaktion der Leistungsbilanz hängt alles davon ab, wie groß der Wert der marginalen Absorptionsquote ist. Unterstellt man zunächst eine konstante autonome Absorption ($\Delta A^a = 0$), so kann sich die Leistungsbilanz offenbar nur dann verbessern, wenn a kleiner als 1 ist, die induzierten Konsum- und Investitionsausgaben also um weniger als das Volkseinkommen wachsen. Falls a jedoch gleich 1 ist, wird $\Delta X - \Delta M$ zu Null: Obwohl eine Abwertung die Leistungsbilanz zunächst verbessert, fällt der Saldo nach Beendigung aller Anpassungsprozesse auf den Ausgangsstand zurück.

Der Sinn dieser Aussage wird durch die Überlegung deutlich, daß marginale Absorptionsquote und marginale Hortungsquote h sich zu 1 ergänzen, h also gleich Null ist, falls a einen Wert von 1 annimmt. Gleichung (2) — die man auch in der Form

$$\Delta X - \Delta M = (1-a)\Delta Y \tag{3}$$

schreiben kann (für $\Delta A^a = 0$) — wird dann unter Berücksichtigung der Beziehung $h = 1 - a$ zu

$$\Delta X - \Delta M = h\Delta Y. \tag{4}$$

Da $h\Delta Y$ die induzierte Erhöhung des Hortens repräsentiert[2]), enthält Gleichung (4) die bekannte Aussage, daß der Expansionsprozeß erst dann sein Ende findet (das neue Gleichgewicht erreicht ist), wenn die einkommenssteigernde Wirkung des zusätzlichen Exportüberschusses durch die kontraktive Wirkung zusätzlichen Hortens ausgeglichen wird[3]). Eine marginale Hortungsquote von Null ($a = 1$) würde demnach bedeuten, daß einer Abwertung kein endgültiger Erfolg beschieden ist ($\Delta X - \Delta M = 0$), auch wenn die Elastizitäten eine normale Reaktion der Leistungsbilanz garantieren sollten. Wie wir aus den Multiplikatormodellen wissen, findet der durch autonome Exporterhöhung (und/oder autonome Importsenkung) ausgelöste Aufschwungsprozeß in diesem Falle erst dann sein Ende, wenn die Zunahme der induzierten Importe (und/oder die Abnahme der induzierten Exporte), welche den Expansionsprozeß begleitet, die stimulierenden Wirkungen des durch die Abwertung geschaffenen Überschusses gerade aufhebt. Der primäre, durch „günstige" Elastizitäten bedingte Abwertungserfolg wird also durch den Einkommensmechanismus zunichte gemacht. Das gilt tendenziell auch dann, wenn h größer als Null, a also kleiner als 1 ist. Auch in diesem Falle ist der endgültige Saldo kleiner als der primäre Saldo, da die induzierte Importzunahme (und/oder induzierte Exportabnahme) zwar nicht die ganze,

---

[2]) Die Grenzneigung zum Horten h ist das Verhältnis zwischen zusätzlichem Horten ΔH und Zusatzeinkommen; $h = \dfrac{\Delta H}{\Delta Y}$. Es gilt also: $\Delta H = h\Delta Y$.

[3]) In den Multiplikatormodellen wurde gesagt, daß sich im Gleichgewicht die expansiven Wirkungen des zusätzlichen Exportüberschusses und die kontraktiven Wirkungen des zusätzlichen Sparens die Waage halten. Da im Rahmen dieser Modelle die Grenzneigung zur Investition gleich Null gesetzt wurde, war aber zusätzliches Sparen zugleich zusätzliches Horten. Für eine positive marginale Investitionsquote lautet aber die Gleichgewichtsbedingung:

$$\Delta X - \Delta M = \Delta S^{ind} - \Delta I^{ind} \text{ oder } \Delta X - \Delta M + \Delta I^{ind} = \Delta S^{ind}.$$

Im Gleichgewicht muß also das zusätzliche Sparen nicht nur die expansiven Effekte des Exportüberschusses, sondern auch die der zusätzlichen Investition kompensieren. Die Differenz $\Delta S^{ind} - \Delta I^{ind}$ ist aber das zusätzliche Horten ΔH.

wohl aber einen Teil der Ausgleichslast zu tragen hat[4]). In jedem Falle reicht der „elasticity-approach" nicht aus, um den endgültigen Saldo zu bestimmen. Die von Marshall-Lerner und Robinson entwickelten Bedingungen für eine normale Reaktion bedürfen daher der Erweiterung durch Einbeziehung von Einkommenseffekten[5]). Allein auf der Elastizitätsbetrachtung aufbauende Formeln zeichnen das vollständige Bild nur dann, wenn das Volkseinkommen unverändert bleibt.

Diese Überlegungen lassen sich auch durch Benutzung der Multiplikatorrelationen verdeutlichen. Bezeichnet man die primäre, durch eine Abwertung bedingte Leistungsbilanzverbesserung mit $\Delta X_0 - \Delta M_0$ — ihr Wert ist allein durch die Elastizitätskonstellation bestimmt —, so steigt das Einkommen (vgl. S. 121) um

$$\Delta Y = \frac{1}{s-i+g} \cdot (\Delta X_0 - \Delta M_0.) \tag{5}$$

Da $h = 1 - a = 1 - (c + i) = 1 - c - i = s - i$, gilt

$$\Delta Y = \frac{1}{h+g} \cdot (\Delta X_0 - \Delta M_0.) \tag{6}$$

Die Stabilitätsbedingung $a (= c + i) < 1 + g$ bzw. $1 - h < 1 + g$ oder $h + g > 0$ sei erfüllt. Setzt man (6) in (4) ein, so erhält man den Leistungsmultiplikator

$$\Delta X - \Delta M = \frac{1}{1 + \frac{g}{h}} \cdot (\Delta X_0 - \Delta M_0.)$$

Dabei ist $\Delta X - \Delta M$ die endgültige Verbesserung der Leistungsbilanz, welche sich nach Beendigung aller Anpassungsprozesse ergibt. Die marginale Importquote habe einen positiven Wert. Ist nun $h > 0$, so wird der Leistungsbilanzmultiplikator positiv, aber kleiner als 1: Die endgültige Verbesserung ist kleiner als die primäre Verbesserung der Leistungsbilanz. Für $h = 0$ wird der Multiplikator und damit $\Delta X - \Delta M$ ebenfalls zu Null. Ist schließlich $h < 0$ ($a > 1$), so wird bei Erfüllung der Stabilitätsbedingung $h + g > 0$ bzw. $g > -h$ der Leistungsbilanzmultiplikator negativ, da $1 + g/h < 0$. Trotz primärer, durch günstige Elastizitäten bedingter Verbesserung der Leistungsbilanz tritt endgültig doch eine Verschlechterung ein.

b) Um zusätzlich auch Preiseffekte in die Analyse einzubauen, wollen wir nunmehr unterstellen, daß eine Abwertung im Zustand der Vollbeschäftigung vorgenommen wird. Die grundlegenden Beziehungen (2) und (3) gelten auch in diesem Fall. Nur hängt ihre Interpretation jetzt davon ab, ob Y als monetäre oder reale Größe gedeutet wird. Ursprünglich ist die Absorptionstheorie als Realbetrachtung konzipiert worden. Es bietet sich dann eine einfache Deutung unserer Gleichungen an: Da das Realeinkommen im Fall der Vollbeschäftigung kurzfristig nicht steigen kann[6]) ($\Delta Y = 0$), würde der Saldo der Leistungsbilanz „real" nur dann vergrößert werden, wenn die reale Absorption vermindert wird. Wir ziehen es aber vor, mit Geldgrößen anstatt mit realen Größen zu operieren, vor allem deshalb, weil dem Begriff

---

[4]) Die endgültige Verbesserung könnte mit der primären Verbesserung der Leistungsbilanz nur dann übereinstimmen, wenn h in beiden Ländern gleich 1 ist.

[5]) Solche Formeln wurden entwickelt von Alexander, S. S., A Simplified Synthesis ... a. a. O.

[6]) Es sei denn, daß die Abwertung eine günstigere Verteilung der Produktionsfaktoren zur Folge hat. Machlup spricht von Resource-Reallocation-Effect.

II. Variable Wechselkurse und variable Geldeinkommen

„realer Exportüberschuß" nur schwerlich ein vernünftiger Sinn zu geben ist[7]).

Offensichtlich würde die Leistungsbilanz nach einer Abwertung endgültig nur dann verbessert werden, wenn gemäß (2) entweder die induzierte Absorption um weniger als das Geldeinkommen steigt oder die autonome Absorption aus gegebenem Geldeinkommen kleiner wird. Nun vollzieht sich aber die Zunahme des Geldeinkommens im Zustand der Vollbeschäftigung bei konstantem Realeinkommen und steigenden Preisen. Unter diesen Umständen ist die monetäre marginale Absorptionsquote normalerweise größer — die marginale Hortungsquote also kleiner — als im Zustand der Unterbeschäftigung, in welchem Realeinkommen und Geldeinkommen im gleichen Tempo steigen, die monetäre also mit der realen marginalen Absorptionsquote übereinstimmt. Diese Folgerung ergibt sich aus der plausiblen Hypothese, daß die Wirtschaftssubjekte auch nach einer Preiserhöhung bestrebt sein werden, ihre r e a l e Absorption, also den r e a l e n Konsum und die r e a l e Investition aufrechtzuerhalten. Unter diesen Voraussetzungen hat die Absorptionsfunktion (Summe von Konsum- und Investitionsfunktion) den in Abb. 27 angegebenen Verlauf ABC. Das Teilstück AB zeigt den Verlauf der Absorptionsfunktion bis zur Vollbeschäftigungsgrenze Y_v unter der vereinfachten Voraussetzung, daß die Preise in diesem Bereich unverändert bleiben $(AB$ ist also die reale und monetäre Absorptionsfunktion zugleich). Die d u r c h s c h n i t t l i c h e reale (und monetäre) Absorptionsquote bei Vollbeschäftigung wird dann durch den Tangens des Winkels α angegeben ($^{120}/_{100}$)[8]). Steigt nun das Geldeinkommen bei konstantem Realeinkommen um 20 % auf 120 — die Preise erhöhen sich dann proportional zum Geldeinkommen —, so erhöht sich die monetäre Absorption auf 144 (also auch um 20 %), falls die reale Absorption unverändert bleiben soll. Diese These würde offensichtlich implizieren, daß die reale Absorption eine Funktion des Realeinkommens ist: Eine Zunahme der Geldeinkommens und der Preise, die das Realeinkommen unverändert läßt, bedeutet dann auch Konstanz der realen Absorption, d. h. eine der Preiserhöhung proportionale Erhöhung der monetären Absorption. Die Form der monetären Absorptionsfunktion wird mithin nach Erreichen der Vollbeschäftigungsgrenze durch die Linie BC angegeben, deren Anstieg der durchschnittlichen Absorptionsquote bei Vollbeschäftigung entspricht. Unter den getroffenen Annahmen ist aber die marginale Absorptionsquote nach erreichter Vollbeschäftigung (Anstieg von BC) größer als bei Unterbeschäftigung (Anstieg von AB). Somit wächst nach (2) die induzierte Absorption $a\Delta Y$ schneller als im Zustand der Unterbeschäftigung, und es vermindert sich die Chance, daß eine Abwertung die Leistungsbilanz nicht nur temporär verbessert.

In der Ausgangslage sei Y_v das Gleichgewichtseinkommen; da $A > Y$, ist auch $M > X$. Eine Abwertung, die das Gleichgewichtseinkommen z. B. auf 120 erhöht — die Stabilitätsbedingung $a < 1 + g$ sei erfüllt — hat nun in dem hier dargestellten Fall zur Folge, daß die Absorption stärker als das Volkseinkommen steigt; die marginale Absorptionsquote ist also größer als 1 (= 24/20) und $h < 0$. Wenn aber ΔA (24) $> \Delta Y$ (20), ist auch $\Delta M > \Delta X$, so daß sich das Ausgangsdefizit der Leistungsbilanz in dem hier dargestellten Fall letztlich

---

[7]) Vgl. dazu M a c h l u p, F., Relative Prices ... a. a. O., S. 268 ff. Auch A l e x a n d e r, der ursprünglich Realgrößen verwendete, hat in seinem zweiten Aufsatz (A Simplified Synthesis ... a. a. O.) mit Geldgrößen operiert.

[8]) Wir unterstellen also, daß die Absorption im Vollbeschäftigungszustand größer als das Volkseinkommen ist. Wegen der Beziehung X-M = Y-A impliziert diese Annahme ein Defizit der Leistungsbilanz.

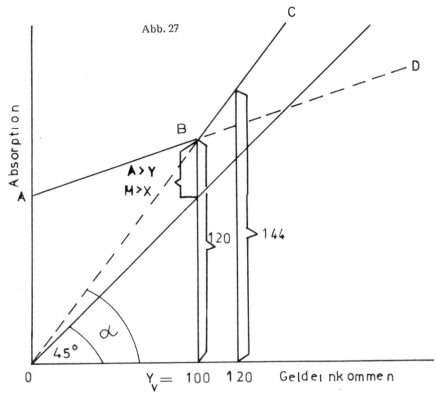

Abb. 27

noch weiter vergrößert (von 20 auf 24). Ist dagegen in der Ausgangslage $Y > A$ und mithin $X > M$, so bleibt $a < 1$ $(h > o)$, und die Leistungsbilanz wird sich nach einer Abwertung verbessern. Dieser Fall kann jedoch im folgenden ausgeschaltet werden, da eine Abwertung nur selten im Falle eines Leistungsbilanzüberschusses vorgenommen wird.

Etwas günstigere Ergebnisse sind zu erwarten, wenn die Wirtschaftssubjekte einer „G e l d i l l u s i o n" unterliegen. In diesem Falle wäre die Absorption — vor allem der Konsum — eine wachsende Funktion des Geldeinkommens, ganz unabhängig davon, ob die Preise steigen oder nicht. Der Verlauf der Absorptionsfunktion nach Erreichen der Vollbeschäftigung würde dann nicht durch die Linie BC, sondern durch BD gekennzeichnet werden — ein Ausdruck für die Tatsache, daß ein Geldeinkommenszuwachs bei konstanten Preisen gleiche zusätzliche Ausgaben induziert wie ein Geldeinkommenszuwachs bei erhöhten Preisen. Die Bedeutung der Geldillusion für die Leistungsbilanz ist offensichtlich: Da die marginale Absorptionsquote bei Geldillusion (Anstieg von BD) kleiner als der Anstieg von BC ist, wird die induzierte Absorption um weniger wachsen als beim Nichtvorliegen von Geldillusion, so daß zusätzlicher Spielraum für eine Verbesserung der Leistungsbilanz geschaffen wird. In der Tat würde sich das bei $Y_v = 100$ bestehende Defizit $(M > X)$ bei $Y = 120$ verringern, wenn BD das relevante Teilstück der Absorptionsfunktion ist.

c) Unterstellt man die Nichtexistenz von Geldillusion, so kann die Leistungsbilanz nach einer Abwertung wirklich nachhaltig nur dann verbes-

II. Variable Wechselkurse und variable Geldeinkommen 143

sert werden, wenn die marginale Absorptionsquote durch den Einfluß anderer Faktoren sinkt oder die autonome, von der Höhe des Einkommens unabhängige Absorption A^a eine Verminderung erfährt, Konsum- und Investitionsfunktion sich also nach unten verschieben. Eine solche Veränderung kann natürlich stets durch die Geld- und Fiskalpolitik erzwungen werden. Man könnte sich z. B. vorstellen, daß die expansive Tendenz, welche von der primären Verbesserung der Leistungsbilanz ausgeht, durch eine kontraktive, die Ausgaben für Inlandsgüter mindernde Geldpolitik kompensiert wird. Das Geldeinkommen bliebe dann als Resultat entgegengesetzter Kräfte unverändert; die endgültige Verbesserung ist gleich der primären Verbesserung der Leistungsbilanz, denn der Einkommensmechanismus kommt nicht zum Zuge. Allerdings sind strukturelle Änderungen zu erwarten. Die Abwertung erhöht zunächst die in DM gemessenen Preise der Import- und Exportgüter. Sodann steigen wahrscheinlich auch die Preise von Importersatzgütern, welche die Inländer nach Verteuerung der Einfuhrgüter in verstärktem Maße kaufen. Gleichzeitig müssen aber die Preise von anderen Inlandsgütern sinken, da die Gesamtausgaben — und bei konstanter Produktion (Vollbeschäftigung) auch das Preisniveau — durch restriktive geldpolitische Maßnahmen auf ihrem alten Niveau gehalten werden. Immerhin können sich aus dieser Umschichtung unerwünschte Fernwirkungen ergeben, vor allem dann, wenn die Produktionsfaktoren schwer beweglich sind und es folglich nicht möglich ist, Faktoren von den „geschädigten" in die prosperierenden Sektoren umzulenken.

Können sich die geldpolitischen Instanzen nicht zu einer kontraktiven Geldpolitik entschließen, so übersteigt die monetäre Nachfrage das Angebot, insbesondere deshalb, weil nach der Abwertung die Ausgaben des Auslandes für inländische Exportgüter größer werden. Nach einem Rückgang des Importwertes — die Importelastizität ist dann größer als 1 — steigen zusätzlich auch die Ausgaben der Inländer für heimische Güter, weil durch die Verringerung des Importwertes Einkommensteile für andere Verwendungen freigesetzt worden sind. Es kommt also zu einer Expansion des Geldeinkommens bei steigenden Preisen, die den primären Abwertungserfolg zunichte zu machen drohen. Die entscheidende Frage lautet nun, ob die marginale Absorptionsquote oder die autonome Absorption durch den Preisanstieg vermindert wird — in beiden Fällen sinkt die durchschnittliche Absorptionsquote —, so daß Preisanstieg und Einkommensexpansion verlangsamt werden und ein Teil der Bilanzverbesserung über den Anpassungsprozeß hinweg gerettet werden kann.

Folgende Möglichkeiten der Absorptionsverminderung bieten sich nun an:

1. Der durch die Abwertung verursachte Preisanstieg bedingt eine steigende Nachfrage nach Transaktionskasse, die bei gegebenem oder nur wenig erhöhtem Geldvolumen nur durch einen Abbau der spekulativen Kasse befriedigt werden kann. Wirtschaftssubjekte, die zusätzliche Mittel für Umsatzzwecke benötigen, werden also Wertpapiere verkaufen, was einen Fall der Kurse, also einen Anstieg der Effektivverzinsung zur Folge hat. Bei zinselastischen Investitionen kommt es mithin zu einer Verringerung der Investitionstätigkeit, die als Abnahme der autonomen (einkommensunabhängigen) Absorption gedeutet werden kann. Analytisch lassen sich diese Zinseffekte indessen auch als Änderung der marginalen Absorptionsquote interpretieren: Während diese Quote üblicherweise als Verhältnis zwischen Absorptions- und Einkommenszuwachs *bei Konstanz aller anderen absorptionsbestimmenden Faktoren* definiert wird, besteht andererseits auch die Möglichkeit, Zinseffekte in der Definition von a zu berücksichtigen, also die ceteris paribus-Annahme bei der Verwendung des Begriffs aufzugeben. Aus dieser Sicht bedeu-

tet der investitionsdämpfende Effekt der Zinserhöhung, daß der mit einem Geldeinkommenszuwachs verbundene Anstieg der Absorption geringer als bei konstantem Zins ausfällt. Die marginale Hortungsquote nimmt zu, und die Erfolgsaussichten der Abwertung werden größer.

Diese Konsequenzen lassen sich unter Verwendung der oben skizzierten Einflüsse auf die marginale Hortungsquote analytisch leicht verdeutlichen[9]. Nach wie vor gilt die Beziehung

$$X - M = Y - A ,$$

wobei alle Variablen als monetäre Größen definiert sind. Die Gesamtabsorption setzt sich zusammen aus

$$I = I_r (z) \cdot P \quad (1)$$
$$C = C (Y, P). \quad (2)$$

Damit unterstellen wir, daß die Investoren frei von Geldillusion sind, denn die Realinvestition $I_r = I/P$ bleibt bei gegebenem Zins (z) konstant, so daß sich die nominellen Investitionsausgaben proportional zum Preisniveau (P) verändern.

Für das Konsumverhalten wird alternativ Existenz von Geldillusion oder Freiheit von Geldillusion unterstellt. Setzt man zur Vereinfachung in der Ausgangslage $Y = P = 1$, so gilt nach erreichter Vollbeschäftigung — der Realeinkommenszuwachs ist hier Null — die Beziehung

$$c = \frac{dC}{dY} = \frac{dC}{dP}. \quad (3)$$

Diese allgemeine Beziehung wird zu

$$c = \frac{dC}{dY} = \frac{dC}{dP} = \frac{C_v}{Y_v}, \quad (4)$$

wenn Freiheit von Geldillusion unterstellt ist: Im Vollbeschäftigungszustand entspricht die marginale Konsumquote der durchschnittlichen Konsumquote C_v/Y_v. Die Begründung folgt aus der Interpretation der Abb. 26, die bei Freiheit von Geldillusion eine Übereinstimmung von marginaler Absorptionsquote (Anstieg von BC) und durchschnittlicher Absorptionsquote ($\tan \alpha$) erkennen läßt.

Zur Bestimmung des Zinssatzes benötigen wir die Gleichgewichtsbedingung auf dem Geldmarkt (vgl. 4. Kapitel, Teil IV):

$$L(Y, z) = G. \quad (5)$$

Für die marginale Hortungsquote — die zentrale Größe des Systems — gilt

$$h = 1 - \frac{dC}{dY} - \frac{dI}{dY}, \quad (6)$$

---

[9] Die folgende Ableitung entspricht einem Spezialfall des Tsiang-Meade-Modells, eines allgemeinen Gleichgewichtsmodells auf keynesianischer Basis. Vgl. Tsiang, S. C., The Role of Money . . ., a. a. O.; Meade, J. E., The Balance of Payments, Mathematical Supplement, London 1951. Eine ausführliche Analyse des Tsiang-Meade-Modells findet sich bei Bender, D., Abwertung und gesamtwirtschaftliches Gleichgewicht, Berlin 1972, S. 77 ff.

II. Variable Wechselkurse und variable Geldeinkommen 145

wobei dI/dY durch Zinseffekte determiniert wird. Während die marginale Konsumquote durch die Annahmen hinsichtlich der Geldillusion bestimmt ist (Gleichungen 3 und 4), muß die marginale Investitionsquote dI/dY erst aus diesen Zinseffekten abgeleitet werden. Aus (1) folgt

$$\frac{dI}{dY} = \frac{dI_r}{dz} \cdot \frac{dz}{dY} + \frac{dP}{dY} \cdot I_r. \quad (7)$$

Da nun das Nominaleinkommen als Produkt aus Realeinkommen (Y_r) und Preisen definiert ist, folgt

$$P = \frac{Y}{Y_r}$$

und

$$\frac{dP}{dY} = \frac{1}{Y_r}.$$

Einsetzen in (7) ergibt

$$\frac{dI}{dY} = \frac{dI_r}{dz} \cdot \frac{dz}{dY} + \frac{I_r}{Y_r}. \quad (8)$$

Während die marginale Investitionsquote durch Zinsänderungen beeinflußt wird, ist die Zinsvariation bei gegebenem Geldvolumen ihrerseits von der Veränderung der Transaktionsnachfrage und damit letztlich vom Ausmaß der preisinduzierten Geldeinkommensexpansion bestimmt. Der gesuchte Ausdruck dz/dY ergibt sich — bei Konstanz von G — aus (5):

$$\frac{\partial L}{\partial Y} \cdot dY + \frac{\partial L}{\partial z} \cdot dz = 0$$

$$\frac{dz}{dY} = -\frac{\frac{\partial L}{\partial Y}}{\frac{\partial L}{\partial z}}. \quad (9)$$

Nach Einsetzen in (8) folgt:

$$\frac{dI}{dY} = -\frac{dI_r}{dz} \cdot \frac{\frac{\partial L}{\partial Y}}{\frac{\partial L}{\partial z}} + \frac{I_r}{Y_r}.$$

Damit kann die in (6) definierte marginale Hortungsquote — die strategische Größe des Systems — wie folgt geschrieben werden:

$$h = 1 - \left(\frac{dC}{dY} + \frac{I_r}{Y_r}\right) + \frac{dI_r}{dz} \cdot \frac{\frac{\partial L}{\partial Y}}{\frac{\partial L}{\partial z}}. \quad (10)$$

Multipliziert man Zähler und Nenner des Ausdrucks I_r/Y_r mit dem bei Vollbeschäftigung gegebenen Preisindex, so erhält man die durchschnittliche monetäre Investitionsquote bei Vollbeschäftigung I_v/Y_v. Aus (10) wird dann unter Berücksichtigung von $c = dC/dY$

$$h = 1 - \left(c + \frac{I_v}{Y_v}\right) + \frac{dI_r}{dz} \cdot \frac{\frac{\partial L}{\partial Y}}{\frac{\partial L}{\partial z}}. \quad (11)$$

Für den Spezialfall der Freiheit von Geldillusion folgt aus (11) unter Berücksichtigung von (4)

$$h_1 = 1 - \left(\frac{C_v}{Y_v} + \frac{I_v}{Y_v}\right) + \frac{dI_r}{dz} \cdot \frac{\frac{\partial L}{\partial Y}}{\frac{\partial L}{\partial z}}. \tag{12}$$

Bei Existenz von Geldillusion ist dagegen $c < \frac{C_v}{Y_v}$, ebenso wie in diesem Falle (vgl. Abb. 26) die marginale Absorptionsquote (Anstieg von BD) kleiner als die durchschnittliche Absorptionsquote bei Vollbeschäftigung (tan α) sein muß. Unter der Annahme von Geldillusion ist also die marginale Hortungsquote h (Gleichung 11) größer als die bei Freiheit von Geldillusion geltende Quote h_1 (Gleichung 12); dies bestätigt die schon früher abgeleitete These, daß die Erfolgschancen einer Abwertung durch das Vorhandensein von Geldillusion vergrößert werden.

Selbst bei Freiheit von Geldillusion (es gilt also h_1) sind jedoch die Zinseffekte in der Lage, die Hortungsquote zu vergrößern, die Absorptionsquote also zu vermindern und damit Spielraum für eine Verbesserung der Leistungsbilanz zu schaffen. Wie aus (12) hervorgeht, induzieren Zinserhöhungen eine umso größere Zunahme von h_1, je stärker die Investitionen als Folge dieses Zinseffekts vermindert werden $(dI/dz < 0)$. Diese Wirkung wird insgesamt umso größer sein, je größer der Kassenhaltungskoeffizient ist $(\frac{\partial L}{\partial Y} > 0)$ und je weniger die spekulative Geldnachfrage auf Zinsänderungen reagiert $(\frac{\partial L}{\partial z} < 0)$.

Da eine dauerhafte Verbesserung der Leistungsbilanz ausgeschlossen bleibt, wenn die marginale Hortungsquote Null ist, läßt sich aus (12) ferner ablesen, unter welchen Bedingungen eine solche Konstellation eintritt: Unterstellt man eine in der Ausgangslage ausgeglichene Leistungsbilanz $(X = M$ und daher $Y_v = A_v = C_v + I_v$, also $\frac{C_v}{Y_v} + \frac{I_v}{Y_v} = 1)$, so wird sich die Leistungsbilanz nicht verbessern, wenn a) die Investitionen völlig zinsunelastisch $(dI/dz = 0)$ sind oder b) die spekulative Geldnachfrage vollständig zinselastisch ist $(\partial L/\partial z = -\infty)$. Besteht dagegen in der Ausgangslage ein Leistungsbilanzdefizit $(C_v + I_v = A_v > Y_v$ und daher $\frac{C_v}{Y_v} + \frac{I_v}{Y_v} > 1)$, so wird die marginale Hortungsquote negativ, und die Leistungsbilanz muß sich nach einer Abwertung auf Dauer noch mehr verschlechtern. In diesem Falle werden auch zinselastische Investitionen $(dI/dz < 0)$ in Verbindung mit einer nicht völlig zinselastischen Geldnachfrage noch nicht notwendig eine Verbesserung der Leistungsbilanz garantieren, da hierdurch die marginale Hortungsquote zwar erhöht wird, diese aber sehr wohl noch negativ bleiben kann. Erst wenn durch kontraktive Geldpolitik (Verringerung der Geldmenge) der Zinseffekt hinreichend verstärkt werden könnte, wäre auch in dieser Situation eine Verbesserung der Leistungsbilanz garantiert. Voraussetzung dazu ist aber immer die postulierte Zinselastizität der Investitionen, die gerade bei Vollbeschäftigung nicht notwendig gegeben sein muß. Unter diesen Umständen ist zu fragen, ob nicht außer Zinseffekten weitere Möglichkeiten der Absorptionsverminderung bei Vollbeschäftigung gegeben sind.

2. Hier ist zunächst an die Änderung der Einkommensverteilung als Folge der Preiserhöhung zu denken. Es erhöhen sich die Gewinne der Produzenten

in den Exportgüter-, evtl. auch in den Importersatzgüterindustrien, während die Geldeinkommen der Festbesoldeten unverändert bleiben oder zumindest um weniger als die Preise steigen. Die Realeinkommen dieser Gruppen sinken also. Durch diese Umverteilung wird die durchschnittliche (und wohl auch die marginale) Konsumquote für die Volkswirtschaft als Ganzes sicherlich vermindert, denn die Konsumneigung der Bezieher kleiner Einkommen ist größer als die der Bezieher höherer Einkommen. Fraglich ist aber, ob sich die Absorptionsquote — die sich ja aus Konsum- u n d Investitionsquote zusammensetzt, — durch den Redistributionsprozeß verringern wird. Da höhere Gewinne zusätzliche Investitionen stimulieren, ist es sehr wohl möglich, daß die Abnahme der durchschnittlichen Konsumquote durch erhöhte Investitionsausgaben mehr als ausgeglichen wird. Es steigt dann die durchschnittliche Absorptionsquote, und die Leistungsbilanz verschlechtert sich. Durch die Umverteilung wird die Absorption also nicht in jedem Falle vermindert.

3. Nach Pigou ist das Sparen eine zunehmende Funktion des Realeinkommens, aber eine abnehmende Funktion des Realwertes der Kassenbestände. Der Anstieg der Preise induziert dann eine Zunahme des Sparens, da die Sparer nach Pigou versuchen werden, den durch die Preiserhöhung gesunkenen Realwert der Kassenhaltung wieder auf das alte Niveau zu heben. Folglich geht die Absorption (via Konsum) zurück. Die Pigou'schen Thesen sind jedoch nicht unbestritten; tatsächlich dürfte auch die durch den Pigou-Effekt beschriebene kontraktive Wirkung — falls sie überhaupt eintritt — nur eine geringe Bedeutung haben.

4. Es wurde bisher unterstellt, daß die Abwertung sich voll in erhöhten Preisen niederschlägt. Nun wäre es aber auch denkbar, daß trotz des Nachfrageüberhanges die Preise unverändert bleiben und stattdessen die Lieferfristen länger werden. Räumen z. B. die Unternehmer den Exportmärkten eine Vorzugstellung ein, so müssen Güter, die sonst auf den Inlandsmarkt geflossen wären, für zusätzliche Exporte verwendet werden. Die verlängerten Lieferfristen erzwingen dann eine Abnahme der Konsum- und Investitionsausgaben oder — was das gleiche ist — eine ungeplante Erhöhung der Kassenbestände. Eine solche Situation ist jedoch recht unstabil; sollte das Preisniveau sich unter dem Sog der Nachfrage schließlich doch erhöhen, so werden die ungeplanten Kassen wieder abgebaut und die Exporte durch die steigenden Inlandspreise abgeschreckt.

Nach allem dürfte es somit recht fraglich sein, ob der Abwertung bei Vollbeschäftigung ein dauernder Erfolg beschieden ist, ganz unabhängig davon, daß die Elastizitäten eine normale Reaktion zur Folge haben. Sehr viel hängt natürlich von den institutionellen Gegebenheiten ab: vor allem von der Art der Geld- und Finanzpolitik, nicht zuletzt aber auch von der Stärke der Gewerkschaften, die u. a. das Ausmaß der Lohnerhöhung bestimmt. Ein dauernder Erfolg ist der Abwertung in jedem Fall nur dann beschieden, wenn die induzierte Absorption um weniger als das Volkseinkommen steigt $(a < 1, h > 0)$ oder die autonome Absorption aus gegebenen Geldeinkommen kleiner wird. Andernfalls würden die Preise so lange steigen, bis der durch die Abwertung bedingte Preisvorteil beseitigt ist und die Leistungsbilanz ihren alten Stand erreicht.

Diese unerfreulichen Erscheinungen könnten allerdings mehr oder weniger vermieden werden, wenn es dank der Abwertung möglich ist, auf Importkontrollen und Maßnahmen der Devisenbewirtschaftung zu verzichten. Unter diesen Umständen bedarf es möglicherweise keiner oder nur einer geringfügigen Verminderung der autonomen Absorption, da der von den Fesseln des Protektionismus befreite Außenhandel expandiert und dadurch die Chance wächst, durch Umlenkung von Produktionsfaktoren die Effizienz der Volkswirtschaft zu heben. Weil auf diese Weise eine Steigerung des Sozialprodukts auch bei Vollbeschäftigung möglich ist, können für das Ausland zusätzliche Güter bereitgestellt werden, ohne daß die Inländer Konsum und Investition verringern. Sofern die marginale Absorptionsquote kleiner als 1 ist — was nunmehr viel eher erwartet werden kann —, wird die Leistungsbilanz auch auf die Dauer verbessert.

III. Monetäre Zahlungsbilanztheorie und absorption-approach

Im 3. Kapitel haben wir die monetäre Zahlungsbilanztheorie behandelt, in deren Mittelpunkt die These steht, daß Ungleichgewichte der Zahlungsbilanz auf Geldmarktungleichgewichte zurückgeführt werden können. Tatsächlich kann dieser „monetary approach" als Spezialfall des „absorption approach" betrachtet werden, in dem das Verhältnis von Einkommen und Absorption allein durch den Geldmarkt bestimmt wird. Eine Abwertung bei Vollbeschäftigung führt auch nach dieser Theorie über Preiserhöhungen zu einem Nachfrageüberhang am Geldmarkt. Während nun nach der Absorptionstheorie in Anwendung Keynesscher Gedankengänge ein Zinsanstieg mit nachfolgender Dämpfung der Investition die Folge ist (vgl. S. 143), betont die monetäre Theorie die Gültigkeit der Wirkungskette: Nachfrageüberhang am Geldmarkt → Hortung → Reduktion der Güternachfrage relativ zum Angebot → Angebotsüberschuß an Gütern → Exportüberschuß (man beachte die Parallelen zu Pigous Realkassenhaltungseffekt). Hier wie dort verbessert sich die Leistungsbilanz — mit dem einen Unterschied, daß die auf diesem Wege erreichte Aktivierung der Leistungsbilanz nach Ansicht der monetären Theorie nur vorübergehend ist: Wenn sich die Währungsreserven des Landes via Überschuß erhöhen, steigt das Geldvolumen, weil die Zentralbank auf Sterilisierungspolitik, also ein „Abschöpfen" des Geldzuflusses verzichtet oder aber solche Versuche nach Ansicht der Vertreter dieser Theorie letztlich als unwirksam betrachtet werden. Dieser Geldmengenzufluß restauriert indessen das Geldmarktgleichgewicht und beseitigt damit auch den Überschuß der Zahlungsbilanz, da ein solcher Überschuß nach Ansicht der monetären Theorie nur im Falle eines Nachfrageüberhangs am Geldmarkt existieren kann.

Diese Erklärung gießt allerdings nur „neuen Wein in alte Schläuche". Es gehörte zu den ältesten Erkenntnissen der Wechselkurstheorie, daß eine einmalige Abwertung mit Chancen auf Erfolg nur dann durchgeführt werden kann, wenn ihre positiven Wirkungen nicht durch eine monetäre Expansion verhindert werden. So spitzt sich alles auf die nur empirisch zu lösende Frage zu, ob es der Geldpolitik durch kompensierende Maßnahmen (z. B. Offenmarkt-Politik) gelingen kann, den Geldzustrom aus dem Ausland zu neutralisieren, ob also das Geldangebot bei festen Kursen als endogene oder exogene (Politik-) Variable betrachtet werden muß. Die Ergebnisse empirischer Studien sind hier keineswegs eindeutig; so gibt es durchaus Hinweise, daß in einigen Fällen (z. B. im Falle Japans) die Sterilisierungspolitik über lange Zeit recht gut gelungen ist.

Die These von der Unwirksamkeit der Wechselkurspolitik wird erst recht dann fragwürdig, wenn in der Ausgangslage ein Defizit der Zahlungsbilanz besteht, dem ein Angebotsüberhang am Geldmarkt entspricht. Die Wirtschaftspolitik steht jetzt durchaus vor der Wahl, entweder einen Geldmengenabfluß bei konstanten Kursen zuzulassen oder aber die eigene Währung abzuwerten, so daß ein Preisanstieg die nominelle Liquiditätspräferenz erhöht: Während im ersten Fall die Reduktion von G den Angebotsüberschuß am

Geldmarkt (also auch das Zahlungsbilanzdefizit) beseitigt, erfolgt die Anpassung im zweiten Fall über eine Erhöhung von L. Die monetäre Zahlungsbilanztheorie versperrt leicht den Blick für derartige Zusammenhänge, da sie normalerweise davon ausgeht, daß in der Ausgangslage Bestandsgleichgewicht am Geldmarkt (und Zahlungsbilanzgleichgewicht) gegeben ist, das durch eine Datenänderung in Form der Währungsabwertung gestört wird. Dieses Ausgangsgleichgewicht wird durch ein neues Gleichgewicht ersetzt, das sich lediglich durch größere Währungsreserven und ein höheres Preisniveau von der Ausgangslage unterscheidet. Tatsächlich sind aber Wechselkursvariationen normalerweise Reaktionen auf Ungleichgewichtssituationen, die durchaus über längere Zeit bestehen können, da die von der monetären Theorie diskutierte Anpassung an ein Bestandsgleichgewicht sich nicht ohne zeitliche Verzögerungen vollziehen kann. Ehe man aus der These, daß langfristig ein Bestandsgleichgewicht zustande kommt, wirtschaftspolitische Schlüsse zieht, sollte man auch hier die alte Frage „How long is the long run?" erneut überdenken.

IV. Reales Austauschverhältnis und Einkommenswirkungen

Nach der Absorptionsbetrachtung bedürfen die Bedingungen für eine normale Reaktion der Leistungsbilanz — also die Formeln von Marshall-Lerner und Robinson — einer Revision, wenn die endgültige Bilanzveränderung unter Berücksichtigung der Einkommenseffekte erfaßt werden soll. Welche Überlegungen gelten aber für den Fall, daß ein gegebener Saldo der Leistungsbilanz durch eine Wechselkursänderung nicht beeinflußt wird? Liegt dann nicht die Folgerung nahe, daß auch das Volkseinkommen unverändert bleibt, der „elasticity-approach" folglich nicht durch den „absorption-approach" ergänzt werden muß? Um diese von Harberger[10]), Laursen-Metzler[11]) und Stolper[12]) aufgeworfene Frage zu beantworten, unterstellen wir eine im Ausgangszustand ausgeglichene Leistungsbilanz. Wir nehmen ferner an, daß die Angebotselastizitäten in beiden Ländern unendlich sind; diese Annahme ist nicht wirklich notwendig, sie erleichtert aber die Ableitung wesentlich. Wird unter diesen Bedingungen die DM abgewertet, so bleibt nach der Marshall-Lerner-Bedingung die Leistungsbilanz im Gleichgewicht, sofern die Importelastizitäten beider Länder sich zu 1 ergänzen. Es läge nun der Schluß nahe, daß unter diesen Umständen das Volkseinkommen gleichfalls unverändert bleibt, also keine expansiven Tendenzen entstehen, die schließlich doch noch ein Defizit bewirken. Diese Folgerung beruht auf einer bestimmten Ansicht über das Verhalten der Konsumenten und Investoren: Es wird nämlich stillschweigend angenommen, daß jede Veränderung des Importwertes, die durch die Variation des Wechselkurses zustande kommt, durch eine entgegengesetzte Änderung der Ausgaben für Inlandsgüter gerade ausgeglichen wird. Wir wollen die Zusammenhänge an Hand von Gleichung (1) und mit Hilfe eines Zahlenbeispiels deutlich machen. Da sich die gesamte Absorption aus dem Konsum und der Investi-

---

[10] Harberger, A., Currency Depreciation, Income, and the Balance of Trade, The Journal of Political Economy, Bd. 58, 1950.

[11] Laursen, S. und Metzler, L. A., Flexible Exchange Rates and the Theory of Employment, The Review of Economics and Statistics, Bd. 32, 1950.

[12] Stolper, W., The Multiplier, Flexible Exchanges, and International Equilibrium, Quarterly Journal of Economics, Bd. 64, 1950; vom selben Autor: Stand und ungelöste Probleme der Theorie des Außenhandelsmultiplikators, Zeitschrift für die gesamte Staatswissenschaft, Bd. 108, 1952.

tion heimischer und fremder Güter (A_h und A_f) zusammensetzt (vgl. Teil I., S. 28), kann Gleichung (1) auch in der Form

$$Y = A_h + A_f + X - M \qquad (5)$$
$$500 = 400 + 100 + 100 - 100$$

geschrieben werden. Die Leistungsbilanz ist also im Ausgangszustand ausgeglichen. Ferner sind A_f und M identisch, denn der Gesamtwert des Imports entspricht natürlich immer der Summe von Konsum- und Investitionsausgaben für fremde Güter.

Nach einer Abwertung erhöht sich nun die Menge der exportierten Güter bei Konstanz des DM-Preises der Exporte (Angebotselastizität $= \infty$). Folglich steigt auch der Exportwert, z. B. von 100 auf 120. Weil die Summe der Importelastizitäten dem Werte *1* entsprechen soll, muß folglich auch der Wert des Imports auf *120* steigen, was — wie wir wissen — nur möglich ist, wenn die Importelastizität im Inland kleiner als *1* ist. Offensichtlich bleibt das Volkseinkommen in diesem Fall nur dann konstant, wenn A_h auf *380* sinkt, die Wirtschaftssubjekte also in dem Maße ihre Ausgaben für Inlandsgüter reduzieren, wie sie Einkommensteile für Zusatzimporte verwendet haben:

$$500 = 380 + 120 + 120 - 120.$$

Von einer gleich großen Erhöhung der Exporte und Importe gehen also nur dann keine störenden Wirkungen aus, wenn die gesamten Konsum- und Investitionsausgaben ($A_h + A_f$) unverändert bleiben, weil den vermehrten Importen (= Exporte) ein Verzicht auf Inlandsgüter entspricht. Da Exporte und Importe gleich sind, wird der expansive Effekt der steigenden Ausfuhr durch die verminderte Nachfrage nach Inlandsgütern völlig ausgeglichen. Unter diesen Umständen ändert sich nur die Struktur, nicht aber das Volumen der monetären Gesamtnachfrage nach Inlandsgütern; denn in dem Maße wie die Inländer weniger heimische Güter kaufen, übersteigen die Exporte den früheren Stand. Das makroökonomische Gleichgewicht wird also nicht gestört, wenn sich auch die Struktur der Produktion verändert.

Ist nun aber wirklich anzunehmen, daß die Vermehrung der Importe stets zu Lasten der Inlandskäufe geht? Wäre es nicht auch denkbar, daß trotz steigender Ausgaben für Einfuhrgüter die Käufe von Inlandsgütern nur um weniger sinken, konstant bleiben oder gar größer werden, was offensichtlich durch vermindertes Sparen ermöglicht werden kann? Harberger und Laursen-Metzler beantworten diese Frage mit einem klaren Ja. Ausgangspunkt der Analyse ist die Überlegung, daß bei unendlich großen Angebotselastizitäten in beiden Ländern die terms of trade durch eine Abwertung stets verschlechtert werden (vgl. S. 75 ff.). Während die DM-Preise der Exporte in diesem Fall unverändert bleiben, steigen die DM-Preise der Importe um einen Prozentsatz, welcher der prozentualen Erhöhung des Dollar-Kurses genau entspricht. Dadurch sinkt das heimische Realeinkommen[13]) — genauso, wie

---

[13]) Normalerweise wird als „Realeinkommen" das physische Volumen des Sozialprodukts bezeichnet. Wenn sich demnach die terms of trade bei Konstanz der Beschäftigung und des physischen Sozialprodukts verändern, wird nach dieser Definition das Realeinkommen von der Änderung der terms of trade nicht beeinflußt. Laursen und Metzler — deren Terminologie wir uns hier anschließen — identifizieren jedoch eine Verschlechterung der terms of trade auch bei gegebener Beschäftigung mit einer Verminderung des Realeinkommens. Sie verwenden also eine andere als die übliche Definition des Begriffes „Realeinkommen". Vanek (International Trade... a. a. O., S. 125) spricht von „enjoyment income".

IV. Reales Austauschverhältnis und Einkommenswirkungen

das Realeinkommen eines Haushalts sinkt, wenn dieser für die von ihm gekauften Güter — verglichen mit den angebotenen Leistungen — höhere Preise zahlen muß. Die genannten Autoren gehen nun von der Unterstellung aus, daß die Konsumenten bei steigenden Preisen und gegebenem Geldeinkommen (sinkendem Realeinkommen) ihren monetären Konsum erhöhen, ihr monetäres Sparen also vermindern, um einen zu starken Abfall des realen Konsums zu vermeiden[14]. Unter dieser Voraussetzung ist der weitere Ablauf leicht zu bestimmen: Da die Abwertung die terms of trade verschlechtert — das Realeinkommen also sinkt —, wird der monetäre Konsum (Konsum von Inlands- und Auslandsgütern) bei gegebenem Geldeinkommen größer, und es folgt mithin, daß den vermehrten Ausgaben für fremde Konsumgüter kein gleich großer Rückgang der Ausgaben für inländische Konsumgüter entspricht. Die Zusatzimporte werden teilweise durch vermindertes Sparen finanziert. Da die Absorption außer durch die Investition auch durch den Konsum bestimmt ist, impliziert die Zunahme des monetären Konsums auch eine Zunahme der monetären Absorption $A_h + A_f$. Die monetäre Nachfrage nach Inlandsgütern A_h sinkt also um weniger als die Importausgaben steigen, nicht um 20, sondern vielleicht nur um 15, wenn das Sparen um 5 zurückgeht. Folglich wächst das Volkseinkommen nach der Abwertung auf 505:

$$505 = 385 + 120 + 120 - 120.$$

Die expansive Wirkung kommt jetzt dadurch zustande, daß die erhöhte, aus dem Ausland stammende Nachfrage nach Inlandsgütern (Exporte) nur zum Teil durch eine verringerte Inlandsnachfrage nach heimischen Gütern ausgeglichen wird. Der Anstieg des Volkseinkommens wird selbstverständlich um so stärker sein, je mehr sich die Veränderung der terms of trade auf das Sparen auswirkt, je geringer also der Rückgang der heimischen Absorption A_h ist, der die Zunahme des Imports begleitet. Die oft vertretene These, daß das Volkseinkommen bei gleich großer Änderung von Export- und Im-

---

[14] Diese Annahme folgt aus den üblichen Vorstellungen vom Verlauf der Konsumfunktion. Es wird vorausgesetzt, daß der monetäre Konsum C eine Funktion des Geldeinkommens Y und des Preisniveaus P ist:

$$C = f(Y, P). \quad \text{(x)}$$

Bei Abwesenheit von Geldillusion ist der reale Konsum ferner eine Funktion des Realeinkommens. Dies bedeutet, daß eine Verdoppelung (Verdreifachung usw.) des Geldeinkommens und der Preise auch eine Verdoppelung (Verdreifachung usw.) des monetären Konsums zur Folge hat. Gleichung (x) erfüllt daher die Eigenschaften einer linear-homogenen Funktion. Für eine solche Funktion gilt Eulers Theorem:

oder
$$C = \frac{\partial C}{\partial Y} Y + \frac{\partial C}{\partial P} P \quad \text{(xx)}$$

$$\frac{\partial C}{\partial P} = \frac{Y \left(\frac{C}{Y} - \frac{\partial C}{\partial Y} \right)}{P}.$$

Unter der Voraussetzung

gilt also
$$\frac{C}{Y} > \frac{\partial C}{\partial Y} \quad \text{(xxx)}$$

$$\frac{\partial C}{\partial P} > 0 \quad \text{(xxxx)}$$

Ungleichung (xxx) beschreibt die normale Eigenschaft einer bei positiven Ordinatenwerten ansetzenden Konsumfunktion: Die durchschnittliche ist größer als die marginale Konsumneigung. Unter diesen Umständen gilt auch (xxxx): Eine Erhöhung der Preise führt zu einer Zunahme des monetären Konsums (vgl. S o h m e n , E., Flexible Exchange Rates, a. a. O., S. 133 ff.).

portausgaben unverändert bleibt — „ceteris paribus" wird zur Abschirmung manchmal hinzugefügt — gilt also nur dann, wenn das reale Tauschverhältnis (und damit das Realeinkommen) sich nicht verändert.

Aus dem erhöhten Volkseinkommen werden nun zusätzliche Importe getätigt, wie durch das Multiplikatormodell beschrieben wird. Somit kommt es zu einer Verschlechterung der Leistungsbilanz, woraus folgt, daß die Marshall-Lerner-Bedingung unter Berücksichtigung des terms of trade - Effekts nicht zu halten ist. Da die Leistungsbilanz in unserem Fall ins Defizit gerät, genügt es offensichtlich zur Erhaltung des Bilanzgleichgewichts nicht, daß die Importelastizitäten sich zu 1 addieren. Die Elastizitätssumme muß vielmehr größer als 1 sein, wenn die Leistungsbilanz nach der Abwertung auch auf die Dauer ausgeglichen bleiben soll [15]). Dieser Ausgleich der Leistungsbilanz wäre dann das Resultat zweier einander entgegengesetzt wirkender Kräfte: Durch die Abwertung entsteht zunächst ein Überschuß der Leistungsbilanz (Elastizitätssumme > 1), der zwar durch die nachfolgende Einkommensexpansion verringert, nicht aber völlig beseitigt wird, sofern die Grenzhortungsneigung größer als Null (die marginale Absorptionsquote kleiner als 1) ist. Andererseits bedingt der terms of trade-Effekt eine Zunahme der Investitions- und Konsumausgaben, wodurch — allein betrachtet — ein Defizit verursacht wird. Am Ende des Anpassungsprozesses ist die Leistungsbilanz offenbar nur dann im Gleichgewicht, wenn der „Überschußeffekt" der Abwertung (via Elastizitäten) dem „Defiziteffekt" (via terms of trade) genau entspricht. Liegen die Elastizitätswerte über der kritischen Grenze — als Primäreffekt entsteht dann ein größerer Überschuß —, so tritt auch eine endgültige Verbesserung der Leistungsbilanz ein, da der terms of trade-Effekt zu schwach ist, um eine völlige Kompensation zu ermöglichen. Das Ergebnis wird durch die Werte der marginalen Hortungs- und Importquoten entscheidend mitbestimmt.

V. Die internationale Übertragung von Beschäftigungsschwankungen bei flexiblen Kursen

Die vorangegangenen Erörterungen werfen ein interessantes Licht auf die oft diskutierte Frage, ob bei flexiblen Kursen konjunkturelle Bewegungen in einem Land auf die Handelspartner übertragen werden können. Lange Zeit galt als weitgehend akzeptierte Ansicht, daß eine solche Übertragung wohl bei stabilen Kursen (vgl. die Ausführungen zum Multiplikator im Zwei-Länder-Fall), nicht aber bei flexiblen Kursen möglich ist. Diese Auffassung ist nur haltbar, wenn der terms of trade-Effekt der Abwertung vernachlässigt wird, wie leicht an einem Beispiel gezeigt werden kann. Wir gehen wieder davon aus, daß die Leistungsbilanz des Inlandes (Deutschland) im Ausgangszustand ausgeglichen ist. Nun entsteht im Ausland (England) ein Kontraktionsprozeß, der z. B. durch Abnahme der Investitionsausgaben bedingt sein mag. Im Zuge dieses Kontraktionsprozesses sinken die Ausgaben für deutsche Exportgüter, so daß die deutsche Leistungsbilanz bei stabilen Kursen ins Defizit geraten, die Kontraktion also auf das Inland übertragen würde. Unterstellt man aber flexible Wechselkurse, so wird der DM-Kurs gesenkt, da die englische Nachfrage nach deutscher Währung abnimmt. Unter der Voraussetzung stabiler Devisenmärkte — der Wechselkurs macht Export und Import immer gleich — bleibt die Inlandsbilanz im Gleichgewicht, und man könnte demnach folgern, daß die Auslandsdepression nicht auf das Inland

[15]) Vgl. Harberger, A., Currency Depreciation ... a. a. O., S. 51 und 53.

V. Übertragung von Beschäftigungsschwankungen bei flex. Kursen 153

übergreift. Diese Folgerung setzt aber — wie im letzten Abschnitt gezeigt wurde — offenbar voraus, daß die durch Kursvariation bedingte Änderung des Importwertes (= Änderung des Exportwertes) durch eine entgegengesetzte Änderung der von den Inländern für heimische Güter getätigten Ausgaben gerade ausgeglichen wird. Nun wirkt aber auch hier der terms of trade-Effekt: Durch Senkung des DM-Kurses verschlechtern sich die terms of trade — es schrumpft folglich das Realeinkommen —, so daß das Sparen bei gegebenem Geldeinkommen kleiner, die monetäre Absorption also größer wird. Ist der Importwert (= Exportwert) gegenüber dem Ausgangszustand größer, so gehen die Inlandsausgaben für heimische Güter nicht im Ausmaß der Importwertsteigerung (= Exportwertsteigerung) zurück, und es entsteht ein expansiver Prozeß. Andererseits ist es möglich, daß der Wert des Imports (und damit auch der des Exports) verglichen mit der Ausgangslage kleiner ist. In diesem Falle wird der Rückgang des Imports (= Rückgang des Exports) von einer Zunahme der heimischen Absorption mehr als ausgeglichen — die g e s a m t e monetäre Absorption (heimische Absorption A_h plus Import A_f) wird durch die Realeinkommenswirkung größer —, und das Volkseinkommen steigt auch jetzt. Man erhält also das paradoxe, von Laursen und Metzler formulierte Resultat[16]), daß die Depression im Ausland einen (wenn auch nicht starken) Konjunkturaufschwung im Inland zur Folge hat, ganz im Gegensatz zum Fall stabiler Kurse, in welchem die Auslandsdepression eine Kontraktion auch im Inland verursacht.

Gegen die erörterten Modelle von Harberger und Laursen-Metzler sind nun allerdings eine Reihe von Einwendungen möglich. Zunächst muß wohl beachtet werden, daß der terms of trade-Effekt normalerweise eine nur kleine Änderung des Realeinkommens induziert. So bedeutet z. B. eine Verschlechterung des Tauschverhältnisses um 5 % bei einer durchschnittlichen Importquote am Volkseinkommen von 30 % eine Abnahme des Realeinkommens um nur 1,5 %. Es ist aber kaum wahrscheinlich, daß Sparen und Absorption durch diese kleine Variation in entscheidendem Maße beeinflußt werden. Sodann wird das Realeinkommen durch eine Verschlechterung der terms of trade nicht immer negativ beeinflußt. Wie Machlup gezeigt hat[17]), ist der terms of trade-Effekt unter Umständen Voraussetzung für den „resource-reallocation-effect", d. h., die Änderung der relativen Preise von Import- und Exportgütern kann bewirken, daß strukturelle Änderungen auftreten, die mit einer Umlenkung der Produktionsfaktoren in günstigere Verwendungen verbunden sind. Ferner kann man nicht annehmen, daß eine Abwertung die terms of trade stets verschlechtert. Sicherlich ist die Verschlechterung unvermeidlich, wenn die Angebotselastizitäten — wie die genannten Autoren unterstellen — in beiden Ländern unendlich sind, doch wissen wir aus den Erörterungen des 2. Kapitels, daß für den allgemeinen Fall endlicher Elastizitäten keine generelle Aussage über die Richtung des terms of trade-Effektes möglich ist.

Schließlich — und dieser Einwand wiegt am stärksten — wird der Wert der Ergebnisse durch die Annahme, daß ein Ausgleich der Leistungsbilanz dank flexibler Kurse i n j e d e m A u g e n b l i c k gesichert ist, aufs schwerste beeinträchtigt. Da zeitliche Verzögerungen wahrscheinlich sind, kann sich in der ersten Periode nach der Störung ein Defizit der Leistungs-

---
[16]) L a u r s e n, S. und M e t z l e r, L. A., Flexible Exchange Rates... a. a. O., S. 288 ff.
[17]) M a c h l u p, F., The Terms of Trade-Effect ... a. a. O., S. 429 ff.

154 Die Verbindung von Preis-, Einkommens- und Wechselkurseffekten

bilanz ergeben. Dadurch entsteht ein Kontraktionsprozeß, der durch den expansiven terms of trade-Effekt kaum ausgeglichen wird[18]).

Die Theorie internationaler Beschäftigungsübertragungen ist inzwischen durch die Konstruktion komplizierter Modelle auf Keynesscher Basis verfeinert worden[19]). Eine Darstellung dieser Systeme überschreitet indessen den Rahmen eines Lehrbuchs.

[18]) White, W. H., The Employment-Insulating Advantages of Flexible Exchanges: A Comment on Professors Laursen and Metzler, Review of Economics and Statistics, Bd. 36, 1954.
Laursen-Metzler abstrahieren ferner von autonomen Kapitalbewegungen. Dies mindert den Wert des Modells weiter.

[19]) Vgl. z. B. Roth, J., Der internationale Konjunkturzusammenhang bei flexiblen Wechselkursen, Tübingen 1975.

6. Kapitel:
Externes und internes Gleichgewicht

I. Externes und internes Gleichgewicht bei stabilen Kursen

1. Die Kriterien des externen und internen Gleichgewichts

Obwohl in diesem Buch vorwiegend die grundsätzlich theoretischen Aspekte der außenwirtschaftlichen Beziehungen behandelt werden, empfiehlt es sich doch gerade im Rahmen einer Analyse von Zahlungsbilanzproblemen, auf die wirtschaftspolitischen Implikationen der erörterten Modelle hinzuweisen. In den vorangegangenen Kapiteln wurde im einzelnen gezeigt, auf welchen Wegen Ungleichgewichte der Leistungsbilanz beseitigt werden. So läßt sich ein Überschuß der Leistungsbilanz durch eine Anhebung des DM-Kurses, durch Preiserhöhungen oder durch eine Einkommensexpansion (dies jedenfalls im Keynes-System) verringern oder gar völlig aus dem Wege räumen. Die Änderung dieser Größen mag sich einmal automatisch vollziehen: Leistungsbilanzüberschüsse induzieren in einem System flexibler Wechselkurse automatische Kurskorrekturen, die eine Anpassung an ein neues Gleichgewicht bewirken. Im Fall stabiler Kurse vollzieht sich dagegen bei „Verbesserung" der Leistungsbilanz eine Nachfrageexpansion, welche Realeinkommen und/oder Preise in die Höhe treibt. Dieser Expansionsprozeß gewinnt an Stärke, wenn es aufgrund der Überschußposition zu Gold- oder Devisenzuflüssen aus dem Ausland kommt und das Geldvolumen im Inland steigt.

Der Staat mag sich nun aber auf diese Automatismen nicht in jedem Fall verlassen, sondern zur Realisierung des außenwirtschaftlichen Gleichgewichts versuchen, die selbsttätig wirkenden Ausgleichsmechanismen durch bewußte wirtschaftspolitische Aktionen zu ergänzen oder zu ersetzen. So wird vielleicht der DM-Kurs durch staatliches Dekret verändert; die öffentliche Hand mag andererseits Investitionsausgaben und/oder Geldvolumen variieren, um das Volkseinkommen und damit auch den Import in die gewünschte Richtung zu verändern. Bei der Analyse einer derart außenwirtschaftlich orientierten Wirtschaftspolitik ist indessen zu beachten, daß als wirtschaftspolitisches Ziel in aller Regel das Gleichgewicht der Zahlungsbilanz, nicht das der Leistungsbilanz erstrebt wird. Kapitalbewegungen sind also in die Analyse einzubeziehen. Dieses externe Gleichgewicht ist — wie wir wissen — durch die Bedingung charakterisiert, daß der Leistungsbilanzüberschuß (das Leistungsbilanzdefizit) dem Überschuß der autonomen Kapitalexporte (Kapitalimporte) über die autonomen Kapitalimporte (Kapitalexporte) entspricht.[1])

Ein solches Gleichgewicht ist in Abb. 28 in Abhängigkeit von Zinssatz und Volkseinkommen dargestellt. Alle Größen sind in realen Werten definiert. Da aber — wenn anderes nicht ausdrücklich gesagt ist — die Preise als konstant angenommen sind und der Preisindex gleich 1 gesetzt wird, stimmen Nominal- und Realwerte überein. In diesem Schaubild gibt die Z-Kurve alle

---

[1]) Unentgeltliche Leistungen werden aus Gründen der Vereinfachung nicht berücksichtigt.

Kombinationen von Zinssatz und Realeinkommen an, die externes Gleichgewicht unter der Annahme garantieren, daß alle anderen für die außenwirtschaftlichen Transaktionen bedeutsamen Variablen (Wechselkurs, Inlands- und Auslandspreise, Auslandszinssatz usw.) unverändert bleiben. Diese Kurve verläuft von links unten nach rechts oben. Zum Beweis dieser These sei angenommen, daß in Punkt A ein Gleichgewicht der Zahlungsbilanz besteht. Da nun mit steigendem Realeinkommen der Import zunimmt, kann ein Defizit der Zahlungsbilanz nur dann vermieden werden, wenn auch der Inlandszinssatz steigt und folglich der Kapitalimport als Folge der gewachsenen Rentabilitätsdifferenz zum Ausland zunimmt bzw. der Kapitalexport zurückgeht. Die Z-Funktion verläuft umso flacher, je stärker die Kapitalbewegungen auf Zinsvariationen reagieren: Entsteht mit steigendem Volkseinkommen ein Defizit der Zahlungsbilanz, so bedarf es nur einer kleinen Zinserhöhung, um einen kompensierenden Kapitalimport zu induzieren. Das Steigungsmaß der Kurve wird ferner reduziert, wenn sich die marginale Importquote vermindert.

Abb. 28

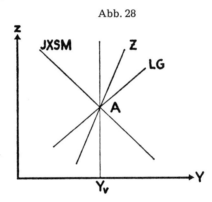

Punkte rechts von dieser Kurve implizieren ein Defizit der Zahlungsbilanz: Weil bei gegebenem Zinssatz das Einkommen seinen durch die Z-Funktion bestimmten Gleichgewichtswert übersteigt, ist der Import größer als bei externem Gleichgewicht. Entsprechend liegen Zahlungsbilanzüberschüsse dann vor, wenn Zins-Einkommenskombinationen links von der Z-Funktion zustande kommen.

Zur Verwirklichung des externen Gleichgewichts ist es bei gegebenem Wechselkurs erforderlich, daß Zinssatz und/oder Realeinkommen durch staatliche Aktionen mit dem Ziel beeinflußt werden, einen Punkt auf der Z-Funktion zu realisieren. Bei der Durchführung solcher Maßnahmen mögen sich jedoch Konflikte mit dem Ziel des internen Gleichgewichts ergeben, die im folgenden zu analysieren sind. Geht man vom System der herkömmlichen Beschäftigungstheorie aus, so liegt es nahe, den Schnittpunkt der Kurven des güterwirtschaftlichen Gleichgewichts (IXSM) und des monetären Gleichgewichts (LG) als internes Gleichgewicht zu deuten. Diese aus Abb. 26 bekannten Kurven sind in Abb. 28 dargestellt; die IXSM-Funktion enthalte neben den privaten Investitionen und Ersparnissen auch die Staatsinvestitionen und die Staatsersparnis. Auch hier sind alle Größen in realen Werten definiert. Aus der Beschäftigungstheorie ist nun bekannt, daß die Erfüllung der Bedingungen $L = G$ und $I + X = S + M$ durchaus mit Unterbeschäftigung vereinbar ist; sieht man internes Gleichgewicht indessen nur bei Vollbeschäftigung (und stabilen Preisen) als gegeben an, so muß als

I. Externes und internes Gleichgewicht bei stabilen Kursen

zusätzliche Bedingung gelten, daß der Schnittpunkt der *LG*- und *IXSM*-Funktionen auf der durch das Vollbeschäftigungsniveau Y_v bestimmten Vollbeschäftigungslinie liegt. Diese Bedingung ist in Abb. 28 erfüllt. Da ferner die Z-Funktion durch *A* verläuft, determiniert dieser Punkt eine Kombination von Zinssatz und Realeinkommen, die externes und internes Gleichgewicht zugleich garantiert.[2]) Auch die Stabilität des Preisniveaus wird realisiert, wenn man vereinfachend von der Unterstellung ausgeht, daß die Elastizität des Angebots bis zur Vollbeschäftigungsgrenze unendlich groß ist.

2. Unterbeschäftigung und Zahlungsbilanzdefizit

Um die Art der wirtschaftspolitischen Aktionen zu bestimmen, die zur Herstellung des externen und internen Gleichgewichts ergriffen werden müssen, um fernerhin mögliche Zielkonflikte abzuleiten, werden in den folgenden Erörterungen Ausgangssituationen unterstellt, die weder die Bedingungen des externen noch des internen Gleichgewichts erfüllen. In Abb. 29 sei Punkt *A* realisiert. Es herrscht monetäres und güterwirtschaftliches Gleichgewicht zugleich; da jedoch Punkt *A* rechts von der Z-Funktion und links von der Vollbeschäftigungslinie liegt, existiert ein Defizit der Zahlungsbilanz bei Unterbeschäftigung der Produktionsfaktoren. Eine solche Konstellation wird gewöhnlich als Musterbeispiel eines Zielkonflikts genannt: Versucht man — so lautet der Gedankengang —, die Unterbeschäftigung durch einkommenserhöhende Expansionsmaßnahmen zu bekämpfen, so erhöht sich durch Importzunahme das Defizit der Zahlungsbilanz, während andererseits zur Bekämpfung des Defizits durchgeführte Kontraktionsmaßnahmen (wie Einkommensreduktion und Zinserhöhung) die Unterbeschäftigung vergrößern.

Derartige Zielkonflikte sind aus Abb. 29 abzuleiten. Soll externes Gleichgewicht, also ein Punkt auf der Z-Funktion, verwirklicht werden, so mag die Regierung durch geeignete Maßnahmen den Schnittpunkt zwischen *LG*- und

Abb. 29

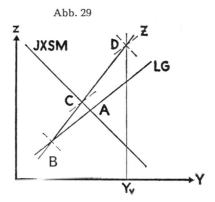

---

[2]) Zu dieser Art der Darstellung vgl. M u n d e l l , R. A., The International Disequilibrium System, Kyklos, Bd. 14, 1961, wiederabgedr. in: Mundell, R. A., International Economics, New York 1968; Staley, C. E., International Economics, Englewood Cliffs, New Jersey 1970, S. 201 ff. und S. 214 ff. Zur geometrischen Analyse des externen und internen Gleichgewichts vgl. ferner C o r d e n , W. M., The Geometric Representation of Policies to Attain Internal and External Balance, Review of Economic Studies, Bd. 28, 1960; S w a n , T. W., Longer Run Problems of the Balance of Payments, in: A r n d t , H. W., und C o r d e n , W. M., (Hrsg.), The Australian Economy: A Volume of Readings, Melbourne 1963.

IXSM-Kurve auf die Z-Funktion zu verlagern suchen. Dies würde ihr z. B. dann gelingen, wenn man im Rahmen einer außenwirtschaftlich orientierten Fiskalpolitik die staatlichen Investitionsausgaben reduziert und die *IXSM*-Kurve so weit nach links verschiebt (gestrichelte Kurve), daß ein gemeinsamer Schnittpunkt aller drei Kurven in B zustande kommt. Das Defizit der Zahlungsbilanz wird durch diese Politik beseitigt: Zwar hat sich durch Drosselung der Investitionstätigkeit die Nachfrage nach Transaktionskasse und damit der Zins vermindert — eine Entwicklung, die isoliert gesehen das Defizit per Anregung des Kapitalexports vergrößert — doch hat die Einkommenskontraktion den Güterimport so stark gemindert, daß dieser „Verbesserungseffekt" den zinsbedingten „Verschlechterungseffekt" überwiegt und das externe Gleichgewicht erreicht wird.³) Ein solcher Erfolg ist umso eher zu erwarten, je weniger zinsreagibel die internationalen Kapitalbewegungen sind.

Während sich die Zahlungsbilanz als Folge reduzierter Investitionstätigkeit „verbessert", wächst jedoch das Ausmaß der Unterbeschäftigung, denn B liegt weiter von der Vollbeschäftigungsgrenze entfernt als A. Dieser Zielkonflikt tritt auch dann auf, wenn man externes Gleichgewicht nicht durch Mittel der Fiskalpolitik, sondern der Geldpolitik zu erreichen versucht, etwa dadurch, daß die *LG*-Kurve durch eine Kontraktion des Geldvolumens bis C verschoben wird.⁴) Die Unterbeschäftigung erhöht sich auch in diesem Fall. Gleichzeitig wird das Defizit der Zahlungsbilanz beseitigt, weil die Zinserhöhung in dem hier dargestellten Fall einerseits den Nettokapitalimport (Kapitalimport abzüglich Kapitalexport) vergrößert bzw. den Nettokapitalexport verringert und andererseits die zinsabhängigen Investitionen, damit aber auch Volkseinkommen und Güterimporte schmälert.

Derartige Konfliktsituationen lassen sich bei gegebenem Wechselkurs nur dann vermeiden — es herrscht externes und internes Gleichgewicht zugleich —, wenn wirtschaftspolitische Maßnahmen möglich sind, die das Erreichen des Punktes D gestatten. Dieser Idealzustand kann offenbar durch Kombination von Maßnahmen einer expansiven Fiskalpolitik mit denen einer kontraktiven Geldpolitik, also auf dem Wege einer Rechtsverschiebung der *ISXM*-Kurve (erhöhte staatliche Investitionsausgaben) bei gleichzeitiger Linksverschiebung der *LG*-Kurve (Geldmengenkontraktion), angesteuert werden. Dieser „policy mix"-Idee — wie sie insbesondere von Mundell⁵) entwickelt worden ist — liegt folgender Gedanke zugrunde: Durch kräftige Erhöhung der Staatsausgaben wird das Vollbeschäftigungsziel via

---

[3] Unterstellt man, daß zusätzliche Kapitalexporte durch eine Reduktion der Inlandsnachfrage finanziert werden, so verschiebt sich die *IXSM*-Kurve auch aus diesem Grunde (und nicht nur wegen der kontraktiven Finanzpolitik) nach links. Hier und im folgenden sei jedoch angenommen, daß Kapitalexporte nicht zu einer Reduktion der Ausgaben für Inlandsgüter führen. Die dadurch aufgeworfenen Fragen werden in Kap. 7 behandelt.

[4] Die Geldmengenkontraktion erfolgt automatisch, wenn das Defizit zu Gold- und Devisenverlusten führt und die Zentralbank die dadurch bedingte Schrumpfung des Geldvolumens zuläßt. Hier und im folgenden wird jedoch zunächst unterstellt, daß die bei Defiziten (Überschüssen) sich automatisch vollziehende Geldmengenvariation durch gegensteuernde Maßnahmen (z. B. Offenmarktpolitik) neutralisiert wird. Geldmengenänderungen werden daher nur in Form von Datenvariationen in das System eingeführt.

[5] Mundell, R. A., The Appropriate Use of Monetary and Fiscal Policy under Fixed Exchange Rates, IMF Staff Papers, Bd. 9, 1962 wiederabgedr. in Mundell, R. A., International Economics, a. a. O.; eine exakte Analyse findet sich bei Jarchow, H. J., Der kombinierte Einsatz budget- und zinspolitischer Maßnahmen zur gleichzeitigen Erreichung binnen- und außenwirtschaftlicher Ziele, in: Bombach, G. (Hrsg.), Beiträge zur Theorie der Außenwirtschaft, Schriften des Vereins für Socialpolitik, N. F., Bd. 56, Berlin 1970; vgl. ferner Sohmen, E., Flexible Exchange Rates, Revidierte Ausgabe, Chicago und London 1969, S. 159 ff.

I. Externes und internes Gleichgewicht bei stabilen Kursen

Einkommensexpansion erreicht. Weil sich der Import als Folge der Einkommensexpansion vergrößert, wächst zugleich das Defizit der Zahlungsbilanz. Diese Konfliktsituation läßt sich jedoch durch einen Zinsanstieg vermeiden. Ein solcher Zinsanstieg resultiert einerseits aus der Zunahme der Transaktionsnachfrage, welche die Einkommensexpansion begleitet, andererseits aus der Kontraktion des Geldvolumens. Während der Zinsanstieg von A nach D im Fall der Abb. 29 nicht groß genug ist, um das Erreichen des Vollbeschäftigungsniveaus zu verhindern, fördert (behindert) er andererseits den Nettokapitalimport (Nettokapitalexport). Dadurch wird das Defizit der Zahlungsbilanz, welches durch die einkommensbedingte Importzunahme noch vergrößert wurde, beseitigt.

Dieser Zahlungsbilanzeffekt ist umso stärker, je zinsreagibler die internationalen Kapitalbewegungen sind, je weniger steil demnach die Z-Funktion verläuft. Ein solcher Verlauf, der mit zunehmender Konvertierbarkeit der Währungen wahrscheinlicher wird, ist in Abb. 30 angenommen. Zur gleichzeitigen Verwirklichung des internen und externen Gleichgewichts in D genügt allein eine Erhöhung der staatlichen Investitionsausgaben. Auch ohne begleitende Geldmengenkontraktion ist der dadurch ausgelöste Zinsanstieg groß genug, um einen zusätzlichen Nettokapitalimport zu bewirken, der den Ausgleich der Zahlungsbilanz garantiert. Bei noch flacherem Verlauf der Z-Funktion mag sogar — um den Zinsanstieg zu bremsen — eine leichte Geldmengenexpansion erforderlich sein.

Abb. 30

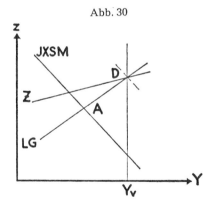

Diese Resultate beruhen auf der plausiblen Hypothese, daß die Staatsausgaben von relativ größerer Bedeutung für die Gesamtnachfrage sind, der Zinssatz hingegen in relativ stärkerem Maße die Zahlungsbilanz beeinflußt. Während nämlich Änderungen der Staatsausgaben nur den Saldo der Leistungsbilanz via Einkommenseffekt berühren, wirken Zinsvariationen außer auf die Leistungsbilanz (über Investitions- und Einkommensänderungen) auch auf den Saldo der Kapitalbilanz. Möglicherweise kann externes Gleichgewicht jedoch nur für eine begrenzte Zeit verwirklicht werden, wenn man zur Beseitigung des Defizits den Zinssatz erhöht. Bei gegebenem Bestand an international mobilem Kapital werden sich nach einer Zinserhöhung die Anlagegewohnheiten sicherlich in der Weise ändern, daß größere Teile dieses Kapitals in das Inland fließen. Wenn die geographische Verteilung des Kapitals nach vollzogener Revision der Anlagegewohnheiten ihr Gleichgewicht erreicht hat, versiegt jedoch der Kapitalstrom, und Kapitalimporte werden nur noch in dem Maße getätigt, wie neue Ersparnisse den Bestand an international beweglichem Kapital erhöhen.

3. Unterbeschäftigung und Zahlungsbilanzüberschuß

Nach Analyse des Unterbeschäftigung/Defizit-Falls wird nunmehr eine Ausgangslage — gekennzeichnet durch Punkt A in Abb. 31 — unterstellt, in der ein Zahlungsbilanzüberschuß bei Unterbeschäftigung existiert. Die gleichzeitige Realisierung des internen und externen Gleichgewichts im Punkte B erfordert sowohl eine Expansion des Investitions- als auch des Geldvolumens. Während das Volkseinkommen in jedem Falle steigt, kann sich der Zins — je nach Lage des Punktes B — erhöhen oder vermindern. Steigt der Zinssatz an — wie im Beispiel der Abb. 31 —, so wird dennoch der ursprüngliche Zahlungsbilanzüberschuß beseitigt, weil der „Verschlechterungseffekt" der Einkommensexpansion so stark ist, daß er den „Verbesserungseffekt" der Zinserhöhung überwiegt. Eine Einkommensexpansion bis Y_v führt nämlich bei unverändertem Zinssatz zu einer Importerhöhung, die den ursprünglichen Überschuß in ein Defizit verwandelt: Die Z-Funktion verläuft links von E. Folglich ist zur Kompensation dieses Defiziteffekts eine Zinserhöhung um EB angebracht. Selbstverständlich folgen aus einem anderen Verlauf der Kurven divergierende Resultate. Reagieren die Kapitalbewegungen z. B. derart schwach auf Zinsvariationen, daß die Z-Kurve die Vollbeschäftigungslinie oberhalb von C schneidet, so erfordert die Realisierung allseitigen Gleichgewichts neben einer Erhöhung der Investitionsausgaben eine Verringerung des Geldvolumens, damit die Zinserhöhung zur Vermeidung eines Defizits genügend groß ist. Andererseits muß der Zinssatz sinken, wenn die Vollbeschäftigungslinie unterhalb von E von der Z-Funktion geschnitten wird. Der Zahlungsbilanzüberschuß wird durch die Einkommensexpansion nur unvollkommen abgebaut, so daß der Einkommenseffekt der Ergänzung durch eine Zinsreduktion bedarf, die den Nettokapitalimport zurückdrängt. Ein solcher Fall ist bei geringer marginaler Importquote zu erwarten, die ebenso wie eine große Zinsreagibilität der Kapitalbewegungen einen relativ flachen Verlauf der Z-Funktion bewirkt.

Abb. 31

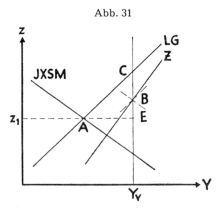

4. Überbeschäftigung und Zahlungsbilanzüberschuß

Als dritter Fall sei nunmehr die Überbeschäftigung/Zahlungsbilanzüberschuß-Konstellation behandelt (Abb. 32). Da der Schnittpunkt A zwischen $IXSM$- und LG-Funktion links von der Z-Funktion plaziert ist, existiert ein Überschuß der Zahlungsbilanz. Gleichzeitig signalisiert die Lage der Kurven

I. Externes und internes Gleichgewicht bei stabilen Kursen

einen Nachfrageüberhang, der Preissteigerungen auszulösen droht, weil das Realeinkommen nicht über Y_v zu steigen vermag, A also nicht erreicht werden kann. Läßt man den Preiserhöhungen freien Lauf, so verschieben sich die Kurven des Systems derart, daß der Nachfrageüberhang gegebenenfalls nach einiger Zeit beseitigt wird. So verschieben sich sowohl die $IXSM$- als auch die Z-Funktion nach links, wenn sich die Leistungsbilanz als Folge des Preisanstiegs verschlechtert. Die LG-Funktion wird dagegen von einander entgegengesetzt wirkenden Kräften beeinflußt: Während der Überschuß der Zahlungsbilanz das reale Geldvolumen G/P über eine Expansion von G erhöht, geht die reale Geldmenge durch Erhöhung des Preisniveaus zurück. Die Position der in realen Größen definierten LG-Funktion ist also nicht exakt zu bestimmen, da der Rechtsverschiebung via G eine Linksverschiebung via P entgegensteht. Allerdings kommt es dann zu einer eindeutigen Linksverschiebung, wenn die überschußbedingte Geldmengenexpansion durch Sterilisationsmaßnahmen der Zentralbank verhindert wird.

Uns interessieren in diesem Kapitel jedoch nicht derartige Automatismen; wir fragen vielmehr nach der Art der wirtschaftspolitischen Aktionen, die notwendig sind, um einen Nachfrageüberhang zu verhindern und den Preisanstieg bereits im Ansatz zu ersticken. Ferner soll der Überschuß der Zahlungsbilanz beseitigt werden. Zur gleichzeitigen Realisierung dieser Ziele bietet sich ein „policy mix" derart an, daß die Staatsinvestitionen vermindert und das Geldvolumen vergrößert werden, damit ein Punkt wie B erreicht wird. Während die Einkommenskontraktion die Überbeschäftigung beseitigt, muß der Zinssatz sinken, damit sich der Überschuß der Zahlungsbilanz durch

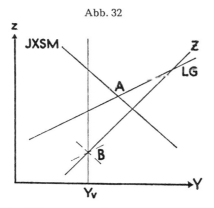

Abb. 32

Zunahme der Nettokapitalexporte auflöst.[6]) Eine solche Politik schafft allerdings oft neue Probleme. Wenn nämlich in der Ausgangslage trotz Überbeschäftigung ein Zahlungsbilanzüberschuß besteht, so weist diese Konstellation in vielen Fällen darauf hin, daß Konjunkturaufschwung und Preisauftrieb im Ausland noch stärker als im Inland sind. Durch eine Dämpfung der Investitionen können dann Überbeschäftigung und Preisanstieg auf die D a u e r kaum gemildert werden, da auch bei einer durch zusätzliche Kapitalexporte ausgeglichenen Zahlungsbilanz Inflationstendenzen aus dem Ausland über den internationalen Preiszusammenhang (vgl. S. 91 ff.) in das Inland dringen, die letztlich nur durch Erhöhung des DM-Kurses zu unterbinden sind.

---

[6]) Das Funktionieren dieser Politik hängt u. a. davon ab, ob Aufwertungsgerüchte existieren. Gegebenenfalls mag es zu spekulativen Kapitalimporten kommen, die den Erfolg der Politik in Frage stellen.

5. Überbeschäftigung und Zahlungsbilanzdefizit

Als vierte mögliche — und in der Wirklichkeit oft anzutreffende — Ausgangskonstellation sei eine Zins-Einkommenskombination unterstellt, welche Überbeschäftigung bei gleichzeitigem Zahlungsbilanzdefizit impliziert (Punkt A in Abb. 33). Zur Erreichung allseitigen Gleichgewichts in B bedarf es in dem hier dargestellten Fall einer Kontraktion sowohl des Investitions- als auch des Geldvolumens, also einer Linksverschiebung der *IXSM*- und der *LG*-Kurve. Die Überlegungen sind ähnlich jenen, die bei der Analyse des Unterbeschäftigung/Überschuß-Falles angestellt worden sind.

Abb. 33

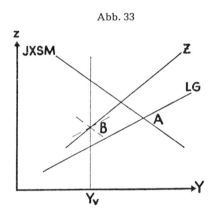

II. Externes und internes Gleichgewicht bei flexiblen Kursen

In unseren bisherigen Erörterungen wurde der Wechselkurs als konstant angenommen. Wir unterstellen nunmehr Flexibilität des Wechselkurses und stellen die Frage nach der Wirksamkeit der Finanz- und Geldpolitik unter diesen geänderten Prämissen[7]; insbesondere interessiert die Frage, ob Kon-

Abb. 34

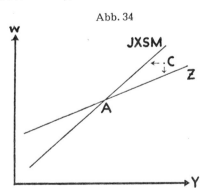

---

[7] Mundell, R. A., Flexible Exchange Rates and Employment Policy, Canadian Journal of Economics and Political Science, Bd. 27, 1961, wiederabgedr. in: Mundell, R. A., International Economics, New York 1968.

flikte zwischen externem und internem Gleichgewicht auch bei flexiblem Kurs entstehen können. Zur Vereinfachung sei der Zinssatz zunächst als Parameter angesehen, der von den währungspolitischen Behörden konstant gehalten wird. Bei gegebenen Werten des Zinssatzes, der Preise sowie anderer relativer Größen determiniert die *IXSM*-Kurve in Abb. 34 nunmehr alle Kombinationen von Dollarkurs w und Realeinkommen Y, die güterwirtschaftliches Gleichgewicht garantieren. Ein solches Gleichgewicht sei in A gegeben. Wenn der Dollarkurs z. B. steigt (DM-Abwertung), so verbessert sich bei normaler Reaktion die Leistungsbilanz, und die Konstellation $I + X > S + M$ kann folglich nur dann verhindert werden, wenn das Volkseinkommen steigt und das Sparen sowie den Import anregt. Die Erhaltung güterwirtschaftlichen Gleichgewichts erfordert also steigendes Volkseinkommen bei erhöhtem Dollarkurs. Punkte rechts von dieser Kurve repräsentieren ein Nachfragedefizit $(S + M > I + X)$, weil bei alternativen Wechselkursen das Einkommen seine Gleichgewichtswerte übersteigt und folglich S und M — die beide als einkommensabhängig angenommen sind — höher als im Gleichgewichtszustand sind.

Entsprechend gibt die Z-Kurve alle Kurs-Einkommenskombinationen an, die ein externes Gleichgewicht erlauben. Auch diese Kurve hat positives Steigungsmaß: Befindet sich die Zahlungsbilanz bei einer gegebenen Ausgangsposition, z. B. in A, im Gleichgewicht, so kann ein Überschuß als Folge einer Dollarkurserhöhung (DM-Abwertung) nur dann verhindert werden, wenn der Import als Folge einer Einkommenserhöhung steigt. Abweichungen des Systems „nach rechts" führen zu Defiziten der Zahlungsbilanz, denn Einkommen und Importe sind größer als auf der Z-Funktion.

Das dargestellte System ist nur dann stabil, wenn die *IXSM*-Kurve — wie in Abb. 34 — steiler als die Z-Funktion verläuft. Es sei angenommen, daß A — der Punkt güterwirtschaftlichen und externen Gleichgewichts — durch eine Kurs-Einkommenskombination in C ersetzt wird. Da C rechts von *IXSM* und links von der Z-Funktion plaziert ist, existiert ein Nachfragedefizit $(S + M > I + X)$ bei einem Überschuß der Zahlungsbilanz. Weil das Volkseinkommen als Folge der deflatorischen Lücke sinkt und auch der Dollar-Kurs zurückgeht, wenn ein Angebotsüberhang auf dem Devisenmarkt besteht (Zahlungsbilanzüberschuß), bewegt sich das System in Richtung auf den Gleichgewichtszustand A. Würde man hingegen die Bezeichnungen an den Kurven vertauschen — Punkt C beschriebe dann eine Zahlungsbilanzdefizit/Nachfrageüberhang-Kombination —, so müßten sich Einkommen und Dollarkurs erhöhen: Das System ist unstabil und entfernt sich immer weiter vom Punkt A.

1. Fiskalpolitik bei flexiblen Kursen

In Abb. 35 wird angenommen, daß A links von der Vollbeschäftigungslinie liegt: Es existiert zwar externes, nicht aber internes Gleichgewicht. Zur Realisierung der Vollbeschäftigung werde nun eine Erhöhung der staatlichen Investitionsausgaben für im Inland erzeugte Investitionsgüter vorgenommen. Wie wird die *IXSM*-Funktion durch diese Datenvariation beeinflußt? Da die Investitionserhöhung die Konstellation $I + X > S + M$ zur Folge hat, verlangt die Wiederherstellung des güterwirtschaftlichen Gleichgewichts, daß das Einkommen steigt und/oder der Dollarkurs zurückgeht. Während Sparen und Import aufgrund der Einkommenserhöhung steigen, bedeutet die Senkung des Dollarkurses (DM-Kurserhöhung) eine Abnahme des Saldos der Leistungsbilanz. Da in beiden Fällen der Nachfrageüberhang

$I + X > S + M$ beseitigt wird, verschiebt sich die *IXSM*-Funktion nach rechts unten; die neuen Gleichgewichtskombinationen auf *IXSM* sind also durch höhere Einkommenswerte und geringere Wechselkurse charakterisiert.

Abb. 35

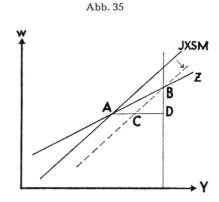

Durch die Rechtsverschiebung der *IXSM*-Funktion hat sich das Volkseinkommen bei zunächst konstantem Wechselkurs um den Betrag der Strecke *AC* vergrößert. Da auch der Zinssatz als gegeben unterstellt ist, wird diese Einkommensexpansion durch den einfachen Investitionsmultiplikator $\frac{1}{s+g}$ bestimmt. Zwar repräsentiert Punkt *C* ein güterwirtschaftliches Gleichgewicht, doch befindet sich die Zahlungsbilanz im Defizit, weil der Import aufgrund der Einkommensexpansion gestiegen ist. Dieses Defizit induziert eine Erhöhung des Dollarkurses (Senkung des DM-Kurses), so daß sich das System auf einem Pfad, der nur im Rahmen einer dynamischen Analyse beschrieben werden kann, in Richtung auf Punkt *B* — einen Zustand stabilen Gleichgewichts — bewegt. Durch Einführung flexibler Wechselkurse ist es also möglich, externes und internes Gleichgewicht gleichzeitig zu realisieren.

Die Analyse macht mithin deutlich, daß die Fiskalpolitik bei flexiblen Kursen effizienter als bei stabilen Kursen ist.[8]) Während bei stabilen Kursen das Einkommen nur um *AC* steigt, erhöht es sich nunmehr um *AD*: Der nach Maßgabe des Multiplikators $\frac{1}{s+g}$ bedingte Einkommensanstieg[9]) wird dadurch verstärkt, daß der DM-Kurs als Folge der Importzunahme sinkt und diese einkommensindizierte Importzunahme durch eine wechselkursbedingte Verbesserung der Leistungsbilanz kompensiert wird. Ohne Wechselkursvariation hätten Absickerverluste in Form der Importzunahme den Expansionsprozeß gebremst.

Die These von der größeren Durchschlagskraft der Fiskalpolitik im Fall flexibler Kurse wurde unter der Annahme eines konstanten Zinssatzes abgeleitet. Diese Annahme erweist sich dann als richtig, wenn man durch eine

---

[8]) Vgl. auch K r u e g e r , A., The Impact of Alternative Government Policies under Varying Exchange Systems, Quarterly Journal of Economics, Bd. 79, 1965, S. 204 ff.
[9]) Von der Existenz der marginalen Steuerquote wird abgesehen.

Ausdehnung des Geldvolumens jene Zinserhöhungstendenzen neutralisiert, die im Aufschwungsprozeß als Folge der erhöhten Transaktionsnachfrage zu erwarten sind. Läßt man nun eine Erhöhung des Zinssatzes in Reaktion auf die gesteigerten Investitionsausgaben zu, so ändert sich das Ergebnis der bisherigen Überlegungen dann nicht, wenn man völlige Zinsunelastizität der internationalen Kapitalbewegungen unterstellt. Sind die Kapitalbewegungen indessen (wie zu erwarten) zinselastisch, so erhöhen sich die Nettokapitalimporte gegebenenfalls so stark, daß die Zahlungsbilanz trotz Zunahme der Güterimporte einen Aktivsaldo zeigt und sich der Dollarkurs — entgegen dem Ablauf in Abb. 35 — vermindert. Weil sich der Saldo der Leistungsbilanz in diesem Fall verringert, wird der Expansionseffekt der erhöhten Investitionsausgaben abgeschwächt, und es folgt mithin, daß die Wirkung der Fiskalpolitik nunmehr bei flexiblen Kursen geringer als bei starren Kursen ist. Die kanadischen Erfahrungen in den fünfziger Jahren dieses Jahrhunderts — Kanada hatte in dieser Zeit flexible Wechselkurse — sind nach Rhombergs Ansicht ein Beispiel für den dargestellten Ablauf.[10])

Die Zusammenhänge können im Rahmen eines Y,z-Diagramms mit Hilfe von Abb. 36 verdeutlicht werden. Beschreibt Punkt A die Ausgangsposition, so wird nach einer Erhöhung der Investitionsausgaben z. B. die durch B gekennzeichnete Konstellation erreicht. Die Zahlungsbilanz zeigt einen Überschuß, weil der zinsinduzierte Kapitalimport um mehr gestiegen ist als der einkommensbedingte Güterimport.[11]) Folglich steigt der Kurs der DM, und die Leistungsbilanz verschlechtert sich. Wie werden unsere Kurven durch diese Wechselkursvariation beeinflußt? Zunächst wandert die IXSM-Funktion nach links, da eine Verschlechterung der Leistungsbilanz ebenso kontraktiv wirkt wie eine Verminderung der Investitionsausgaben. Zugleich verschiebt sich die Z-Funktion nach oben: Soll trotz Verschlechterung der Leistungsbilanz ein Gleichgewicht der Zahlungsbilanz bestehen — und die Z-Kurve ist als Gleichgewichtskurve definiert —, so muß entweder der Zinssatz steigen und/

Abb. 36

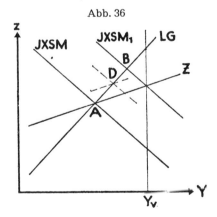

---

[10]) Rhomberg, R. R., A Model of the Canadian Economy under Fixed and Fluctuating Exchange Rates, Journal of Political Economy, Bd. 72, 1964. Zur theoretischen Analyse der Zusammenhänge vgl. vor allem Mundell, R. M., Capital Mobility and Stabilization Policy under Fixed and Flexible Exchange Rates, Canadian Journal of Economics and Political Science, Bd. 29, 1963, wiederabgedr. in Mundell, R. A., International Economics, a. a. O.
[11]) Dieses Ergebnis ist nicht notwendig. Bei steilerem Verlauf der Z-Funktion kann ein Defizit entstehen.

oder das Volkseinkommen sinken, damit zusätzliche Kapitalimporte und/oder verminderte Güterimporte den Bilanzausgleich bewirken.

Durch die Linksverschiebung der *IXSM*- und Z-Funktion wird nun ein Punkt wie *D* erreicht, in dem totales Gleichgewicht (bei Unterbeschäftigung) verwirklicht ist. Die Einkommensexpansion ist also geringer als im Falle starrer Kurse, der ein Erreichen der Position *B* gestattet. Ihre Wirksamkeit verliert die Fiskalpolitik in umso stärkerem Maße, je zinselastischer die Kapitalbewegungen sind.

2. Geldpolitik bei flexiblen Kursen

Nach dieser Analyse der Fiskalpolitik wird nunmehr gefragt, wie bei flexiblen Kursen die Vollbeschäftigung mit den Mitteln der Geldpolitik, z. B. durch autonome Reduktion des Zinssatzes, erreicht werden kann. Zur Vereinfachung der Analyse wird bei der Beschreibung des auf die Zinsvariation folgenden Ablaufs der Zins auf dem neuen Niveau als konstant angenommen; es wird also z. B. davon abgesehen, daß sich der Zins in Reaktion auf Variationen der Transaktionsnachfrage verändert. Die Zinsänderung wird mithin lediglich in Form einer Datenvariation unterstellt.

Abb. 37

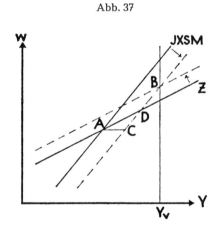

Nach der auslösenden Zinsreduktion verschiebt sich bei zinselastischen Investitionen die *IXSM*-Funktion nach rechts (Abb. 37). Gleichzeitig wandert die Z-Funktion nach oben und links: Da eine Zinsreduktion den Nettokapitalexport erhöht,[12] verlangt die Vermeidung eines Defizits entweder eine Einkommenskontraktion, die den Import senkt, oder eine Dollarkurserhöhung, welche die Leistungsbilanz verbessert. Den geänderten Daten sind also auf der neuen Z-Funktion geringere Gleichgewichtswerte des Volkseinkommens und höhere Werte des Wechselkurses zugeordnet.

---

[12]) Es wird unterstellt, daß der Kapitalexport nicht durch eine Reduktion der Nachfrage nach Inlandsgütern finanziert wird (vgl. dazu das 7. Kapitel).

II. Externes und internes Gleichgewicht bei flexiblen Kursen

Bei Flexibilität der Wechselkurse wird die ursprüngliche, durch A gekennzeichnete Position durch B^{13}) ersetzt: Es existieren Vollbeschäftigung und Zahlungsbilanzgleichgewicht zugleich. Der Expansionseffekt der Geldpolitik ist offenbar größer als jener der Fiskalpolitik bei konstantem Zinssatz. (vgl. Abb. 35). Da sich bei einer Erhöhung der inlandswirksamen Staatsausgaben (wie in Abb. 35 gezeigt) nur die *IXSM*-Funktion nach rechts verschiebt, entspricht der Bewegung von A nach B im Falle der Geldpolitik nur eine Bewegung von A nach D bei Einsatz der Fiskalpolitik. Die Geldpolitik erweist sich deshalb als von größerer Effizienz, weil der DM-Kurs nicht nur — wie im Falle der Fiskalpolitik — als Folge der Einkommens- und Importerhöhung sinkt, sondern zusätzlich auf die Vergrößerung des Nettokapitalexports (bzw. Verminderung des Nettokapitalimports) mit einem weiteren Fallen reagiert. Dadurch verbessert sich aber die Leistungsbilanz in stärkerem Maße als bei expansiver Fiskalpolitik; das Volkseinkommen steigt mithin stärker.

Abb. 37 demonstriert weiterhin die Überlegenheit der Geldpolitik bei flexiblen Kursen gegenüber einer Geldpolitik bei starren Kursen, denn bei starren Kursen steigt das Einkommen nur um AC. Da einkommensbedingte Importzunahme und Erhöhung des Nettokapitalexports die Nachfrage nach Dollar auf den Devisenmärkten verstärken, sinkt bei flexiblen Kursen der DM-Kurs, und der Einkommensanstieg als Folge der Investitionserhöhung wird durch Zunahme der Exporte und/oder Abnahme der Importe verstärkt.

Gegenüber jenem Zustand, der vor der Zinsverminderung existierte, hat sich also die Leistungsbilanz um den Betrag des zusätzlichen Nettokapitalexports (bzw. des reduzierten Nettokapitalimports) verbessert. Diese Verbesserung der Leistungsbilanz hat selbstverständlich Wirkungen auf die übrige Welt.^{14}) Da sich die Leistungsbilanz der übrigen Welt verschlechtert, sinkt dort das Volkseinkommen, und wir können folgern, daß die Expansion im Inland eine Kontraktion im Rest der Welt bedingt. Die Ergebnisse entsprechen also denen von Laursen und Metzler (vgl. S. 152 ff.), wenn diese Autoren auch in Form des terms of trade-Effekts eine andere Erklärung für den Export von Rezession verwenden und vom internationalen Kapitalverkehr abstrahieren. Die zusätzliche Berücksichtigung der Kapitalbilanz kann indessen nur die These verstärken, daß auch bei flexiblen Kursen die Konjunkturentwicklung in einem Land nicht unabhängig von der im anderen Lande ist. Der gelegentlich betonte und gegenüber dem System stabiler Kurse als Vorzug betonte Isolierungseffekt flexibler Kurse ist also nur unvollständig wirksam, wenn die Kapitalbewegungen elastisch in bezug auf den Zinssatz sind. Allerdings kann das Ausland den „Import von Depression" vermeiden, wenn es seinerseits den Zinssatz senkt.

III. Die Wirksamkeit der Geld- und Fiskalpolitik in offenen Volkswirtschaften

In den vorhergehenden Abschnitten dieses Kapitels wurden im wesentlichen zwei Fragen diskutiert:
1) Wie können in einem System fixierter Wechselkurse geld- und fiskalpolitische Maßnahmen derart kombiniert werden, daß internes und externes Gleichgewicht simultan zu realisieren sind?

---

^{13}) Die zinsinduzierte Verschiebung der IXSM- und Z-Kurven führt nur im „Idealfall" zu einem Schnittpunkt auf der Y_v-Linie.
^{14}) Vgl. K r u e g e r , A., a. a. O., S. 206 f.

2) Wie effizient sind Maßnahmen der Geld- und Fiskalpolitik in alternativen Wechselkurssystemen?

Diese Fragen sind im Anschluß vor allem an die Arbeiten Mundells Gegenstand heftiger Diskussionen gewesen, wobei sich das Interesse weniger auf das Problem eines geeigneten policy-mix als auf die Effizienzaspekte konzentrierte. Um die hier relevanten Entwicklungslinien nachzuzeichnen, ist es zweckmäßig, wesentliche Ergebnisse des zuvor erörterten Grundmodells zusammenzufassen und zu schematisieren. Das System beruhte auf drei Gleichungen:

1) der Gleichung für das güterwirtschaftliche Gleichgewicht (*IXSM*-Kurve):

$$S(Y) = I(z) + X(w) - M(Y,w), \qquad (1)$$

wobei S und I außer den als einkommens- bzw. zinsabhängig angenommenen privaten Ersparnissen und Investitionen auch die staatlichen Ersparnisse und Investitionen enthalten;

2) der Gleichung für das monetäre Gleichgewicht (*LG*-Kurve):

$$G = L(Y,z). \qquad (2)$$

Mit Hilfe von (1) und (2) wurden für gegebene Werte von G und w die Gleichgewichtswerte von Y und z bestimmt. Gelegentlich wurde der Zinssatz jedoch als Aktionsparameter der Wirtschaftspolitik behandelt;

3) einer Definitionsgleichung für den Saldo der Zahlungsbilanz:

$$ZB = X(w) - M(Y,w) + NK(z)$$

(NK = Nettokapitalimport, ZB = Saldo der Zahlungsbilanz).

Der Analyse lag entweder die Annahme $dw = 0$ (fixe Wechselkurse) oder die Prämisse $dZB = 0$ (flexible Kurse) zugrunde. Es wurde durchweg mit der Annahme konstanter Preise operiert, so daß sich die realen Größen proportional zu den nominalen Werten entwickeln. Die Stabilitätsbedingungen wurden als erfüllt angenommen.

Auf der Grundlage dieses Modells können die folgenden Hypothesen abgeleitet werden:

1. Expansive Geldpolitik — hier verstanden als Erhöhung des Geldvolumens — erhöht bei konstanten Wechselkursen das Volkseinkommen und senkt den Zins. Ausgehend von einer Situation totalen Gleichgewichts in A (Abb. 38) verursacht die Expansion des Geldvolumens eine Bewegung nach

Abb. 38

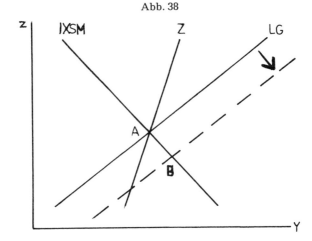

III. Geld- und Fiskalpolitik in offenen Volkswirtschaften

B: Das Volkseinkommen ist gestiegen, während die Zahlungsbilanz ein Defizit aufweist (*B* liegt rechts von *Z*). Dieses Ergebnis ist unabhängig von der Zinsreagibilität der internationalen Kapitalbewegungen, also von der Steigung der Z-Funktion. Wohl aber ist erforderlich, daß die Zentralbank durch kompensierende Maßnahmen jene Geldmengenreduktion verhindert, die als Folge der Devisenabflüsse, also des Defizits der Zahlungsbilanz, auftritt.

2. Expansive Fiskalpolitik — hier verstanden als Zunahme der staatlichen Investitionsausgaben bei konstantem Geldvolumen — erhöht bei gegebenem Wechselkurs das Volkseinkommen und den Zins. (Bewegung von *A* nach *B* in den Abb. 39 und 40).

Die Wirkung auf die Zahlungsbilanz wird wesentlich von der Zinselastizität der Kapitalbewegungen bestimmt: Da sowohl die einkommensabhängigen Güterimporte als auch die zinsabhängigen Nettokapitalimporte steigen, wenn *Y* und *z* größer werden, wird der Defiziteffekt der Güterimporte bei zinsunelastischen Kapitalimporten überwiegen (Abb. 39), während bei hoher Zinsreagibilität der Kapitalbewegungen ein Überschuß zustande kommt (Abb. 40). Die LG-Funktion verändert auch in diesen Fällen ihre Position nur dann nicht, wenn Geldmengenvariationen, die durch den Saldo der Zahlungsbilanz bedingt sind, kompensatorische Maßnahmen der Zentralbank bedingen.

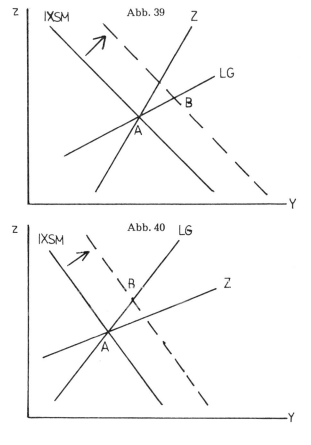

3. Expansive Geldpolitik erhöht das Volkseinkommen bei flexiblen Kursen stärker als bei starren Kursen (Abb. 41): Da nach der monetären Expansion in B ein Defizit besteht, sinkt der DM-Kurs und verbessert sich die Leistungsbilanz. Sowohl die IXSM- als auch die Z-Kurve verschieben sich nach rechts, bis ein Punkt wie C erreicht ist, der einen höheren Wirkungsgrad der Geldpolitik als bei starren Kursen (Punkt B) anzeigt.

Abb. 41

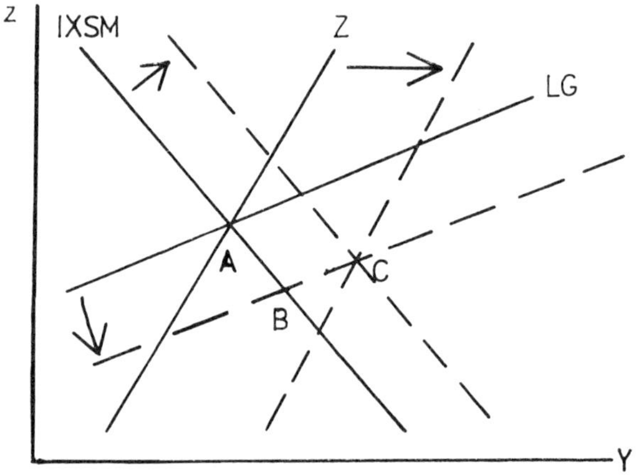

4. Expansive Fiskalpolitik erhöht das Volkseinkommen bei flexiblen Kursen in stärkerem oder schwächerem Maße als bei starren Kursen. Anhand der Abb. 39 und 40 wurde gezeigt, daß fiskalpolitische Expansionsmaßnahmen entweder ein Defizit oder einen Überschuß der Zahlungsbilanz bewirken. Der DM-Kurs kann also fallen oder steigen und damit eine Intensivierung oder Abschwächung des Expansionseffektes bewirken. In Abb. 42 führt das Defizit in B zu einer Abwertung, also einer Verbesserung der Leistungsbilanz; IXSM- und Z-Funktion verschieben sich nach rechts und ermöglichen das Erreichen eines Punktes wie C. Bewegliche Kurse verbessern also hier die Wirksamkeit der Fiskalpolitik. Den entgegengesetzten Fall zeigt Abb. 43 (vgl. die Erklärung zu der mit Abb. 43 identischen Abb. 36).

Abb. 42

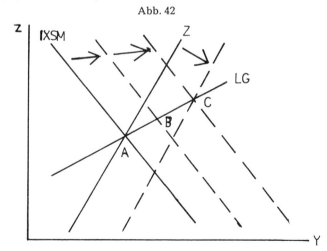

III. Geld- und Fiskalpolitik in offenen Volkswirtschaften 171

Abb. 43

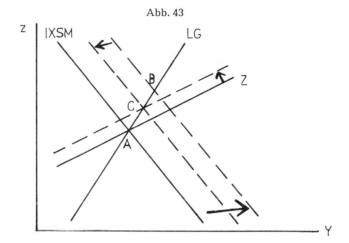

5. Die Geldpolitik ist bei flexiblen Kursen effizienter als die Fiskalpolitik, selbst wenn deren Wirksamkeit durch eine DM-Abwertung unterstützt wird (vgl. Abb. 42). Der Leser sei auf die Ausführungen in Abschnitt II, 2 verwiesen.

Das Grundmodell kann in mancher Hinsicht erweitert und vor allem durch alternative Verhaltenshypothesen variiert werden. Daher ist die Frage interessant, in welchem Umfang die Aussagen zur Effizienz der Geld- und Fiskalpolitik von diesen Modifikationen beeinflußt werden. In den folgenden Abschnitten sollen einige Erweiterungen des Grundmodells, die in der Literatur besondere Beachtung gefunden haben, in der gebotenen Kürze diskutiert werden. Dabei betrachten wir vor allem Modifikationen der Gleichung für die Zahlungsbilanz und weniger solche Verfeinerungen, die den Güter- und Geldmarkt betreffen.

1. Verzicht der Zentralbank auf Kompensationspolitik

Die Hypothesen zur Durchschlagskraft der Geld- und Finanzpolitik bei starren Kursen beruhten auf der Annahme, daß Geldmengenänderungen, die durch Zahlungsbilanzungleichgewichte, also durch Variation der zentralen Devisenreserven bedingt sind, durch die Zentralbank neutralisiert werden. Entsteht z. B. im Zuge expansiver (kontraktiver) Geldpolitik ein Defizit (Überschuß) der Zahlungsbilanz, so ist die Zentralbank zur Sicherung stabiler Kurse gezwungen, Devisen zu verkaufen (anzukaufen) und damit die Geldmenge zu verknappen (zu vergrößern). Neutralisierungspolitik impliziert jetzt ein Gegensteuern der Zentralbank derart, daß diese zahlungsbilanzinduzierten Geldmengenvariationen durch Offenmarkt-, Rediskont- oder Mindestreservepolitik kompensiert werden. Diese Annahme ist nicht unproblematisch: Führen Zahlungsbilanzüberschüsse zu einer Expansion des Geldvolumens, so verkauft die Zentralbank z. B. Offenmarkt-Papiere, um das zusätzliche Geldvolumen wieder abzuschöpfen. Da kontraktive Offenmarktpolitik jedoch den Zinssatz in die Höhe treibt (und das Volkseinkommen reduziert), entstehen neue Überschüsse in der Leistungs- und Kapitalbilanz, die wiederum Devisenzuflüsse induzieren und die Notenbank erneut dem Zwang aussetzen, kompensierende Maßnahmen zu ergreifen — wiederum mit der Konsequenz, daß neue Überschüsse in der Zahlungsbilanz entstehen. Ein dauerhafter Erfolg der Sterilisierungspolitik kann also durchaus bezweifelt werden, wie das Beispiel der Bundesrepublik in den Jahren vor dem Übergang zu flexiblen Kursen mit aller Deutlichkeit gezeigt hat.

Welche Folgerungen ergeben sich nun bei Verzicht auf Neutralisierungspolitik? Offenbar hat diese Frage nur Sinn für den Fall stabiler Wechselkurse, da andernfalls das Gleichgewicht der Zahlungsbilanz durch Anpassung der Kurse gewahrt bleibt, also keine durch die Zahlungsbilanz bedingten Änderungen der Devisenreserven und damit des Geldvolumens zu erwarten sind. Abb. 44 verdeutlicht den Fall der expansiven Geldpolitik; das Ausgangsgleichgewicht in A werde durch eine Zins-Einkommens-Kombination in B er-

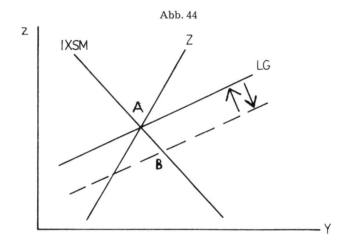

Abb. 44

setzt. Da B ein Defizit der Zahlungsbilanz anzeigt, die Zentralbank demnach Devisen verliert, verringert sich bei Verzicht auf Neutralisierungspolitik das Geldvolumen, verschiebt sich also die LG-Kurve soweit nach links, bis ein neues Zahlungsbilanzgleichgewicht erreicht und der Devisenabfluß damit gestoppt ist. Dies ist der Fall, wenn die LG-Funktion ihre ursprüngliche Lage wieder eingenommen hat und das Ausgangsgleichgewicht erreicht ist. Die Geldpolitik erweist sich also jetzt als völlig wirkungslos; bei fixen Kursen ist die Zentralbank zur Ohnmacht verurteilt.

Ermutigender sind die Ergebnisse bei expansiver Fiskalpolitik. Dem Fall der Abb. 45 liegt die Annahme zugrunde, daß bei Rechtsverschiebung der $IXSM$-Funktion ein Gleichgewicht in B erreicht wird. Die Zahlungsbilanz gerät ins Defizit: Da die Kapitalbewegungen verhältnismäßig unelastisch sind (steile Z-Kurve), regt der Zinsanstieg den Kapitalimport zu wenig an, um den Defiziteffekt steigender Güterimporte voll zu kompensieren.

Mithin sinkt das Geldvolumen, und die LG-Funktion verschiebt sich nach links. Die Zahlungsbilanz verbessert sich: Einerseits bedingt die Einkommenskontraktion eine Reduktion der Güterimporte, andererseits forciert der Zinsanstieg — wenn auch nur kleine — zusätzliche Kapitalimporte. Der Anpassungsprozeß ist offenbar erst dann beendet, wenn die LG-Funktion durch C verläuft, also nicht nur Gleichgewicht am Geld- und Gütermarkt besteht, sondern auch das Defizit der Zahlungsbilanz beseitigt ist. Expansive Fiskalpolitik erhöht demnach das Volkseinkommen — von A nach C —, wenn auch der Expansionseffekt schwächer als im Fall der Neutralisierungspolitik ausfällt (mit B als Endgleichgewicht).

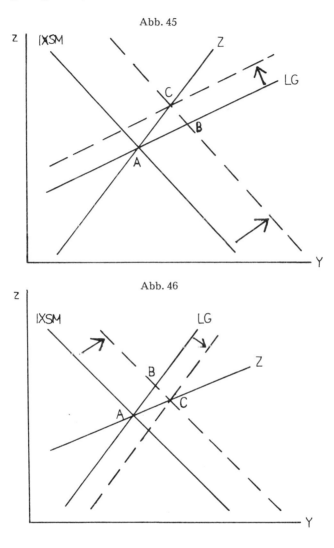

Abb. 45

Abb. 46

Dieses Ergebnis wird nicht unwesentlich modifiziert, wenn die Kapitalbewegungen stark zinselastisch sind und die Z-Kurve flacher als die LG-Funktion verläuft (Abb. 46). Da die Rechtsverschiebung von *IXSM* nunmehr einen Überschuß der Zahlungsbilanz in B bewirkt — der „positive" Kapitalbilanzeffekt dominiert den „negativen" Leistungsbilanzeffekt — erhöht sich das Geldvolumen, und LG wandert bis C, einen Punkt auf der Z-Funktion. Die Fiskalpolitik ist also nicht nur effizient, sie ist sogar wirksamer als unter den Annahmen der Kompensationspolitik. Im Unterschied zum Grundmodell mit Neutralisierungspolitik ist die Zinselastizität der Kapitalbewegungen nunmehr von entscheidender Bedeutung für die Durchschlagskraft der Finanzpolitik.

2. Der Fall des kleinen Landes

In den vorhergehenden Abschnitten wurden die internationalen Kapitalbewegungen als zinselastisch angenommen, wobei unterschiedliche Grade dieser Zinselastizität im Anstiegsmaß der Z-Funktion zum Ausdruck kamen. Offenbar wird diese Zinsreagibilität mit wachsendem Organisationsgrad der internationalen Finanzmärkte und zunehmender Konvertierbarkeit der Währungen steigen; die Zinselastizität kann demnach für solche Fälle als sehr hoch, im Grenzfall als unendlich angesehen werden. Die Z-Funktion verläuft dann als Parallele zur Abszisse. Man kann sich vorstellen, daß ein solcher Verlauf kennzeichnend für ein kleines Land ist, dessen Zinssatz sich auf die Dauer nicht vom Zinsniveau der übrigen Welt entfernen kann und dessen Einfluß auf dieses Zinsniveau gleich Null ist. Der Ordinatenwert der horizontalen Z-Funktion wird dann von der Höhe des Zinssatzes auf dem Weltmarkt bestimmt. Wir untersuchen zunächst die Bedeutung dieser Annahme für den Fall der fixen Kurse[15]).

Abb. 47

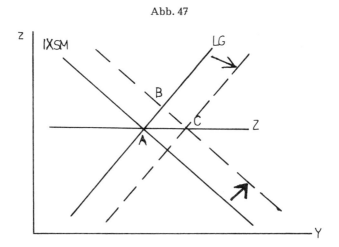

Die Wirkungen expansiver Fiskalpolitik (Rechtsverschiebung von *IXSM*) sind in Abb. 47 dargestellt, wobei Verzicht auf Neutralisierungspolitik unterstellt ist. Der (temporäre) Zinsanstieg bis *B* induziert über Kapitalimporte einen Überschuß der Zahlungsbilanz, also eine Expansion des Geldvolumens, die solange anhält, bis der Zins sein Ausgangsniveau erreicht hat (Punkt *C*). Die Einkommensexpansion (Strecke *AC*) bemißt sich nunmehr nach dem Wert des „einfachen" Multiplikators bei konstantem Zinssatz. Dagegen ist die expansive Geldpolitik wieder ohne jede Wirksamkeit, da das erhöhte Geldvolumen vollständig durch Devisenverluste kompensiert wird.

Unter der Annahme flexibler Wechselkurse konnte für das Grundmodell gezeigt werden, daß die Wirksamkeit der Fiskalpolitik geringer als bei fixen Kursen ist, wenn die Z-Kurve flacher als die *LG*-Kurve verläuft (Abb. 43). Die Effizienz der Fiskalpolitik ist gar gleich Null, wenn Z horizontal zur

---

[15]) Zu den Wirkungen unendlich elastischer Kapitalbewegungen vgl. M u n d e l l , R., Capital Mobility . . ., a.a.O.

III. Geld- und Fiskalpolitik in offenen Volkswirtschaften 175

Abszisse verläuft (Abb. 48). Weil der Zinsanstieg (bis B) die Zahlungsbilanz verbessert, steigt der DM-Kurs, und die Leistungsbilanz verschlechtert sich.

Abb. 48

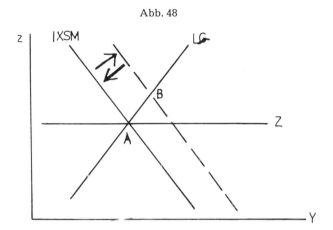

Da das Geldvolumen unverändert bleibt — der Devisenzufluß wird durch die Wechselkursvariation gestoppt — ändert die LG-Kurve ihre Lage nicht. Auch die Z-Funktion, die sich im Falle einer Aufwertung sonst nach oben verschiebt (vgl. das Grundmodell), verbleibt in ihrer Position, da die Kapitalbewegungen unendlich elastisch sind, die negative Wirkung der Aufwertung auf die Zahlungsbilanz mithin bereits durch einen infinitesimalen Zinsanstieg neutralisiert werden kann. Die IXSM-Funktion bewegt sich dagegen als Folge des Leistungsbilanzeffekts nach links, bis ein Gleichgewicht in A erreicht, also der Überschuß der Zahlungsbilanz beseitigt ist. Das Einkommen kann also seinen Ausgangswert nicht übersteigen.

Dieses Ergebnis folgt auch aus den Bedingungen des monetären Gleichgewichts $G = L(Y, z)$, das auf Grund des Stabilitätspostulats stets realisiert sein muß. Da durch die Annahmen flexibler Wechselkurse und eines gegebenen Weltzinsniveaus die Werte von G und z fixiert sind, muß auch Y unverändert bleiben.

Abb. 49

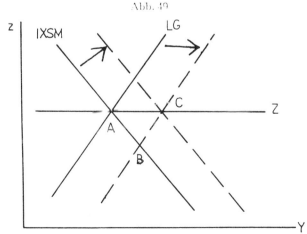

Größere Erfolgschancen als die Fiskalpolitik bietet unter den Prämissen dieses Abschnitts die expansive Geldpolitik (Abb. 49). Da der Zinssatz vorübergehend sinkt (bis B), treten Abwertungseffekte auf, welche IXSM nach rechts verschieben und eine Einkommensexpansion bis C bewirken. Die Geldpolitik ist also wieder durchschlagskräftiger als bei fixen Kursen. Das Ergebnis folgt wiederum aus den Kriterien des monetären Gleichgewichts: Da das Geldvolumen größer wurde, muß Y bei gegebenem Wert von z ebenfalls gestiegen sein.

3. Anomale Reaktion der Leistungsbilanz

Die Erfahrungen mit flexiblen Wechselkursen in der Zeit seit 1973 waren geeignet, den Abwertungs- und Aufwertungsoptimismus nicht unbeträchtlich zu erschüttern. Wechselkursvariationen haben sowohl für Defizitländer als auch für Länder mit Überschüssen in vielen Fällen kaum eine Milderung der außenwirtschaftlichen Ungleichgewichte bewirkt. Oftmals vergrößerten sich vielmehr die positiven oder negativen Salden der Leistungsbilanz. Nun lassen sich derartige Reaktionen sicherlich zum Teil dadurch erklären, daß die Wechselkurseffekte auf die Leistungsbilanz durch entgegengesetzt wirkende Einkommens- und Preiseffekte aufgehoben wurden. So wird eine Aufwertung die Leistungsbilanz z. B. dann nicht verschlechtern, der Überschuß wird sich gar noch vergrößern, wenn im Zuge eines zeitlichen internationalen Konjunkturgefälles eine starke Expansion im Ausland den heimischen Export belebt und insofern die wechselkursbedingte Verteuerung dieser Güter überspielt. Andererseits liegt es natürlich auch nahe, die „falsche" Reaktion der Leistungsbilanz auf niedrige Werte der Nachfrageelastizitäten (anomale Reaktion) zurückzuführen. Niehans[16]) operiert z. B. in Analogie zum Friedmanschen Konzept des „permanenten" Einkommens mit der Vorstellung eines „permanenten" Wechselkurses, also eines Trendwertes des Wechselkurses, von dem sich der aktuelle Wechselkurs durchaus entfernen kann. Langfristige Produktions- und Nachfrageentscheidungen richten sich nun eher nach dem permanenten Wechselkurs, so daß Bewegungen des aktuellen Wechselkurses auf kurze Sicht kaum zu einer stärkeren Änderung der Import- und Exportnachfrage führen. Erst wenn sich unter dem Eindruck dauerhafter Änderungen des aktuellen Kurses auch die Vorstellung vom permanenten Kurs verändert, werden größere Nachfrageumschichtungen zu erwarten sein. Kurzfristig kann also nach Niehans eine anomale Reaktion keineswegs als untypisch angesehen werden.

Die Konsequenzen für eine expansive Geldpolitik liegen auf der Hand: Da die Reduktion des Zinssatzes erneut einen Kapitalabfluß, also eine Abwertung der heimischen Währung bewirkt, muß sich jetzt die Leistungsbilanz verschlechtern. Während der Expansionseffekt im Grundmodell durch eine Verbesserung der Leistungsbilanz verstärkt wird, bremst die anomale Reaktion nunmehr das Wachstum des Volkseinkommens. Ist die kontraktive Wirkung der Leistungsbilanzverschlechterung gar größer als die Expansionskraft der zinsinduzierten Investitionen, so sinkt das Volkseinkommen absolut — ein schlechteres Ergebnis als im Falle stabiler Wechselkurse mit Neutralisierungspolitik ($\Delta Y > 0$) oder ohne eine solche Politik ($\Delta Y = 0$).

Da nun das primäre, durch den Kapitalabfluß bedingte Defizit durch den Leistungsbilanzeffekt verstärkt worden ist, kann das Gleichgewicht der Zah-

---

[16]) N i e h a n s , J., Some Doubts about the Efficacy of Monetary Policy under Flexible Exchange Rates, Journal of International Economics, Bd. 5, 1975, S. 275 ff.

III. Geld- und Fiskalpolitik in offenen Volkswirtschaften

lungsbilanz nur dann gesichert werden — die Stabilitätsbedingung auf dem Devisenmarkt nur dann gewährleistet sein —, wenn die Abwertung der heimischen Währung genügend große Kapitalimporte induziert. In der Tat macht Niehans die internationalen Kapitalbewegungen wechselkursabhängig in dem Sinne, daß eine Senkung des aktuellen Kurses der heimischen Währung unter den permanenten Kurs die Wirtschaftssubjekte veranlaßt, Kapital in das abwertende Land zu importieren, also dessen Währung in der Hoffnung zu kaufen, daß der Kurs später wieder steigt (stabilisierende Spekulation).

Bei der Beurteilung der Fiskalpolitik unter den geänderten Prämissen muß wiederum beachtet werden, daß erhöhte Staatsausgaben bei zunächst gegebenem Kurs entweder einen Überschuß oder ein Defizit, also einen Aufwertungs- oder einen Abwertungseffekt, erzeugen können. Während sich — bei anomaler Reaktion — die Leistungsbilanz im ersten Fall verbessert, die Fiskalpolitik nunmehr also effizienter als bei starren Kursen ist, gilt für den zweiten Fall das Umgekehrte. Auch hier kann die Stabilität des Devisenmarktes durch wechselkursabhängige Kapitalbewegungen gesichert werden.

4. Einkommensabhängige Kapitalbewegungen

Während zins- und wechselkursabhängige Kapitaltransaktionen im wesentlichen Portfolio-Kapital betreffen (z. B. Wertpapiere), folgen Kapitalbewegungen in Form von langfristigen Direktinvestitionen eher den Differenzen zwischen den Ertragsraten auf Sachkapital in den einzelnen Ländern. Nach einem Vorschlag von Johnson[17] läßt sich diese Hypothese so verwerten, daß ein Zusammenhang zwischen hohen Ertragsraten und hohen Einkommensniveaus konstruiert und daher angenommen wird, daß eine Einkommenserhöhung Kapitalimporte induziert.

Eine solche Annahme berührt das Steigungsmaß der Z-Funktion. Die positive Steigung dieser Kurve wurde im Rahmen des Grundmodells aus den Hypothesen abgeleitet, daß der Import mit steigendem Einkommen wächst und ein Defizit daher nur zu vermeiden ist, wenn eine Zinserhöhung Auslandskapital heranzieht. Da eine Expansion des Volkseinkommens außer den Güterimporten nun auch die Kapitalimporte anregt, mag bei hoher Einkommenselastizität der Kapitalimporte ein Überschuß entstehen, der nunmehr nur durch eine Zinssenkung zu vermeiden ist. Die Z-Funktion hat dann also negatives Steigungsmaß. Geht man indessen von der plausiblen Hypothese aus, daß die Güterimporte auf Einkommensänderungen stärker reagieren als die Kapitalimporte, so behält die Z-Funktion ihr positives Steigungsmaß, wenn sie auch (ceteris paribus) flacher als unter den Verhaltenshypothesen des Grundmodells verläuft.

Bei positivem Steigungsmaß folgen die Ergebnisse des Grundmodells. Hat die Z-Funktion indessen ein negatives Steigungsmaß, so muß beachtet werden, daß alle Punkte „nordöstlich" („südwestlich") von dieser Kurve einen Überschuß (ein Defizit) der Zahlungsbilanz markieren. Eine Aufwertung (Abwertung), welche die Leistungsbilanz verschlechtert (verbessert), führt mithin zu einer Aufwärtsverschiebung (Abwärtsverschiebung) dieser Kurve. Die Aussagen zur Wirksamkeit der Geld- und Fiskalpolitik werden jetzt entscheidend von der Steigung der Z-Funktion im Verhältnis zur Steigung von IXSM be-

---

[17] Johnson, H. G., Some Aspects of the Theory of Economic Policy in a World of Capital Mobility, in: T. Bagiotti (Hrsg.), Essays in Honour of Marco Fanno, Padua 1966, S. 345—359. Diese These wird aufgegriffen von Bagott, N. und Flanders, M. J., Economic Policy in an Open Economy: A Readers Guide, Economia Internazionale, Bd. 22, 1969, S. 593—605.

stimmt. Verläuft die Z-Kurve weniger steil als *IXSM*, so ist die Geldpolitik bei beweglichen Kursen wirksamer als die Geldpolitik bei starren Kursen mit Neutralisierungspolitik und diese wieder erfolgreicher als die Geldpolitik ohne Neutralisierungspolitik. Für die Fiskalpolitik gilt die Reihenfolge: Fixe Kurse ohne Neutralisierung, fixe Kurse mit Neutralisierung, flexible Kurse. Verläuft die Z-Funktion indessen steiler als *IXSM*, so führt die Geldpolitik bei fixen Kursen und Sterilisierungspolitik zu besseren Ergebnissen als die Geldpolitik bei beweglichen Kursen. Da bei fixen Kursen eine Expansion des Geldvolumens die Zahlungsbilanz in diesem Fall verbessert, führen Überschüsse zu einer weiteren monetären Expansion, sofern die Zentralbank auf Neutralisierung verzichtet; das Gleichgewicht wäre mithin unstabil. Bei Einsatz der Fiskalpolitik implizieren fixe Kurse ohne Sterilisierung erneut ein unstabiles Gleichgewicht; fixe Kurse mit Neutralisierung führen zu besseren Ergebnissen als flexible Kurse. Der Leser sollte in der Lage sein, die einzelnen Fälle geometrisch zu demonstrieren.

5. Zusätzliche Modellerweiterungen

Die Möglichkeiten zur Modifikation und zum Ausbau des Grundmodells sind unerschöpflich. Im Rahmen eines Lehrbuches ist es selbstverständlich unmöglich, alle Entwicklungslinien im einzelnen zu verfolgen. Wir beschränken uns auf eine kurze Skizzierung weiterer wichtiger Entwicklungslinien, um dem Leser den Einstieg in die weit gefächerte Literatur zu erleichtern.

1. Unsere Analyse beruhte auf den drei Gleichungen für den Gütermarkt, den Geldmarkt und die Zahlungsbilanz. Nicht beachtet wurde die Existenz von anderen Märkten, z. B. den für Realkapital, für ausländische zinstragende Titel und für inländische Schuldverschreibungen (Bonds). Betrachten wir zunächst den Bonds-Markt. Das Gleichgewicht auf diesem Markt sei durch die Bedingung

$$B = N_B(z, Y); \quad \frac{\delta N_B}{\delta z} > 0, \frac{\delta N_B}{\delta Y} > 0$$

charakterisiert (B = tatsächlich gehaltene Bestände an Bonds, N_B = geplante Bondsnachfrage). Zins und Einkommen — so unterstellen wir — haben in der Ausgangsphase Werte, die simultanes Gleichgewicht auf dem Güter-, Geld- und Bondsmarkt möglich machen. Die Wechselkurse seien fixiert. Dieses Ausgangsgleichgewicht kann jedoch nicht immer erhalten bleiben, wie die folgenden Beispiele deutlich machen:

a) Unterstellt sei zunächst ein Ungleichgewicht der Zahlungsbilanz. Wenn der Geldmengenzufluß, der z. B. durch einen Überschuß der Zahlungsbilanz zustande kommt, durch kontraktive Offenmarktverkäufe sterilisiert wird, erhöht sich der tatsächliche Bestand an Bonds in den Händen des Publikums. Da bei gegebenen Werten von z und Y die Bondsnachfrage unverändert bleibt, ist das Bestandsgleichgewicht auf dem Bondsmarkt durch Zunahme der Bestände gestört. Unterstellt man dagegen Verzicht auf Sterilisierungspolitik, so bleibt zwar das Bondsmarktgleichgewicht erhalten, doch stört die Expansion des Geldvolumens nunmehr das Gleichgewicht am Geldmarkt.

b) Solche Störungen von Bestandsgleichgewichten existieren auch im Falle eines Gleichgewichts der Zahlungsbilanz. Da z. B. güterwirtschaftliches Gleichgewicht durchaus mit einem Defizit des Staatshaushalts vereinbar ist (der z. B. durch einen Überhang der privaten Ersparnisse über die privaten Investitionen kompensiert wird), erhöht sich bei Anleihefinanzierung dieses Defizits der Bondsbestand, und das Bondsmarktgleichgewicht ist verletzt. Wird das Defi-

III. Geld- und Fiskalpolitik in offenen Volkswirtschaften

zit indessen durch Geldschöpfung finanziert, so zeigt sich das Ungleichgewicht nunmehr auf dem Geldmarkt.

In allen Fällen gilt: Da gegebene Werte von z und Y Invarianz der Bonds- und Geldnachfrage implizieren, müssen Ungleichgewichte im Staatshaushalt oder in der Zahlungsbilanz alternativ das Gleichgewicht auf dem Bondsmarkt oder dem Geldmarkt stören.

c) Schließlich bleiben die Bestandsgleichgewichte selbst dann nicht erhalten, wenn weder Staatshaushalt noch Zahlungsbilanz ein Ungleichgewicht aufweisen, der Saldo der Kapitalbilanz indessen ungleich Null ist. Nettokapitalbewegungen verändern nämlich die Bestände an ausländischen Schuldtiteln in den Händen der Inländer, so daß — wenn man die Nachfrage ebenfalls von Zins und Einkommen abhängig macht — auch auf diesem Markt für Bonds ein Ungleichgewicht entsteht.

Die Ausgangsposition kann also nur unter besonderen Bedingungen erhalten bleiben:

a) Eine Vermehrung von Bondsbeständen durch Sterilisierungspolitik der Zentralbank muß durch Haushaltsüberschüsse, die zur Schuldentilgung Verwendung finden, kompensiert werden und umgekehrt (Realisierung des Bondsmarktgleichgewichts).

b) Die Expansion des Geldvolumens im Falle der Nichtkompensation bei Zahlungsbilanzüberschüssen muß durch Haushaltsüberschüsse, die zur Geldvernichtung führen (Einlagen der öffentlichen Hand bei der Zentralbank) ausgeglichen werden und umgekehrt (Realisierung des Geldmarktgleichgewichts).

c) Die Netto-Kapitalbewegungen müssen Null sein.

Sind diese Bedingungen nicht erfüllt, so werden Bestandsungleichgewichte Reaktionen des Systems — also Zins- und/oder Einkommensvariationen — auslösen, die auch die Wirksamkeit der Geld- und Fiskalpolitik berühren. So läßt sich z. B. für den Fall fester Kurse zeigen, daß die Fiskalpolitik zwar effizient, die Geldpolitik aber völlig unwirksam ist, wenn außer güterwirtschaftlichem Gleichgewicht auch Bestandsgleichgewicht auf Bonds- und Geldmarkt gefordert wird.[18])

2. Die Einbeziehung von Wertpapiermärkten legt es nahe, auch Vermögenseffekte in der Analyse zu berücksichtigen[19]), also sowohl die Ersparnis (den Konsum) als auch die Geldnachfrage vom Vermögen abhängig zu machen. Folgt man dem vermögenstheoretischen Ansatz von Friedman, so wird man annehmen, daß die Geldnachfrage mit steigendem Vermögen zunimmt. Ebenfalls liegt es nahe, eine positive Abhängigkeit des Konsums vom Realwert des Vermögens zu konstatieren (Pigou-Effekt). Da nun z. B. eine bondsfinanzierte Erhöhung der Staatsausgaben (expansive Fiskalpolitik) das Vermögen der Wirtschaftssubjekte erhöht, verschiebt sich LG (wegen des Geldnachfrageeffekts) nach links und IXSM (wegen des Konsumeffekts) nach rechts. Es hängt von der relativen Stärke der entgegensetzt wirkenden Effekte ab, wie die Wirksamkeit der Fiskalpolitik beeinflußt wird.

---

[18]) Vgl. z. B. Stern, R., The Balance of Payments, Chicago 1973, S. 354 ff. Zur Vereinbarkeit von Stromgleichgewicht und dauerhaftem Bestandsgleichgewicht vgl. die für die offenen Volkswirtschaften grundlegenden Arbeiten von McKinnon, R. und Oates, W., The Implications of International Economic Integration for Monetary, Fiscal and Exchange-Rate Policy, Princeton Studies in International Finance Nr. 16, Princeton 1966; McKinnon, R., Portfolio Balance and International Payments Adjustment in: Mundell, R. und Swoboda, A., Monetary Problems of International Economy, Chicago 1969.

[19]) Zur Einbeziehung von Vermögenseffekten vgl. McKinnon u. Oates, a.a.O. und Graf, G., Geldpolitik und Fiskalpolitik in einer offenen Volkswirtschaft, Jahrbücher für Nationalökonomie und Statistik, Bd. 188, 1974.

3. Auf der Basis des Grundmodells induzieren expansive geldpolitische Impulse Kapitalexporte, die bei flexiblen Kursen ihrerseits über Abwertungseffekte eine gleich große Verbesserung der Leistungsbilanz bewirken. Dieser Kapitalexport wird durch eine Reduktion des Zinssatzes im Inland ausgelöst. Portfoliotheoretische Überlegungen legen indessen den Schluß nahe, die durch Zinsdifferenzen ausgelösten Kapitalexporte nur als temporäre Vorgänge zu begreifen, welche aus eine zinsinduzierten Substitution inländischer durch ausländische Aktiva innerhalb eines konstanten Finanzvermögensbestandes resultieren. Kapitalexporte kämen also nach Beendigung dieser Bestandsumschichtungen (sog. „stock shift-Effekte") zum Erliegen — es sei denn, daß im Rahmen eines Portfoliowachstums neue Vermögen gebildet werden, die eine Anlage auch im Ausland suchen („flow-Effekte"). Die Effizienz der Geldpolitik würde dann also durch Kapitalexporte (und deren Wirkung auf den Wechselkurs) nur temporär erhöht. Langfristig mag sich sogar das Gegenteil ergeben[20]: Aus den im Ausland getätigten Anlagen resultieren nämlich Zinseinnahmen, welche die Dienstleistungsbilanz des Inlands aktivieren. Daher kann die Möglichkeit nicht ausgeschlossen werden, daß solche Zinseinnahmen die Summe aus zunehmend versiegenden zinsinduzierten Kapitalexporten und den mit einem Portfoliowachstum möglicherweise verbundenen Transfers schließlich überwiegen — mit der Folge einer Aufwertung der Inlandswährung gegenüber der Ausgangssituation. Die Wirksamkeit der Geldpolitik würde dann durch außenwirtschaftliche Einflüsse abgeschwächt. Es bleibt jedoch die Frage offen, ob diese Effekte nicht erst mit so großen Verzögerungen wirksam werden, daß für Zwecke einer kurzfristig orientierten Stabilisierungspolitik die Ergebnisse des Grundmodells von größerer Bedeutung sind.

4. Es wäre müßig, auf weitere Modellerweiterungen — z. B. die Einbeziehung von Preiseffekten oder die Berücksichtigung von internationalen Rückwirkungen im Rahmen eines Zwei-Länder-Modells — einzugehen. Schon aus den bisherigen Erörterungen wurde deutlich, wie empfindlich die Ergebnisse auf Änderungen der Modellstrukturen reagieren. Daher verbietet sich jedes vorschnelle Urteil über die relative Effizienz der Geld- und Fiskalpolitik in alternativen Wechselkurssystemen, eine Folgerung, die den praktischen Wirtschaftspolitiker sicher nicht zufriedenstellt, die aber der Komplexität des Sachverhalts entspricht. Die Politik-Modelle offener Volkswirtschaften schärfen jedenfalls den Blick für wichtige Zusammenhänge, die bei der Beurteilung des Erfolges monetärer und fiskalpolitischer Impulse zu beachten sind.

[20] Vgl. T s i a n g , S. C., Capital Flows, Internal und External Balance, The Quarterly Journal of Economics, Bd. 89, 1975. Bender, D., Externes und internes Gleichgewicht in einem kurzfristigem Portfoliomodell internationaler Kapitalbewegungen, Jahrb. f. Nationalök. u. Statistik, Bd. 192, 1977.

7. Kapitel:
Die Wirkungen autonomer Kapitalbewegungen auf die Zahlungsbilanz (Das Transferproblem)

In den vorangegangenen Untersuchungen spielten die Kapitalbewegungen vor allem insofern eine Rolle, als stets angenommen wurde, daß Salden der Leistungsbilanz durch induzierte Transaktionen in Form von Gold- und Devisenbewegungen ausgeglichen werden. Abgesehen von den im 6. Kapitel vorgenommenen Überlegungen haben wir jedoch von autonomen — vom Stand der Zahlungsbilanz unabhängigen — Kapitalbewegungen abgesehen, da es unser Ziel war, die mit der Leistungsbilanz zusammenhängenden Probleme in aller Reinheit aufzuzeigen. Daher bedürfen die bisherigen Erörterungen der Ergänzung. Wir wollen fragen, wie die Zahlungsbilanz und andere Variable beeinflußt werden, wenn Kapitalexporte und Kapitalimporte, sei es durch Unternehmer, Banken oder den Staat getätigt werden. Insbesondere wird nunmehr der Zusammenhang von Kapitalbilanz und Leistungsbilanz betrachtet.

Der internationale Kapitalverkehr wirft in theoretischer Sicht zwei Fragen auf: Die erste Frage gilt dem **monetären Transfer** von Kaufkraftsummen, die zweite Frage bezieht sich auf den **realen Transfer**, d. h. auf die Veränderung der Exporte und Importe, welche durch den Kapitalverkehr bedingt ist. Auf eine eingehende Erörterung des monetären Transfers sei hier verzichtet; es genügen einige kurze Bemerkungen. Wir wollen annehmen, daß dem Land 2 (Ausland) von den Einwohnern oder der Regierung des Landes 1 (Inland) eine DM-Anleihe zur Verfügung gestellt werden soll. Sofern diese Anleihe nicht unmittelbar zum Kauf von Gütern des Landes 1 verwendet wird, kommt es zu einer erhöhten Dollar-Nachfrage am Devisenmarkt, da die Ausländer versuchen werden, DM in heimische Währung (also in Dollar) umzutauschen. In einem System stabiler Wechselkurse (mit Bandbreite) kann der Wechselkurs nur bis zum oberen Gold- oder Interventionspunkt steigen, je nachdem, ob Goldwährung oder metallfreie Währung unterstellt ist. Während im ersten Fall Gold aus dem Inland abfließt, kommt es im zweiten Fall zu einer Abgabe von Devisen durch die Zentralbank des Landes 1. In beiden Fällen ist der monetäre Transfer gelungen.

Durch den autonomen Kapitalexport wird nun die Zahlungsbilanz des ausleihenden Landes gestört. Es entsteht ein Defizit der autonomen Zahlungsbilanz, obwohl natürlich die Gesamtbilanz — als Summe von autonomen und induzierten Transaktionen — ausgeglichen bleibt, weil dem Kapitalexport als Debet-Posten ein gleich großer Credit-Posten in Form von induzierten Transaktionen, hier von Gold- und Devisenverlusten, entspricht. Daher ist die Frage von Bedeutung, ob nicht die primäre Störung Ausgleichskräfte mobilisiert, die einen Wiederausgleich der autonomen Zahlungsbilanz bewirken. Grundsätzlich kann dieser Wiederausgleich erstellt werden: entweder durch autonome Kapitalimporte oder durch eine Zunahme des Saldos der Leistungsbilanz. Ein Ausgleich über autonome Kapitalimporte mag vor allem dann zustande kommen, wenn der Abfluß von Gold und Devisen zu einer Erhöhung des Zinssatzes im Inland führt. Eine solche Zinserhöhung folgt in einer Goldkernwährung automatisch aus der Verpflichtung der Zentralbank, die Geldmenge dem geschrumpften Goldvorrat anzupassen. Zu diesem Zweck wird die Zentralbank auf ein Heraufsetzen des Diskontsatzes kaum verzichten können. Daneben sind Fernwirkungen zu beachten. Die verringerte Geldmenge wird nämlich im Inland die Liquidität der Geschäftsbanken beeinträchtigen und damit zinserhöhend wirken. Somit kommt es zu einem internationalen Zinsgefälle, das noch durch Zinssenkungen im Ausland — hier steigt die Geldmenge — vergrößert werden kann. Unter diesen Umständen werden die Kapitalströme umgelenkt, weil sich die Inländer in verstärktem Maße zur Kreditaufnahme an das Ausland wenden, während für die Ausländer ein größerer Anreiz zur Geld- und Kapitalanlage im Inland besteht. Es kommt somit zu Geld- und Kapitalimporten, die den primären Kapitalexporten entgegenwirken. Das ausleihende Land 1 (Inland) kann also sein Defizit verringern. Diese wenigen Bemerkungen mögen hier genügen, denn die Beziehungen zwischen Zinsvariationen und Kapitalbewegungen werden eingehender im 8. Kapitel erörtert.

Bei der Analyse der Ausgleichskräfte hat man aber größere Beachtung der Frage geschenkt, ob nicht das durch den Kapitalexport bedingte Defizit durch vermehrte Güterexporte oder verminderte Güterimporte beseitigt werden kann. Falls die Antwort positiv ausfällt, wird der monetäre Transfer einen realen Transfer zur Folge haben. Da sich in diesem Fall der Kapitalexport zunächst in Geld, letztlich aber in Gütern vollzieht, erreicht der inländische Devisenvorrat, welcher durch die Anleihe kleiner wird, schließlich — nachdem sich die Leistungsbilanz verbessert hat — doch wieder den alten Stand.

I. Der klassische Transfermechanismus

Die Frage, ob und in welcher Stärke der Kapitalexport einen Realtransfer zur Folge hat, kann unter klassischen und Keynesschen Annahmen diskutiert werden. Zunächst sei das Transferproblem in klassischer Sicht erörtert. Eine für den hier besprochenen Problemkreis relevante Prämisse ist die klassische Annahme der Vollbeschäftigung bei Übereinstimmung von geplanter Ersparnis und geplanter Investition; Horte existieren demnach nicht. Unter diesen Umständen können im zahlenden Land 1 die Mittel für den Kapitalexport nur durch eine Einschränkung der Gesamtausgaben im vollen Umfange des zu transferierenden Betrages aufgebracht werden: Entweder sinken die Konsumausgaben — das Sparen nimmt also zu —, so daß die Auslandsinvestition durch einen Überschuß der geplanten Ersparnisse über die geplante I n - l a n d s investition finanziert wird, oder es schrumpfen die Ausgaben für Inlandsinvestitionen, um Mittel für den monetären Transfer bereitzustellen. In beiden Fällen konkurrieren Inlands- und Auslandsinvestition um die Verwendung der Ersparnisse; „brachliegende Mittel", die eine Finanzierung der Kapitalexporte auch ohne Einschränkung der Ausgaben möglich machen, existieren unter klassischen Annahmen nicht.

Ähnliche Konsequenzen würden sich bei einer Mittelaufbringung durch den Staat ergeben; hier entsteht die Notwendigkeit einer Erhöhung der Steuern (dann sinken die Ausgaben der Besteuerten) oder einer Verminderung der Staatsausgaben. Ob der Kapitalexport nun aber vom Staat oder vom privaten Sektor getätigt wird — in jedem Falle schrumpfen die Gesamtausgaben um den vollen Betrag des Kapitalexports. Analoge Überlegungen gelten selbstverständlich auch für das empfangende Land 2. Hier werden die zufließenden Mittel im vollen Maße verausgabt, sei es, daß die privaten Ausgaben für Konsum- und Investitionsgüter oder die Ausgaben des Staates steigen. Indessen sind Multiplikatorprozesse in beiden Ländern ausgeschlossen, denn der Marktmechanismus verhindert Änderungen der Beschäftigung.

I. Der klassische Transfermechanismus

Unter diesen Voraussetzungen kann die Frage, ob und in welcher Stärke ein Realtransfer zustande kommt, durch einige einfache Überlegungen beantwortet werden. Wir bezeichnen den Rückgang der inländischen Gesamtausgaben mit dem Symbol ΔA_1. Da die Ausgaben sowohl für Inlandsgüter als auch für Auslandsgüter schrumpfen können, sinken die autonomen Inlandsimporte um

$$\Delta M_1^a = g_1' \Delta A_1, \qquad (1)$$

wobei g'_1 das Verhältnis zwischen Import- und Gesamtausgabenänderung bezeichnet. Der Quotient g'_1 ist nicht unbedingt mit der marginalen Importquote g_1 identisch; dies wäre notwendig nur dann der Fall, wenn die Aufbringung der Mittel über eine Erhöhung der Einkommensteuern erfolgt, eine Annahme, die in der Literatur sehr oft gemacht wird.

Andererseits steigen die autonomen Importe des Landes 2, also die autonomen Exporte des Landes 1, um

$$\Delta M_2^a = \Delta X_1^a = g_2' \Delta A_2. \qquad (2)$$

Auch g'_2 stimmt nicht notwendig mit der marginalen Importquote g_2 überein, es sei denn — eine Annahme, die gleichfalls üblich ist —, das empfangende Land verwendet die zufließenden Mittel zur Zahlung von Subventionen an die Einkommensbezieher.

Der monetäre Transfer hat demnach einen Realtransfer in Höhe von

$$\Delta X_1^a - \Delta M_1^a = g_2' \Delta A_2 - g_1' \Delta A_1 \qquad (3)$$

zur Folge. Da nun aber die Ausgabenänderung in beiden Ländern dem Wert des autonomen Kapitalexports ΔT entspricht[1]), folgt unter Berücksichtigung der Tatsache, daß ΔA_1 einen negativen Wert hat:

$$-\Delta A_1 = \Delta A_2 = \Delta T.$$

Wir erhalten also

$$\Delta X_1^a - \Delta M_1^a = g_2' \Delta T + g_1' \Delta T$$

$$\Delta X_1^a - \Delta M_1^a = (g_2' + g_1') \cdot \Delta T. \qquad (3a)$$

Ist $g'_2 + g'_1 < 1$, so steigt der Leistungsbilanzüberschuß um weniger als der Kapitalexport; der reale Transfer ist also unvollkommen. Das durch den autonomen Kapitalexport bedingte Defizit der autonomen Zahlungsbilanz wird durch den Exportüberschuß nur zum Teil beseitigt. Daher ist ein vollständiger Ausgleich nur dann zu erreichen, wenn sich die terms of trade zuungunsten des Inlandes ändern, die Exportgüterpreise also relativ zu den Preisen der Importe sinken, und sich der Leistungsbilanzüberschuß durch diesen Preiseffekt so weit vergrößert, daß er dem Wert des Kapitalexports entspricht. Im klassischen System wird diese Angleichung durch den Goldmechanismus erreicht: Wenn der Kapitalexport durch einen Leistungsbilanzüberschuß nur unvollkommen kompensiert wird, kommt es zu Goldabflüssen in das Ausland, die das Preisniveau im Inland senken[2]).

Die entgegengesetzten Wirkungen treten ein, wenn $g'_2 + g'_1 > 1$ ist. Hier müssen sich die terms of trade verbessern, denn der reale Transfer übertrifft den monetären Transfer, so daß die autonome Zahlungsbilanz aktiv wird. Auf die unterstützenden Wirkungen des Preismechanismus kann nur dann verzichtet werden, wenn sich die marginalen Quoten zu 1 ergänzen. Die

---

[1]) ΔT ist gleich T, wenn der autonome Kapitalexport im Ausgangszustand Null war.

[2]) Das genaue Ausmaß der Änderung der terms of trade, welche durch den Kapitalexport erzwungen wird, ist ein Problem der reinen Theorie (vgl. III. Teil, 6. Kap. II).

direkten Ausgabeneffekte reichen dann gerade aus, um das Gleichgewicht der Zahlungsbilanz zu sichern, also einen Exportüberschuß in der Größe des Kapitalexports zu schaffen.

II. Der Keynessche Transfermechanismus

Im wesentlichen sind es zwei Annahmen, durch die sich der Keynessche vom klassischen Transfermechanismus unterscheidet. Einmal sind Multiplikatorprozesse unter Keynesschen Prämissen zugelassen, zum anderen kann der Kapitalexport im gebenden Land aus Horten finanziert und im empfangenden Land zur Hortung verwendet werden, so daß sich die Gesamtausgaben nicht notwendig um den Betrag des Kapitalexports verändern. Der Transfermechanismus ist unter diesen Bedingungen erstmals von Metzler[3]) beschrieben worden. Neben den Annahmen konstanter Preise, Zinssätze und Wechselkurse, die seinem Modell zugrunde liegen, unterstellt er weiter, daß die transferierte Summe entweder aus Horten oder durch eine Verminderung der Ausgaben für h e i m i s c h e Güter, nicht aber — wie im I. Abschnitt angenommen — auch durch einen Verzicht auf Käufe von Auslandsgütern finanziert werden kann. Entsprechende Annahmen gelten für das Ausland.

a) Die Wirkungen des Kapitalexports auf Einkommen und Leistungsbilanz der beiden Länder werden nun sehr unterschiedlich sein, je nachdem, welche Form der Finanzierung und Mittelverwendung im einzelnen Fall unterstellt wird. In der folgenden Tabelle 17 wird die Veränderung des Einkommens und der Leistungsbilanz unter drei alternativen Annahmen abgeleitet. Im Falle 1 erhöht ein Kapitalexport des Landes 1 die Investitionsausgaben des Landes 2 für heimische Güter, während im ausleihenden Land 1 keine unmittelbaren Einkommenswirkungen auftreten, da die Anleihesumme durch Enthortung oder Geldschöpfung, nicht aber durch Reduktion der Inlandsausgaben aufgebracht wird. Fall 2 ist unter der Annahme konstruiert, daß das ausleihende Land seine Ausgaben für heimische Investitionsgüter im Ausmaß des Transfers reduziert, im empfangenden Land dagegen keine direkten Einkommenswirkungen auftreten, weil das zufließende Geld z. B. vom Staat gehortet wird. Im Fall 3 sind schließlich beide Möglichkeiten kombiniert: Der Transfer vermindert die Investitionsausgaben des Landes 1 und erhöht zur gleichen Zeit die Investitionsausgaben des Empfängerlandes 2. Durch diese Annahmen ist es offensichtlich möglich, die Wirkungen des Kapitalexports mit Hilfe eines dynamischen Multiplikatormodells zu beschreiben, in dem als Anstoßfaktor eine Veränderung der Investitionen fungiert. Wie wir aus den Darlegungen zur Multiplikatortheorie wissen, wird der Ablauf wesentlich von den Werten der marginalen Spar- und Importquoten bestimmt. Zur Vereinfachung setzen wir die marginale Investitionsquote in beiden Ländern gleich Null[4]), so daß die marginale Sparquote mit der marginalen Hortungsquote identisch ist. Die marginalen Spar- und Importquoten des Landes 1 haben die Werte:

$$s_1 = 0{,}5; \quad g_1 = 0{,}2$$

und die des Landes 2:

$$s_2 = 0{,}5; \quad g_2 = 0{,}1$$

---

[3]) M e t z l e r , L. A., The Transfer Problem . . . , a. a. O.

[4]) M e t z l e r , auf den wir uns bei der Ableitung der Einkommenswirkungen des Transfers stützen, hat positive Werte für die marginalen Investitionsquoten unterstellt. Materiell ändert sich dadurch nichts. Vgl. M e t z l e r , L. A., The Transfer Problem Reconsidered, a. a. O.

II. Der Keynessche Transfermechanismus

Ferner wird angenommen, daß Sparen, Konsum und Import einer Periode vom Einkommen der vorhergehenden Periode abhängen.

TABELLE 17

	Land 1					Land 2				
	ΔI_1 (1)	ΔC_1 (2)	ΔS_1 (3)	$\Delta M_1(=\Delta X_2)$ (4)	ΔY_1 (5)	ΔI_2 (6)	ΔC_2 (7)	ΔS_2 (8)	$\Delta M_2(=\Delta X_1)$ (9)	ΔY_2 (10)
Fall 1		5	5	2	10	100	50	50	10	100
		3,5	3,5	1,4	7		20	20	4	40
					3,9		9	9	1,8	18
										8,6
		...	...	...	...		...	...	...	...
Σ		12,5	12,5 $\Delta X_1-\Delta M_1 = 12,5$		25		87,5	87,5	17,5	175
Fall 2	—100	—50	—50	—20	—100	100	—10	—10	—2	—20
		—15	—15	—6	—30		—7	—7	—1,4	—14
		—5,5	—5,5	—2,2	—11		...	...	...	—7,8
		...	...	...	—4,7					...
Σ	—100	—75	—75 $\Delta X_1-\Delta M_1 = 25$		—150		—25	—25	—5	—50
Fall 3	—100	—50	—50	—20	—100	100	50	50	10	100
		—10	—10	—4	—20		10	10	2	20
		—2	—2	—0,8	—4		2	2	0,4	4
		...	...	...	—0,8		...	...	...	0,8
					...					...
Σ	—100	—62,5	—62,5 $\Delta X_1-\Delta M_1 = 37,5$		—125		62,5	62,5	12,5	125

Betrachten wir zunächst den 1. Teil von Tabelle 17 (Fall 1). Hier führt der Transfer von *100* in der ersten Periode zu einer Erhöhung der Investitionen und des Einkommens im Empfängerland, während das Einkommen im Land 1 zunächst unverändert bleibt, da die Transfersumme nach unserer Annahme die Inlandsausgaben nicht beeinflußt. Das zusätzliche Einkommen des Lan-

186 Die Wirkungen autonomer Kapitalbewegungen auf die Zahlungsbilanz

des 2 wird nun in der nächsten Phase gemäß den Werten der marginalen Quoten auf Konsum, Sparen und Import aufgeteilt. Nimmt man an, daß ein Transfer nur in der ersten Periode getätigt worden ist, so fällt in der zweiten Phase — nachdem die Anleihesumme von *100* verausgabt ist — die Investition wieder auf ihr Ausgangsniveau zurück. Somit ergibt sich das zusätzliche Einkommen der zweiten Periode (bezogen auf den Ausgangszustand) in der bekannten Weise durch die Summe $\Delta C_2 + \Delta X_2 - \Delta M_2$, wobei ΔX_2 ($=\Delta M_1$; vgl. Spalte 4) in dieser Periode noch gleich Null ist: Da das Einkommen des Landes 1 zunächst unverändert bleibt, variieren auch nicht die induzierten Importe des Landes 1, d. h. die Exporte des Landes 2. In der zweiten Phase steigt jedoch das Einkommen auch im Land 1, denn die zusätzlichen Importe des Empfängerlandes von *10* bedeuten höhere Exporte, damit aber auch höhere Einkommen im Land 1. Der Prozeß entwickelt sich dann in der bekannten Weise. Die Zusatzeinkommen im ausleihenden Land 1 bestimmen sich jeweils durch Summierung der Werte in den Spalten 2 und 9 — Konsum und Export — abzüglich des Wertes der Spalte 4. Entsprechendes gilt für Land 2.

Im Unterschied zur Multiplikatortabelle 16, die im 4. Kapitel, S. 119, entwickelt wurde (hier ging der Anstoß von einer Exporterhöhung aus), werden die Zusatzeinkommen von Periode zu Periode ständig kleiner, um schließlich gegen Null zu konvergieren. Es kann also keine dauernde Erhöhung des Volkseinkommens erzielt werden. Dies folgt aus der Annahme, daß ein Transfer (= Investitionsänderung) nur in der ersten Periode vorgenommen wird. Die durch diese Investition geschaffenen Zusatzeinkommen versickern in den nächsten Phasen in Form von Ersparnissen und Importen, bis schließlich der Ausgangszustand erreicht, die expansive Wirkung also verpufft ist. Eine dauernde Erhöhung des Volkseinkommens könnte sich nur dann ergeben, wenn der Transfer (= Investitionsänderung) in jeder Phase wiederholt wird.

Addiert man nun die Werte der einzelnen Reihen, so zeigt sich für Land 1 eine Zunahme des Gesamteinkommens um (approximativ) *25* und für Land 2 um (approximativ) *175*[5]). Es muß jedoch beachtet werden, daß es sich dabei nicht um die definitiven Endwerte handelt, welche die Zusatzeinkommen nach einer Reihe von Perioden tatsächlich erreichen. Diese Werte ergeben sich nur durch Summation der Einkommenszuwächse in den einzelnen Perioden; der tatsächliche Einkommenszuwachs ist am größten in der ersten Periode (für Land 1: in der zweiten Periode) und wird in den folgenden Multiplikatorrunden immer kleiner. Eine effektive Steigerung des Einkommens bis auf 175 und 25 würde nur dann stattfinden, wenn der Transfer und damit der Investitionsstoß in jeder Phase wiederholt wird. Immerhin erklärt Fall 1 die oft vertretene Ansicht, daß der Kapitalexport nicht nur für das nehmende, sondern auch für das gebende Land von Vorteil ist, und zwar insofern, als durch Kapitalexporte im ausleihenden Land eine Zunahme des Volkseinkommens und der Beschäftigung erreicht werden kann[6]). Diese Beschäftigungserhöhung ist allerdings nur von Dauer im Fall eines ständig wiederholten Transfers. Bei nur einmaligem Transfer wird dagegen

---

[5]) Diese Werte kann man ableiten, indem man die im 4. Kap. entwickelten Formeln (31) und (32) für den Investitionsmultiplikator im Zwei-Länder-Fall unter der Annahme abwandelt, daß der Investitionsstoß vom Lande 2 ausgeht. An den marginalen Quoten wären in diesem Falle die Indizes 1 und 2 zu vertauschen.

[6]) Dazu P r e i s e r , E., Kapitalexport und Vollbeschäftigung, in: Bildung und Verteilung des Volkseinkommens, 2. Aufl., Göttingen 1961.

II. Der Keynessche Transfermechanismus

der belebende Effekt schon nach einigen Phasen praktisch verpufft sein (wie in Tabelle 17). In jedem Fall kommt die belebende Wirkung im Kapitalexportland dadurch zustande, daß die durch die Anleihe finanzierte Einkommensausweitung im Land 2 zusätzliche Importe, also zusätzliche Exporte des Landes 1 induziert, die dort den Aufschwung in die Wege leiten. Es sind also die internationalen Rückwirkungen, über die der Beschäftigungseffekt wirksam wird.

Für uns ist nun vor allem die Frage interessant, ob der Kapitalexport von 100, welcher ein Defizit der autonomen Zahlungsbilanz in gleicher Höhe bedingt, einen entsprechenden Realtransfer — also eine Verbesserung der Leistungsbilanz — zur Folge hat. Nach Abschluß des Anpassungsprozesses sind die Exporte des Landes 1 um insgesamt 17,5 (Spalte 9), die Importe aber nur um 5 (Spalte 4) gewachsen. In den betrachteten Perioden hat sich also die Leistungsbilanz insgesamt (d. h. als Summe der Werte aus allen Reihen) um 12,5 verbessert. Man kann diesen Wert aus der im 4. Kapitel abgeleiteten Relation (33) für den Leistungsbilanzmultiplikator in bezug auf eine Investitionsänderung ermitteln. Da sich die Investition im Land 2 vergrößert hat, verändert sich die Leistungsbilanz des Landes 2, d. h. die mit umgekehrtem Vorzeichen versehene Bilanz des Landes 1, um:

$$\Delta D_2 = \frac{g_2 \cdot s_1}{s_2 \cdot s_1 + s_1 \cdot g_2 + s_2 \cdot g_1} \Delta I_2. \tag{1}$$

Einsetzen der Werte von Tabelle 14 ergibt:

$$-12,5 = -\frac{0,1 \cdot 0,5}{0,5 \cdot 0,5 + 0,5 \cdot 0,1 + 0,5 \cdot 0,2} \cdot 100.$$

Die Bilanz des Landes 2 verschlechtert sich also um 12,5, die des Landes 1 verbessert sich um den gleichen Betrag.

An diesem Ergebnis ist vor allem folgendes interessant: Da der monetäre Transfer von 100 nur einen Realtransfer von 12,5 bewirkt, **reicht der Einkommensmechanismus nicht im entferntesten aus um das durch den autonomen Kapitalexport bedingte Defizit der Zahlungsbilanz durch einen Exportüberschuß zu kompensieren.** Die Gold- und Devisenreserven, welche im Zuge des monetären Transfers in das Ausland abgeflossen sind, kehren also nur zum Teil als Exporterlöse in das Inland zurück; das kreditgebende Land hat demnach einen endgültigen Abfluß von Gold und Devisen im Werte von 87,5 hinzunehmen. Das Transferproblem gewinnt noch stärker an Bedeutung, wenn eine Anleihe von 100 nicht nur einmal, sondern in jeder Phase gegeben wird. Das kreditgebende Land würde dann **in jeder Periode** (und nicht nur einmal) einen Gold- und Devisenverlust von 87,5 erleiden, so daß ein Ausgleich der Zahlungsbilanz nur durch Einsatz der wirtschaftspolitischen Instrumente, z. B. durch kontraktive Geld- und Fiskalpolitik oder Währungsabwertung erreicht werden kann.

Betrachten wir nunmehr Fall 2 der Tabelle 17. Hier führt die Anleihegewährung zu einer Kontraktion des Investitionsvolumens im ausleihenden Land, während das Einkommen des Empfängerlandes in der ersten Phase unverändert bleibt. Im Kapitalexportland kommt es daher nicht zu einer Erhöhung, sondern zu einer Verminderung des Volkseinkommens und der Beschäftigung. Der Kapitalexport hat somit die Rolle gewechselt: Dasselbe Mittel, welches im Falle 1 zur Anhebung der Beschäftigung diente, emp-

188 Die Wirkungen autonomer Kapitalbewegungen auf die Zahlungsbilanz

fiehlt sich nunmehr als Instrument einer kontraktiven Konjunkturpolitik. Dieser Wandel der Betrachtung folgt natürlich aus der Annahme, daß die Auslandsinvestition nicht neben (Fall 1), sondern an Stelle der Inlandsinvestition durchgeführt wird. Ein negativer Multiplikatorprozeß ist dann unvermeidlich. Dessen Ausmaß hängt u. a. wieder davon ab, ob Auslandszahlungen nur einmal oder in jeder Periode getätigt werden. Bei einmaliger Kreditgewährung werden die (negativen) Zusatzeinkommen von Phase zu Phase kleiner, bis das Ausgangsgleichgewicht erreicht ist. Bei dauernder Kreditgewährung findet in jeder Periode eine Investitionsabnahme statt; schließlich entsteht ein neues Gleichgewicht, das sich vom Ausgangsgleichgewicht durch ein geringeres Niveau des Volkseinkommens unterscheidet.

Die Einkommenskontraktion im Land 1 führt zu Schrumpfungserscheinungen auch im Land 2. Da die Bürger des Landes 1 auf geringere Einkommen mit einer Verminderung ihrer Importe reagieren, sinkt der Export des Landes 2, damit aber auch das Einkommen dieses Landes. So bedingt die Importabnahme von 20 in der zweiten Phase eine Einkommenskontraktion im Land 2 während derselben Phase. Folglich entsteht auch hier ein negativer Multiplikatorprozeß, der über eine Abnahme der Importe (um 2 in der dritten Phase) wieder auf das kreditgebende Land zurückgreift[7]).

Während die Entwicklung des Volkseinkommens sich vom Fall 1 erheblich unterscheidet, bewegt sich der Saldo der Leistungsbilanz in dieselbe Richtung. Auch hier wird die Leistungsbilanz des Landes 1 verbessert, weil die durch die Einkommenskontraktion bedingte Importabnahme größer ist als die Schrumpfung des Exports, welche auf die Kontraktion im Lande 2 zurückzuführen ist. Die Verbesserung der Leistungsbilanz errechnet sich nach der Formel für den Leistungsbilanzmultiplikator in bezug auf eine Investitionsänderung im Land 1[8]):

$$\Delta D_1 = - \frac{g_1 \cdot s_2}{s_1 \cdot s_2 + s_2 \cdot g_1 + s_1 \cdot g_2} \cdot \Delta I_1. \tag{2}$$

Einsetzen der Zahlenwerte aus Tabelle 17 ergibt:

$$25 = - \frac{0{,}2 \cdot 0{,}5}{0{,}5 \cdot 0{,}5 + 0{,}5 \cdot 0{,}2 + 0{,}5 \cdot 0{,}1} \cdot - 100.$$

Die Leistungsbilanz wird also durch den Kapitalexport verbessert, doch reicht die Verbesserung auch jetzt nicht aus, um das Defizit der Zahlungsbilanz vollständig zu beseitigen. Wieder ist der reale Transfer nur unvollkommen.

Wenden wir uns schließlich Fall 3 des Zahlenbeispiels zu. Hier führt der Transfer zu einer Investitionsabnahme im ausleihenden und zu einer Investitionserhöhung im empfangenden Land. Folglich steigt das Volkseinkommen im Land 2 bei gleichzeitiger Einkommensschrumpfung im Land 1. Indessen sinkt Y_1 um weniger als im Falle 2, denn die kontraktive Wirkung der Investitionsabnahme wird teilweise durch Zusatzexporte ausgeglichen, die dem Aufschwung im kreditnehmenden Land zuzuschreiben sind.

---

[7]) Die Einkommenswerte der einzelnen Reihen errechnen sich wieder durch die Summe $\Delta C + \Delta X - \Delta M$. Für Land 1 ist also von der Summe der Spaltenwerte 2 und 9 der Importwert der Spalte 4 abzuziehen. Für Land 2 wird der Spaltenwert 9 von der Summe der Werte aus 7 und 4 subtrahiert.

[8]) Da im Unterschied zu Gleichung (1) ΔD_1 (nicht ΔD_2) errechnet wird und ΔI_1 (nicht ΔI_2) als Multiplikand erscheint, müssen die Länderbezeichnungen 1 und 2 an den marginalen Quoten gegenüber Gleichung (1) umgetauscht werden.

II. Der Keynessche Transfermechanismus

Auch die Leistungsbilanz des Landes 1 wird wieder verbessert. Die Zunahme des Saldos der Leistungsbilanz ergibt sich aus der Gleichung

$$\Delta D_1 = \frac{s_1 \cdot g_2 \cdot \Delta I_2 - g_1 \cdot s_2 \cdot \Delta I_1}{s_1 \cdot s_2 + s_2 \cdot g_1 + s_1 \cdot g_2}, \tag{3}$$

welche für den Fall gilt, daß die Investition in beiden Ländern als Folge des Transfers geändert wird. Wir wollen auf die Ableitung dieser Gleichung verzichten. Setzt man wieder Zahlenwerte ein, so folgt:

$$37,5 = \frac{0,5 \cdot 0,1 \cdot 100 - 0,2 \cdot 0,5 \cdot (-100)}{0,5 \cdot 0,5 + 0,5 \cdot 0,2 + 0,5 \cdot 0,1}.$$

Der Kredit wird also realwirtschaftlich nur unvollkommen transferiert. Das Ergebnis ist allerdings etwas günstiger als im Fall 2: Dort wurde der Verbesserungseffekt der Importabnahme durch einen induzierten Rückgang der Exporte teilweise ausgeglichen, hier wird die Importabnahme durch eine Steigerung des Exports unterstützt.

b) Die dem Zahlenbeispiel zugrunde liegenden Annahmen lassen sich in vielfacher Hinsicht modifizieren. Für den Umfang des Realtransfers werden einmal die Werte der marginalen Quoten von Bedeutung sein. Unsere Fälle sind unter der Prämisse abgeleitet worden, daß die marginalen Konsumquoten kleiner als 1 sind. Unter dieser Voraussetzung — die mit der Stabilitätsbedingung einer geschlossenen Wirtschaft identisch ist — kann man zeigen, daß sich die Leistungsbilanz des zahlenden Landes um weniger als um den Transferbetrag verbessert. Ist die marginale Konsumquote jedoch in einem der beiden Länder größer als 1 (die marginale Sparquote wäre also negativ), so kann sich — wie Metzler gezeigt hat — die Leistungsbilanz des Landes 1 entweder verschlechtern oder in stärkerem Maße als um den Transferbetrag verbessern. Solche Fälle sind allerdings sehr unwahrscheinlich.

Die Analyse könnte ferner um die Annahme erweitert werden, daß das zahlende Land 1 im Ausmaß des Transferbetrages nicht auf Ausgaben für heimische Güter, sondern auf Ausgaben für Importe verzichtet; dadurch entsteht bereits in der ersten Phase ein Leistungsbilanzüberschuß in Höhe des Kapitalexports, ohne daß das Volkseinkommen sinkt. Ob sich auch in der Folge kein Multiplikatorprozeß ergeben wird, hängt vor allem davon ab, in welcher Weise das empfangende Land von dem Kredit Gebrauch macht. Erhöht es seine Investitionsausgaben im Umfange des Transfers, so bleibt auch das Volkseinkommen dieses Landes unverändert, da die kontraktive Wirkung der Exportabnahme (= Importabnahme des zahlenden Landes) durch den zusätzlichen Investitionsstoß gerade ausgeglichen wird. Unter diesen Umständen vollzieht sich die Anleihegewährung völlig reibungslos; dem monetären Transfer entspricht ein gleich großer realer Transfer, ohne daß es zu Einkommensschwankungen kommt. Sollte aber das Empfängerland seine Investitionen nicht oder nicht im vollen Umfange des Transfers erhöhen, so entsteht in diesem Land ein Kontraktionsprozeß, der über eine induzierte Importabnahme auch auf das zahlende Land übergreift und dessen Exportüberschuß unter das Ausgangsniveau herabdrückt.

Umgekehrt könnte man auch annehmen, daß der Anleihebetrag vom Empfängerland 2 nicht investiert oder gehortet, sondern in vollem Umfang und unmittelbar zum Kauf von Gütern im zahlenden Land verwendet wird. Für das kreditgebende Land 1 resultiert daraus schon in der ersten Phase ein Exportüberschuß, der jenes Defizit der Zahlungsbilanz, das durch den Kapitalexport bedingt ist, vollständig kompensiert. Hat das zahlende Land 1 die Kreditsumme durch Einschränkung der Investitionen aufgebracht, so bleibt das Volkseinkommen (wegen des kompensierenden Exportüberschusses) unverändert, und ein Multiplikatorprozeß kann nicht entstehen. Ist aber der Kredit durch Geldschöpfung oder Enthortung finanziert, dann kann die belebende Wirkung des Exportüberschusses nicht durch Drosselung der Investitionen ausgeglichen werden; es entsteht ein Expansionsprozeß, in dessen Verlauf ein Teil des primären Exportüberschusses (durch induzierte Importe) verlorengeht. Im Endeffekt ist also der Kredit nur teilweise in Form von Gütern transferiert.

Derartige Fälle können allerdings im Metzler-Modell nicht abgeleitet werden. Die Schwäche der Metzlerschen Analyse liegt nämlich vor allem in der Annahme, daß der Geldtransfer entweder durch eine Verminderung der Ausgaben für h e i m i s c h e Güter oder aus Horten finanziert und zur Erhöhung der Ausgaben für heimische Güter oder für Hortungszwecke verwendet wird. Sehr viel realistischer ist es anzunehmen, daß Aufbringung und Verwendung auch in Form einer Verminderung bzw. einer Erhöhung der Importausgaben möglich sind[9]. Allerdings wird die Ableitung der Transferwirkungen jetzt sehr viel schwieriger und das Ergebnis undurchsichtiger als im einfachen Metzler-Fall.

c) In diesem Abschnitt ist es unser Ziel, ein umfassendes, die gerade erörterten und von Metzler nicht analysierten Fälle einbeziehendes Transfermodell zu konstruieren, welches die Metzler-Modelle als Sonderfälle einschließt[10]. Unserer Analyse werden zwei Einkommensgleichungen und eine Gleichung für die Zahlungsbilanz zugrunde gelegt.

Durch Kapitalbewegungen wird das Einkommen des Landes 1, das Einkommen des Landes 2 und der Saldo der autonomen Zahlungsbilanz des Landes 1 um

$$\Delta Y_1 = \Delta A_1 + a_1 \Delta Y_1 + \Delta M_2^a + g_2 \Delta Y_2 - \Delta M_1^a - g_1 \Delta Y_1 \tag{4}$$

$$\Delta Y_2 = \Delta A_2 + a_2 \Delta Y_2 + \Delta M_1^a + g_1 \Delta Y_1 - \Delta M_2^a - g_2 \Delta Y_2 \tag{5}$$

$$\Delta Z_1 = \Delta M_2^a + g_2 \Delta Y_2 - \Delta M_1^a - g_1 \Delta Y_1 - \Delta T \tag{6}$$

verändert. Hier bedeuten ΔA_1 und ΔA_2 die Änderung der autonomen Gesamtausgaben (Absorption), also des autonomen Konsums und der autonomen Investition; a_1 und a_2 sind die marginalen Ausgabenquoten, die Summen aus marginalen Konsum- und Investitionsquoten; ΔZ_1 bezeichnet schließlich die Änderung des Saldos der autonomen Zahlungsbilanz des Landes 1. ΔZ_1 ist offenbar gleich Null — wenn auch Z_1 gleich Null ist, bleibt die Zahlungsbilanz im Gleichgewicht —, sofern sich der Überschuß der Exporte des Landes 1 ($\Delta M_2^a + g_2 \Delta Y_2$) über die Importe dieses Landes um den Betrag des zusätzlichen autonomen Kapitalexports erhöht: Induzierte Transaktionen in Form von Gold- und Devisenbewegungen finden in diesem Fall nicht statt.

Läßt man als Datenänderungen nun allein eine Erhöhung der Kapitalexporte des Landes 1 zu, so sind die Änderungen der autonomen Gesamt- und Importausgaben allein durch den Kapitalexport bedingt, und es ist daher möglich, ΔM^a und ΔA durch die Ausdrücke

$$\Delta M_2^a = g_2' \Delta T \qquad \Delta A_2 = a_2' \Delta T = (1 - h_2') \Delta T$$

$$\Delta M_1^a = - g_1' \Delta T \qquad \Delta A_1 = - a_1' \Delta T = - (1 - h_1') \Delta T$$

---

[9]) Um diese Annahmen hat Johnson Metzlers Modell erweitert: J o h n s o n , H. G., The Transfer Problem and Exchange Stability, Journal of Political Economy, Bd. 64, 1956, wiederabgedruckt in: International Trade and Economic Growth, London 1961.
[10]) Vgl. J o h n s o n , a. a. O.

II. Der Keynessche Transfermechanismus

zu ersetzen. In diesen Gleichungen bedeuten g'_1 und g'_2 — wie wir schon gesehen haben — jene Teile des Kapitalexports, die durch eine Verminderung der Importe finanziert oder für eine Erhöhung der Importe verwendet werden. Verzichten die Einwohner des Landes 1 z. B. auf Importausgaben von 30,— DM, um einen Kapitalexport von 100,— DM zu finanzieren, so ist $g'_1 = 0{,}3$. Entsprechend sind a'_1 und a'_2 jene in Prozenten ausgedrückten Teile des Geldtransfers, die durch eine Reduktion der Gesamtausgaben für Konsum- und Investitionsgüter (einschließlich der Importausgaben) finanziert werden oder in Form einer Erhöhung dieser Ausgaben Verwendung finden. Da der im Empfängerland nicht ausgegebene Teil des Transfers gehortet sein muß oder der nicht durch Ausgabensenkung finanzierte Teil aus Horten stammt, kann man a' durch $1 - h'$ ersetzen. Da ferner ΔT und die marginalen Quoten grundsätzlich positiv definiert sind und die autonomen Gesamtausgaben sowie der autonome Import im zahlenden Land 1 durch den Kapitalexport verringert werden (ΔM^a_1 und ΔA_1 sind negativ), müssen wir die für Land 1 aufgestellten Gleichungen mit einem Minuszeichen versehen. Ersetzen wir schließlich a_1 und a_2 durch $1-h_1$ und $1-h_2$ — marginale Ausgaben- und Hortungsquoten ergänzen sich zu 1 — so kann man die Gleichungen (4), (5) und (6) auch in der Form

$$\Delta Y_1 = -(1-h'_1)\Delta T + (1-h_1)\Delta Y_1 + g'_2 \Delta T + g_2 \Delta Y_2 + g'_1 \Delta T - g_1 \Delta Y_1 \quad (7)$$

$$\Delta Y_2 = (1-h'_2)\Delta T + (1-h_2)\Delta Y_2 - g'_1 \Delta T + g_1 \Delta Y_1 - g'_2 \Delta T - g_2 \Delta Y_2 \quad (8)$$

$$\Delta Z_1 = g'_2 \Delta T + g_2 \Delta Y_2 + g'_1 \Delta T - g_1 \Delta Y_1 - \Delta T \quad (9)$$

schreiben. Nach Lösung des Systems (vgl. Anhang zu diesem Kapitel) erhalten wir:

$$\Delta Y_1 = \frac{1}{h_1}(\Delta Z_1 + h'_1 \Delta T) \quad (10)$$

$$\Delta Y_2 = -\frac{1}{h_2}(\Delta Z_1 + h'_2 \Delta T) \quad (11)$$

$$\Delta Z_1 = \left[g'_1 + g'_2 - \left(\frac{g_1}{h_1}h'_1 + \frac{g_2}{h_2}h'_2 + 1\right)\right] \cdot \frac{h_1 h_2}{h_1 h_2 + h_1 g_2 + h_2 g_1} \Delta T \quad (12)$$

Die ökonomische Interpretation dieser Gleichungen[11]) fällt offenbar nicht mehr leicht. Immerhin lassen sich aus Gleichung (12) die Bedingungen entnehmen, unter denen der reale Transfer kleiner oder größer als der monetäre Transfer ist oder diesem entspricht. Ist die Summe $g'_1 + g'_2$ gleich dem Ausdruck

$$\frac{g_1}{h_1}h'_1 + \frac{g_2}{h_2}h'_2 + 1, \quad (13)$$

so ist ΔZ_1 gleich Null. Da sich der Saldo der Leistungsbilanz in diesem Falle um den gleichen Betrag wie ΔT vergrößert, bleibt die Zahlungsbilanz im Gleichgewicht, vorausgesetzt, daß Z_1 im Ausgangszustand Null war. Dagegen wird die Anleihe realwirtschaftlich nur unvollkommen transferiert, wenn Ausdruck (13) größer als $g'_1 + g'_2$ ist, ΔZ_1 also einen negativen Wert erhält. Unter diesen Umständen muß das Inland Gold und Devisen verlieren. Schließlich übertrifft der Realtransfer den Geldtransfer, sofern $g'_1 + g'_2$ grö-

---

[11]) h und h' könnten durch die marginalen Sparquoten s und s' ersetzt werden, wenn die marginalen Investitionsquoten Null sind.

192 Die Wirkungen autonomer Kapitalbewegungen auf die Zahlungsbilanz

ßer als (13) ist. Dieses Ergebnis widerspricht Metzlers Überlegung, daß bei in beiden Ländern positiven marginalen Hortungsquoten oder positiven marginalen Sparquoten (wenn die marginalen Investititionsquoten Null sind) der Realtransfer notwendig kleiner als der Geldtransfer sein wird. Da im Metzlerschen System g'_1 und g'_2 aber Null und h'_1 und h'_2 entweder Null oder 1 sind (der Transfer wird gar nicht oder vollständig aus Horten finanziert bzw. in Horte überführt), muß ΔZ_1 — wie aus (12) hervorgeht — unter diesen Annahmen tatsächlich negativ sein. Dieser Schluß ist jedoch nicht zwingend, sofern g'_1 und g'_2 positive Werte haben. Das Metzler-Modell ist also als Spezialfall in (12) enthalten.

Der Realtransfer ist auch dann stets kleiner als der Geldtransfer, wenn $h = h'$ und $g = g'$ ist, Import und Hortung also durch den Kapitalexport in gleicher Weise wie durch eine Änderung des Einkommens beeinflußt werden. Gleichung (12) wird dann zu

$$\Delta Z_1 = -1 \cdot \frac{h_1 h_2}{h_1 h_2 + h_1 g_2 + h_2 g_1} \Delta T . \tag{14}$$

Die Zahlungsbilanz wird also durch den Kapitalexport verschlechtert.

Schließlich erweist sich auch der klassische Mechanismus als Sonderfall von (12). Da im klassischen System sowohl von Einkommensänderungen als auch von Hortungen und Enthortungen abstrahiert wird, reduziert sich das System (7) — (9) auf

$$\Delta Z_1 = g'_2 \Delta T + g'_1 \Delta T - \Delta T$$
$$\Delta Z_1 = (g'_2 + g'_1 - 1) \Delta T . \tag{15}$$

ΔZ_1 ist somit positiv, null oder negativ, je nachdem, ob die Summe $g'_1 + g'_2$ größer als 1, gleich 1 oder kleiner als 1 ist. Gleichung (15) führt damit zu den gleichen Ergebnissen wie Gleichung (3a), aus der sie sich durch Umformung leicht herleiten läßt.

Auch Meades Analyse des Kapitaltransfers[12] ist mit (12) vereinbar. Wie in der klassischen Theorie wird auch von Meade unterstellt, daß die Ausgabenänderung genau dem Kapitalexport entspricht, h' also gleich null ist. Hingegen sind Multiplikatorprozesse im Meadeschen System erlaubt; das Volkseinkommen kann also variieren. Unter diesen Bedingungen gilt das klassische Ergebnis, daß nämlich der Ausdruck $g'_1 + g'_2 - 1$ über das Verhältnis von realem und monetärem Transfer entscheidet.

Anhang

Unterstellt sind die Gleichungen:

$$\Delta Y_1 = -(1 - h'_1)\Delta T + (1 - h_1)\Delta Y_1 + g'_2 \Delta T + g_2 \Delta Y_2 + g'_1 \Delta T - g_1 \Delta Y_1 \tag{1}$$

$$\Delta Y_2 = (1 - h'_2)\Delta T + (1 - h_2)\Delta Y_2 - g'_1 \Delta T + g_1 \Delta Y_1 - g'_2 \Delta T - g_2 \Delta Y_2 \tag{2}$$

$$\Delta Z_1 = g'_2 \Delta T + g_2 \Delta Y_2 + g'_1 \Delta T - g_1 \Delta Y_1 - \Delta T. \tag{3}$$

Zur Verbesserung der Übersicht werden die Symbole umbenannt:

$$\Delta Y_1 = A, \Delta T = B, \Delta Y_2 = C, \Delta Z_1 = D .$$
$$h'_1 = a, h_1 = b, g'_2 = c, g_2 = d, g'_1 = e, g_1 = f, h'_2 = g, h_2 = h .$$

---

[12] M e a d e , J. E., The Balance . . ., a. a. O.

II. Der Keynessche Transfermechanismus

Aus Gleichung (1) wird dann:

$$A = -(1-a)B + (1-b)A + cB + dC + eB - fA \, . \tag{1a}$$

$$A = aB - B + A - bA + cB + dC + eB - fA \, .$$

$$fA = aB - B - bA + cB + dC + eB \tag{1b}$$

Aus Gleichung (2) wird:

$$C = (1-g)B + (1-h)C - eB + fA - cB - dC \tag{2a}$$

$$fA = gB - B + hC + eB + cB + dC \, . \tag{2b}$$

Gleichung (3) wird zu:

$$D = cB + dC + eB - fA - B \tag{3a}$$

$$fA = cB + dC + eB - B - D \, . \tag{3b}$$

Gleichsetzen von (1 b) und (2 b) ergibt:

$$aB - B - bA + cB + dC + eB = gB - B + hC + eB + cB + dC \tag{4}$$

$$aB - bA = gB + hC$$

$$aB - bA - hC = gB \tag{4a}$$

Ferner werden (2 b) und (3 b) gleichgesetzt:

$$gB - B + hC + eB + cB + dC = cB + dC + eB - B - D \tag{5}$$

$$gB + hC = -D$$

$$gB = -hC - D \, . \tag{5a}$$

In Gleichung (5 a) setzen wir (4 a) ein:

$$aB - bA - hC = -hC - D \tag{6}$$

$$bA = aB + D$$

$$A = \frac{1}{b}(D + aB) \, . \tag{6a}$$

Einsetzen der ursprünglichen Symbole ergibt:

$$\Delta Y_1 = \frac{1}{h_1}(\Delta Z_1 + h_1' \Delta T) \, .$$

Aus Gleichung (5 a) erhält man durch Umformen:

$$hC = -gB - D \tag{5b}$$

$$C = -\frac{1}{h}(gB + D) \, . \tag{5c}$$

Einsetzen der ursprünglichen Symbole ergibt:

$$\Delta Y_2 = -\frac{1}{h_2}(\Delta Z_1 + h_2' \Delta T) \, .$$

Nun werden die Gleichungen (6 a) und (5 c) in (3 a) eingesetzt:

$$D = cB + d\left[-\frac{1}{h}(gB + D)\right] + eB - f\left[\frac{1}{b}(D + aB)\right] - B \tag{7}$$

$$D = cB - \frac{dg}{h}B - \frac{d}{h}D + eB - \frac{f}{b}D - \frac{fa}{b}B - B$$

$$D + \frac{d}{h}D + \frac{f}{b}D = B\left(c - \frac{dg}{h} + e - \frac{fa}{b} - 1\right)$$

$$D\left(1 + \frac{d}{h} + \frac{f}{b}\right) = B\left(c + e - \frac{af}{b} - \frac{dg}{h} - 1\right). \tag{7a}$$

Daraus folgt:

$$D\left(\frac{bh + bd + fh}{bh}\right) = \left(c + e - \frac{af}{b} - \frac{dg}{h} - 1\right)B$$

$$D = \left(c + e - \frac{af}{b} - \frac{dg}{h} - 1\right) \cdot \frac{bh}{bh + bd + fh} B. \tag{7b}$$

Durch Einsetzen der ursprünglichen Symbole erhalten wir:

$$\Delta Z_1 = \left[g_2' + g_1' - \left(\frac{g_1 h_1'}{h_1} + \frac{g_2 h_2'}{h_2} + 1\right)\right] \cdot \frac{h_1 h_2}{h_1 h_2 + h_1 g_2 + h_2 g_1} \cdot \Delta T.$$

8. Kapitel:
Zinsarbitrage, Spekulation und Devisenterminmärkte

Im 7. Kapitel haben wir die Wirkungen von Kapitalbewegungen auf die Zahlungsbilanz untersucht, während die Gründe und Motive solcher Transaktionen nicht behandelt wurden. Tatsächlich sind die Ursachen für Kapitalbewegungen derart mannigfaltig, daß es ein hoffnungsloses Unterfangen wäre, einen vollständigen Katalog solcher Ursachen zusammenzustellen: Politische und humanitäre Motive, der Versuch, durch Gründung von Niederlassungen in Auslandsmärkte einzudringen, Rechtsunsicherheiten wie z. B. Sozialisierungsgefahren, Unterschiede in der Rentabilität von Kapitalanlagen — dies sind nur einige der Faktoren, die für Umfang und Richtung von Kapitaltransaktionen entscheidend sind. Wir wollen in diesem Kapitel vor allem jene vorwiegend kurzfristigen Kapitaltransaktionen behandeln, die zinsinduziert (Zinsarbitrage) oder spekulativ bedingt sind (Devisenspekulation) — nicht zuletzt deshalb, weil viele internationale Währungskrisen der Vergangenheit von Zinsarbitragegeschäften, vor allem aber von massiven Devisenspekulationen begleitet waren.

I. Der Devisenterminmarkt

Eine eingehende Analyse dieser Transaktionen macht es notwendig, zwei Devisenmärkte zu unterscheiden: den Devisenkassamarkt und den Devisenterminmarkt. Der sich auf dem jeweiligen Markt bildende Kurs wird Devisenkassakurs (w_k) und Devisenterminkurs (w_t) genannt. Die Geschäfte auf dem Kassamarkt heißen Devisenkassageschäfte, während die auf dem Devisenterminmarkt vorgenommenen Transaktionen als Devisentermingeschäfte bezeichnet werden. Man spricht von einem Devisenkassageschäft, wenn im Zeitpunkt t Devisen zum herrschenden Kassakurs gekauft (verkauft) werden und die Ausführung des Geschäfts, d. h. der Umtausch der Währungseinheiten, ebenfalls im Zeitpunkt t stattfindet. So wird ein Devisenkassageschäft z. B. dann getätigt, wenn ein deutscher Exporteur $ 100,— bei seiner Bank zum herrschenden Kassakurs gegen DM eintauscht. Ein Devisentermingeschäft dagegen liegt dann vor, wenn im Zeitpunkt t Devisen zum herrschenden Terminkurs gekauft (verkauft) werden, die Ausführung — also der Umtausch der Währungseinheiten — aber erst im Zeitpunkt $t + n$ stattfindet. So kommt ein Devisentermingeschäft z. B. dann zustande, wenn ein deutscher Exporteur eine Forderung von $ 100,—, die in drei Monaten fällig ist, bereits „heute" zu einem bestimmten Kurs, eben dem Terminkurs, verkauft. Das Geschäft wird also im Zeitpunkt t abgeschlossen, wobei die Bedingungen (der Terminkurs), zu denen das Geschäft im Zeitpunkt $t + n$ abgewickelt wird, ebenfalls im Zeitpunkt t bekannt sind. n beträgt gewöhnlich drei Monate, kann aber auch einen größeren oder kleineren Zeitraum angeben.

Die Devisenterminmärkte sind für den Handel von größter Bedeutung. Durch Devisentermingeschäfte ist es den Exporteuren und Importeuren auch bei Geschäften mit Zahlungszielen möglich, jenes Wechselkursrisiko auszuschalten, welches besonders bei völlig flexiblen Kursen, aber auch bei Kursen, die nur innerhalb einer Bandbreite schwanken können, von Bedeutung ist. Würde in unserem Beispiel der Exporteur den Betrag von $ 100,— nicht „heute" per Termin, sondern in drei Monaten auf dem Kassamarkt verkaufen, so hätte er das Risiko eines möglichen Kursverfalls zu tragen. Ein Wechselkursrisiko besteht natürlich dann für ein Wirtschaftssubjekt nicht, wenn seine in ausländischer Währung lautenden Forderungen und Verbindlichkeiten in jedem zukünftigen Zeitpunkt einander gleich sind. Der Betrag, den das Wirtschaftssubjekt dann durch eine Kursänderung an den Forderungen gewinnen (verlieren) würde, müßte es an den Verbindlichkeiten verlieren (gewinnen).

Der prozentuale Aufschlag oder Abschlag des Terminkurses gegenüber dem Kassakurs wird als Swapsatz bezeichnet. Beträgt der Kassakurs 4,— DM für einen Dollar, der Terminkurs für Zwölfmonatsgeschäfte dagegen 4,20 DM für einen Dollar, so ist der Swapsatz $\dfrac{w_t - w_k}{w_k} = \dfrac{4{,}20 - 4}{4} = 5\,\%$. Ist der Terminkurs höher als der Kassakurs, so liegt ein Report vor (auch Prämie genannt). In diesem Falle sagt man, daß der Termindollar mit einer Prämie gegenüber dem Kassadollar gehandelt wird. Übersteigt der Kassakurs dagegen den Terminkurs, so spricht man von einem Deport.

Auf den Devisenterminmärkten treten nun nicht nur die Außenhändler, sondern vor allem auch Zinsarbitrageure und Devisenspekulanten als Anbieter und Nachfrager auf. In den folgenden Abschnitten wird es zunächst unsere Aufgabe sein, das Verhalten dieser Marktteilnehmer, insbesondere ihre Reaktion auf Variationen der Wechselkurse, zu untersuchen und Devisentransaktionskurven (Angebots- und Nachfragekurven) für jede dieser Gruppen zu konstruieren. Sodann kann im Rahmen eines allgemeinen Kursbildungsmodells die Höhe der Gleichgewichtskurse auf den Kassa- und Terminmärkten simultan aus dem Angebots- und Nachfrageverhalten der Teilnehmer am Außenwirtschaftsverkehr abgeleitet werden[1]). Damit wird zugleich die Analyse des Zusammenhanges von Leistungsbilanz und Wechselkurs durch eine Untersuchung der Beziehungen zwischen kurzfristigen Kapitaltransaktionen und Wechselkurs ergänzt. Die Darstellung geht von der Voraussetzung flexibler Termin- und Kassakurse aus. Es kann indessen ohne Schwierigkeiten ein Kursbildungsmodell entwickelt werden, in dem zwar der Terminkurs frei beweglich ist, der Kassakurs hingegen nur innerhalb von Interventionspunkten schwanken darf[2]).

II. Devisentransaktionen auf Kassa- und Terminmarkt

1. Die Zinsarbitrage

Wirtschaftssubjekte können durch Zinsdifferenzen zwischen Inland und Ausland veranlaßt werden, flüssige Mittel im Land mit dem jeweils höchsten Zinssatz anzulegen. Vor allem durch diese Zinsarbitrage wird eine Brücke vom Kassa- zum Terminmarkt geschlagen. Nehmen wir z. B. an, daß der Zinssatz (z_a) im Ausland höher als der Zinssatz (z_i) im Inland ist, so daß für inländische Wirtschaftssubjekte ein Anreiz besteht, Geldanlagen im Ausland vorzunehmen. (Nur um die Darstellung zu vereinfachen, sei eine

---
[1]) Ein solches Modell ist erstmals entwickelt worden von S. C. Tsiang, The Theory of Forward Exchange and Effects of Government Intervention on the Forward Exchange Market, International Monetary Fund, Staff Papers, Bd. 7, 1959—60; vgl. ferner Sohmen, E., The Theory of Forward Exchange, Princeton Studies in International Finance No. 17, Princeton 1966; Braun, O., Zur Theorie des Devisenterminmarktes (I und II), Jahrbücher für Nationalökonomie und Statistik, Bd. 177, 1965; eine besonders anschauliche Analyse — auf die wir uns wesentlich stützen — findet sich bei Schröder, J., Zur Theorie der Devisenterminmärkte, Berlin 1969.
[2]) Vgl. Schröder, J., Zur Theorie der Devisenterminmärkte, a. a. O., S. 90 ff.

II. Devisentransaktionen auf Kassa- und Terminmarkt

Zeitdauer der Anlage von 12 Monaten angenommen.) Der Entschluß zum Geldexport wird jedoch nicht nur durch diese Zinsdifferenz, sondern auch durch die Höhe von Kassa- und Terminkurs bestimmt. Der Geldexporteur, welcher die zur Auslandsanlage benötigten Dollar auf dem Kassamarkt kauft, muß nämlich den nach 12 Monaten freiwerdenden Dollarbetrag verkaufen, um wieder in den Besitz von DM zu kommen. Nun mag aber der Kassakurs nach 12 Monaten bedeutend niedriger als am Tag des Dollarankaufs sein, so daß der aus der Konstellation $z_a > z_i$ resultierende Zinsgewinn durch Kursverluste mehr als kompensiert wird. Um sich gegen derartige Risiken zu sichern, wird der Geldexporteur den Kassakauf von Dollar mit einem gleichzeitig stattfindenden Terminverkauf von Dollar verbinden, d. h. er verkauft die in 12 Monaten anfallenden Dollar per Termin zu einem heute schon feststehenden Kurs. Ist der Kassakurs höher als der Terminkurs (Deport), so „lohnt" sich die Geldanlage im Ausland offenbar nur dann, wenn die aus dem Deport resultierenden Kurssicherungskosten nicht den aus der Zinsdifferenz entstehenden Gewinn übersteigen. Die Geldanlage im Ausland ist selbstverständlich immer vorteilhaft, wenn der Termindollar mit einem Report gehandelt wird, der Terminkurs also höher als der Kassakurs ist und somit neben dem Zinsgewinn ein Kursgewinn entsteht. Wenn andererseits die durch einen Deport bedingten Kurssicherungskosten größer als die Zinsgewinne sind, wird es sich trotz des höheren Auslandszinses für Inländer und Ausländer empfehlen, freie Mittel im Inland anzulegen. Somit kommt es zu einem Geldimport.

Nach diesen vorbereitenden Erörterungen ist es nicht schwierig, für eine gegebene Zinsdifferenz die Höhe des Gleichgewichtsswapsatzes zu bestimmen, also jene Relation zwischen Kassa- und Terminkurs zu fixieren, bei der weder ein Anreiz zum Geldexport noch ein Anreiz zum Geldimport besteht. Ein Wirtschaftssubjekt stehe vor der Frage, ob es eine bestimmte DM-Summe G für 12 Monate im Inland oder im Ausland anlegen soll. Legt es die Geldmenge G im Inland an, so wird es nach einem Jahr den DM-Betrag

$$B_I = G(1 + z_i) \tag{1}$$

erhalten, wobei z_i den Zinssatz pro Jahr bezeichnet. Entschließt sich das Wirtschaftssubjekt dagegen zu einer Anlage des DM-Betrages G im Ausland, so muß es diese DM-Summe am Kassamarkt gegen einen Dollarbetrag von $\dfrac{G}{w_k}$ verkaufen. Nach 12 Monaten ist dieser Betrag auf

$$\frac{G}{w_k}(1 + z_a)$$

angewachsen, wobei z_a den Auslandszinssatz pro Jahr bezeichnet. Durch Umtauschen dieses Dollarbetrages in DM — abgeschlossen wurde das Termingeschäft schon zum Zeitpunkt der Kassatransaktion — erhält das Wirtschaftssubjekt einen DM-Betrag von

$$B_A = G \frac{w_t}{w_k}(1 + z_a). \tag{2}$$

Hier ist w_t der Terminkurs für Zwölfmonatsgeschäfte.
Ist nun

$$B_I = B_A, \tag{3}$$

so bringt die Geldanlage im Inland den gleichen Nettoertrag wie eine Anlage im Ausland. Geldexporte und Geldimporte, welche an Zinsüberlegungen orientiert sind, werden somit unterbleiben. Unter Berücksichtigung von (1) und (2) kann man auch schreiben:

$$G(1 + z_i) = G(1 + z_a) \frac{w_t}{w_k}$$

oder

$$(1 + z_i) = (1 + z_a) \frac{w_t}{w_k}$$

oder

$$\frac{1 + z_i}{1 + z_a} = \frac{w_t}{w_k}.$$

Werden beide Seiten um 1 vermindert, so erhalten wir nach einigen Umstellungen:

$$(z_i - z_a) \frac{1}{1 + z_a} = \frac{w_t - w_k}{w_k}. \tag{4}$$

Da z_a relativ klein ist, wird der Ausdruck $\frac{1}{1 + z_a}$ oft vernachlässigt. Unter diesen Umständen ist also die Inlandsanlage gleich vorteilhaft wie die Auslandsanlage, wenn die Zinsdifferenz $z_i - z_a$ dem Swapsatz $\frac{w_t - w_k}{w_k}$, also dem Report (für $z_i > z_a$) oder dem Deport (für $z_i < z_a$) entspricht. Gleichung (4) ist somit die Bedingung dafür, daß die gedeckte (d. h. das Wechselkursrisiko vermeidende) Zinsarbitrage zum Stillstand kommt[3]). Aus Gleichung (4) wird aber vor allem deutlich, daß zwischen Kassakurs und Terminkurs eine bestimmte Relation besteht, welche durch die Größe der Zinsdifferenz determiniert ist.

Erfolgt nun z. B. eine Erhöhung von z_i, so wird Gleichung (4) zu

$$(z_i - z_a) \frac{1}{1 + z_a} > \frac{w_t - w_k}{w_k} \tag{4a}$$

und damit Gleichung (3) zu

$$B_I > B_A. \tag{3a}$$

In diesem Falle ist es für die Wirtschaftssubjekte vorteilhaft, Geld im Inland anzulegen. Von ausländischen Geldanlegern werden Dollar am Kassamarkt gegen DM verkauft und gleichzeitig Dollar am Terminmarkt nachgefragt. Sind nun Dollarnachfrage am Kassamarkt und Dollarangebot am Terminmarkt nicht völlig elastisch, so muß der Kassakurs des Dollars sinken und gleichzeitig der Terminkurs steigen. Die rechte Seite von (4a) wird demnach größer, bis (4) erneut erfüllt ist. Differenzen zwischen $z_i - z_a$ einerseits und dem Swapsatz andererseits (bei Vernachlässigung von $\frac{1}{1 + z_a}$) können natürlich nicht nur durch Zinsänderungen, sondern auch durch Wechselkursvariationen, die z. B. durch Warenbewegungen verursacht sind, zustande kommen. Unter diesen Umständen kommt es wiederum zu kurzfristigen Kapitalbewegungen, bis ein Gleichgewicht gemäß (4) erreicht ist.

Indessen können sich den geschilderten Anpassungsprozessen Hindernisse entgegenstellen, die das Erreichen eines Gleichgewichts verhindern. So muß z. B. beachtet werden, daß eine Geldanlage im Ausland oft besondere Risiken mit sich bringt. Daher werden Auslandsanlagen oft erst dann getätigt, wenn

---

[3]) Diese Bedingung gilt auch dann, wenn Anlagen für weniger als ein Jahr, z. B. für drei Monate getätigt werden. z_i und z_a sind dann die Zinssätze bezogen auf drei Monate und w_t ist der Terminkurs für Dreimonatstermingeschäfte.

die Differenz zwischen Auslands- und Inlandszinssatz den Deport um einen bestimmten Mindestsatz übersteigt (wiederum bei Vernachlässigung des Ausdrucks $\frac{1}{1+z_a}$). Ist diese Bedingung nicht gegeben, so unterbleibt der Geldexport, obwohl Gleichung (4) noch nicht erfüllt ist. Eine Anpassung von Zinsdifferenz und Swapsatz wird auch dann verhindert, wenn die Arbitrage Transaktionskosten verursacht, die Markttransparenz nur unvollkommen ist, Liquiditätsüberlegungen von Bedeutung sind oder der internationale Geldverkehr durch Kontrollen behindert ist.

Die hier erörterten Beziehungen können auch geometrisch abgeleitet werden. In Abb. 50a sind die kursgesicherten Kapitalexporte und Kapitalimporte in Abhängigkeit vom Swapsatz (SS) dargestellt, während die Zins-

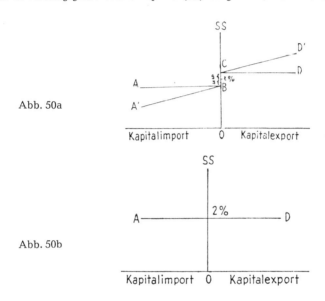

Abb. 50a

Abb. 50b

differenz als gegeben angenommen wird. Liegt der Inlandszins um 2 % über dem Auslandszins, so ist die Gleichgewichtsbedingung (4) nur dann erfüllt — das Arbitragegleichgewicht nur dann erreicht —, wenn der Swapsatz der Zinsdifferenz entspricht[4]. Zinsinduzierte Kapitalbewegungen werden in diesem Falle unterbleiben. Übersteigt der Swapsatz den Satz von 2 %, so verspricht ein Kapitalexport Gewinn. Allerdings werden sich die Arbitrageure oft erst dann zu einem Geldexport entschließen, wenn ein Mindestgewinn gesichert ist, der Swapsatz also die Zinsdifferenz um eine bestimmte Rate g übersteigt. Liegt der Swapsatz um diesen Betrag über der Zinsparität, so wird Geld exportiert, d. h. es werden Devisen am Kassamarkt nachgefragt und am Terminmarkt angeboten. Umgekehrt kommt es zu einem Kapitalimport, es werden also Devisen am Kassamarkt angeboten und am Terminmarkt nachgefragt, wenn der Swapsatz die Zinsdifferenz von 2 % um g unterschreitet.

---

[4] Hier wie in den folgenden Ausführungen wird der Ausdruck $\frac{1}{1+z_a}$ wieder vernachlässigt.

Die von den Arbitrageuren geplanten Kapitalbewegungen werden durch die Devisentransaktionskurve ABCD — auch als Arbitragewunschkurve[5]) bezeichnet — angegeben. Über die Elastizität dieser Kurve sind verschiedene Annahmen möglich. In Abb. 50a sind die Kurvenabschnitte AB und CD als unendlich elastisch angenommen; der Abschnitt CD zeigt z. B. an, daß die Arbitrageure bis zur Erschöpfung ihrer ausleihbaren Fonds unbegrenzt Geld zu exportieren wünschen, da der Grenzgewinn der Geldexporte unverändert bleibt, wenn der Swapsatz die Zinsdifferenz um eine konstante Größe übersteigt[6]). Analoge Überlegungen gelten für den Kapitalimport. In welchem Umfang die Arbitrageure tatsächlich ihre Wünsche realisieren können, hängt selbstverständlich von den Devisenmengen ab, die sie sich auf Grund der Transaktionen von Händlern, Spekulanten usw. an den Devisenmärkten beschaffen bzw. die sie absetzen können. Für den Umfang der Arbitragegeschäfte ist also nicht nur die Arbitragewunschkurve, sondern auch die später noch abzuleitende Arbitragemöglichkeitskurve von Bedeutung.

Die Arbitragewunschkurve mag indessen auch endlich elastisch sein, so daß der Kapitalexport (Kapitalimport) nur dann zunimmt, wenn sich die Gewinnmarge, also der positive (negative) Unterschiedsbetrag zwischen Swapsatz und Zinsdifferenz vergrößert (Kurve $A'BCD'$). Ein solcher Verlauf kann z. B. aus Liquiditätsüberlegungen abgeleitet werden; so mögen Arbitrageure nur durch steigende Profitmargen veranlaßt werden, in wachsendem Maße auf Liquidität zu verzichten. Auch politische und wirtschaftliche Risiken bilden Barrieren für den Kapitalverkehr, die nur durch Aussicht auf höhere Gewinnraten zunehmend überwunden werden können. Solche den Kapitalfluß hemmenden Faktoren seien jedoch im folgenden vernachlässigt; nimmt man ferner an, daß der Anstoß zum Kapitalexport (Kapitalimport) schon bei einer sehr kleinen Gewinnmarge g erfolgt[7]) — die Punkte B und C fallen fast zusammen —, so läßt sich die Arbitragewunschkurve als Parallele zur Abszisse zeichnen, die im Schnittpunkt mit der Ordinate eine sehr kleine, praktisch zu vernachlässigende Sprungstelle aufweist (Abb. 50b).

2. Die Devisenspekulation

a) Als Devisenspekulation bezeichnet man jeden in der Gegenwart auf Kassa- oder Terminmarkt getätigten An- oder Verkauf von ausländischer Währung, der in der Hoffnung geschieht, bei Vornahme einer entgegengesetzten Transaktion am künftigen Kassamarkt aus der Differenz von gegenwärtigem Kassakurs oder Terminkurs und erwartetem zukünftigen Kassakurs einen Gewinn zu erzielen. Diese Definition schließt sowohl eine Spekulation auf dem Terminmarkt als auch auf dem Kassamarkt ein. Da später gezeigt werden soll, daß eine Kassamarktspekulation als Koppelgeschäft aus Terminmarktspekulation und Zinsarbitrage verstanden werden

---

[5]) Der Begriff stammt von Braun, O., Zur Theorie des Devisenterminmarktes (I), Die Kursbildung an den Kassa- und Terminmärkten, Jahrbücher für Nationalökonomie und Statistik, Bd. 177, 1965, S. 38.
[6]) Der Leser führe sich die Analogie zum Angebotsverhalten eines Unternehmers bei vollständiger Konkurrenz vor Augen: Wenn der Grenzerlös konstant ist und die Grenzkostenkurve parallel zur Mengenachse unterhalb der Grenzerlösfunktion verläuft, hat der Grenzgewinn einen konstanten positiven Wert. Folglich gibt es keine Grenze für die Produktionsausdehnung — bis der Kapazitätsspielraum erschöpft ist.
[7]) Nach Einzig wurden in der Zeit nach dem Zweiten Weltkrieg Arbitragegeschäfte schon bei einem Gewinn von $1/16$ % p. a. durchgeführt; vgl. Einzig, P., Some Recent Changes in Forward Exchange Practices, Economic Journal, Bd. 70, 1960, S. 487.

II. Devisentransaktionen auf Kassa- und Terminmarkt

kann, dürfen wir vereinfachend unterstellen, daß nur auf dem Terminmarkt spekuliert wird.

Wenn die Spekulanten erwarten, daß der zukünftige Kassakurs über dem gegenwärtigen Terminkurs (w_t) liegt, werden sie im gegenwärtigen Zeitpunkt t_0 Termindevisen in der Hoffnung kaufen, zum Zeitpunkt t_1 der Fälligkeit des Terminkontrakts einen Gewinn durch Verkauf der Devisen am Kassamarkt zu realisieren. Die bereits im Zeitpunkt t_0 gekauften, aber erst im Zeitpunkt t_1 verfügbaren Devisenbestände werden also in t_1 am Kassamarkt verkauft, so daß dem Termingeschäft ein Gegengeschäft am Kassamarkt erst zu einem späteren Zeitpunkt entspricht. Dies unterscheidet die Devisenspekulation von einem Arbitragegeschäft, bei dem Termin- und Kassageschäft im gleichen Zeitpunkt vorgenommen werden. Die Termindevisennachfrage der Spekulanten wird nun normalerweise um so größer sein, je mehr der erwartete Kassakurs den gegenwärtigen Terminkurs übersteigt, je größer also die erwarteten Gewinne sind. Dabei hängt der Umfang dieser Transaktionen nicht zuletzt davon ab, mit welcher Sicherheit die zukünftige Entwicklung des Kassakurses von den Spekulanten erwartet wird.

Umgekehrt werden die Spekulanten auf dem Terminmarkt Devisen verkaufen, wenn der gegenwärtige Terminkurs den bei Fälligkeit der Terminkontrakte erwarteten Kassakurs übersteigt, also die Hoffnung besteht, die Verkaufsverpflichtungen aus dem Termingeschäft durch den Ankauf von billigen Kassadevisen zu erfüllen. Auch jetzt wird das Angebot am Terminmarkt um so größer sein, je höher der Terminkurs verglichen mit dem Kassakurs ist, der von den Spekulanten in Zukunft erwartet wird. Stimmen schließlich erwarteter Kassakurs und Terminkurs überein, so wird das Spekulationsengagement auf dem Terminmarkt Null sein[8]).

Die geplanten Terminmarkttransaktionen eines einzelnen Spekulanten im Zeitpunkt t_0 können mit Hilfe von Abb. 51a verdeutlicht werden. Auf der Ordinate ist der Terminkurs w_t, auf der negativen Abszisse die Devisennachfrage (Dollarnachfrage $\$N_s$), auf der positiven Abszisse das Devisenangebot des Spekulanten (Dollarangebot $\$A_s$) abgetragen. Der erwartete Kassakurs wird als gegeben angenommen. Hat dieser eine Höhe von OA, so wird die Spekulation auf dem Terminmarkt Null sein, wenn der Terminkurs ebenfalls gleich OA ist. Liegt der Terminkurs dagegen über (unter) dem erwarteten Kassakurs OA, so werden Termindevisen angeboten (nachgefragt), wie durch den Verlauf der Kurve BAC verdeutlicht ist.

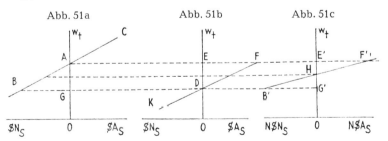

Abb. 51a   Abb. 51b   Abb. 51c

Ähnliche Devisentransaktionskurven können auch für andere Spekulanten gezeichnet werden. So ist in Abb. 51b die Transaktionskurve eines zweiten

---

[8]) Spekulationsgeschäfte unterbleiben auch noch dann, wenn erwarteter Kassakurs und Terminkurs so geringfügig differieren, daß der für die Aufnahme der Geschäfte notwendige Mindestgewinn noch nicht erreicht ist. Von dieser Komplikation sei in den folgenden Ausführungen abgesehen.

Spekulanten unter der Annahme dargestellt, daß dieser einen geringeren Kassakurs OD erwartet als der erste Spekulant. Addiert man die für diese (und andere) Spekulanten gezeichneten Kurven, so erhält man die Dollartransaktionskurve aller Spekulanten $B'HF'$ (Abb. 51c). Bei einem Terminkurs OE' ($= OE = OA$) ist das Dollarangebot $E'F'$ mit dem Angebot des zweiten Spekulanten identisch (EF), während dem Terminkurs von OG' ($= OD = OG$) eine Dollarnachfrage von $B'G'$ ($= BG$) zugeordnet ist. Bei Terminkursen zwischen OE' und OG' werden vom ersten Spekulanten Dollar nachgefragt, vom zweiten Spekulanten dagegen Dollar angeboten. Die Transaktionskurve $B'F'$ kann daher als Kurve der Nettodollarnachfrage $N\$N_s$ (des Nettodollarangebots $N\$A_s$) gedeutet werden, wenn die Nettodollarnachfrage (das Nettodollarangebot) als Überschuß der Nachfrage (des Angebots) des einen Spekulanten über das Angebot (die Nachfrage) des zweiten Spekulanten definiert wird. So ist bei einem Terminkurs in Höhe von OH die Nettodollarnachfrage (das Nettodollarangebot) gleich Null, da die Nachfrage des ersten Spekulanten genau durch das Angebot des zweiten Spekulanten kompensiert wird. Die Strecke OH repräsentiert insofern auch den durchschnittlich erwarteten Kassakurs, wobei die von den einzelnen Spekulanten geplanten Devisenumsätze als Gewichte fungieren.

b) Da nach unseren Annahmen nur auf dem Terminmarkt spekuliert wird, hat die Höhe des g e g e n w ä r t i g e n Kassakurses keinen Einfluß auf das spekulativ bedingte Umsatzvolumen am Kassamarkt. Wieviel Devisen die Spekulanten im Zeitpunkt t_0 auf dem Kassamarkt anbieten bzw. nachfragen, hängt ausschließlich von dem Ausmaß ihrer fällig werdenden, in einem früheren Zeitpunkt t_f vereinbarten Terminkontrakte ab. Wir gehen davon aus, daß die Spekulanten im Zeitpunkt t_f Devisen in einer bestimmten Menge auf dem Terminmarkt angeboten haben; sind sie zur Erfüllung ihrer Kontrakte im Zeitpunkt t_0 verpflichtet, so müssen sie in diesem Zeitpunkt auf dem Kassamarkt Devisen im Ausmaß der durch die Terminkontrakte bestimmten Menge kaufen, um ihren Terminverpflichtungen nachzukommen.

Abb. 52

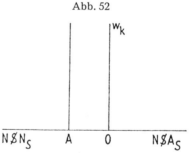

Wenn diese Nachfrage auf dem Kassamarkt gleich der Strecke OA ist (Abb. 52), so verläuft die Transaktionskurve der Spekulanten auf dem Kassamarkt im Abstand OA parallel zur Ordinate: Die in der Vergangenheit abgeschlossenen Terminkontrakte, nicht aber der gegenwärtige Kassakurs, bestimmen die geplanten Spekulationsumsätze auf dem Kassamarkt.

c) Spekulationsgeschäfte, die über den Terminmarkt abgewickelt werden, erfordern nicht den Einsatz liquider Reserven. Besitzt der Spekulant jedoch liquide Mittel, so steht es ihm frei, Spekulationsgeschäfte auch über den Kassamarkt zu realisieren. Er wird sich z. B. zu einem Geldexport entschließen — Devisen per Kassa kaufen —, wenn der erwartete zukünftige Kassakurs den gegenwärtigen Kassakurs übersteigt; dabei hofft er also, daß

II. Devisentransaktionen auf Kassa- und Terminmarkt

der Verkauf der j e t z t erworbenen Devisen ihm später einen höheren Erlös und damit einen Spekulationsgewinn erbringt. Nun wird der Spekulant bei seinen Überlegungen allerdings auch in Rechnung stellen, daß er im Falle eines Geldexports auf Zinseinnahmen aus dem Inland verzichten muß, während ihm gleichzeitig die Auslandsanlage einen Zinsertrag erbringt. Ist der Inlandszinssatz höher als der Auslandszinssatz, so erweist sich ein spekulativer Geldexport trotz dieses Zinsverlustes offenbar dann als sinnvoll, wenn der Gewinn aus der erwarteten Wechselkursänderung den Verlust aus der Zinsdifferenz übersteigt. Die Spekulation ist also nicht mehr lohnend, wenn der aus erwartetem zukünftigen Kassakurs (w_{ke}) und gegenwärtigem Kassakurs gebildete Swapsatz der internationalen Zinsdifferenz entspricht[9]):

$$\frac{w_{ke} - w_k}{w_k} = z_i - z_a \qquad (1)$$

Wie zu Beginn des 2. Abschnitts schon betont worden ist, soll auf eine eingehendere Behandlung der Kassamarktspekulation verzichtet werden, da man die Kassamarktspekulation als Koppelgeschäft aus Terminmarktspekulation und Zinsarbitrage interpretieren kann. Dies wird aus der folgenden Aufstellung deutlich:

	Kassamarkt-spekulation	Zinsarbitrage	Terminmarkt-spekulation
t_0	Nachfrage nach Kassadevisen	Nachfrage nach Kassadevisen Angebot an Termindevisen	Nachfrage nach Termindevisen
t_1	Angebot an Kassadevisen		Angebot an Kassadevisen

Im Fall eines spekulativen Geldexports fragt der Kassamarktspekulant zum Zeitpunkt t_0 Kassadevisen nach und bietet diese Devisen zum Zeitpunkt t_1 auf dem Kassamarkt an. Die gleichen Transaktionen hätte er auch vorgenommen, wenn er ein Zinsarbitrage- mit einem Terminmarktspekulationsgeschäft kombiniert und die Termindevisen, die er im Rahmen des Arbitragegeschäfts zum Zeitpunkt t_0 verkauft, in seiner Eigenschaft als Terminmarktspekulant im gleichen Zeitpunkt „von sich selbst" erworben hätte. Da die Terminkäufe „von sich selbst" gegen die Terminverkäufe „an sich selbst" aufgerechnet werden, folgen aus dem gekoppelten Arbitrage- und Terminmarktspekulationsgeschäft eine Nachfrage nach Kassadevisen in t_0 und ein Angebot an Kassadevisen in t_1 — also jene Transaktionen, durch die auch eine Kassamarktspekulation gekennzeichnet ist[10]).

---

[9]) Diese Gleichung wird aus ähnlichen Überlegungen wie die Bedingung für das Arbitragegleichgewicht (S. 198) hergeleitet.

[10]) Daß sich eine Kassamarktspekulation in die genannten Transaktionen aufgliedern läßt, kann man auch wie folgt zeigen: Die Bedingung für das Arbitragegleichgewicht (Arbitragegewinn gleich Null) lautet:

$$\frac{w_t - w_k}{w_k} = z_i - z_a$$

$$w_t - w_k = w_k (z_i - z_a) \qquad (1)$$

3. Die Transaktionen der Exporteure und Importeure

Geht man davon aus, daß die Außenhändler bei ihren Devisentransaktionen weder spekulieren noch Arbitrageüberlegungen anstellen, so werden sie jenen Devisenmarkt zum Kauf bzw. Verkauf von Devisen benutzen, der zeitlich mit ihren Devisenverpflichtungen bzw. Devisenforderungen zusammenfällt[11]). Ein Importeur, der heute seine Waren erhält und bei Empfang der Waren zu zahlen hat, wird die notwendigen Devisen auf dem Kassamarkt kaufen. Würde dem Importeur dagegen ein Zahlungsziel von drei Monaten eingeräumt, so wird er heute auf dem Terminmarkt mit einer Fristigkeit von drei Monaten einen Devisenkauf vornehmen, um sich gegen Kursänderungen abzusichern. Sicherlich besteht für den Händler auch die Möglichkeit, auf eine Kursabsicherung am Terminmarkt zu verzichten, also die benötigten Devisen erst zum Zeitpunkt der Fälligkeit der Zahlungsverpflichtung zu erwerben; dabei hofft er, daß der zukünftige Kassakurs niedriger als der gegenwärtige Terminkurs ist. In diesem Falle hat der Importeur sein Handelsgeschäft mit einem Spekulationsgeschäft verbunden. Wie schon bei der Analyse von Kassamarktspekulationen betont worden ist, erweist es sich allerdings auch jetzt als sinnvoll, das kombinierte Geschäft in seine Elemente zu zerlegen, weil nur auf diese Weise die Determinanten der einzelnen Devisentransaktionen isoliert werden können.

Analoge Überlegungen gelten für die von den Exporteuren durchgeführten Transaktionen. Je nachdem, ob Zahlungen sofort oder später fällig sind, wird der Exporteur Devisen auf dem Kassamarkt oder dem Terminmarkt verkaufen.

In den Abb. 53a und 54a sind $-Nachfrage und $-Angebot der Händler ($N_H$ und A_H) auf dem Kassa- und Terminmarkt in Abhängigkeit vom Kassakurs w_k und Terminkurs w_t dargestellt. Es sei normale Reaktion der Dollar-Nachfrage auf Wechselkursänderungen angenommen, so daß die Dollarnachfragekurven einen „regulären" Verlauf aufweisen. Bei den Kursen w_{ko} und w_{to} stimmen Angebot und Nachfrage auf beiden Märkten überein.

Für die weiteren Erörterungen ist es nun sinnvoll, aus den Nachfrage- und Angebotsfunktionen der Abb. 53a und 54a die Kurven der Nettodollarnachfrage und des Nettodollarangebots der Händler, also deren Devisentransaktionskurven, zu konstruieren. Zu diesem Zweck wird in der Abb. 53b auf der negativen Abszisse die Nettodollarnachfrage der Händler ($N\$N_H$) und auf der positiven Abszisse das Nettodevisenangebot der Händler ($N\$A_H$) auf dem Kassamarkt abgetragen. Da die Nettodollarnachfrage (das Nettodollarangebot) als Überhang der Dollarnachfrage (des Dollarangebots) über das Dollarangebot (die Dollarnachfrage) definiert ist, entsprechen die Abszissenwerte der in Abb. 53b dargestellten Devisentransaktionskurve den bei alter-

---

Dagegen ist die Terminmarktspekulation im Gleichgewicht (erwarteter Spekulationsgewinn gleich Null), wenn der erwartete zukünftige Kassakurs dem Terminkurs entspricht:

$$w_{ke} - w_t = 0 \qquad (2)$$

Addition von (1) und (2) ergibt:

$$\frac{w_{ke} - w_k}{w_k} = z_i - z_a$$

Dies ist die im Text (S. 203) erörterte Bedingung dafür, daß auch der erwartete Gewinn aus der Kassamarktspekulation gleich Null ist.

11) P. B. Kenen hat ein Modell entwickelt, in dem die Exporteure und Importeure ihre aus dem Güterhandel resultierenden Devisengeschäfte mit einem Spekulations- oder Zinsarbitragegeschäft koppeln; vgl. Kenen, P. B., Trade, Speculation, and the Forward Exchange Rate, in: Trade, Growth and the Balance of Payments, Chicago-Amsterdam 1965.

nativen Kursen sich bildenden Angebots- oder Nachfrageüberschüssen in Abb. 53a ($BC = B'C'$; $DE = D'E'$). Analog wird aus Abb. 54a die Devisentransaktionskurve der Händler auf dem Terminmarkt gewonnen (Abb. 54b).

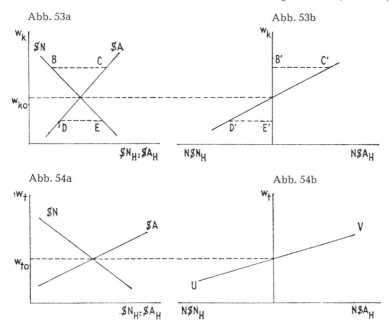

III. Die Gleichgewichtskurse auf dem Kassa- und Terminmarkt

Nachdem in den letzten Abschnitten die Devisentransaktionen der einzelnen Marktteilnehmer dargestellt worden sind, ist es nunmehr ohne Schwierigkeiten möglich, im Rahmen eines Totalmodells die Gleichgewichtskurse am Kassa- und Terminmarkt sowie die Netto-Devisenumsätze auf beiden Märkten zu bestimmen und gleichzeitig das Ausmaß der kursgesicherten Kapitaltransaktionen abzuleiten[12]). In Abb. 55b gibt die Kurve THS_T die Devisentransaktionen — also die Nettodevisennachfrage ($N\$N_{HS}$) und das Nettodevisenangebot ($N\$A_{HS}$) — der Händler und Spekulanten auf dem Terminmarkt an; diese Kurve wird durch Horizontaladdition der Transaktionskurven $B'F'$ (Abb. 51c) und UV (Abb. 54b) gewonnen. Der gleichgewichtige Terminkurs ist gleich OB (4 DM — 1 $), wenn Devisenumsätze auf dem Terminmarkt nur durch Händler und Spekulanten getätigt werden.

Die Transaktionen der Händler und Spekulanten auf dem Kassamarkt werden durch die Kurve THS_K (Abb. 55c) angegeben, die wiederum durch Addition der geplanten Devisenumsätze von Händlern (Abb. 53b) und Spekulanten (Abb. 52) zustande kommt. Nur um die Darstellung zu vereinfachen, werden Steigung und Lage der THS_K- und THS_T-Kurve als identisch angenommen.

---

[12]) Vgl. Schröder, J., a. a. O.
Bei der Darstellung dieses Totalmodells wird von anderen als den erörterten Devisentransaktionen abgesehen. Insbesondere vernachlässigen wir unentgeltliche Leistungen sowie jene langfristigen Kapitalbewegungen, die bei gegebener Zinsdifferenz nicht kursabhängig sind.

Zinsarbitrage, Spekulation und Devisenterminmärkte

Abbildung 55a

Abbildung 55b

Abbildung 55c

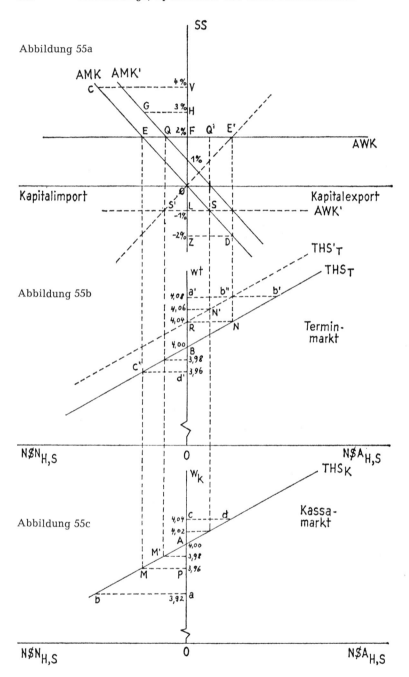

III. Die Gleichgewichtskurse auf dem Kassa- und Terminmarkt

Die Arbitragewunschkurve AWK in Abb. 55a ist aus Abb. 50b übernommen: Wenn das Inland einen Zinsvorteil von 2 % aufweist, verläuft die AWK-Kurve in Höhe des Swapsatzes von 2 % parallel zur Abszisse; die Arbitrageure sind also bis zur Erschöpfung ihrer ausleihbaren Fonds bereit, auf infinitesimale Änderungen des Swapsatzes mit unbegrenzt großen Kapitalexporten oder Kapitalimporten zu reagieren. In welchem Ausmaß nun tatsächlich transferiert werden kann, hängt von den Arbitragemöglichkeiten ab, die ihrerseits durch Devisenangebot und Devisennachfrage der Händler und Spekulanten bestimmt sind.

Eine solche Arbitragemöglichkeitskurve ist jetzt zu konstruieren: Wenn die Arbitrageure Kapital zu importieren wünschen, müssen sie auf dem Kassamarkt Devisen gegen DM verkaufen[13]), wobei ihre Verkaufswünsche nur in dem Umfange zu realisieren sind, wie Händler und Spekulanten Devisen zum herrschenden Kassakurs nachzufragen planen. Wenn auf dem Kassamarkt der Dollar z. B. zu einem Preis von DM 3,92 gehandelt wird, wünschen Händler und Spekulanten Devisen im Ausmaß der Strecke ba zu kaufen. Durch diese Strecke wird also die Möglichkeit der Arbitrageure zum Dollarverkauf (DM-Kauf) begrenzt. Da nun die Geldimporteure den Kassaverkauf von Dollar mit einem Terminkauf der gleichen Dollarmenge verbinden — von einem Rücktransfer der erhaltenen Zinsen wird abgesehen —, gilt es, den Terminkurs zu bestimmen, bei dem Händler und Spekulanten eine der Strecke ba entsprechende Dollarmenge anbieten wollen, die Arbitrageure diese für eine Kursabsicherung notwendige Dollarmenge also kaufen können. Dieser Terminkurs hat eine Höhe von DM 4,08, denn die Strecke $a'b'$ ist gleich der Strecke ba. Bei diesen Kursen haben die geplanten Terminverkäufe der Händler und Spekulanten ($a'b'$) und ihre Kassakäufe (ba) das gleiche Ausmaß, so daß die Arbitrageure zum gleichen Zeitpunkt Kassadevisen verkaufen (ba) und eine gleich große Menge Termindevisen kaufen ($a'b'$) können. Bildet man aus dem Terminkurs von DM 4,08 und dem Kassakurs von DM 3,92 den Swapsatz von (ungefähr) 4 %, so gibt die Strecke CV ($= ba = a'b'$) in Abb. 42a die Kapitalmenge (in Dollarwerten) an, die kursgesichert importiert werden kann. C ist damit ein Punkt auf der Arbitragemöglichkeitskurve AMK.

Ein anderer Punkt D auf dieser Kurve ergibt sich bei einem Swapsatz von (ungefähr) — 2 %, der seinerseits aus einem Kassakurs von DM 4,04 und einem Terminkurs von DM 3,96 gebildet wird. Bei einem Kassakurs von DM 4,04 kann die durch Händler und Spekulanten angebotene Devisenmenge cd von den Arbitrageuren zum Zwecke des Kapitalexports erworben werden. Da im Falle eines kursgesicherten Kapitalexports der Kassakauf von Devisen mit einem Terminverkauf der gleichen Devisenmenge (ohne Zinstransfer) verbunden ist, hat der zugeordnete Terminkurs eine Höhe von DM 3,96, denn nur zu diesem Kurs sind die Händler und Spekulanten bereit, die von den Arbitrageuren angebotenen Termindevisen im Ausmaß von $c'd' = cd$ abzunehmen. Somit bestimmt die Strecke $cd = c'd' = ZD$ (Abb. 55a) den Kapitalexport, der bei einem Swapsatz von — 2 % möglich ist.

Während die AMK-Kurve[14]) die aufgrund der Transaktionen von Händlern und Spekulanten möglichen Kapitaltransfers anzeigt, spiegelt die AWK-Kurve die Arbitragewünsche wider. Wünsche und Möglichkeiten entsprechen sich

---

[13]) Der Leser stelle sich vor, daß eine Auslandsbank kurzfristige Geldanlagen im Inland tätigen möchte. Zu diesem Zweck muß sie auf dem Kassamarkt DM kaufen, also Dollar zum Verkauf anbieten.

[14]) Bei exakter Rechnung verläuft die AMK-Kurve leicht gekrümmt; aus Vereinfachungsgründen wird sie als Gerade gezeichnet.

nur im Punkte E (Abb. 55a) — bei einem Swapsatz von 2 % und einem kursgesicherten Kapitalimport in Höhe von EF (Arbitragegleichgewicht). Durch die Lage des Punktes E sind zugleich die Gleichgewichtskurse auf dem Kassa- und Terminmarkt bestimmt. Da ein Kapitalimport im Ausmaß von EF ein Angebot von Kassadevisen durch die Arbitrageure impliziert, muß der Kassakurs gefunden werden, bei dem die Nachfrage der Händler und Spekulanten dem Angebot EF der Arbitrageure entspricht. Dieser gleichgewichtige Kassakurs wird durch den Schnittpunkt M des Lotes vom Punkt E mit der Transaktionskurve der Händler und Spekulanten auf dem Kassamarkt (THS_K) bestimmt, denn die Nachfrage MP dieser Marktparteien entspricht nunmehr dem Angebot EF der Arbitrageure.

Zur Ableitung des gleichgewichtigen Terminkurses ist es notwendig, die AMK-Kurve an der Ordinate zu spiegeln, so daß $FE' = EF$ ist. Der Schnittpunkt N des von E' gefällten Lotes mit der Transaktionskurve der Händler und Spekulanten auf dem Terminmarkt (THS_T) determiniert den gleichgewichtigen Terminkurs von DM 4,04. Bei diesem Kurs bieten die Händler und Spekulanten Termindevisen im Umfang der Strecke RN an. Da die Nachfrage der Arbitrageure nach Termindevisen im Arbitragegleichgewicht ebenfalls gleich $RN = FE' = EF$ ist, erfüllt dieser Kurs die Gleichgewichtsbedingung. Zugleich kann aus Terminkurs (DM 4,04) und Kassakurs (DM 3,96) der Swapsatz von (ungefähr) 2 % gebildet werden, der bei einem 2 %igen Zinsvorteil des Inlands das Arbitragegleichgewicht, also die Erfüllung der Bedingung

$$\frac{w_t - w_k}{w_k} = z_i - z_a$$ garantiert.

IV. Die Wirkungen von Datenänderungen auf die Gleichgewichtswerte des Systems

a) Die in dem geschilderten Modell bestimmten Werte für Gleichgewichtskurse, Netto-Devisenumsätze und Kapitaltransaktionen folgen aus den Annahmen über die Höhe der Zinsdifferenz sowie über die in den Transaktionskurven zum Ausdruck kommenden Verhaltensweisen der Marktteilnehmer. In diesem Abschnitt wird nun die Frage gestellt, wie sich die Gleichgewichtswerte des Systems unter dem Einfluß einer Datenänderung, z. B. einer Variation der Zinsdifferenz, verändern. Wird statt eines inländischen Zinsvorteils von 2 % ($z_i - z_a = 2$ %) ein inländischer Zinsnachteil von 1 % ($z_i - z_a = -1$ %) unterstellt, so gilt nunmehr die Arbitragewunschkurve AWK', welche die negative Ordinate bei einem negativen Swapsatz von 1 % schneidet. Nimmt man die Transaktionskurven der Händler und Spekulanten auf dem Kassa- und Terminmarkt als gegeben an[15]), so ändert auch die AMK-Kurve ihre Lage nicht. Daher determiniert der Schnittpunkt S von AMK- und AWK'-Kurve einen kursgesicherten Kapitalexport und damit eine Nachfrage nach Kassadevisen in Höhe von LS; diese Nachfrage wird zum Kassakurs von DM 4,02 von Händlern und Spekulanten befriedigt. Der gleichgewichtige Terminkurs ist dagegen gleich DM 3,98, weil die Arbitrageure nur zu diesem Kurs die zur Kursabsicherung angebotenen Termindevisen ($LS' = LS$) an Händler und Spekulanten verkaufen können. Aufgrund der Variation der Zinsdifferenz ist also der Terminkurs von DM 4,04 auf DM 3,98 gesunken, der Kassakurs dagegen von DM 3,96 auf DM 4,02 gestiegen (Swapsatz $= -1$ %).

---

[15]) Diese Annahme dient der Vereinfachung. In der Realität dürfte eine Beeinflussung der Händler- und Spekulantentransaktionen durch Zinsänderungen wahrscheinlich sein. So verschieben sich z. B. die Transaktionskurven der Händler, wenn Zinsvariationen zu einer Änderung der Güterpreise führen.

IV. Die Wirkungen von Datenänderungen

Die Erhöhung des Kassakurses folgt aus der Zunahme der Nachfrage nach Kassadevisen, welche durch den Übergang vom Kapitalimport zum Kapitalexport bedingt ist. Da die Kapitalexporte auf dem Terminmarkt gegen Kursrisiken abgesichert werden, steigt das Angebot der Arbitrageure an Termindevisen, so daß der Terminkurs sinkt. Erst wenn sich Kassa- und Terminkurs so stark geändert haben, daß der Swapsatz der neuen Zinsdifferenz entspricht, ist erneut ein Arbitragegleichgewicht erreicht.

b) Um die Wirkungen weiterer Datenänderungen abzuleiten, sei nunmehr unterstellt, daß die Spekulanten in Zukunft einen höheren Kassakurs erwarten. In diesem Falle steigt die Netto-Nachfrage der Spekulanten nach Termindevisen, denn diese rechnen damit, daß sie die bei Fälligkeit der Terminkontrakte erhaltenen Devisen zu einem höheren Kassakurs verkaufen können. Folglich erhöht sich der Terminkurs. Da mithin auch der Swapsatz steigt, ist es für die Arbitrageure bei gegebener Zinsdifferenz von Vorteil, ihre Nachfrage nach Kassadevisen und ihr Angebot an Termindevisen zum Zwecke des Kapitalexports zu erhöhen. Damit erhöht sich auch der Kassakurs — während der Terminkurs sinkt — bis ein neues Arbitragegleichgewicht erreicht wird, wenn der Swapsatz auf die Zinsdifferenz gesunken ist.

Durch eine geometrische Analyse wird dieses Ergebnis bestätigt. Reagieren die Spekulanten auf einen höheren Erwartungswert des zukünftigen Kassakurses mit einer Vergrößerung (Verringerung) der Nettodevisennachfrage (des Nettodevisenangebots) am Terminmarkt, so verschiebt sich die Transaktionskurve $B'F'$ in Abb. 51c und damit auch die THS_T-Kurve in Abb. 50b nach links (THS'_T). Damit ändert aber auch die AMK-Kurve ihre Lage. Zu einem Terminkurs von DM 4,08 wird von Händlern und Spekulanten nunmehr die Devisenmenge $a'b''$ zum Kauf angeboten. Wird diese Devisenmenge von den Arbitrageuren erworben, so können sie die gleiche Devisenmenge nur zu einem Kassakurs von DM 3,96 — also bei einem Swapsatz von (ungefähr) 3 % — auf dem Kassamarkt verkaufen $(MP = a'b'')$. Aufgrund der Transaktionen von Händlern und Spekulanten ist es den Arbitrageuren daher möglich, bei einem Swapsatz von 3 % einen kursgesicherten Kapitalimport in Höhe von $a'b' = MP = GH$ (Abb. 55a) zu tätigen, also in diesem Umfang Termindevisen zu erwerben und Kassadevisen zu verkaufen. G ist also ein Punkt auf der neuen Arbitragemöglichkeitskurve AMK', welche die positive Ordinate bei einem Swapsatz von 1 % schneidet: Weil bei einem Terminkurs von DM 4,04 und einem Kassakurs von DM 4,— (Swapsatz = 1 %) die geplanten Transaktionen der Händler und Spekulanten Null sind, die Arbitrageure also Devisen weder verkaufen noch erwerben können, müssen zinsinduzierte Kapitalbewegungen bei diesem Swapsatz unterbleiben.

Unterstellt man wieder einen inländischen Zinsvorteil von 2 %, so wird die Kapitaltransaktion im Arbitragegleichgewicht durch die Strecke QF bestimmt. Der Kassakurs wird durch M' determiniert; die Verlagerung des Gleichgewichtspunktes von M nach M' impliziert also einen Kursanstieg von DM 3,96 auf DM 3,98. Dagegen ist der Terminkurs von DM 4,04 auf DM 4,06 gestiegen: Spiegelt man die AMK'-Kurve an der Ordinate und fällt man von $Q'(Q'F = QF)$ das Lot auf die THS'_T-Funktion, so wird die Gleichgewichtslage auf dem Terminmarkt durch den Punkt N' bestimmt.

c) Das erörterte Kursbildungsmodell kann in vielfacher Hinsicht erweitert werden. So können die Gleichgewichtswerte des Systems z. B. auch bei einer endlich elastischen AWK-Kurve abgeleitet werden. Als wichtiges Ergebnis dieser Prämissenvariation ist festzuhalten, daß die Anpassung des Swapsatzes an die Zinsdifferenz normalerweise nur unvollständig ist. Eine Erweiterung des Modells ist ferner dadurch möglich, daß mehrere Terminmärkte mit unterschiedlichen Fristigkeiten berücksichtigt werden[16]). Dieser Ausbau des Modells ist von großer Wichtigkeit, läßt sich doch zeigen, daß die Wirksamkeit der nationalen Geldpolitik bei flexiblen Kursen umso größer ist, je mehr Terminmärkte existieren. Die Zusammenhänge sind jedoch derart komplex, daß sie nur in einem besonderen Lehrbuch zur Wechselkurstheorie eingehend gewürdigt werden können.

Literatur zum II. Teil

(Obwohl viele der angeführten Veröffentlichungen sich auf alle die im II. Teil angeschnittenen Fragen beziehen, ist eine Trennung nach den einzelnen Kapiteln vorgenommen worden, um die Schwerpunkte der jeweiligen Veröffentlichungen deutlich zu machen.)

Allgemeine Literatur

A g h e l v i , B. B. und B o r t s , G. H., The Stability and Equilibrium of the Balance of Payments under a Fixed Exchange Rate, Journal of International Economics, Bd. 3, 1973.

C l a a s s e n , E. M., S a l i n , P. (Hrsg.), Stabilization Policies in Interdependent Economies, Amsterdam 1972.

C l a a s e n , E. M., S a l i n , P. (Hrsg.), Recent Issues in International Monetary Economics, Amsterdam 1975 und 1976 (Bd. II).

C o n o l l y , M. B., S w o b o d a , A. K. (Hrsg.), International Trade and Money, London 1973.

G r a y , P., An Aggregate Theory of International Payments Adjustment, Toronto—London 1974.

H o l z h e u , F., Vermögensdispositionen, Kreditmärkte und internationale Kreditbeziehungen, Tübingen 1971.

K r u s e , A., Die Mechanismen des Zahlungsbilanzausgleichs, in: Wirtschaftstheorie und Wirtschaftspolitik, Festgabe für A. Weber, hrsg. von A. Kruse, Berlin 1951.

K ü n g , E., Die Selbstregulierung der Zahlungsbilanz. Eine Untersuchung über die automatischen Methoden des Zahlungsbilanzausgleichs, St. Gallen 1948.

Ders., Zahlungsbilanzpolitik, Tübingen—Zürich 1959.

K r u e g e r , A. O., Balance-of-Payments Theory, Journal of Economic Literature, Bd. 6, 1969.

M a c h l u p , F., International Monetary Economics, London 1966.

M e a d e , J. E., The Theory of International Economic Policy, Vol. I, The Balance of Payments, London—New York—Toronto 1963.

M e i n i c h , P., A Monetary General Equilibrium Theory for An International Economy, Oslo 1968.

M e y e r , F. W., Der Ausgleich der Zahlungsbilanz, Jena 1938.

---

[16]) Vgl. Sohmen, E., The Theory of Forward Exchange, a. a. O., S. 36 ff.

IV. Die Wirkungen von Datenänderungen

Mundell, R. A. und Swoboda, A. (Hrsg.), Monetary Problems of the International Economy, Chicago 1970.

Ozga, S. A., The Rate of Exchange and the Terms of Trade, London 1967.

Schneider, E., Einführung in die Wirtschaftstheorie, III. Teil, Geld, Kredit, Volkseinkommen und Beschäftigung, 11. Aufl., Tübingen 1969.

Ders., Zahlungsbilanz und Wechselkurs, Tübingen 1968.

Scitovsky, T., The Theory of Balance-of-Payments Adjustment, Journal of Political Economy, Bd. 75, 1967.

Stern, R. M., The Balance of Payments, Chicago 1973.

Tiedtke, J., Zahlungsbilanzausgleich: Mikroökonomische Absorptionstheorie, direkter internationaler Preiszusammenhang und Zahlungsbilanz, Berlin/New York 1972.

Yeager, L. B., International Monetary Relations, New York 1966.

Literatur zum 2. Kapitel

Albert, W., Die anomale Reaktion der Zahlungsbilanz, Ordo-Jahrbuch, Bd. XI, 1959.

Bickerdike, C. F., The Instability of Foreign Exchange, Economic Journal, Bd. 30, 1920.

Brems, H., Foreign Exchange Rates and Monopolistic Competition, Economic Journal, Bd. 63, 1953.

Britton, A. J. C., The Dynamic Stability of the Foreign-Exchange Market, Economic Journal, Bd. 80, 1970.

Brown, A. J., Trade Balances and Exchange Stability, in: Oxford Studies in the Price Mechanism, hrsg. von T. Wilson u. P. S. W. Andrews, Oxford 1951.

Brüning, H., Wechselkursänderungen bei unvollständigem Wettbewerb, Zeitschrift für die gesamte Staatswissenschaft, Bd. 127, 1971.

Cassel, G., Theoretische Sozialökonomie, 5. Aufl., Leipzig 1932.

Cézanne, W., Gleichgewichtstheorie und Wechselkurse, Schriften zur wirtschaftswissenschaftlichen Forschung, Bd. 62, Meisenheim/Glan 1974.

Gailliot, H. J., Purchasing Power Parity as an Explanation of Long Term Changes in Exchange Rates, Journal of Money, Credit and Banking, Bd. 2, 1970.

Goschen, G. J., The Theory of Foreign Exchanges, London 1863.

Haberler, G., The Market for Foreign Exchange and the Stability of the Balance of Payments, Kyklos, Bd. 3, 1949, deutsche Übersetzung in: Rose, K. (Hrsg.), Theorie der internationalen Wirtschaftsbeziehungen, Köln—Berlin 1965.

Ders., Currency Depreciation and the Terms of Trade, in: Wirtschaftliche Entwicklung und soziale Ordnung, hrsg. von E. Lagler, Wien 1952, deutsche Übersetzung in: Rose, K. (Hrsg.), Theorie der internationalen Wirtschaftsbeziehungen, Köln—Berlin 1965.

Hirschman, A. O., Devaluation and the Trade Balance: A Note, Review of Economics and Statistics, Bd. 31, 1949.

Holmes, J. M., The Purchasing-Power-Parity Theory: In Defense of Gustav Cassel as a Modern Theorist, Journal of Political Economy, Bd. 75, 1967.

Jacob, K. D., Wechselkurs und Leistungsbilanz, Berlin—New York 1972.

Kennedy, Ch., Devaluation and the Terms of Trade, Review of Economic Studies, Bd. 18, 1949/50.

Lerner, A. P., The Economics of Control, New York 1962.

Machlup, F., The Theory of Foreign Exchanges, Economica, N.S., Bd. 6, 1939/40, wiederabg. in: Readings in the Theory of International Trade, London 1958, deutsche Übersetzung in: Rose, K. (Hrsg.), Theorie der internationalen Wirtschaftsbeziehungen, Köln—Berlin 1965.

Ders., Elasticity Pessimism in International Trade, Economia Internazionale, Bd. 3, 1950.

Marshall, A., Money, Credit and Commerce, London 1923.

Officer, L. H., The Effect of Monopoly in Commodity Markets upon the Foreign Exchange Market, Quarterly Journal of Economics, Bd. 80, 1966.

Officer, L. H., The Purchasing Power-Parity Theory of Exchange Rates: A Review Article, IMF-Staff Papers, Bd. 23, 1976.

Orcutt, G. H., Measurement of Price Elasticities in International Trade, Review of Economics and Statistics, Bd. 32, 1950.

Preeg, E. H., Elasticity Optimism in International Trade, Kyklos, Bd. 20, 1967.

Robinson, J., The Foreign Exchanges, in: Essays in the Theory of Employment, Oxford 1947, wiederabg. in: Readings in the Theory of International Trade, London 1958.

Rothschild, K., Zur Frage der Auswirkungen einer Abwertung auf die internationalen Austauschbedingungen, Weltwirtschaftl. Archiv, Bd. 72, 1954.

Smith, W. L., Effects of Exchange Rate Adjustments on the Standard of Living, American Economic Review, Bd. 44, 1954.

Sohmen, E., Flexible Exchange Rates. Theory and Controversy, 2. Aufl., Chicago 1969. Deutsche Übersetzung: Wechselkurs und Währungsordnung, Tübingen 1973.

v. Stackelberg, H., Die Theorie der Wechselkurse bei vollständiger Konkurrenz, Jahrbücher für Nationalökonomie und Statistik, Bd. 161, 1949.

Streeten, P., Elasticity Optimism and Pessimism in International Trade, Economia Internazionale, Bd. 7, 1954.

Terborgh, G., Purchasing Power Parity Theory, Journal of Political Economy, Bd. 34, 1926.

Literatur zum 3. Kapitel

Bloomfield, A. I., Monetary Policy under the International Gold Standard: 1880—1914, New York 1959.

Bosch, A. und Veit, R., Theorie der Geldpolitik, Tübingen 1966.

Claassen, E. M., Der monetäre Ansatz der Zahlungsbilanztheorie, Weltwirtschaftliches Archiv, Bd. 11, 1975.

Cramer, P., Der direkte internationale Preiszusammenhang, Ein Beitrag zur Theorie der importierten Inflation, Köln 1971.

Dornbusch, R., Currency Depreciation, Hoarding, and Relative Prices, The Journal of Political Economy, Bd. 81, 1973.

Dornbusch, R., Devaluation, Money and Nontraded Goods, American Economic Review, Bd. 63, 1973.

Dornbusch, R., The Theory of Flexible Exchange Rate Regimes and Macroeconomic Policy, The Scandinavian Journal of Economics, Bd. 78, 1976.

Fels, G., Der internationale Preiszusammenhang, Köln 1969.

Frenkel, J. A. und Johnson, H. G., The Monetary Approach to the Balance of Payments, London 1976.

Gayer, A. D., Monetary Policy and Economic Stabilisation. A Study of the Gold Standard, London 1937.

Grubel, H., Domestic Origins of the Monetary Approach to the Balance of Payments, Essays in International Finance, No 117, Princeton 1976.

Hawtrey, R. G., The Gold Standard in Theory and Practice, London—New York 1947.

Issing, O., Die Theorie des direkten internationalen Preiszusammenhangs, Jahrbücher für Nationalökonomie und Statistik, Bd. 181, 1967/68.

Ders., Der direkte internationale Preiszusammenhang bei anomaler Reaktion der Leistungsbilanz, Zeitschrift für Nationalökonomie, Bd. 31, 1971.

Johnson, H. G., Der monetäre Ansatz zur Zahlungsbilanztheorie, in: Inflation, Theorie und Politik, München 1975.

Kemp, D. S., A Monetary View of the Balance of Payments, Federal Reserve Bank of St. Louis Review, Bd. 57, 1975.

Kouri, P., The Exchange Rate and the Balance of Payments in the Short Run and in the Long Run. A Monetary Approach, The Scandinavian Journal of Economics, Bd. 78, 1976.

Magee, S., The Empirical Evidence on Monetary Approach to the Balance of Payments and Exchange Rates, The American Economic Review, Papers and Proceedings, Bd. 66, 1976.

Maier, K. F., Goldwanderungen, Jena 1935.

Mundell, R. A., Monetary Theory, Inflation, Interest and Growth in the World Economy, Pacific Palisades, 1971 deutsche Übersetzung: Geld- und Währungstheorie, München 1976.

Mussa, M., A Monetary Approach to Balance – of – Payments Analysis, Journal of Money, Credit and Banking, Bd. 6, 1974.

Mussa, M., The Exchange Rate, the Balance of Payments and Monetary and Fiscal Policy under a Regime of Controlled Floating, The Scandinavian Journal of Economics, Bd. 78, 1976.

Neumann, M., Internationaler Preiszusammenhang bei festen und flexiblen Wechselkursen, Zeitschrift für Wirtschafts- und Sozialwissenschaften, 94. Jg., 1974.

Oppenheimer, P. M., Non-traded Goods and the Balance of Payments: A Historical Note, Journal of Economic Literature, Bd. 12, 1974.

Rose, K., Der direkte internationale Preiszusammenhang bei anomaler Reaktion der Leistungsbilanz. Bemerkungen zu einem Aufsatz von Issing, Zeitschrift für Nationalökonomie, Bd. 31, 1971.

Ders., Der monetäre Ansatz in der Zahlungsbilanztheorie, Jahrb. f. Sozialwissensch., Bd. 28, 1977.

Ders. und Bender, D., Flexible Wechselkurse und Inflationsimport, Jahrbücher für Nationalökonomie und Statistik, Bd. 187, 1973.

Shinkai, Y., A Model of Imported Inflation, Journal of Political Economy, Bd. 81, 1973.

W e s t p h a l , U., Die importierte Inflation bei festem und flexiblem Wechselkurs, Tübingen 1968.

W h i t m a n - N e u m a n n , M. v., Global Monetarism and the Monetary Approach to the Balance of Payments, Brooking Papers on Economic Activity, Nr. 3, 1975.

Literatur zum 4. Kapitel

B l a c k , J., A Geometrical Analysis of the Foreign Trade Multiplier, Economic Journal, Bd. 67, 1957.

B r o n f e n b r e n n e r , M., The Keynesian Equations and the Balance of Payments, Review of Economic Studies, Bd. 7, 1940.

C l a r k , C., Determination of the Multiplier from National Income Statistics, Economic Journal, Bd. 48, 1938.

G i e r s c h , H., Akzelerationsprinzip und Importneigung, Weltwirtsch. Archiv, Bd. 70, 1953.

H a w t r e y , R. G., Multiplier Analysis and the Balance of Payments, Economic Journal, Bd. 60, 1950.

H e g e l a n d , H., The Multiplier Theory, Lund 1957.

H o l z m a n , F. D. und Z e l l n e r , A., The Foreign-Trade and Balanced-Budget Multipliers, American Economic Review, Bd. 48, 1958.

J o h n s o n , H. G., Diagrammatic Analysis of Income Variations and the Balance of Payments, Quarterly Journal of Economics, Bd. 64, 1950.

L a n g e , O., The Theory of the Multiplier, Econometrica, Bd. 11, 1943.

M a c h l u p , F., International Trade and the National Income Multiplier, New York 1965.

M e t z l e r , L. A., Underemployment Equilibrium in International Trade, Econometrica, Bd. 10, 1942.

Ders., A Multiple-Region Theory of Income and Trade, Econometrica, Bd. 18, 1950.

N e i s s e r , H. u. M o d i g l i a n i , F., National Incomes and International Trade, Urbana/Ill. 1953.

P o l a k , J. J., The Foreign Trade Multiplier, American Economic Review, Bd. 37, 1947.

R o b i n s o n , J., Beggar-my-neighbour Remedies for Unemployment, in: Essays in the Theory of Employment, wiederabg. in: Readings in the Theory of International Trade, London 1958.

R o b i n s o n , R., A Graphical Analysis of the Foreign Trade Multiplier, Economic Journal, Bd. 62, 1952.

S t o l p e r , W., The Multiplier if Imports are for Investments, in: Trade, Growth, and the Balance of Payments, Amsterdam 1965.

W a t t e r , W., Entwicklung, Stand und ungelöste Probleme der Theorie des Außenhandelsmultiplikators, Berlin 1961.

Literatur zum 5. Kapitel

A l e x a n d e r , S. S., Effects of a Devaluation on a Trade Balance, International Monetary Fund, Staff Papers, Bd. II, 1952, deutsche Übersetzung in: R o s e , K. (Hrsg.), Theorie der internationalen Wirtschaftsbeziehungen, Köln—Berlin 1965.

Ders., Effects of a Devaluation: A Simplified Synthesis of Elasticities and Absorption Approaches, American Economic Review, Bd. 49, 1959.

Allen, W. R., A Note on Money Income Effects of Devaluation, Kyklos, Bd. 9, 1956.

Ders., A Note on Some Mechanics of the Absorption Approach, Weltwirtsch. Archiv, Bd. 68, 1961.

Bender, D., Abwertung und gesamtwirtschaftliches Gleichgewicht, Berlin 1972.

Black, J., A Savings and Investment Approach to Devaluation, Economic Journal, Bd. 69, 1959.

Brems, H., Devaluation, A Marriage of the Elasticity and the Absorption Approaches, Economic Journal, Bd. 67, 1957.

Gehrels, F., Multipliers and Elasticities in Foreign Trade Adjustments, Journal of Political Economy, Bd. 65, 1957.

Graf, G., Hypothesen zur internationalen Konjunkturtransmission, Weltwirtschaftliches Archiv, Bd. 111, 1975.

Harberger, A., Currency Depreciation, Income, and the Balance of Trade, Journal of Political Economy, Bd. 58, 1950.

Jones, R. E., Depreciation and the Dampening Effect of Income Changes, Review of Economics and Statistics, Bd. 42, 1960.

Kemp, M. C., The Rate of Exchange, the Terms of Trade, and the Balance of Payments in Fully Employed Economies, International Economic Review, Bd. 3, 1962.

Kleinewefers, H., Theorie und Politik der Abwertung, Basel—Tübingen 1969.

Laursen, S. u. Metzler, L. A., Flexible Exchange Rates and the Theory of Employment, Review of Economics and Statistics, Bd. 32, 1950.

Machlup, F., Relative Prices and Aggregate Spending in the Analysis of Devaluation, American Economic Review, Bd. 45, 1955.

Ders., The Terms of Trade Effect of Devaluation upon Real Income and the Balance of Trade, Kyklos, Bd. 9, 1956.

Negishi, T., Approaches to the Analysis of Devaluation, International Economic Review, Bd. 9, 1968.

Polak, J. J., An International Economic System, Chicago 1953.

Roth, J., Der internationale Konjunkturzusammenhang bei flexiblen Wechselkursen, Tübingen 1975.

Shinohara, M., The Multiplier and the Marginal Propensity to Import, American Economic Review, Bd. 47, 1957.

Sohmen, E., Exchange Rates, Terms of Trade and Employment: Pitfalls in Macroeconomic Models of Open Economies, Kyklos, Bd. 28, 1974.

Stolper, W., The Multiplier, Flexible Exchanges, and International Equilibrium, Quarterly Journal of Economics, Bd. 64, 1950.

Ders., Stand und ungelöste Probleme der Theorie des Außenhandelsmultiplikators, Zeitschr. für die ges. Staatswiss., Bd. 108, 1952.

Tsiang, S. C., The Role of Money in Trade-Balance Stability: Synthesis of the Elasticity and Absorption Approaches, American Economic Review, Bd. 51, 1961.

Vanek, J., The Balance of Payments, Level of Economic Activity and the Value of Currency, Genf 1962.

Vartia, P., A Theoretical Model for International Transmission of Business Cycles, Swedish Journal of Economics, Bd. 72, 1970.

White, W. H., The Multiplier, Flexible Exchanges, and International Equilibrium: Comment, Quarterly Journal of Economics, Bd. 67, 1953.

Ders., The Employment-Insulating Advantages of Flexible Exchanges. A Comment on Professors Laursen and Metzler, Review of Economics and Statistics, Bd 36, 1954.

Yeager, L. B., Absorption and Elasticity: A Fuller Reconciliation, Economica, Bd. 37, 1970.

Literatur zum 6. Kapitel

Bender, D., Externes und internes Gleichgewicht in einem kurzfristigen Portfoliomodell internationaler Kapitalbewegungen, Jahrb. f. Nationalök. und Statistik, Bd. 192, 1977.

Corden, W. M., The Geometric Representation of Policies to Attain Internal and External Balance, Review of Economic Studies, Bd. 28, 1960.

Fleming, J. M., Domestic Financial Policies Under Fixed and Floating Exchange Rates, IMF Staff Papers, Bd. 9, 1962.

Graf, G., Geldpolitik und Fiskalpolitik in einer offenen Volkswirtschaft, Jahrbücher für Nationalökonomie und Statistik, Bd. 188, 1974.

Jarchow, H. J., Der kombinierte Einsatz budget- und zinspolitischer Maßnahmen zur gleichzeitigen Erreichung innen- und außenwirtschaftlicher Ziele, in: Bombach, G. (Hrsg.), Beiträge zur Theorie der Außenwirtschaft, Schriften des Vereins für Sozialpolitik, N. F., Bd. 56, Berlin 1970.

Johnson, H. G., Some Aspects of the Theory of Economic Policy in a World of Capital Mobility, in T. Bagiotti, (Hrsg.): Essays in Honour of Marco Fanno, Padua 1966, deutsche Übersetzung in: Johnson, H. G., Beiträge zur Geldtheorie und Währungspolitik, Berlin 1976.

McKinnon, R. und Oates, W., The Implications of International Economic Integration for Monetary, Fiscal and Exchange-Rate Policy, Princeton Studies in International Finance, Nr. 16, Princeton 1966.

McKinnon, R., Portfolio Balance and International Payments Adjustment, in: Mundell, R. und Swoboda, A. (Hrsg.): Montenary Problems of the International Economy, Chicago 1970.

Krueger, A., The Impact of Alternative Government Policies under Varying Exchange Systems, Quarterly Journal of Economics, Bd. 79, 1965.

Mundell, R. A., Flexible Exchange Rates and Employment Policy, Canadian Journal of Economics and Political Science, Bd. 27, 1961, wiederabgedr. in: Mundell, R. A., International Economics, New York 1968.

Ders., Capital Mobility and Stabilisation Policy under Fixed and Flexible Exchange Rates, Canadian Journal of Economics and Political Science, Bd. 29, 1963, wiederabgedr. in: Mundell, R. A., International Economics, New York 1968.

Ders., The International Disequilibrium System, Kyklos, Bd. 14, 1961, wiederabgedr. in: Mundell: R. A., International Economics, New York 1968.

Ders., The Appropriate Use of Monetary and Fiscal Policy under Fixed Exchange Rates, IMF Staff Papers, Bd. 9, 1962, wiederabgedr. in: Mundell, R. A., International Economics, New York 1968.

Myhrman, J., Balance of Payments Adjustment and Portfolio Theory: A Survey, in: Claassen, E.-M., Salin, P. (Hrsg.), Recent Issues in International Monetary Economics, Amsterdam 1976.

IV. Die Wirkungen von Datenänderungen

N i e h a n s , J., Some Doubts about the Efficacy of Monetary Policy under Flexible Exchange Rates, Journal of International Economics, Bd. 5, 1975.

S w a n , T. W., Longer Run Problems of the Balance of Payments, in: H. W. Arndt, W. M. Corden (Hrsg.), The Australian Economy: A Volume of Readings, Melbourne 1963.

S w o b o d a , A. K., Equilibrium, Quasi-Equilibrium and Macroeconomic Policy under Fixed Exchange Rates, Quarterly Journal of Economics, Bd. 86, 1972.

T s i a n g , S. C., Capital Flows, Internal and External Balance, The Quarterly Journal of Economics, Bd. 89, 1975.

T s i a n g , S. C., The Dynamics of International Capital Flows and Internal and External Balance, The Quarterly Journal of Economics, Bd. 89, 1975.

W h i t m a n - N e u m a n n , M. v., Policies for Internal and External Balance, Special Papers in International Economics, No 9, Princeton 1970.

W r i g h t s m a n , D., IS, LM and External Equilibrium: A Graphical Analysis, American Economic Review, Bd. 60, 1970.

Literatur zum 7. Kapitel

F l o y d , J. E., International Capital Movements and Monetary Equilibrium, in: American Economic Review, Bd. 59, 1969.

H a b e r l e r , G., Transfer und Preisbewegung, Zeitschrift für Nationalökonomie, Bd. 1, 1930.

I v e r s o n , C., Aspects of the Theory of International Capital Movements, Copenhagen 1935.

J o h n s o n , H. G., The Transfer Problem: A Note on Criteria for Changes in the Terms of Trade, Economica, N.S., Bd. 22, 1955.

Ders., The Transfer Problem and Exchange Stability, Journal of Political Economy, Bd. 64, 1956; wiederabg. in: International Trade and Economic Growth, London 1961.

J o n e s , R. W., The Transfer Problem Revisted, Economica, Bd. 37, 1970.

K e y n e s , J. M., The German Transfer Problem, Economic Journal, Bd. 39, 1929, wiederabg. in: Readings in the Theory of International Trade, London 1958.

M a c h l u p , F., Transfer und Preisbewegung, Zeitschrift für Nationalökonomie, Bd. 1, 1930.

M a s s e l l , B. F., Exports, Capital Imports and Economic Growth, Kyklos, Bd. 17, 1964.

M e l v i n , J. R., Capital Flows and Employment under Flexible Exchange Rates, Canadian Journal of Economics, Bd. 1, 1968.

M e t z l e r , L. A., The Transfer Problem Reconsidered, Journal of Political Economy, Bd. 50, 1942, wiederabg. in: Readings in the Theory of International Trade, London 1958, deutsche Übersetzung in: R o s e , K. (Hrsg.), Theorie der internationalen Wirtschaftsbeziehungen, Köln—Berlin 1965.

M ö l l e r , H., Kapitalexport und Wachstum, Jahrb. f. Nationalökonomie und Stat., Bd. 178, 1965.

N a d e l , E., International Trade and Capital Mobility, American Economic Review, Bd. 61, 1971.

N u r k s e , R., Internationale Kapitalbewegungen, Wien 1935.

Ohlin, B., The Reparation Problem: A Discussion, Economic Journal, Bd. 39, 1929, wiederabg. in: Readings in the Theory of International Trade, London 1958.

Preiser, E., Kapitalexport und Vollbeschäftigung, in: Bildung und Verteilung des Volkseinkommens, Göttingen 1961.

Literatur zum 8. Kapitel

Braun, O., Zur Theorie des Devisenterminmarktes I. Die Kursbildung an den Kassa- und Terminmärkten, Jahrbücher für Nationalökonomie und Statistik, Bd. 177, 1965.

Ders., Zur Theorie des Devisenterminmarktes II. Das Problem der Intervention auf den Kassa- und Terminmärkten, Jahrbücher für Nationalökonomie und Statistik, Bd. 177, 1965.

Dudler, H. J., Diskont- und Terminkurspolitik, Frankfurt/Main 1966.

Einzig, P., Some Recent Changes in Forward Exchange Practices, Economic Journal, Bd. 70, 1960.

Ders., A Dynamic Theory of Forward Exchange, London-New York 1961.

Ders., The Theory of Forward Exchange, London 1937.

Graf, G., Zur formalen Theorie des Devisenterminmarktes, Berlin 1971.

Grubel, H. G., Forward Exchange, Speculation and the International Flow of Capital, Stanford/Kalifornien, 1966.

Ders., Official Forward Exchange Policy and Devaluation, Weltwirtschaftliches Archiv, Bd. 101, 1968.

Hochgesand, H., Theorie der Devisenspekulation, Berlin 1974.

Hodjera, Z., International Short-Term Capital Movements: A Survey of Theory and Empirical Analysis, IMF Staff Papers, Bd. 20, 1973.

Janocha, P., Intervention und Kooperation der Zentralnotenbanken auf den Devisenmärkten nach dem Zweiten Weltkrieg, Tübingen 1966.

Jarchow, H. J., Theoretische Studien zum Liquiditätsproblem, Tübingen 1966.

Kenen, P. B., Trade, Speculation, and the Forward Exchange, in: Trade, Growth and the Balance of Payments, Chicago-Amsterdam 1965.

Keynes, J. M., Ein Traktat über Währungsreform, München-Leipzig 1924.

Kindleberger, C. P., Speculation and Forward Pound, Journal of Political Economy, Bd. 47, 1939.

Leland, H. E., Optimal Forward Exchange Positions, Journal of Political Economy, Bd. 79, 1971.

Lipfert, H., Devisenhandel, Devisengeschäfte der Banken, Exporteure und Importeure, Frankfurt/Main 1958.

Neldner, M., Die Kursbildung auf dem Devisenterminmarkt und die Devisenterminpolitik der Zentralbanken, Berlin 1970.

Officer, L. H., Willett, T. D., The Covered-Arbitrage Schedule: A Critical Survey of Recent Developments, Journal of Money, Credit and Banking, Bd. 2, 1970.

Schilling, D., Devaluation Risk and Forward Exchange Theory, American Economic Review, Bd. 60, 1970.

Schröder, J., Zur Theorie der Devisenterminmärkte, Berlin 1969.

Snape, R. H., Forward exchange and futures market, in: I. A. McDougall, R. H. Snape (Hrsg.), Studies in International Economics, Amsterdam—London 1970.

Sohmen, E., The Theory of Forward Exchange, Princeton 1966.

Spraos, J., Speculation, Arbitrage and Sterling, Economic Journal, Bd. 69, 1959.

Tsiang, S. C., The Theory of Forward Exchange and Effects of Government Intervention on the Forward Exchange Market, International Monetary Fund, Staff Papers, Bd. 7, 1959/60.

Teil III

Die reine Theorie

1. Kapitel:
Der Gegenstand

I. Die Annahmen der reinen Theorie

Als reine Theorie des internationalen Handels bezeichnet man jenen Teil der Außenhandelstheorie, der die realwirtschaftlichen Grundlagen der Handelsbeziehungen zu erfassen versucht. In der Handelstheorie besteht daher eine ähnliche Zweiteilung, wie sie aus der allgemeinen Theorie in Form der Trennung von Preis- und Geldtheorie bekannt ist: Während der Preistheorie oft die Aufgabe zugewiesen wird, die relativen Preise zu erklären, obliegt es der Geldtheorie, diese relativen Preise durch Verwendung eines multiplikativen Faktors — nämlich des Geldes — in absolute Geldpreise umzurechnen. Ganz ähnlich ist der Unterschied zwischen monetärer und reiner Außenhandelstheorie: In der monetären Theorie geht es um absolute Größen, um die Höhe von Geldpreisen, Wechselkursen und Volkseinkommen. Dagegen fragt die reine Theorie nach den Bestimmungsgründen der Preis- und Einkommensstruktur, nach dem Verhältnis, in dem die untersuchten Größen zueinander stehen. Weil das Verhältnis der relevanten Variablen von ihren absoluten Größen, von dem ihnen zugelegten Geldausdruck, völlig unabhängig ist, macht es eine solche Fragestellung möglich, von der Existenz des Geldes abzusehen. Daher wird in den folgenden Ausführungen weniger von Geldpreisen oder von Geldkosten, sondern von realen Tauschverhältnissen und „opportunity-costs" die Rede sein.

Eine solche Trennung zwischen Güterwelt und monetärer Sphäre ist natürlich nicht ohne Gefahren. Im Hintergrund steht die klassische These, daß sich die Wirkungen des Geldes in der Rolle eines multiplikativen Faktors erschöpfen. Geldmengenänderungen sind nach dieser Ansicht völlig unproblematisch; sie ändern zwar den absoluten Geldausdruck der Preise, lassen aber das Verhältnis der Einzelpreise, die vertikale und horizontale Produktionsstruktur sowie die Höhe der Beschäftigung unverändert, mit anderen Worten: Das Geld ist der berühmte „Schleier", den man getrost zur Seite ziehen kann, ohne daß die Struktur des Wirtschaftsablaufs nur irgendwie beeinflußt wird.

Dieser starre Glaube an die Neutralität des Geldes, der noch für Smith und Ricardo so charakteristisch war, ist inzwischen längst überwunden und durch die Auffassung ersetzt worden, daß Geldmengenänderungen sich keineswegs in nominalen Preiswirkungen erschöpfen, sondern darüber hinaus auch relative Preise und Produktionsaufbau verändern. Daher würde die Integration von monetärer und realwirtschaftlicher Betrachtungsweise, die in der allgemeinen Theorie seit Wicksell mit mehr oder weniger großem Erfolg angestrebt wird, auch in der Außenhandelstheorie die einzig befriedigende Lösung sein. Leider liegen hier nur erste Versuche vor, die bestenfalls Ansatzpunkte für die weitere Arbeit bieten.

Die Abstraktion vom Gelde bestimmt zum großen Teil die Annahmen, die den Modellen der reinen Theorie zugrunde liegen. Vorausgesetzt ist einmal, daß alle Produktionsfaktoren vollbeschäftigt sind. Es gilt demnach das Saysche Theorem. Eng mit dieser Annahme verbunden ist die Unterstellung, daß Faktor- und Produktpreise auf Änderungen von Produktions- und Nachfragebedingungen prompt reagieren, bis ein neues Gleichgewicht gefunden ist. Dieses Gleichgewicht wird gewöhnlich durch die Bedingungen der vollständigen Konkurrenz beschrieben. An vielen Stellen berücksichtigen wir aber Abweichungen von der vollständigen Konkurrenz, insbesondere, wenn es darum geht, die Wirkung von Zöllen, Einfuhrrestriktionen und anderen Handelshemmnissen zu untersuchen. Die reine Theorie abstrahiert ferner von externen Effekten im Produktions- und Konsumtionsbereich; sie unterstellt also, daß soziale und private Kosten sowie sozialer und privater Nutzen übereinstimmen. Auch diese Annahme werden wir an einer Stelle aufgeben und die Frage stellen, welche Konsequenzen sich aus den Abweichungen von sozialen und privaten Größen ergeben.

Nur um die Darstellung zu vereinfachen, arbeitet die reine Theorie oft oder sogar meistens mit einem „Zwei-Länder- Zwei-Güter- Zwei-Faktoren-Modell". Jedes der beiden Länder exportiert und importiert nur eine Ware, die jeweils mit Hilfe zweier Faktoren erzeugt wird. Diese Vereinfachung dürfte für zahlreiche Probleme durchaus legitim sein, zumal es in vielen (wenn auch sicher nicht in allen) Fällen möglich ist, die an Hand des einfachen Modells gewonnenen Ergebnisse, nachdem sie in entsprechender Weise umformuliert worden sind, auf den allgemeineren Fall des „Mehr-Länder- Mehr-Güter- Mehr-Faktoren-Modells" zu übertragen. Natürlich muß man sich davor hüten, die Resultate des einfachen Modells schematisch auf die Wirklichkeit zu übertragen. Sonst steht man überrascht vor der Tatsache, daß empirische Untersuchungen zu Ergebnissen führen, die nach den Modellen nicht zu erwarten wären. Ein besonders aufschlußreiches Beispiel für solche Diskrepanzen lieferten Leontiefs Untersuchungen zur Struktur des amerikanischen Außenhandels. Das Ergebnis dieser Analyse, im wesentlichen die Feststellung, daß die Arbeitsintensität der US-Exporte höher als die der Importe ist, stand im krassen Gegensatz zu dem Ohlinschen Handelsmodell, nicht zuletzt deshalb, weil dieses normalerweise mit nur zwei globalen Produktionsfaktoren — Arbeit und Kapital — operiert und den so wichtigen dritten Faktor, nämlich die natürlichen Hilfsmittel, unberücksichtigt läßt. Hütet man sich aber vor einer allzu unkritischen Anwendung, so sind auch die einfachen Modelle von großem Wert. Sie gestatten es, die Form und Struktur der Handelsbeziehungen übersichtlich und von allem störenden Beiwerk befreit darzustellen. Wenn es darum geht, den Einfluß von zentralen Variablen auf den Außenhandel aufzudecken, sind solche Modelle in mancher Hinsicht den komplizierten Modellen sogar überlegen, denn die Einbeziehung zu vieler Größen macht es oft unmöglich, die wirklich entscheidenden Zusammenhänge, die Grundlagen, auf die es ankommt, zu überblicken. Hier besteht in vielen Fällen die Gefahr, daß man vor lauter Bäumen den Wald nicht mehr sieht.

II. Die Fragestellung der reinen Theorie

Im wesentlichen sind es drei Fragen, die die reine Theorie des Außenhandels zu beantworten sucht:

1. Welche Faktoren bestimmen die Struktur, die Richtung und das Ausmaß des Außenhandels?

2. Durch welche Größen ist das reale Austauschverhältnis (terms of trade) zwischen ex- und importierten Gütern bestimmt?

3. Welche Wirkungen hat der Außenhandel auf den Wohlstand der Welt, einzelner Nationen und verschiedener Individuen?

II. Die Fragestellung der reinen Theorie

Mit der Beantwortung der ersten Frage durch Ricardos Theorie der komparativen Kosten schlug die Geburtsstunde der modernen Außenhandelstheorie. Tatsächlich hat sich die Theorie der komparativen Kosten um vieles widerstandsfähiger als jeder andere Teil der klassischen Wirtschaftstheorie erwiesen; sie bildet heute noch die Grundlage der reinen Theorie, wenn auch viele ihrer übervereinfachten Annahmen inzwischen aufgegeben und durch andere, wirklichkeitsnähere Prämissen ersetzt wurden. Diese erlauben es, die Theorie auf zahlreiche Spezialprobleme anzuwenden und Zusammenhänge aufzudecken, welche durch das Ricardianische, auf der Arbeitswertlehre beruhende und mit konstanten Kosten arbeitende Modell noch nicht erfaßt werden konnten. Wir werden diesen Fragen im 2. und 3. Kapitel nachgehen.

Ricardo ließ die Frage offen, in welchem Verhältnis Export- und Importgüter am Weltmarkt getauscht werden. In seinem berühmten Beispiel des Außenhandels zwischen England und Portugal begnügte er sich mit der Feststellung, daß das internationale Tauschverhältnis von Tuch und Wein irgendwo innerhalb der Grenzen liegen muß, die von den nationalen Tauschrelationen abgesteckt werden. Es war J. St. Mill, der in seiner Theorie der internationalen Werte die Lücke schloß, indem er nachwies, daß das endgültige Austauschverhältnis durch das Verhältnis von Weltangebot zu Weltnachfrage nach den beiden Gütern bestimmt wird. Ebenso wie das Theorem der komparativen Kosten ist auch die Millsche Theorie in ihrem Kern erhalten geblieben. Welche Verfeinerung sie durch ausdrückliche Berücksichtigung von Kosten und Verbraucherpräferenzen erfahren hat, wird in den Kapiteln 4, 5 und 6 zu zeigen sein. Hier werden die Nachfragegrundlagen des Außenhandels, die Bestimmungsgründe des Tauschverhältnisses und die Wirkungen von Datenänderungen auf das Weltmarktgleichgewicht behandelt. Die Behandlung dieser Kernfragen in der reinen Theorie ist in jüngster Zeit zum Teil heftig kritisiert worden. Deshalb setzt sich das 7. Kapitel mit den wichtigsten Einwendungen auseinander.

Die Beantwortung der dritten Frage erfordert normative Aussagen, weil es nur auf Grund bestimmter Wertvorstellungen möglich ist, über den Inhalt der „gesellschaftlichen Wohlfahrt" und den Charakter bestimmter Optima zu entscheiden. Allerdings stellt man immer wieder fest, daß normative Behauptungen in den Mantel „objektiver" Überlegungen gekleidet werden. Diese Tarnung von Werturteilen als Sachaussagen kann bewußt geschehen, um einem subjektiven Bekenntnis „wissenschaftlichen" Anstrich zu geben. Aber nicht immer liegt eine Absicht vor, wenn Werturteile nicht als solche ausgegeben werden. Denn es ist selbst beim besten Willen nicht immer leicht, die Grenze zwischen Wertung und Erklärung einzuhalten —, und gerade in der Außenhandelstheorie lassen sich viele Beispiele dafür finden, daß unvermutet, ohne daß man sich dessen stets bewußt ist, das Sollen mit dem Sein verwechselt wird. Vor allem die klassische Theorie hat niemals streng zwischen normativer und positiver Ökonomik unterschieden, wie sich wohl am besten am Theorem der komparativen Kosten zeigt, das nicht nur der Erklärung der Handelsströme, sondern vor allem auch der Begründung des Freihandels diente. Inzwischen ist man — wie die Diskussionen über die Grundlagen der „welfare economics" zeigen — in der Beurteilung des Außenhandels etwas vorsichtiger geworden, wenn man auch nicht das „Kind mit dem Bade ausschütten", also auf die Attribute „positiv" und „negativ" überhaupt verzichten sollte. Wir werden uns im 8. Kapitel mit diesem Fragenkreis beschäftigen.

2. Kapitel:
Grundlagen der reinen Theorie des Außenhandels

I. Ursachen des Außenhandels

Auf die Frage, warum ein Land bestimmte Güter exportiert und andere Waren importiert, wird gewöhnlich mit dem Hinweis auf die Vorteile der internationalen Arbeitsteilung geantwortet. Diese Antwort ist indessen zu oberflächlich, denn sie macht nicht deutlich, daß es unterschiedliche Gründe für den Außenhandel gibt, von denen die Verfügbarkeit bestimmter Ressourcen, Preisunterschiede und Produktdifferenzierungen von besonderer Bedeutung sind[1]).

1. Verfügbarkeit als Ursache des Außenhandels

a) Ein Land wird Güter importieren, wenn diese Waren aus klimatischen, geologischen oder anderen natürlichen Gründen nicht oder nicht in ausreichenden Mengen im Inland erzeugt werden können, aber eine Nachfrage nach derartigen Gütern besteht. Solche Überlegungen erklären vor allem den Außenhandel mit Rohstoffen und anderen Erzeugnissen der Urproduktion. So werden nicht alle im Inland benötigten Rohstoffe aus der eigenen Erzeugung gewonnen; das betreffende Land ist auf die Einfuhr dieser Güter angewiesen, während es gegebenenfalls Erzeugnisse der Landwirtschaft verkauft, auf deren Produktion das Ausland aus klimatischen Gründen oder Gründen der Bodenbeschaffenheit verzichten muß.

Analoge Überlegungen gelten auch für den Handel mit Industrieprodukten; bestimmte Länder können die Nachfrage aus eigener Produktion nicht decken, weil sie auf Grund ihres Entwicklungsstandes gar nicht in der Lage sind, die Herstellung technisch komplizierter Industrieerzeugnisse aufzunehmen. Es fehlt an technischem Wissen, gründlich geschulten Arbeitskräften und geeigneten Unternehmerpersönlichkeiten — also jenen Ressourcen, die Voraussetzung der Industrialisierung sind. Ohne Zweifel ist ein großer Teil des Außenhandels zwischen hochindustrialisierten Staaten und Entwicklungsländern durch die Nichtverfügbarkeit solcher Produktionsfaktoren bedingt.

b) Das von Kravis[2]) in die Außenhandelstheorie eingeführte Verfügbarkeitsargument läßt sich weiter verfeinern, wenn man die Ursache für Nichtverfügbarkeiten in dauerhafte bzw. nur sehr langfristig abzubauende und vorübergehend wirksame Ursachen unterteilt. Während dauerhafte Nichtverfügbarkeiten und die daraus resultierenden Importe vor allem aus dem Mangel an Rohstoffvorkommen resultieren, sind temporäre Nichtverfügbarkeiten insbesondere mit der Existenz von zeitlich begrenzten Monopolen in bestimmten Ländern verbunden. Dieser Gedanke wurde, zum Teil im Anschluß an die Schumpetersche Entwicklungstheorie, vor allem von Posner[3]) und Lorenz[4]) aufgegriffen. Diese Autoren gehen von der Überlegung aus, daß

---
1) Vgl. vor allem Hesse, H., Strukturwandlungen im Welthandel 1950—1960/61, Tübingen 1967, S. 95 ff. Ders., Bestimmungsgründe des Außenhandels: Ein Überblick, WISU, Heft 9 und 10, 1974.
2) Kravis, I. B., Availability and Other Influences on the Commodity Composition of Trade, Journal of Political Economy, Bd. 64, 1956.
3) Posner, M. V., Technical Change and International Trade, Oxford Economic Papers, Bd. 13, 1961.
4) Lorenz, D., Dynamische Theorie der internationalen Arbeitsteilung, Berlin 1967.

I. Ursachen des Außenhandels

der technische Fortschritt in einem bestimmten Land zur Entwicklung neuer oder stark verbesserter Produkte führt und somit dem „Neuerer", der diesen Fortschritt durchsetzt, ein Entwicklungsmonopol verschafft. Damit entsteht zwischen diesem Produzenten und den Herstellern in anderen Ländern eine „technologische Lücke", die bei entsprechender Nachfrage in diesen Ländern zu einem Import des neuen, hier nicht verfügbaren Gutes führt. Entsprechend der Schumpeterschen Grundidee, nach der die „Übergewinne" des dynamischen Neueres andere Produzenten zur Nachahmung veranlassen, wird die technologische Lücke zwischen den Ländern im Zuge des Imitationsprozesses abgebaut, so daß der aus der jeweiligen Neuerung resultierende Außenhandel an Bedeutung verliert.

Die Zeitdauer der Imitationsphase — der „imitation-lag" — kann mit Posner in drei Phasen unterteilt werden: a) den „foreign reaction lag", d. h. die Phase bis zur Übernahme der Neuerung durch das erste Unternehmen im Ausland, b) den „domestic reaction lag", das ist die zur Ausbreitung der Neuerung auf andere Produzenten erforderliche Zeit und c) die „learning period" als Zeitphase bis zur vollkommenen Beherrschung der neuen Techniken durch die Imitatoren. Da außerdem ein „demand lag" existiert, die Verbraucher anderer Länder also Zeit benötigen, bis sie sich an das neue Erzeugnis gewöhnt haben, ist die Zeitdauer des Außenhandels mit diesem Produkt durch die Länge der Imitationsperiode abzüglich der für die Reaktion der Konsumenten auf die erstmalige Einführung des Produkts erforderlichen Zeit bestimmt. Sollte die Nachahmung allerdings vom Typ der aktiven Imitation sein — sind also die ausländischen Nachahmer schließlich in der Lage, billiger oder besser zu produzieren als der ursprüngliche Monopolist —, so mag sich gar die Richtung des Außenhandels ändern, und das ursprüngliche Importland wächst nunmehr in die Rolle des Exportlandes hinein. Als Paradebeispiel für einen derartigen Fall aktiver Imitation kann auf manchen Gebieten Japan angesehen werden.

c) Temporäre Nichtverfügbarkeiten können außer durch Zeitmonopole auch durch völlig andere Ursachen bedingt sein. An erster Stelle ist hier zu nennen, daß Konjunkturabläufe in den einzelnen Ländern oft zeitlich verschoben sind, das Inland die Phase der Hochkonjunktur schon dann erreicht, wenn sich andere Länder noch in einem frühen Stadium des Konjunkturaufschwungs befinden. Voll ausgelastete Produktionsanlagen machen es dann unmöglich, die weiter steigende Nachfrage nach einem Produkt durch Ausdehnung der Erzeugung im Inland zu befriedigen. Die Nichtverfügbarkeit des erwünschten Produkts verweist die Käufer auf solche Auslandsproduzenten, die dank nichtausgelasteter Kapazitäten noch lieferfähig sind. Selbstverständlich fällt diese Ursache für den Außenhandel in dem Maße fort, wie auch das Ausland nicht mehr beliebig lieferfähig ist oder aber die anfänglich bestehenden Versorgungslücken im Inland dank Abschwächung der Hochkonjunktur verschwinden.

d) Kapazitätsreserven als Ursache für den Außenhandel bilden die Grundlage einer Hypothese zur Erklärung von Handelsströmen, die unter dem Namen „Vent for Surplus"-Theorie bekannt geworden ist. Nach dieser schon von Adam Smith vertretenen, in jüngerer Zeit vor allem von Myint[5]) propagierten Hypothese existieren (aus hier nicht weiter zu erörternden Gründen) in geschlossenen Volkswirtschaften oftmals Überschußkapazitäten; die Länder produzieren also nicht auf, sondern innerhalb ihrer Produktionsmöglichkeiten-

---

[5]) Myint, H., The Classical Theory of International Trade and the Underdeveloped Countries, Economic Journal, Bd. 68, 1958; vgl. auch Luckenbach, H., Wirtschaftswachstum und internationaler Handel, Freiburg 1970, vor allem S. 109 ff.

kurve. Der Angebotsüberschuß dringt dann als Exportangebot in das Ausland, ohne daß die Produktion heimischer Güter eingeschränkt werden muß; der Außenhandel fungiert als „Ventil" für den Überfluß. Da in den einzelnen Ländern normalerweise diese Überschußkapazitäten in unterschiedlichen Bereichen „verfügbar" sind, kann der Außenhandel aus dieser Sicht als „internationaler Austausch von Überschußkapazitäten" interpretiert werden.

2. Preisdifferenzen als Ursache des Außenhandels

Das Argument der Nichtverfügbarkeit erklärt hingegen nicht den Außenhandel zwischen solchen Ländern, die bestimmte Güter importieren, obwohl die gleichen Güter im eigenen Land produziert und angeboten werden oder jederzeit produziert und angeboten werden könnten. Dieser Teil des Außenhandels ist durch Preisdivergenzen bedingt: Danach werden jene Güter importiert, deren Geldpreise im Ausland niedriger als im Inland sind, und es werden solche Waren exportiert, bei deren Angebot das Inland einen Preisvorsprung besitzt. Preisunterschiede bieten allerdings nur dann einen Anreiz zur Aufnahme des Außenhandels, wenn diese Preisunterschiede nicht durch Transportkosten, Zölle und andere „Kosten der Raumüberwindung" ausgeglichen werden.

Der Geldpreis eines Gutes wird im Inland höher als im Ausland sein, wenn bei nicht allzu unterschiedlichen Nachfragebedingungen die Ware im Inland nur zu höheren Kosten als im Ausland produziert werden kann. Auch die unter 1) erörterten Ursachen des Außenhandels implizieren Kostendifferenzen, wenn man für die Kosten jener Güter, deren Produktion aus natürlichen oder entwicklungsbedingten Gründen nicht möglich ist, einen Wert von unendlich ansetzt und insofern Nichtverfügbarkeiten als Kostenunterschiede ausdrückt. Doch dürfte es wohl sinnvoll sein, den Fall der echten Kostendifferenzen von der Nichtverfügbarkeitsthese, also dem Fall fingierter Kostendifferenzen, abzuheben.

Andererseits können Preisunterschiede durch divergierende Nachfragebedingungen in den am Welthandel beteiligten Ländern verursacht sein. Auch bei gleichen Kosten könnte also der Geldpreis eines Gutes höher als im Ausland sein, wenn dieses Gut im Inland relativ stark begehrt ist. Ein solches Gut wird folglich importiert.

3. Produktdifferenzierung als Ursache des Außenhandels

Handelsbeziehungen kommen schließlich auch dann zustande, wenn Produktdifferenzierungen existieren, die Wirtschaftssubjekte also bestimmte Waren einer Gütergruppe vor allem deshalb kaufen, weil diese Waren durch echte oder vermeintliche Qualitätsvorteile, einen besonderen Markennamen oder andere Eigenschaften ausgezeichnet sind, die zu personellen oder sachlich bedingten Präferenzen führen (unvollkommene Märkte). Daher werden Güter im Ausland selbst dann gekauft, wenn dort die Preise nicht niedriger als im Inland sind. Ein Wirtschaftssubjekt, das solche Käufe vornimmt, macht mit dieser Entscheidung deutlich, daß das Gewicht der Präferenzen den Einfluß der Preise überwiegt. Da nun verschiedene Konsumenten unterschiedliche Produkte eines Warensortiments bevorzugen können, ist es durchaus auch denkbar, daß Waren, die zur gleichen Gütergruppe rechnen, nicht nur von Inländern aus dem Ausland gekauft, sondern auch von Ausländern aus dem Inland bezogen werden[6]. Beispiele für diesen reinen Austauschhandel

---

[6] Hesse, H., Die Bedeutung der reinen Theorie des internationalen Handels für die Erklärung des Außenhandels in der Nachkriegszeit, Zeitschrift f. d. ges. Staatswissenschaft, Bd. 122, 1966, S. 230 ff.

II. Das Grundprinzip des komparativen Vorteils 229

sind nicht selten: So werden Schweizer Uhren, nordische Möbel und italienische Sportwagen importiert, während deutsche Produkte der gleichen Warengruppen auf Nachfrage aus dem Ausland stoßen. Dieser von Preisüberlegungen weitgehend losgelöste Austauschhandel scheint mit wachsendem Wohlstand zuzunehmen, weil die Bedürfnisse um so differenzierter und die Produktdifferenzierungen folglich um so mannigfaltiger sein dürften, je höher die Pro-Kopf-Einkommen in den einzelnen Ländern sind.

Das unter 1) diskutierte Argument der Nichtverfügbarkeit weist Ähnlichkeiten mit der hier erörterten Produktdifferenzierungsthese auf. Italienische Sportwagen und Schweizer Uhren — so könnte man behaupten —, werden deshalb importiert, weil diese Güter mit ihren spezifischen Eigenschaften im Inland nicht verfügbar sind, mögen auch die Unterschiede zu einheimischen Waren nicht beträchtlich sein. Bei dieser Argumentation werden also italienische Sportwagen als Güter eigener Art betrachtet, die ebenso wie bestimmte Rohprodukte deshalb aus dem Ausland bezogen werden, weil sie im Inland nicht vorhanden sind. Eine solche Betrachtung wirkt jedoch gekünstelt, wenn man überlegt, daß fehlende Rohstoffe überhaupt nicht oder nur sehr unvollkommen zu ersetzen sind, während andererseits eine enge Substitutionsbeziehung zwischen italienischen und deutschen Wagen eher wahrscheinlich ist. Entscheidend ist offenbar die Definition des Gutsbegriffs, die Abgrenzung des für die Betrachtung relevanten Marktes. Faßt man alle Waren einer Gütergruppe, die durch enge Substitutionsbeziehungen ausgezeichnet sind, zu einem Gut zusammen, so kann der Import von Schweizer Uhren und italienischen Sportwagen nicht mit Hilfe der Nichtverfügbarkeitsthese gedeutet werden, wenn die Substitutionslücke zu den entsprechenden Inlandsgütern unbeträchtlich ist. Selbstverständlich kann die Frage, wann die Substitutionsbeziehung zwischen zwei Gütern eng genug ist, um diese Güter als ein Erzeugnis anzusehen, niemals allgemeinverbindlich beantwortet werden.

II. Das Grundprinzip des komparativen Vorteils

In der güterwirtschaftlichen Theorie des Außenhandels findet die Verfügbarkeitsthese in ihren verschiedenen Varianten zwar zunehmend Beachtung, doch fehlt es bisher an geschlossenen Modellansätzen, die den Verfügbarkeitsaspekt in geeigneter Weise in den Rahmen formalisierter Theoriesysteme integrieren. Da den Modellen der reinen Theorie zudem die Annahmen der vollständigen Konkurrenz zugrundeliegen, die in den Ländern erzeugten Güter demnach als homogen betrachtet werden, fehlt es bisher auch an einer systematischen Analyse der Beziehungen von Produktdifferenzierung und internationalem Handel. So steht im Mittelpunkt der Untersuchung die Bedeutung von Preisunterschieden für Richtung und Struktur der Handelsströme. Während der Einfluß der Nachfrage auf die Preise im 4. Kapitel behandelt wird, sei in den folgenden Abschnitten zunächst gefragt, wie Preisdivergenzen durch Kostenunterschiede herbeigeführt werden können. Bei dieser Untersuchung wird zunächst vom Gelde abstrahiert, so daß Kosten und Preise als Realkosten und naturale Tauschrelationen zu interpretieren sind.

a) Als Ausgangspunkt der Analyse ist die Überlegung wichtig, daß ebenso, wie zwei Personen sich auf die Erzeugung solcher Güter spezialisieren, für deren Produktion sie kraft ihrer Fähigkeiten besonders geeignet sind, auch jedes Land besondere „Fähigkeiten" aufweist, die es ihm erlauben, verschiedene Güter zu geringeren Realkosten, also mit einem kleineren Faktoreinsatz, zu erstellen als das Ausland. Auf die Herstellung solcher Waren, die zu geringeren Kosten als im Ausland produziert werden können, wird sich jedes Land spezialisieren; der internationale Handel ermöglicht es dann, im Austausch gegen diese Güter andere Produkte zu beziehen, die im eigenen Lande nur zu höheren Kosten erzeugt werden können. Ein großer Teil des Außenhandels beruht auf diesem **Prinzip der absoluten Kostenvorteile**. Sicherlich wäre es technisch möglich, viele Produkte in jedem Land zu erzeugen. Werden aber die verfügbaren Produktionsfaktoren vor allem für die Erzeugung solcher Güter eingesetzt, die unter den gegebenen Bedingungen am günstigsten produziert werden können, so kann ein Land durch Austausch dieser gegen andere Güter seinen Verbrauch an allen Gütern erheblich gegenüber jenem Zustand steigern, in dem es versucht, all das selbst herzustellen, was es benötigt.

Hier liegt nun allerdings ein Einwand nahe: Immerhin wäre es denkbar, daß ein Land befähigt ist, alle Produkte zu geringeren Kosten herzustellen als die anderen Länder, also bei jedem der fraglichen Güter einen Vorsprung besitzt. Welchen Vorteil hat ein solches Land vom Außenhandel? Ist es nicht eher wahrscheinlich, daß dieses Land auf jeden Import verzichtet, da es doch alle Güter mit besseren Produktionsmethoden und zu geringeren Kosten produzieren kann als die übrigen Gebiete? Ricardo ist nun der Nachweis gelungen, daß auch in einem solchen Falle der Außenhandel für die beteiligten Länder dann von Interesse ist, wenn trotz absoluter Kostenunterschiede in der Herstellung aller Produkte **komparative Kostendifferenzen** in dem Sinne existieren, daß die absoluten Unterschiede bei den einzelnen Produkten divergieren. In vielen Fällen ist der Kostenvorsprung eines Landes bei den einzelnen Produkten unterschiedlich groß. Dann erweist es sich für dieses Land als zweckmäßig, alle Kräfte auf die Erzeugung jener Waren zu konzentrieren, in denen der absolute Vorteil besonders groß ist, also auch ein komparativer Vorteil besteht, und diese Waren gegen andere Produkte einzutauschen, in deren Herstellung es der übrigen Welt vergleichsweise nur wenig überlegen ist und somit einen komparativen Nachteil besitzt. Andererseits können die benachteiligten Länder nur gewinnen, wenn sie ihre Produktionsfaktoren auf die Erzeugung solcher Güter lenken, bei denen ihre Unterlegenheit verhältnismäßig am geringsten ist, bei denen sie trotz absoluter Kostennachteile über komparative Vorteile verfügen.

In Lehrbüchern wird immer wieder darauf hingewiesen, daß dieses Prinzip der komparativen Kosten auch die Arbeitsteilung zwischen zwei Personen erklären kann. Dazu ein Beispiel: Ein bekannter Hochschullehrer, der einem großen Institut vorsteht, leistet als Lehrer und Forscher Hervorragendes, ist aber gleichzeitig auch ein überragender Organisator und Verwaltungsfachmann. In beiden Tätigkeiten ist er einem Verwaltungsinspektor* überlegen besitzt er einen absoluten Vorteil. Sollte er aber seine wertvolle Arbeitskraft verzetteln und einen größeren Teil seiner Arbeitszeit, die er der Forschung und Lehre widmen könnte, für die Erledigung von Verwaltungsangelegenheiten benutzen? Zwar ist der Inspektor nach unserer Annahme auch in der Ausführung verwaltender Arbeiten unterlegen, doch wenn hier sein Nachteil vergleichsweise nur gering ist, wäre es dennoch zweckmäßig, wenn er diese Arbeiten übernimmt und dadurch den Hochschullehrer in die Lage versetzt, sich auf Forschungs- und Lehrtätigkeit zu konzentrieren. Der Inspektor hat zwar keinen absoluten, wohl aber einen komparativen Vorteil in der Erledigung organisatorischer Aufgaben.

*) Anmerkung der Rose-Assistenten: Hier stand in früheren Auflagen das Wort „Assistent". Die „verbesserten" Herrschaftsstrukturen an unserem Institut ermöglichen endlich diese Änderung.

II. Das Grundprinzip des komparativen Vorteils

Das Theorem der komparativen Kosten kann durch ein einfaches Zahlenbeispiel erläutert werden. Wir unterstellen zwei Länder — als In- und Ausland bezeichnet —, die im autarken Zustand zwei Güter, z. B. Tuch und Weizen (um das Standardbeispiel der Außenhandelstheorie zu verwenden) erzeugen. Diese Beschränkung auf ein „Zwei-Länder- Zwei-Gütermodell" ist zwar nicht notwendig, sie erleichtert aber die Darstellung, ohne die Ergebnisse entscheidend zu verfälschen. In dem folgenden Zahlenbeispiel wird unterstellt, daß das Inland mit allen Produktionsfaktoren, die ihm zur Verfügung stehen, maximal 50 Weizeneinheiten o d e r 100 Tucheinheiten erzeugen kann, während das Ausland durch Einsatz seiner Produktivkräfte 100 Weizeneinheiten oder 120 Tucheinheiten zu erzeugen vermag.

	Inland	Ausland
Einheiten Weizen	50	100
Einheiten Tuch	100	120

Dieser Produktionsvorsprung des Auslandes mag zwei Ursachen haben. Einmal wäre es denkbar, daß das Ausland über eine größere Menge aller Produktionsfaktoren als das Inland verfugt, so daß es von beiden Produkten mehr erzeugen kann, wenn auch sein Vorsprung in der Weizenproduktion besonders stark ist. Die Annahme, die der Theorie der komparativen Kosten ursprünglich zugrunde lag, war allerdings anders: Danach erzeugt das Ausland auch bei in beiden Ländern g l e i c h e n Faktoreinsatzmengen mehr von allen Produkten, weil die Effizienz der Produktionsfaktoren dank besserer Schulung oder günstigerer klimatischer und sozialer Bedingungen größer, der Faktoraufwand pro erzeugter Einheit also kleiner als im Inland ist. Das Ausland wendet also geringere Realkosten für die Erzeugung beider Produkte auf. Wir wollen unseren Überlegungen zunächst die zweite Annahme zugrunde legen, wenn sich auch — wie wir später sehen werden — die gewonnenen Ergebnisse ohne Einschränkung auf den ersten Fall übertragen lassen.

Im Beispiel hat das Ausland in der Weizenproduktion einen größeren Vorteil als in der Tucherzeugung $\left(\frac{100}{50} > \frac{120}{100}\right)$. Hier besitzt es nicht nur einen absoluten, sondern auch einen komparativen Vorteil. Das Inland ist zwar in der Herstellung beider Produkte unterlegen; dieser Nachteil ist aber kleiner in der Tucherzeugung: Hier liegt zwar ein absoluter Nachteil, aber ein komparativer Vorteil vor. Das Theorem der komparativen Kosten lautet nun: Jedes Land spezialisiert sich auf die Erzeugung jenes Gutes, bei dem es einen komparativen Vorteil besitzt, und tauscht die nicht selbst verbrauchten „Überschüsse" gegen andere Güter, die es nur mit komparativen Nachteilen erzeugen könnte. Das Inland produziert und exportiert also Tuch, das Ausland produziert und exportiert Weizen.

Daß dieser Austausch für beide Länder von Interesse ist, kann aus dem Beispiel abgeleitet werden. Da das Inland maximal entweder 50 Einheiten Weizen (ab jetzt: $E.W.$) oder 100 Einheiten Tuch (ab jetzt: $E.T.$) erzeugen kann, bedeutet die Herstellung von 100 $E.T.$ den Verzicht auf 50 $E.W.$ Wir definieren nun als „opportunity costs"[7] die Mengen eines Gutes, auf welche die Volkswirtschaft verzichten muß, um bestimmte Mengen eines anderen Gutes herzustellen. Die Kosten von 100 $E.T.$ sind also 50 $E.W.$ und umgekehrt. Wir wollen zunächst annehmen, daß diese Kosten konstant sind.

---

[7] Wir verwenden diesen Ausdruck weiter, da eine Übersetzung schwierig ist. Gelegentlich wird die Bezeichnung Substitutionskosten verwendet.

Es gilt also: Die Kosten für 1 $E.W.$ sind stets:

$$\text{Weizenkosten} = \frac{2\,E.T.}{1\,E.W.}$$

Die Kosten für 1. $E.T.$ betragen immer:

$$\text{Tuchkosten} = \frac{0,5\,E.W.}{1\,E.T.}$$

Bei vollständiger Konkurrenz muß das Verhältnis, in dem sich beide Güter am Markte tauschen, natürlich den Kosten entsprechen. Wäre der in Tucheinheiten ausgedrückte Weizenpreis dagegen höher als die Weizenkosten von 2 : 1, z. B. 3 $E.T.$: 1 $E.W.$, so würden Produktionsfaktoren, die bisher in der Tucherzeugung eingesetzt waren, in zunehmendem Maße zur Produktion von Weizen verwendet werden. Das Angebot an Tuch wird sinken und das Angebot an Weizen steigen, bis die dem Kostenverhältnis entsprechende Austauschrelation von 2 : 1 wieder erreicht ist. Ähnliche Produktionsumschichtungen würden sich natürlich auch bei einem geringeren Weizenpreis ergeben.

Die gleichen Überlegungen gelten für das Ausland. Die in Tucheinheiten gemessenen Kosten des Weizens betragen hier 1,2 $E.T.$: 1 $E.W.$, so daß man im Austausch für 1 $E.W.$ 1,2 $E.T.$ zu erlangen vermag. Der Leser beachte, daß den Überlegungen naturale Austauschrelationen, keine Geldpreise zugrunde liegen. Geldpreise lassen sich aber leicht auf solche Tauschrelationen zurückführen: Verkauft sich z. B. 1 $E.W.$ zum Preis von DM 20,— und 1 $E.T.$ zum Preis von DM 10,—, so ist das Tauschverhältnis zwischen beiden Gütern natürlich 2 $E.T.$: 1 $E.W.$ Das naturale Tauschverhältnis zwischen Tuch und Weizen (2 : 1) entspricht demnach dem reziproken Wert des Preisverhältnisses dieser Güter (DM 10,— : DM 20,—). Unter Beachtung dieser Beziehungen können wir daher auch von „Preisverhältnis" an Stelle von „Austauschverhältnis" sprechen.

Der Außenhandel ist nun für beide Länder von Interesse, wenn sich nach Aufnahme der Handelsbeziehungen am Weltmarkt ein Tauschverhältnis (terms of trade) bildet, das zwischen den nationalen Preisrelationen, also zwischen 2 : 1 und 1,2 : 1 liegt. Nehmen wir an, das Austauschverhältnis, das sich herausbildet, sei 1,5 $E.T.$: 1 $E.W.$ Dieses Verhältnis tritt jetzt an die Stelle der ursprünglichen Preisrelationen. Dann erhält das Ausland für 1 $E.W.$, die es in das Inland versendet, 1,5 $E.T.$, während ohne Außenhandel 1 $E.W.$ nur gegen 1,2 $E.T.$ ausgetauscht werden kann. Das Ausland erzielt also einen Gewinn, wenn es sich auf die Erzeugung von Weizen spezialisiert und im Austausch Tuch einführt. Umgekehrt verschafft sich das Inland 1 $E.W.$ gegen Hingabe von nur 1,5 $E.T.$ —, ebenfalls ein klarer Gewinn, da im autarken Zustand 1 $E.W.$ nur für 2 $E.T.$ zu erhalten ist. Das Inland wird also seine Produktionsfaktoren in der Tucherzeugung konzentrieren und Weizen aus dem Ausland importieren. Jedes Land spezialisiert sich mithin auf die Erstellung und den Export jenes Gutes, bei dem es einen komparativen Vorteil besitzt, und wird dadurch in die Lage versetzt, eine größere Menge an Gütern zu verbrauchen, als dies vor Aufnahme des Außenhandels möglich war.

b) Nach den bisherigen Überlegungen erweist sich Außenhandel immer dann als sinnvoll, wenn die Preis- bzw. Tauschverhältnisse in den betrachteten Ländern divergieren. Wie verträgt sich diese These aber mit der in Abschnitt I aufgestellten Behauptung, daß ein Land solche Waren exportiert, deren Geldpreise niedriger als im Ausland sind und anderen Waren

II. Das Grundprinzip des komparativen Vorteils 233

importiert, die im Ausland zu geringeren Geldpreisen angeboten werden? Tatsächlich existiert zwischen diesen Thesen jedoch kein Gegensatz. Die Theorie der komparativen Kosten widerspricht also keineswegs der Erfahrungsregel, daß ein Land nur exportieren kann, wenn seine Geldpreise niedriger als im Bestimmungsland sind. Solche Unterschiede in den Geldpreisen implizieren nämlich stets auch divergierende Tauschrelationen, also komparative Vorteile bei dem einen Gut und entsprechende Nachteile bei dem anderen Produkt. Diese Behauptung sei durch ein einfaches Beispiel verdeutlicht, dem die Annahme konstanter opportunity-costs, also konstanter Tauschverhältnisse und Geldpreisrelationen, zugrundeliegt.

Geldpreise von

	1 *E*. Weizen	1 *E*. Tuch
Deutschland	40,— DM	20,— DM
USA	10,— $	8,33 $

In diesem Beispiel sind die Autarkie-Preise so gewählt, daß sich in Deutschland ein Tauschverhältnis von 1 *E.W.* : 2 *E.T.* (Preisverhältnis = 2 : 1) und in den USA von 1 *E.W.* : 1,2 *E.T.* (Preisverhältnis 1 : 0,83) ergibt. Deutschland hat also einen komparativen Vorteil bei Tuch, die USA verzeichnen einen Vorteil bei Weizen. Ist nun der Wechselkurs gleich DM 3,— für $ 1,—, so ergibt sich nach Umrechnung der Dollar-Preise in DM-Preise das folgende Bild:

Geldpreise von

	1 *E*. Weizen	1 *E*. Tuch
Deutschland	40,— DM	20,— DM
USA	30,— DM (= 10,— $)	25,— DM (= 8,33 $)

Da der Geldpreis für Weizen in den USA geringer als in Deutschland ist, werden die USA Weizen exportieren. Umgekehrt wird Deutschland Tuch exportieren, denn der Tuchpreis ist in den Vereinigten Staaten höher als in Deutschland. Für das Ergebnis ist es daher ohne Bedeutung, ob man der Analyse Geldpreisunterschiede oder divergierende Tauschrelationen zugrundelegt. Wird ein Gut auf Grund eines Geldpreisvorteils exportiert, so liegt zugleich ein komparativer Vorteil vor.

Das abgeleitete Ergebnis folgt aus der Annahme eines Wechselkurses von DM 3,— für $ 1,—. Ist nun der Wechselkurs gleich 2 : 1, so sind beide Güter in Deutschland teurer:

Geldpreise von

	1 *E*. Weizen	1 *E*. Tuch
Deutschland	40,— DM	20,— DM
USA	20,— DM (= 10,— $)	16,66 DM (= 8,33 $)

Beide Produkte werden mithin von Deutschland importiert, so daß ein Importüberschuß entsteht. Da die güterwirtschaftliche Theorie Flexibilität der Preise annimmt, folgt aus diesem Defizit ein Preisverfall der deutschen

Waren, der so lange anhalten wird, bis Tuch in Deutschland billiger als in den USA ist, dem komparativen Vorteil bei Tuch also auch ein absoluter Geldpreisvorteil entspricht. Sinkt der Weizenpreis z. B. von DM 40,— auf DM 30,—, der Tuchpreis dagegen von DM 20,— auf DM 15,—, so wird der Import von Weizen nunmehr durch Tuchexporte finanziert. Sieht man von Kapitalbewegungen einmal ab, so ist das Ausmaß des notwendigen Preisverfalls offenbar durch die Bedingung bestimmt, daß der Wert des Tuchexports dem Wert des Weizenimports entspricht, der Importüberschuß demnach beseitigt wird.

Andererseits kann bei konstanten Preisen die Anpassung auch durch eine Senkung des DM-Kurses, also eine Erhöhung des Dollar-Kurses — z. B. von 2 : 1 auf 3 : 1 — zustande kommen. Bleiben die Preise in der jeweiligen Landeswährung unverändert, so entsprechen die Güterpreise in den USA — ausgedrückt in DM — nunmehr den Werten in der zweiten der drei Zahlenübersichten. Deutschland wird somit Tuch exportieren, da der Geldpreis in den Vereinigten Staaten höher als in Deutschland ist. Auch hier wird das Maß der notwendigen Wechselkursvariation offenbar durch das Erfordernis des Leistungsbilanzausgleichs bestimmt.

Wir halten also als Ergebnis dieses Abschnitts fest: Wenn die Tauschverhältnisse zwischen zwei Gütern von Land zu Land verschieden sind, so muß der Geldpreis des einen Gutes im Inland höher und der des anderen Gutes geringer als im Ausland sein. Dieses Ergebnis gilt unter den Annahmen der reinen Theorie, daß die Preise (oder der Wechselkurs) beweglich sind, das Zahlungsbilanzgleichgewicht mithin gewahrt bleibt. Unter diesen Prämissen ist es daher auch gerechtfertigt, wenn die reine Theorie zur Erklärung der Handelsströme unmittelbar von differierenden Tauschrelationen ausgeht, obwohl es primär Geldpreisunterschiede sind, an denen sich die Wirtschaftssubjekte bei ihren Käufen orientieren.

III. Transformationsraten, Kostenverläufe und Außenhandel

1. Spezialisierung und Außenhandel bei konstanten Kosten

a) Die im Zahlenbeispiel dargestellten Produktionsmöglichkeiten lassen sich in Koordinatensystemen abbilden, auf deren Achsen die Menge der Tucheinheiten (x_1) und die Menge der Weizeneinheiten (x_2) abgetragen sind. Die in Abb. 56a (Inland) abgebildete Kurve — als **Transformationskurve** oder Kurve der Produktionsmöglichkeiten bezeichnet — gibt dann an, daß das Inland mit gegebenen Faktormengen maximal entweder 50 $E. W.$ oder 100 $E. T.$ oder bestimmte Kombinationen beider Güter, die durch die Koordinaten der einzelnen Punkte auf der Kurve gemessen werden, zu produzieren vermag. Jeder Produktionspunkt innerhalb des durch die Kurve eingegrenzten Bereichs ist natürlich auch zu realisieren — aber nur um den Preis einer nicht vollen Ausschöpfung aller Produktionsmöglichkeiten. Das Steigungsmaß dieser Kurve — gemessen durch den Tangens des Winkels α (2 : 1) — kann als durchschnittliche Transformationsrate bezeichnet werden, da die Steigung angibt, daß 100 Tucheinheiten in 50 Weizeneinheiten „transformiert" werden können, wenn man die Tucherzeugung aufgibt und die dadurch freigesetzten Faktoren in der Weizenproduktion verwendet. Die Steigung in einem beliebigen Punkte $-\dfrac{dx_1}{dx_2}$, die das Transformationsverhältnis „an der Grenze" mißt, bezeichnet man dementsprechend als „Grenzrate der Transformation von Tuch in Weizen". Dieser Quotient gibt in

III. Transformationsraten, Kostenverläufe und Außenhandel

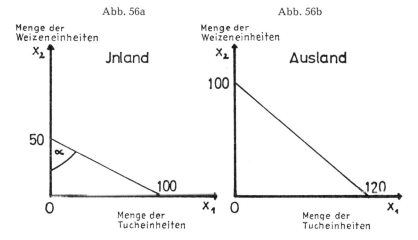

Abb. 56a, also an, daß zwei Einheiten Tuch aufgegeben werden müssen, um eine zusätzliche Einheit Weizen herzustellen: 2 E.T. werden in 1 E.W. „transformiert". Demgegenüber bezeichnet das Verhältnis $-\dfrac{dx_2}{dx_1}$ (1 : 2) die „Grenzrate der Transformation von Weizen in Tuch". Beide marginalen Transformationsraten sind also jeweils so definiert, daß im Zähler die Mengen des aufgegebenen Gutes (Kosten), im Nenner die zusätzlich erlangten Mengen des anderen Gutes stehen. Die Grenzrate der Transformation ist im vorliegenden Falle konstant und mit der durchschnittlichen Transformationsrate identisch (Annahme linearer Transformationskurven). Eine konstante marginale Transformationsrate bedeutet natürlich konstante Grenzkosten (im Sinne der opportunity-costs): Zur Herstellung einer zusätzlichen Einheit Tuch muß s t e t s auf die Erzeugung von 0,5 Einheiten Weizen und zur Erzeugung einer zusätzlichen Einheit Weizen auf die Herstellung von 2 Einheiten Tuch verzichtet werden. Auf gleiche Weise lassen sich auch Transformationsrate und Kosten im Ausland bestimmen (Abb. 56b). In beiden Fällen bestimmt die Steigung dieser Kurven nicht nur die Transformationsrate, sondern auch die opportunity-costs: Die marginale Transformationsrate von Tuch in Weizen $-\dfrac{dx_1}{dx_2} = \dfrac{2}{1} (\text{oder} \dfrac{1,2}{1})$ ist nur ein anderer Ausdruck für die marginalen opportunity-costs des Weizens, da eine zusätzliche Einheit Weizen 2 E.T. (oder 1,2 E.T.) kostet.

Da bei Konkurrenz das Austauschverhältnis den marginalen opportunity-costs entsprechen muß, mißt das Steigungsmaß der Transformationskurve nicht nur die Kosten, sondern auch das Verhältnis, zu dem Tuch und Weizen am Markt getauscht werden. Das Tauschverhältnis zwischen zwei Gütern wird aber durch das Verhältnis ihrer Preise bestimmt: Deshalb kann man eine solche Kurve auch als P r e i s l i n i e bezeichnen. Bei konstanten Grenzkosten wird das Austauschverhältnis nur durch diese Kosten, nicht aber durch die Nachfrage bestimmt. Die Nachfragebedingungen entscheiden lediglich über das Verhältnis zwischen Tuch- und Weizenproduktion, über die Lage der Punkte, die auf den Transformationskurven realisiert werden.

In den Abb. 57a und 57b nehmen wir an, daß vor Aufnahme des Außenhandels das Inland die dem Punkte A und das Ausland die dem Punkte B entsprechenden Tuch- und Weizenmengen produziert. Das Verhältnis, in dem Tuch und Weizen erzeugt wird, muß sich jedoch ändern, nachdem die Handelsbeziehungen eröffnet sind. Während im autarken Zustand 1 $E.W.$ im Inland gegen 2 $E.T.$ und im Ausland gegen 1,2 $E.T.$ getauscht werden kann (vgl. die Anstiegsmaße der Transformationskurven), bildet sich nach Aufnahme des Außenhandels aus Weltangebot und Weltnachfrage ein einheitliches Tauschverhältnis, das an die Stelle der bisherigen nationalen Tauschrelationen tritt. Diese neue Tauschrelation ist für beide Länder natürlich nur dann gleich, wenn von Transportkosten, Zöllen und anderen Handelshemmnissen abgesehen wird. Unter diesen Voraussetzungen verschmelzen beide Länder zu einem einheitlichen Wirtschaftsgebiet — einem vollkommenen Markt —, auf dem nur ein Preisverhältnis existieren kann.

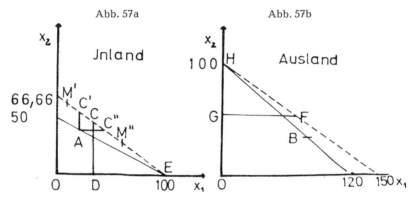

Abb. 57a   Abb. 57b

Die genaue Höhe der Weltmarktpreise wird von den jeweiligen Angebotsbedingungen und der relativen Dringlichkeit der internationalen Nachfrage nach beiden Produkten bestimmt. Wir wollen wie in unserem Zahlenbeispiel annehmen, daß nach Eröffnung des Außenhandels 1 $E.W.$ gegen 1,5 $E.T.$ getauscht werden kann. Die neuen Preislinien, die nun nicht mehr mit den Transformationskurven identisch sind, haben dann die in Abb. 57a und 57b gezeichnete Form (gestrichelte Kurven): Das Inland erhält für 1 $E.T.$ nicht mehr länger 0,5, sondern 0,66 $E.W.$, das Ausland bekommt im Austausch gegen 1 $E.W.$ nicht mehr 1,2, sondern 1,5 $E.T.$ Folglich wird sich das Inland auf die Produktion von Tuch (Punkt E), das Ausland auf die Produktion von Weizen spezialisieren (Punkt H). Welche Mengen werden nun ausgetauscht? Auch diese Frage kann endgültig erst dann beantwortet werden, wenn die Konsumgewohnheiten der Verbraucher in beiden Ländern bekannt sind. Wir wollen unterstellen, daß das Inland OD Tucheinheiten selbst verbraucht und die durch DE angegebene Menge exportiert. Für diese Menge exportierten Tuches erhält es aus dem Ausland eine Weizenmenge, die durch den Anstieg der neuen Preislinie bestimmt ist: Das Inland importiert also DC Weizen. Gegenüber dem autarken Zustand (Punkt A) kann demnach der Verbrauch sowohl von Tuch als auch von Weizen erhöht werden. Natürlich könnten bei entsprechenden Nachfragebedingungen auch andere Austauschpunkte verwirklicht werden: Dann erlaubt der Außenhandel einen gesteigerten Weizenverbrauch bei gleichem Tuchkonsum wie im autarken Zustand (Punkt C') oder einen erhöhten Tuchverbrauch bei konstantem Weizenkonsum (Punkt C''). Schließlich wäre es sogar denkbar, daß Tuch- oder Weizenverbrauch geringer als vor Eröffnung des Außenhandels sind (M' oder M''); dafür ist es aber möglich, den Verbrauch des anderen Gutes in besonders starkem Maß zu steigern.

III. Transformationsraten, Kostenverläufe und Außenhandel 237

Die gleichen Überlegungen gelten für das Ausland. Da dieses in der Lage ist, zu einer Austauschrelation von 1 $E.W.$: 1,5 $E.T.$ Außenhandel zu betreiben, sind die Konsummöglichkeiten nicht länger durch die eigene Produktion beschränkt. Das Ausland wird seine Produktionsfaktoren auf die Herstellung von Weizen konzentrieren und im Austausch gegen Tuchimporte, z. B. in Höhe von GF, eine bestimmte Weizenmenge GH exportieren.

b) Den Überlegungen wurde ein Tauschverhältnis von 1 $E.W.$: 1,5 $E.T$ zugrunde gelegt, ohne daß wir zu erklären versuchten, wie dieses Verhältnis zustande kam. Wodurch ist das Preisverhältnis nun bestimmt, auf welchem Niveau wird es sich einspielen? Diese Frage läßt sich bei Kenntnis der Produktionsmöglichkeiten allein nicht beantworten; zusätzliche Informationen über die Nachfragestrukturen sind notwendig, um dieses Preisverhältnis genau zu bestimmen. Nur soviel läßt sich jetzt schon sagen: Das Austauschverhältnis muß die Bedingung erfüllen, daß Tuchangebot des Inlandes (ED) und Tuchnachfrage des Auslandes (GF) einerseits sowie Weizennachfrage des Inlandes (CD) und Weizenangebot des Auslandes (GH) andererseits übereinstimmen. Nur in diesem Falle wird „der Markt geräumt", sind die relativen Preise von Tuch und Weizen echte „Gleichgewichtspreise". Ist z. B. bei einem Tauschverhältnis von 1 $E.W.$: 1,5 $E.T.$ das Tuchangebot des Inlands kleiner als die Tuchnachfrage des Auslands, so steigt der Preis des Tuches, ausgedrückt in Weizeneinheiten — die gestrichelten Preislinien werden also steiler —, bis Exportangebot und Importnachfrage einander entsprechen. Dem Steigen des Tuchpreises sind natürlich Grenzen gesetzt: Hat sich das Austauschverhältnis zugunsten des Tuches bis auf 1 $E.W.$: 1,2 $E.T.$ verändert — was zugleich eine Verringerung des relativen Weizenpreises bedeutet —, und übersteigt die Auslandsnachfrage bei diesem Verhältnis noch immer das Inlandsangebot, so hört die Spezialisierung auf, vollständig zu sein. Da im Ausland Weizen in der Rate 1.1,2 — also in der gleichen Rate wie am Weltmarkt — in Tuch „transformiert" werden kann, wird die Tucherzeugung auf Kosten der Weizenproduktion aufgenommen, um jene Lücke, die beim Preisverhältnis 1 $E.W.$: 1,2 $E.T.$ vom Inland nicht geschlossen werden kann, durch Steigerung der eigenen Tucherzeugung zu beseitigen. Auch bei konstanten Kosten muß daher die Spezialisierung nicht notwendig vollständig sein. Das ist insbesondere dann der Fall, wenn zwei Länder mit beträchtlichen Größenunterschieden Außenhandel treiben. Der Export des kleinen Landes (im Beispiel: des Inlandes) wird dann auch bei einem Preisverhältnis, das das kleine Land besonders begünstigt, oft nicht ausreichen, um die Importwünsche seines großen Partners zu befriedigen. Hat sich das Austauschverhältnis zugunsten des kleinen Landes so geändert und zuungunsten des großen Landes derart verschoben, daß dieses Verhältnis der Transformationsrate im großen Land entspricht (1:1,2 im Beispiel), so wird der größere Partner die importierte Ware zum Teil auch selbst erzeugen und die Produktion des eigenen Exportgutes vermindern. Die Gewinne aus dem Außenhandel — angezeigt durch das unterschiedliche Steigungsmaß von Transformationskurve und Preislinie — fallen dann lediglich dem kleinen Handelspartner zu. (Der Leser mache sich klar, daß das Anstiegsmaß der von E ausgehenden Preislinie im Inland dann nicht 66,66 : 100 oder 1 : 1,5, sondern 83,33 : 100 oder 1 : 1,2 beträgt. Der Punkt C liegt dann weiter rechts oben, impliziert also einen größeren Verbrauch von Tuch und Weizen als beim Verhältnis von 1 : 1,5.)

Warum kann aber das Preisverhältnis die Grenze 1 $E.W.$: 1,2 $E.T.$ nicht überschreiten; warum kann nicht der Tuchpreis auf 1 : 1,1 steigen, wenn die Tuchnachfrage des Auslandes das Tuchangebot des Inlandes auch beim Verhältnis **1 : 1,2** noch übertrifft? Offensichtlich würde dann nicht nur das Inland, sondern auch das Ausland sich voll auf die Produktion von Tuch spezialisieren und dieses Tuch auch zum Export anbieten: Ein Außenhandel wäre dann nicht möglich. Umgekehrt würde bei einem Austauschverhältnis von **1 : 2,1** neben dem Ausland auch das Inland zur Produktion von Weizen übergehen und die Erzeugung von Tuch einstellen. Außenhandel wäre auch dann nicht denkbar. Bieten beide Länder entweder nur Tuch oder nur Weizen an, wie es der Fall wäre, wenn das Austauschverhältnis außerhalb jener Grenzen liegt, die durch die nationalen Transformationsraten bestimmt sind, so müßten Tuch bzw. Weizen so lange im Preise fallen, bis es für jedes Land wieder zweckmäßig ist, sich auf die Produktion eines anderen Gutes zu spezialisieren als das Partnerland. Das aber ist nur der Fall bei einem Preisverhältnis, das innerhalb der durch die Transformationsraten gezogenen Grenzen von **1 : 1,2** und **1 : 2** oder an einer dieser Grenzen liegt.

c) Die bisherige Darstellung beruht auf der Annahme, daß das Ausland von beiden Gütern mehr erzeugen kann als das Inland: Die Transformationskurve des Auslandes schneidet beide Achsen bei größeren Zahlenwerten als die des Inlandes. Die abgeleiteten Ergebnisse sind aber in vollem Umfang auch dann gültig, wenn jeweils ein Land nur von einem Gut mehr erzeugt als das andere. Dieser klassische Fall der absoluten Kostenvorteile ist in Abb. 58 dargestellt: Das Inland übertrifft das Ausland in

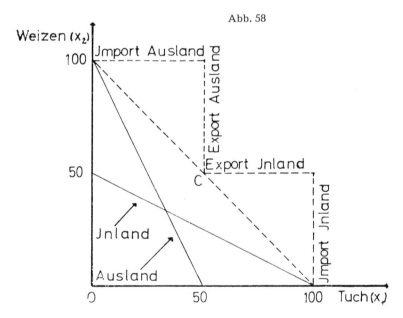

Abb. 58

der Tucherzeugung, das Ausland hat einen Vorsprung in der Weizenproduktion. Auf der gestrichelten, für beide Länder gleichen Preislinie sei C der Konsumpunkt sowohl des Inlandes als auch des Auslandes. Dann exportiert das Inland Tuch, also jenes Gut, in dessen Herstellung es einen absoluten Vorteil besitzt, und importiert Weizen, der vom Ausland unter günstigeren Bedingungen hergestellt werden kann. Entsprechend exportiert das Ausland Weizen und importiert Tuch. Absolute Vorteile schaffen also die gleiche Basis für den Außenhandel wie komparative Vorteile. A u ß e n -

handel ist immer dann möglich, wenn die Transformationsraten, also die opportunity-costs, in beiden Ländern differieren und folglich ein Preisverhältnis (1:1 im Beispiel) gefunden werden kann, das zwischen diesen Raten liegt. Dieses Preisverhältnis erlaubt es beiden Ländern, den Verbrauch an Gütern über die internen Produktionsmöglichkeiten hinaus zu erhöhen. Nicht die Entfernungen der Transformationskurven vom Nullpunkt sind entscheidend, sondern ihre unterschiedlichen Steigungsmaße, nicht daß Produktionsvorteile überhaupt existieren ist von Bedeutung, sondern daß die Vorteile auf verschiedenen Gebieten liegen: Das Kostenverhältnis muß unterschiedlich sein. Daraus ergibt sich zugleich eine weitere wichtige Konsequenz: Wenn unterschiedliche Transformationsraten die Basis des Außenhandels sind, dann ist es völlig gleichgültig, wodurch diese Unterschiede in den opportunity-costs bedingt sind. Vielleicht hat — wie Ricardo annahm — das Ausland bei gleicher Faktorausstattung wie im Inland einen größeren Produktivitätsvorsprung in der Erzeugung von Weizen als in der Erzeugung von Tuch — in der es einen komparativen oder gar absoluten Nachteil besitzt (wie in Abb. 58) —, oder es sind die beiden Länder bei gleichen Faktorproduktivitäten in unterschiedlichen Proportionen mit Produktionsfaktoren ausgestattet: Das Inland hat einen Vorsprung in der Tucherzeugung, wenn es über reichlich Arbeit und Kapital verfügt, das Ausland dominiert in der Weizenproduktion, sofern Grund und Boden „im Überfluß" vorhanden und die klimatischen Bedingungen günstig sind. Die Ursachen komparativer Kostendifferenzen werden im nächsten Kapitel eingehender zu behandeln sein. Hier genügt zunächst der Hinweis, daß die Unterschiede in den Transformationsraten von Bedeutung sind — gleichgültig, wodurch sie verursacht wurden.

2. Spezialisierung und Außenhandel bei steigenden Kosten

a) Wir lassen nun die Annahme konstanter Kosten fallen und unterstellen, daß die Ausdehnung der Produktion von Weizen oder Tuch mit steigenden opportunity-costs, d. h. zunehmenden marginalen Transformationsraten, verbunden ist. Wenn die fortlaufende Erhöhung z. B. der Weizenproduktion eine Zunahme der Grenzrate der Transformation von Tuch in Weizen impliziert — der Quotient $-\dfrac{dx_1}{dx_2}$ sich demnach mit steigender Weizenproduktion erhöht —, muß die Transformationskurve konkav zum Ursprung verlaufen (Abb. 59). In dieser Annahme sind steigende Kosten impliziert: Aus Abb. 59 geht hervor, daß bei Erhöhung der Weizenproduktion um konstante Mengen die Tucherzeugung um so stärker eingeschränkt werden muß, je mehr Einheiten des Gutes Weizen bereits vorhanden sind ($\Delta x_1'' > \Delta x_1' > \Delta x_1$). Die Herstellung zusätzlicher Einheiten Weizen „kostet" also die Aufgabe von Tuch in steigenden Raten. Es gibt mehrere Gründe für steigende Kosten. Haberler[8]) sieht die Ursache vor allem in der Existenz „spezifischer" Produktionsmittel. Jedes der beiden Güter wird einerseits mit Hilfe spezifischer Faktoren erzeugt — Mähmaschinen und Ackerschlepper in der Landwirtschaft, Webstühle in der Tucherzeugung —, die sich nicht oder nur beschränkt zur Produktion des anderen Gutes eignen, während andererseits ungelernte Arbeitskräfte als „nicht-

---

[8]) Haberler, G., Der internationale Handel, Berlin 1933, S. 134.

spezifische" Produktionsfaktoren in der Erzeugung beider Produkte zu verwenden sind. Durch Ausdehnung der Weizenproduktion werden dann vor allem die nicht-spezifischen Faktoren aus der Tucherzeugung abgezogen: In der Tuchindustrie entstehen Abweichungen von der „günstigsten" Kombination zwischen spezifischen und nicht-spezifischen Faktoren, die ständig größer werden, je mehr die Weizenerzeugung wächst. Daher steigt die Tuchmenge, die aufgegeben werden muß, um eine zusätzliche Weizeneinheit zu produzieren, um so mehr, je größer die Weizenproduktion bereits ist. Wir werden aber später sehen, daß steigende Kosten auch durch andere — und vielleicht noch wichtigere — Ursachen bedingt sein können.

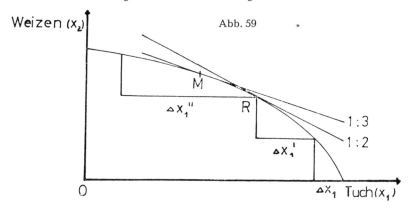

Abb. 59

Bei steigenden Kosten wird das nationale Austauschverhältnis nicht länger durch die Transformationskurve allein bestimmt. Da die Kosten in jedem Punkt der Transformationskurve unterschiedlich sind, bestimmt die Nachfrage mit dem Verhältnis, in dem beide Güter erzeugt werden, auch die jeweils relevanten Kosten und damit das Austauschverhältnis. Betrachten wir z. B. Punkt M (Abb. 59), von dem wir annehmen, daß er die Kombination angibt, in der beide Güter erzeugt werden. Die marginalen opportunitycosts für 1 $E.W.$ sind hier gleich 3 $E.T.$; die Produktion von 1 $E.W.$ erfordert also an der Grenze die Aufgabe von 3 $E.T.$ Die marginalen Kosten (Transformationsverhältnis) werden dann durch den Anstieg der Tangente in M angegeben. Wenn aber das Austauschverhältnis zwischen Weizen und Tuch den marginalen Kosten entspricht, mißt der Anstieg der Tangente zugleich die Austauschrelation: Die Tangente ist auch eine Preislinie.

Um nun zu zeigen, daß Austauschverhältnis und Grenzrate der Transformation übereinstimmen müssen, wollen wir die Konsequenzen einer Abweichung überprüfen. Zu diesem Zwecke wollen wir annehmen, daß bei gegebenem Tauschverhältnis von 1 $E.W.$ — 3 $E.T.$ die den Koordinaten des Punktes R entsprechenden Mengen erzeugt werden, Austauschverhältnis (1 : 3) und Kosten (1 : 2) also auseinanderklaffen. Da die Kosten für eine Einheit Weizen in R zwei Einheiten Tuch betragen (vgl. Anstieg der Tangente in R), die Einheit Weizen aber am Markte gegen drei Einheiten Tuch getauscht werden kann, ist es zweckmäßig, die Weizenerzeugung auszudehnen, bis ein Punkt wie M erreicht ist, in dem das „interne Transformationsverhältnis" dem „externen", am Markte herrschenden Transformationsverhältnis entspricht und keine Gewinne aus einer weiteren Produktionsumstellung gezogen werden können. Umgekehrt wäre es unzweckmäßig, die R entsprechenden Tuchmengen zu produzieren, weil der am Markt gezahlte, in Weizeneinheiten ausgedrückte

III. Transformationsraten, Kostenverläufe und Außenhandel 241

Tuchpreis (0,33 E. W. für 1 E. T.) geringer als die opportunity-costs des Tuches (0,5 E. W. für 1 E. T.) ist.

b) Das Anstiegsmaß der Transformationskurve und die Güterpreise wurden bisher in realen Größen ausgedrückt: als marginale opportunity-costs und reale Austauschverhältnisse. Der Produktionspunkt (z. B. M) ist dann durch die Bedingung charakterisiert, daß der „reale" Preis eines Gutes, ausgedrückt in Mengeneinheiten des anderen Gutes, den „realen" Kosten dieses Gutes, gemessen in Einheiten des anderen Gutes, entspricht. Es ist nun aber unter bestimmten Voraussetzungen möglich, die realen in monetäre Größen zu überführen, also Geldpreise und monetäre Grenzkosten zu verwenden. Zu diesem Zwecke nehmen wir an, daß die Tuchproduktion um einen geringen — streng genommen: unendlich kleinen — Betrag vermindert (dx_1) und die Weizenerzeugung in geringem Umfang vermehrt (dx_2) wird. (Bewegung entlang der Transformationskurve von der x_1- zur x_2- Achse). Bezeichnet man die durch Einschränkung der Tucherzeugung freigesetzten Mengen zweier Produktionsfaktoren mit dv und dz und deren Preise mit V und Z, so sinken die Gesamtkosten K_1 der Tuchproduktion um

$$dK_1 = dv \cdot V + dz \cdot Z. \qquad (1)$$

Verwenden beide Sektoren die gleichen Produktionsfaktoren und sind diese Faktoren untereinander substituierbar, so können — wie wir auf S. 248 ff. eingehender sehen werden — die in der Tucherzeugung freigesetzten Faktoren vollständig in der Weizenproduktion verwendet werden[9]). Bei vollständiger Konkurrenz auf den Faktorenmärkten sind fernerhin die Faktorpreise in beiden Sektoren gleich. Folglich muß die Zunahme der Gesamtkosten dK_2, die durch Ausdehnung der Weizenproduktion bedingt ist, der Verminderung der Kosten in der Tucherzeugung entsprechen:

$$- dK_1 = dK_2. \qquad (2)$$

Die Veränderung der Gesamtkosten bestimmt die Höhe der monetären Grenzkosten (GK), die durch

$$GK_1 = \frac{dK_1}{dx_1} \text{ und } GK_2 = \frac{dK_2}{dx_2} \qquad (3)$$

definiert sind. Einsetzen in Gleichung (2) ergibt:

$$- GK_1 \cdot dx_1 = GK_2 \cdot dx_2$$

oder

$$- \frac{dx_1}{dx_2} = \frac{GK_2}{GK_1} \qquad (4)$$

Da $-\dfrac{dx_1}{dx_2}$ — die Grenzrate der Transformation von Tuch in Weizen — dem Verhältnis der Grenzkosten von Nr. 2 zu Nr. 1 entspricht, wird das Steigungsmaß der Transformationskurve in einem Punkte auch durch das Verhältnis der monetären Grenzkosten bestimmt. Anders ausgedrückt: Die

---

[9]) Die Ableitung beruht also auf der Annahme der Vollbeschäftigung aller Faktoren. Diese Voraussetzung ist nicht immer erfüllt, wenn die Faktoren in einem Limitationsverhältnis stehen. Dann müßten z. B., nachdem nicht-spezifische Produktionsmittel aus der Tuchindustrie abgezogen sind, die verbleibenden spezifischen Produktionsmittel freigesetzt werden.

opportunity-costs einer zusätzlichen Einheit Weizen dx_2 — also $-\dfrac{dx_1}{dx_2}$ — entsprechen dem Verhältnis der Geldgrenzkosten von Weizen GK_2 und Tuch GK_1.

Bei vollständiger Konkurrenz auf den Gütermärkten stimmen Preise und Grenzkosten überein, so daß die relativen Preise dem Verhältnis der Grenzkosten entsprechen:

$$-\frac{dx_1}{dx_2} = \frac{GK_2}{GK_1} = \frac{P_2}{P_1}.$$

(5)

Bei gegebenem Verhältnis der Geldpreise entscheiden demnach die relativen Grenzkosten über die Zusammensetzung des produzierten Güterbündels, über den Produktionspunkt, der auf der Transformationskurve realisiert wird. Legt man an diesen Produktionspunkt die Tangente, so mißt die Steigung dieser Linie $\left(-\dfrac{dx_1}{dx_2}\right)$ das Verhältnis der Grenzkosten und der Preise zugleich.

c) Vor Aufnahme des Außenhandels seien A und B die Produktionspunkte des In- und Auslandes (Abb. 60 und 61). Die an A und B gelegten Tangenten I und II messen das Verhältnis der Grenzkosten und der Preise in diesem Punkte. Weil die Preislinie I flacher als die Linie II verläuft, ist das Verhältnis zwischen Weizen- und Tuchpreis im Inland höher als im Ausland: Für eine Einheit Weizen wird im Inland, verglichen mit dem Ausland, eine größere Menge Tuches hingegeben. Nach Eröffnung des Außenhandels bildet sich aus Weltangebot und Weltnachfrage ein neues Preisverhältnis, das an die Stelle der nationalen Preise tritt. Dieses Preisverhältnis sei durch das Steigungsmaß der Linien III und IV, die parallel verlaufen, angegeben. Weil sich im Inland das Austauschverhältnis zugunsten des Tuches (und zuungunsten von Weizen) verändert hat — Gerade III ist steiler als I —, wird die Tucherzeugung (Weizenerzeugung) ausgedehnt (eingeschränkt), bis ein neuer Gleichgewichtspunkt E erreicht ist, in dem das Verhältnis der Preise dem der Grenzkosten entspricht. Umgekehrt vergrößert das Ausland seine Weizenproduktion bis zum Produktionspunkt D.

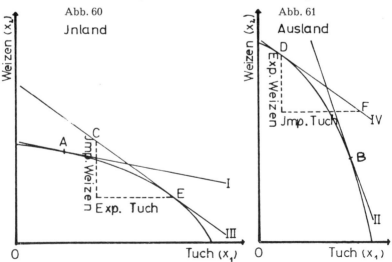

Abb. 60 Jnland

Abb. 61 Ausland

III. Transformationsraten, Kostenverläufe und Außenhandel 243

Jedes Land spezialisiert sich also wieder auf die Erzeugung jenes Produktes, bei dem es einen komparativen Vorteil besitzt. Aber die Spezialisierung ist normalerweise nicht mehr vollständig: W ä h r e n d b e i k o n s t a n t e n K o s t e n j e d e s L a n d n u r n o c h e i n P r o d u k t e r z e u g t , w e n n n i c h t a l l z u s t a r k e G r ö ß e n u n t e r s c h i e d e z w i s c h e n d e n H a n d e l s p a r t n e r n b e s t e h e n , e r w e i s t e s s i c h n u n m e h r a l s v o r t e i l h a f t , a u c h j e n e s G u t , b e i d e m d a s a n d e r e L a n d e i n e n V o r s p r u n g b e s i t z t , i n g e w i s s e m U m f a n g w e i t e r z u p r o d u z i e r e n [10]). Die unvollkommene Spezialisierung ist natürlich die Folge steigender Kosten. Weil die Umstellung der Produktion die Grenzkosten des Weizens im Ausland erhöht und im Inland vermindert, werden schließlich Produktionsniveaus erreicht, bei denen die Überlegenheit des Auslandes in der Weizenerzeugung verlorengeht. Das Inland kann also Weizen auf günstigen Böden weiter produzieren. Umgekehrt besitzt das Inland zwar einen Vorsprung in der Tuchherstellung, doch gehen die Vorteile immer mehr verloren, wenn die Grenzkosten des Tuches mit wachsender Erzeugung steigen. Daher wird es dem Ausland auch nach Eröffnung des Außenhandels möglich sein, die Produktion von Tuch in den besten Produktionsstätten fortzuführen.

Das Verbrauchsniveau in beiden Ländern kann endgültig erst dann bestimmt werden, wenn auch die Nachfrage bekannt ist. Die konsumierten Mengen werden durch irgendwelche Punkte auf den Preislinien *III* (links von *E*) und *IV* (rechts von *D*) repräsentiert. Sind *C* und *F* diese Verbrauchspunkte, so exportiert und importiert das Inland die durch die gestrichelten Linien angegebenen Tuch- und Weizenmengen, die natürlich im Gleichgewicht mit den Weizenexporten und Tuchimporten des Auslandes (vgl. die gestrichelten Linien in Abb. 61) übereinstimmen müssen. Wiederum haben beide Länder ihre Transformationskurven „verlassen" (*C* und *F* liegen außerhalb dieser Kurven): Der Außenhandel erlaubt es ihnen, den Verbrauch über die Produktionsmöglichkeiten hinaus zu erhöhen. Dabei entscheidet wieder die Nachfrage über die Zusammensetzung des Verbrauchs, ob mehr von Tuch u n d Weizen konsumiert wird (wie im Beispiel), oder ob der Verbrauch des einen Gutes etwas eingeschränkt, dafür aber der des anderen in besonderem Maße vergrößert wird.

Mit den vorangegangenen Ausführungen dürfte auch eine Frage gelöst sein, die dem Anfänger oft Schwierigkeiten bereitet. Diese oft gestellte Frage lautet: „Warum sollte eine Ware noch exportiert oder importiert werden, wenn das Verhältnis der Inlandspreise dem der Auslandspreise entspricht? Dann kann man Tuch am Inlandsmarkt doch im gleichen Verhältnis gegen Weizen eintauschen wie am Weltmarkt auch." Die Antwort lautet natürlich: Die relativen Preise sind deshalb gleich, w e i l Außenhandel existiert. Denn nach jeder Einschränkung des Außenhandels müßten die relativen Preise voneinander abweichen, so daß die Handelsbeziehungen von neuem aufgenommen — und die Preisverhältnisse wieder angeglichen werden.

3. Spezialisierung und Außenhandel bei sinkenden Kosten

Viele Güter werden unter den Bedingungen sinkender opportunity-costs produziert, so daß die Produktion zusätzlicher Mengen eines Gutes die

---

[10] Nur wenn die Preislinie die Transformationskurve im Schnittpunkt mit einer Achse berührt, wird sich dieses Land vollständig spezialisieren.

Aufgabe der Mengen eines anderen Gutes in immer kleineren Raten erfordert. Wie später im einzelnen zu zeigen ist, können sich sinkende opportunity-costs dann ergeben, wenn die Produktionsfunktionen überlinear-homogen sind, also wachsende Niveaugrenzprodukte (increasing returns to scale) existieren.

Bei sinkenden Kosten verläuft die Transformationskurve konvex nach unten, wie in Abb. 62 dargestellt. Wenn die Handelsbeziehungen noch nicht aufgenommen sind, werden die Güter Nr. 1 und Nr. 2[11]) in einem bestimmten Mischungsverhältnis, z. B. jenem, das Punkt A entspricht, erzeugt. Dieser Produktionspunkt wird jedoch sofort verlassen, wenn sich das Preisverhältnis durch den Außenhandel nur etwas verschiebt. Es sei z. B. angenommen, daß sich das Tauschverhältnis zugunsten von Gut 1 verändert, wie durch die Preislinie II angegeben wird. Weil Gut 1 unter der Bedingung sinkender Kosten erzeugt wird, findet die Produktionsausdehnung keine Grenze, ehe nicht alle Faktoren in der Erzeugung dieses Gutes eingesetzt sind (Punkt E). Die Spezialisierung ist also normalerweise vollständig[12]). Wäre ursprünglich der Preis des Gutes 2 gestiegen, so würde die Erzeugung dieses Gutes ausgedehnt worden sein.

Abb. 62

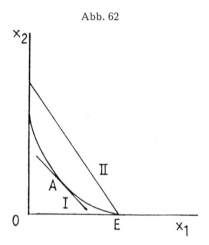

Sinkende Kosten erklären, warum Außenhandel zwischen Ländern selbst dann möglich ist, wenn keine komparativen Kostendifferenzen bestehen. Auch bei identischen Transformationskurven würde es für jedes Land von Nutzen sein, sich auf die Herstellung eines bestimmten Produktes zu spezialisieren und diese Ware gegen das Erzeugnis des anderen Landes auszutauschen. Bei sinkenden Kosten in beiden Wirtschaftszweigen entstehen immer Vorteile, gleichgültig, ob alle Produktionsfaktoren in der Erzeugung des einen oder des anderen Gutes verwendet werden. Unzweifelhaft beruht der Außenhandel zu einem Teil auf sinkenden Kosten. Viele Länder, zwischen

---

[11]) Wir sprechen von zwei beliebigen Gütern 1 und 2, nicht von Weizen und Tuch, da Weizen sicher nicht unter den Bedingungen sinkender Kosten erzeugt wird.
[12]) Es gibt Ausnahmen. Vgl. M a t t h e w s, R. C. O., Reciprocal Demand and Increasing Returns, Review of Economic Studies, Bd. 17, 1949—50, S. 152 ff.

III. Transformationsraten, Kostenverläufe und Außenhandel

denen im Ausgangszustand keine Kostenunterschiede und Geschmacksdifferenzen bestehen, würden niemals miteinander Außenhandel treiben, wenn nicht die Produzenten dieser Länder die Vorteile der Massenproduktion entdeckt hätten. Indem die Spezialisierung jeweils in verschiedenen Richtungen vorangetrieben wird, entstehen Kostenvorteile auf unterschiedlichen Gebieten, die ohne Spezialisierung nicht erschlossen worden wären. Dabei wird oft durch historische Zufälligkeiten und nicht durch rationale Entscheidungen bestimmt, ob sich die Länder auf das eine oder andere Gut spezialisieren, ob sie Kostenvorteile beim einen oder anderen Produkt erringen.

3. Kapitel:
Produktionsgrundlagen des internationalen Handels

Sieht man von unterschiedlichen Nachfragebedingungen einmal ab, so ist Außenhandel möglich und sinnvoll, wenn relative Kostendifferenzen existieren, die Transformationskurven zweier Länder sich also in der Steigung (bei konstanten Kosten) oder in Form und Krümmung (bei steigenden Kosten) unterscheiden. Warum entstehen aber solche Kostendifferenzen? Wodurch werden Unterschiede in den Produktionsbedingungen zweier Länder hervorgerufen? Um diese Fragen gründlicher als bisher zu beantworten, ist es notwendig, die produktionstheoretischen Hintergründe des internationalen Handels aufzudecken und die Transformationskurven aus den Produktionsfunktionen der beteiligten Länder abzuleiten.

I. Produktionsfunktionen und Transformationskurven

1. Die geometrische Darstellung einer Produktionsfunktion

Produktionsfunktionen von der Art $x = f(v_1, v_2, \ldots v_n)$ beschreiben die Abhängigkeit der produzierten Menge x eines Gutes von den zur Erzeugung dieses Gutes eingesetzten Mengen der Produktionsfaktoren $v_1, v_2 \ldots v_n$. Wenn man zur Vereinfachung mit nur zwei Faktoren operiert, kann jede

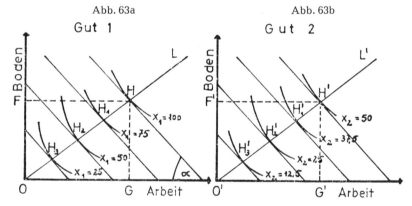

Abb. 63a   Abb. 63b

Produktionsfunktion durch ein Isoquantensystem dargestellt werden. Eine Isoquante ist der geometrische Ort für alle Kombinationen zweier Produktionsfaktoren, z. B. von Arbeit und Boden[1]), die die gleiche Produktmenge erzeugen. In Abb. 63a ist ein solches Isoquantensystem dargestellt. Die Isoquante $x_1 = 25$ besagt dann, daß alle Boden-Arbeits-Kombinationen, die durch die Koordinaten einzelner Punkte auf der Kurve $x_1 = 25$ gemessen werden, eine Menge von 25 Einheiten des Gutes Nr. 1 hervorbringen. Nach rechts oben verschobene Isoquanten implizieren größere Produktmengen, z. B. $x_1 = 50$, $x_1 = 75$, $x_1 = 100$.

---

[1]) Boden ist nur beispielhaft gewählt, ohne damit die klassische Dreiteilung der Faktoren in Arbeit, Boden und Kapital verteidigen zu wollen.

I. Produktionsfunktionen und Transformationskurven

Ohne auf Einzelheiten eingehen zu können[2]), ist es doch notwendig, die wesentlichen Eigenschaften solcher Isoquantensysteme kurz zu rekapitulieren: a) Das Anstiegsmaß einer Isoquante, z. B. $x_1 = 100$, in einem bestimmten Punkte H, das durch den Tangens des Winkels α, den die Tangente an H mit der Abszisse bildet, gemessen wird, ist gleich dem Verhältnis zwischen der Grenzproduktivität der Arbeit und der Grenzproduktivität des Bodens. b) Durch die Steigung einer solchen Geraden wird zugleich das Verhältnis zwischen den Faktorpreisen Lohn und Rente gemessen, wenn man diese Gerade nunmehr als Abbild der Kostengleichung (Kosten = Arbeitseinsatz × Lohn + Bodeneinsatz × Rente) betrachtet, sie mithin als Isokostenlinie deutet. Je stärker die Steigung ist (der Winkel α wird größer), um so höher ist der Lohn relativ zur Rente. c) Wenn das Faktorpreisverhältnis gegeben ist, wird die maximale Produktion, die unter Aufwand einer bestimmten Kostensumme zu erzielen ist, durch den Berührungspunkt der Isokostenlinie mit einer Isoquante bestimmt. Ein solcher Gleichgewichtspunkt (z. B. H) ist durch die Bedingung bestimmt, daß das Verhältnis der Faktorpreise dem Verhältnis zwischen den Grenzproduktivitäten von Arbeit und Boden entspricht. Umgekehrt läßt sich natürlich auch bei gegebener Produktmenge und gegebenem Verhältnis der Grenzproduktivitäten die Relation der Faktorpreise ermitteln, die diesem Produktionspunkt zugeordnet ist. Für gleiche relative Faktorpreise und unterschiedliche Kostensummen kann man eine Reihe weiterer Gleichgewichtspunkte H_1, H_2, H_3 bestimmen, deren Verbindungslinie OL als Expansionslinie bezeichnet wird. Aus der Konstruktion folgt, daß das Verhältnis der Grenzproduktivitäten — gemessen durch den Anstieg der Tangenten in H, H_1, H_2, H_3 usw. — entlang OL konstant ist. Die Steigung dieser Expansionslinie mißt das Verhältnis zwischen Boden- und Arbeitsmengen, die zur Erzeugung der jeweiligen Produktmenge aufgewendet werden. Bei der Erzeugung der Menge $x_1 = 100$ werden z. B. OG Einheiten Arbeit und HG Einheiten Boden benötigt.

Die die Gleichgewichtspunkte verbindende Expansionslinie ist in Abb. 63a eine Gerade. Jede Ausdehnung (Einschränkung) der produzierten Menge erfordert also eine gleichmäßige Vergrößerung (Verkleinerung) der Einsatzmengen beider Faktoren, so daß die Faktorintensität — das Verhältnis zwischen Arbeits- und Bodeneinsatz — unverändert bleibt. Wir wollen weiter annehmen, daß eine Verdoppelung oder Verdreifachung der Arbeits- und Bodeneinsatzmengen auch eine Verdoppelung oder Verdreifachung der produzierten Menge nach sich zieht, so daß das „Niveaugrenzprodukt" (E. S c h n e i d e r)[3]) konstant bleibt. Man spricht auch von „konstanten Skalenerträgen" (constant returns to scale). Eine Produktionsfunktion, die durch diese Eigenschaften gekennzeichnet ist, nennt man homogen vom Grade eins, oder, was dasselbe ist: linear-homogene Produktionsfunktion. Abb. 63a ist die graphische Darstellung einer solchen Funktion. Betrachten wir etwa Punkt H_3. Das den Koordinaten dieses Punktes entsprechende Faktorenbündel erzeugt die Menge $x_1 = 25$. Verdoppeln wir nun die Einsatzmengen

---

[2]) Der Leser möge sich die Grundlagen der Produktionstheorie durch Lektüre eines der Standardlehrbücher der Wirtschaftstheorie aneignen, z. B. M ü l l e r, J. H., Produktionstheorie, in: Kompendium der Volkswirtschaftslehre, Bd. I, hrsg. von W. Ehrlicher u. a., 5. Aufl., Göttingen 1975.

[3]) Das Niveaugrenzprodukt ist die Zunahme der Produktmenge, die durch Vergrößerung des in seiner Zusammensetzung unveränderten Faktorenbündels bedingt ist. Dieser Begriff muß von der partiellen Grenzproduktivität eines Faktors unterschieden werden. Letztere wird definiert als die zusätzliche Produktmenge, die sich durch Vergrößerung der Einsatzmenge eines Faktors bei Konstanz aller anderen Faktormengen ergibt.

von Arbeit und Boden, so daß das neue Faktorenbündel durch H_2 repräsentiert wird $(OH_2 = 2 \cdot OH_3)$, dann verdoppelt sich auch die Produktmenge von 25 auf 50. Ähnliche Beziehungen existieren beim Übergang nach H_1 und H. Es gilt also: $OH_3 : OH_2 : OH_1 : OH = 25 : 50 : 75 : 100$. Andere Expansionspfade, die sich bei anderen relativen Faktorpreisen ergeben, weisen die gleichen Eigenschaften auf.

2. Identische Faktorintensitäten

Eine Transformationskurve kann aus den Produktionsfunktionen für zwei Güter abgeleitet werden. Abb. 63b enthält das Isoquantensystem des Gutes 2. Gut 2 soll mit gleichem relativem Aufwand an Arbeit und Boden erzeugt werden wie Gut 1 *(O'L'* läuft parallel zu *OL)*. Form und Lage der Isoquantensysteme sind also identisch. Die Untersuchung dieses in der Realität sicherlich nicht oft anzutreffenden Grenzfalles schafft die Grundlage für das Verständnis der wirklichkeitsnäheren, später zu behandelnden Fälle unterschiedlicher Faktorintensitäten.

Wenn nun die inländische Volkswirtschaft in einer bestimmten Periode über *OF* Bodeneinheiten und *OG* Arbeitseinheiten (gemessen in Tagen oder Stunden) verfügt, so können entweder *100* Einheiten des Gutes 1 oder *50* Einheiten des Gutes 2 oder irgendwelche Kombinationen beider Güter erzeugt werden. Diese Alternativen lassen sich genau bestimmen, wenn man die Koordinatensysteme für beide Güter so zusammenbringt, daß der Ursprung *O'* des Isoquantenschemas Nr. 2 mit dem Produktionspunkt *H* des Systems Nr. 1 zusammenfällt. Wir erhalten dann ein Box-Diagramm (Abb. 64), in dem die x_1-Isoquanten von *O* aus und die x_2-Isoquanten von dem um 180 Grad verschobenen Punkt *O'* aus eingetragen werden. Die Seiten dieses Rechtecks repräsentieren die Gesamtmengen der Arbeitseinheiten *OG* und der Bodeneinheiten *OF*, die der Gesellschaft zur Verfügung stehen. Jedem Punkt in diesem Diagramm entspricht deshalb eine bestimmte Aufteilung der Faktorenmengen auf beide Verwendungen. Einer dieser Punkte ist z. B. *B*. Hier werden zur Erzeugung von 25 Einheiten des Gutes 1 *EB* Arbeits- und *EO* Bodeneinheiten eingesetzt, während zur Erzeugung von 25 Einheiten des Gutes 2 *MH* Arbeits- und *MB* Bodeneinheiten verwendet werden. Diese Verteilungssituation ist augenscheinlich nicht optimal, weil

Abb. 64

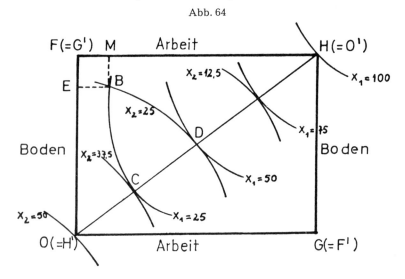

I. Produktionsfunktionen und Transformationskurven

durch bloße Redistribution der Faktormengen die Erzeugung entweder von Nr. 1 oder von Nr. 2 oder von beiden Gütern erhöht werden kann. So können beliebige Punkte innerhalb des Bereichs, der von den Isoquanten $x_1 = 25$ und $x_2 = 25$ eingeschlossen wird, durch bloße Reallokation der Produktionsfaktoren erreicht werden. Diese Punkte liegen auf (nicht eingezeichneten) x_1- und x_2-Isoquanten, die höhere Zahlenwerte haben, also eine Mehrerzeugung beider Güter gegenüber dem Produktionspunkt B erlauben. Andererseits kann von B aus durch andere Verwendung von Arbeit und Boden die Produktion eines Gutes erhöht werden, ohne daß die Erzeugung des anderen Gutes sinkt. Nimmt man eine Umverteilung derart vor, daß die neue Faktorverteilung den Koordinaten des Punktes C (D) entspricht, so kann die Erzeugung von Nr. 2 (Nr. 1) auf 37,5 Einheiten (50 Einheiten) gesteigert werden, ohne daß die Produktion von Nr. 1 (Nr. 2) absinken wird. Von D und C aus ist es indessen nicht mehr möglich, die Erzeugung eines Gutes bei konstanter Produktion des anderen auszudehnen, denn durch den Übergang von C nach D würde die Vergrößerung der Menge des Gutes 1 nur durch eine Verringerung der Menge von Nr. 2 erkauft werden können und umgekehrt. C und D sind daher relative Produktionsmaxima; sie repräsentieren Situationen optimaler Faktorverteilung. Weil in jedem dieser Punkte (etwa in C) die jeweiligen Isoquanten ($x_1 = 25$ und $x_2 = 37,5$) gleiche Anstiegsmaße haben, diese Anstiegsmaße aber dem Verhältnis der Grenzproduktivitäten von Arbeit und Boden entsprechen, dürfen wir auch sagen: **Eine optimale Verwendung der Produktionsfaktoren (ein relatives Produktionsmaximum) liegt immer dann vor, wenn in der Herstellung des Gutes 1 und des Gutes 2 das Verhältnis zwischen der Grenzproduktivität der Arbeit und der Grenzproduktivität des Bodens gleich ist.**

Die exakte Ableitung dieser Bedingung erfolgt mit Hilfe von Lagrange - Multiplikatoren[4]). Neben x_1 und x_2 — den Mengen beider Güter — verwenden wir folgende Symbole: A, B = insgesamt vorhandene Arbeits- und Bodenmenge; a_1, b_1 = in der Erzeugung des Gutes 1 eingesetzte Arbeits- und Bodenmenge; a_2, b_2 = in der Erzeugung des Gutes 2 eingesetzte Arbeits- und Bodenmenge. Die Aufgabe lautet: Zu maximieren ist die Produktionsfunktion für das Gut 1 (man könnte natürlich auch Gut 2 wählen):

$$x_1 = f_1(a_1, b_1)$$

unter den Nebenbedingungen

$$x_2 = f_2(a_2, b_2) \quad \text{oder} \quad f_2(a_2, b_2) - x_2 = 0$$
$$A = a_1 + a_2 \quad \text{oder} \quad a_1 + a_2 - A = 0$$
$$B = b_1 + b_2 \quad \text{oder} \quad b_1 + b_2 - B = 0,$$

wobei A, B und x_2 konstant sind. x_1 soll also unter der Annahme maximiert werden, daß die Produktion von Gut 2 nicht absinkt. Nur dann sind ja die Produktionsfaktoren optimal eingesetzt. Wir bilden aus der Zielfunktion und den Nebenbedingungen die Gleichung

$$x_1 = f_1(a_1, b_1) + \lambda_1 [f_2(a_2, b_2) - x_2] + \lambda_2 (a_1 + a_2 - A) + \lambda_3 (b_1 + b_2 - B),$$

in der λ_1, λ_2 und λ_3 — sogenannte Lagrange - Multiplikatoren — vorläufig unbestimmte Zahlen sind. Diese Gleichung wird partiell nach a_1, a_2, b_1 und b_2 differenziert. Die Ableitungen werden jeweils gleich Null gesetzt, da der maximale Wert von x_1 gesucht ist.

---

[4]) Eine ausgezeichnete und leicht faßliche Erklärung der Lagrange-Methode zur Ableitung von Extremwerten bei Nebenbedingungen findet sich bei Baumol, W., Economic Theory and Operations Analysis, Englewood Cliffs, 1961, S. 54 ff.

1) $\dfrac{\partial x_1}{\partial a_1} = \dfrac{\partial f_1}{\partial a_1} + \lambda_2 = 0$ oder $\dfrac{\partial f_1}{\partial a_1} = -\lambda_2$

2) $\dfrac{\partial x_1}{\partial a_2} = \lambda_1 \dfrac{\partial f_2}{\partial a_2} + \lambda_2 = 0$ oder $\dfrac{\partial f_2}{\partial a_2} = -\dfrac{\lambda_2}{\lambda_1}$

3) $\dfrac{\partial x_1}{\partial b_1} = \dfrac{\partial f_1}{\partial b_1} + \lambda_3 = 0$ oder $\dfrac{\partial f_1}{\partial b_1} = -\lambda_3$

4) $\dfrac{\partial x_1}{\partial b_2} = \lambda_1 \dfrac{\partial f_2}{\partial b_2} + \lambda_3 = 0$ oder $\dfrac{\partial f_2}{\partial b_2} = -\dfrac{\lambda_3}{\lambda_1}$.

$\dfrac{\partial f_1}{\partial a_1}$ ist nun die Grenzproduktivität der Arbeit in der Erzeugung des Gutes Nr. 1 (GPA_1), $\dfrac{\partial f_2}{\partial a_2}$ die Grenzproduktivität der Arbeit in der Erstellung von Gut 2 (GPA_2). Entsprechend sind $\dfrac{\partial f_1}{\partial b_1}$ und $\dfrac{\partial f_2}{\partial b_2}$ die Grenzproduktivitäten des Bodens (GPB_1, GPB_2). Folglich:

1) $GPA_1 = -\lambda_2$ 2) $GPA_2 = -\dfrac{\lambda_2}{\lambda_1}$ 3) $GPB_1 = -\lambda_3$ 4) $GPB_2 = -\dfrac{\lambda_3}{\lambda_1}$.

Durch Division erhalten wir:

$$\dfrac{GPA_1}{GPB_1} = \dfrac{GPA_2}{GPB_2} = \dfrac{\lambda_2}{\lambda_3}.$$

Das aber ist die oben erörterte Bedingung für eine optimale Allokation der Produktionsfaktoren.

Ein derartiger Optimalzustand wird allerdings nicht immer, sondern nur unter den Bedingungen vollständiger Konkurrenz auf den Faktormärkten erreicht. Unter dieser Voraussetzung wird jeder Unternehmer die ihm zur Verfügung stehenden Faktoren so einsetzen, daß das Verhältnis zwischen den Grenzproduktivitäten von Arbeit und Boden dem Preisverhältnis von Arbeit und Boden entspricht (vgl. S. 247). Da bei vollständiger Konkurrenz die jeweiligen Faktorpreise in allen Verwendungen die gleichen sind, für Sektor 1 das gleiche Faktorpreisverhältnis wie für Sektor 2 gilt, müssen auch die Grenzproduktivitätsrelationen in beiden Bereichen übereinstimmen.

Diese Übereinstimmung ist nicht nur in C, sondern auch in D und in allen anderen Punkten gegeben, in denen sich x_1- und x_2-Isoquanten berühren — mit anderen Worten: Es gibt nicht nur eine, sondern viele optimale Faktorverteilungen. Die Verbindungslinie OCDH zwischen diesen Punkten bezeichnet man, einem Vorschlag von Edgeworth folgend, als Kontraktkurve, wenn auch Edgeworth selbst solche Kurven nur in der Markt- und Preistheorie verwendet hat. Die Kontraktkurve gibt an, welche Menge von einem Gut maximal erzeugt werden kann, wenn die Menge des anderen Gutes gegeben ist. Sie gibt uns ferner Aufschluß darüber, um wieviel man die Erzeugung eines Gutes ausdehnen kann, wenn die Herstellung des anderen Gutes in bestimmtem Umfange eingeschränkt wird und jeweils eine Umverteilung der Produktionsfaktoren in bestmöglicher Weise erfolgt. Der Leser sieht, daß die Definition der Kontraktkurve mit der der Transformationskurve identisch ist. Um die Transformationskurve (Abb. 65) zu erhalten, ist es lediglich notwendig, auf den Achsen Gütermengen an Stelle von Faktormengen abzutragen. Abb. 64 zeigt, daß bei gegebenem Faktorvorrat entweder *100* Einheiten von Gut 1 oder *50* Einheiten von Gut 2 erzeugt werden können. Diese Werte sind auf Abb. 65

übertragen. Betrachten wir zunächst Punkt H'. Aus der Kontraktkurve ist dann abzulesen, daß die Verminderung der Produktion von Nr. 2 um 12,5 Einheiten die Erzeugung von 25 Einheiten des Gutes 1 ermöglicht und daß auch jede weitere Einschränkung von x_2 eine Erhöhung von x_1 in gleichem Verhältnis erlaubt. Das Transformationsverhältnis von Gut 2 in Gut 1 ist also konstant und die Transformationskurve folglich eine Gerade. Aus der

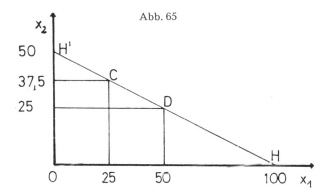

Abb. 65

Ableitung geht hervor, daß lineare Transformationsfunktionen bestimmte Annahmen über die Produktionsbedingungen implizieren. Erforderlich ist einmal, daß die Produktionsfunktionen für beide Güter linear-homogen sind. Sodann und vor allem ist es notwendig, daß bei gegebenem Faktorpreisverhältnis die Faktorintensitäten beider Güter identisch sind, die Relationen zwischen Arbeits- und Bodeneinsatzmengen in der Erzeugung der Güter Nr. 1 und Nr. 2 also übereinstimmen.

3. Unterschiedliche Faktorintensitäten

Die Transformationskurve erhält eine andere Form, wenn die Voraussetzung identischer Faktorintensitäten durch die Annahme ersetzt wird, daß das Mengenverhältnis der Faktoren in der Erzeugung beider Güter unterschiedlich ist. Die Annahme homogener Produktionsfunktionen 1. Grades soll weiter beibehalten werden. Im Falle differierender Faktorintensitäten ist es wichtig, zwischen limitationalen und substitutiven Faktoren zu unterscheiden. Sind Arbeit und Boden in der Erzeugung beider Güter linearlimitational, so erhält man — wie hier nicht weiter abzuleiten ist — rechteckige Isoquanten mit effizienten Kombinationen nur in den Eckpunkten. Es ist dann nicht mehr möglich, Kontraktkurven zu konstruieren, da die Isoquanten sich bei differierenden Faktorintensitäten nicht in ihren Eckpunkten berühren[5]).

Läßt man die Annahme limitationaler Produktionsfaktoren fallen und unterstellt ein gewisses Maß an Substituierbarkeit, so kann man eine Kontraktkurve konstruieren, deren Übertragung auf ein x_1–x_2-System eine nach unten konkave Transformationskurve in der Art der Abb. 59 ergibt. In der Abb. 66 sind die Isoquantensysteme für beide Güter aufgezeichnet. Mit OG Bodeneinheiten und OF Arbeitseinheiten — dem gegebenen Faktorvorrat —

---

[5]) Nach wie vor kann allerdings die Transformationskurve aus einer Box abgeleitet werden. Vgl. z. B. K i n d l e b e r g e r, C. P., International Economics, Revidierte Ausgabe, Homewood/Ill. 1958, S. 596.

können entweder *100* Einheiten von Nr. 1 oder *50* Einheiten von Nr. 2 hergestellt werden: die Isoquanten $x_1 = 100$ und $x_2 = 50$ laufen beide durch H.

Bei willkürlich gewähltem, in beiden Verwendungen gleichem Faktorpreisverhältnis — die Tangenten an die x_1- und x_2- Isoquanten laufen parallel — ist die Fertigung des Gutes 1 arbeitsintensiver als die des Gutes 2, wie durch das unterschiedliche Steigungsmaß der Expansionspfade OH und OM verdeutlicht wird.

Beide Isoquantensysteme lassen sich nun wieder in einem Box-Diagramm vereinigen, und zwar in der Weise, daß der Ursprungspunkt O' des x_2-Systems mit dem Punkte H im x_1-System zusammenfällt. Die Kontraktkurve ONO' als Verbindungslinie aller Punkte optimaler Faktorverteilung ist jetzt konvex nach unten. Sie fällt nicht länger mit der Diagonalen OMH zusammen, weil die Erzeugung des Gutes 1 arbeitsintensiver als die des Gutes 2 ist. Der konvexe Verlauf kann leicht durch Betrachtung der Abb. 67 erklärt werden. Angenommen, im Ausgangszustand werde lediglich Gut 1 produziert, also der Produktionspunkt H ($x_1 = 100$) realisiert. Entschließen wir uns nun, 25 Einheiten des Gutes 1 aufzugeben, so werden Arbeit und Boden freigesetzt, die in der Erzeugung des Gutes 2 verwendet werden können. Wieviel Arbeit und Boden werden aber freigesetzt? Die Antwort steht fest, sobald man die Produktionsmethode kennt, mit deren Hilfe die neue Menge von Nr. 1 ($x_1 = 75$) produziert wird. Wird die Erzeugung von Nr. 1 derart vermindert, daß P der neue, auf der Isoquante $x_1 = 75$ liegende Produktionspunkt ist, so werden PT Einheiten Boden und PU Einheiten Arbeit erübrigt, die zur Erzeugung von *12,5* Einheiten des Gutes 2 ausreichen, da die Isoquante $x_2 = 12,5$ ebenfalls durch P läuft. Vermindert man die Erzeugung des Gutes 1 in gleichem Umfang weiter (auf *50* bzw. *25*), so steigt auch die Erzeugung des Gutes 2 stets um den konstanten Betrag *12,5* (auf *25* bzw. *37,5*), wenn die Umverteilung der Produktionsfaktoren entsprechend dem Steigungsmaß der Diagonalen, also in der konstanten Proportion $TP:PU$

Abb. 66

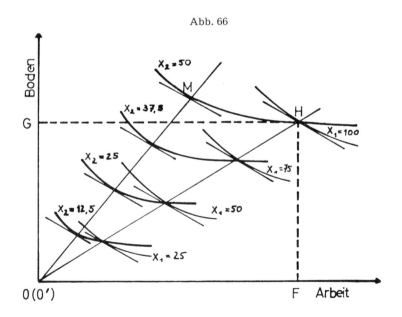

I. Produktionsfunktionen und Transformationskurven 253

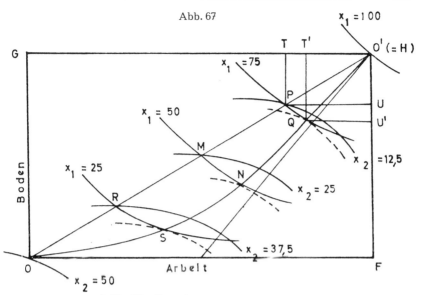

Abb. 67

vorgenommen wird[7]). Die Transformationskurve wäre folglich eine Gerade (gestrichelte Linie in Abb. 68).

Es leuchtet aber ein, daß eine andere Art der Faktorumverteilung die Effizienz der Volkswirtschaft erhöhen kann. Weil die Faktorintensitäten der beiden Produkte unterschiedlich sind, ist es zweckmäßig, die Faktoren nicht in konstanten Proportionen zu transferieren, sondern jenen Faktor, der in der Produktion des Gutes 2 von besonderer Bedeutung ist, in stärkerem Maße aus der Erzeugung von Nr. 1 herauszuziehen. Unserem Beispiel liegt nun die Annahme zugrunde, daß Gut 2 bodenintensivier, damit aber weniger arbeitsintensiv als Gut 1 ist. Folglich empfiehlt es sich, die Produktion des Gutes 1 so einzuschränken, die Produktionsmethode in der Weise zu variieren, daß relativ viel Boden und wenig Arbeit für die Erzeugung des Gutes 2 freigesetzt wird. Durch diese Umverteilung, die den besonderen Eigenschaften der Produktionsfunktionen für beide Güter gerecht wird, gelingt es dann, die Erzeugung des Gutes 2 stärker zu steigern als im Falle eine Transferierung mit konstanten Proportionen. Das wird aus Abb. 67 deutlich: Wird die Produktion des Gutes 1 auf 75 Einheiten eingeschränkt, so ist es zweckmäßig, nicht TP, sondern $T'Q$ Mengeneinheiten Boden und nicht PU, sondern $U'Q$ Mengeneinheiten Arbeit für die Erzeugung von Nr. 2 freizustellen. Die durch den Optimalpunkt Q gelegte x_2-Isoquante repräsentiert nämlich eine größere Menge des Gutes Nr. 2 als 12,5. Da x_1 weiterhin = 75 bleibt, gelingt es durch die beschriebene Art der Faktorumverteilung, ein größeres Güterbündel zu erzielen als in P[8]). Die gleichen

---
[7]) Daß das Transformationsverhältnis von Gut 1 in Gut 2 bei gegebenen Faktorproportionen konstant ist, folgt natürlich aus der Annahme homogener Produktionsfunktionen 1. Grades. Die Abstände zwischen den Schnittpunkten der Isoquanten mit den Expansionspfaden sind dann konstant.
[8]) Es ist nicht nur „zweckmäßig", P durch Q zu ersetzen; vielmehr vollzieht sich der Übergang bei vollständiger Konkurrenz automatisch. Da sich in P die Isoquanten schneiden, kann das (einheitliche) Faktorpreisverhältnis nicht der Relation der Grenzproduktivitäten in beiden Verwendungen entsprechen. Das ist nur in Q, dem Tangentialpunkt, möglich.

Überlegungen gelten natürlich auch für jede stärkere Verminderung von x_1, z. B. auf 50 oder 25. Immer gibt es einen besseren Weg der Transferierung als die einfache Methode der konstanten Proportionen. Der konvexe Verlauf der Kontraktkurve ist mithin einfach eine Folge der größeren Arbeits- und der kleineren Bodenintensität des Gutes 1 verglichen mit dem Gut 2. Nur bei gleicher Arbeitsintensität beider Produkte würde die Kontraktkurve mit der Diagonalen OMH zusammenfallen. Daraus folgt zugleich, daß die Kontraktkurve oberhalb OMH, d. h. konkav nach unten verlaufen müßte, wenn nicht Gut 1, sondern Gut 2 das arbeitsintensivere Produkt sein würde.

Die Kontraktkurve als Verbindungslinie optimaler Punkte gibt wieder an, um wieviel die Produktion von Gut 2 maximal ausgedehnt werden kann, wenn die Erzeugung des Gutes 1 schrumpft und umgekehrt. Überträgt man die Zahlenwerte der Isoquanten, die durch solche Optimalpunkte laufen, in ein $x_1 - x_2$-Koordinatensystem, so erhält man eine nach unten konkave Transformationskurve als dem geometrischen Ort aller Produktionsmaxima (Abb. 68). Sie kann nicht linear verlaufen, weil bei unterschiedlichen Faktorintensitäten ein solcher Verlauf, wie wir gesehen haben, eine nicht optimale Faktorverteilung implizieren würde. Mithin wäre die Linearitätsannahme unter den gegebenen Bedingungen nicht vereinbar mit der Definition

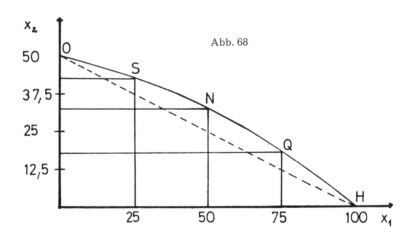

Abb. 68

der Transformationskurve als Verbindungslinie optimaler Punkte. Bei gegebenen Mengen des Gutes Nr. 1: 25—50—75 kann jeweils eine größere Menge des Gutes 2 erzeugt werden als 37,5—25—12,5, wie leicht durch einen Blick auf die Punkte S, N und Q der Kontraktkurve, aus denen die entsprechenden Punkte auf der Transformationskurve abgeleitet sind, festgestellt werden kann.

Wir fassen zusammen: Der Verlauf der Transformationskurven wird wesentlich durch die Art der zugrunde liegenden Produktionsfunktionen bestimmt. Sind die Faktorintensitäten beider Produkte identisch, so ist die Transformationskurve eine gerade Linie — gleichgültig, ob substituierbare oder limitationale Faktoren vorausgesetzt sind. Bei differierenden Faktorintensitäten ist dagegen die Unterscheidung zwischen limitationalen und substituierbaren Faktoren von Bedeutung. Im ersten Falle ist die Transformationskurve linear und geknickt, im zweiten Falle verläuft sie stetig, aber

I. Produktionsfunktionen und Transformationskurven

in beiden Fällen ist sie konkav nach unten[9]). In den weiteren Ausführungen wird vor allem eine Transformationskurve des zuletzt behandelten Typs zugrunde gelegt, da auf lange Sicht und im Rahmen gesamtwirtschaftlicher Betrachtungen ein gewisses Maß an Substituierbarkeit vorausgesetzt werden darf. Bei kurzfristigen Analysen und empirischen Untersuchungen kann es allerdings notwendig sein, Produktionsfunktionen mit limitationalen Faktoren zu verwenden[10]).

4. **Nichtlineare Produktionsfunktionen (sinkende und steigende Niveaugrenzprodukte)**

a) Die oben ausgesprochenen Sätze gelten alle unter der Voraussetzung einer linear-homogenen Produktionsfunktion. Gibt man diese Annahme auf, so ändert sich das Ergebnis insofern, als bei identischen Faktorintensitäten nicht notwendig eine lineare Transformationskurve und bei unterschiedlichen Faktorintensitäten nicht notwendig eine konkave Transformationskurve entstehen muß. Aus der Fülle der dann denkbaren Verläufe soll im folgenden eine Möglichkeit herausgegriffen werden: Wir wollen zeigen, daß sich eine konkave Transformationskurve auch bei identischen Faktorintensitäten ergeben kann, wenn die Annahme linearer Produktionsfunktionen durch die Unterstellung ersetzt wird, daß die Erzeugung des einen Gutes unter der Bedingung sinkender Niveaugrenzprodukte (decreasing returns to scale) erfolgt. Die Ableitung erfolgt mit Hilfe von Abb. 69.

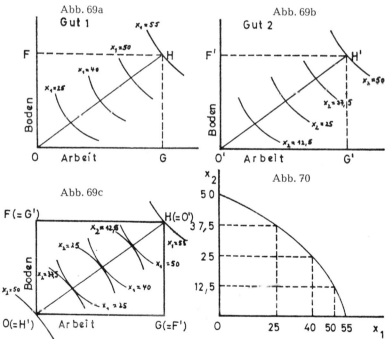

[9]) Transformationskurven, die konvex nach unten sind, werden hier nicht behandelt, da sie sinkende Kosten implizieren, sinkende Kosten aber mit homogenen Produktionsfunktionen 1. Grades nicht vereinbar sind.
[10]) Vgl. etwa L e o n t i e f, W. W., Factor Proportions and the Structure of American Trade: Further Theoretical and Empirical Analysis, Review of Economics and Statistics, Bd. 38, 1956.

Während die Produktion des Gutes 2 wieder bei konstanten Ertragszuwächsen erfolgt (Abb. 69b), ist die Linearitätsannahme für Gut 1 aufgegeben und statt dessen durch die Unterstellung abnehmender Niveaugrenzprodukte (Abb. 69a) ersetzt worden: Ausgehend von einem Produktionsniveau von 25 Einheiten steigt bei Verdoppelung und Verdreifachung des Faktoreinsatzes die Menge der erzeugten Güter um weniger als das Doppelte und Dreifache, nicht auf 50, sondern auf 40, und nicht auf 75, sondern auf 50. Die sich durch Kombination der $x_1 - x_2$-Systeme ergebende Kontraktkurve (Abb. 69c) verläuft linear, da gleiche Faktorintensitäten unterstellt sind. Aber die lineare Kontraktkurve impliziert jetzt keine lineare Transformationskurve; vielmehr zeigt Abb. 70, daß die Übertragung der aus der Kontraktkurve gewonnenen Produktionspunkte nunmehr eine konkave Transformationskurve ergibt. Das ist natürlich eine Folge der Nichtlinearitätsannahme: Verringert man die Produktion des Gutes 2 um konstante Beträge, so erzeugen die hier freigesetzten und für Gut 1 verfügbaren Produktionsfaktoren eine um so kleinere zusätzliche Menge von Nr. 1, je größer x_1 bereits ist. Die Grenzerträge zusätzlicher Faktorenpäckchen nehmen mit steigenden Faktoreinsatzmengen ab; von der Kostenseite her betrachtet: Die Zunahme der Erzeugung von Nr. 1 ist mit steigenden opportunity-costs verbunden, weil zusätzliche Einheiten Nr. 1 nur unter Aufgabe immer größerer Mengen von Nr. 2 produziert werden können. Wir sehen also, daß sich gekrümmte Transformationskurven ableiten lassen: erstens bei unterschiedlichen Faktorintensitäten und konstanten Niveaugrenzprodukten (linear-homogene Produktionsfunktionen), und zweitens bei identischen Faktorintensitäten und abnehmenden Niveaugrenzprodukten. Konkave Transformationskurven ergeben sich auch bei anderen, hier nicht zu erörternden Konstellationen.

b) Durch Annahme anderer Produktionsfunktionen kann man eine Fülle weiterer Verläufe konstruieren. Von besonderem Interesse ist der Fall überlinear-homogener Produktionsfunktionen, also steigender Niveaugrenzprodukte. Führt eine proportionale Zunahme aller Faktoreinsatzmengen zu einer überproportionalen Ausdehnung des Produktionsvolumens, so können diese steigenden Skalenerträge die Folge interner Ersparnisse sein. In der Preistheorie wird nun gezeigt, daß steigende Erträge, die auf internen Ersparnissen, also wachsender Arbeitsteilung und zunehmender Mechanisierung beruhen, nicht mit vollständiger Konkurrenz vereinbar sind. Weil die Grenzkosten des einzelnen Unternehmens bei Ausweitung der Erzeugung sinken, gibt es bei gegebenem Preis keine Grenze für die Produktionsausdehnung — bis das Angebot der Unternehmung nicht mehr ohne Einfluß auf den Preis bleibt, die Voraussetzungen der Konkurrenz also nicht länger erfüllt sind.

Zunehmende Skalenerträge, die als Folge der Produktionsausdehnung in anderen Firmen auftreten, also extern für das einzelne Unternehmen (aber branchenintern) sind, sind dagegen mit vollständiger Konkurrenz vereinbar, da die Grenzkostenkurve der einzelnen Firmen steigt. Die Bedeutung externer Ersparnisse für den Außenhandel wird an anderer Stelle erörtert (vgl. 8. Kapitel). Hier interessiert allein die Frage, welcher Verlauf der Transformationsfunktion sich bei steigenden Skalenerträgen ergibt. Unterstellt man identische Faktorintensitäten bei der Erzeugung beider Güter, so bedingen steigende Skalenerträge in einer Industrie oder in beiden Wirtschaftszweigen Transformationskurven, die konvex zum Ursprung verlaufen. Nicht so eindeutig ist das Ergebnis, wenn die Faktorintensitäten divergieren. Da bei unterschiedlichen Faktoreinsatzrelationen und konstanten Skalenerträgen die Transformationskurve konkav verläuft (vgl. S. 251 ff.), führen steigende Skalenerträge nur dann zu einem durchgängig konvexen Verlauf, wenn sie groß genug sind, um den „Faktorintensitätseffekt" zu überkompensieren. Unter der Annahme nur wenig steigender Skalenerträge in einem oder beiden Wirtschaftszweigen behält jedoch die Transformationskurve in Teilbereichen ihren konkaven Verlauf. Wie hier nicht näher zu zeigen ist, kann man unter diesen Voraussetzungen gemischte, d. h. teils konkav, teils konvex verlaufende Transformationskurven ableiten[10a]).

II. Ursachen komparativer Kostendifferenzen

Nach den Ausführungen in den letzten Abschnitten sind wir in der Lage, die Frage nach den Ursachen für Differenzen in den opportunity-costs zwischen zwei Ländern zu beantworten. Von Kostenunterschieden wollen wir im folgenden sprechen, wenn die Transformationskurven beider Länder derart differieren, daß für gleiche Mengenrelationen der Güter 1 und 2 (gekennzeichnet durch einen Strahl durch den Ursprung des x_1-x_2-Diagramms) die Grenzraten der Transformation, also die marginalen opportunity-costs, voneinander abweichen. Kostendifferenzen in unserem Sinne lägen daher nicht vor, wenn die Transformationskurven zweier Länder gleiche Form und Krümmung (wenn auch nicht notwendigerweise das gleiche Niveau) aufweisen: Die marginalen opportunity-costs stimmen dann auf einem Ursprungsstrahl — bei gleichen Mengenrelationen — überein.

Wie im folgenden zu zeigen ist, werden Kostendivergenzen dann entstehen, wenn

1. die Produktivität der Produktionsfaktoren in beiden Ländern unterschiedlich ist oder
2. beide Länder in unterschiedlichem Verhältnis mit Produktionsfaktoren ausgestattet sind.

1. Produktivitätsunterschiede

Wenn hier von Produktivitätsunterschieden die Rede ist, so meinen wir nicht partielle Faktorproduktivitäten — wie die Arbeits- oder Kapitalproduktivität —, sondern beziehen uns nur auf Differenzen zwischen globalen Produktivitäten, die Unterschiede in der Effizienz von Produktionsprozessen widerspiegeln. Die „globale Faktorproduktivität" ist das Verhältnis zwischen dem Produktionsergebnis und den Einsatzmengen aller Faktoren — in unserem Beispiel: Arbeit und Boden. Da Arbeit und Boden heterogene, also nicht addierbare Größen sind, müssen die Einsatzmengen beider Faktoren A und B mit den Faktorpreisen Lohn (l) und Rente (r) bewertet und die heterogenen Größen somit auf den Generalnenner Geld umgerechnet werden. Die globale Faktorproduktivität ist dann für Gut 1:

$$\alpha = \frac{x_1}{(A_1 \cdot l) + (B_1 \cdot r)} \text{ oder } x_1 = \alpha \cdot [(A_1 \cdot l) + (B_1 \cdot r)]$$

und für Gut 2:

$$\beta = \frac{x_2}{(A_2 \cdot l) + (B_2 \cdot r)} \text{ oder } x_2 = \beta \cdot [(A_2 \cdot l) + (B_2 \cdot r)].$$

10a) Vgl. z. B. Herberg, H. und Kemp, M. C., Some Implications of Variable Returns to Scale, Canadian Journal of Economics, Bd. 2, 1969; Herberg, H., On the Shape of the Transformations Curve in the Case of Homogeneous Production Functions, Ztschr. f. die ges. Staatswiss., Bd. 125, 1969.

Lohn und Rente sind hier rein fiktive Größen, nicht tatsächlich gezahlte Preise. Sie werden konstant gesetzt und in beiden Ländern als gleich angenommen, um Verfälschungen der naturalen Produktivitätsziffern durch Änderungen der Faktorpreise zu vermeiden und Unterschiede zwischen den Ländern, die nur durch Differenzen in den Faktorpreisen bedingt sind, zu eliminieren. l und r sind also beliebige konstante Größen.

Von welcher Art können nun die Produktivitätsunterschiede zwischen Inland und Ausland sein? Bei der Beantwortung dieser Frage unterstellen wir, 1) daß beide Länder mit gleichen Faktormengen ausgestattet sind, 2) daß die technologischen Differenzen zwischen den Ländern neutral im Sinne von Hicks sind: Bei gegebenen Faktorpreisverhältnissen stimmen die Boden-Arbeits-Intensitäten der jeweiligen Güter im Inland und Ausland überein. Das für Gut 1 (Gut 2) konstruierte Isoquantensystem repräsentiert also die Produktionsbedingungen sowohl im Inland als auch im Ausland — mit dem einen Unterschied, daß die den Isoquanten zugeordneten Mengenwerte wegen der Produktivitätsunterschiede zwischen den Ländern differieren.

α und β — die globalen Produktivitäten — können aus dem Isoquantensystem z. B. der Abb. 66 oder der Kontraktkurve in Abb. 67 abgelesen werden. Wir wollen annehmen, daß α im Inland gleich 2 und β gleich 1 ist[11]; auf unser Zahlenbeispiel der Abb. 66 übertragen: Mit gegebener Menge an Produktionsfaktoren können 100 Einheiten des Gutes 1 oder 50 Einheiten des Gutes 2 erzeugt werden. Die inländische Transformationskurve hat dann die in Abb. 68 gezeichnete Form.

Von welcher Art können nun die Produktivitätsunterschiede zwischen In- und Ausland sein?

a) Zunächst ist es denkbar, daß das Ausland mit gegebener Faktoreinsatzmenge mehr von Gut 2 und weniger von Gut 1 erzeugen kann, β also größer als 1 und α kleiner als 2 ist. Nehmen wir an, β sei gleich 2 und α gleich 1. Da Isoquanten und Kontraktkurven die gleiche Form aufweisen, ist es lediglich notwendig, die den Isoquanten der Abb. 66 zugelegten Zahlenwerte umzutauschen, also die Isoquanten des Auslandes mit den Werten $x_1 = 12{,}5$, $25\ldots 50$ und $x_2 = 25$, $50\ldots 100$ zu beziffern. Folglich kann man eine Transformationskurve des Auslandes konstruieren, die die x_1- und x_2-Achsen bei den Werten 50 und 100 schneidet (t_a in Abb. 71). Betrachtet man die Krümmungen von t_i und t_a und die Lage ihrer Schnittpunkte mit den Achsen, so wird sofort ersichtlich, daß das Inland (Ausland) dem Ausland (Inland) in der Produktion des Gutes 1 (2) überlegen ist. Die hier dargestellte Situation entspricht natürlich dem Falle absoluter Kostenvorteile, der aber — wie wir wissen — zugleich komparative Kostendifferenzen impliziert.

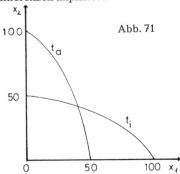

Abb. 71

---

[11]) Die globale Produktivität ist entlang eines Expansionspfades konstant. Das folgt wieder aus der Annahme linear-homogener Produktionsfunktionen.

II. Ursachen komparativer Kostendifferenzen

b) Zweitens wäre es möglich, daß das Ausland in der Erzeugung beider Güter dem Inland überlegen ist, α also größer als 2 und β größer als *1* ist. Nimmt man weiter an, daß der Produktivitätsvorsprung unterschiedlich, z. B. $\alpha = 2{,}5$ und $\beta = 2$ ist, so setzt man genau die Annahmen, die Ricardos Theorie der komparativen Kosten zugrunde lagen. Das Ausland erzeugt dann zwar von beiden Gütern mehr als das Inland — t_a liegt außerhalb von t_i —, doch geht aus Abb. 72 deutlich hervor, daß der Vorteil des Auslandes in der Erzeugung von Nr. 2 größer ist als bei Nr. 1: Das Ausland hat einen komparativen Vorteil in der Erzeugung des Gutes 2, das Inland besitzt einen komparativen Vorteil (wenn auch absoluten Nachteil) in der

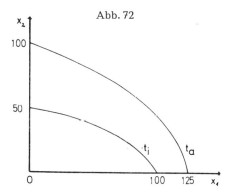

Abb. 72

Produktion von Gut 1. Bei gleichen Konsumgewohnheiten (übereinstimmendem Verhältnis der nachgefragten Mengen von Gut 1 und 2) in beiden Ländern ist der relative Preis des Gutes 1 im Inland geringer als im Ausland, da die Grenzraten der Transformation unterschiedlich sind: Nach Aufnahme des Außenhandels, der die relativen Preise angleicht, spezialisiert sich das Inland auf die Fertigung des Gutes 1, das Ausland auf die Produktion des Gutes 2.

c) Schließlich wäre es denkbar, daß das Ausland auf beiden Gebieten gleich große Produktivitätsvorteile hat, wie es z. B. der Fall sein würde, wenn $\alpha = 4$ und $\beta = 2$ ist. Die Zahlenwerte, die den Isoquenten der Abb. 66 und der Kontraktkurve der Abb. 67 zugelegt sind, müßten dann einfach verdoppelt werden, so daß t_a ein getreues, nur auf das Doppelte vergrößertes Abbild von t_i darstellt (Abb. 73). Dann stimmen die Krümmungen beider Kurven überein; die Grenzraten der Transformation sind also in korrespondierenden Punkten identisch. Mithin müssen bei gleichen Nachfragebedingungen[12]) auch die Preisrelationen in beiden Ländern übereinstimmen, so daß die Grundlagen und Voraussetzungen, die Außenhandel möglich machen, entfallen. Das Theorem der komparativen Kosten wird bestätigt: Produktivitätsdifferenzen als solche genügen nicht, sondern „Differenzen in den Produktivitätsdifferenzen", also unterschiedlich große Produktivitätsvorteile sind es, die zum Außenhandel führen. Ein absoluter Vorteil eines Landes auf beiden Gebieten reicht nicht aus, wenn nicht die relativen Kosten — die Transformationsraten — voneinander abweichen. Wir werden allerdings später sehen, daß auch in diesem Falle Außenhandel möglich ist, wenn die fehlenden komparativen Kostendifferenzen durch unterschiedliche Konsum-

---

[12]) In der Sprache der Nachfragetheorie müssen in beiden Ländern die Systeme gesellschaftlicher Indifferenzkurven identisch und zusätzlich die Einkommens-Konsum-Linien Geraden durch den Ursprung sein; vgl. S. 293 ff.

gewohnheiten ersetzt werden. Andernfalls wäre kaum zu erklären, warum Handelsbeziehungen zwischen Ländern existieren, von denen das eine dem anderen auf allen Gebieten und in etwa dem gleichen Maße überlegen ist.

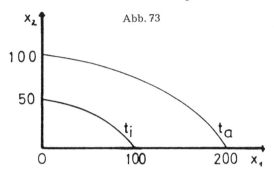

Abb. 73

2. Unterschiedliche Faktorausstattung

a) Um die Wirkungen von Produktivitätsdifferenzen in voller Reinheit darstellen zu können, wurde im letzten Abschnitt angenommen, daß die Faktorausstattung beider Länder identisch ist. Wir kehren nun die Voraussetzungen um, unterstellen also gleiche Produktivitäten (identische Produktionsfunktionen), gehen aber davon aus, daß die Volkswirtschaften in unterschiedlichem Maße mit Produktionsfaktoren ausgestattet sind. Dabei ist weniger von Bedeutung, ob ein Land mehr oder weniger von b e i d e n Faktoren besitzt, entscheidend sind Unterschiede in den F a k t o r p r o p o r t i o n e n — ebenso, wie nicht absolute Produktivitätsunterschiede zählen, sondern Differenzen in den Produktivitätsrelationen. Wir wollen annehmen, daß die Menge an Arbeits- und Bodeneinheiten, über die das Inland verfügt, durch die Seiten der Box Nr. *I* in Abb. 74 gemessen werden. Das Ausland besitze nun eine größere Menge an Bodeneinheiten und eine kleinere Menge an Arbeitseinheiten als das Inland. Die Unterschiede in der relativen Faktorausstattung können dann durch den Vergleich zweier Box-Diagramme *I* und *II* sichtbar gemacht werden. Die Unterschiede in den a b s o l u t e n Faktormengen — das sei noch einmal betont — sind nicht von Bedeutung, sondern nur die Differenzen im V e r h ä l t n i s von Arbeits- und Bodenmengen. Diese wären auch dann vorhanden, wenn die Faktorausstattung des Auslandes durch das kleinere Rechteck *III* repräsentiert würde.

b) Kostenunterschiede können jetzt einfach dadurch erklärt werden, daß Gut 1 (Tuch) bei jedem Faktorpreisverhältnis mit relativ mehr Arbeit und weniger Boden erzeugt wird als Gut 2 (Weizen). Die Kosten eines jeden Gutes (= Preis) werden nämlich durch die pro Guteinheit erforderlichen Einsatzmengen von Boden und Arbeit multipliziert mit den Faktorpreisen bestimmt, wobei zu beachten ist, daß das Faktoreinsatzverhältnis selbst eine Funktion der relativen Faktorpreise und der für das betrachtete Gut relevanten Produktionsfunktion ist. Da die Produktionsfunktionen international identisch sind, wird nun Gut 1 sowohl im Inland als auch im Ausland unter Aufwand von mehr Arbeit pro Bodeneinheit erzeugt als Gut 2. Im Inland ist die Arbeit jedoch relativ billig, weil dieser Faktor im Überfluß vorhanden ist. Daher ist es dem Inland möglich, Gut 1 — verglichen mit Gut 2 — zu geringeren Kosten herzustellen als das Ausland, das seinerseits, da der „Überfluß" an Boden die Rente niedrig hält, einen Kostenvorsprung in der Erzeugung des bodenintensiven Gutes 2 besitzt.

II. Ursachen komparativer Kostendifferenzen

Abb. 74

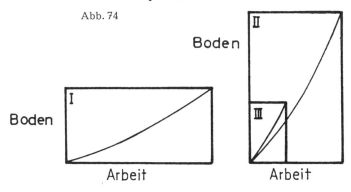

Konstruiert man die Transformationskurven beider Länder, so zeigt sich, daß das Inland, welches über viel Arbeit verfügt, relativ mehr von Gut 1 (Tuch) und weniger von Gut 2 (Weizen) erzeugen kann als das Ausland, das seinerseits, da es reichlich mit Boden ausgestattet ist, einen Vorteil in der Produktion von Gut 2 besitzt. Die Transformationskurven weisen also unterschiedliche Steigungen auf, so daß die opportunity costs für gegebene Mengenrelationen der beiden Güter differieren. Dieses Ergebnis ist leicht geometrisch abzuleiten, wenn man die Gut 1- und Gut 2-Isoquanten des Auslandes, die in ihrer Lage und Bezifferung mit denen des Inlandes identisch sind (Annahme identischer Produktionsfunktionen), in ein Box-Diagramm überträgt, dessen Seiten den ausländischen Faktorbestand repräsentieren. Der Leser versuche z. B., aus dem Isoquantensystem der Abb. 66 die Kontrakt- und Transformationskurve des Auslandes unter der Annahme abzuleiten, daß die Bodenmenge größer als OG und die Arbeitsmenge kleiner als OF ist, wobei OG und OF die im Inland verfügbaren Mengen sind.

Diese Erklärung der Kostenunterschiede — unter dem Namen F a k t o r - p r o p o r t i o n e n t h e o r e m bekannt — ist vor allem von dem schwedischen Nationalökonomen Bertil O h l i n gegeben worden[13]. Aus ihr läßt sich eine plausible Hypothese über die Richtung der Außenhandelsströme ableiten: Da das Inland im Vergleich zum Ausland besser mit Arbeit als mit Boden versorgt ist, wird es sich bei entsprechenden Konsumgewohnheiten auf die Produktion des arbeitsintensiven, daher günstiger herzustellenden Gutes Tuch spezialisieren und dieses Gut auch ausführen, während das Ausland seinerseits überwiegend Weizen produzieren und die nicht im eigenen Land abgesetzten „Überschüsse" exportieren wird. So erklärt es sich, warum bestimmte Länder bodenintensivere oder auch arbeitsintensivere Produkte exportieren, während die Ausfuhr der hochindustrialisierten Länder des Westens zum großen Teil aus kapitalintensiven Erzeugnissen besteht. Allerdings ist diese intuitiv einleuchtende und durch das O h l i n - Modell erklärbare Folgerung von L e o n t i e f angezweifelt worden, der im Rahmen seiner input-output-Studien zu dem überraschenden Ergebnis kam, daß der Arbeitsgehalt der US-Importe kleiner als der der US-Exporte ist, und daß das Umgekehrte für den Kapitalgehalt gilt[14]. Indessen ist die Diskussion, die sich

---

[13] O h l i n , B., International and Interregional Trade, Cambridge/Mass. 1967. Ferner: Die Beziehungen zwischen internationalem Handel und internationalen Bewegungen von Kapital und Arbeit, Zeitschrift für Nationalökonomie, Bd. 2, 1931.
[14] L e o n t i e f , W., Domestic Production and Foreign Trade: The American Capital Position Re-examined, Proceedings of the American Philosophical Society, 1953, wiederabgedr. in: Economia Internazionale, Bd. 7, 1954, S.9—45.

im Anschluß an diese These entwickelt hat, noch längst nicht abgeschlossen, so daß ein endgültiges Urteil wohl kaum gefällt werden kann. Nähere Aufschlüsse wird die Analyse des Faktorpreisausgleichstheorems in den nächsten Abschnitten geben[15]).

c) Oft ist behauptet worden, daß die Theorie der komparativen Kosten durch die O h l i n sche Handelstheorie widerlegt und ersetzt worden sei. Das gilt vielleicht für die klassische, nicht aber für die moderne Fassung dieser Theorie. Wenn nämlich das Verhältnis der Grenzkosten (= Transformationsrate), das in den beiden Ländern existiert, unterschiedlich ist, so kann man mit Hilfe der O h l i n schen Theorie diese differierenden Grenzkosten-Relationen erklären. Das O h l i n - Modell w i d e r s p r i c h t nicht der Theorie der komparativen Kosten, es e r k l ä r t vielmehr, warum komparative Kostenunterschiede bestehen.

d) Das Faktorproportionentheorem lenkt die Aufmerksamkeit auf die verfügbaren relativen M e n g e n der jeweiligen Produktionsfaktoren. Mit dieser Betonung der quantitativen Aspekte des Faktoreinsatzes wird jedoch vernachlässigt, daß in vielen Fällen nicht die Mengenrelationen von Arbeit und Boden (und Kapital) von Bedeutung sind, sondern die Qualitäten der vorhandenen Produktionsfaktoren. So ist z. B. die Außenhandelsstruktur mancher Länder nicht einfach dadurch zu erklären, daß diese relativ große Mengen an „Arbeit" schlechthin besitzen, wohl aber dadurch, daß sie relativ gut mit besonders hoch qualifizierter Arbeit ausgestattet sind — ein Phänomen, das in der traditionellen, mit der Vorstellung international homogener Produktionsfaktoren arbeitenden Heckscher-Ohlin-Theorie kaum Beachtung fand. Da aber derartige Qualitätsunterschiede oft auf bessere Ausbildung, d. h. auf intensive Anstrengungen zur Schaffung von „human capital" zurückgeführt werden können, läßt sich der Außenhandel insofern nicht nur auf Unterschiede in der Ausstattung mit den „herkömmlichen" Produktionsfaktoren, sondern auch auf Divergenzen in der Verfügbarkeit von „human capital" zurückführen. Das derart erweiterte Faktorproportionentheorem mündet dann in die vorher erörterte Produktivitätstheorie der Kostendifferenzen (Abschnitt II, 1), da sich unterschiedliche Fähigkeiten in den Produktivitätsmeßziffern niederschlagen.

III. Einkommensverteilung und internationaler Handel
1. Änderungen der Faktorpreise

Während die traditionelle Theorie nur das Verhältnis zwischen Außenhandel und Produktpreisen analysierte, bietet das O h l i n - Modell die Möglichkeit, auch die Veränderungen der Faktorpreise, die durch den internationalen Handel induziert sind, zu erklären. Greifen wir auf das im letzten Abschnitt gegebene Beispiel zurück. Im autarken Zustand werden Inland und Ausland jeweils beide Güter in einem Mengenverhältnis erzeugen, das durch die nationale Nachfrage bestimmt ist. Da im Inland Boden knapp und Arbeit reichlich vorhanden ist, während das Ausland über viel Boden und wenig Arbeit verfügt, ist die Grenzproduktivität der Arbeit und damit der Lohnsatz im Inland geringer als im Ausland und die Grenzproduktivität des

---

[15]) Eine ausführliche geometrische Analyse des Faktorproportionentheorems findet sich bei R o s e , K., Die Bedeutung der Faktorausstattung für die Struktur des Außenhandels, in: Theoretische und institutionelle Grundlagen der Wirtschaftspolitik, hrsg. von H. Besters, Berlin 1967, S. 299 ff. In diesem Beitrag wird auch das Leontief-Paradoxon erörtert.

III. Einkommensverteilung und internationaler Handel 263

Bodens, folglich auch die Rente höher. Nach Aufnahme des Außenhandels spezialisiert sich das Inland auf das arbeitsintensive Gut Tuch, das exportiert wird. Dagegen schrumpft die Weizenproduktion. Während die Nachfrage nach beiden Produktionsfaktoren in der Tucherzeugung steigt, werden weniger Faktoren zur Weizenproduktion benötigt. Da indessen das Verhältnis von Arbeits- und Bodeneinsatzmengen zwischen den Sektoren differiert, in der Tucherzeugung größer als in der Weizenerzeugung ist, werden bei gegebenen Löhnen und Renten in der Tucherzeugung mehr Arbeitskräfte und weniger Bodeneinheiten benötigt, als in der Weizenerzeugung freigesetzt worden sind. Im Zuge des Umstellungsprozesses erhöht sich also die relative Knappheit der Arbeit, so daß die Löhne relativ zu den Renten steigen. Umgekehrt steht Boden nunmehr reichlicher zur Verfügung, und die Renten werden folglich sinken.

Analoge Wirkungen sind im Ausland festzustellen. Hier expandiert die bodenintensive Weizenproduktion und schrumpft die arbeitsintensive Tucherzeugung. Die Weizenproduzenten fragen deshalb zusätzliche Mengen beider Produktionsfaktoren nach, und zwar relativ mehr Boden als Arbeit. Auf der anderen Seite werden in der Tucherzeugung Produktionsfaktoren freigesetzt, allerdings relativ mehr Arbeit und weniger Boden, als die Weizenproduzenten bei gegebenen Faktorpreisen einsetzen möchten. Der knappe Faktor Arbeit ist also weniger knapp und der Boden weniger häufig als vor Öffnung der Grenzen. Mithin müssen die Löhne im Verhältnis zu den Renten sinken.

Die Differenzen zwischen den Faktorpreisen, die vor Aufnahme des Außenhandels existierten, werden also zumindest teilweise beseitigt, wenn sich jedes Land auf die Produktion jenes Gutes spezialisiert, das den weniger knappen Faktor besonders stark beansprucht. Während R i c a r d o glaubte, daß Unterschiede in den Faktorpreisen nur zu beseitigen wären, wenn Wanderungen der Produktionsfaktoren im internationalen Rahmen möglich sind, zeigt sich nunmehr, d a ß d i e B e w e g l i c h k e i t d e r G ü t e r d i e m a n g e l n d e F a k t o r m o b i l i t ä t z u m T e i l e r s e t z e n k a n n.

Die durch den Außenhandel bedingten Faktorpreisveränderungen können aus Box-Diagrammen abgelesen werden. In Abb. 75 sind die Box-Diagramme beider Länder übereinandergelegt, und zwar in der Weise, daß die Gut 1-Isoquanten (Tuch), die für beide Länder übereinstimmen (Annahme identischer Produktionsfunktionen), von O aus abgetragen sind. O ist also der gemeinsame Ursprung beider Systeme. Die Gut 2-Isoquanten (Weizen) des Inlandes haben ihren Ursprung in O_i und die entsprechenden Isoquanten des Auslandes — in Form und Bezifferung denen des Inlandes gleich — in O_a. Die Seiten des Rechtecks OAO_iB repräsentieren also die Faktorversorgung des Inlandes, die Seiten von ODO_aC jene des Auslandes. Die Faktorproportionen sind demnach unterschiedlich

$$\left(\frac{\text{Arbeitsmenge im Inland}}{\text{Bodenmenge im Inland}} > \frac{\text{Arbeitsmenge im Ausland}}{\text{Bodenmenge im Ausland}}\right).$$ Aus den Berührungspunkten der Isoquanten erhalten wir die Kontraktkurven, die unter der Annahme, daß Tuch bei jedem Faktorpreisverhältnis arbeitsintensiver als Weizen ist, konvex nach unten verlaufen.

Wir wollen annehmen, daß In- und Ausland im autarken Zustand jene Mengen beider Güter erzeugen, die durch die Isoquanten in E (Inland) und G (Ausland) angegeben werden. Die Nachfragebedingungen sind also derart, daß im Inland relativ viel Weizen und im Ausland relativ viel Tuch erzeugt wird. Das Verhältnis zwischen Lohn und Rente wird durch das Anstiegsmaß der Faktorpreisgeraden g_i in E und g_a in G gemessen. Da g_a steiler als g_i verläuft, ist das Verhältnis zwischen Lohn und Rente im Ausland beträchtlich höher als im Inland. Das folgt aus der Annahme, daß das an Arbeitskräften arme Ausland eine große Menge des arbeitsintensiven Gutes Tuch und das an Boden knappe Inland eine größere Menge Weizen erzeugt. Nachdem die Handelsbeziehungen eröffnet und die Güterpreise angeglichen sind, spezialisiert sich jedes Land auf die Erzeugung jenes Gutes, in dem es einen komparativen Vorteil besitzt: Das Inland (Ausland) dehnt seine Tuch-

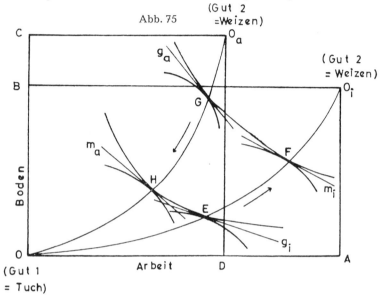

Abb. 75

produktion (Weizenproduktion) aus und schränkt seine Weizenerzeugung (Tucherzeugung) ein — wie durch die Pfeilrichtungen angegeben —, bis schließlich neue Produktionspunkte wie F und H (die hier willkürlich gewählt sind) erreicht werden. Die diesen neuen Güterbündeln entsprechenden Faktorpreisrelationen werden durch den Anstieg der Geraden m_i und m_a angegeben. m_i verläuft steiler als g_i: Folglich sind die Inlandslöhne relativ zu den Renten gestiegen. m_a verläuft flacher als g_a: Mithin sind die Auslandslöhne relativ zu den Renten gesunken. Die Differenzen in den Faktorpreisen können also dadurch verringert werden, daß das In- und Ausland überwiegend jene Produkte erzeugen, die die jeweiligen „Überschußfaktoren" besonders stark in Anspruch nehmen. Mit der Angleichung der Faktorpreise ist zugleich eine Annäherung der Faktorintensitäten verbunden: Während das Verhältnis zwischen Arbeits- und Bodeneinsatz im Inland bedeutend größer als im Ausland ist, wenn die den Punkten E und G entsprechenden Güterbündel erzeugt werden, haben sich die Faktorintensitäten in H und F bereits beträchtlich angenähert. Lohnsteigerungen im Inland geben das Signal, die Arbeitsintensität der Tuch- und Weizenerzeugung zu verringern, Lohnsenkungen im Ausland machen es zweckmäßig, Tuch und Weizen mit arbeitsintensiveren Methoden herzustellen als bisher[16]).

[16]) Geometrisch kommt die Veränderung der Faktorintensitäten dadurch zum Ausdruck, daß das Anstiegsmaß der (nicht eingezeichneten) Geraden, die E und F sowie H und G mit den Nullpunkten verbinden, unterschiedlich ist. So ist z. B. die Steigung der Geraden OF größer als die von OE, d. h. in F ist die Bodenintensität des Tuches größer und die Arbeitsintensität kleiner als in E.

III. Einkommensverteilung und internationaler Handel 265

2. Das Theorem vom Ausgleich der Faktorpreise

In den bisherigen Erörterungen wurde lediglich gezeigt, daß bei freiem internationalem Handel eine T e n d e n z zur Angleichung der Faktorpreise besteht. Läßt sich nun aber nachweisen, daß auch ein v o l l e r Ausgleich der Faktorpreis zustande kommt?

Die Antwort lautet: Wenn bestimmte Voraussetzungen erfüllt sind, m u ß bei freiem Außenhandel der Preis eines beliebigen Produktionsfaktors im Inland dem Preis des gleichen Faktors im Ausland entsprechen, auch wenn die internationale Mobilität der Produktionsfaktoren nicht gewährleistet ist. Die Beweglichkeit der Güter wäre dann ein v o l l e r Ersatz für die Beweglichkeit der Produktionsfaktoren.

Das Faktorpreisausgleichstheorem kann am einfachsten unter den Bedingungen eines „Zwei-Faktoren- Zwei-Länder- Zwei-Güter-Modells" abgeleitet werden. Beide Produkte werden auch nach Aufnahme des Außenhandels in beiden Ländern und von beiden Faktoren produziert. Weiter müssen folgende Voraussetzungen gelten: 1. In beiden Ländern herrscht vollständige Konkurrenz auf den Güter- und Faktorenmärkten; 2. von Transportkosten und Handelshemmnissen wird abgesehen, so daß das Weltmarktpreisverhältnis, welches sich nach Aufnahme des Handels ergibt, mit den nationalen Preisverhältnissen übereinstimmt; 3. die Menge der Produktionsfaktoren ist konstant; internationale Bewegungen von Boden und Arbeit sind ausgeschlossen, während innerhalb des einzelnen Landes völlige Faktormobilität gewährleistet ist[17]); 4. Die Faktoren sind in beiden Ländern identisch; 5. Gut 1 wird in beiden Ländern unter den gleichen technischen Bedingungen hergestellt. Die Produktionsfunktionen sind also identisch. Entsprechendes gilt für Gut 2; 6. die Güter können eindeutig nach ihren Faktorintensitäten klassifiziert werden. Zu jedem beliebigen, in der Herstellung beider Güter gleichem Faktorpreisverhältnis ist das Einsatzverhältnis von Boden zu Arbeit in der Erzeugung des Gutes 2 größer als in der Produktion des Gutes 1. Gut 2 ist daher eindeutig bodenintensiv, Gut 1 dagegen arbeitsintensiv; 7. die Produktionsfunktionen sind linear-homogen; es gilt also die Annahme konstanter Niveaugrenzprodukte, während die partiellen Grenzprodukte abnehmen (Ertragsgesetz)[18]).

Mit Hilfe von Abb. 76, in der ähnlich wie in Abb. 75 die Box-Diagramme des Inlandes (OAO_iB) und des Auslandes (ODO_aC) übereinander gelegt sind, kann gezeigt werden, daß unter diesen Voraussetzungen die Faktorpreise in beiden Ländern gleich sein müssen[19]). OMO_i und ONO_a — die

---

[17]) Boden ist im physischen Sinne natürlich nicht mobil. Ökonomisch ist die Mobilität jedoch gegeben, wenn z. B. bisher landwirtschaftlich genutzter Boden nun als industrieller Standortboden verwendet wird. Im übrigen steht es dem Leser frei, an Stelle des Faktors Boden den Faktor Kapital zu setzen.

[18]) Diese Voraussetzungen gelten auch für das Faktorproportionentheorem. Für die Gültigkeit dieses Theorems muß ferner der später noch zu erörternde Fall des „inversen Handels" durch bestimmte Annahmen über die Nachfragekonstellationen ausgeschlossen werden. Allerdings ist Faktorpreisausgleich auch bei inversem Handel möglich; doch soll diese Besonderheit in den folgenden Ausführungen nicht berücksichtigt werden (zu diesem Fall vgl. 4. Kap., II, 2).

[19]) Die Ableitung stützt sich auf Überlegungen von S a m u e l s o n , L a n c a s t e r und M o o k e r j e e . Vgl. S a m u e l s o n , P. A., International Factor Price Equalisation Once Again, Economic Journal, Bd. 59, 1949, S. 181 ff.; L a n - c a s t e r , K., The Heckscher-Ohlin Trade Model: A Geometrical Treatment,

Kontraktkurven des In- und Auslandes — sind wiederum konvex nach unten, da Gut 1, dessen Isoquantensystem von O ausgeht, bei jedem Faktorpreisverhältnis mit Hilfe von relativ mehr Arbeit erzeugt wird als Gut 2. Wir zeichnen nun durch O eine Gerade, die das für beide Länder gleiche — nicht eingetragene — Isoquantensystem des Gutes 1 und die beiden Kontraktkurven in N und M schneidet. Die Produktionspunkte N und M sind durch folgende Kriterien gekennzeichnet:

a) N und M sind Punkte auf den Kontraktkurven des Auslands (N) und des Inlands (M). Alle Punkte auf Kontraktkurven sind aber durch die Bedingung gekennzeichnet, daß das Verhältnis der Grenzprodukte zweier Faktoren in beiden Verwendungen übereinstimmt. Bezeichnen wir die Grenzprodukte der Arbeit und des Bodens mit GPA und GPB, Inland und Ausland mit i und a, die beiden Güter mit 1 und 2 — GPA_{i1} wäre dann z. B. die Grenzproduktivität der Arbeit bei der Erzeugung des Gutes 1 im Inland —, so gelten die Beziehungen

$$\frac{GPA_{i1}}{GPB_{i1}} = \frac{GPA_{i2}}{GPB_{i2}} \text{ (in } M\text{)} \tag{1a}$$

$$\frac{GPA_{a1}}{GPB_{a1}} = \frac{GPA_{a2}}{GPB_{a2}} \text{ (in } N\text{)}. \tag{1b}$$

b) Aus der Eigenschaft linear-homogener Produktionsfunktionen folgt, daß das Verhältnis der Grenzprodukte zweier Faktoren entlang einer durch den Ursprung gehenden Geraden (Expansionslinie) wie ONM konstant ist. Da aber N auf der Kontraktkurve des Auslandes und M auf der des Inlands liegt, ist die Relation der Grenzprodukte von Arbeit und Boden in der Erzeugung von Gut 1 für beide Länder — in N und M — gleich:

$$\frac{GPA_{i1}}{GPB_{i1}} \text{ (in } M\text{)} = \frac{GPA_{a1}}{GPB_{a1}} \text{ (in } N\text{)}. \tag{2a}$$

Aus (1a), (1b) und (2a) folgt

$$\frac{GPA_{i2}}{GPB_{i2}} \text{ (in } M\text{)} = \frac{GPA_{a2}}{GPB_{a2}} \text{ (in } N\text{)}. \tag{2b}$$

Wenn aber — wie (2b) zeigt — auch das Verhältnis der Grenzprodukte in der Erzeugung des Gutes 2 in M und N gleich ist, müssen die Expansionslinien O_aN und O_iM Parallelen sein, denn das von O_a ausgehende Isoquantensystem ist mit dem von O_i ausgehenden System identisch.

Die Verhältnisse der Grenzprodukte stimmen also in beiden Verwendungen (1 a und 1 b) und in beiden Ländern (2 a und 2 b) überein. Nun entspricht in Gleichgewichtslagen — und alle Produktionspunkte auf Kontraktkurven sind solche Gleichgewichtslagen — das Verhältnis zwischen Lohn l und Rente r dem Verhältnis der entsprechenden Grenzprodukte. Also gilt:

$$\frac{l_i}{r_i} = \frac{l_a}{r_a}.$$

Wenn das Inland die dem Punkte M entsprechenden Mengen und das Ausland die dem Punkte N entsprechenden Mengen produziert, müssen die Faktorpreisverhältnisse im In- und Ausland übereinstimmen. Dies folgt auch aus der Tatsache, daß das Einsatzverhältnis zwischen Boden und Arbeit bei

---

Economica, N. S., Bd. 24, 1957, S. 19 ff.; M o o k e r j e e , S., Factor Endowments and International Trade, Bombay, Calcutta, New Delhi, Madras, 1958, S. 30 ff. Vgl. auch die umfassende Übersicht bei M a c k s c h e i d t , K., Der internationale Ausgleich der Faktorpreise, Berlin 1967.

III. Einkommensverteilung und internationaler Handel 267

der Erzeugung des Gutes 1, welches durch den von der Geraden OM und der Abszisse OA gebildeten Winkel gemessen wird, in N und M das gleiche ist. Da die Produktionsfunktionen beider Länder identisch und homogen vom Grade eins sind, impliziert die Gleichheit der Faktorrelationen auch die Übereinstimmung des Faktorpreisverhältnisses. Damit ist jedoch noch nicht bewiesen, daß bei freiem internationalem Handel — und unter den erläuterten Voraussetzungen — die Faktorpreise wirklich angeglichen werden. Viel-

Abb. 76

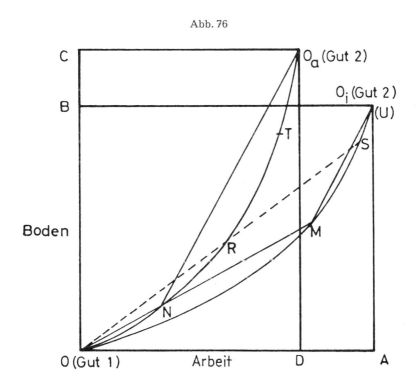

mehr wäre zu fragen, ob es nach Aufnahme des Außenhandels für beide Länder von Vorteil ist, die den Punkten M und N zugeordneten Mengen beider Produkte zu erzeugen. Wir erinnern uns nun, daß die Güterpreisverhältnisse bei freiem Außenhandel in beiden Ländern gleich sind und jene Mengen beider Güter produziert werden, die den Berührungspunkten der Preislinien mit den Transformationskurven entsprechen. Es müßte daher gezeigt werden, daß das Verhältnis der Inlandspreise in M mit dem Verhältnis der Auslandspreise in N übereinstimmt, M und N also — auf Transformationskurven übertragen — solche Berührungspunkte sind.

Der Beweis ist einfach. Aus der Verteilungstheorie übernehmen wir den Satz, daß bei vollständiger Konkurrenz auf den Güter- und Faktorenmärkten die Grenzwertproduktivität eines Faktors, die sich durch Multiplikation des Güterpreises mit der realen Grenzproduktivität ergibt, dem Faktorpreis entspricht. Diese Beziehung läßt sich zunächst für das Inland und getrennt für die Wirtschaftszweige, die Gut 1 und Gut 2 produzieren, formulieren.

Bezeichnen wir die Güterpreise mit P_{i1} und P_{i2} und die in beiden Wirtschaftszweigen gezahlten Löhne mit l_{i1} und l_{i2}, so gilt:

$$P_{i1} \cdot GPA_{i1} = l_{i1} \tag{3a}$$
und
$$P_{i2} \cdot GPA_{i2} = l_{i2}. \tag{3b}$$

Da die Arbeit als homogen angesehen wird, also keine Differenzierungen sachlicher und vor allem auch räumlicher Art vorhanden sind (vollkommener Arbeitsmarkt), muß l_{i1} gleich l_{i2} sein. Folglich gilt:

$$P_{i1} \cdot GPA_{i1} = P_{i2} \cdot GPA_{i2}$$
oder
$$\frac{P_{i1}}{P_{i2}} = \frac{GPA_{i2}}{GPA_{i1}}. \tag{4}$$

Die gleichen Beziehungen gelten für das Ausland

$$P_{a1} \cdot GPA_{a1} = P_{a2} \cdot GPA_{a2}$$
oder
$$\frac{P_{a1}}{P_{a2}} = \frac{GPA_{a2}}{GPA_{a1}}. \tag{5}$$

Es kann jetzt gezeigt werden, daß die rechten Seiten der Gleichungen (4) und (5) in M und N übereinstimmen. Linear-homogene Produktionsfunktionen sind nämlich dadurch gekennzeichnet, daß die partielle Grenzproduktivität eines Faktors, hier der Arbeit, entlang einer vom Ursprung ausgehenden und durch das Isoquantensystem gelegten Linie wie OM konstant bleibt. Da nämlich bei gleich starker Vermehrung der Einsatzmengen von Arbeit und Boden die Erzeugung proportional wächst, wird die partielle Grenzproduktivität der Arbeit nicht von der absoluten Menge der eingesetzten Faktoren, sondern nur vom Verhältnis der eingesetzten Arbeits- und Bodenmengen bestimmt. Dieses Verhältnis bleibt aber entlang OM konstant. Folglich ist die Grenzproduktivität der Arbeit bei der Erzeugung von Gut 1 in M und N — also in beiden Ländern — absolut gleich[20]:

$$GPA_{i1} \text{ (in } M) = GPA_{a1} \text{ (in } N). \tag{6}$$

Aus den gleichen Gründen ist die Grenzproduktivität der Arbeit in allen Punkten auf O_aN und O_iM — die parallel verlaufen — konstant:

$$GPA_{i2} \text{ (in } M) = GPA_{a2} \text{ (in } N). \tag{7}$$

Division der Gleichung (7) durch Gleichung (6) ergibt:

$$\frac{GPA_{i2}}{GPA_{i1}} = \frac{GPA_{a2}}{GPA_{a1}}. \tag{8}$$

[20]) Bei homogenen Produktionsfunktionen 1. Grades gilt das E u l e r sche Theorem:

$$x = A \cdot GPA + B \cdot GPB \tag{1}$$

(x = Gütermenge; A, B = eingesetzte Arbeits- und Bodenmenge; GPA, GPB = Grenzproduktivitäten). Diese Gleichung hat erhebliche Bedeutung in der Verteilungstheorie. Entsprechen nämlich die realen Grenzproduktivitäten den (realen) Faktorpreisen, so wird das Gesamtprodukt restlos auf die Faktoren aufgeteilt (adding-up-Theorem). Aus (1) folgt:

$$\frac{x}{A} = GPA \cdot \left(1 + \frac{B}{A} \cdot \frac{GPB}{GPA}\right).$$

Entlang OM sind $\frac{B}{A}$ und $\frac{x}{A}$ konstant, weil der gleichmäßigen Vermehrung von B und A eine proportionale Zunahme von x entspricht. Da ferner das Verhältnis der Grenzproduktivitäten auf der Linie OM unverändert bleibt, muß schließlich auch die letzte Größe der Gleichung, also GPA, entlang OM konstant sein.

III. Einkommensverteilung und internationaler Handel

Folglich lassen sich die Gleichungen (4) und (5) zusammenfassen zu:

$$\frac{P_{i1}}{P_{i2}} = \frac{P_{a1}}{P_{a2}}. \qquad (9)$$

Damit ist nachgewiesen, daß das Inlandspreisverhältnis, welches in M existiert, dem N zugeordneten Auslandspreisverhältnis gleich sein muß. M und N sind also Punkte auf den Transformationskurven beider Länder, die von parallel laufenden Preislinien berührt werden. Wir sehen, daß bei gleichem Faktorpreisverhältnis in beiden Ländern auch das Güterpreisverhältnis übereinstimmen muß. Natürlich läßt sich auch der Umkehrschluß ziehen: Wenn sich nach Eröffnung des Außenhandels ein für beide Länder gleiches Preisverhältnis einspielt, bei dem es für Inland und Ausland zweckmäßig ist, in M bzw. N zu produzieren, so muß — wie auf S. 266 gezeigt wurde — das Verhältnis der Faktorpreise im In- und Ausland ebenfalls gleich sein.

Den letzten Schritt der Analyse, der den endgültigen Baustein zum Faktorpreisausgleichstheorem beisteuert, bildet nun der Nachweis, daß nicht nur — wie bisher gezeigt — die r e l a t i v e n Faktorpreise, sondern auch die a b s o l u t e n Werte der r e a l e n Faktorentgelte übereinstimmen müssen, wenn die Güterpreisverhältnisse als Ergebnis des Freihandels angeglichen worden sind, also Punkte wie M und N existieren. Da nämlich die realen Grenzproduktivitäten der Arbeit bei der Erzeugung eines Gutes im In- und Ausland gleich sind (Gleichungen 6 und 7), der Reallohn aber der realen Grenzproduktivität der Arbeit entspricht, müssen auch die Reallöhne in beiden Ländern absolut übereinstimmen[21]). Entsprechendes gilt für die Preise der Bodennutzung.

Die Eigenschaften, durch die die Produktionspunkte M und N ausgezeichnet sind, gelten natürlich auch für andere Paare korrespondierender Punkte, z. B. für R und S (Abb. 76) und alle anderen Schnittpunkte einer durch den Ursprung gehenden Linie mit den Kontraktkurven. Welches Paar dieser Produktionspunkte realisiert wird, hängt ab von den Konsumentenpräferenzen in beiden Ländern, die die internationale Nachfrage bestimmen. Dies läßt sich zeigen, wenn die Punkte M und N sowie S und R von den Kontraktkurven auf die zugehörigen Transformationskurven übertragen werden. Wird die Nachfrage nach Aufnahme des Außenhandels so auf beide Güter aufgeteilt, daß I die Preislinie für beide Länder ist (Abb. 77), dann sind N und M die optimalen Produktionspunkte. Erhöht sich aber die Nachfrage nach dem Gute 1, so verschiebt sich das Austauschverhältnis zugunsten von Gut 1 (Linie II). Beide Länder dehnen ihre Produktion des Gutes Nr. 1 aus, bis die neuen Gleichgewichtslagen in S und R erreicht sind. Auf Abb. 76 übertragen, läßt sich demnach sagen: Verschiedenen Preisverhältnissen auf dem Weltmarkt sind unterschiedliche Punkte auf den Kontraktkurven zugeordnet; dem Preisverhältnis I entsprechen die korrespondierenden Punkte

---

[21]) Aus Gleichung (3 a) folgt:

$$GPA_{i1} = \frac{l_{i1}}{P_{i1}}.$$

Der Ausdruck auf der rechten Seite der Gleichung — der Quotient aus Nominallohn und Inlandspreis des Gutes 1 — ist der inländische Reallohn, gemessen in Einheiten des Gutes Nr. 1. Die entsprechende Gleichung für das Ausland lautet:

$$GPA_{a1} = \frac{l_{a1}}{P_{a1}},$$

wo der Bruch auf der rechten Seite den ausländischen Reallohn, ebenfalls in Einheiten des Gutes 1 gemessen, repräsentiert. GPA_{i1} in M ist aber gleich GPA_{a1} in N (Gleichung 6), so daß auch die Reallöhne nicht differieren können.

M und N, dem Preisverhältnis II die Produktionspunkte S und R, die weiter vom Ursprungspunkt O des Box-Diagramms entfernt liegen, also eine größere Menge des Gutes 1 repräsentieren als M und N. Jedes Paar korrespondierender Punkte hat aber die Eigenschaft, daß nicht nur das Güterpreisverhältnis, sondern auch die Faktorentgelte im In- und Ausland übereinstimmen. Von der internationalen Nachfrage hängt es ab, wie hoch das Preisverhältnis und die Faktorpreise in jedem einzelnen Falle sind, welche korrespondierenden Produktionspunkte jeweils realisiert werden können.

Ob aber die Länder nun die M und N, S und R oder anderen korrespondierenden Punkten entsprechenden Mengen produzieren — immer wird das Inland, das reichlich mit Arbeit ausgestattet ist, relativ mehr vom arbeitsintensiven Gut Nr. 1 erzeugen als das Ausland $\left(\dfrac{OM}{MO_i} > \dfrac{ON}{NO_a}\right)$, während sich dieses, da es unter Knappheit an Arbeitskräften leidet, auf die Erzeugung des bodenintensiven Gutes Nr. 2 spezialisieren wird $\left(\dfrac{NO_a}{NO} > \dfrac{MO_i}{MO}\right)$. Die unterschiedlichen Proportionen, in denen beide Güter in beiden Ländern erzeugt werden, entsprechen also den Divergenzen in der Faktorausstattung. Die Annäherung der Faktorpreise, z. B. der Löhne, folgt dann einfach aus der Tatsache, daß Lohndifferenzen, die sich aus der unterschiedlichen relativen Ausstattung mit Arbeitskräften ergeben würden, durch die starke Arbeitsnachfrage des (arbeitsreichen) Inlandes und die geringe Arbeitsnachfrage des (arbeitsarmen) Auslandes ausgeglichen werden.

Abb. 77

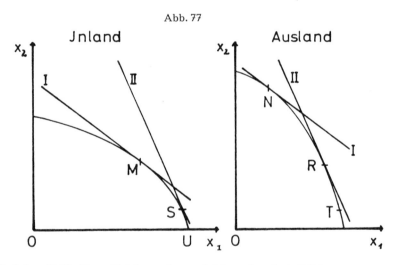

3. Ist vollständiger Faktorpreisausgleich wahrscheinlich?

Der Theorie vom Ausgleich der Faktorpreise liegt eine Fülle von Annahmen zugrunde, die im letzten Abschnitt erläutert worden sind. Jene Annahmen sind teilweise derart restriktiv und untypisch für die Wirklichkeit, daß dieses Theorem — wie H a b e r l e r, vielleicht etwas überspitzt, bemerkt[22]) — das Gegenteil von dem beweist, was nachgewiesen werden sollte, daß

---

[22]) H a b e r l e r, G., A Survey of International Trade Theory, a. a. O., S. 18.

III. Einkommensverteilung und internationaler Handel 271

nämlich der internationale Handel keineswegs imstande ist, einen vollen Faktorpreisausgleich herbeizuführen. Wir können nicht alle Variationen des Modells beschreiben, die sich durch Änderungen der Annahmen ergeben, sondern müssen uns auf eine kurze Diskussion einiger Punkte beschränken

3.1. Vollständige Spezialisierung

a) Ein vollständiger Ausgleich der Faktorpreise ist nur möglich, wenn beide Länder auch nach Aufnahme des Außenhandels beide Produkte weiter erzeugen, die Spezialisierung also nur unvollständig ist. Nehmen wir einmal an, der Preis des Gutes 1 steige so stark, daß die (nicht eingezeichnete) Preislinie in Abb. 77 die Transformationskurve des Inlands in U berührt. In diesem Falle wird das Inland lediglich Gut 1 produzieren (in U). Bei gleichem Preisverhältnis wird auch das Ausland die Erzeugung des Gutes 1 über R hinaus ausdehnen, und zwar bis zu einem Punkte wie T, in dem die Preislinie die Transformationskurve tangiert. Die Punkte T und U werden in die Box-Diagramme der Abb. 63 übertragen. U fällt natürlich mit O_i zusammen, da das Inland lediglich Gut 1 erzeugt, die Produktion des Gutes 2 also völlig einstellt. Nach wie vor läßt sich sagen, daß das Inland bei gleichem Güterpreisverhältnis relativ, d. h. im Vergleich zum bodenintensiven Gut Nr. 2, mehr vom arbeitsintensiven Gut 1 erzeugt als das Ausland und dieses Gut auch exportiert. Aber ein Ausgleich der Faktorpreise ist nicht mehr zu erwarten, da T und U ($= O_i$) normalerweise auf verschiedenen, vom Punkte O ausgehenden Geraden liegen.

Nur im Grenzfall — wenn der Produktionspunkt des Auslands auf der Diagonalen OO_i (Abb. 76) liegt — werden die Faktorpreise auch bei völliger Spezialisierung im Inland übereinstimmen. Steigt aber der relative Preis des Gutes 1 weiter, so dehnt das Ausland seine Produktion des Gutes 1 aus, während die Erzeugung dieses Gutes im Inland nicht mehr wachsen kann. Die Produktionspunkte, z. B. T und U, liegen dann nicht mehr auf einer gemeinsamen Expansionslinie: Die Faktorpreise weichen voneinander ab. Dies läßt sich auch so erklären: Stimmen die Güterpreisrelationen in beiden Ländern überein und produziert das Inland bei diesem Preisverhältnis in U ($= O_i$) und das Ausland in T, so wird Gut 1 im Inland mit größerer Arbeitsintensität (kleinerer Bodenintensität) erzeugt als im Ausland. Da aber die Produktionsfunktionen für Gut 1 in beiden Ländern identisch und linearhomogen sind, implizieren unterschiedliche Faktorintensitäten auch unterschiedliche relative und absolute Faktorpreise.

Das läßt sich klar erkennen, wenn wir das Isoquantenschema des Gutes 1 — das die Produktionsbedingungen in beiden Ländern widerspiegelt — aufzeichnen (Abb. 78) und die Produktionspunkte T und U aus Abb. 76 in dieses System übertragen. Das Verhältnis zwischen Lohnsatz und Bodennutzungspreis, angegeben durch das Steigungsmaß der Tangenten in T und U, ist offenbar im Inland (U) kleiner als im Ausland (T). Dementsprechend produziert das Inland arbeitsintensiver als das Ausland (OT ist steiler als OU). Aber es weichen nicht nur die relativen, sondern auch die absoluten Faktorpreise voneinander ab: Weil die Arbeit im Ausland mit relativ mehr Boden ausgestattet ist als im Inland, ist die Grenzproduktivität der Arbeit — und damit auch der Reallohn — im Ausland höher als im Inland[23]. Eine

---

[23] Relative und absolute Faktorpreise würden dann übereinstimmen, wenn das internationale Güterpreisverhältnis eine Produktion z. B. in U und F möglich macht.

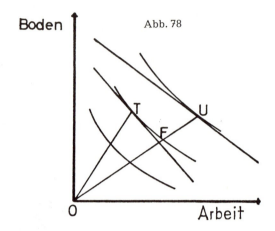

Abb. 78

solche Situation kann immer dann entstehen, wenn die internationale Nachfrage nach dem arbeitsintensiven Gute Nr. 1 so stark ist, daß auch das Ausland — trotz seines Mangels an Arbeitskräften — Gut 1 in beträchtlichem Maße produziert, damit aber auch hohe Lohnsätze hinnehmen muß. Die Zusammenhänge werden besonders deutlich unter der extremen Annahme, daß b e i d e Länder, veranlaßt durch eine exorbitant hohe Nachfrage, nur noch Gut 1 produzieren[24]. Da relative Knappheit und Grenzproduktivität der Arbeit im Ausland größer als im Inland sind, müssen die Reallöhne höher (und die Renten geringer) als im Inland sein —, und zwar sind die Unterschiede um so stärker, je mehr die Faktorproportionen zwischen beiden Ländern differieren. Die Wahrscheinlichkeit des Faktorpreisausgleichs wird also um so geringer, je unterschiedlicher die Volkswirtschaften mit Produktionsfaktoren ausgestattet sind.

b) Während das Faktorpreisausgleichstheorem im Falle vollständiger Spezialisierung nicht mehr gilt, bleibt die Geltung des Faktorproportionentheorems von dieser Annahme unberührt. Wenn die Nachfrage nach Gut 1 vor Eröffnung des Handels in beiden Ländern groß ist, wird auch der relative Preis des arbeitsintensiven Gutes 1 sehr hoch sein. Geht man nun von der Annahme nicht allzu unterschiedlicher Nachfragebedingungen aus, so muß der Preis dieses Gutes im arbeitsarmen Ausland indessen höher als im Inland sein. Gleichen sich die Preise nach Eröffnung des Handels an — im Ausland sinkt der relative Preis des Gutes 1 und steigt der relative Preis des Gutes 2 —, so wird das Ausland die Produktion seines bodenintensiven Gutes 2 vergrößern und dieses Gut auch exportieren. Dagegen steigt der Preis des Gutes 1 im Inland, so daß sich die Produktion dieses Gutes — bei genügend starker Preiserhöhung — bis zum Punkte vollständiger Spezialisierung erhöht. Der Ausgleich der Faktorpreise kommt nun nicht zustande, doch gilt das Faktorproportionentheorem, da das arbeitsreiche Inland sein arbeitsintensives Gut Nr. 1 exportiert.

3.2. Umschlagende Faktorintensitäten

a) Unserem Modell lag die Annahme zugrunde, daß Gut 1 bei j e d e m F a k t o r p r e i s v e r h ä l t n i s unter Aufwand von relativ mehr Arbeit

[24] Dann ist natürlich kein Außenhandel möglich.

III. Einkommensverteilung und internationaler Handel 273

und weniger Boden erzeugt wird als Gut 2. Gut 1 ist also i m m e r arbeitsintensiver als Gut 2 und Gut 2 i m m e r bodenintensiver als Gut 1. Unter dieser Annahme verlaufen beide Kontraktkurven in Abb. 76 konvex nach unten. Nun wäre es aber möglich, daß bei einem bestimmten Faktorpreisverhältnis Gut 1 arbeitsintensiver als Gut 2 ist, während sich bei einem anderen Preisverhältnis die umgekehrte Situation ergibt. Dies ist dann der Fall, wenn sich die Isoquanten der beiden Güter nicht einmal, sondern mehrmals schneiden. Abb. 79 macht die Situation deutlich. Aus den Isoquantensystemen der Güter 1 und 2 haben wir jeweils eine Isoquante x_1 und x_2 herausgegriffen, die die Produktionsfunktionen für jedes der beiden Güter repräsentieren. Die Kurven schneiden sich zweimal, und zwar in E und F. In E (F) ist die Steigung der Isoquante x_2 größer (kleiner) als die von x_1. Folglich muß es zwischen E und F Punkte gleicher Steigung geben, hier A und B, die auf einer Linie OL durch den Ursprung liegen. Ist das Faktorpreisverhältnis derart, daß die den Punkten A und B entsprechenden Produktionsmethoden verwendet werden, so stimmen die Einsatzverhältnisse von Arbeit und Boden in der Fertigung beider Güter überein. Das ist anders, wenn die Relation der Faktorpreise durch $P_1 P_1$ angegeben wird. Dann sind D_1 und D_2 die Gleichgewichtspunkte für Gut 1 bzw. Gut 2. Da D_1 auf dieser Preislinie (oder einer anderen Linie, steiler als die Tangente an A und B) nordwestlich von D_2 liegt, wird Gut 1 unter Anwendung von

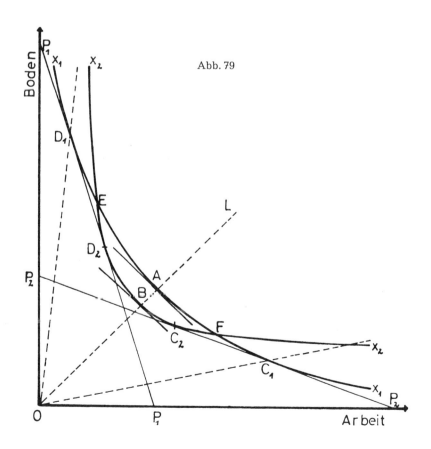

Abb. 79

relativ weniger Arbeit produziert als Gut 2. Liegt dagegen der Lohnsatz bedeutend tiefer, wie es z. B. bei Existenz einer Faktorpreislinie P_2P_2 (oder einer anderen Linie, flacher als die Tangente an A und B) der Fall sein würde, so wird Gut 1 unter Einsatz von relativ mehr Arbeit produziert als Gut 2, weil der Gleichgewichtspunkt C_1 südöstlich von C_2 liegt. Es läßt sich jetzt nicht mehr eindeutig sagen, daß ein Produkt, verglichen mit dem anderen, arbeits- oder bodenintensiver ist. Unterhalb der Linie OL ist Gut 1, verglichen mit Gut 2, arbeitsintensiver, oberhalb von OL bodenintensiver.

Wird nun die relative Faktorausstattung des Inlandes durch die Gerade OC_1 und die Faktorproportion im Ausland durch OD_1 angezeigt, so daß die Arbeit im Ausland — verglichen mit dem Inland — der knappe Faktor ist, dann verläuft — wie man durch eine geometrische Konstruktion leicht feststellen kann — die Kontraktkurve des Inlandes konvex nach unten und diejenige des Auslandes konkav nach unten (Abb. 80)[25]. Unterhalb OL ist Gut 1 nämlich arbeitsintensiver, oberhalb OL hingegen bodenintensiver als Gut 2. Wir wissen aber aus früheren Erörterungen, daß der Verlauf der Kontraktkurve von den Faktorintensitäten beider Güter bestimmt wird (vgl. S. 251 ff.).

Ein Blick auf Abb. 80 zeigt unmittelbar, daß keine korrespondierenden Punkte wie M und N oder S und R in Abb. 78 existieren, daß also keine Produktionspunkte auf den Kontraktkurven beider Länder realisiert werden können, die das gleiche Arbeits-Bodenverhältnis bei der Produktion des jeweiligen Gutes in beiden Ländern erlauben. Differierende Faktorintensitäten implizieren aber, wie wir wissen, unterschiedliche Faktorpreisverhältnisse, wenn die Produktionsfunktionen in beiden Ländern identisch und homogen vom Grade 1 sind.

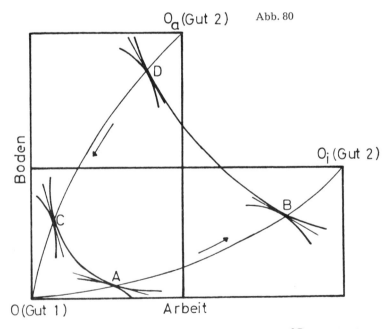

Abb. 80

[25]) Das Anstiegsmaß der Diagonalen OO_a soll der Steigung von OD_1, das Anstiegsmaß der Diagonalen OO_i der Steigung von OC_1 entsprechen.

In dem hier dargestellten Fall kann nicht einmal gesagt werden, ob eine Tendenz zum Faktorpreisausgleich besteht. Nehmen wir z. B. an, das Inland produziere im autarken Zustand eine Menge des Gutes 1, die durch die Isoquante im Punkt A bestimmt ist. Gleichzeitig werde die Auslandserzeugung des Gutes 1 durch die durch D gehende Isoquante angegeben. Man beachte, daß Gut 1 im Inland arbeitsintensiv und im Ausland bodenintensiv ist. Da das Inland eine verhältnismäßig kleine Menge des arbeitsintensiven Gutes 1 und das Ausland eine geringe Menge des arbeitsintensiven Gutes 2 produziert, ist die Arbeit relativ billig, wenn natürlich auch im Ausland, das über wenig Arbeit verfügt, der Lohnsatz höher liegt als im Inland (der Leser vergleiche das Anstiegsmaß der Faktorpreislinien in A und D). Wir nehmen nun an, daß das Inland nach Eröffnung des Außenhandels die Produktion des arbeitsintensiven Gutes Nr. 1 und das Ausland die Erzeugung des arbeitsintensiven (bodenintensiven) Gutes Nr. 2 (Nr. 1) ausdehnt (einschränkt), wie durch die Pfeilrichtungen angegeben wird. Wenn beide Länder die Produktion ihres arbeitsintensiven Gutes vergrößern, steigt in beiden Ländern die Nachfrage nach Arbeitskräften und verteuert sich die Arbeit relativ zum Boden: In Abb. 70 ist die an C gelegte Faktorpreislinie steiler als in D und die an B gelegte Linie steiler als in A; die Lohnsätze haben sich also relativ zu den Renten erhöht[26].

Aber die Löhne sind nicht nur relativ, sondern auch absolut gestiegen: Da in B und C die Bodenintensität beider Produkte größer als in den entsprechenden Punkten A und D ist, die Arbeit also in der Erzeugung beider Güter mit mehr Boden ausgestattet wird, sind die Grenzproduktivitäten der Arbeit, damit aber auch die Reallöhne, nach Aufnahme des Außenhandels höher als im autarken Zustand. Wenn nun in beiden Ländern die Löhne steigen, kann eine Tendenz zum Faktorpreisausgleich — ohne daß dieser völlig erreicht wird — nur unter der Voraussetzung konstatiert werden, daß die Inlandslöhne stärker steigen als die Auslandslöhne, denn nur auf diese Weise wäre es möglich, den Vorsprung der Auslands- vor den Inlandslöhnen, der vor der Produktionsumschichtung existierte, zu verkleinern. Das aber ist nicht notwendig. Ebenso wäre es denkbar, daß die Erhöhung der Auslandslöhne die der Inlandslöhne übertrifft und die Differenz, die zwischen den Faktorpreisen im isolierten Zustand bestand, durch den Außenhandel nicht verkleinert, sondern vergrößert wird. Gleiches gilt für die Entwicklung der Bodennutzungspreise.

b) Wie die Ausführungen in diesem Abschnitt zeigen, erschüttern umschlagende Faktorintensitäten auch das Faktorproportionentheorem, nach dem das arbeitsreiche Inland die Produktion seines arbeitsintensiven Gutes und das bodenreiche Ausland die seines bodenintensiven Gutes ausdehnen müßte. Da aber Gut 1 im Inland arbeitsintensiv, im Ausland dagegen bodenintensiv ist, würde dies in diesem Falle bedeuten, daß sich beide Länder auf Gut 1 spezialisieren. Ein Austausch wäre dann nicht denkbar. Spezialisiert sich aber jedes der Länder auf ein anderes Gut und werden die Überschüsse ausgetauscht, so muß eines der Länder notwendig gegen das Faktorproportionentheorem verstoßen.

---

[26] In den neuen Produktionspunkten müssen die Güterpreisverhältnisse natürlich wieder gleich sein. Unter der Annahme, daß die Isoquanten vollständig symmetrisch verlaufen, läßt sich — wie Lancaster gezeigt hat (a. a. O., S. 32—38) — die Lage dieser Produktionspunkte genau bestimmen. Der Winkel, den die Gerade OB mit der Arbeitsachse bildet, muß dann dem Winkel entsprechen, den die Gerade OC mit der Bodenachse bildet. Ferner muß der Anstieg der Geraden O_aC in bezug auf die Arbeitsachse dem Anstieg der Geraden O_iA in bezug auf die Bodenachse gleich sein.

In älteren Erörterungen zum Faktorproportionen- und Faktorpreisausgleichstheorem wurde die Annahme umschlagender Faktorintensitäten als theoretisch interessanter Grenzfall angesehen, von dem man jedoch glaubte, daß er nur wenig wirklichkeitsnah sei[27]). Empirische Untersuchungen der sogenannten Stanford-Gruppe[28]) haben indessen gezeigt, daß die Annahme umschlagender Faktorintensitäten durchaus nicht so unrealistisch ist, wie seinerzeit Samuelson glaubte. In ihren Untersuchungen, welche sich auf die Produtionsfaktoren Kapital und Arbeit bezogen, benutzte die Gruppe Produktionsfunktionen mit konstanten Substitutionselastizitäten (sogenannte CES-Funktionen). Solche Substitutionselastizitäten messen die Abhängigkeit des Kapital-Arbeits-Verhältnisses in der Erzeugung eines Gutes vom Verhältnis der Faktorpreise Zins und Lohn; daher wird die Substitutionselastizität durch die Krümmung einer Isoquante bestimmt. Untersuchungen an Hand japanischer und US-amerikanischer Daten zeigten nun mit aller Deutlichkeit erhebliche Unterschiede in den Substitutionselastizitäten von Gut zu Gut; die Gruppe kam zu dem Ergebnis, daß sich die Isoquanten bestimmter Güter mehr als einmal schneiden, so daß die Möglichkeit umschlagender Faktorintensitäten keineswegs als irrelevanter Grenzfall erscheint.

Die Untersuchungen der Stanford-Gruppe sind möglicherweise auch zur Erklärung des Leontief-Paradoxons geeignet. Wenn die Faktorintensitäten reversibel sind, wenn ferner die Faktorausstattung der kapitalreichen Vereinigten Staaten durch eine Gerade steiler als OL (Abb. 79; auf der Ordinate muß die Bodenmenge durch Kapital ersetzt werden), die der kapitalarmen Handelspartner jedoch durch eine Gerade flacher als OL bestimmt ist, dann müssen die von den Vereinigten Staaten importierten Güter, welche nach Leontiefs Untersuchung in der US-amerikanischen Produktionspraxis die kapitalintensiven Produkte sind (Gut 1 in Abb. 79), im exportierenden Ausland zugleich die arbeitsintensiven Güter sein. Da in den anderen Ländern — verglichen mit den USA — die Arbeit der weniger knappe Faktor ist, entspricht die Handelsstruktur dieser Länder dem Faktorproportionentheorem, während die USA diesem Theorem „zuwiderhandeln". Sicherlich sind auch andere Erklärungen der Leontief-Hypothese möglich[29]), doch scheinen viele Autoren der Faktorumschlagshypothese eine wichtige Rolle zuzuweisen, wenn es gilt, das Dunkel um Leontiefs Thesen aufzuhellen[30]).

3.3. Weitere Bemerkungen

Es ließe sich eine Fülle weiterer Faktoren aufzählen, die den vollständigen Faktorpreisausgleich verhindern. So wird die Annahme, daß die Produktionsfunktionen im In- und Ausland identisch sind, sicher nicht den Tatsachen gerecht, impliziert sie doch außer gleichem technischem Wissen, gleichem Stand der Ausbildung usw. auch gleiche klimatische Verhältnisse, übereinstimmende soziale und psychologische Bedingungen — also schlechthin: identische „produktive Atmosphäre" (M e a d e) im weitesten Sinne des

---

[27]) S a m u e l s o n , P. A., A Comment on Factor Price Equalization, Review of Economic Studies, Bd. 19, 1951—1952.

[28]) A r r o w , K., C h e n e r y , H. B., M i n h a s , B., S o l o w , R. M., Capital-Labour Substitution and Economic Efficiency, Review of Economics and Statistics, Bd. 43, 1961; M i n h a s , B., An International Comparison of Factor Costs and Factor Use, Amsterdam 1963.

[29]) Vgl. z. B. D i a b , M. A., The United States Capital Position and the Structure of its Foreign Trade, Amsterdam 1956.

[30]) So z. B. M i c h a e l y , M., Factor Proportions in International Trade: Current State of the Theory, Kyklos, Bd. 17, 1964.

III. Einkommensverteilung und internationaler Handel 277

Wortes. Es wäre kaum zweckmäßig, diese „außerökonomischen" Faktoren aus den Variablen, die die Form der Produktionsfunktion bestimmen, auszuschließen, indem man — wie dies gelegentlich geschieht — Differenzen in der „Ausstattung" mit derartigen klimatischen, sozialen und anderen Bedingungen ebenso behandelt wie unterschiedliche Ausstattungen mit Produktionsfaktoren. Man käme dann zu solchen Scheinerklärungen wie der, daß die Tropen tropische Früchte exportieren, „weil dort die tropischen Bedingungen relativ häufig anzutreffen sind"[31]). Sicherlich ist es kaum vertretbar, solche unwägbaren Größen wie Klima, Regen, Arbeitsethos usw. als Produktionsfaktoren aufzufassen und sie als „inputs" in die Produktionsfunktionen aufzunehmen. Ihre Existenz beeinflußt vielmehr die Form der Produktionsfunktionen.

Zusätzliche Schwierigkeiten können entstehen, wenn auch die Annahme linear-homogener Produktionsfunktionen aufgegeben und durch die Annahme steigender Niveaugrenzprodukte (increasing returns to scale) oder — was das gleiche bedeutet — langfristig sinkender Durchschnittskosten ersetzt wird. Sinkende Kosten sind aber unvereinbar mit vollständiger Konkurrenz, weil für jedes Unternehmen der Anreiz zur Produktionsausdehnung groß ist, bis schließlich die atomistische Marktstruktur durch oligopolistische Marktformen ersetzt ist. In diesen Marktformen übersteigt aber der Preis den Grenzerlös. In der Verteilungstheorie wird nun gezeigt, daß bei Differenzen zwischen Preisen und Grenzerlösen die Produktionsfaktoren nicht mehr mit ihrem Grenzwertprodukt, sondern ihrem Grenzerlösprodukt entlohnt werden — eine Folgerung, die mit den Gleichungen (3a) und (3b) nicht vereinbar ist.

Das Modell ließe sich weiter durch die Annahme modifizieren, daß nicht nur zwei, sondern viele Güter produziert und nicht nur zwei, sondern viele Faktoren verwendet werden. Diese Erweiterung zu einem n-Güter-, m-Faktorenmodell ($n > 2$, $m > 2$) würde den Ausgleich der Faktorpreise nicht unmöglich machen, wenn die Zahl der Güter der Faktoren entspricht. Es läßt sich jedoch zeigen, daß die Faktorentgelte nicht ausgeglichen werden können, wenn die Zahl der Faktoren die der Güter übertrifft. Wir wollen auf den exakten Nachweis dieser These verzichten[32]).

Nach allem läßt sich sagen, daß die Hindernisse, die sich einer Anpassung der Faktorpreise in den Weg stellen, derart groß sind, daß bestenfalls eine Annäherung zu erwarten ist, niemals aber ein vollständiger Ausgleich, der nur bei voller Mobilität der Produktionsfaktoren möglich wäre. Dennoch sind die Modelle des Faktorpreisausgleichs von erheblichem Wert, zeigen sie doch mit aller Klarheit, von welchen strategischen Größen die Faktoreinkommen in Ländern, die miteinander Handel treiben, beeinflußt werden, und welche Verschiebungen der Faktorpreise zu erwarten sind, wenn sich die eine oder andere dieser Größen ändert.

---

[31]) S a m u e l s o n , P. A., Der Ausgleich der Faktorpreise durch den internationalen Handel, in: R o s e, K. (Hrsg.), Theorie der Internationalen Wirtschaftsbeziehungen, Köln—Berlin 1965, S. 86.

[32]) Vgl. dazu T i n b e r g e n , J., The Equalisation of Factor Prices Between Free-Trade Areas, Metroeconomica, Bd. 39, 1949; S a m u e l s o n , P. A., Prices of Factors and Goods in General Equilibrium, Review of Economic Studies, Bd. 21, 1953—54.

4. Eine alternative Darstellung des Faktorpreisausgleichstheorems

Da die im Faktorpreisausgleichstheorem beschriebenen Zusammenhänge dem Anfänger oft recht kompliziert erscheinen, sollen die Ergebnisse dieses Theorems mit Hilfe einer anderen, von Harrod[33]) und Johnson[34]) entwickelten Technik beschrieben werden. Der Leser mag diesen Abschnitt überschlagen, wenn er Form und Grenzen des Ausgleichsmechanismus bereits nach den vorhergehenden Erörterungen verstanden hat.

a) Im oberen Quadranten des Schaubildes 81 zeigen die Faktorintensitätskurven für Tuch (Gut 1) und Weizen (Gut 2) an, wie sich das Boden-Arbeits-Verhältnis $b = \frac{B}{A}$ in der Erzeugung der beiden Güter verändert, wenn der relative Lohnsatz $w = \frac{l}{r}$ variiert wird und man ferner unterstellt, daß bei jedem Faktorpreisverhältnis das Verhältnis der Grenzprodukte den relativen Faktorpreisen entspricht (l = Lohnsatz, r = Bodennutzungspreis). Da die für Gut 2 relevante Kurve bei jedem relativen Lohnsatz oberhalb der Kurve für Gut 1 verläuft, ist Gut 2 bei jedem Faktorpreisverhältnis bodenintensiver als Gut 1. Allerdings nimmt das Boden-Arbeits-Verhältnis in der Herstellung beider Güter mit steigendem relativen Lohnsatz zu, weil es sich in diesem Falle lohnt, Arbeit durch Boden zu substituieren. In Schaubild 81 ist ferner eine Preiskurve P eingetragen, die es uns ermöglicht, den zu jedem relativen Lohnsatz gehörenden Preis von Tuch ausgedrückt in Einheiten Weizen abzulesen.

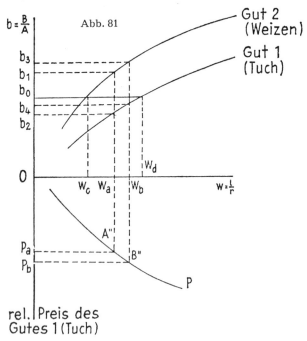

Abb. 81

---

[33]) H a r r o d , R. F., Factor Price Relations under Free Trade, Economic Journal, Bd. 68, 1958.
[34]) J o h n s o n , H. G., Factor Endowments, International Trade and Factor Prices, in: International Trade and Economic Growth, London 1961.

III. Einkommensverteilung und internationaler Handel

Daß eine eindeutige Beziehung zwischen Faktor- und Güterpreisen existiert, wird aus den Abbildungen 82 und 83 ersichtlich, in denen eine Kontraktkurve mit dem Ursprung O (O') für die Tuchisoquanten (Weizenisoquanten) und die daraus abgeleitete Transformationskurve abgetragen sind. Jedem Punkt auf der Kontraktkurve (z. B. A oder B) und damit jedem durch diesen Punkt determinierten Lohn-Renten-Verhältnis (angezeigt durch w_a oder w_b) entspricht ein Punkt auf der Transformationskurve (A' bzw. B') und damit ein bestimmtes Güterpreisverhältnis (P_a bzw. P_b). Aus diesen Schaubildern wird ferner deutlich, daß sich mit steigendem relativen Lohnsatz auch der relative Preis von Tuch erhöht: Weil durch den Übergang von A nach B der relative Lohnsatz steigt — die w_b-Gerade verläuft steiler als die w_a-Gerade —, erhöht sich auch der relative Tuchpreis, wie durch Vergleich der P_b- und P_a-Geraden deutlich wird.

Die aus den Abbildungen 82 und 83 abgeleiteten Beziehungen zwischen Faktor- und Güterpreisen bestimmen den Verlauf der P-Funktion in Abb. 81. Da dem relativen Lohnsatz w_a der Tuchpreis P_a (Punkt A'') und dem relativen Lohnsatz w_b der Tuchpreis P_b (Punkt B'') zugeordnet ist, steigt der relative Preis des arbeitsintensiven Gutes Tuch, wenn sich die Arbeit im Verhältnis zum Boden verteuert.

In dem betrachteten Land werde nun das Boden-Arbeits-Verhältnis durch b_0 angegeben. Wird die gesamte Boden- und Arbeitsmenge zur Erzeugung von Weizen eingesetzt, so muß das Boden-Arbeits-Verhältnis in der Weizenproduktion dem gesamtwirtschaftlichen Boden-Arbeits-Verhältnis b_0 entsprechen. Der relative Lohnsatz ist dann w_c. Dagegen wäre der relative Lohnsatz gleich w_d, wenn sich das Land allein auf die Produktion von Tuch spezialisiert, die partielle Bodenintensität in der Tucherzeugung also mit dem Boden-Arbeits-Verhältnis b_0 der Gesamtwirtschaft identisch ist. Diese relativen Faktorpreise werden in Abb. 82 durch die Steigung der Linien w_c und w_d in O und O' gemessen. In diesen Punkten vollständiger Spezialisierung

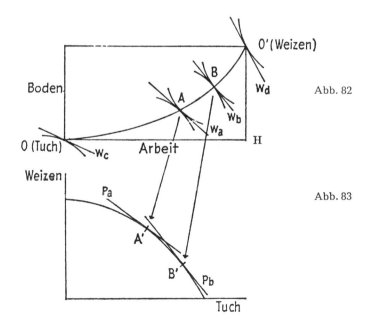

Abb. 82

Abb. 83

stimmen die partiellen Faktorintensitäten mit der gesamtwirtschaftlichen Faktorrelation überein; wird z. B. in O' produziert, so repräsentiert der Quotient $\frac{O'H}{OH}$ nicht nur die gesamtwirtschaftliche Faktorrelation, sondern auch die Bodenintensität in der Tuchproduktion.

Aus Abb. 82 ist ferner zu entnehmen, daß die Volkswirtschaft sowohl Tuch als auch Weizen produziert, wenn die relativen Faktorpreise durch Geraden angegeben werden, die steiler als w_c und flacher als w_d verlaufen. Der relative Lohnsatz sei z. B. durch die Steigung der Linie w_a fixiert. Überträgt man diesen Lohnsatz auf Abb. 81, so ist sofort ersichtlich, daß die partielle Bodenintensität in der Weizenproduktion durch b_1 und die Bodenintensität in der Tucherzeugung durch b_2 bestimmt wird. Steigt nun der relative Lohnsatz auf w_b, so erhöhen sich die partiellen Bodenintensitäten auf b_3 und b_4. Diese Behauptung ist nicht unmittelbar verständlich, denn warum — so mag der Leser fragen — können die Boden-Arbeits-Verhältnisse in beiden Sektoren steigen, wenn das gesamtwirtschaftliche Boden-Arbeits-Verhältnis auf dem Niveau b_0 fixiert ist. Die Antwort liefert die Identitätsgleichung[35])

$$\frac{B}{A} = \frac{B_1}{A_1} \cdot \frac{A_1}{A} + \frac{B_2}{A_2} \cdot \frac{A_2}{A},$$

in der $\frac{B_1}{A_1} \left(\frac{B_2}{A_2}\right)$ die Bodenintensität in der Tucherzeugung (Weizenerzeugung) und $\frac{A_1}{A} \left(\frac{A_2}{A}\right)$ den Anteil der in der Tucherzeugung (Weizenerzeugung) Beschäftigten am gesamten Arbeitseinsatz bezeichnen. Die Beschäftigungsquotienten $\frac{A_1}{A}$ und $\frac{A_2}{A}$ stehen daher als Indikatoren für die Produktionsstruktur, für die relative Bedeutung der Tuch- und Weizenproduktion. Bei einem relativen Lohnsatz in Höhe von w_a sollen für die Größen dieser Gleichung folgende Werte gelten:

$$15 = 10 \cdot 0{,}5 + 20 \cdot 0{,}5.$$

Steigt nun der relative Lohnsatz auf w_b, so erhöhen sich die partiellen Bodenintensitäten, z. B. auf 12 und 24. Diese Variation der sektoralen Faktorintensitäten ist mit einem konstanten $\frac{B}{A} = 15$ dann vereinbar, wenn die Tucherzeugung wächst und die Weizenerzeugung schrumpft, damit aber auch der Anteil $\frac{A_1}{A}$ der in der Tucherzeugung Beschäftigten größer und entsprechend $\frac{A_2}{A}$ vermindert wird. Sind die neuen Beschäftigungsquotienten gleich 0,75 und 0,25, so gilt

$$15 = 12 \cdot 0{,}75 + 24 \cdot 0{,}25.$$

Die Zunahme der partiellen Bodenintensitäten ist also bei Konstanz der gesamtwirtschaftlichen Faktorproportion b_0 nur dann zu erreichen, wenn (wie auch aus Abb. 82 ersichtlich) die Produktion des reichlich Boden verwendenden Gutes Weizen zugunsten der Tucherzeugung reduziert wird. Bewegungen von w_a nach w_b (allgemein von w_c nach w_d) implizieren insofern einen wachsenden Anteil der Tucherzeugung an der Gesamtproduktion der Volkswirtschaft.

---

[35]) Es gilt: $B = B_1 + B_2; \frac{A_1}{A} + \frac{A_2}{A} = 1.$

III. Einkommensverteilung und internationaler Handel

Nach diesen vorbereitenden Erörterungen sind wir in der Lage, das Faktorpreisausgleichstheorem mit Hilfe des Harrod-Johnson-Diagramms zu erklären. In Abb. 84 werden die Boden-Arbeitsverhältnisse im Inland durch b_i und im Ausland durch b_a angegeben, so daß sich die relativen Faktorpreise zwischen A und B (Inland) bzw. zwischen C und D (Ausland) bewegen können[36]). Sind im Autarkiezustand die Faktorpreise gleich w_i und w_a, so werden die relativen Güterpreise vor dem Handel durch P_i (Inland) und P_a (Aus-

Abb. 84

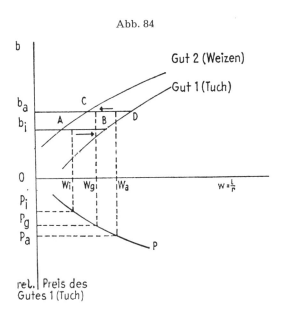

land) angegeben. Da der relative Tuchpreis im arbeitsreichen Inland niedriger als im Ausland ist, wird sich das Inland auf die Produktion von Tuch und das Ausland auf die Erzeugung von Weizen spezialisieren, nachdem sich ein Weltmarktpreisverhältnis z. B. in Höhe von P_g gebildet hat. Weil Tuch (Weizen) das arbeitsintensive (bodenintensive) Gut ist, nimmt die Arbeitsnachfrage im Inland zu, während sich die Arbeitsnachfrage im Ausland verringert. Die relativen Lohnsätze bewegen sich aufeinander zu, bis die Faktorpreisverhältnisse auf dem Niveau w_g einander entsprechen. Dieser Ausgleich der Faktorpreise resultiert aus den produktionstheoretischen Zusammenhängen, wie sie mit Hilfe von Abb. 82 und 83 demonstriert worden sind: Da nämlich jedem Güterpreisverhältnis ein bestimmtes Faktorpreisverhältnis zugeordnet ist, muß bei einheitlichem Güterpreisverhältnis der relative Faktorpreis im Inland dem im Ausland entsprechen, sofern die Produktionsfunktionen international identisch sind.

b) Wie in Abschnitt 3.2. bereits gezeigt worden ist, wird ein vollständiger Ausgleich der Faktorpreise u. a. dann verhindert, wenn die Spezialisierung zumindest in einem Land vollkommen ist. Dieser Fall sei mit Hilfe von Abb. 85 erörtert. Vor Eröffnung des Handels werden bei gegebenen Faktorproportionen b_i und b_a die relativen Güterpreise durch P_i und P_a und die

---

[36]) In beiden Ländern sind die Produktionsfunktionen und damit auch die Faktorintensitätskurven identisch.

relativen Faktorpreise durch w_i und w_a bestimmt. Bildet sich ein Weltmarktpreisverhältnis in Höhe von P_g, so bewegen sich die Faktorpreise aufeinander zu, ohne daß ein voller Ausgleich möglich ist. Während der Auslandslohnsatz nun w_g beträgt, ist w_h der maximale relative Lohnsatz, der im In-

Abb. 85

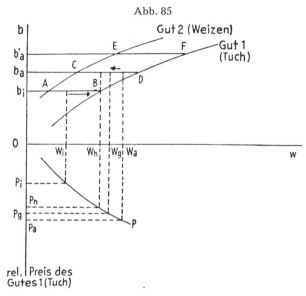

land bei völliger Spezialisierung auf die Tuchproduktion erreicht werden kann. Dieser Lohnsatz wird in einem Box-Diagramm durch die Steigung der Tuchisoquante im Eckpunkt, also dem Punkt totaler Spezialisierung gemessen. Ein solcher Produktionspunkt wird offenbar immer dann gewählt, wenn der relative Tuchpreis gleich oder höher als P_h (z. B. P_g) ist[37]. Während vollständige Spezialisierung somit bei unterschiedlichen Güterpreisen möglich ist, determiniert die Tuchisoquante im Spezialisierungspunkt eindeutig den Wert w_h des relativen Lohnes. Dieses Faktorpreisverhältnis weicht von dem des Auslands (w_g) ab. Nur wenn sich der Tuchpreis nach Eröffnung des Handels auf P_h einspielt, sinkt der Auslandslohnsatz auf w_h, so daß trotz vollständiger Spezialisierung im Inland der Ausgleich der Faktorpreise garantiert ist.

Die Chancen zum Faktorpreisausgleich werden umso kleiner, je mehr die Faktorproportionen in den Ländern differieren. Wird die ausländische Bodenintensität z. B. durch b_a' angezeigt, so gibt es keinen relativen Lohnsatz, der in beiden Ländern zugleich realisiert werden kann. Während sich der relative Lohnsatz im Inland zwischen A und B bewegt, wird der Bereich der möglichen Faktorpreise im Ausland durch die Grenzpunkte E und F bestimmt. Ist das Weltmarktpreisverhältnis z. B. gleich P_g, so spezialisiert sich das Inland vollständig auf die Produktion von Tuch (Punkt B) und das Ausland auf die Erzeugung von Weizen (Punkt E); der Angleichungsprozeß der Faktorpreise wird an diesen Punkten aufgehalten, so daß ein vollständiger Ausgleich nicht erreichbar ist.

[37]) Zeichnet man die Transformationskurve in ein Tuch-Weizen-Diagramm ein, so kann die Preisgerade, welche die Transformationskurve im Schnittpunkt mit der Tuchachse berührt, unterschiedliche Steigungsmaße haben. Völlige Spezialisierung ist also mit divergierenden Preisrelationen vereinbar.

III. Einkommensverteilung und internationaler Handel 283

c) Außer durch vollkommene Spezialisierung wird der Ausgleich der Faktorpreise auch dann verhindert, wenn das jeweilige Gut nicht als eindeutig arbeits- oder bodenintensiv klassifiziert werden kann. Eine solche Situation ist in Schaubild 86 dargestellt: Bewegt sich der relative Lohnsatz zwischen O und A, so ist Gut 1 arbeitsintensiver als Gut 2, steigt aber der relative Lohnsatz über A hinaus, so schlagen die Faktorintensitäten um, und Gut 1 wird nunmehr das bodenintensivere Produkt. Das Umschlagen der Faktorintensitäten erklärt auch den Verlauf der Preiskurve P: Während sich der relative Preis von Tuch bei steigenden relativen Lohnsätzen zunächst erhöht, bewirken Lohnerhöhungen über A hinaus eine Senkung des relativen Preises von Tuch, also eine Erhöhung des relativen Preises von Weizen, da Weizen nunmehr das arbeitsintensive Gut wird. Ein gegebenes Güterpreisverhältnis ist daher mit unterschiedlichen relativen Faktorpreisen kompatibel.

Umschlagende Faktorintensitäten sind nun für die Gültigkeit des Faktorpreisausgleichstheorems immer dann von Bedeutung, wenn Divergenzen in den Boden-Arbeits-Relationen zwischen den Ländern dazu führen, daß in einem der Länder der relative Lohnsatz kleiner, im anderen Lande aber größer als OA ist. Ohne weitere Informationen — vor allem über den Verlauf der Preiskurve — kann man dann nicht mehr bestimmen, ob das arbeitsreiche Land sein arbeits- oder bodenintensives Gut und ob das bodenreiche Land sein boden- oder arbeitsintensives Gut exportiert. In Schaubild 86 wird nun angenommen, daß das Boden-Arbeits-Verhältnis, der relative Lohnsatz und der relative Preis des Gutes 1 im Inland durch b_i, w_i und P_i bestimmt sind, während b_a, w_a und P_a Faktorproportionen und Preise im Ausland bezeichnen. Obwohl die Produktionsfunktionen international identisch sind, ist wegen des Umschlagens der Faktorintensitäten Tuch im Inland arbeitsintensiv, im Ausland dagegen bodenintensiv. Da der relative Preis von Tuch im Inland geringer als im Ausland ist[38], wird sich das arbeitsreiche Inland nach Bildung eines einheitlichen Weltmarktpreises P_g auf die Produktion seines arbeitsintensiven Gutes Tuch spezialisieren — und dieses Gut auch

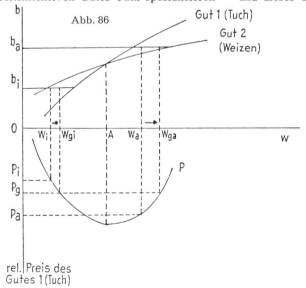

Abb. 86

[38]) Bei anderen Verläufen der Preiskurve kann der Preis auch höher als im Ausland sein.

exportieren —, so daß der relative Lohnsatz von w_i auf w_{gi} steigt: Die Außenhandelsstruktur des Inlandes entspricht also den Ergebnissen, die sich aus dem Faktorproportionentheorem gewinnen lassen. Dagegen spezialisiert sich das bodenreiche Ausland auf die Produktion von Weizen, welches hier im Gegensatz zum Inland das arbeitsintensive Gut ist. Das Faktorproportionentheorem wird also durch dieses Land verletzt. Folglich steigt auch in diesem Land der relative Lohnsatz (auf w_{ga}). In beiden Ländern konzentriert sich also die Produktion auf die jeweils arbeitsintensive Industrie; da folglich der relative Lohnsatz sowohl im Inland als auch im Ausland ansteigt, ist ein vollständiger Faktorpreisausgleich unmöglich.

IV. Außenhandel und variables Faktorangebot

Um komparative Kostendifferenzen durch Unterschiede in der Ausstattung mit Produktionsfaktoren erklären zu können, hat es sich bisher als zweckmäßig erwiesen, die Menge der Faktoreinheiten, über die jedes Land verfügt, als konstant anzusehen: Die Seiten der Box-Diagramme blieben unverändert. Diese Annahme soll nun aufgegeben werden. Wir wollen also untersuchen, welche Modifikationen anzubringen sind, wenn sich die Ausstattung der Länder mit Produktionsfaktoren ändert (vgl. dazu auch 6. Kap., I, 2)

a) Änderungen des Faktorangebots vollziehen sich einmal im Rahmen langfristiger Wachstumsprozesse. Neben der Zunahme des Arbeitsangebots, die Begleiterscheinung der Bevölkerungsvermehrung ist, muß hier vor allem die Kapitalakkumulation beachtet werden. Im Ausgangszustand sei das Arbeits-Kapital-Verhältnis im Inland größer als im Ausland, so daß das Inland über komparative Vorteile in der Erzeugung arbeitsintensiver Produkte verfügt, während das Ausland einen Vorsprung in der Fertigung kapitalintensiver Produkte besitzt. Diese Unterschiede in den relativen Faktorausstattungen können auf lange Sicht gemildert, beseitigt oder gar in ihr Gegenteil verkehrt werden, wenn der inländische Kapitalbestand bei nur langsamer Bevölkerungsvermehrung in beiden Ländern stärker als der des Auslandes wächst. Die komparativen Vorteile, die das Inland in der Erzeugung arbeitsintensiver Produkte besaß, gehen dann verloren, und es mag schließlich der Zeitpunkt kommen, in dem sich die Struktur des Außenhandels ändert, das Inland also kapital- an Stelle von arbeitsintensiven Produkten exportiert. Solche Änderungen in den Faktorproportionen sind für Ausmaß und Zusammensetzung des Außenhandels von erheblicher Bedeutung gewesen: Durch sie kann erklärt werden, warum der Anteil kapitalintensiver Produkte am Gesamtexport in Ländern, die ursprünglich überwiegend arbeits- und bodenintensive Waren exportierten, nach einer Phase rascher Kapitalakkumulation erheblich gestiegen ist. Indessen muß beachtet werden, daß komparative Vorteile, die ein Land in der Erzeugung kapitalintensiver Güter besitzt, nicht Folgen der Kapitalakkumulation schlechthin sind: Erforderlich ist vielmehr, daß das Verhältnis zwischen Kapital- und Arbeitsmenge in diesem Lande größer als das entsprechende Verhältnis in anderen Ländern ist.

b) Von nicht geringerer Bedeutung als solche langfristigen Änderungen des Faktorbestandes sind kurzfristige Angebotsänderungen, die durch den Außenhandel induziert sind. Zwar ist der Außenhandel durch unterschiedliche Faktorausstattungen bedingt, doch läßt sich auch umgekehrt zeigen, daß Divergenzen in den relativen Faktorbeständen zweier Länder durch den Außenhandel selbst hervorgerufen werden, dieser also Ursache und Folge unterschiedlicher Faktorproportionen zugleich ist. Greifen wir auf die Erörterungen in den letzten Abschnitten zurück: Hier wurde gezeigt, daß das

IV. Außenhandel und variables Faktorangebot

mit reichlich Arbeit ausgestattete Inland sich auf die Produktion und den Export des arbeitsintensiven Gutes 1 einstellt, so daß die Lohnsätze gegenüber dem autarken Zustand zu steigen tendieren. Reagiert das Arbeitsangebot auf Lohnerhöhungen positiv, so wächst die Zahl der verfügbaren Arbeitseinheiten — mit der Folge, daß das Verhältnis zwischen Arbeits- und Bodenmenge, das schon im Ausgangszustand größer als im Ausland war, sich in noch stärkerem Maße von den entsprechenden Proportionen im Ausland entfernt[39]. Natürlich wird die Divergenz um so größer werden, wenn gleichzeitig das Arbeitsangebot im Ausland sinkt, das Bodenangebot im Ausland steigt und im Inland abnimmt — Veränderungen, die zu erwarten sind, wenn die Angebotselastizitäten für alle Faktoren größer als Null sind, Faktormengen und Faktorpreise sich also in die gleiche Richtung bewegen[40]. Diese Änderungen in den Faktorproportionen, die durch den Außenhandel bedingt sind, machen es dann möglich, den Grad der Spezialisierung und damit das Ausmaß der Handelsbeziehungen noch weiter zu vergrößern. Im „Mechanismus" des Außenhandels ist daher ein „Selbstverstärker" eingebaut: Nachdem Divergenzen in den Faktorproportionen zur Aufnahme des Außenhandels geführt haben, verstärkt der Außenhandel diese Divergenzen, die ihrerseits den Grundstein legen für eine weitere Ausdehnung der Handelsbeziehungen[41]. „Der Außenhandel ist die Ursache für die Verstärkung des Außenhandels" — so könnte man die Zusammenhänge schlagwortartig, wenn auch in vereinfachter Form und unter Ausschaltung vieler störender Faktoren, vor allem auf der Nachfrageseite, charakterisieren.

Die aufgestellten Hypothesen lassen sich wieder an Hand von Box-Diagrammen demonstrieren. Wir wollen zur Vereinfachung annehmen, daß das Bodenangebot in beiden Ländern und das Arbeitsangebot im Ausland unverändert bleiben, verfolgen also nur die Effekte steigenden Arbeitsangebots im Inland. In Abb. 87 repräsentieren die Seiten des Rechtecks $OBCA$ die ursprüngliche Faktorausstattung des Inlands. Im isolierten Zustand werden beide Güter in einem Verhältnis erzeugt, das durch die Isoquanten, die durch den Punkt Q auf der Kontraktkurve OQC laufen, angegeben wird. Nach Aufnahme des Außenhandels verschiebe sich das Preisverhältnis zugunsten von Gut 1, so daß mehr von dem Exportgut 1 und weniger von Gut 2 erzeugt, also ein neuer Produktionspunkt wie M erreicht wird. Da der Übergang von Q nach M mit einem Anstieg des Lohnsatzes verbunden ist — die Faktorpreislinie in M verläuft steiler als in Q —, steigt das Arbeitsangebot, z. B. um AE ($= CD$). Der Ursprung der Gut-2-Isoquanten liegt jetzt in D, nicht mehr in C.

Welches ist nun der neue Produktionspunkt? Soll auch der neue Produktionspunkt den Effizienzkriterien eines Pareto-Optimums entsprechen, so muß die Faktorverteilung nunmehr durch einen Punkt auf der neuen Kontraktkurve OPD angegeben werden. Existiert ferner auch in der neuen Situation zunächst das in M gegebene Güterpreisverhältnis, dem ein bestimmtes Faktorpreisverhältnis (Anstieg der Geraden in M) entspricht, so kommt als Produktionspunkt nur ein solcher Punkt auf der neuen Kontraktkurve in Frage, dem das gleiche Faktorpreisverhältnis (und Güterpreisverhältnis) wie M zugeordnet ist. Diese Bedingung wird nur durch P erfüllt.

---

[39]) Bei inversen Reaktionen des Arbeitsangebots können die Unterschiede in den Faktorproportionen allerdings gemildert werden.

[40]) Dem Beispiel in den Abschnitten III, 1 und 2 lag die Annahme zugrunde, daß der Lohn im Inland steigt und im Ausland sinkt, während die Rente im Inland sinkt und im Ausland steigt.

[41]) Dieser Ausweitungsprozeß findet sein Ende, wenn die Elastizitäten des Faktorangebots schließlich Null werden.

Aus der Darstellung des Faktorpreisausgleichstheorems ist uns nämlich bekannt, daß unter den erörterten produktionstheoretischen Prämissen auf einer Geraden durch den Ursprung wie OMP das Verhältnis der Grenzproduktivitäten und damit der Faktorpreise in der Erzeugung des Gutes 1, ferner aber auch das Verhältnis der Güterpreise konstant ist. Der Produktionspunkt P liegt ferner auf einer Parallelen PD zu CM: Da auf Kontraktkurven das Grenzproduktivitätsverhältnis in der Erzeugung des Gutes 2 der Grenzproduktivitätsrelation bei Gut 1 entspricht, die Grenzproduktivitätsrelation für Gut 1 jedoch in M und P übereinstimmt, muß auch das Grenzproduktivitätsverhältnis bei Gut 2 in P gleich dem Verhältnis in M sein. Daher sind die

Abb. 87

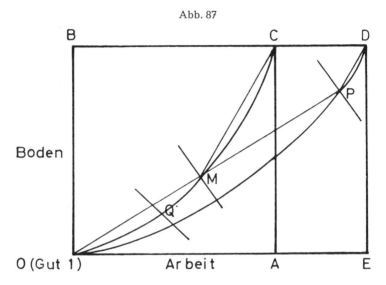

Expansionspfade PD und CM, denen ja das gleiche Isoquantensystem zugrundeliegt, parallele Linien.

In P ist die Erzeugung des Gutes 1 größer als in M ($OP > OM$) und die Erzeugung des Gutes 2 kleiner als in M ($PD < CM$). Die Produktion des Exportgutes steigt und die des Importgutes sinkt — allgemein: die Spezialisierung nimmt zu —, wenn sich die Differenzen zwischen in- und ausländischen Faktorproportionen durch Ausdehnung des inländischen Arbeitsangebots vergrößert haben.

Diese unter dem Namen R y b c z y n s k i - T h e o r e m[42]) geläufige Hypothese kann man leicht verallgemeinern: Wenn sich bei konstanten terms of trade die Menge eines Faktors vergrößert, so sinkt die Erzeugung jenes Gutes, welches diesen Faktor nur in relativ geringem Maße beansprucht, während sich die Erzeugung des anderen Gutes, in dessen Herstellung dieser Faktor von besonderer Bedeutung ist, um mehr als das gesamte Sozialprodukt erhöht. Die ökonomische Logik dieser Aussage ist nicht schwierig einzusehen: Konstanz der relativen Güterpreise ist nur bei Konstanz der relativen Faktorpreise möglich, denn die relative Verteuerung eines Faktors würde auch den relativen Preis jenes Gutes erhöhen, in dessen Herstellung dieser Faktor dominiert. Nun implizieren aber konstante relative Faktorpreise auch unver-

---

[42]) R y b c z y n s k i , T. M., Factor Endowment and Relative Commodity Prices, Economica N. S., Bd. 22, 1955.

änderte Faktoreinsatzverhältnisse, also ein konstantes Verhältnis der Grenzprodukte in beiden Industrien. Erhöht sich jetzt die Menge des Faktors Arbeit, so sind konstante Faktoreinsatzverhältnisse in beiden Industrien mit dem nunmehr größeren, gesamtwirtschaftlichen Arbeits-Boden-Verhältnis nur dann vereinbar, wenn die Produktion des bodenintensiven Gutes absolut vermindert wird. Durch diese Produktionseinschränkung werden Boden und Arbeit zur Erzeugung zusätzlicher Mengen des Gutes 1 freigesetzt, allerdings mehr Boden, als bei gegebenen Faktoreinsatzverhältnissen in der arbeitsintensiven Industrie Nr. 1 zur Kombination mit den transferierten Arbeitsmengen notwendig ist. Der „Überschuß" an Boden kann dann verwendet werden, um die zusätzlich in den Produktionsprozeß eingetretenen Arbeitskräfte zu beschäftigen. Durch diesen Umschichtungsprozeß ist es also möglich, die Faktoreinsatzrelationen in beiden Wirtschaftszweigen konstant zu halten, obwohl die gesamtwirtschaftliche Arbeits-Boden-Relation größer als im Ausgangszustand ist.

c) Aus der neuen Kontraktkurve kann jetzt wieder in der bekannten Weise eine Transformationskurve t_2 abgeleitet werden, die gegenüber der ursprünglichen Kurve t_1 weiter vom Ursprung entfernt liegt (Abb. 88). Da in unserem Beispiel nur das Arbeitsangebot bei konstantem Bodenangebot gewachsen ist, wird die Produktion des arbeitsintensiven Gutes 1 besonders begünstigt, wie durch Vergleich der Transformationskurven festgestellt werden kann. Aus Abb. 74 übertragen wir die Produktionspunkte M und P. P muß natürlich rechts und unterhalb von M liegen, weil die Produktion des Gutes 1 gegenüber M gestiegen und die Erzeugung von Gut 2 gegenüber M gesunken ist. In P und M sind die Grenzraten der Transformation identisch und dem Preisverhältnis gleich. Sicherlich ist nicht wahrscheinlich, daß dieses

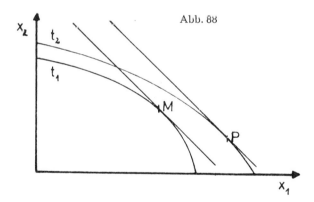

Abb. 88

Preisverhältnis auch auf die Dauer bestehen bleibt, denn mit den Änderungen der Angebotsbedingungen — die in der Verschiebung der Transformationskurve zum Ausdruck kommen — wird sich auch ein neues internationales Gleichgewicht ergeben, dem ein neues Austauschverhältnis und eine andere, wahrscheinlich größere Menge an ausgetauschten Gütern zugeordnet ist.

Die Transformationskurve — das verdient als Ergebnis dieses Abschnitts festgehalten zu werden — ist kein Datum, das nur Richtung und Ausmaß des Außenhandels bestimmt, sie ist nicht nur Grundlage, sondern abhängige Variable des Außenhandels zugleich. H a n d e l s b e z i e h u n g e n w e r -

den zwar durch komparative Kostendifferenzen möglich gemacht, aber eben diese Handelsbeziehungen tragen dazu bei, die komparativen Kosten selbst zu verändern[43]).

V. Zwischenprodukte und internationaler Handel

Den Ausführungen der vorhergehenden Abschnitte lag die Annahme zugrunde, daß die Mengen zweier Produkte x_1 und x_2 mit Hilfe zweier substituierbarer Produktionsfaktoren Arbeit und Boden erzeugt werden. Derartig konzipierte produktionstheoretische Modelle lassen indessen außer acht, daß zur Erzeugung von Endprodukten regelmäßig neben originären Produktionsfaktoren auch Zwischenprodukte benötigt werden. Ferner sind nicht nur Endprodukte, sondern auch Zwischenprodukte Gegenstand des Güteraustausches zwischen den Ländern. Die produktionstheoretischen Modelle der reinen Theorie bedürfen daher der Ergänzung durch Einbeziehung solcher Zwischenprodukte.

Im folgenden wird unterstellt, daß die Güter Nr. 1 und Nr. 2 sowohl für Zwecke des Endverbrauches als auch zur Erzeugung anderer Güter (z. B. Heizölverbrauch in Haushalten und in der industriellen Produktion) verwendet werden können. Der als fix angenommene Koeffizient a_{12} (input-output-Koeffizient) bestimmt die Menge des Gutes 1, welche zur Erzeugung einer Einheit des Gutes 2 benötigt wird. Die zur Herstellung einer bestimmten Menge x_2 benötigte Menge an Zwischenprodukten (x_{1Z}) ist dann durch den Ausdruck

$$x_{1Z} = a_{12} x_2$$

gegeben. Zieht man von der Gesamtproduktion des Gutes 1 (x_1) die für die Fertigung des Gutes 2 verwendete Menge ab, so beträgt die für den Endkonsum verfügbare Menge X_1 (Nettoproduktion):

$$X_1 = x_1 - a_{12} x_2 \, . \tag{1}$$

Entsprechend ist die für Konsumzwecke bereitstehende Nettoproduktion des Gutes 2 X_2 durch den Ausdruck

$$X_2 = x_2 - a_{21} x_1 \tag{2}$$

bestimmt, wobei a_{21} die für die Herstellung einer Einheit des Gutes 1 benötigte Menge von Gut 2 angibt.

Die Unterscheidung zwischen Brutto- und Nettoproduktion macht es nun erforderlich, zwischen zwei Transformationskurven zu unterscheiden[43a]). Die Bruttotransformationskurve (tt in Abb. 89) bestimmt die maximal möglichen Mengen von x_1 und x_2; sie ist mit den bisher verwendeten Transformationskurven unter der Annahme identisch, daß keine Zwischenprodukte benötigt werden. Aus tt läßt sich nun die Nettotransformationskurve TT — der geometrische Ort aller effizienten X_1, X_2 - Kombinationen — in einer durch die Gleichungen (1) und (2) bestimmten Form ableiten: Wir fixieren auf der Bruttotransformationskurve einen willkürlich gewählten Punkt P mit den zu-

---

[43]) Die Transformationskurve verschiebt sich nicht nur bei variablem Faktorangebot, sondern auch als Folge des Außenhandels mit Zwischenprodukten. Vgl. dazu Enke, S., Some Gains from Trade in Producer Goods, Quarterly Journal of Economics, Bd. 75, 1961, S. 635 ff.

[43a]) Vgl. dazu Vanek, J., Variable Proportions and Inter-Industry Flows in the Theory of International Trade, Quarterly Journal of Economics, Bd. 77, 1963, S. 129 ff.

V. Zwischenprodukte und internationaler Handel

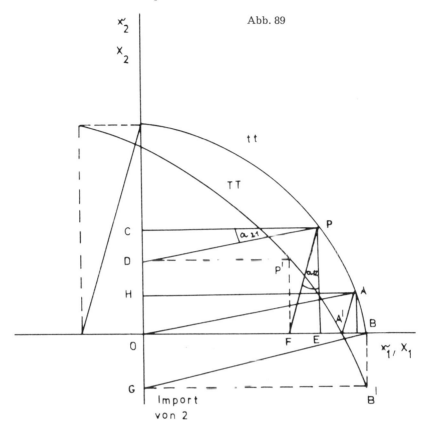

Abb. 89

gehörigen Mengen $x_1 = OE$ und $x_2 = OC$. Zur Herstellung von OC Einheiten des Gutes 2 seien nun EF Einheiten von Gut 1 als Zwischenprodukte erforderlich. Diese Beziehung wird durch den Anstieg der Linie PF ($a_{12} = FE/PE = FE/OC$) bestimmt. Die Nettoproduktion des Gutes 1 ergibt sich dann gemäß Gleichung (1) durch:

$$OF = OE - \frac{FE}{OC} \cdot OC.$$

Wir nehmen ferner an, daß CD Einheiten des Gutes 2 zur Erzeugung von OE Einheiten des Gutes 1 verwendet werden. Daher wird der Koeffizient a_{21} durch den Anstieg der Linie PD bestimmt: $a_{21} = CD/PC = CD/OE$. Folglich beträgt die Nettoproduktion des Gutes 2 gemäß Gleichung (2):

$$OD = OC - \frac{CD}{OE} \cdot OE.$$

Die Nettoproduktmengen OD und OF sind die Koordinaten des Punktes P', der somit als ein Punkt der gesuchten Nettotransformationskurve bestimmt ist. Andere Punkte dieser Kurve TT lassen sich in analoger Weise ermitteln. Geht man z. B. von Punkt A auf der Kurve tt aus und zieht man durch A die Linien AO und AA' parallel zu PD und PF (wegen der Konstanz von a_{12} und a_{21}), so ist A' der zugehörige Punkt auf der Netto-Kurve TT: Da die gesamte Bruttoproduktion des Gutes 2 (OH) als Vorleistung in die Erzeugung des Gutes 1 eingeht, ist die für Konsumzwecke verfügbare Nettoproduktion des Gutes 2 gleich Null. Für Produktionspunkte zwischen A und B ist die zugehörige Nettoproduktion des Gutes 2 gar negativ, was bedeutet, daß dieses Gut importiert werden muß[44]). Gehen wir z. B. vom Produktionspunkt B aus, so erfordert die Bruttomenge OB den Einsatz von Zwischenprodukten in der Menge OG. Da die Brutto-Produktion des Gutes 2 in B jedoch gleich Null ist, kann der Zwischenproduktbedarf OG offenbar nur durch Importe aus dem Ausland befriedigt werden: Die Netto-Kurve weist demnach negative Ordinatenwerte auf. Da ferner für x_2 = Null die Bruttoproduktion des Gutes 1 OB vollständig für Konsumzwecke verwendet werden kann, liegt der Produktionspunkt B' senkrecht unterhalb von B. Alle Produktionspunkte zwischen A' und B' zeigen dagegen an, daß die für die Erzeugung von x_1 benötigten Mengen von x_2 teilweise im Inland erzeugt, teilweise importiert werden. Analoge Überlegungen erklären den Verlauf von TT im Bereich negativer Abszissenwerte.

Für die weiteren Überlegungen ist nun entscheidend, ob die Netto-Kurve TT in ähnlicher Weise wie die früher abgeleiteten Transformationskurven verwendet werden kann. Dies setzt voraus, daß die Grenzrate der „Nettotransformation" $-\dfrac{dX_1}{dX_2}$ dem Preisverhältnis $\dfrac{P_2}{P_1}$ entspricht, alle Punkte auf dieser Kurve (ähnlich wie Punkte auf den in den vorhergehenden Abschnitten verwendeten Transformationskurven) also als Gleichgewichts-Produktionspunkte angesehen werden können. In der Tat kann nachgewiesen werden, daß das Preisverhältnis auch unter den geänderten Voraussetzungen der marginalen Transformationsrate entspricht (bei vollständiger Konkurrenz). Auf den etwas mühsamen Beweis sei hier verzichtet[45]), zumal das Ergebnis wegen der durch fixe Koeffizienten bedingten Proportionalität zwischen Brutto- und Nettoproduktion wohl auch intuitiv einleuchtet.

b) Im folgenden sei nun gefragt, ob die aus bestimmten produktionstheoretischen Annahmen abgeleiteten Theoreme — vor allem das Faktorproportionen- und Faktorpreisausgleichstheorem — auch dann noch gelten, wenn Zwischenprodukte berücksichtigt werden. Zur Überprüfung dieser Theoreme verwenden wir Abb. 90. Hier wird die Faktorausstattung des Inlands durch die Seiten der Box OADE gemessen. Sieht man zunächst von Zwischenprodukten ab, so repräsentiert die Kontraktkurve OD mit Punkt O (D) als Ursprung der x_1-(x_2-)Isoquanten — und die daraus abgeleitete Transformationskurve tt — die Produktionsmöglichkeiten der Volkswirtschaft in Abhängigkeit von den verfügbaren Arbeits- und Bodenmengen. Die Produktionspunkte bei Existenz von Außenhandel seien durch P" (Abb. 90) bzw. P (Abb. 89) angegeben. Führt man nun Zwischenprodukte in die Betrachtung ein, so korrespondiert zur tt-Kurve die Netto-Kurve TT mit dem entsprechenden Produktionspunkt P'. Das bei Außenhandel bestehende Faktorpreisverhältnis wird durch den Anstieg der Tangente in P" (Abb. 90), das zugehörige Güterpreisverhältnis durch den Anstieg einer Tangente in P' (Abb. 89) angegeben. So korrespondiert zu jedem Faktorpreisverhältnis ein bestimmter Punkt auf der Netto-Kurve, d. h. ein bestimmtes Güterpreisverhältnis. Ferner läßt sich der Spezialisierungsgrad in bezug auf die Nettomengen durch das Streckenverhältnis OF/OD bestimmen, während OE/OC bzw. OP"/DP" (Abb. 90) den Spezialisierungsgrad hinsichtlich der Bruttomengen anzeigen.

---

44) Vgl. dazu Warne, R. D., Intermediate Goods in International Trade with Variable Proportions and Two Primary Inputs, Quarterly Journal of Economics, Bd. 85, 1971, S. 225 ff.
45) Vgl. Vanek, J., Variable Factor Proportions . . . a. a. O., S. 133 f.

V. Zwischenprodukte und internationaler Handel 291

Die Faktorausstattung des Auslands werde nun durch die Box $OABC$ angegeben, das Ausland ist also bodenintensiv. Alle anderen Produktionsbedingungen (einschließlich der input-output-Koeffizienten) seien jedoch identisch, wie dies im einzelnen bei der Ableitung des Faktorpreisausgleichstheorems gezeigt worden ist. Unter den Annahmen dieses Theorems läßt sich die Kon-

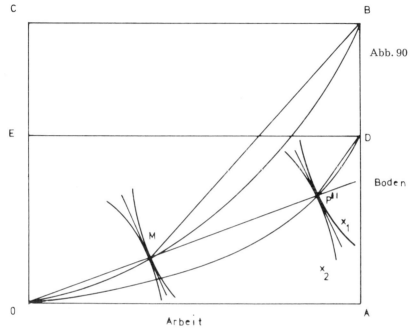

Abb. 90

traktkurve OMB des Auslands konstruieren, die wiederum alle effizienten Produktionspunkte miteinander verbindet. Bei freiem internationalen Handel stimmen nun die Produktpreisrelationen in beiden Ländern überein. Da zu jedem relativen Güterpreis — angezeigt durch eine Tangente an die Nettotransformationskurve — ein bestimmter relativer Faktorpreis gehört, folgt bei identischen Produktionsbedingungen in beiden Ländern, daß übereinstimmende relative Güterpreise auch übereinstimmende relative Faktorpreise implizieren.

Aus früheren Erörterungen (S. 266 ff.) wissen wir nun, daß dem Produktionspunkt P'' auf der Kontraktkurve des Inlands der Produktionspunkt M im Ausland entsprechen muß: In M und P'' stimmen außer den relativen Faktorpreisen auch die relativen Güterpreise überein. Da Bewegungen auf dem Expansionspfad OMP'' bzw. auf den (parallel laufenden) Pfaden BM und DP'' implizieren, daß die Produktmengen wegen der linearen Homogenität der Produktionsfunktionen proportional zu den Faktoreinsatzmengen steigen, ist das Verhältnis der produzierten Bruttomengen von 1 und 2 im Inland (OP''/DP'') größer als im Ausland (OM/MB). Das relativ arbeitsreiche Inland spezialisiert sich also auf sein arbeitsintensives Gut Nr. 1, während das relativ bodenreiche Ausland vorwiegend sein bodenintensives Gut Nr. 2 erzeugt. Der Grad der Spezialisierung in bezug auf die Nettoproduktion ist größer, weil mit steigender Produktion des Gutes 1 im Inland zusätzliche Mengen des Gutes 2 aus der konsumtiven Verwendung abgezogen werden müssen, um als Zwischenprodukte Verwendung zu finden. Umgekehrt werden mit schrumpfender

Produktion des Gutes 2 geringere Mengen von Gut 1 als Zwischenprodukte verwendet.

Bei identischen Nachfragebedingungen folgt nun aus der Art der Produktionsstruktur eine bestimmte Struktur des Außenhandels: Wenn bei gleichen Güterpreisen in beiden Ländern die Güter 1 und 2 in gleichen Proportionen nachgefragt werden, muß das arbeitsreiche Inland sein arbeitsintensives Produkt Nr. 1 exportieren, und es wird das bodenintensive Produkt Nr. 2 importieren. Das Faktorproportionentheorem wird also bestätigt.

Die Ausführungen dieses Kapitels lassen sich in mannigfacher Weise modifizieren, so z. B. durch Aufgabe der Annahme fixer Produktionskoeffizienten und die Berücksichtigung substituierbarer Materialinputs. Auf eine Analyse dieser Modifikationen wird hier verzichtet[46]. Es läßt sich unter bestimmten produktionstheoretischen Bedingungen sogar zeigen, daß das Heckscher-Ohlin-Theorem nicht mehr gilt[47].

[46] Vgl. z. B. Melvin, J. R., Intermediate Goods, the Production Possibility Curve, and Gains from Trade, Quarterly Journal of Economics, Bd. 83, 1969, S. 141 ff.; Warne, R. D., a. a. O.

[47] Vgl. Schweinberger, A. G., Pure Traded Intermediate Products and the Heckscher-Ohlin-Theorem, American Economic Review, Bd. 65, 1975.

4. Kapitel:
Nachfragegrundlagen des internationalen Handels

Viele Sätze, die in den letzten Abschnitten ausgesprochen wurden, sind mit den einschränkenden Etiketten „bei gegebenen Nachfragebedingungen", „bei identischen Präferenzen" oder „bei nicht allzu unterschiedlichen Konsumgewohnheiten" versehen worden. Es ist nun an der Zeit, die Nachfrage explizit in die Betrachtung einzuführen und die Wirkungen der Konsumentenpräferenzen auf den Außenhandel zu verfolgen. Wie wir sehen werden, führt die Berücksichtigung der Nachfrage zu einer Umwandlung der Theorie der komparativen Kostenvorteile in eine Theorie der komparativen Preisvorteile.

I. Indifferenzkurven und Außenhandelstheorie

1. Individuelle Indifferenzkurven

Die Nachfrage eines Individuums nach Konsumgütern wird in der mikroökonomischen Theorie mit Hilfe von Indifferenzkurven abgeleitet. Eine Indifferenzkurve ist definiert als der geometrische Ort aller Kombinationen zweier Güter Nr. 1 und Nr. 2, die dem Haushalt gleichen Nutzen stiften. Für jede Indifferenzkurve gilt also

a) die Bedingung: $U =$ konstant ($U =$ Nutzen).

Außerdem ist sie durch folgende Eigenschaften gekennzeichnet:

b) Mißt man auf den Achsen eines Koordinatensystems (Abb. 91) die Mengen x_1 und x_2 zweier Güter, so hat die Indifferenzkurve (z. B. a_1 in Abb. 91) ein negatives Steigungsmaß. Dies ist deshalb so, weil die Menge eines Gutes nur dann ohne Nutzeneinbuße für das Individuum vermindert werden kann, wenn die Menge des anderen Gutes entsprechend vermehrt wird.

c) Indifferenzkurven sind konvex zum Ursprung, weil nach aller Erfahrung die Menge des Gutes 1, die das Individuum aufzugeben bereit ist, um den Zugang einer Mengeneinheit des Gutes 2 nach seiner Wertschätzung gerade auszugleichen, immer kleiner wird, je mehr Einheiten des Gutes 2 das Wirtschaftssubjekt bereits besitzt. Diese Erfahrungsregel läßt sich in Abb. 78 dadurch demonstrieren, daß bei konstanten Zuwächsen Δx_2 die Menge des Gutes 1 um ständig kleiner werdende Beträge vermindert wird. Da man die Menge des Gutes Nr. 1, deren Verlust durch den Zugang des Gutes Nr. 2 um eine Mengeneinheit gerade kompensiert wird, als Grenzrate der Substitution von Gut 1 durch Gut 2 bezeichnet, enthält der oben ausgesprochene Satz das **Gesetz von der abnehmenden marginalen Substitutionsrate**. In einem beliebigen Punkt läßt sich die Grenzrate der Substitution $-\dfrac{dx_1}{dx_2}$ durch das Anstiegsmaß einer Geraden messen, die die Indifferenzkurve in diesem Punkte tangiert.

Nun läßt sich der ganze Quadrant mit solchen Indifferenzkurven ausfüllen, von denen jede wieder verschiedenste Güterbündel repräsentiert, die den Nutzen des Individuums konstant lassen. Vom Ursprung weiter entfernte Indifferenzkurven bezeichnen ein höheres Nutzenniveau als solche, die näher

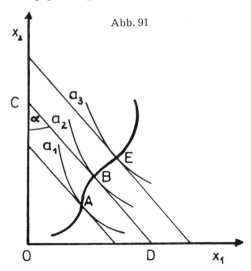

Abb. 91

liegen. Vergleichen wir z. B. Punkt B auf der Kurve a_2 mit Punkt A auf a_1. Punkt B repräsentiert eine größere Menge beider Güter als A, so daß die durch B gekennzeichnete Mengenkombination jener vorgezogen wird, die durch A charakterisiert ist. Da aber alle anderen auf der Kurve a_2 liegenden Güterbündel der B entsprechenden Kombination gleichwertig sind, B jedoch A vorgezogen wird, stiften folglich alle durch a_2 bestimmten Mengenkombinationen eine größere Wohlfahrt als jene Kombinationen, die dem Punkte A (oder anderen, A gleichwertigen Punkten auf a_1) zugeordnet sind. Daraus folgt, daß sich Indifferenzkurven niemals schneiden können. Denn dies würde bedeuten, daß es mindestens einen Punkt auf der Kurve a_2 gibt (nämlich den Schnittpunkt mit a_1), der im Vergleich zur Kurve a_1 ein zugleich höheres wie nicht höheres Nutzenniveau anzeigt. Das aber ist ein logischer Widerspruch. Jede Indifferenzkurve repräsentiert vielmehr in jedem ihrer Punkte ein bestimmtes und eindeutig festgelegtes Nutzenniveau, wobei die einzelnen Kurven mit wachsender Entfernung vom Nullpunkt jeweils höhere Nutzenniveaus anzeigen.

Ordnen wir diesen Kurven in der Weise Zahlen zu, daß von zwei Indifferenzkurven stets diejenige mit einem höheren Zahlenwert verknüpft wird, die auch einen höheren Nutzen repräsentiert, so erhalten wir eine Nutzenskala. Diese wird gewöhnlich als ordinale, nicht aber als kardinale Skala interpretiert. Man kann also zwar sagen, daß eine Güterkombination, die einem Punkte auf a_2 entspricht, einer anderen, die durch einen Punkt auf a_1 angegeben ist, vorgezogen wird, weil sie einen höheren Nutzen stiftet, nicht aber läßt sich sagen, welche Nutzendifferenz zwischen beiden Kombinationen existiert. Die Verwendung von Indifferenzkurven impliziert also nur Aussagen wie: „Kombination I hat einen höheren Nutzen als Kombination II", nicht aber wird behauptet: „Kombination I hat einen doppelt oder dreifach so hohen Nutzen wie Kombination II".

Mit Hilfe des Indifferenzkurvensystems läßt sich jetzt die Nachfrage eines Individuums nach den beiden in Betracht gezogenen Gütern bestimmen, wenn das Geldeinkommen bekannt ist. In der graphischen Darstellung erhält man eine beide Achsen schneidende Einkommensgerade, die angibt, welche Mengen der Güter Nr. 1 und 2 bei gegebenem Geldeinkommen und gegebenen

Preisen gekauft werden können. Aus der in Abb. 91 gezeichneten Einkommensgeraden CD läßt sich also ablesen, daß das Individuum in der Lage ist, entweder die Menge OC von Gut 2 oder die Menge OD von Gut 1 oder jede auf der Linie CD liegende Kombination beider Güter zu kaufen.

Das Anstiegsmaß der Einkommensgeraden — gemessen durch $\operatorname{tg}\alpha = \dfrac{OD}{OC}$ — ist das naturale Tauschverhältnis zwischen beiden Gütern, zugleich aber auch das Verhältnis der Geldpreise $\dfrac{P_2}{P_1}$, da die realen Tauschrelationen durch die Geldpreise bestimmt sind[1]).

Mit Hilfe der verfügbaren Daten läßt sich leicht die Frage beantworten, auf welche Weise der Konsument sein Einkommen zum Kauf beider Güter verwenden wird. Da das Wirtschaftssubjekt bestrebt ist, seine Nutzenfunktion $U = f(x_1, x_2)$ unter der Nebenbedingung eines gegebenen Einkommens zu maximieren, muß jener Punkt auf der Einkommensgeraden gefunden werden, der den höchsten Nutzenindex besitzt. Dieser Punkt liegt offensichtlich dort, wo die Einkommensgerade eine Indifferenzkurve tangiert (Punkt B). Der Konsument wird dann jene Mengen kaufen, die den Koordinaten des Punktes B entsprechen. Diese Gleichgewichtslage hat die Eigenschaft, daß das Preisverhältnis $\dfrac{P_2}{P_1}$ (das Anstiegsmaß der Einkommensgeraden) mit der Grenzrate der Substitution von Nr. 1 durch Nr. 2 (dem Anstiegsmaß der Indifferenzkurve in B) übereinstimmt. Für unterschiedliche Einkommenslagen lassen sich bei konstanten Preisen eine Reihe weiterer Gleichgewichtspunkte ableiten (z. B. A und E), deren Verbindungslinie als Einkommens-Konsum-Linie bezeichnet wird. Diese Linie kann je nach der Lage des Indifferenzkurvensystems gekrümmt oder auch geradlinig durch den Ursprung verlaufen. Im letzteren Falle reagiert der Konsument auf größere Einkommen, indem er die Nachfrage nach beiden Gütern um den gleichen Prozentsatz erhöht; man spricht dann von einer **homogenen Nutzenfunktion**.

2. Gesellschaftliche Indifferenzkurven

Die in der Theorie des Haushalts benutzten Instrumente lassen sich nun auch zur Bestimmung der Gesamtnachfrage einer Gesellschaft verwenden, nur mit dem Unterschied, daß individuelle durch **gesellschaftliche Indifferenzkurven** (community indifference curves), mit deren Hilfe die Nachfrageentscheidungen aller Wirtschaftssubjekte einer Volkswirtschaft zu erfassen sind, ersetzt werden müssen. Eine gesellschaftliche Indifferenzkurve kann in gleicher Weise wie eine individuelle Indifferenzkurve definiert werden, nämlich als geometrischer Ort aller Güterbündel, die der Gesellschaft die gleiche Wohlfahrt stiften. Allerdings sind im Unterschied zu individuellen Kurven zwei Interpretationen des Begriffes „gesellschaftliche Indifferenz" möglich. Die erste Interpretation, der wir uns anschließen wollen, geht davon aus, daß auf einer beliebigen gesellschaftlichen Indifferenzkurve nicht nur die Wohlfahrt der Gesellschaft, sondern auch die Wohlfahrt

---

[1]) Die maximal zu kaufende Menge eines Gutes wird durch das Verhältnis von Einkommen E und Preis bestimmt:
$OD = \dfrac{E}{P_1}, OC = \dfrac{E}{P_2}$. Da $\operatorname{tg}\alpha = \dfrac{OD}{OC}$, gilt auch: $\operatorname{tg}\alpha = \dfrac{P_2}{P_1}$.

jedes einzelnen Individuums unverändert bleibt[2]). Eine andere Deutung schließt in den Begriff der „gesellschaftlichen Indifferenz" nicht die Nutzenkonstanz jedes Individuums ein; gefordert ist lediglich, daß die Nutznießer in der Lage sind, die Verlierer voll zu kompensieren[3]).

In früheren Veröffentlichungen zur Außenhandelstheorie wurde unterstellt, daß das Nachfrageverhalten der Gesellschaft dem Konsumverhalten eines Individuums vollständig vergleichbar ist und gesellschaftliche Indifferenzkurven folglich durch die gleichen Eigenschaften ausgezeichnet sind wie individuelle Kurven auch. Erst mit der Entwicklung der „new welfare economics" gegen Ende der dreißiger Jahre wurden berechtigte Zweifel an einer derart unkritischen Verwendung gesellschaftlicher Indifferenzkurven geweckt. Um diese Zweifel verstehen zu können, ist es notwendig, gesellschaftliche Indifferenzkurven aus den individuellen Präferenzskalen abzuleiten[4]).

Wir wollen zur Vereinfachung unterstellen, daß die Gesellschaft aus zwei Individuen A und B besteht, deren (unterschiedliche) Indifferenzkurvensysteme in Abb. 92a und 92b abgetragen sind. Diese Annahme widerspricht natürlich nicht den Voraussetzungen der vollständigen Konkurrenz, denn wenn man die Indifferenzsysteme zweier Konsumenten in eindeutiger Weise zusammenfassen kann, muß dies auch für drei, vier oder n Personen möglich sein. Beide Systeme werden nun in einem Box-Diagramm (Abb. 92c) zusammengefaßt: Das System des B wird um 180° um seinen Ursprung gedreht, und zwar ist der Ausgangspunkt des B-Systems O_b so festgelegt, daß eine der Indifferenzkurven des B (b_3) eine Indifferenzkurve des $A(a_1)$ in C berührt. Jeder Punkt im Diagramm beschreibt dann eine Verteilung der vorhandenen Mengen beider Güter auf A und B. Der Punkt F repräsentiert z. B. eine Situation, in der von Gut 1 die Menge x_1' an A und x_1'' an B geht, während von Gut 2 x_2' an A und x_2'' an B verteilt wird. Die Nutzenniveaus beider Konsumenten sind dann durch die Indifferenzkurven a_1 bzw. b_2 gekennzeichnet. Offensichtlich ist es aber von einem solchen Zustand aus allein durch Umverteilung des vorhandenen Gütervorrates (z. B. durch Tausch) möglich, die Wohlfahrt eines Individuums zu verbessern, ohne die des anderen zu verschlechtern. Nimmt man etwa eine Redistribution in der Art vor, daß eine neue, durch den Punkt C gekennzeichnete Situation entsteht, so gelangt B auf eine höhere Indifferenzkurve b_3, ohne daß diese Verbesserung der Wohlfahrt des B mit einer Nutzeneinbuße für A erkauft wird.

Punkt C erfüllt damit die Bedingung eines „gesellschaftlichen Optimums", wie sie in der Neuen Wohlstandsökonomik durch das Pareto-Kriterium beschrieben wird. Nach diesem Kriterium liegt eine Vergrößerung der gesellschaftlichen Wohlfahrt immer dann vor, wenn zumindest ein Individuum besser gestellt ist, ohne daß sich die Wohlfahrt eines anderen verschlechtert. Genau diese Bedingung wird aber durch den

---

[2]) Scitovsky, T., A Reconsideration of the Theory of Tariffs, Review of Economic Studies, Bd. 9, 1942, wiederabg. in: Readings in the Theory of International Trade, a. a. O.; Mishan, E. J., A Survey of Welfare Economics, 1939—1959, Economic Journal, Bd. 70, 1960; Stolper, W. F., A Method of Constructing Community Indifference Curves, Schweiz. Ztschr. f. Volksw. und Statistik, 86. Jahrg., 1950.
[3]) Baumol, W. J., The Community Indifference Map: A Construction, Review of Economic Studies, Bd. 17, 1949—50. Baumols Interpretation beruht auf dem aus der Wohlstandsökonomik bekannten „Kaldor-Hicks-Kriterium".
[4]) Konstruktion nach Mishan, E. J., A Survey of Welfare Economics, a. a. O.

I. Indifferenzkurven und Außenhandelstheorie

Übergang von F nach C erfüllt. Aus der Definition der Wohlstandssteigerung läßt sich ferner das Kriterium für ein „gesellschaftliches Optimum" gewinnen: Ein solches Optimum ist dadurch definiert, daß es nicht mehr möglich ist, den Nutzen eines Individuums zu vergrößern, ohne gleichzeitig die Wohlfahrt eines anderen zu beeinträchtigen. Demnach wäre C ein

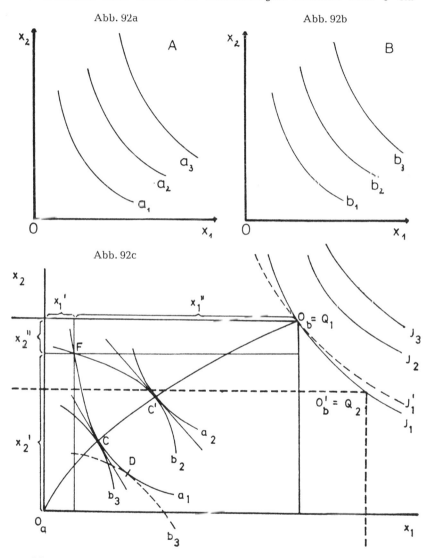

Abb. 92a

Abb. 92b

Abb. 92c

solches soziales Optimum, da mit jeder Abweichung von C die Position eines Konsumenten nur auf Kosten des anderen verbessert werden kann.

Wie aus Abb. 92c hervorgeht, berühren sich im Optimalpunkt C zwei Indifferenzkurven, die in diesem Punkte gleiche Steigungsmaße haben. Das Anstiegsmaß einer Indifferenzkurve ist aber durch die Grenzrate der Substitution bestimmt. Also wird ein Optimum (unter anderem) durch die Marginalbedingung charakterisiert, daß die Grenzrate der Substitution des Gutes Nr. 1 durch das Gut Nr. 2 für jedes der beiden Individuen gleich ist[5]). Ein solcher Zustand wird automatisch bei vollständiger Konkurrenz erreicht. Wir haben gesehen, daß jedes Individuum sein Nutzenmaximum immer dann erreicht, wenn das Preisverhältnis der in seinen Begehrenskreis fallenden Güter der Grenzrate der Substitution zwischen diesen Gütern entspricht. Da aber die vollständige Konkurrenz u. a. durch Unterschiedslosigkeit der Preise gekennzeichnet wird, das Preisverhältnis zweier Güter also für jedes Individuum gleich ist, muß auch die entsprechende Grenzrate der Substitution, die diesem (für beide gleichen) Preisverhältnis entspricht, bei beiden Personen übereinstimmen.

Wir sind jetzt in der Lage, eine gesellschaftliche Indifferenzkurve zu konstruieren. Zu diesem Zwecke interpretieren wir O_b als irgendeinen Punkt in einem Koordinatensystem mit dem Ursprung O_a. Das den Koordinaten von O_b entsprechende Güterbündel $x_1 = x_1' + x_1''$ und $x_2 = x_2' + x_2''$ — bezeichnen wir es mit Q_1 [6]) — stiftet bei gegebener, C entsprechender Einkommensverteilung (= Aufteilung von Q_1) dem A einen durch die Kurve a_1 und dem B einen durch b_3 angezeigten Nutzen. Gefragt ist nun nach allen Güterbündeln Q, die das Nutzenniveau beider Individuen unverändert lassen, damit aber auch die Bedingung konstanter gesellschaftlicher Wohlfahrt erfüllen. Eines dieser Güterbündel wird durch Q_2 angegeben. Wir finden diesen Punkt, indem der Ursprung des B-Systems — dessen Achsen ihre Richtung beibehalten — so nach Südosten (bis O_b') verschoben wird, daß die Indifferenzkurve b_3 die Kurve a_1 an einer anderen Stelle, nämlich in D berührt. Andere Berührungspunkte zwischen b_3 und a_1 erhalten wir durch weitere Verschiebungen des B-Systems in südöstliche und nordwestliche Richtung. Die Ursprungspunkte des B-Systems beschreiben dann eine gesellschaftliche Indifferenzkurve J_1, die durch folgende Eigenschaften gekennzeichnet ist: a) Da diese Kurve aus den Berührungspunkten von a_1 und b_3 abgeleitet ist, erfüllt sie in allen ihren Punkten die Bedingung des Tauschoptimums: Die Grenzraten der Substitution stimmen bei beiden Individuen überein. b) Daraus folgt, daß ihr Anstiegsmaß in allen Punkten der Steigung der individuellen Kurven in den korrespondierenden Berührungspunkten von a_1 und b_3 entspricht (Steigung in Q_1 = Steigung in C usw.) c) Schließlich geht aus der Konstruktion hervor, daß „gesellschaftliche Indifferenz" durch konstante Nutzenniveaus beider Individuen charakterisiert ist, A und B also ihre durch a_1 und b_3 gekennzeichneten Positionen beibehalten.

Auf ähnliche Weise lassen sich andere gesellschaftliche Indifferenzkurven mit höherem Wohlfahrtsgehalt, also größerem Nutzen sowohl für A als für B (mindestens aber für einen von beiden bei Nutzenkonstanz des anderen) konstruieren. Zu diesem Zwecke verschieben wir O_b — den Ursprung des B-Systems — in nordöstliche Richtung und erhalten die Indifferenzkurven J_2, J_3, J_4 usw. aus den (nicht eingezeichneten) Berührungspunkten von z. B. a_2 und b_4, a_3 und b_5, a_4 und b_6 usw. Diese Indifferenzkurven können auf Grund des Pareto-Kriteriums miteinander verglichen werden:

---

[5]) Eine zweite Marginalbedingung des gesellschaftlichen Optimums ist die bereits abgeleitete Regel für das Produktionsmaximum: Das Verhältnis der Grenzprodukte zweier Faktoren muß in allen Verwendungen gleich sein.
[6]) Man kann sich Q_1 als Punkt auf einer Transformationskurve mit dem Ursprung O_a vorstellen.

Da auf irgendeiner gesellschaftlichen Indifferenzkurve, verglichen mit einer anderen, näher bei O_a gelegenen Kurve der Wohlstand beider Individuen, zumindest aber eines Konsumenten (bei Nutzenkonstanz des anderen) höher ist, nimmt mit zunehmender Entfernung der gesellschaftlichen Indifferenzkurven von O_a das durch sie repräsentierte Wohlstandsniveau zu.

Bis hierher sind die Eigenschaften gesellschaftlicher und individueller Indifferenzkurven vollständig miteinander vergleichbar. Berücksichtigt man nun aber Änderungen der Einkommensverteilung, so trennen sich die Wege, und es treten Schwierigkeiten auf, die bei der Konstruktion individueller Indifferenzkurven nicht zu erwarten sind. Betrachten wir das Güterbündel Q_1, dessen ursprüngliche Verteilung durch den Pareto-optimalen Punkt C angegeben wird. Nun gibt es aber nicht nur ein Pareto-Optimum, sondern eine Vielzahl von Verteilungen des Bündels Q_1, die alle optimal in dem Sinne sind, daß die Grenzraten der Substitution bei beiden Individuen übereinstimmen, weder A noch B also gewinnen können, ohne den anderen schlechter zu stellen. Der geometrische Ort für diese Optima — die Berührungspunkte zweier Indifferenzkurven — ist die Kontraktkurve $O_a O_b$. Bewegen wir uns nun auf der Kontraktkurve von C nach C' — dem Berührungspunkt von a_2 und b_2 —, so läßt sich eine neue gesellschaftliche Indifferenzkurve J'_1 konstruieren, die der durch C' determinierten Verteilung des Q_1- Bündels entspricht. Auch J'_1 erfüllt die Bedingung der Nutzenkonstanz für beide, nur wird ihr Wohlfahrtsgehalt nicht mehr durch a_1 und b_3, sondern durch a_2 und b_2 angegeben. Natürlich ist das Anstiegsmaß von J'_1 geringer als das von J_1, da auch die individuellen Indifferenzkurven in C' weniger steil verlaufen als in C, allgemeiner: da die Grenzraten der Substitution bei verschiedenen Einkommensverteilungen, d. h. in verschiedenen Punkten der Kontraktkurve, unterschiedlich sind. Neben J_1 und J_1' läßt sich eine ganze Schar weiterer, durch O_1 laufender Indifferenzkurven ableiten, die alle mit bestimmten Verteilungen des Q_1- Bündels korrespondieren. Ähnliches gilt für jedes andere Bündel Q_i, dem bei unterschiedlicher Verteilung auch jeweils eine Schar sich schneidender Indifferenzkurven J_i, J_i', J_i'' usw. zugeordnet ist. Wir können daher verallgemeinern und den Schluß ziehen, daß **durch jeden Punkt des x_1-x_2- Systems eine unbegrenzte Zahl sich schneidender gesellschaftlicher Indifferenzkurven verläuft, von denen jede durch eine bestimmte Verteilung der jeweils vorhandenen Mengenkombination und ein konstantes Niveau der individuellen Nutzen determiniert ist.**

Diese Tatsache hat nicht nur bedeutende Konsequenzen für die Bestimmung der Nachfrage, sondern auch für die Möglichkeit, Wohlfahrtseffekte des internationalen Handels zu beurteilen.

a) Punkt O_b auf der Indifferenzkurve J_1 (und J'_1, J''_1 usw.) definiert jetzt nicht mehr einen eindeutigen Zustand der gesellschaftlichen Wohlfahrt, da mit verschiedenen Verteilungen des gesamten Güterbündels Q_1 — also verschiedenen Punkten auf der Kontraktkurve — unterschiedliche individuelle Nutzenniveaus verbunden sind. Diese Behauptung kann leicht mit Hilfe der von S a m u e l s o n entwickelten Nutzenmöglichkeitskurve[7]) (NM-Kurve) demonstriert werden (Abb. 93). Entlang den Achsen eines Koordinatensystems messen wir den (ordinalen) Nutzen U_a und U_b beider Wirt-

---

[7]) S a m u e l s o n, P. A., Foundations of Economic Analysis, Cambridge/Mass., 1948, Kap. VIII; ferner: Evaluation of Real National Income, Oxford Economic Papers, N. S., Bd. II, 1950.

schaftssubjekte A und B auf einer willkürlich ausgewählten Skala. Die NM-Kurve gibt dann an, welchen Nutzen ein Individuum bei gegebenem Güterbündel (z. B.: Q_1) m a x i m a l erzielen kann, wenn der Nutzen des anderen Individuums gegeben ist. Hat z. B. A das der Indifferenzkurve a_1 entsprechende Nutzenniveau OH (Abb. 93) erlangt, so erreicht B, wenn er die durch C auf der Kontraktkurve gekennzeichnete Mengenkombination besitzt, die beste überhaupt denkbare Wohlfahrtslage OK. Punkt F auf der NM-Kurve entspricht also C auf der Kontraktkurve. Andererseits korrespondiert Punkt G, der für A einen größeren und für B einen kleineren Nutzen anzeigt, mit dem Optimalpunkt C', also einer für A günstigeren Verteilungssituation. Alle Nutzenlagen, die den verschiedenen Verteilungssituationen auf der Kontraktkurve zugeordnet sind, können also aus der NM-Kurve abgelesen werden. Demnach entspricht dem Güterbündel Q_1, bei unterschiedlicher Verteilung dieses Bündels, eine Fülle von unterschiedlichen individuellen Nutzenniveaus, die vollständig auf der NM-Kurve abgetragen sind. Das gleiche gilt für alle anderen Güterkollektionen; jedem Güterberg ist eine bestimmte NM-Kurve und damit eine Vielzahl individueller Wohlfahrtsniveaus zugeordnet.

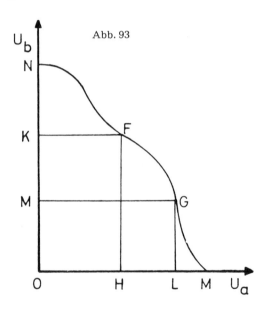

Abb. 93

Ist es damit noch möglich, den gesamtwirtschaftlichen Wohlfahrtsgehalt irgendeiner Güterkombination eindeutig zu bestimmen? Da diese Güterkombination, je nach ihrer Verteilung, dem A einen großen und dem B einen kleinen oder dem A einen geringeren und dem B einen größeren Nutzen bringt, würde eben dieser Kombination nur dann ein eindeutiges Niveau gesellschaftlicher Wohlfahrt zuzuordnen sein, wenn man unterstellen könnte, daß der Nutzenzuwachs des durch eine Einkommensumverteilung Gewinnenden stets der Nutzenabnahme des Verlierers gleich sein würde. Solche Aussagen setzen aber interpersonelle Nutzenvergleiche voraus, die wegen der Unmöglichkeit einer kardinalen Nutzenmessung zum Scheitern verurteilt sind. Deshalb ist der Wohlfahrtsgehalt eines Güterbündels — graphisch: eines Punktes, durch den mehrere, unterschiedlichen Einkommensverteilungen entsprechende Indifferenzkurven laufen — unbestimmt, obwohl jede einzelne Kurve die Bedingungen konstanter gesellschaftlicher Wohlfahrt erfüllt. Da man aber durch jeden Punkt des Koordinatensystems eine Vielzahl sich schneidender Indifferenzkurven legen kann, läßt sich auch nichts mehr darüber sagen, ob die Bewegung von einem zum anderen Punkte (Änderung des vorhandenen Q-Bündels) eine Erhöhung oder Verminderung der gesellschaftlichen Wohlfahrt repräsentiert. Damit entfällt zugleich die Möglichkeit, Wohlstandseffekte des internationalen Handels, der ja stets Änderungen des konsumierbaren Gütervorrats, zugleich aber auch Einkommensumverteilungen nach sich zieht, eindeutig zu beurteilen.

b) Daß gesellschaftliche Indifferenzkurven sich schneiden, beeinträchtigt ferner die Möglichkeit, die Nachfrage einer Gesellschaft mit Hilfe solcher Kurven zu bestimmen. Wie in der Theorie des Haushalts die Nachfrage durch die Bedingung determiniert ist, daß die Grenzrate der Substitution dem Verhältnis der Preise entspricht, so könnte man versuchen, auch die Nachfrage einer Gesellschaft mit Hilfe ähnlicher Regeln abzuleiten und die Gleichgewichtslage durch die Gleichheit von Preisverhältnis und gesellschaftlicher marginaler Substitutionsrate oder — was das gleiche besagt — durch den Berührungspunkt der Preisgeraden mit einer gesellschaftlichen Indifferenzkurve zu bestimmen. Da sich gesellschaftliche Indifferenzkurven aber schneiden, wird eine Preisgerade nicht nur eine, sondern mehrere gesellschaftliche Indifferenzkurven tangieren (vgl. Abb. 94). Somit ist es unmög-

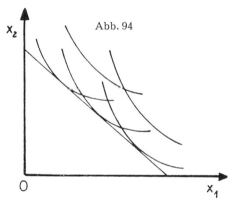
Abb. 94

lich, das Konsumverhalten einer Gesellschaft zu bestimmen, es sei denn, die Einkommensverteilung ist konstant.

3. Verteidigung gesellschaftlicher Indifferenzkurven

Trotz dieser Einwendungen wird das Instrument der gesellschaftlichen Indifferenzkurven von fast allen, auch den führenden Außenhandelstheoretikern verwendet, gelegentlich sogar ohne einschränkende Bedingungen, als ob das gesellschaftliche gleichsam ein getreuliches Abbild des individuellen Konsumverhaltens sei. Vielleicht verführt dazu die Parallele, die zwischen dem isolierten Tausch unter zwei Wirtschaftssubjekten (bilaterales Monopol) und dem Tausch zwischen zwei Ländern besteht, so daß man glaubt, die Instrumente und Methoden der Theorie des bilateralen Monopols auf die Außenhandelstheorie übertragen zu können. Tatsächlich wäre die Verwendung gesellschaftlicher Indifferenzkurven völlig unbedenklich, wenn jedes Land nur einen Einwohner hätte, da die gesellschaftliche dann mit der individuellen Indifferenzkurve identisch wäre.

Gibt es aber keine andere Möglichkeit, die gesellschaftliche Indifferenzkurve als Instrument der Außenhandelstheorie zu retten, um mit ihrer Hilfe ebenso eindeutige Ergebnisse abzuleiten, wie es das Indifferenzkurvenkonzept in der Theorie des Haushalts erlaubt? Solche Möglichkeiten gibt es allerdings, wenn auch keine von ihnen restlos befriedigt.

a) Meade[8]) geht von der Annahme aus, daß alle Konsumenten eines Landes den gleichen Geschmack besitzen und in jeder Situation über ein gleich großes Einkommen (Güterbündel) verfügen. Unter dieser restriktiven und irrealen Annahme kann ein eindeutiges System sich nicht schneidender gesellschaftlicher Indifferenzkurven abgeleitet werden.

b) Eine alternative Annahme ist die Gleichheit der individuellen Präferenzen und die Homogenität der Nutzenfunktionen (zu diesem Begriff vgl. S. 295). Aus der ersten Annahme folgt die Identität, aus der zweiten die Geradlinigkeit der Einkommens-Konsum-Linien der betrachteten Individuen. Die im Box-Diagramm eingetragene Kontraktkurve muß dann ebenfalls geradlinig verlaufen: Die Grenzrate der Substitution ist in allen ihren Punkten gleich. Da aber die Steigungsmaße der durch einen Punkt gelegten gesellschaftlichen Indifferenzkurven immer dann unterschiedlich sind, wenn sich die Substitutionsraten bei Bewegungen auf der Kontraktkurve (wie in Abb. 92) ändern, folgt aus der Linearität der Kontraktkurve, daß — unabhängig von der Einkommensverteilung (der Position auf der Kontraktkurve) — durch jeden Punkt nur eine gesellschaftliche Indifferenzkurve verläuft, die nicht von anderen geschnitten wird. Ein solches Indifferenzsystem kann zwar zur Ableitung der Nachfrage verwendet werden, nicht aber zur Beurteilung von Wohlfahrtseffekten, da nunmehr ein und dieselbe Indifferenzkurve mit den verschiedensten individuellen Nutzenniveaus (Einkommensverteilungen) vereinbar ist.

c) Da die Vielzahl der Indifferenzkurvensysteme nur aus unterschiedlichen Verteilungen der jeweiligen Güterbündel resultiert, wären wir aller Probleme ledig, wenn sich die Einkommensverteilung nicht ändern würde. Leider — so wird der eindeutige Erklärungen wünschende Theoretiker sagen — verschiebt der internationale Handel die Faktorpreise und damit auch die relativen Einkommen, so daß die Annahme konstanter Einkommensrelationen aus logischen Gründen unhaltbar ist. Es scheint jedoch ein anderer Ausweg möglich zu sein: Wir unterstellen, daß eine „optimale" Einkommensverteilung auf der Grundlage einer gesellschaftlichen Präferenzstruktur oder sozialen Wohlfahrtsfunktion existiert, die etwa dadurch definiert ist, daß die „soziale Grenzbedeutung" jeder letzten ausgegebenen Mark bei allen Individuen gleich ist[9]). Dabei liegt natürlich sofort die Frage nahe, was unter „sozialer Grenzbedeutung" zu verstehen ist und wer diesen sozialen Wert bestimmt. Es geht hier um Probleme, die Generationen von Nationalökonomen beschäftigt haben, und die auch heute noch die Theoretiker der „welfare economics" nicht zur Ruhe kommen lassen. All das soll uns hier nicht interessieren. Wir gehen einfach von der Feststellung aus, daß es irgendeine, unter ethischen Gesichtspunkten erwünschte „optimale" Einkommensverteilung gibt, deren genaue Festlegung offengelassen werden kann. Akzeptieren die politischen Instanzen eine solche Einkommensverteilung — z. B. jene, die Punkt C auf der Kontraktkurve entspricht —, so müssen alle Abweichungen von diesem Zustand durch Kompensationszahlungen des A an B (bei Bewe-

---

[8]) Meade, J. E., A Geometry of International Trade, London 1952, S. 9.
[9]) Vgl. Samuelson, P. A., Social Indifference Curves, Quarterly Journal of Economics, Bd. 70, 1956, S. 11 ff.

gungen von C nach O_b) oder des B an A (bei Bewegungen nach O_a) ausgeglichen werden. Der Wohlfahrtsgehalt des gegebenen Güterbündels Q_1 ist dann trotz ursprünglich unterschiedlicher Einkommensverteilungen eindeutig bestimmt, da eine volle Kompensation des Verlierers durch den Gewinner stattfindet, die beiden wieder das durch C bestimmte Wohlfahrtsniveau verschafft. Wir wollen dabei — um das Bild nicht noch weiter zu komplizieren — unterstellen, daß die Effizienz des Wirtschaftssystems durch diese Redistribution unangetastet bleibt, die Größe des durch Q_1 gekennzeichneten Gütervolumens sich also nicht ändert. Unter diesen Voraussetzungen läuft durch O_b — und jeden anderen Punkt des Koordinatensystems — **nur eine gesellschaftliche Indifferenzkurve, nämlich jene, die der „optimalen", durch Redistributionsmaßnahmen zementierten Einkommensverteilung zugeordnet ist**[10]). Ein solches Indifferenzsystem ist sowohl zur Bestimmung der Nachfrage als auch zur Abschätzung von Wohlfahrtseffekten geeignet.

II. Die Bedeutung der Nachfrage für Richtung und Ausmaß des Außenhandels

In den Kapiteln 2 und 3 mußten viele Fragen, die nur bei Kenntnis der Nachfragebedingungen zu beantworten sind, offengelassen werden. Es sind vor allem zwei Fragen, die nur mit Hilfe gesellschaftlicher Indifferenzkurven endgültig zu lösen sind:

1. Wann wird der Außenhandel aufgenommen?
2. Wie groß sind Exportangebot und Importnachfrage jedes Landes?

Zuvor aber ist es notwendig, das Verhältnis zwischen Transformations- und Indifferenzkurven zu erläutern.

1. Produktions- und Nachfragegleichgewicht

Wir haben früher schon betont, daß die Lage des Produktionspunktes nicht durch die Transformationskurve allein bestimmt werden kann. Vielmehr bedarf es der Kenntnis der Nachfrage, um die Frage zu beantworten, in welcher Mengenrelation die Güter erzeugt werden. In Abb. 95 ist neben der Transformationskurve auch die Schar gesellschaftlicher Indifferenzkurven aufgezeichnet, um die endgültige Lage des Produktionspunktes zu bestimmen. Nehmen wir an, es würden die Güter in einem Verhältnis erzeugt, das durch Punkt B markiert wird. Mit der Herstellung dieses Güterbündels ist den Interessen der Gesellschaft keinesfalls optimal gedient, denn die vorhandenen Erzeugungsmöglichkeiten erlauben es noch, die Produktion so umzuschichten, daß die Gesellschaft eine höhere Indifferenzkurve erreicht. Die beste Position wird durch den Punkt A repräsentiert: Hier berührt die Transformationskurve die unter den gegebenen Umständen gerade noch erreichbare Indifferenzkurve J_2. Da J_2 mit einem höheren Nutzenindex als J_1 versehen ist, wird A den Güterbündeln B und C und allen anderen

---

[10]) Wird das alte Güterbündel durch ein neues Güterbündel ersetzt, so wird sich normalerweise auch das Verteilungsoptimum in dem Sinne ändern, daß sich die relativen Anteile der Wirtschaftssubjekte am Volkseinkommen verschieben (Samuelson, a. a. O., S. 11 und 13).

Punkten auf der Transformationskurve, die von Indifferenzkurven geschnitten werden, vorgezogen. Weil in diesem Punkte Transformations- und Indifferenzkurven gleiche Anstiegsmaße haben, können wir auch sagen: **Die Produktionsstruktur ist optimal, wenn die gesellschaftliche (oder soziale) Grenzrate der Substitution zwischen zwei Gütern der gesellschaftlichen (oder sozialen) Grenzrate der Transformation zwischen diesen Gütern entspricht** oder — was dasselbe bedeutet —, wenn das Verhältnis der „sozialen Grenznutzen" zweier Güter dem Verhältnis der

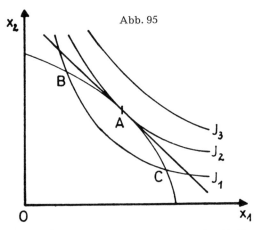

Abb. 95

sozialen Grenzkosten[11]) entspricht. Dies ist neben den Bedingungen für den optimalen Faktoreinsatz und das Optimum des Gütertausches eine dritte Marginal-Bedingung des Pareto-Optimums, die auch als „top-level-optimum" bezeichnet wird.

Auch diese Marginal-Bedingung wird bei vollständiger Konkurrenz automatisch erfüllt. Wir wissen bereits, daß das Konkurrenzgleichgewicht der Produktion durch Übereinstimmung von Austauschverhältnis und marginaler Transformationsrate, durch die Gleichheit von Preis- und Grenzkostenverhältnis, gekennzeichnet ist. Der Produktionspunkt auf der Transformationskurve liegt also immer dort, wo die Preislinie die Transformationskurve tangiert. Hat man andererseits ein System sich nicht schneidender Indifferenzkurven, so wird das Nachfragegleichgewicht durch die Gleichheit von (gegebenem) Austauschverhältnis und marginaler gesellschaftlicher Substitutionsrate bestimmt: Der Verbrauchspunkt ist der Berührungspunkt der Preislinie mit einer Indifferenzkurve. Von jedem anderen Punkt aus wäre es bei gegebenem Preisverhältnis allein durch Umverteilung der Ausgaben immer möglich, auf eine höhere Indifferenzkurve zu gelangen, bis der Optimalzustand — der Tangentialpunkt — erreicht ist. Folglich muß im Gleichgewichtspunkt sowohl die Transformationskurve als die Indifferenzkurve eine Preislinie berühren; daher werden sie auch einander berühren. Weil aber die optimale Produktionsstruktur durch den Punkt, in dem beide Kurven sich berühren (gleiche Steigungsmaße haben), determiniert ist, kann man sagen, daß der Wettbewerb für die Verwirklichung eines solchen Zustandes sorgt.

[11]) Auf das Verhältnis der sozialen und privaten Grenzkosten werden wir bei der Behandlung von Wohlfahrtseffekten des internationalen Handels zu sprechen kommen. Vorläufig differenzieren wir zwischen sozialen und privaten Kosten nicht.

2. Außenhandel bei unterschiedlichen Nachfrage- und Angebotskonstellationen

a) Nach diesen Vorbemerkungen ist es möglich, die oben gestellten Fragen nach den Voraussetzungen und dem Ausmaß des Außenhandels zu beantworten. Um divergierende Nachfragebedingungen auszuschalten, seien zunächst die Indifferenzkurvensysteme der Länder als identisch angenommen. Trotz dieser Annahme können für gegebene relative Güterpreise die Verbrauchsgewohnheiten in den Ländern dennoch unterschiedlich sein, sofern die dem gemeinsamen Indifferenzkurvensystem zugeordneten Einkommens-Konsum-Kurven keine Ursprungsgeraden sind. Wenn sich nämlich die Länder auf unterschiedlich hohen Realeinkommensniveaus (Indifferenzkurven) befinden, wird in diesem Fall das Verhältnis der nachgefragten Mengen von x_1 und x_2 im Inland von dem des Auslands abweichen. Identische Nachfragebedingungen verlangen daher zusätzlich die Annahme einer linearen, durch den Ursprung verlaufenden Einkommens-Konsum-Kurve (Einkommenselastizität der Nachfrage gleich 1). Diese Annahme wird zunächst zugrunde gelegt.

Die Transformationskurven seien hingegen von verschiedener Krümmung: Es bestehen Unterschiede in den relativen Kosten. Im autarken Zustand werden die in beiden Ländern hergestellten Mengen durch die Berührungspunkte A und B von Transformations- und Indifferenzkurven bestimmt (Abb. 96). Die Preislinien I und II, die diesen Produktionsstrukturen zugeordnet sind, haben verschiedene Steigungsmaße: Weil das Inland einen Kostenvorteil in der Produktion des Gutes 1 besitzt, muß der Preis des Gutes 1, ausgedrückt in Einheiten von Gut 2, niedriger als im Ausland sein, das

Abb. 96

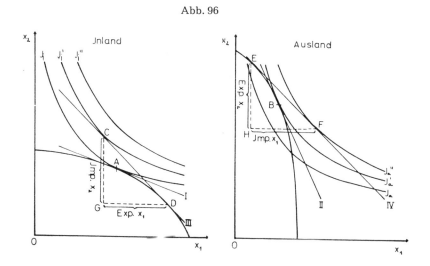

seinerseits über Preisvorteile bei Gut 2 verfügt. Nach Eröffnung des Außenhandels gleichen sich die relativen Preise an. Die Preislinien III und IV müssen also parallel verlaufen, sofern man von Transportkosten absieht. Da das neue Preisverhältnis für das Inland einen höheren Preis des Gutes 1 markiert (III ist steiler als I), wird die Erzeugung dieses Gutes ausgedehnt, bis relative Preise und Grenzkostenverhältnis in D übereinstimmen.

Andererseits sind die relativen Preise des Gutes 1 im Ausland niedriger (IV ist flacher als II) — mit anderen Worten: das Austauschverhältnis ändert sich zugunsten von Gut 2 —, so daß im Ausland die Produktion des Gutes 2 bis E vergrößert wird.

Welche Mengen werden nun in beiden Ländern nachgefragt? Da die optimale Verbrauchsstruktur durch die Berührungspunkte der Preislinien III und IV mit einer Indifferenzkurve gekennzeichnet ist, werden die Güter in einem Mengenverhältnis nachgefragt, das durch die Koordinaten der Punkte C und F determiniert ist. In jedem der beiden Länder entspricht also die Struktur der Nachfrage nicht dem Mischungsverhältnis der Produktion. Solche Diskrepanzen können aber durch den Außenhandel überbrückt werden. Um die durch C gekennzeichneten Verbrauchswünsche befriedigen zu können, muß das Inland die Menge GC des Gutes 2 importieren und eine Menge GD des Gutes 1 exportieren. Bei gleichem Preisverhältnis ist auch das Ausland in der Lage, durch Importe von HF (Gut 1) und Exporte von HE (Gut 2) die Lücke zwischen Nachfrage und Inlandsproduktion zu schließen. Die optimale Produktionsstruktur ist mithin nicht länger durch Übereinstimmung von marginaler Transformations- und Substitutionsrate in einem g e m e i n -
s a m e n Punkt definiert. Vielmehr ermöglicht es der Außenhandel, einen Zustand zu verwirklichen, der dem Pareto-Optimum für eine geschlossene Volkswirtschaft vorzuziehen ist.

Der Weltmarkt findet sein Gleichgewicht, wenn Export des Inlandes und Import des Auslandes sowie Export des Auslandes und Import des Inlandes übereinstimmen. Es muß also gelten: $GD = HF$ und $GC = HE$. Daher müssen auch die Strecken CD und EF von gleicher Länge sein, mit anderen Worten: Das Preisverhältnis erlaubt eine Räumung des Marktes nur dann, wenn die Abstände zwischen Produktions- und Komsumtionspunkten in beiden Ländern die gleichen sind. Nur dann können die Versorgungslücken, die die Produktion im eigenen Land offenläßt, durch Bezüge aus dem Ausland voll geschlossen werden. Differieren aber die Importwünsche eines Landes von den Exportangeboten des anderen, so wird sich das Austauschverhältnis so lange ändern, bis weder ein Angebots- noch ein Nachfrageüberschuß existiert. Mit Hilfe der hier verwendeten Instrumente allein ist es indessen schwierig, die Lage des Preisverhältnisses zu bestimmen, das die Gleichgewichtsbedingung erfüllt. Dazu benötigen wir Angebots- und Nachfragekurven. Sind aber die relativen Preise erst einmal gefunden, so sind wir durch Verwendung von Indifferenzkurven in der Lage, die genaue Position des Konsumtionspunktes und die Menge der ausgetauschten Güter zu bestimmen — eine Frage, die bei Benutzung von Transformationskurven allein offengelassen werden muß[12]).

b) Das unter a) gebrachte Beispiel entspricht dem traditionellen Fall der komparativen Kosten: Jedes Land exportiert bei identischen Präferenzen jenes Produkt, für das es einen komparativen Vorteil besitzt. D i e R i c h -
t u n g d e s A u ß e n h a n d e l s w i r d a l s o b e i ü b e r e i n s t i m -
m e n d e n K o n s u m g e w o h n h e i t e n a l l e i n d u r c h d i e u n -
t e r s c h i e d l i c h e F o r m d e r T r a n s f o r m a t i o n s k u r v e n b e -
s t i m m t. Wir wollen nun die Voraussetzungen des Abschnittes a) um-

---

[12]) Der Konsumtionspunkt läßt sich auch bestimmen, wenn man nicht mit e i n e r gesellschaftlichen Indifferenzkurve operiert, sondern für verschiedene Gruppen — etwa Unternehmer und Arbeitnehmer — Indifferenzkurven konstruiert; vgl. dazu den interessanten Aufsatz von K e n e n , P. B., Distribution, Demand, and Equilibrium in International Trade, Kyklos, Bd. 12, 1959.

II. Die Bedeutung d. Nachfrage f. Richtung u. Ausmaß d. Außenhandels

kehren und unterstellen, daß die Produktionsbedingungen (Transformationskurven) in beiden Ländern identisch, die Präferenzen aber unterschiedlich

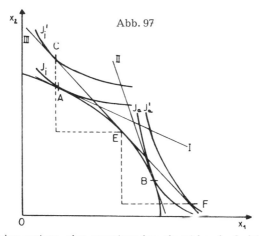

Abb. 97

sind. Die Länder weisen also voneinander abweichende Indifferenzkurvensysteme auf, so daß die einem bestimmten Güterpreisverhältnis zugeordneten (durch den Ursprung laufenden) Einkommens-Konsum-Kurven voneinander abweichende Steigungsmaße haben. In Abb. 97 ist dieser Fall dargestellt. Das Inland fragt bei gegebenen Preisen eine relativ größere Menge von Gut 2, das Ausland dagegen mehr von Gut 1 nach, wie durch die Lage der inländischen und ausländischen Indifferenzkurven J_i bzw. J_a angegeben wird. Auf Grund dieser Unterschiede in den Konsumentenpräferenzen ist der relative Preis und die Produktion des Gutes 1 im Ausland (Linie II, Punkt B) höher als im Inland (Linie I, Punkt A), das seinerseits mehr von Gut 2 erzeugt. Da die relativen Preise differieren, ist Außenhandel möglich. Nach Angleichung der Preisverhältnisse (Linie III) produzieren beide Länder in E; das Inland konsumiert in C, das Ausland in F. Der Außenhandel bewirkt jetzt keine Spezialisierung, sondern eine Angleichung der Produktionsprogramme, und aus der Behinderung der Handelsströme folgt keine gleichmäßigere, sondern eine ungleichmäßigere Mischung der produzierten Güterarten — eine Entwicklung, die der traditionellen Ansicht völlig widerspricht. Dieses Ergebnis läßt sich natürlich durch die besonderen Annahmen über Produktions- und Nachfragebedingungen ohne weiteres erklären: Im autarken Zustand spezialisiert sich jedes Land auf die Erzeugung jener Ware, die besonders stark verlangt wird; die Produktionspunkte fallen weit auseinander. Wenn aber die relativen Preise nach Aufnahme des Außenhandels angeglichen sind, rücken die Produktionspunkte zueinander, weil bei gleichen Transformationskurven die relativen Grenzkosten nur bei gleichem Mengenverhältnis der Produktion mit diesem Preisverhältnis übereinstimmen können. Die Verminderung des Spezialisierungsgrades ist natürlich keineswegs auch mit einer Angleichung des Konsums verbunden. Vielmehr kann jedes Land die Ware exportieren, welche sich im Partnerland besonderer Beliebtheit erfreut: Das Inland exportiert wieder Gut 1, das Ausland hingegen Gut 2.

Der Begriff der „gleichen Produktionsbedingungen" wurde in Abb. 97 im Sinne identischer Transformationskurven definiert. In einem weiteren Sinne kann man von gleichen Produktionsbedingungen aber auch dann sprechen, wenn die Transformationskurven zwar nicht deckungsgleich, aber in Form und Krümmung identisch sind (wie in Abb. 73). Unter dieser Voraussetzung lassen sich bei unterschiedlichen Indifferenzkurvensystemen und linearen, durch den Nullpunkt laufenden Einkommens-Konsum-Kurven die gleichen Ergebnisse wie im Fall der Abb. 97 ableiten.

Der dargestellte Fall erlaubt eine weitere Schlußfolgerung von großer Wichtigkeit: **Voraussetzung für den Außenhandel ist lediglich, daß die relativen Preise im autarken Zustand (I und II) differieren, gleichgültig, ob Kostenunterschiede vorhanden sind oder nicht.** Fehlende Unterschiede in den relativen Kosten machen den Austausch nicht unmöglich; weil die Preisverhältnisse durch Kosten und Nachfrage zugleich bestimmt sind, genügen Unterschiede in den Präferenzen, um den Grundstein für die Aufnahme des Handels zu legen. Nur bei konstanten Kosten wird das Preisverhältnis durch die Kostenrelation allein bestimmt, nur hier sind Kostendifferenzen der entscheidende und alleinige Ausgangspunkt des Außenhandels – in allen anderen Fällen haben Kosten und Nachfrage sich die Rolle zu teilen.

c) Kombination der Fälle a) und b) ergibt die realistische Ausgangsposition. Wir wollen fragen, welche Modifikationen anzubringen sind, wenn sowohl die Kostenrelationen als auch die Präferenzen voneinander abwei-

Abb. 98

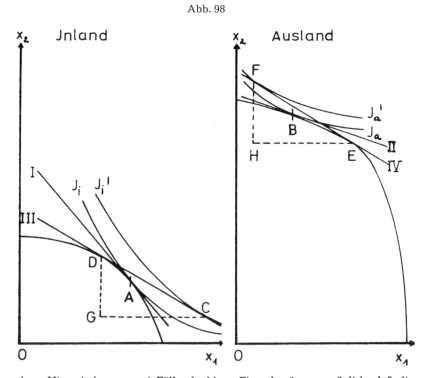

chen. Hier sind nun zwei Fälle denkbar: Einmal wäre es möglich, daß die Konsumenten jedes Landes jenes Gut bevorzugen, in dem das entsprechende Land einen komparativen Nachteil besitzt. Die relativen Kosten seien durch die Form der Transformationskurven in Abb. 96 angegeben. Im

II. Die Bedeutung d. Nachfrage f. Richtung u. Ausmaß d. Außenhandels

Inland würde dann der relative Preis des Gutes 2 (Gutes 1) sehr hoch (niedrig) sein, weil neben den Kosten auch die Präferenzen für Gut 2 (Gut 1) sehr groß (gering) sind. (Die J_i-Kurve würde die Transformationskurve weit links von A berühren). Umgekehrt läge der Produktionspunkt im Ausland rechts unterhalb von B; der relative Preis des Gutes 2 (1) wäre aus den gleichen Erwägungen sehr niedrig (hoch). Mithin weichen die Preise bei gegebenen Transformationskurven stärker voneinander ab, wenn die Voraussetzung identischer Präferenzen durch die Annahme ersetzt wird, daß das ungünstig zu erstellende Gut besonders stark verlangt wird. Die Basis für den Außenhandel verbreitert sich. Handelsbeziehungen werden dann nicht nur durch Kostendifferenzen, sondern zusätzlich auch durch Unterschiede in den Nachfragestrukturen begünstigt. Nach Eröffnung des Außenhandels gleichen sich die relativen Preise an, mit dem Ergebnis, daß Inund Ausland jeweils wieder das mit Kostenvorteilen zu erzeugende Gut exportieren.

Völlig anders ist das Bild dagegen, wenn die Nachfrage in jedem Land ein solches Gut begünstigt, das mit komparativen Vorteilen erzeugt werden kann. Während der Kostenvorteil den relativen Preis des Gutes niedrig hält, treibt die Nachfrage diesen Preis hinauf. So mag sich dann der paradoxe Fall ergeben, daß der relative Preis einer Ware in jenem Lande, welches bei dieser Ware einen Kostenvorsprung hat, den relativen Preis des gleichen Gutes im Partnerland übersteigt und beide Länder folglich Güter exportieren, die mit komparativen Nachteilen behaftet sind. Dieser Fall des „inversen Handels" ist in Abb. 98 dargestellt. Bei starker Nachfrage nach Gut 1 im Inland und nach Gut 2 im Ausland ist der relative Preis des Gutes 1 im Inland höher und der des Gutes 2 geringer als im Ausland (Preislinie I ist steiler als II), obwohl Gut 1 im Inland und Gut 2 im Ausland mit niedrigeren relativen Kosten herzustellen sind: **Die Produkte mit einem komparativen Kostenvorteil haben einen komparativen Preisnachteil.** Bei gegebenem Austauschverhältnis am Weltmarkt (parallele Linien III und IV) verschieben sich die Produktionspunkte von A nach D bzw. von B nach E. Andererseits erreichen beide Länder bei diesem Preisverhältnis ihre höchsten Indifferenzkurven J'_i und J'_a, wenn sie die den Punkten C und F entsprechenden Mengen konsumieren. Das heißt aber: Der Abstand zwischen Konsumwünschen und eigener Produktion kann nur dann überbrückt werden, wenn das Inland die Menge CG des Gutes 1 importiert sowie DG von Gut 2 exportiert und das Ausland HE von Nr. 1 exportiert sowie FH von Nr. 2 importiert ($GC = HE$; $DG = FH$). Beide Länder exportieren also solche Waren, die im anderen Land günstiger herzustellen sind und importieren folglich andere Güter, die sich weit besser zur Produktion im eigenen Land eignen. Dennoch bringt auch hier der Außenhandel Vorteile, weil es beiden Ländern möglich ist, ihre Transformationskurve zu verlassen und mehr von beiden Gütern, zumindest aber von einem Gute zu verbrauchen, als es die eigenen Produktionsmöglichkeiten erlauben würden. Wenn der Außenhandel eine andere Richtung nimmt, als nach Lage der Kostenvorteile zu erwarten wäre, so läßt sich dieses Abweichen von der „normalen" Richtung nur durch die Tatsache erklären, daß kostenbedingte Preisvorteile durch die besondere Struktur der Nachfrage aufgehoben und ins Gegenteil verkehrt werden.

Auch hier zeigt sich wieder mit aller Deutlichkeit: **Nicht Differenzen in den relativen Kosten, sondern Unterschiede in den relativen Preisen sind es, die Außenhandel möglich machen.** Und es ist die Art der Preisunterschiede — ob Linie I steiler oder flacher als II verläuft —, welche die Richtung des Handels bestimmt, die darüber entscheidet, ob das eine oder andere Gut exportiert wird. Das Tauschverhältnis der Produkte wird aber nicht nur durch die Kosten, sondern auch durch die Art der Präferenzen bestimmt.

Der hier erörterte Fall widerspricht dem Faktorproportionentheorem. Sofern Gut 1 (Tuch) mit arbeitsintensiven Methoden und Gut 2 (Weizen) mit bodenintensiven Verfahren erzeugt wird, besitzt das Inland (Ausland) dann einen komparativen Kostenvorteil in der Erzeugung des Gutes 1 (2), wenn das Verhältnis zwischen Arbeits- und Bodenmengen größer als im Ausland ist. Da nach den Prognosen auf der Grundlage des Faktorproportionentheorems das relativ arbeitsreiche Inland sein arbeitsintensives Produkt exportieren muß, steht der Fall des inversen Handels im Widerspruch zu diesem Theorem, denn das arbeitsreiche Inland exportiert sein bodenintensives Produkt Nr. 2. Analoge Überlegungen gelten für das Ausland.

Die Gültigkeit des Faktorpreisausgleichstheorems wird hingegen durch den inversen Handel nicht berührt, wie durch folgende Überlegung deutlich wird: Im autarken Zustand ist der relative Lohnsatz im Inland höher (und die relative Rente niedriger) als im Ausland, da das arbeitsintensive Gut Nr. 1 besonders stark verlangt wird. Während der große Arbeitsreichtum tendenziell lohnsenkend wirkt, treibt die rege Nachfrage nach dem arbeitsintensiven Gut 1 den Preis dieses Gutes und damit den Lohnsatz in die Höhe. Dagegen ist im Ausland trotz Knappheit an Arbeitskräften der relative Lohnsatz niedrig, da Gut 1 nur in geringem Maße begehrt ist. Wird nun der Außenhandel aufgenommen, so reduziert das Inland die Produktion des arbeitsintensiven Gutes von A nach D, während das Ausland die Erzeugung dieses Gutes von B nach E erhöht (Abb. 98). Da mit dieser Produktionsumschichtung eine Senkung des relativen Lohnsatzes im Inland und eine Erhöhung des relativen Lohnsatzes im Ausland verbunden ist, kommt es zu einem Ausgleich der Arbeitsentgelte, sofern die an anderer Stelle erörterten Prämissen des Faktorpreisausgleichstheorems erfüllt sind (vgl. S. 265). Analoge Überlegungen gelten für die Angleichung des Bodennutzungspreises[13]).

d) Es wäre schließlich zu fragen, wann keine Handelsbeziehungen eröffnet werden. Die Beantwortung kann nach dem bisher Gesagten nicht schwer fallen: Die Voraussetzung des Außenhandels entfällt immer dann, wenn die nationalen Preisverhältnisse im autarken Zustand übereinstimmen. Dies wäre einmal möglich, wenn die Kostenrelationen und Nachfragestrukturen zwischen den Ländern derart differieren, daß Preisunterschiede, die durch Unterschiede in den relativen Kosten bedingt sind, durch entgegengesetzte Abweichungen der Nachfragestrukturen gerade kompensiert werden. Werden die Preiseffekte der Kostendifferenzen durch die Nachfrage nicht kompensiert, so entsteht „normaler" Handel, werden sie überkompensiert, so existiert „inverser" Handel, werden sie aber genau kompensiert, dann besteht überhaupt kein Handel. Natürlich ist dieser Grenzfall nur in den seltensten Fällen zu erwarten.

Preisdifferenzen werden auch dann nicht entstehen, wenn Produktionsbedingungen und Präferenzen in beiden Ländern identisch sind, Transformations- und Indifferenzkurven des Inlandes also ein getreues Abbild der

---

[13]) Eine exakte Analyse des Faktorpreisausgleichstheorems bei inversem Handel findet sich bei R o s e , K., Die Bedeutung der Faktorausstattung ..., a. a. O., S. 305 ff. Zur Darstellung dieses Falles muß in Abb. 84 angenommen werden, daß der Inlandslohnsatz w_i (Inlandspreis P_i) höher und der Auslandslohnsatz w_a (Auslandspreis P_a) niedriger als w_g (P_g) sind.

II. Die Bedeutung d. Nachfrage f. Richtung u. Ausmaß d. Außenhandels 311

ausländischen Kurven sind[14]). Von dieser Regel gibt es nur eine Ausnahme: den Fall sinkender opportunity costs. Wie auf S. 256 f. gezeigt worden ist, wird die Transformationskurve dann konvex zum Ursprung sein, wenn in den Wirtschaftszweigen unter den Bedingungen steigender Skalenerträge produziert wird und dieser die opportunity costs vermindernde Effekt den kostenerhöhenden Effekt unterschiedlicher Faktorintensitäten überwiegt. Sofern externe Ersparnisse die Ursache steigender Skalenerträge sind, weichen die sozialen, der Volkswirtschaft insgesamt entstehenden Kosten von den

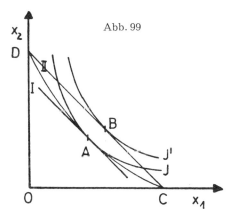

Abb. 99

privaten Kosten ab. Dies wird im 8. Kapitel, Abschnitt II, 2 im einzelnen zu zeigen sein. Wegen dieser Divergenzen mag auch das Verhältnis zwischen den privaten Grenzkosten und damit das Preisverhältnis beider Güter von dem Verhältnis der sozialen Grenzkosten verschieden sein. Da das Steigungsmaß der Transformationskurve dem Verhältnis der sozialen Grenzkosten entspricht, muß im Produktionspunkt die Preisgerade die Transformationskurve nicht berühren sondern schneiden. Um die sich aus diesem Fall ergebenden Schwierigkeiten auszuschalten, sei jedoch vorläufig angenommen, daß die Abweichungen zwischen sozialen Grenzkosten einerseits und privaten Grenzkosten bzw. Preisen andererseits in beiden Branchen relativ gleich sind — die Stärke der externen Effekte entspricht einander —, so daß das Verhältnis der sozialen Grenzkosten dem Preisverhältnis entspricht[15]). Der Produktionspunkt liegt also weiter dort, wo eine Preislinie die Transformationskurve tangiert.

In Abb. 99 stellen DC und J, J' die Transformations- und Indifferenzkurven beider Länder dar. Bei gegebenem Preisverhältnis I erzeugen die Länder die durch A gekennzeichneten Mengen beider Güter. Offensichtlich ist es aber selbst bei diesem Preisverhältnis von Vorteil, wenn das Inland sich auf die Produktion des einen und das Ausland auf die des anderen Gutes spezialisiert, wobei es oft dem Zufall überlassen bleibt, in welche Richtung diese Spezialisierung geht. Produziert das Inland die Menge OC des Gutes 1 und das Ausland OD von Nr. 2, so werden die Güter in dem durch die Linie II

---

[14] Wenn der Begriff „gleiche Produktionsbedingungen" auch den Fall unterschiedlicher, aber in Form und Krümmung übereinstimmender Transformationskurven (vgl. Abb. 73) deckt, werden auch bei identischen Indifferenzkurvensystemen die Autarkiepreise differieren, sofern die Einkommens-Konsum-Kurven keine Ursprungsgeraden sind. Der Außenhandel folgt dann aus unterschiedlichen Verbrauchsgewohnheiten bei divergierenden Realeinkommensniveaus.

[15] Kemp untersucht die Bedingungen, unter denen dieser Fall eintritt. Vgl. Kemp, M. C., The Pure Theory of International Trade, Englewood Cliffs, New Jersey, 1964, S. 111.

(Parallele zu *I*) gegebenem Verhältnis getauscht, bis beide Länder ihren Konsumtionspunkt *B* erreicht haben. Die Frage ist nur, warum der Produktionspunkt *A* bei konstantem Tauschverhältnis verlassen und durch *C* und *D* ersetzt werden soll. Tatsächlich bedarf es oft einer kleinen Preisänderung, die den Anstoß gibt zu dieser radikalen Produktionsumschichtung. Der Außenhandel könnte aber eine solche Preisverschiebung nur bewirken, wenn in der Ausgangslage die nationalen Preise unterschiedlich sind — was wiederum verschiedene Präferenzen oder Kosten voraussetzt. Immerhin ändert sich nichts an der Feststellung, daß auch bei gleichem Preisverhältnis im autarken Zustand der Außenhandel aufgenommen werden k ö n n t e , wenn nur ein Anstoß, gleich welcher Art, die Produktion in die eine oder andere Richtung treiben würde.

Bei der Suche nach einem solchen Anstoß ist vor allem die Überlegung von Bedeutung, daß auch bei gleichen Preisen vor dem Austausch Handelsbeziehungen möglich sind, wenn Produktdifferenzierungen existieren, die Verbraucher also ein bestimmtes Gut nicht als homogen betrachten, sondern bestimmte Spielarten dieses Gutes aufgrund des Markennamens oder wegen anderer Eigenarten besonders schätzen. In solchen Fällen bedarf die Spezialisierung nicht des auslösenden Moments der Preisunterschiede. Gelingt es den Unternehmern eines Landes, dank solcher Produktdifferenzierungen — die oft noch durch Werbung hervorgehoben werden — den Absatz ihres Gutes durch Exporte zu vergrößern, so werden die Kosten infolge der Produktionsausdehnung sinken. Kostenvorteile, die im autarken Zustand nicht vorhanden sind, werden also durch die Produktdifferenzierung ausgelöst und verbreitern damit die Basis für den Außenhandel[16]).

[16]) Auf diese Zusammenhänge weist besonders H. H e s s e hin (Die Bedeutung der reinen Theorie . ... a. a. O., S. 234 ff.). Als Beispiel führt er vor allem die Volkswagenexporte Deutschlands in die USA an. Diese Exporte gingen zunächst auf die besondere Vorliebe der US-Nachfrager für relative kleine Wagen zurück. Erst später haben Kostenvorteile – die durch die Massenproduktion ermöglicht wurden – zu einer Steigerung der VW-Ausfuhren beigetragen.

5. Kapitel:

Totales Gleichgewicht und reales Austauschverhältnis

I. Die Bestimmung des Tauschgleichgewichts

1. Das Tauschverhältnis bei konstanten Kosten

Auf die Frage nach dem Stand des internationalen Austauschverhältnisses konnte bisher nur eine unbestimmte Antwort gegeben werden: Das Tauschverhältnis, so wurde gesagt, muß sich innerhalb der Grenzen bewegen, die durch die nationalen Preisrelationen gesetzt sind; evtl. kann es aber auch mit dem nationalen, d. h. im autarken Zustand existierenden Tauschverhältnis eines Landes identisch sein. In diesem Abschnitt soll nun die Lage des Tauschverhältnisses näher bestimmt werden. Wir benötigen zu diesem Zwecke Angebots- und Nachfragekurven, die aber leicht aus den Informa-

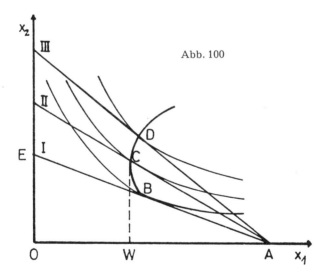

Abb. 100

tionen über Konsumgewohnheiten und Produktionsbedingungen, also aus Indifferenz- und Transformationskurven, gewonnen werden können. Wir wollen zunächst von konstanten Kosten ausgehen, unterstellen also lineare Transformationskurven.

a) In Abb. 100 sind Indifferenzkurven und Transformationskurve (Linie I) des Inlandes aufgezeichnet. Da das Tauschverhältnis ohne Außenhandel mit der Steigung der Transformationskurve identisch ist, werden im isolierten Zustand die den Koordinaten des Punktes B entsprechenden Mengen produziert und konsumiert. Stellen wir uns nun eine beliebige Anzahl von

Preislinien *II, III* usw. vor. Bei jedem dieser Preisverhältnisse ist es für das Inland von Vorteil, sich auf die Produktion des Gutes 1 zu spezialisieren (Punkt *A*) und die „im Überschuß" erzeugten Mengen dieses Gutes im Austausch gegen Gut 2 zu exportieren. Wie wir wissen, werden Exportangebot und Importnachfrage bei jedem Preisverhältnis durch den Berührungspunkt einer Indifferenzkurve mit der betreffenden Preisgeraden bestimmt. So ist z. B. das Exportangebot = *WA* und die Importnachfrage = *CW*, wenn das Tauschverhältnis durch die Linie *II* repräsentiert wird. Die Kurve, welche *B, C, D* und andere Optimalpunkte miteinander verbindet, wurde von Marshall als „offer-curve" bezeichnet. Wir geben ihr den Namen „T a u s c h k u r v e", da sie angibt, wieviel Mengeneinheiten des Gutes 2 bei alternativen Preisrelationen nachgefragt und wieviel Einheiten des Gutes 1 bei den entsprechenden Preisrelationen angeboten werden. Diese Kurve mag nach links (wie von *B* nach *C*) oder nach rechts (wie von *C* nach *D*) ansteigen, je nachdem, ob die Abnahme des Verbrauchs von Gut 1, welche durch den Anstieg des relativen Preises dieses Gutes bedingt ist (Substitutionseffekt), durch den Anstieg des Realeinkommens, der mit der Verbesserung des Austauschverhältnisses verbunden ist, überkompensiert wird oder nicht.

Die Tauschkurve ist unter der Annahme gezeichnet worden, daß das Inland Gut 1 exportiert und Gut 2 importiert. Unter diesen Umständen wird die Tauschkurve nur von solchen Preislinien geschnitten, die einen höheren relativen Preis des Gutes 1 als vor Aufnahme des Außenhandels widerspiegeln. Sollte jedoch der relative Preis dieser Ware gegenüber dem autarken Zustand sinken, so spezialisiert sich das Inland auf die Produktion des Gutes 2 (Punkt *E*) und exportiert diese Ware im Austausch gegen Gut 1. Dann erhält man die Tauschkurve durch Verbindung aller Berührungspunkte der Indifferenzkurven mit den von *E* ausgehenden Preislinien. Wir wollen diese Möglichkeit durch die Annahme ausschließen, daß die Transformationskurve (= nationale Preislinie) des Auslandes steiler als die des Inlandes verläuft. Unter dieser Voraussetzung wird die internationale Preislinie auch steiler als (im Grenzfall: gleich steil wie) die Transformationskurve des Inlandes sein: Im Inland hat sich das Tauschverhältnis — verglichen mit dem autarken Zustand — zugunsten von Gut 1 verändert.

Was geschieht aber, wenn die relativen Preise im Inland vor und nach Öffnung der Grenzen die gleichen sind?[1]) Da das Preisverhältnis im isolierten Zustand dem Anstieg der Transformationskurve I entspricht, produziert und konsumiert das Inland jene Mengen, die durch den Berührungspunkt *B* der Transformationskurve (= nationale Preislinie) mit einer Indifferenzkurve bestimmt sind. Sollten sich die relativen Preise gegenüber dem autarken Zustand nicht verändern, so würde offenbar kein Grund bestehen, das Produktionsprogramm zu revidieren, indem etwa die Erzeugung des Gutes 1 auf Kosten von Gut 2 vergrößert wird. Außenhandel wäre dann nicht möglich. Andererseits könnte aber das durch *B* gekennzeichnete Verbrauchsniveau auch erreicht werden, wenn das Inland irgendeinen Produktionspunkt auf der Linie *BA* — also evtl. den Punkt völliger Spezialisierung A selbst — realisiert und im Austausch gegen Gut 2 stets so viel Einheiten von Gut 1 exportiert, daß seine endgültige Güterversorgung durch Punkt *B* repräsentiert werden kann. Bei dem durch die Linie I angegebenen Preisverhältnis ist also das Inland indifferent zwi-

---

[1]) In Kapitel 2, Abschnitt II, 1, wurde gezeigt, daß dieser Fall eintreten kann, wenn die Produktionsmöglichkeiten des Inlandes beträchtlich größer als die des Auslandes sind.

schen Selbstversorgung und Austausch. Sollte der Außenhandel aber zustande kommen, so fällt dem Ausland der gesamte Gewinn zu, während die Konsumgütermenge im Inland die gleiche bleibt wie vor Eröffnung des Außenhandels. In jedem Falle kann man sagen, daß der relevante Teil der Tauschkurve in B beginnt. Außenhandel würde nämlich unterbleiben, wenn er die Versorgungslage der Gesellschaft unter jenes Niveau drücken würde, das von der durch B laufenden Indifferenzkurve repräsentiert wird.

Auf ähnliche Weise läßt sich die Tauschkurve des Auslandes bestimmen. Im Falle des normalen Handels wird das Ausland Gut 2, bei dem es einen komparativen Vorteil besitzt, exportieren, und die Tauschkurve gibt dann an, welche Menge des Gutes 1 es bei alternativen Preisen im Austausch beziehen möchte.

b) Die Höhe des Tauschverhältnisses, welches das Exportangebot eines Landes mit der Importnachfrage des anderen Landes in Übereinstimmung bringt, kann nun bestimmt werden, wenn die Tauschkurven beider Länder in einem Koordinatensystem zusammengebracht werden. Zur Vorbereitung dieses Schrittes stellen wir Tausch- und Indifferenzkurven des In- und Auslandes in der in Abb. 101a und 101b gezeichneten Form dar. (Die Preislinien sind aus Vereinfachungsgründen fortgelassen.) Beide Koordinatensysteme sind also so verschoben, daß sich die Nullpunkte gegenüberliegen. Die Systeme werden jetzt in einem Box-Diagramm (Abb. 102) vereinigt, und zwar in der Weise, daß die Punkte A und G, die bei völliger Spezialisierung die Produktmengen von 1 und 2 anzeigen, zusammenfallen und

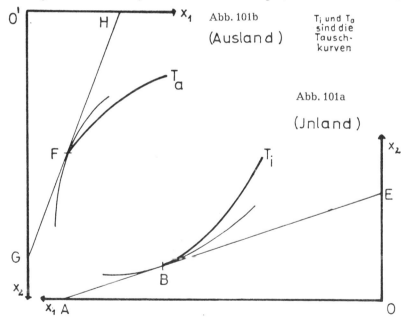

den Ursprung O_h eines neuen Koordinatensystems bilden. Die Seiten dieses Rechtecks entsprechen dann den Mengen des Gutes 1 ($O_hO = OA$) und des Gutes 2 ($O_hO' = GO'$), die In- und Ausland bei völliger Spezialisierung, d. h. bei einem Austauschverhältnis, das zwischen den nationalen Preislinien (Transformationskurven) AE und GH liegt, produzieren würde.

316 Totales Gleichgewicht und reales Austauschverhältnis

Welcher Austauschpunkt wird nun realisiert? Die Antwort fällt nicht schwer, wenn man überlegt, daß bei freiem internationalen Handel und bei Vernachlässigung der Transportkosten beide Länder zu einem einheitlichen Markt verschmelzen, auf dem nur ein Austauschverhältnis existieren kann. Exportangebot und Importnachfrage der betrachteten Länder sind dann durch die Bedingung bestimmt, daß die gesellschaftliche Grenzrate der Substitution diesem Austauschverhältnis entspricht. Geometrisch: Die geplanten Austauschmengen werden durch die Schnittpunkte der Tauschkurven T_i und T_a mit einer Preislinie determiniert, weil alle Punkte auf den Tauschkurven als Berührungspunkte von Preislinien und Indifferenzkurven, also durch die Gleichheit von marginaler Substitutionsrate und Austauschverhältnis, definiert sind. Angenommen, das Preisverhältnis sei durch die Linie O_hR (Austauschverhältnis = tan β) bestimmt. Durch den Verlauf von T_i und T_a ist dann festgelegt, daß das Inland O_hP Mengeneinheiten des Gutes 1 zum Ex-

Abb. 102

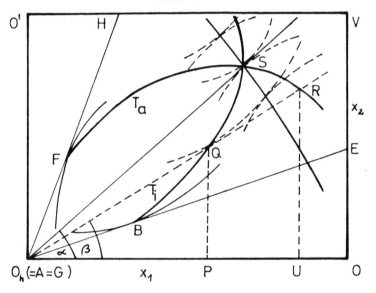

port anbietet und das Ausland O_hU Einheiten dieses Gutes nachfragt. Folglich entsteht ein Nachfrageüberschuß. Umgekehrt übersteigt das Auslandsangebot an Gut 2 (UR) die inländische Importnachfrage nach diesem Gut (QP). Diese Diskrepanzen zwischen Angebot und Nachfrage bewirken einen Preisanstieg des Gutes 1 bzw. einen Preisverfall des Gutes 2 — die Preislinie wird also steiler —, bis ein neues, durch die Linie O_hS bestimmtes Preisverhältnis erreicht wird, bei dem Exportangebot und Importnachfrage gleich sind.

Da der Tauschpunkt S[2]) auf der Kurve T_i liegt, diese Kurve indessen als geometrischer Ort aller Berührungspunkte von Preislinien und Indifferenzkurven definiert ist, muß in S die Preislinie O_hS eine Indifferenzkurve des Inlands berühren. Da fernerhin S auch ein Punkt auf T_a ist, muß die Preis-

---

[2]) Der Verbrauch des Inlands wird durch die auf O bezogenen Koordinaten des Punktes S gemessen. Entsprechend wird der Verbrauch des Auslands durch die auf O' bezogenen Koordinaten bestimmt.

I. Die Bestimmung des Tauschgleichgewichts

linie in diesem Punkt auch eine Indifferenzkurve des Auslands tangieren. Daher werden sich in S diese Indifferenzkurven ebenfalls berühren. S ist daher ein Punkt auf der Kontraktkurve für die Welt als Ganzes, welche alle Berührungspunkte von Indifferenzkurven miteinander verbindet (vgl. Abb. 102). Liegt der Austauschpunkt auf dieser Kurve, so gibt es keine Redistributionsmöglichkeit des Gütervorrats, die das eine Land besserstellt, also auf eine höhere Indifferenzkurve bringt, ohne die Position des anderen Landes zu verschlechtern. Außer S scheiden indessen alle Punkte auf der Kontraktkurve als Gleichgewichtspunkte aus, weil sie nicht auf den Tauschkurven beider Länder liegen.

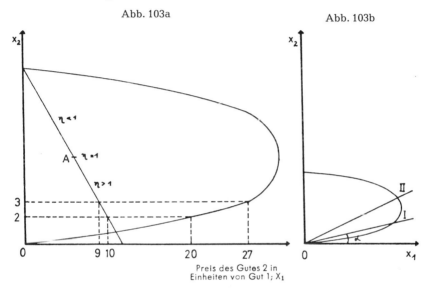

Abb. 103a   Abb. 103b

Preis des Gutes 2 in Einheiten von Gut 1; X_1

c) Um die Eigenschaften der Tauschkurven klar herauszustellen, ist es zweckmäßig, diese Kurven mit den aus der Preistheorie bekannten Nachfragekurven zu vergleichen. Zwischen beiden Kurven besteht folgender Unterschied: Während die gewöhnliche Nachfragekurve nachgefragte Menge und Preis eines Gutes in Beziehung setzt, gibt die Tauschkurve nicht nur an, welche Mengen eines Gutes bei einem bestimmten Preisverhältnis nachgefragt, sondern auch, welche Mengen eines anderen Gutes angeboten werden. D i e T a u s c h k u r v e i s t a l s o N a c h f r a g e - u n d A n g e b o t s k u r v e z u g l e i c h.

Es ist aber nicht schwierig, die Tauschkurve aus einer Nachfragekurve abzuleiten. Zu diesem Zwecke zeichnen wir in Abb. 103a die Import-Nachfragekurve des Gutes 2. Diese Darstellung der Nachfragekurve unterscheidet sich von den üblichen Abbildungen in zweifacher Hinsicht: formal dadurch, daß der Preis (die Menge) nicht auf der Ordinate (Abszisse), sondern auf der Abszisse (Ordinate) abgetragen ist, materiell dadurch, daß der Preis des Gutes 2 nicht in Einheiten der „Ware" Geld (Geldpreis), sondern in Einheiten des Gutes 1 gemessen wird (Naturalpreis). Wie aus der Preistheorie bekannt ist, läßt sich die Elastizität der Nachfrage in einem Punkte bestimmen, indem man die durch diesen Punkt getrennten Abschnitte der (geradlinigen) Nachfragekurve zueinander in Beziehung setzt. Die Elastizität ist im Punkte A — dem Mittelpunkt der Kurve — gleich eins, oberhalb von A kleiner und unterhalb von A größer als eins[3]). Der Leser beachte, daß die Elastizitäten von unten nach oben abnehmen, im Gegensatz zu den „normal" gezeichneten Kurven, bei denen die Elastizitäten von unten nach oben zunehmen, weil die Achsen vertauscht sind.

Die Elastizitäten bestimmen nun die Lage der „Gesamtausgabenkurve". Diese gibt an, welche Mengen des Gutes 1 (x_1) im Austausch gegen die bei alternativen Preisen nachgefragten Mengen von Gut 2 „ausgegeben" werden[4]). Die Kurve ist in gleicher Weise konstruiert wie die Gesamtausgaben- oder Gesamterlöskurve, die sich bei Verwendung von Geldpreisen ergeben würde. Vom Nullpunkt ausgehend werden die Gesamtausgaben — d. h. die Mengen der hingegebenen Einheiten von Nr. 1 — zunächst vergrößert, weil Preissenkungen für Gut 2 bis A auf eine elastische Nachfrage treffen. Bei einem Preis von 10 Einheiten Nr. 1 für Gut 2 würden z. B. 20 Mengeneinheiten von Gut 1 ausgegeben, wenn zu diesem Preise 2 Einheiten von Nr. 2 nachgefragt werden. Sinkt nun der Preis des Gutes 2 auf 9 Einheiten Nr. 1 und steigt darauf die Nachfrage von 2 auf 3 Einheiten Nr. 2 (Elastizität > 1), so werden 27, also mehr Einheiten des Gutes 1 ausgegeben als beim alten Preis. Entsprechend erreichen die Gesamtausgaben ihr Maximum bei einer Elastizität von 1, und sie nehmen wieder ab, wenn die Elastizität unter 1 sinkt. Die Zusammenhänge sind genau die gleichen wie bei Verwendung von Geldpreisen auch — nur ist es notwendig, Preise und Ausgaben nicht in Geldeinheiten, sondern in Einheiten eines anderen Gutes auszudrücken.

Die Gesamtausgabenkurve ist eine Tauschkurve. Aus ihr läßt sich ja ablesen, wieviel Einheiten des Gutes 2 bei alternativen Preisen dieses Gutes nachgefragt und wieviel Einheiten des Gutes 1 zum Kauf von Nr. 2 ausgegeben, d. h. aber: angeboten werden[5]). Dies wird noch klarer, wenn wir die Tauschkurve auf Abb. 103b übertragen und an Stelle des absoluten Preises von Nr. 2 mit Preisverhältnissen operieren, die durch Preislinien (I und II) angegeben werden. Die Preislinie I repräsentiert z. B. einen hohen relativen Preis des Gutes 2 (geringen relativen Preis von Nr. 1), weil tgα angibt, daß für eine Einheit des Gutes 2 eine verhältnismäßig große Menge von Nr. 1 hingegeben wird. Da aber bei hohem Preis von Nr. 2 die Elastizität der Nachfrage groß ist (vgl. Abb. 90a), schneidet Preislinie I die Tauschkurve in ihrem ansteigenden Ast: Verändert sich das Preisverhältnis in geringem Umfange zuungunsten von Gut 2 (die Preislinie wird etwas steiler), so steigt die Menge der ausgegebenen (angebotenen) Einheiten des Gutes 1 — bis sie wieder sinkt, wenn sich das Preisverhältnis noch stärker verschiebt (Linie II).

---

[3]) Die Elastizitäten sind positiv, wenn wir — Marshall's Vorgehen folgend — vor die normalerweise negativen Elastizitätskoeffizienten ein Minuszeichen setzen. Sonst würden an der Nachfragekurve von oben nach unten gehend die Werte $\eta > -1, \eta = -1, \eta < -1$ anzuschreiben sein.

[4]) Der Preis des nachgefragten Gutes 2 (P_2) ist wie üblich definiert als Quotient aus Gesamtausgaben x_1 und nachgefragter Menge x_2, also $P_2 = \dfrac{x_1}{x_2}$. Die Gesamtausgaben sind ihrerseits definiert als Produkt aus Preis und nachgefragter Menge:

$$x_1 = P_2 \cdot x_2 = \frac{x_1}{x_2} \cdot x_2.$$

[5]) Die Tauschkurve der Abb. 103a hat im Gegensatz zur Tauschkurve der Abb. 102 keinen linearen Teil, da wir im Falle der Abb. 103a zur Vereinfachung angenommen haben, daß bei jedem Preis ein Tausch stattfindet.

2. Das Tauschverhältnis bei steigenden Kosten

Das Gleichgewichtstauschverhältnis konnte bei konstanten Kosten mit Hilfe eines Box-Diagramms abgeleitet werden. Die Seiten dieses Diagramms — die Produktmengen x_1 und x_2 — bleiben unverändert, weil bei irgendeinem Tauschverhältnis, das zwischen den nationalen Preislinien liegt, jedes Land sich auf die Produktion nur eines Gutes spezialisiert und diese Produktion konstant bleibt, wie sich das Preisverhältnis auch verschiebt[6]). Unterstellt man aber steigende Kosten, so verändert sich die Produktion mit jedem Preisverhältnis; geometrisch: verschiedenen Preislinien entsprechen unterschiedliche Produktionspunkte auf der Transformationskurve. Folglich bleiben auch die Dimensionen der Box nicht unverändert; jedem Preisverhältnis würden vielmehr unterschiedlich große Box-Diagramme zugeordnet sein. Aus diesem Grunde ist die Methode der Box-Diagramme viel zu unhandlich, um das Tauschverhältnis auch bei steigenden Kosten abzuleiten. Hierfür eignet sich eine Darstellungstechnik, die von Meade[7]) entwickelt wurde. Obwohl die Meade'schen Konstruktionen auf den ersten Blick recht kompliziert erscheinen, lohnt es sich doch, sich näher mit ihnen zu befassen, weil sie es besser als irgendeine andere Methode möglich machen, die Auswirkung des Handels auf Produktion, Verbrauch und Handelsgewinn zu verfolgen.

a) In Abb. 104 enthält der „nordöstliche" Quadrant die zwischen den Ländern getauschten Mengen; entlang der Abszisse x_1 messen wir den Export, entlang der Ordinate x_2 den Import des Inlandes. Im „nordwestlichen" Quadranten sind die Produktions- und Konsumbedingungen des Inlandes,

Abb. 104

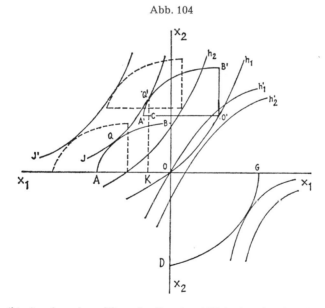

[6]) Es gibt eine Ausnahme. Wenn das Tauschverhältnis dem Anstieg einer Transformationskurve entspricht, wird die Spezialisierung in dem betrachteten Land evtl. nicht vollständig sein.
[7]) M e a d e , J. E., A Geometry of International Trade, a. a. O.

im „südöstlichen" Quadranten die des Auslandes abgetragen. Betrachten wir zunächst die Transformationskurve AQB des Inlandes. Diese Kurve bildet mit den Achsen einen „Block" ABO, den Meade als „Produktions-Möglichkeiten-Block" (ab jetzt: P-Block) bezeichnet. Im autarken Zustand werden Produktion und Konsum des Inlandes durch den Berührungspunkt Q dieses Blockes mit einer Indifferenzkurve J angegeben. Wir verschieben nun den P-Block entlang J in der Weise, daß die Seiten des Blockes stets parallel zu den Achsen verlaufen. Dann erhält man eine Reihe neuer P-Blöcke, von denen einer, nämlich $A'O'B'$, in Abb. 104 dargestellt ist. Die Ursprungspunkte der entlang J verschobenen Blöcke — also unter anderem O und O' —lassen sich durch eine Kurve h_1 verbinden, die Meade als „Handels-Indifferenzkurve" (ab jetzt: h-Kurve) bezeichnet. Eine h-Kurve ist der geometrische Ort für alle Export-Import-Kombinationen — gemessen durch die Koordinaten der Punkte auf der h-Kurve —, die der Gesellschaft die gleiche Wohlfahrt stiften. So repräsentiert h_1 z. B. jenes Wohlstandsniveau, das durch die Konsum-Indifferenzkurve J angegeben wird. Weil J den Wohlstand widerspiegelt, der auch im autarken Zustand zu erreichen wäre, beschreibt also h_1 alle Export-Import-Kombinationen, die die Position der Gesellschaft gegenüber dem isolierten Zustand (hier läuft h_1 durch O) unverändert lassen.

Die durch O' angegebenen Handelsmengen werden z. B. durch den Produktions- und Verbrauchspunkt Q' bestimmt. Hier werden die produzierten Mengen beider Güter durch die auf die Achsen des Blocks $A'O'B'$ bezogenen Koordinaten des Punktes Q' — also durch die Strecken $Q'C$ und CO' — gemessen. Dagegen ist der Verbrauch durch die auf die x_1- und x_2- Achse bezogenen Koordinaten $Q'K$ und KO von Q' bestimmt. Der Verbrauch des Gutes 2 ist also größer als die Produktion ($Q'K > Q'C$), während umgekehrt von Gut 1 mehr erzeugt als verbraucht wird ($CO' > OK$). Diese Differenzen — also die importierten Mengen des Gutes 2 und die exportierten Mengen des Gutes 1 — entsprechen genau den Koordinaten des Handelspunktes O'.

Neben h_1 erhält man weitere h-Kurven, wenn man den P-Block an anderen Konsum-Indifferenzkurven entlanggleiten läßt. So ergibt sich z. B. die h-Kurve h_2 durch Verbindung der Nullpunkte aller P-Blöcke, die bis J' verschoben sind (gestrichelt gezeichnete P-Blöcke). Weil J' ein höheres Nutzenniveau als J markiert, zeigt h_2 Austauschmengen an, die die Position der Gesellschaft gegenüber dem durch h_1 repräsentierten Niveau verbessern. Aus der Konstruktion wird ferner deutlich, daß der in einem beliebigen Punkt gemessene Anstieg einer h-Kurve der Steigung des P-Blocks, dessen Ursprung diesen Punkt auf der h-Kurve fixiert, in dem Berührungspunkt des Blocks mit einer Konsum-Indifferenzkurve entspricht. So ist die Steigung von h_1 in O und O' gleich dem Anstieg des zugehörigen P-Blocks in Q und Q'[8]).

Auf ähnliche Weise lassen sich die h-Kurven des Auslandes bestimmen (h'_1, h'_2). Wir müssen lediglich den Block DOG an den Indifferenzkurven des Auslandes entlangschieben, um ein entsprechendes System von h-Kurven zu erhalten. Auf jeder einzelnen h-Kurve ist die Gesellschaft wieder indifferent zwischen der einen oder anderen Position. Aber das Ausland erhöht seinen Wohlstand gegenüber dem autarken Zustand, wenn es eine h- Kurve erreichen kann, die die Ordinate unterhalb von O schneidet. So repräsentiert h'_2 ein höheres Wohlfahrtsniveau als h'_1.

---

[8]) Der genaue Beweis findet sich bei M e a d e , J. E., a. a. O., S. 13.

I. Die Bestimmung des Tauschgleichgewichts

Aus den Berührungspunkten zwischen Preislinien und h-Kurven läßt sich jetzt in ähnlicher Weise, wie dies früher mit Hilfe von Konsum-Indifferenzkurven gezeigt wurde, eine Tauschkurve ableiten. Wenn Q z. B. der Produktions- und Konsumpunkt im autarken Zustand ist, mißt die Preislinie I das Tauschverhältnis vor Öffnung der Grenzen (Abb. 105). Wir übertragen diese Preislinie in den ersten Quadranten. Hier tangiert sie die h-Kurve h_1 in O, da der Anstieg von h_1 in O der Steigung von P-Block und Konsum-Indifferenzkurve in Q entspricht. Bei diesem Preisverhältnis wird also der Handel unterbleiben. Der Außenhandel wird erst aufgenommen, wenn sich das Preisverhältnis zugunsten von Gut 1 verbessert, wie durch die Preislinien II und III angezeigt ist. Die Berührungspunkte dieser Preislinien mit den h-Kurven h_2 und h_3 (Punkte A und B) bestimmen das Exportangebot von Gut 1 und die Importnachfrage nach Gut 2, die diesen Preislinien entsprechen. Das Inland wird nämlich bei gegebenem Preisverhältnis eine möglichst hohe h-Kurve zu „erreichen" suchen, weil jede h-Kurve, die weiter von O entfernt liegt, einer Konsum-Indifferenzkurve mit größerem Nutzen-

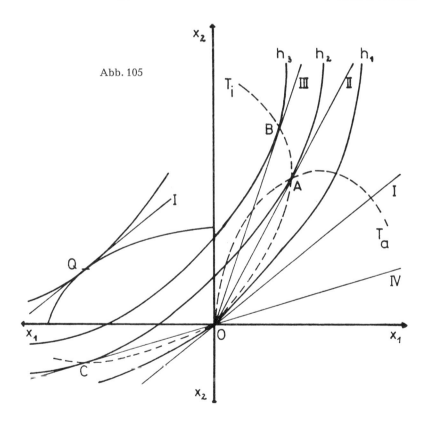

Abb. 105

index zugeordnet ist. Was aber geschieht, wenn sich der relative Preis des Gutes 1 nach Öffnung der Grenzen verschlechtert? Dieser Fall wird z. B. durch die Preislinie IV gekennzeichnet. Linie IV berührt eine h-Kurve im südwestlichen Quadraten (Punkt C), m. a. W.: Das Inland würde jetzt Gut 2 zum Export anbieten, weil sich das Preisverhältnis zuungunsten von Gut 1,

322 Totales Gleichgewicht und reales Austauschverhältnis

also zugunsten von Gut 2 verändert hat. Wir wollen diese Möglichkeit im folgenden außer acht lassen.

Durch Verbindung der Punkte O, A, B usw. erhält man nun die Tauschkurve des Inlandes T_i. Wir haben auch die Tauschkurve des Auslandes T_a eingezeichnet, die in gleicher Weise konstruiert werden kann. Beide Kurven schneiden sich in A: Daher ist A der Tauschpunkt, der bei freiem Handel realisiert werden kann und II die Preislinie, die das Gleichgewichtstauschverhältnis fixiert. Nur zur Ergänzung sei bemerkt, daß der Schnittpunkt der Tauschkurven im südwestlichen Quadranten liegen wird, wenn das Inland Gut 1 importiert und Gut 2 exportiert und das Ausland entsprechend Gut 1 exportiert und Gut 2 importiert. Diese Möglichkeit entspricht dem Falle des inversen Handels. Sie wird akut, wenn die im autarken Zustand existierende Preislinie des Inlandes steiler als die des Auslandes verläuft, Gut 1 im Inland also relativ teurer als im Ausland ist, obwohl das Inland — wie aus den P-Blöcken in Abb. 104 ersichtlich ist — in der Erzeugung des Gutes 1 einen komparativen Vorteil besitzt.

b) Mit Hilfe dieser Konstruktionen läßt sich nun nicht nur die Menge der ausgetauschten Güter bestimmen; man kann auch — und hier liegt ihr eigentlicher Vorzug — die wichtige Frage beantworten, in welchem Verhältnis die Güter in beiden Ländern konsumiert und produziert werden. Abb. 106 enthält neben den Tauschkurven auch die P-Blöcke des In- und Auslandes, deren Nullpunkte nach A, dem Punkt des Austauschgleichgewichts, gelegt

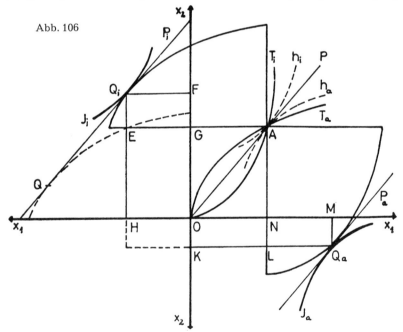

Abb. 106

sind. Jeder dieser Blöcke ist einer aus einer Vielzahl weiterer Blöcke, die die Indifferenzkurven J_i und J_a berühren. An Q_i legen wir die Preislinie P_i, die parallel zur Linie OP verlaufen muß, weil das Anstiegsmaß der h-Kurve h_i am Nullpunkt des Blocks Q_iA (und daher auch die Steigung der h_i in A berührenden Preislinie OP) dem Anstiegsmaß von J_i und Q_iA in Q_i (und folglich auch der Steigung der Tangente P_i) entsprechen muß. Aus den gleichen Gründen läuft auch P_a parallel zu OP. Weil OP (und daher P_i und P_a) das Weltmarktpreisverhältnis repräsentiert, konsumiert das Inland die Q_i entsprechenden Mengen, denn nur in diesem Punkte entspricht das Preisverhältnis der marginalen Substitutionsrate, d. h. der Steigung von J_i. Der Verbrauch des Inlandes beträgt daher Q_iH von Gut 2 und Q_iF von Gut 1. Da P_i in Q_i auch den P-Block berührt, ist Q_i ferner Produktionspunkt: Erzeugt wird Q_iE von Gut 2 und EA von Gut 1[9]). Folglich ist der Inlandskonsum des Gutes 2 größer als die Produktion ($Q_iH > Q_iE$): Der Differenzbetrag $EH = GO$ wird daher importiert. Umgekehrt übersteigt die Produktion des Gutes 1 die konsumierte Menge ($EA > EG$): GA kann also exportiert werden.

In entsprechender Weise sind Produktion und Verbrauch sowie ex- und importierte Mengen des Auslandes bestimmt. Von Gut 1 wird konsumiert: Q_aK, produziert: Q_aL und importiert: $KL = GA$. Von Gut 2 wird konsumiert: MQ_a, produziert: AL und exportiert: NA. Wir sehen, daß der Export eines Landes dem Import des anderen entspricht. Mithin zeigt Abb. 106 einen Zustand des totalen Gleichgewichts: Es fehlt jede Tendenz zur Veränderung der Produktions-, Verbrauchs- und Handelsstrukturen, solange die Daten des Systems — Präferenzen und Produktionsbedingungen — unverändert bleiben[10]).

II. Stabilitätskriterien und Elastizitäten

In den vorhergehenden Abschnitten wurde gezeigt, wie das Austauschgleichgewicht z u s t a n d e k o m m t. Was geschieht aber — so wollen wir jetzt fragen —, wenn dieses Gleichgewicht g e s t ö r t ist? Hierauf gibt es zwei Antworten: Abweichungen von diesem Gleichgewicht können entweder Ausgleichskräfte aktivieren, die den Ausgangszustand wiederherstellen, oder aber weitere Störungen induzieren, die verhindern, daß das System zu seiner Ausgangsposition zurückfindet. Das Gleichgewicht kann also stabil oder unstabil sein.

a) Abb. 107 stellt den Fall multipler Gleichgewichte dar. Die Tauschkurven schneiden sich in drei Gleichgewichtspunkten B, A und C, aber nur zwei von ihnen, nämlich B und C, repräsentieren stabile Positionen. Daß A nicht die Bedingungen eines stabilen Gleichgewichts erfüllt, kann leicht gesehen werden, wenn man annimmt, daß das A entsprechende Gleichgewichtstauschverhältnis durch ein anderes Tauschverhältnis ersetzt wird. Betrachten wir z. B. die Preislinie I. Bei diesem Preisverhältnis ist das Inlandsangebot an Gut 1 (OE) größer als die Auslandsnachfrage (OD) und die Inlandsnachfrage nach Gut 2 (EG) größer als das Auslandsangebot (FD). Folglich ändert sich das Tauschverhältnis zugunsten von Gut 2 und zuungunsten von Gut 1 — die Preislinie wird flacher —, bis der Tauschpunkt C erreicht ist, Exportangebot und Importnachfrage also wieder übereinstimmen. Auf gleiche Weise kann man zeigen, daß auch bei Abweichungen von A in entgegen-

---

[9]) Diese Mengen könnten natürlich in gleicher Weise aus dem in seine ursprüngliche Lage gebrachten P-Block (siehe gestrichelte Kurve) abgelesen werden. P_i berührt diesen Block in Q. Da beide Blöcke identisch sind, stimmen die Koordinaten von Q mit den Strecken Q_iE und EA überein. Vom Produktionspunkt Q aus wird durch Außenhandel der Konsumtionspunkt Q_i erreicht.

[10]) M e a d e zeigt ebenfalls, wie die Tauschkurven und das Preisverhältnis bei konstanten und sinkenden Kosten abzuleiten sind. Im Falle konstanter Kosten sind die Tauschkurven über eine größere Strecke geradlinig, wie schon bei der Darstellung mit Hilfe von Box-Diagrammen gezeigt werden konnte.

gesetzter Richtung die relativen Preise sich weiter von jenem Stand entfernen, der durch A fixiert wird. Die von A fortführende Bewegung findet erst ein Ende, wenn das Preisverhältnis einen Tausch in B ermöglicht. Mithin ist der Gleichgewichtszustand A in jedem Falle unstabil. Geometrisch wird diese Unstabilität dadurch verdeutlicht, daß die Tauschkurven sich von außen schneiden.

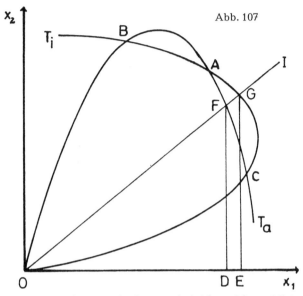

Abb. 107

b) Die Frage, ob und wann ein Austauschgleichgewicht stabil ist, kann mit Hilfe von Nachfrageelastizitäten beantwortet werden. Schon bei Ableitung der Tauschkurven aus den Nachfragefunktionen konnten wir feststellen, daß sich der Verlauf einer Tauschkurve nach der Elastizität der Nachfrage richtet. Aus dieser Ableitung folgt z. B., daß die Elastizität der Importnachfrage nach Gut 2 größer als 1 ist, solange die Tauschkurve T_i (Abb. 107) von links nach

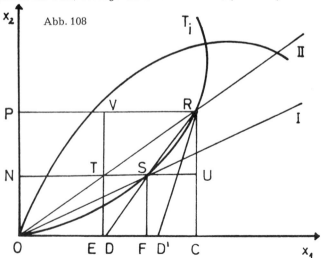

Abb. 108

rechts steigt. Im Wendepunkt ist die Elastizität gleich 1, und sie wird schließlich kleiner als 1, sobald T_i von rechts nach links steigt. Um nun die gesuchten Elastizitätswerte nicht nur auf dem Umweg über die Nachfragekurve zu finden, müssen wir nach Kriterien suchen, die es uns gestatten, die Größe der Elastizität direkt aus der Tauschkurve abzulesen. Das geschieht mit Hilfe von Abb. 108. Betrachten wir hier die Tauschkurve T_i des Inlandes. Da diese Tauschkurve angibt, wieviel Mengeneinheiten des Gutes 2 bei alternativen, in Mengen des Gutes 1 ausgedrückten Preisen nachgefragt werden, wird ihr Verlauf von der Elastizität der Nachfrage nach Gut 2 bestimmt. Die Elastizität der Nachfrage wird definiert wie in der partiellen Preistheorie, nämlich als das Verhältnis zwischen der relativen Änderung der nachgefragten Menge von Gut 2 und der relativen Änderung des Preises von Nr. 2, also als $\dfrac{\Delta x_2}{x_2} : \dfrac{\Delta P_2}{P_2}$. Der einzige Unterschied zu den gewöhnlichen Elastizitäten liegt darin, daß der Preis von Nr. 2 nicht in Geld, sondern in Einheiten von Nr. 1 gemessen wird.

In Abb. 108 sind zwei Preislinien I und II aufgezeichnet. Die Punkte S und R geben dann die Mengen des Gutes 2 an, die bei diesen Tauschverhältnissen nachgefragt werden. Sie zeigen ferner, wieviel Einheiten des Gutes 1 für die entsprechenden Mengen von Nr. 2 bezahlt (exportiert) werden müssen. S und R enthalten also jeweils bestimmte Kombinationen zwischen nachgefragter Menge und „Naturalpreis" (gezahlten Einheiten von Nr. 1) des Gutes 2.

Um die Elastizität der Nachfrage zwischen S und R zu bestimmen[11]), ist es notwendig, relative Mengen- und Preisänderungen zu fixieren. Da der Übergang von S nach R mit einer Erhöhung der Nachfrage nach Gut 2 von NO auf PO verbunden ist, beträgt die relative Änderung der Importnachfrage: $\dfrac{PN}{NO} = \dfrac{VT}{NO}$.

Weil die Dreiecke NOT und VTR ähnlich sind, kann man auch schreiben:

$$\frac{VT}{NO} = \frac{VR}{NT} = \frac{EC}{OE}.$$

In gleich einfacher Weise kann man auch die relative Preisänderung bestimmen. Identifiziert man die Menge NO mit einer Einheit des Gutes 2, so ist der Naturalpreis für NO gleich NT Einheiten Nr. 1 beim Preisverhältnis II und NS Einheiten Nr. 1 beim Preisverhältnis I. Die absolute Preisdifferenz beträgt daher TS und die relative Preisänderung ist

$$\frac{TS^{12)}}{NT} = \frac{EF}{OE}.$$

---

[11]) Vgl. Meade, J. E., a. a. O., S. 87 ff.
[12]) Sieht man NO nicht als eine Einheit an, so kann die Preisänderung auf folgende Weise bestimmt werden: Wir erinnern uns, daß die Tauschkurve eine Gesamtausgabenkurve ist, die auf der Abszisse abgetragenen Mengen des Exportgutes 1 also als Ausgaben für das Importgut 2 — als Produkt $x_2 P_2$ — interpretiert werden können. Weil der Preis eines Gutes dem Quotienten aus Gesamtausgaben und nachgefragter Menge entspricht, ist der Preis von Nr. 2 im Punkte S (Tauschverhältnis I) gleich $\dfrac{OF}{FS} = \dfrac{NS}{NO}$. Entsprechend wird der Preis in R (Tauschverhält-

Relative Mengenänderung in Beziehung gesetzt zur relativen Preisänderung ergibt die Formel der Nachfrageelastizität:

$$\frac{EC}{OE} : \frac{EF}{OE} = \frac{EC}{EF} = \frac{TU}{TS}$$

oder, da die Dreiecke TRU und ORC sowie SRU und DRC ähnlich sind:

$$\frac{TU}{TS} = \frac{OC}{OD}.$$

Die Elastizität der inländischen Importnachfrage nach Gut 2 beträgt also zwischen S und R: $\frac{OC}{OD}$. Läßt man nun Punkt S an R heranrücken und schließlich mit R zusammenfallen, so wird die Sekante RD zur Tangente RD'. Dieses Verfahren macht es möglich, Durchschnittselastizitäten durch Punktelastizitäten zu ersetzen; mit anderen Worten: Die Elastizität wird dann nicht für endlich große, sondern infinitesimale Änderungen von Preis und Menge gemessen. So ist die Elastizität im Punkte R durch das Verhältnis $\frac{OC}{OD'}$ bestimmt.

Mit Hilfe der vorgetragenen Methode kann man die Skala der Elastizitätswerte verfolgen, die eine Tauschkurve durchläuft. Das geschieht in den Abb. 109a und 109b. Die Elastizität ist

in P : $\frac{OC}{OD}$, also > 1; in P_1 : $\frac{OC_1}{OD_1}$, also $= 1$; in P_2 : $\frac{OC_2}{OD_2}$, also < 1;

in P_3 (Abb. 109b) : $\frac{OC_3}{\text{Null}}$, also ∞. [13]

In gleicher Weise kann auch die Elastizität der Nachfrage nach Gut 1, die den Verlauf der ausländischen Tauschkurve bestimmt, gemessen werden.

c) Wir sind jetzt in der Lage, die oben gestellte Frage nach den Stabilitätskriterien näher zu beantworten. Aus Abb. 107 wird sofort ersichtlich, daß die Summe der Elastizitäten in A bedeutend kleiner als in B und C ist. Da B und C jeweils ein stabiles, A aber ein unstabiles Gleichgewicht repräsentieren, kann man mithin folgern, daß ein Austauschpunkt die Eigenschaft der Stabilität um so eher aufweist, je größer die Summe der Elastizitäten ist. Eine Antwort auf die Frage nach den kritischen Elastizitätswerten, nach der Grenze zwischen Stabilität und Unstabilität, liefert Abb. 110. Hier haben die Tauschkurven T_i und T_a im Gleichgewichtspunkt Q das gleiche Anstiegsmaß, wie durch die Linie DL, die beide Kurven in Q tangiert, vernis II) durch $\frac{OC}{RC} = \frac{PR}{PO}$ oder — da die Dreiecke RPO und TNO ähnlich sind — durch $\frac{NT}{NO}$ angegeben. Die absolute Preisdifferenz beträgt daher $\Delta P_2 = \frac{NS}{NO} - \frac{NT}{ON} = \frac{TS}{NO}$. Diese Preisdifferenz wird zum Preis $\frac{NT}{NO}$ in Beziehung gesetzt, und man erhält die relative Preisänderung $\frac{TS}{NO} : \frac{NT}{NO} = \frac{TS}{NT}$.

[13] Die Tauschkurve (= Gesamtausgabenkurve) verläuft linear, wenn die zugrunde liegende Nachfragekurve eine Parallele zur Mengenachse ist.

II. Stabilitätskriterien und Elastizitäten 327

Abb. 109a Abb. 109b

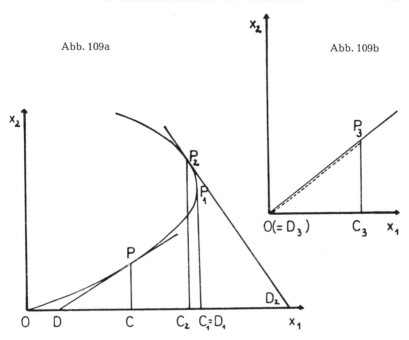

Abb. 110

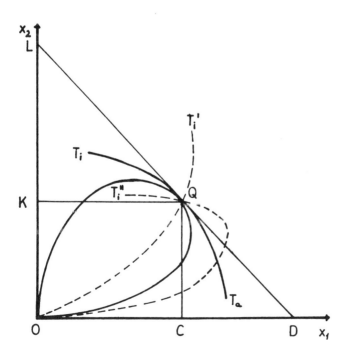

deutlich wird. LD bestimmt aber auch die Importelastizitäten des Inlandes (Gut 2) und des Auslandes (Gut 1). Die Summe dieser Elastizitäten beträgt

in Q: $\quad \dfrac{OC}{OD} + \dfrac{OK}{OL} \text{ oder } \dfrac{OC}{OD} + \dfrac{CQ}{OL}.$

Weil $\quad \dfrac{CQ}{OL} = \dfrac{CD}{OD},$

erhalten wir: $\dfrac{OC}{OD} + \dfrac{CD}{OD} = 1.$

Die Summe der Elastizitäten ist also gleich 1, wenn die Tauschkurven im Gleichgewichtspunkt gleiche Anstiegsmaße haben. Dieser Fall beschreibt nun die Indifferenzlage zwischen Stabilität und Unstabilität. Das läßt sich leicht zeigen, wenn man T_i durch die Tauschkurven $T_i{'}$ und $T_i{''}$ ersetzt. $T_i{'}$ schneidet T_a von innen, $T_i{''}$ schneidet T_a von außen. Schon in Abb. 107 haben wir aber gesehen, daß das Austauschgleichgewicht nur dann stabil ist, wenn die Tauschkurven sich von innen schneiden. Daher würde Q bei Existenz der Tauschkurve $T_i{'}$ ein stabiles, bei Existenz von $T_i{''}$ dagegen ein unstabiles Gleichgewicht sein. Weil ferner $T_i{'}$ in Q einen größeren, $T_i{''}$ dagegen einen kleineren Elastizitätswert als T_i hat, überschreitet die Summe der Elastizitäten den kritischen Wert von 1, wenn $T_i{'}$ die relevante Tauschkurve ist, während sie unter 1 bleibt, wenn $T_i{''}$ als Tauschkurve angenommen wird. Daher kann man auch sagen: **Das Austauschgleichgewicht ist immer dann stabil, wenn die Summe der Elastizitäten den kritischen Wert von 1 übersteigt; es wäre dagegen unstabil, wenn die Summe der Elastizitäten unter 1 liegt.**

d) Die Stabilitätsbedingung kann außer auf geometrischem Wege auch analytisch abgeleitet werden[14]). Ausgangspunkt der Analyse ist die Überlegung, daß jedes Weltmarktungleichgewicht durch eine Differenz (D) zwischen Importnachfrage des einen und Exportangebot des anderen Landes gekennzeichnet werden kann. Bezeichnet man die Nachfrage des Auslandes nach inländischen Exportgütern mit N_a und das Exportangebot des Inlandes mit A_i, so gilt

$$D = N_a - A_i. \qquad (1)$$

Nun ist aber das Exportangebot des Inlandes gleich dem Produkt aus inländischer Importnachfrage N_i und dem in Einheiten des inländischen Exportgutes ausgedrückten Preis der aus dem Ausland bezogenen Importgüter (P)[15])

$$D = N_a - PN_i\,{}^{16}). \qquad (2)$$

Bei gegebenem Einkommen in beiden Ländern sind N_i und N_a Funktionen des relativen (in Exportgütereinheiten gemessenen) Preises der vom Inland

---

[14]) Vgl. Mundell, R. A., The Pure Theory of International Trade, American Economic Review, Bd. 50, 1960, S. 72 ff. Ferner Johnson, H. G., Economic Expansion and International Trade, The Manchester School of Economic and Social Studies, Bd. 23, 1955, wiederabgedr. in: Johnson, H. G., International Trade and Economic Growth, London 1961, S. 65 ff.

[15]) In Abb. 107 entspricht z. B. das Exportangebot des Inlandes der Strecke OE und die Importnachfrage der Strecke EG (beim Preisverhältnis I). Da der Preis der Importgüter — gemessen in Einheiten des Exportgutes — dem Verhältnis $OE : EG$ gleich ist, gilt die Beziehung: $OE = \dfrac{OE}{EG} \cdot EG.$

[16]) D ist natürlich der Saldo der Leistungsbilanz.

II. Stabilitätskriterien und Elastizitäten

bezogenen Importgüter: $N_i = N_i(P)$ und $N_a = N_a(P)$. Da der Preis eines Gutes in Einheiten des anderen gemessen wird, könnte man natürlich auch den Preis der vom Inland angebotenen Exportgüter $\frac{1}{P}$ verwenden. Durch diese Annahme wird Gleichung (2) zu der Verhaltensgleichung:

$$D = N_a(P) - PN_i(P). \tag{3}$$

Im Gleichgewicht ist $D = O$. Um die Eigenschaften dieses Gleichgewichts zu prüfen, wird eine Preisänderung unterstellt und gefragt, welche Abweichungen vom Ausgangsgleichgewicht als Folge der Preisänderungen zu erwarten sind. Wir differenzieren also (3) nach P.

$$\frac{dD}{dP} = \frac{dN_a}{dP} - \frac{PdN_i}{dP} - N_i = N_i \left(\frac{1}{N_i} \cdot \frac{dN_a}{dP} - \frac{P}{N_i} \cdot \frac{dN_i}{dP} - 1 \right). \tag{4}$$

Da für den Ausgangszustand $D = O$ gesetzt wird, folgt aus Gleichung (2):

$$\frac{1}{N_i} = \frac{P}{N_a}$$

und nach Einsetzen in (4)

$$\frac{dD}{dP} = N_i \left(\frac{P}{N_a} \cdot \frac{dN_a}{dP} - \frac{P}{N_i} \cdot \frac{dN_i}{dP} - 1 \right). \tag{5}$$

Die beiden in der Klammer enthaltenen Produkte sind aber die (beide auf den Preis des inländischen Importgutes bezogenen) Elastizitäten der ausländischen und inländischen Importnachfrage η_a und η_i. Daher kann man auch schreiben:

$$\frac{dD}{dP} = N_i(\eta_a - \eta_i - 1) \gtreqless 0. \tag{6}$$

η_i ist gewöhnlich negativ, weil nach einer Preiserhöhung der Importgüter die Nachfrage des Inlandes zurückgeht. Das Minuszeichen in (6) macht daher den Ausdruck positiv. η_a ist dagegen positiv, denn eine Preiserhöhung der vom Inland bezogenen Importgüter bedeutet eine Preissenkung der vom Inland bereitgestellten, also vom Ausland nachgefragten Exportgüter, auf die das Ausland mit einer Importerhöhung reagiert.

Ausdruck (6) beschreibt die Stabilitätsbedingung des Weltmarktgleichgewichts. Nimmt man — vom Gleichgewichtszustand ausgehend ($D = O$) — eine kleine (streng genommen: unendlich kleine) Erhöhung von P vor, so ist dD positiv, wenn $\eta_a - \eta_i > 1$ ist. In diesem Falle übersteigt die ausländische Importgüternachfrage das inländische Exportgüterangebot. (Vgl. Gleichung (1)). Folglich erhöht sich $\frac{1}{P}$ — der relative Preis der inländischen Exportgüter —, und es sinkt P — der relative, in Exportgütereinheiten ausgedrückte Preis der Importgüter —, bis das Ausgangsgleichgewicht wieder erreicht ist. Daher ist das Gleichgewicht stabil, wenn die Bedingung $\eta_a - \eta_i > 1$ erfüllt ist. Setzt man hingegen $\eta_a - \eta_i < 1$, so muß dD bei einer Erhöhung von P negativ sein: Die ausländische Nachfrage wäre also kleiner als das inländische Exportgüterangebot und $P\left(\frac{1}{P}\right)$ würde daher nicht auf den Ausgangszustand zurücksinken (ansteigen), sondern weiter steigen (sinken), so daß das System sich immer mehr von seinem ursprünglichen Gleichgewichtspunkt entfernt.

6. Kapitel:
Datenänderungen und Weltmarktgleichgewicht

Der Verlauf der Tauschkurven beruht auf bestimmten Annahmen über Lage und Form der Indifferenz- und Transformationskurven, die aber ihrerseits durch Präferenzsysteme, Produktivitätsniveau, Faktorausstattung und andere Daten determiniert sind. Änderungen dieser Daten beeinflussen Weltmarktangebot und -nachfrage — sie verschieben also die Tauschkurven —, so daß sich das Tauschverhältnis ändert. Mit Hilfe der in den letzten Kapiteln entwickelten Methoden ist es möglich, den Einfluß solcher Datenvariationen auf das totale Gleichgewicht zu untersuchen und neben den Güterpreiseffekten auch die Wirkungen auf Handelsvolumen, Produktion, Verbrauch und Faktorpreise abzuleiten. Im Rahmen dieses Buches können allerdings nicht die Wirkungen aller nur denkbaren Datenänderungen erörtert werden. Wir werden uns darauf beschränken, die Bedeutung zweier Erscheinungen für das Weltmarktgleichgewicht zu diskutieren, die in der Literatur besondere Aufmerksamkeit gefunden haben, nämlich die Bedeutung von Wachstumsprozessen und internationalen Kapitalbewegungen.

I. Wachstum und Außenhandel

1. Die Wirkung von Produktivitätsänderungen auf das Weltmarktgleichgewicht

a) In diesem Abschnitt sollen beispielhaft die Wirkungen von Produktivitätsänderungen auf das reale Austauschverhältnis analysiert werden. Dabei sind Faktorausstattung und Präferenzsystem als konstant angenommen. Wir unterstellen, daß in der Exportgüterindustrie des Inlandes Produktivitätserhöhungen erzielt worden sind, die es gestatten, den Ausstoß an Exportgütern bei konstantem Faktorbestand zu erhöhen. Diese Produktivitätserhöhung kann indessen auch dem Importgüterbereich zugute kommen, weil es die Verbesserung ermöglicht, bei konstanter Exportgütererzeugung Produktionsfaktoren für die Herstellung zusätzlicher Importgüter freizusetzen. Eine solche Möglichkeit soll jedoch vorläufig durch die Annahme völliger Spezialisierung ausgeschlossen bleiben. Aus der Produktivitätserhöhung folgt also allein eine Steigerung der Exportgüterproduktion. Den Konsumenten steht somit ein höheres Realeinkommen zur Verfügung, das sie zum Teil zum Kauf von Exportgütern, zum anderen Teil zum Kauf von Importgütern verwenden wollen. Der Wert der zusätzlich nachgefragten Importgütermenge ist gleich dem Produkt aus zusätzlichem Importvolumen dN_i und relativem Importgüterpreis P. Die Größe von PdN_i wird aber bei gegebenem Preisverhältnis durch die Grenzneigung zum Import g_i aus dem zusätzlichen Realeinkommen Y bestimmt:

$$PdN_i = g_i dY$$

$$g_i = \frac{PdN_i}{dY}.^{1)} \qquad (1)$$

---

[1]) Diese Gleichung impliziert nicht anderes als die bekannte Definition der Grenzneigung zum Import als Verhältnis von Import- und Einkommensänderung. Da Y

I. Wachstum und Außenhandel

Sieht man von Datenänderungen im Ausland ab, so bedingt die durch (1) bestimmte Erhöhung der inländischen Importnachfrage eine Überschußnachfrage nach dem Importgut oder — was das gleiche ist — eine wachstumsinduzierte Verschlechterung der Leistungsbilanz dD_w im Ausmaß des Importnachfragezuwachses

$$-dD_w = PdN_i \tag{2}$$

$$-dD_w = g_i dY \tag{2a}$$

Da die Importnachfrage wächst, PdN_i also einen positiven Wert hat, ist dD_w — die wachstumsinduzierte Veränderung des Saldos der Leistungsbilanz — negativ (siehe Gleichung [2], S. 328). Folglich muß dD_w mit einem Minuszeichen versehen werden, damit der Ausdruck auf der linken Seite von (2) gleichfalls positiv ist.

Das durch (2a) bestimmte Ungleichgewicht kann nun durch eine Erhöhung des Importgüterpreises P beseitigt werden. Aus der Diskussion der Stabilitätsbedingung (6) wissen wir nämlich, daß dD bei einer Erhöhung des Importgüterpreises P (Senkung des Exportgüterpreises $\frac{1}{P}$) einen positiven Wert annimmt, die Leistungsbilanz sich also verbessert und eine Überschußnachfrage nach dem heimischen Exportgut entsteht, sofern die Summe der Importelastizitäten absolut größer als 1 ist (vgl. S. 329). Unter Berücksichtigung dieser Zusammenhänge wird ein neues Weltmarktgleichgewicht offenbar nur dann erreicht, wenn die preisinduzierte Verbesserung der Leistungsbilanz dD_p der wachstumsinduzierten Verschlechterung der Leistungsbilanz genau entspricht:

$$dD_p = -dD_w, \tag{3}$$

die durch das Wachstum bedingte Nachfrageerhöhung nach dem fremden Gut also durch eine Überschußnachfrage nach dem heimischen Gut, welche durch die Verminderung (Erhöhung) des Exportgüterpreises $\frac{1}{P}$ (Importgüterpreises P) induziert ist, kompensiert wird. Da die preisinduzierte Veränderung der Leistungsbilanz $dD_p = N_i(\eta_a - \eta_i - 1)dP$ ist (siehe Gleichung [6] auf S. 329), kann man auch schreiben[2]:

$$N_i(\eta_a - \eta_i - 1)dP = g_i dY \tag{4}$$

$$\frac{dP}{dY} = \frac{g_i}{N_i(\eta_a - \eta_i - 1)}. \tag{5}$$

Produktivitätssteigerungen bewirken also eine relative Preiserhöhung für Importgüter (relative Preissenkung für Exportgüter), d. h. aber eine Verschlechterung des Tauschverhältnisses, vorausgesetzt, daß g_i nicht Null oder $\eta_a - \eta_i$ nicht unendlich ist. Die zur Herstellung eines neuen Gleichgewichts erforderliche Verteuerung der Importgüter (Verbilligung der Exportgüter) wird um so größer sein, je größer die Grenzneigung zum Import und je kleiner die Importelastizität des In- und Auslandes ist. Dabei ist die Stabilität des Gleichgewichts vorausgesetzt. Diese Folgerungen bedürfen keiner näheren Erklärung.

b) Bis jetzt haben wir angenommen, daß die Produktivität nur in einem Lande steigt. Diese Annahme wollen wir jetzt aufgeben und unterstellen, daß sowohl im Inland als auch im Ausland eine Produktivitätserhöhung statt-

---

auf Grund der völligen Spezialisierung nur aus Exportgütern besteht und in Einheiten des Exportgutes gemessen wird, muß auch die Importnachfrage durch Multiplikation mit P — dem in Exportgütereinheiten gemessenen Preis des Importgutes — in Einheiten des Exportgutes ausgedrückt werden.

[2]) Vgl. M u n d e l l, R. A., The Pure Theory . . . a. a. O., S. 81 f. In diesem ausgezeichneten Aufsatz werden auch mit großer Klarheit die Wirkungen anderer Datenänderungen auf das Preisverhältnis abgeleitet.

findet. Um eine Veränderung der terms of trade unter diesen Bedingungen algebraisch ableiten zu können, soll Gleichung (5), welche die absolute Änderung der terms of trade bei Wachstum der Wirtschaft eines Landes im Falle der vollständigen Spezialisierung angibt, so umgewandelt werden, daß die absolute durch die relative Änderung der terms of trade ersetzt wird.

Zu diesem Zweck wird Gleichung (5) mit dem Realeinkommen Y multipliziert und anschließend durch den Preis P dividiert:

$$\frac{dP}{dY} \cdot \frac{Y}{P} = \frac{\frac{g_i Y}{N_i P}}{\eta_a - \eta_i - 1} . \tag{6}$$

Der Zähler von (6) ist gleich der Einkommenselastizität der Importnachfrage:

$$\frac{P \, dN_i}{P N_i} : \frac{dY}{Y} = \frac{g_i Y}{P N_i} = \sigma_i .$$

Einsetzen in (6) ergibt:

$$\frac{\frac{dP}{P}}{\frac{dY}{Y}} = \frac{\sigma_i}{\eta_a - \eta_i - 1} . \tag{7}$$

In dieser Gleichung ersetzen wir die relative Veränderung der terms of trade $\frac{dP}{P}$ durch das Symbol P_i^* und die Wachstumsrate $\frac{dY}{Y}$ durch das Zeichen Y_i^*.

$$\frac{P_i^*}{Y_i^*} = \frac{\sigma_i}{\eta_a - \eta_i - 1} . \tag{8}$$

Die relative Veränderung des Tauschverhältnisses (des relativen Importgüterpreises) ergibt sich dann durch Umformung von Gleichung (8):

$$P_i^* = \frac{\sigma_i Y_i^*}{\eta_a - \eta_i - 1} . \tag{9}$$

Um die Veränderung der terms of trade bei einem Wachstum in beiden Ländern zu bestimmen, muß Gleichung (9) durch Einbeziehen des Auslandes erweitert werden. Vom Produkt aus Einkommenselastizität der Importnachfrage und Einkommenswachstumsrate des Inlands subtrahieren wir das Produkt aus Einkommenselastizität der Importnachfrage σ_a und Einkommenswachstumsrate Y_a^* des Auslands, weil bei positiven Werten von σ_a und Y_a^* die Nachfrage nach den Exportgütern des Inlands steigt, also $\frac{1}{P}$ größer bzw. P kleiner wird. Die Differenz wird dann durch den Nenner von (9) dividiert:

$$P_i^* = \frac{\sigma_i Y_i^* - \sigma_a Y_a^*}{\eta_a - \eta_i - 1} . \tag{10}$$

Die relative Veränderung der terms of trade wird demnach entscheidend von dem Ausmaß des Wachstums in beiden Ländern bestimmt. Die terms of trade werden sich für das Inland um so eher verschlechtern — der Importgüterpreis P_i steigt relativ um so mehr —, je größer die Wachstumsrate des Inlandes und je kleiner die des Auslandes ist, je größer die Einkommenselastizität des Inlandes und je kleiner die des Auslandes ist und je geringer die Elastizitäten der Importnachfrage des In- und Auslandes sind. Die Unterstellung positiven Wachstums im Ausland macht ferner deutlich, daß sich die terms of trade zugunsten oder zuungunsten des Inlandes oder auch überhaupt nicht verändern können. Das Tauschverhältnis bliebe konstant, wenn die Differenz der Produkte aus Einkommenselastizitäten und Wachstumsraten Null ist: In diesem Falle steigt die Nachfrage des Inlands nach Importgütern in prozentual dem gleichen Maße wie die Nachfrage des Auslandes nach den Exportgütern des Inlands.

c) Die Wirkungen von Produktivitätsveränderungen auf das Tauschverhältnis können auch geometrisch, und zwar mit Hilfe der Meadeschen Techniken erläutert werden. Durch Verwendung dieser Technik ist es möglich, die in Abschn. a) gemachte Annahme völliger Spezialisierung aufzugeben. Es sei ferner eine Produktivitätserhöhung nur im Inland unterstellt. In Abb. 111 haben wir den ursprünglichen P-Block QP aufgezeichnet, dessen Nullpunkt nach P, dem Punkt des Austauschgleichgewichts, gelegt ist. Durch P verläuft eine Handels-Indifferenzkurve h_i, deren Anstiegsmaß in P — gemessen durch die Preislinie OP — der Steigung von P-Block und Indifferenzkurve J_i in Q — dem Konsumtionspunkt — entspricht.

Nun unterstellen wir eine Produktivitätserhöhung in der Exportgüterindustrie (die Gut 1 erzeugt), so daß sich der P-Block in horizontaler Richtung ausdehnt und die Form $Q'P$ annimmt. Der neue Block tangiert eine Indifferenzkurve J_i' in Q'. Da das Anstiegsmaß der h-Kurve im Punkte P dem Anstieg der gesellschaftlichen Indifferenzkurve in deren Berührungspunkt mit dem P-Block entspricht, die Steigung von J_i' in Q' aber kleiner als die von J_i in Q ist, muß die h-Kurve h_i durch eine neue, in P flacher verlaufende h-Kurve h_i' ersetzt werden. h_i' wird in P' von einer Preislinie OP' berührt. Weil aber die Tauschkurve als geometrischer Ort aller Berührungspunkte von h-Kurven und Preislinien definiert wird, ist P' folglich ein Punkt auf einer neuen Tauschkurve T_i', die die alte Kurve T_i nach der Produktivitätserhöhung ersetzt. T_i' schneidet die ausländische Tauschkurve T_a in P', so daß das alte durch OP gemessene Weltmarktpreisverhältnis durch ein neues, von OP' angezeigtes Preisverhältnis ersetzt wird. OP' verläuft aber flacher als OP: Daher hat sich das Importgut relativ zum Exportgut verteuert. Der Grad der Preiserhöhung wird unter anderem vom Verlauf der Kurve T_a bestimmt. Schneidet T_a die inländische Tauschkurve T_i' oberhalb von P' — was eine größere Elastizität der ausländischen Importnachfrage impliziert —, so ist die Preiserhöhung geringer. Das Importgut würde sich überhaupt nicht verteuern, falls die Elastizität von T_a unendlich, die ausländische Tauschkurve also eine durch den Nullpunkt verlaufende Gerade ist. Das wird deutlich, wenn man T_a mit der Linie OP zusammenfallen läßt. Das Weltmarktgleichgewicht liegt dann in P'', impliziert also das gleiche Tauschverhältnis wie der ursprüngliche Tauschpunkt P.

Läßt man den Ursprungspunkt des Blockes $Q'P$ mit dem neuen Tauschpunkt P' zusammenfallen, so wird dieser Block — je nach der Lage des Tauschpunktes — eine gesellschaftliche Indifferenzkurve berühren, die nordwestlich oder südöstlich von J_i liegt, also mit einem höheren oder geringeren Wohlfahrtsgehalt ausgestattet ist[3]). Die Wahrscheinlichkeit, daß der so

---

3) Da in Abb. 111 der neue Tauschpunkt auf h'_i liegt, muß der mit seinem Nullpunkt in P' liegende Block die Indifferenzkurve J'_i berühren.

bestimmte neue Konsumtionspunkt eine geringere Wohlfahrt als der Ausgangszustand impliziert[4]), wächst um so mehr, je stärker die Verschlechterung des Tauschverhältnisses ist, je weiter unten auf T_i der neue Tauschpunkt also liegt. Zunächst mag es paradox erscheinen, daß sich die Wohlfahrt eines Landes nach einer Produktivitätserhöhung verschlechtern kann; aber kann nicht auch das Einkommen der Landwirtschaft nach einer guten

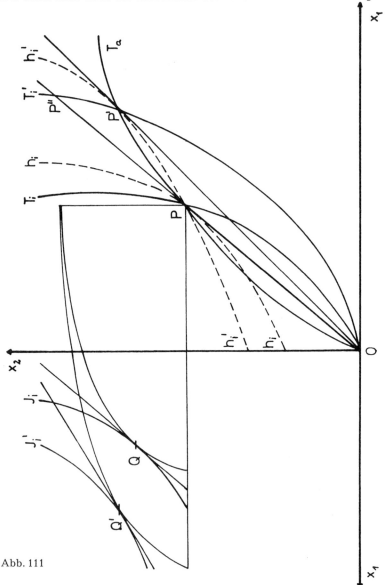

Abb. 111

[4]) Dieser Fall wurde von J. Bhagwati erörtert (Immiserizing Growth: A Geometrical Note, Review of Economic Studies, Bd. 25, 1958).

I. Wachstum und Außenhandel

Ernte oft geringer sein, als wenn die Scheunen weniger voll gefüllt wären? Die Zusammenhänge sind genau die gleichen. Ebenso wie eine gute Ernte die Preise der Agrarprodukte (und damit evtl. die Einkommen) sinken läßt, mag auch eine Produktivitätserhöhung in der Exportgüterindustrie die Preise dieser Güter so stark fallen, d. h. die relativen Importgüterpreise so stark steigen lassen, daß die wohlfahrtsmindernde Wirkung der Verschlechterung des Tauschverhältnisses größer ist als der positive Wohlfahrtseffekt der inländischen Produktionssteigerung. Viele Entwicklungsländer, die eine Zunahme ihrer Rohstoffproduktion mit sinkenden Exportgüterpreisen bezahlen müssen, bieten dafür gute Beispiele. Aber man sollte diesen Fall auch nicht verallgemeinern. Wenn sich die terms of trade nur wenig verschlechtern, wird die positive Wohlfahrtswirkung wohl die Oberhand behalten.

2. Die Bedeutung unterschiedlicher Wachstumsformen für Handelsvolumen und Tauschverhältnis

Die durch Wachstumsvorgänge bedingte Änderung der terms of trade und des Handelsvolumens hängt davon ab, in welchem Maße die inländische Tauschkurve, also Importnachfrage und Exportangebot, bei gegebener Tauschkurve des Auslands verändert wird. Da der Prozeß des wirtschaftlichen Wachstums durch Zunahme der Arbeitsbevölkerung, Kapitalakkumulation oder durch den technischen Fortschritt bedingt sein kann, ist es interessant zu wissen, wie die Tauschkurve durch die unterschiedlichen Wachstumsformen beeinflußt wird. Wir erweitern also die Ausführungen des letzten Abschnittes, in dem etwas unscharf von einer Produktivitätserhöhung schlechthin gesprochen wurde, durch eine differenziertere Analyse des Einflusses einzelner Wachstumsformen auf den Außenhandel. Die Effekte solcher Wachstumsprozesse lassen sich grundsätzlich mit Hilfe der dynamischen oder komparativ-statischen Methode formulieren, doch geben wir dem komparativ-statischen Verfahren den Vorzug, da die dynamische Analyse des Wachstums offener Volkswirtschaften — sofern die Instrumente der reinen Theorie verwendet werden — noch in den Kinderschuhen steckt und durch eine rein formale Einführung des Faktors „Zeit" zudem nicht viel gewonnen ist.

a) Als Ausgangszustand wird ein Weltmarktgleichgewicht bei gegebenen terms of trade unterstellt und ferner angenommen, daß die Spezialisierung im Inland nur unvollkommen ist. Datenänderungen bewirken nun im Inland eine Erhöhung des Volkseinkommens und der Produktion, wodurch die Nachfrage nach Gütern, normalerweise also auch die Importnachfrage bei gegebenen terms of trade beeinflußt wird. Sieht man von Wachstumsvorgängen im Ausland ab, so entsteht nunmehr eine Diskrepanz zwischen inländischer Importnachfrage und Exportangebot des Auslands bei konstanten terms of trade. In den folgenden Ausführungen werden wir zunächst versuchen, Art und Umfang dieses Ungleichgewichts zu bestimmen; zu diesem Zwecke ist es notwendig, das Tauschverhältnis als gegeben anzunehmen. Erst wenn das Ausmaß dieses Ungleichgewichts bei gegebenen terms of trade fixiert ist, kann die Änderung des Tauschverhältnisses abgeleitet werden, welche zur Realisierung eines neuen Gleichgewichts erforderlich ist.

Diese Änderung des Tauschverhältnisses hängt ceteris paribus offenbar von der Stärke der Veränderung der Importnachfrage ab, so daß geklärt werden muß, welche Faktoren den Grad der Nachfragevariation bestimmen. Im Falle unvollständiger Spezialisierung wird nun die Importnachfrage nach einem Gut durch die Differenz zwischen der im Inland konsumierten Menge und der inländischen Produktion dieses Gutes bestimmt. Da aber nicht nur der Verbrauch, sondern auch die heimische Produktion des Importgutes durch Wachstumsvorgänge beeinflußt wird, ergibt sich die Änderung der Importnachfrage (bei gegebenen terms of trade), wenn man von der Änderung der gesamten Inlandsnachfrage nach diesem Gut die Änderung der inländischen Produktion abzieht. Es gilt also $dN_{i2} = dN_2 - dA_2$, wobei N_{i2} die Importnachfrage nach Gut 2, N_2 die gesamte Inlandsnachfrage (Verbrauch) und A_2 das inländische Gesamtangebot an Gut 2 bedeuten.

b) Da die Variation der Importnachfrage nach Gut 2 durch die Änderung der Inlandsproduktion und des Inlandskonsums dieses Gutes bestimmt wird, muß man zunächst diese Produktions- und Konsumeffekte des Wachstums getrennt untersuchen, um dann die möglichen Wirkungen auf die Importnachfrage, die sich wegen der Beziehung $dN_{i2} = dN_2 - dA_2$ aus der Änderung von N_2 (Konsumeffekt) und A_2 (Produktionseffekt) ergeben, zu bestimmen. Die Produktionseffekte, welche zunächst behandelt werden sollen, lassen sich mit Hilfe des Koeffizienten

$$\varepsilon = \frac{dA_2}{A_2} : \frac{dY}{Y} = \frac{dA_2}{dY} \cdot \frac{Y}{A_2}$$

bestimmen, der das Verhältnis zwischen der prozentualen Änderung des Angebots (der Produktion) an Importgütern A_2 und der prozentualen Änderung der Gesamtproduktion Y (des Volkseinkommens) angibt[5]). Dieser Koeffizient sei als „Produktionselastizität des Angebots an Importgütern" bezeichnet.

Folgende fünf Fälle werden unterschieden: Zunächst ist es möglich, daß die Produktion des Importgutes in prozentual dem gleichen Maße wie die gesamte Produktion steigt — ein Fall, der als neutraler Produktionseffekt bezeichnet wird. Unter diesen Umständen ist die Elastizität gleich eins. Sodann mag sich die Importgüterproduktion in relativ schwächerem oder stärkerem Maße als die Gesamtproduktion erhöhen, der Elastizitätskoeffizient ist also kleiner oder größer als eins. Geht man in beiden Fällen vom gleichen Wert der Inlandsnachfrage nach Gut 2 aus, so ist die Volkswirtschaft im Falle $\varepsilon < 1$ (die inländische Importgüterproduktion steigt unterproportional) zur Deckung der Inlandsnachfrage stärker auf Importe angewiesen als unter der Annahme, daß $\varepsilon > 1$ ist, die Importgüterproduktion sich also überproportional erhöht. Der Produktionseffekt wird daher für $\varepsilon < 1$ als „positiv handelsorientiert" und für $\varepsilon > 1$ als „negativ handelsorientiert" bezeichnet. Der Bereich der „positiven Handelsorientierung" ($\varepsilon < 1$) sei nach unten durch $\varepsilon = 0$ begrenzt. Ist ε nicht nur kleiner als eins, sondern auch geringer als Null, geht also die Importgüterproduktion trotz Erhöhung der Gesamterzeugung absolut zurück, so wird der Produktionseffekt als „stark positiv handelsorientiert" bezeichnet, denn die Abhängigkeit vom Ausland erhöht sich in besonders starkem Maße. Ferner sei der Bereich der „negativen Handelsorientierung" ($\varepsilon > 1$) nach oben durch $\varepsilon = Y/A_2$ begrenzt. Dieser Wert wird überschritten, wenn die Importgüterproduktion nicht nur relativ, sondern auch absolut stärker zunimmt als die Gesamterzeugung ($dA_2 > dY$), denn aus der Beziehung $\varepsilon = \frac{dA_2}{dY} \cdot \frac{Y}{A_2}$ folgt $\varepsilon > \frac{Y}{A_2}$, sofern $dA_2 > dY$. Der Produktionseffekt wird wegen der besonders starken Erhöhung der Importgüterproduktion, die dämpfend auf den Import wirkt, als „stark negativ

---

[5]) Die Gesamtproduktion Y wird ebenfalls in Einheiten des Gutes 2 gemessen.

I. Wachstum und Außenhandel

handelsorientiert" bezeichnet[6]). Da die Produktion des Importgutes Nr. 2 sich absolut stärker als die Gesamtproduktion erhöht, muß sich die Erzeugung des Exportgutes Nr. 1 in diesem Fall vermindern.

Zur besseren Veranschaulichung werden die erörterten Produktionseffekte in der folgenden Übersicht zusammengefaßt:

Produktionselastizität des Importgüterangebots A_2	Produktionseffekt (Wirkung auf A_2)
$\varepsilon < 0$	stark positiv handelsorientiert
$0 < \varepsilon < 1$	positiv handelsorientiert
$\varepsilon = 1$	neutral
$1 < \varepsilon < Y/A_2$	negativ handelsorientiert
$\varepsilon > Y/A_2$, weil $dA_2 > dY$	stark negativ handelsorientiert

Eine geometrische Veranschaulichung der fünf Effekte erfolgt mit Hilfe von Abb. 112. Der Punkt P, in dem sich eine Transformationskurve und die Weltmarktpreisgerade MN berühren, repräsentiert das Produktionsgleichgewicht im Ausgangszustand. Wir fragen nun, wie sich die Lage des Produktionspunktes als Folge von Wachstumsvorgängen verändert, wenn die terms of trade als konstant angenommen werden. Da sich die Transformationskurve durch den Wachstumsprozeß nach außen verschiebt, wird die Lage des neuen Produktionsgleichgewichts durch einen Punkt bestimmt, in dem die Weltmarktpreisgerade $M'N'$ (die parallel zum MN verläuft) die

Abb. 112

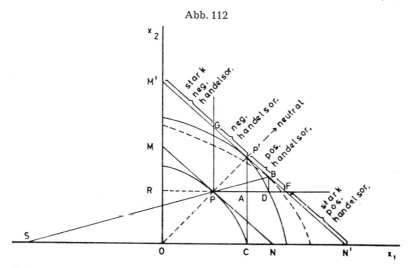

[6]) Die erörterten Fälle hat erstmals Johnson analysiert. Er bezeichnet die Produktionseffekte als „neutral", „pro-trade-biased", „anti-trade-biased", „ultra-pro-trade-biased" und „ultra-anti-trade-biased". Vgl. Johnson, H. G., Economic Expansion ..., a. a. O.; Economic Development and International Trade, in: Money, Trade and Economic Growth, London 1962; zu diesem Problemkreis vgl. ferner Meier, G. M., International Trade and Development, New York 1963, S. 20 ff.; Luckenbach, H., Wirtschaftswachstum und internationaler Handel, Freiburg 1970, S. 17 ff.

neue Transformationskurve berührt. Ist P' dieser Punkt, so kann der Produktionseffekt als neutral in dem Sinne bezeichnet werden, daß die Erzeugung des Importgutes Nr. 2 ($A_2=x_2$) in prozentual dem gleichen Maße steigt wie das gesamte Sozialprodukt. Die Elastizität $\frac{dA_2}{A_2} : \frac{dY}{Y}$ ist also gleich 1. Der Übergang von P nach P' impliziert nämlich eine prozentuale Änderung des Angebots an Importgütern um $\frac{P'A}{RO} = \frac{P'A}{AC}$. Dagegen ist $\frac{M'M}{MO}$ die prozentuale Änderung der Gesamterzeugung, sofern man das Sozialprodukt in Einheiten des Gutes 2 ausdrückt und die jeweiligen Mengen des Gutes 1 (z. B. RP) mit Hilfe des Tauschverhältnisses in Mengen des Gutes 2 (z. B. RM) bewertet[7]. Im Falle neutraler Produktionseffekte ist demnach die Produktionselastizität des Angebots an Importgütern:

$$\frac{P'A}{AC} : \frac{M'M}{MO} = \frac{P'P}{OP} : \frac{M'M}{MO} = \frac{NN'}{NO} : \frac{NN'}{NO} = 1.$$

Ergeben sich als Folge von Wachstumsprozessen neue Produktionsgleichgewichte, die nicht auf der Verlängerung der Geraden OP liegen, so sind die Produktionseffekte nicht neutral. Die neuen Produktionsmöglichkeiten seien z. B. durch die gestrichelt gezeichnete Transformationskurve angegeben, so daß B der neue Produktionspunkt ist. In diesem Falle wird die Produktionselastizität

$$\frac{BD}{AC} : \frac{M'M}{MO} = \frac{BP}{PS} : \frac{M'M}{MO} = \frac{NN'}{SN} : \frac{NN'}{NO} = \frac{NO}{SN}$$

kleiner als 1; das Angebot an Importgütern steigt also in prozentual geringerem Maße als die Produktion. Bei einem Übergang nach B und allen anderen Punkten auf der Preislinie zwischen P' und F ist demnach der Produktionseffekt positiv handelsorientiert. Der Produktionseffekt wäre hingegen negativ handelsorientiert, wenn Produktionspunkte auf der Preislinie zwischen G und P' realisiert werden, die Produktionselastizität des Angebots an Gut 2 also größer als 1 ist.

Schließlich sind wieder die extremen Fälle zu erwähnen. Im Bereich zwischen F und N' nimmt die Produktion des Importgutes trotz Erhöhung der Erzeugung ab ($\varepsilon < 0$); der Produktionseffekt ist also stark positiv handelsorientiert. Umgekehrt hat die Produktionserhöhung stark negativ handelsorientierte Wirkungen, wenn der Produktionspunkt zwischen M' und G liegt: Weil die Zunahme der Gesamtproduktion um $M'M$ absolut kleiner als die des Importgutes ist ($dx_2 = dA_2 > dY$), geht die Erzeugung des Exportgutes Nr. 1 zurück.

Es ist nun interessant zu wissen, ob den verschiedenen Formen des Wachstums, wie Bevölkerungsvermehrung, Kapitalanhäufung oder technischem Fortschritt, bestimmte Produktionseffekte zugeordnet werden können. Untersuchen wir zunächst die Produktionseffekte einer Zunahme der Erwerbsbevölkerung unter den Prämissen des Ohlin-Modells. Vor allem sei unterstellt, daß das Verhältnis zwischen Arbeit und Kapital im Inland größer als im Ausland ist, so daß das Inland sein arbeitsintensives Gut Nr. 1 exportiert und sein kapitalintensives Gut Nr. 2 importiert. Die Produktionsfunktionen seien ferner als linear-homogen angenommen. Unter diesen Voraussetzungen ist

---

[7]) Im Produktionsgleichgewicht P setzt sich also der Gesamtwert des Sozialproduktes aus RO Einheiten des Gutes 2 und PR Einheiten des Gutes 1 im Werte von MR Einheiten des Gutes 2 zusammen. Das Sozialprodukt in P entspricht also der Strecke MO. Entsprechend ist das Sozialprodukt in P' gleich der Strecke $M'O$.

es möglich, die Produktionseffekte des Bevölkerungswachstums mit Hilfe des Rybczynski-Theorems (vgl. S. 285 ff.) zu bestimmen. Wenn sich die Menge eines Faktors — so lautet dieses Theorem — bei gegebenen terms of trade vergrößert, so steigt die Produktion des Gutes, das diesen Faktor relativ stark beansprucht, um mehr als das gesamte Sozialprodukt, während die Erzeugung des anderen Gutes absolut zurückgeht. Da nun die Arbeit in der Herstellung der Exportgüter dominiert, hat die Vermehrung der Erwerbsbevölkerung einen absoluten Rückgang der Produktion des Importgutes Nr. 2 zur Folge. Die Produktionseffekte der Bevölkerungszunahme sind demnach stark positiv handelsorientiert. Umgekehrt werden im Falle der Kapitalakkumulation stark negativ handelsorientierte Wirkungen unvermeidlich sein, da die Zunahme der Produktion des kapitalintensiven Importgutes Nr. 2 absolut größer als der Zuwachs des Sozialprodukts ist, die Erzeugung von Exportgütern also schrumpft.

Etwas schwieriger sind die Produktionseffekte des technischen Fortschritts abzuleiten[8]). Unterstellt sei zunächst neutraler technischer Fortschritt in dem Sinne, daß bei gegebenen relativen Faktorpreisen die ursprüngliche Kapital-Arbeits-Relation unverändert bleibt. Wenn dieser Fortschritt in der Exportgüterindustrie auftritt, kann nach proportionaler Verminderung des Kapital- und Arbeitseinsatzes um bestimmte Beträge die gleiche Menge des Gutes 1 erzeugt werden wie im Ausgangszustand. Da aber eine Freisetzung von Produktionsfaktoren durch die Annahme der Vollbeschäftigung ausgeschlossen wird, ist es dank des Fortschritts auch möglich, größere Mengen des Gutes 1 bei unverändertem Kapital- und Arbeitseinsatz herzustellen. Sofern nun die relativen Faktorpreise unverändert bleiben, sinken die Durchschnittskosten und damit der Preis des Exportgutes 1, ausgedrückt in Einheiten Nr. 2. Nun interessieren wir uns aber für die Produktionseffekte des technischen Fortschritts bei konstanten terms of trade, also konstanten relativen Güterpreisen. Diese Konstanz kann indessen nur dann gesichert werden, wenn die Produktion des Importgutes 2 zugunsten der Erzeugung des Exportgutes 1 vermindert wird: Durch diese Produktionsumschichtung werden in der kapitalintensiven Importgüterindustrie relativ mehr Kapital und weniger Arbeitskräfte freigesetzt, als die Exportgüterindustrie bei unveränderten relativen Faktorpreisen verwenden kann. „Knappheit" an Arbeit und „Überfluß" an Kapital, die unter diesen. Umständen unvermeidlich sind, werden also den Lohn relativ zum Preis des Kapitals erhöhen. Dadurch steigt der relative Preis des Gutes 1, in dessen Herstellung die Arbeit dominiert, und es ist somit möglich, das ursprüngliche Güterpreisverhältnis wiederherzustellen. Da diese Stabilisierung der terms of trade nur durch Einschränkung der Importgütererzeugung ermöglicht wird, hat der neutrale technische Fortschritt in der Exportgüterindustrie stark positiv handelsorientierte Effekte.

Diese Zusammenhänge können auch durch Abb. 113 verdeutlicht werden. Hier ist je eine Gut 1- und Gut 2-Isoquante eingezeichnet, die Produktmengen von 10 bzw. 20 anzeigen sollen. Bei gegebenem Faktorpreisverhältnis AB ist Gut 1 arbeitsintensiver als Gut 2, wie durch die Expansionspfade OB und OA gezeigt wird. Die partiellen, durch OB und OA bestimmten Kapital-Arbeits-Relationen müssen natürlich mit dem gesamtwirtschaftlichen, durch OC angegebenen Kapital-Arbeits-Verhältnis vereinbar sein; andernfalls wäre eine Umstrukturierung der Produktion nicht zu vermeiden. Da in Abb. 113 die Isoquanten von einer gemeinsamen Faktorpreisgeraden (= Gerade gleicher Kosten; Isokostenlinie) berührt werden, tauschen sich die Güter im

---

[8]) Dazu vor allem Findlay, R. und Grubert, H., Factor Intensity, Technological Progress, and the Terms of Trade, Oxford Economic Papers, N. S., Bd. 11, 1959.

Abb. 113

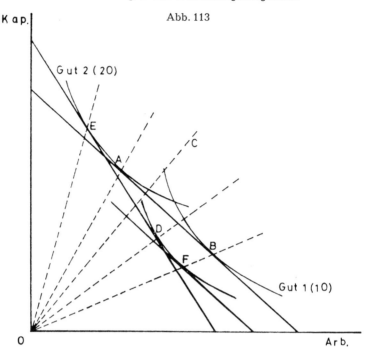

Verhältnis 10 zu 20 (die tatsächlichen Produktionspunkte können selbstverständlich auf anderen Isoquanten liegen; gefordert wird nur, daß eine Einheit des Gutes 1 die gleichen Kosten erfordert wie zwei Einheiten des Gutes 2). Wird nun in der Exportgüterindustrie ein technischer Fortschritt verwirklicht, der im Sinne der angegebenen Definition neutral ist, so verschiebt sich die Gut 1-Isoquante in Richtung auf den Ursprung derart, daß das Kapital-Arbeits-Verhältnis bei konstanten relativen Faktorpreisen unverändert bleibt. So repräsentiert Punkt F geringere Kosten, aber die gleiche Produktmenge ($= 10$) wie B, da es der neutrale technische Fortschritt gestattet, den Einsatz von Kapital und Arbeit bei unveränderter Erzeugung proportional zu reduzieren. Andererseits wird nunmehr durch den Produktionspunkt B eine größere Menge als im Ausgangszustand (10) angezeigt, so daß sich kostengleiche Produktmengen, angezeigt durch die Berührungspunkte A und B, nun nicht mehr im Verhältnis 10 : 20 tauschen. Da sich die Durchschnittskosten und damit auch der relative Preis des Gutes 1 verringert haben, kann das ursprüngliche Kosten- und Preisverhältnis von 10 : 20 nur dann wiederhergestellt werden, wenn sich der Lohnsatz relativ zum Preis des Kapitals erhöht und eine neue Faktorpreislinie ED gefunden wird, welche die Gut 2-Isoquante mit der Menge 20 und die zum Ursprung verschobene Gut 1-Isoquante mit der Menge 10 berührt. Durch die Verschiebung des relativen Faktorpreises hat sich jedoch die Kapitalintensität in beiden Bereichen erhöht, von OF auf OD und von OA auf OE. Diese Vergrößerung kann aber bei konstantem gesamtwirtschaftlichen Kapital-Arbeits-Verhältnis OC nur dann zustande kommen, wenn die Produktion des kapitalintensiven Importgutes 2 zugunsten des arbeitsintensiven Exportgutes 1 vermindert, die Zunahme der partiellen Kapitalintensitäten also dadurch ermöglicht wird, daß die arbeitsintensive Industrie ein größeres Gewicht erhält.

I. Wachstum und Außenhandel

In analoger Form können die Produktionseffekte des neutralen technischen Fortschritts in der Importgüterindustrie behandelt werden. Da in diesem Fall die Produktion des Exportgutes 1 zugunsten des Importgutes 2 verringert wird, sind die Wirkungen des technischen Fortschritts stark negativ handelsorientiert.

Neben dem neutralen technischen Fortschritt ist als zweite Fortschrittsvariante der arbeitsparende Fortschritt zu erwähnen; dieser erhöht bei gegebenen Faktorpreisen das optimale Verhältnis von Kapital zu Arbeit. Wir nehmen nun an, daß dieser Fortschritt in der arbeitsintensiven Exportgüterindustrie auftritt. Wie im Falle des neutralen Fortschritts kann auch jetzt das ursprüngliche Güterpreisverhältnis nur gesichert und die Kostensenkung in der Exportgüterindustrie kompensiert werden, wenn der relative Lohnsatz steigt. Da der Substitutionseffekt der Lohnerhöhung die Kapitalintensität in beiden Bereichen erhöht, muß die arbeitsintensive Exportgütererzeugung auf Kosten der Importgüterproduktion gesteigert werden. Der Substitutionseffekt wird allerdings noch durch den arbeitsparenden Effekt ergänzt: Da bei Konstanz der relativen Faktorpreise Arbeitskräfte gespart und freigesetzt worden sind, kann die zusätzlich verfügbare Arbeit gemäß dem Rybczynski-Theorem nur dann beschäftigt werden, wenn die Produktion des arbeitsintensiven Gutes 1 vergrößert und die des kapitalintensiven Gutes 2 verkleinert wird. Es sind also zwei Ursachen, die in diesem Falle eine Umschichtung der Produktion zugunsten von Gut 1 und zuungunsten von Gut 2 erzwingen. Zunächst werden Arbeitskräfte auch bei konstanten relativen Faktorpreisen wegen des arbeitsparenden Effekts des Fortschritts freigesetzt, sodann bewirkt die Lohnerhöhung eine weitere Verringerung des Arbeitseinsatzes. Arbeitsparender Fortschritt in der Exportgüterindustrie ist demnach stark positiv handelsorientiert, und zwar ist die Stärke dieses Effekts ceteris paribus größer als bei neutralem Fortschritt, da der Substitutionseffekt durch den arbeitsparenden Effekt verstärkt wird.

Auch diese Fortschrittsvariante könnte leicht mit Hilfe von Abb. 113 erläutert werden. Die Gut-1-Isoquante würde sich wieder auf den Ursprung zu verschieben; bei konstanten relativen Faktorpreisen — also parallel verschobener Faktorpreisgeraden — wäre jedoch nicht F, sondern ein anderer Punkt nordwestlich von F der neue Tangentialpunkt, da die Kapitalintensität in der Exportgüterindustrie als Folge des arbeitsparenden Fortschritts steigt. Eine weitere Zunahme der Kapitalintensität — und zwar in beiden Industrien — ergäbe sich dann durch den Substitutionseffekt der Lohnerhöhung. Die Erhöhung der partiellen Kapitalintensitäten ist aber mit dem gesamtwirtschaftlichen Kapital-Arbeits-Verhältnis nur dann vereinbar, wenn die Produktion des kapitalintensiven Importgutes sinkt.

Sehr viel unbestimmter sind die Wirkungen des arbeitsparenden Fortschritts dann, wenn dieser in der kapitalintensiven Importgüterindustrie auftritt. Die Produktionseffekte können nunmehr zwischen den Extremen der stark positiven und stark negativen Handelsorientierung variieren, da arbeitsparender Effekt und Substitutionseffekt in entgegengesetzter Richtung wirken. Unterstellt man zunächst Konstanz der relativen Faktorpreise, so wird Arbeit eingespart und die Kapitalintensität in der Importgüterindustrie erhöht. Da aber die Kosten des Gutes 2 durch den Fortschritt sinken, kann das ursprüngliche Güterpreisverhältnis nur dann gesichert, die Kostensenkung also wettgemacht werden, wenn der relative Preis jenes Faktors steigt, den die kapitalintensive Industrie besonders stark beansprucht: Der Kapitalpreis muß sich also relativ zum Lohn erhöhen. Durch diese Änderung der relativen Faktorpreise vermindert sich die Kapitalintensität in beiden Wirtschaftszweigen (Substitutionseffekt). In der kapitalintensiven Industrie des

Gutes 2 wird also die Kapitalintensität durch den arbeitsparenden Effekt vergrößert und durch den Substitutionseffekt verkleinert; es hängt von der relativen Stärke der Effekte ab, wie sich die Kapitalintensität per Saldo verändert. Wenn der arbeitsparende Effekt zu schwach ist, um den Substitutionseffekt zu kompensieren, muß die Kapitalintensität in der Importgütererzeugung sinken, so daß — da der Substitutionseffekt eine Verkleinerung der Kapital-Arbeits-Relation auch in der Exportgüterindustrie erzwingt — die Abnahme der partiellen Kapitalintensitäten eine Expansion der kapitalintensiven Importgütererzeugung auf Kosten der arbeitsintensiven Exportgüterproduktion erzwingt. Der Produktionseffekt ist also stark negativ handelsorientiert. Gewinnt der arbeitsparende Effekt jedoch die Oberhand, so steht der Verringerung des Kapital-Arbeits-Verhältnisses in der Exportgüterproduktion eine Zunahme dieses Verhältnisses in der Importgütererzeugung gegenüber, und es sind keine eindeutigen Aussagen mehr darüber möglich, in welche Richtung und in welcher Stärke sich eine Umschichtung der Produktion vollzieht. Ein arbeitsparender technischer Fortschritt in der kapitalintensiven Importgüterindustrie hat also Produktionseffekte, die zwischen den Grenzen der stark positiven und stark negativen Handelsorientierung liegen.

Ähnliche Ergebnisse gelten für den Fall des kapitalsparenden Fortschritts. Da das optimale Verhältnis von Kapital zu Arbeit sinkt, wirken kapitalsparender Effekt und Substitutionseffekt in die gleiche Richtung, wenn sich dieser Fortschritt in der kapitalintensiven Importgüterproduktion vollzieht. Da der „Überfluß" an Kapital eine Expansion der kapitalintensiven Importgüterproduktion auf Kosten der Herstellung von Exportgütern erzwingt, ist der Produktionseffekt stark negativ handelsorientiert. Umgekehrt sind alle Möglichkeiten der Handelsorientierung denkbar, sofern der kapitalsparende Fortschritt in der arbeitsintensiven Exportgüterindustrie auftritt.

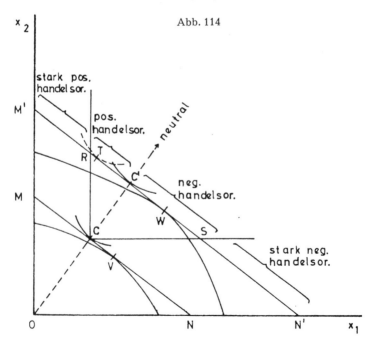

Abb. 114

I. Wachstum und Außenhandel 343

c) Nach Ableitung der Produktionseffekte sollen nunmehr die Konsumeffekte des Wachstums, die Wirkungen auf die gesamte Inlandsnachfrage nach dem Importgut 2, behandelt werden. Noch einmal sei darauf hingewiesen, daß die Änderung der Gesamtnachfrage nach dem Importgut 2 nicht mit der Importnachfrage identisch ist, da das Importgut 2 auch im Inland produziert wird. Die Konsumeffekte des Wachstums lassen sich mit Hilfe des Begriffs „Produktionselastizität (Einkommenselastizität) der Nachfrage nach dem Importgut 2" formulieren. Diese Elastizität ist durch den Ausdruck

$\delta = \dfrac{dN_2}{N_2} : \dfrac{dY}{Y} = \dfrac{dN_2}{dY} \cdot \dfrac{Y}{N_2}$ definiert, wobei N_2 die inländische Gesamtnachfrage

nach dem Importgut bezeichnet. Die möglichen Wachstumsfälle können durch Abb. 114 verdeutlicht werden. Hier gibt C die verbrauchten Mengen beider Güter im Ausgangszustand an. Steigen nun Produktion und Volkseinkommen, so kann bei gegebenen terms of trade ($M'N'$ und MN sind Parallelen) ein neuer Verbrauchspunkt auf einer höherwertigen Indifferenzkurve verwirklicht werden. Ist C' dieser Punkt, so sind die Konsumeffekte des Wachstums neutral. Die Gesamtnachfrage nach Gut 2 steigt in prozentual dem gleichen Maße wie die Produktion; der Elastizitätskoeffizient hat den Wert 1 (die Berechnung des Elastizitätskoeffizienten erfolgt auf gleiche Weise wie die Errechnung der Produktionselastizität des Angebots an Hand von Abb. 112). Verläuft die Indifferenzkurve jedoch durch T, so ist die prozentuale Zunahme des Konsums von Gut 2 größer als die prozentuale Erhöhung der Gesamtproduktion ($\delta > 1$). Da die Abhängigkeit vom Ausland verglichen mit dem „neutralen" Fall und unter sonst gleichen Umständen wächst, ist der Konsumeffekt beim Übergang von C nach T — oder anderen Punkten auf der Preisgeraden zwischen R und C' — positiv handelsorientiert. Dagegen implizieren alle zwischen C' und S liegenden Konsumgleichgewichte einen negativ handelsorientierten Konsumeffekt ($\delta < 1$).

Die Konsumwirkungen sind stark negativ handelsorientiert, wenn der Konsum des Importgutes absolut sinkt ($\delta < 0$) und stark positiv handelsorientiert, wenn der Verbrauch des Importgutes absolut stärker zunimmt als das Volkseinkommen ($dN_2 > dY$), so daß der Verbrauch des Exportgutes

1 zurückgeht. Wegen der Beziehung $\delta = \dfrac{dN_2}{dY} \cdot \dfrac{Y}{N_2}$ ist unter diesen Umständen

δ nicht nur größer als 1, sondern auch größer als Y/N_2. Diese extremen Fälle werden dann eintreten, wenn eines der beiden Produkte ein inferiores Gut ist oder das Pro-Kopf-Einkommen trotz positiven Wachstums sinkt. Sieht man zur Vereinfachung von diesen Möglichkeiten im folgenden ab, so ergeben sich die folgenden Konsumeffekte:

Produktionselastizität der inländischen Gesamtnachfrage nach dem Importgut N_2	Konsumeffekt (Wirkung auf N_2)
$0 < \delta < 1$	negativ handelsorientiert
$\delta = 1$	neutral
$1 < \delta < Y/N_2$	positiv handelsorientiert

d) Wir sind nunmehr in der Lage, Produktions- und Konsumeffekte zu kombinieren, also den Gesamteffekt des Wachstums, d. h. die Änderung der Importnachfrage N_{i2} ($= N_2 - A_2$) festzustellen. Diesen Gesamteffekt des Wachstums messen wir mit Hilfe der Produktionselastizität (Einkommenselastizität) der Importnachfrage

$$\sigma = \frac{dN_{i2}}{N_{i2}} : \frac{dY}{Y} = \frac{dN_{i2}}{dY} \cdot \frac{Y}{N_{i2}}.$$

Das Wachstum ist neutral in bezug auf die Importnachfrage, wenn dieser Koeffizient gleich eins ist. Erhöht sich die Importnachfrage in prozentual schwächerem Maße als das Volkseinkommen ($1 > \sigma > 0$), so liegt negativ handelsorientiertes Wachstum vor, da die Abhängigkeit vom Ausland relativ abnimmt. Das Wachstum ist gar stark negativ handelsorientiert, wenn trotz Zunahme des Volkseinkommens die Importnachfrage sinkt ($\sigma < 0$). Andererseits kann man von positiv handelsorientiertem Wachstum sprechen, wenn $\delta > 1$ ist, die Importnachfrage sich also relativ stärker als die Gesamtproduktion erhöht. Steigt die Importnachfrage zudem auch absolut stärker als das Volkseinkommen $(dN_{i2} > dY)$, so liegt stark positiv handelsorientiertes Wachstum vor. Da in dem Ausdruck $\sigma = \frac{dN_{i2}}{dY} \cdot \frac{Y}{N_{i2}}$ der Quotient $dN_{i2}/dY > 1$ ist, folgt mithin: $\sigma > Y/N_{i2}$.

Wir erhalten also die folgenden Gesamteffekte des Wachstums in bezug auf die Importnachfrage:

Produktionselastizität der Importnachfrage N_{i2}	Gesamteffekt (Wirkung auf N_{i2})
$\sigma < 0$	stark negativ handelsorientiert
$0 < \sigma < 1$	negativ handelsorientiert
$\sigma = 1$	neutral
$1 < \sigma < Y/N_{i2}$	positiv handelsorientiert
$\sigma > Y/N_{i2}$, weil $dN_{i2} > dY$	stark positiv handelsorientiert

Da sich die Importnachfrage als Differenz aus der inländischen Gesamtnachfrage und der Importgüterproduktion ergibt

$$N_{i2} = N_2 - A_2, \qquad (1)$$

wird der Gesamteffekt des Wachstums, also der Wert von σ, durch die Produktions- und Konsumeffekte, d. h. die Werte von ε und δ bestimmt. Um diese Beziehungen aufzudecken, wird (1) nach Y differenziert

$$\frac{dN_{i2}}{dY} = \frac{dN_2}{dY} - \frac{dA_2}{dY}.$$

Nach Multiplikation mit Y/N_{i2} folgt:

$$\frac{dN_{i2}}{dY} \cdot \frac{Y}{N_{i2}} = \frac{dN_2}{dY} \cdot \frac{Y}{N_{i2}} - \frac{dA_2}{dY} \cdot \frac{Y}{N_{i2}}$$

$$\frac{dN_{i2}}{dY} \cdot \frac{Y}{N_{i2}} = \frac{dN_2}{dY} \cdot \frac{Y}{N_2} \cdot \frac{N_2}{N_{i2}} - \frac{dA_2}{dY} \cdot \frac{Y}{A_2} \cdot \frac{A_2}{N_{i2}}$$

$$\sigma = \delta \cdot \frac{N_2}{N_{i2}} - \varepsilon \cdot \frac{A_2}{N_{i2}}. \qquad (2)$$

I. Wachstum und Außenhandel

Gleichung (2) determiniert also den durch σ gemessenen Gesamteffekt des Wachstums in Abhängigkeit von den durch δ und ε bestimmten Konsum- und Produktionseffekten. Zur Analyse dieser Abhängigkeiten[9]) werden in Abb. 102 auf der Ordinate die Werte von δ (Konsumeffekte) aufgetragen. Liegt δ zwischen 0 und 1, so ist der Konsumeffekt negativ handelsorientiert; zwischen 1 und Y/N_2 ist er dagegen positiv handelsorientiert. Punkte oberhalb von Y/N_2 und unterhalb des Nullpunkts sind ausgeschlossen, da von stark positiv oder stark negativ handelsorientierten Konsumeffekten abgesehen wird. Auf der Abszisse wird der Wert von ε (Produktionseffekt) derart aufgetragen, daß die Produktionseffekte von links nach rechts alle Bereiche von der stark positiven bis zur stark negativen Handelsorientierung durchlaufen. Jeder Punkt im Diagramm repräsentiert dann eine bestimmte Kombination von δ und ε. So sind in A Konsum- und Produktionseffekte jeweils neutral ($\delta = 1$, $\varepsilon = 1$).

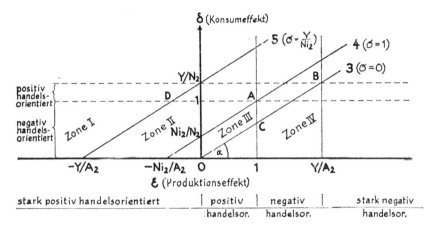

Abb. 115

In Abb. 115 wird nun Gleichung (2) für alternative Werte von σ dargestellt. Nimmt man für σ die in der entsprechenden Übersicht aufgeführten kritischen Werte von 0, 1 und Y/N_{i2} an, so wird (2) zu

$$\delta = \frac{A_2}{N_2}\varepsilon , \text{ wenn } \sigma = 0 \tag{3}$$

$$\delta = \frac{N_{i2}}{N_2} + \frac{A_2}{N_2}\varepsilon , \text{ wenn } \sigma = 1 \tag{4}$$

$$\delta = \frac{Y}{N_2} + \frac{A_2}{N_2}\varepsilon , \text{ wenn } \sigma = \frac{Y}{N_{i2}} \tag{5}$$

Gleichung (3) ergibt eine Gerade durch den Ursprung mit dem Anstieg A_2/N_2; sie verläuft also durch Punkt B mit den Koordinatenwerten $\delta = Y/N_2$ und $\varepsilon = Y/A_2$. Wenn im Ausgangszustand N_2 größer als A_2 ist — nur in diesem Falle wird Gut 2 importiert — ist die Steigung dieser Geraden kleiner

---

[9]) Vgl. I k e m a , M., The Effect of Economic Growth on the Demand for Imports: A Simple Diagram, Oxford Economic Papers, Bd. 21, 1969, S. 66 ff.

als 1 (tan $\alpha < 45°$). Auch die Gleichungen (4) und (5) ergeben Geraden mit der Steigung A_2/N_2. Da die jeweiligen Ordinatenabschnitte durch N_{i2}/N_2 und Y/N_2 angegeben sind, ist die Steigung nur dann durch A_2/N_2 bestimmt, wenn diese Geraden die negative Abszisse bei $-N_{i2}/A_2$ bzw. $-Y/A_2$ schneiden. Die durch Gleichung (4) bestimmte Gerade, auf welcher der Gesamteffekt des Wachstums neutral ist ($\sigma = 1$), verläuft ferner durch Punkt A mit den Koordinatenwerten $\delta = 1$ und $\varepsilon = 1$. Aus (2) folgt nämlich für diesen Fall

$$\sigma = \frac{N_2}{N_{i2}} - \frac{A_2}{N_{i2}} = \frac{N_{i2}}{N_{i2}} = 1.$$

Sind also Konsum- und Produktionseffekt jeweils neutral ($\delta = 1$ und $\varepsilon = 1$), so ist auch der Gesamteffekt neutral ($\sigma = 1$)[10].

Mit Hilfe der Geraden 3, 4 und 5 läßt sich das Gesamtgebiet in vier Zonen aufteilen. In Zone I — links von der durch Gleichung (5) bestimmten Geraden — ist $\sigma > Y/N_{i2}$; der Gesamteffekt läßt sich demnach als stark positiv handelsorientiert bezeichnen. Zwischen den Geraden 5 und 4 (Zone II) ist der Gesamteffekt positiv handelsorientiert, denn σ ist kleiner als Y/N_{i2} und größer als 1. In Zone III — zwischen den Geraden 4 und 3 — liegt negativ handelsorientiertes Wachstum vor, weil σ größer als Null und kleiner als eins ist. Zone IV — das Feld rechts von der Geraden 4 — wird durch einen negativen Elastizitätskoeffizienten, also stark negativ handelsorientiertes Wachstum charakterisiert.

Nach diesen vorbereitenden Bemerkungen läßt sich der Gesamteffekt des Wachstums aus den Kombinationen von Konsum- und Produktionseffekten ableiten. Das Rechteck $O1A1$ enthält z. B. alle Kombinationen von positiv handelsorientiertem Produktionseffekt ($0 < \varepsilon < 1$) und negativ handelsorientiertem Konsumeffekt ($0 < \delta < 1$). Da dieses Rechteck Teile der Zonen II, III und IV bedeckt, ist der Gesamteffekt des Wachstums entweder positiv handelsorientiert (im Dreieck N_{i2}/N_2 1A), neutral (auf der Geraden 4), negativ handelsorientiert (im Parallelogramm ON_{i2}/N_2AC) oder stark negativ handelsorientiert (im Dreieck $OC1$). Ist der Konsumeffekt — um ein anderes Beispiel zu wählen — positiv handelsorientiert ($1 < \delta < Y/N_2$), der Produktionseffekt dagegen stark positiv handelsorientiert ($\varepsilon < 0$), so ist der Gesamteffekt entweder positiv handelsorientiert (innerhalb des Dreiecks DY/N_21) oder stark positiv handelsorientiert. Der Leser wird in der Lage sein, die übrigen Kombinationsmöglichkeiten abzuleiten; die sich bei verschiedenen Kombinationen von Konsum- und Produktionseffekt ergebenden Gesamteffekte sind zum Zweck der besseren Übersicht noch einmal in Tabelle 18

Tabelle 18

Prod. Konsum	n	ph	nh	snh	sph
n	n	ph	nh oder snh	snh	ph oder sph
ph	ph	ph	nicht sph	snh	ph oder sph
nh	nh oder snh	nicht sph	nh oder snh	snh	nicht snh

[10] Dieser Fall ist in Abb. 114 dargestellt, da sowohl die Gerade CC' als auch die nicht eingezeichnete Gerade VW durch den Ursprung läuft, beide Teileffekte demnach neutral sind.

zusammengefaßt. (Hier bedeuten: n = neutral, ph = positiv handelsorientiert, sph = stark positiv handelsorientiert, nh = negativ handelsorientiert, snh = stark negativ handelsorientiert).

e) Die fünf analysierten Gesamteffekte des Wachstums bestimmen nun Stärke und Richtung der Verschiebung der inländischen Tauschkurve und damit — bei gegebener Tauschkurve des Auslands — die Veränderung der terms of trade, welche zur Herstellung eines neuen Gleichgewichts erforderlich ist. Ist der Gesamteffekt des Wachstums stark positiv handelsorientiert, steigt also die Importnachfrage N_{i2} bei gegebenen terms of trade um einen absolut größeren Betrag als das Sozialprodukt, so verschiebt sich die Tauschkurve nach rechts. Folglich muß sich das Tauschverhältnis für das Inland verschlechtern. Ähnliche Wirkungen treten im Falle des positiv handelsorientierten, neutralen und negativ handelsorientierten Wachstums auf. In all diesen Fällen nimmt die Importnachfrage bei gegebenen Tauschverhältnissen zu, so daß eine Verschlechterung der terms of trade eintritt. Wenn die Einkommenswachstumsrate in allen Fällen gleich ist, steigt die Importnachfrage um so mehr und verschlechtert sich das Tauschverhältnis um so stärker, je mehr sich der Gesamteffekt dem Fall des stark positiv handelsorientierten Wachstums nähert. Dagegen nimmt die Importnachfrage ab, wenn das Wachstum stark negativ handelsorientierte Wachstumseffekte hat. Die Tauschkurve verschiebt sich nach links, und die terms of trade werden sich zugunsten des Inlands verbessern. Die Importnachfrage könnte sogar negativ werden — das Importgut wäre nunmehr das Exportgut —, wenn die Zunahme des Angebots an Gut 2 um soviel größer als die Zunahme des Konsums ist, daß die Gesamtnachfrage nach Gut 2 kleiner als das Inlandsangebot des Gutes ist.

Die hier durchgeführte Analyse könnte in vielen Punkten, insbesondere durch Berücksichtigung von Wachstumsprozessen im Ausland, ergänzt und verfeinert werden. Johnson hat z. B. die Änderung des Weltmarktgleichgewichts bestimmt, die sich als Folge von Wachstumsprozessen in einem Industrie- und Agrarland ergeben[11]. Es würde jedoch zu weit führen, diesen Verästelungen nachzuspüren. Wir verzichten ebenfalls auf eine Analyse der in der jüngsten Zeit unternommenen Versuche, die Außenhandelstheorie mit der neoklassischen Wachstumstheorie vom Solow-Swan-Meade-Typ zu kombinieren, also die Integration von Wachstums- und Außenhandelstheorie von einer anderen Sicht her zu versuchen[12].

II. Einseitige Kapitalübertragungen und Austauschverhältnis

Außer durch Wachstumsvorgänge können die terms of trade auch durch Änderung der Präferenzstrukturen, handelspolitische Maßnahmen (vgl. Teil IV) und Kapitalbewegungen beeinflußt werden. In diesem Abschnitt werden wir die Wirkungen des Kapitalexports auf die terms of trade behandeln und gleichzeitig versuchen, eine Brücke zu den transfertheoretischen Überlegungen des II. Teils zu schlagen.

In Abb. 116 sei Q' das ursprüngliche, durch den Schnittpunkt zweier (nicht eingezeichneter) Tauschkurven bestimmte Weltmarktgleichgewicht. Das Inland stelle nun dem Ausland eine durch Steuererhebung finanzierte Anleihe im Wert von OH seines Exportgutes zur Verfügung. Bei konstantem Tausch-

---

[11] Johnson, H. G., Economic Expansion..., a. a. O.
[12] Vgl. z. B. Vanek, J., Economic Growth and International Trade, Quarterly Journal of Economics, Bd. 85, 1971. Corden, W. M., The Effects of Trade on the Rate of Growth, in: Trade, Balance of Payments and Growth, hrsg. von J. Bhagwati u. a., Amsterdam — London 1971.

verhältnis — die Linien OS und HT sind Parallelen — wird im Inland ein neuer Tauschpunkt D angestrebt, der zugleich ein Punkt auf der neuen Tauschkurve HA ist. Diese „transfermodifizierte" Tauschkurve ist der geometrische Ort aller Punkte, in denen die um den Transferbetrag nach rechts verschobenen Preisgeraden bestimmte Handelsindifferenzkurven des Inlands berühren[13]). Entsprechend wird die neue Tauschkurve HB des Auslands konstruiert; so ist z. B. E der angestrebte Tauschpunkt bei konstanten terms of trade. Wir verwenden nun die Annahmen der klassischen Transfertheorie (vgl. S. 182 ff.) und unterstellen, daß in beiden Ländern die Änderung der Gesamtausgaben dem Transfer OH entspricht. Da man die Ausgabenänderung (den Transferbetrag) OH unter Benutzung des Preisverhältnisses OS in ST Einheiten des Gutes 2 ausdrücken kann, weil ferner die Nachfrage des In-

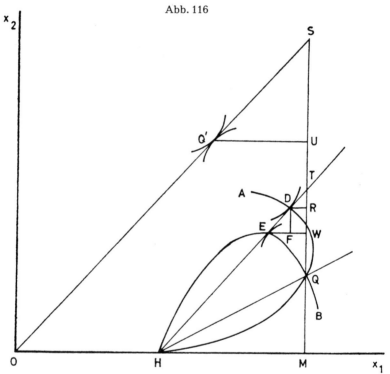

Abb. 116

lands nach dem Importgut 2 um UR von UM auf RM sinkt, ist das Verhältnis von Import- zu Ausgabenänderung im Inland (i):

$$g_i' = \frac{UR}{ST}. \tag{1}$$

g_i' ist mit der Grenzneigung zum Import g_i identisch, wenn die Importausgaben auf Änderungen des Transfers in gleicher Weise wie auf Einkommensänderungen reagieren.

---

[13]) Zur Konstruktion vgl. M e a d e , J. E., A Geometry ..., a. a. O., S. 80 ff.; die Ableitung folgt M u n d e l l , R. A., a. a. O., S. 78. Weil die Güterversorgung im Inland durch den Transfer OH verringert wird, können nur noch Indifferenzkurven mit einem geringeren Wohlfahrtsgehalt erreicht werden.

II. Einseitige Kapitalübertragungen und Austauschverhältnis

Der Übergang von Q' nach E impliziert für das Ausland (a) eine Senkung des Exportangebots, also eine Erhöhung der Ausgaben für das im eigenen Land erzeugte Gut 2, um den Betrag UW. Bezeichnet man das Verhältnis zwischen der Änderung der Ausgaben für das heimische Gut und der Änderung der Gesamtausgaben (Transfer) mit $c_a' = \dfrac{UW}{ST}$ und überlegt man ferner, daß $c_a' + g_a' = 1$ ist — der Transferbetrag wird entweder zum Kauf von heimischen oder fremden Gütern verwendet — so gilt:

$$g_a' = 1 - c_a' = 1 - \frac{UW}{ST} \qquad (2)$$

oder, da $ST + TW = SU + UW$ ist

$$g_a' = \frac{SU - TW}{ST}. \qquad (3)$$

Der Übergang nach D und E hat nun zur Folge, daß der Rückgang des ausländischen Exportangebots ($= UW$) größer als die Verminderung der inländischen Importnachfrage ($= UR$) ist, so daß eine Überschußnachfrage $RW = UW - UR$ nach Gut 2 entsteht. Man kann diese Überschußnachfrage RW unter Verwendung des relativen Importgüterpreises $P = EF/DF$ in EF Einheiten des Gutes 1 messen, wobei EF dem Überschußangebot des Exportgutes entspricht:

$$EF = DF \cdot \frac{EF}{DF} = RW \cdot P.$$

Wir bezeichnen das transferbedingte Überschußangebot an Gut 1, also $RW \cdot P$, in Anlehnung an Gleichung (1) des 5. Kapitels (S. 328) mit ΔD_t. (Weil im Ausgangszustand Q' das Überschußangebot gleich Null ist, sind in der neuen Situation ΔD_t und D_t gleich). Da nun in Gleichung (1) auf S. 328 ein Überschuß der Nachfrage nach dem heimischen Exportgut 1 über das Angebot dieses Gutes positiv definiert war, im vorliegenden Fall das Angebot an Gut 1 jedoch die Nachfrage übertrifft, ist ΔD_t negativ. Wenn sich also das Überschußangebot $RW \cdot P$ erhöht, wird ΔD_t kleiner in dem Sinne, daß der negative Wert zunimmt. Daher gilt:

$$- \Delta D_t = RW \cdot P.$$

Unter Verwendung von (2) und (3) kann man auch schreiben:

$$- \frac{\Delta D_t}{P} = RW = \left(\frac{UW}{ST} - \frac{UR}{ST}\right) ST = \left(1 - \frac{SU - TW}{ST} - \frac{UR}{ST}\right) \frac{ST}{OH} \cdot OH. \qquad (4)$$

Der Quotient $\dfrac{ST}{OH} = \dfrac{SM}{OM}$ ist der Preis des Gutes 1, gemessen in Einheiten von 2, also $\dfrac{1}{P}$. Ferner entspricht OH dem Kapitalexport ΔT. Setzt man in den Klammerausdruck schließlich noch die marginalen Quoten ein und operiert man mit infinitesimalen Änderungen, so folgt:

$$- \frac{dD_t}{P} = (1 - g_a' - g_i') \frac{dT}{P}. \qquad (5)$$

Gleichung (5) bestimmt die Größe des transferbedingten Überschußangebots an Gut 1 bzw. der Überschußnachfrage nach Gut 2 bei konstanten terms of trade. Der relative Preis des Gutes 2 muß also steigen, die terms of trade verschlechtern sich für das Inland, bis ein neues Gleichgewicht in Q erreicht ist.

Wir wollen nun die Stärke dieser transferbedingten Änderung des Importgüterpreises bestimmen. Aus der Diskussion der Stabilitätsbedingung (6) auf S. 329 ist uns bekannt, daß die Erhöhung des Importgüterpreises eine Überschußnachfrage dD nach dem heimischen Exportgut 1 induziert, sofern die Summe der Importelastizitäten größer als 1 ist. Das neue Weltmarktgleichgewicht Q ist folglich dann erreicht, wenn das durch (5) bestimmte Überschußangebot der preisinduzierten Überschußnachfrage dD_p entspricht: $-dD_t = dD_p$.

Da $dD_p = N_i\,(\eta_a - \eta_i - 1)\,dP$ ist (S. 329), kann man also schreiben:

$$N_i(\eta_a - \eta_i - 1)\,dP = (1 - g_a' - g_i')\,dT\,. \tag{6}$$

$$\frac{dP}{dT} = \frac{1 - g_a' - g_i'}{N_i(\eta_a - \eta_i - 1)}\,. \tag{7}$$

Diese Gleichung[14]) bestimmt die Änderung der terms of trade, welche durch den Transfer bedingt ist. Die terms of trade werden sich verschlechtern, dP ist also positiv, wenn $g_a' + g_i'$ — wie in Abb. 116 — kleiner als 1 ist. Diese Preiserhöhung des Importgutes 2 wird um so größer sein, je kleiner die Importelastizitäten des Inlands und des Auslands sind — vorausgesetzt natürlich, daß die Stabilitätsbedingung erfüllt ist. Wenn der Tauschpunkt Q erreicht ist, besteht ein Exportüberschuß im Umfang des Transfers; die Zahlungsbilanz befindet sich im Gleichgewicht. Vom Inland werden OM Einheiten des Gutes 1 exportiert und MQ Einheiten des Gutes 2 importiert. Da im Falle eines Kapitalexportes von Null der Export nur HM Einheiten des Gutes 1 sein würde, entspricht der Ausfuhrüberschuß OH gerade dem Betrag des Kapitalexports.

Andererseits wird der relative Preis des Gutes 2 sinken, das Tauschverhältnis verändert sich zugunsten des Inlands, wenn die Summe der marginalen Quoten größer als 1 ist. Die Tauschkurve des Auslands würde in diesem Falle nicht rechts, sondern links von HT von der Tauschkurve des Inlands geschnitten werden. Schließlich wird das Tauschverhältnis unverändert bleiben, wenn sich g_a' und g_i' zu 1 ergänzen. Diese Ergebnisse entsprechen ganz den Resultaten, welche bei der Analyse der klassischen Transfertheorie im II. Teil gewonnen wurden.

---

[14]) M u n d e l l, R. A., a. a. O., S. 78.

7. Kapitel:
Erkenntniswert und offene Probleme der reinen Außenwirtschaftstheorie

Die Geburtsstunde der reinen Theorie des Außenhandels schlug mit dem Entwurf der Theorie der komparativen Kosten durch Ricardo. Prominente Nationalökonomen — wie Marshall, Haberler, Meade und viele andere — haben ausgehend von der einfachen Ricardianischen Konstruktion unzählige Erweiterungen und Verfeinerungen vorgenommen und jenes kunstvolle, in sich geschlossene Gebäude der reinen Theorie entwickelt, das in den letzten Kapiteln vorgeführt wurde. In einigen Abschnitten haben wir indessen schon auf Schwachstellen, Mängel und ungelöste Probleme dieses Theoriesystems hingewiesen, um zu vermeiden, daß angesichts der formalen Eleganz der Konstruktionen auch der Anschein einer materiellen Perfektion erweckt wird, die tatsächlich nicht vorhanden ist. Andererseits erschiene es verfehlt, „das Kind mit dem Bade auszuschütten" und einer radikalen Verdammung der reinen Theorie das Wort zu reden. In der Tat mehren sich jedoch die Stimmen, die ausgehend von der Wissenschaftstheorie des kritischen Rationalismus (Popper, Albert) — und versehen mit dem Stempel des methodologischen Absolutheitsanspruches[1]) — eine solche Radikalkur empfehlen. Um es ganz deutlich zu machen: Solche kritischen Beiträge sind nützlich, weil sie auf echte Schwächen verweisen, aber sie verlieren durch die oft überspitzte Form der kritischen Stellungnahme und den manchmal geradezu dogmatisch wirkenden methodologischen Rigorismus einen großen Teil ihrer Überzeugungskraft.

Angriffe gegen die reine Theorie[2]) vollziehen sich normalerweise auf drei Ebenen. Bezweifelt wird 1) die Relevanz der Außenhandelstheorie für Erklärung und Prognose der Handelsströme, 2) die Nützlichkeit der Idee des totalen Gleichgewichts und 3) die Zweckmäßigkeit der benutzten theoretischen Instrumente.

Zu 1): Die Kritik an den geläufigen Hypothesen zur Erklärung der Handelsströme — also im wesentlichen an den Ricardo- und Heckscher-Ohlin-Theoremen — setzt teilweise an der Tatsache von Falsifikationsversuchen an, die erfolgreich waren oder zumindest unklare Ergebnisse gezeigt haben, teilweise an der Verwendung von „crucial assumptions", die diesen Theoremen zugrundeliegen. Dabei geht man üblicherweise so vor, daß man die den jeweiligen Hypothesen zugrundeliegenden Prämissen aufzählt, diese im einzelnen auf ihren Geltungsbereich und Realitätsgehalt untersucht, mit dem Schluß, daß in den Prämissen die „entscheidenden und offensichtlichen

---

[1]) Geradezu entlarvend ist z. B. die Kritik, die U. Steger an einem Buch von E. Helmstädter geübt hat (WSI-Mitteilungen, 27. Jahrgang, Heft 12, 1974, S. 506). Hier ist die Rede von den Arbeiten Alberts und anderer „mit ihrer nicht widerlegbaren Kritik". Wer solche Sätze formuliert, hört auf, wissenschaftlich zu argumentieren und begibt sich auf die Ebene des Glaubens. Gerade Albert würde sich wohl mit Nachdruck gegen derartige Behauptungen unkritischer und übereifriger Epigonen wenden.

[2]) Vgl. stellvertretend für viele andere Autoren z. B. A. Lemper, Handel in einer dynamischen Weltwirtschaft, München 1974 (vor allem das 1. Kapitel). Mit diesen Angriffen setzt sich kritisch auseinander: Grossekettler, H., Ist die neoklassische Theorie wirklich nur l'art pour l'art? Jahrbuch für Sozialwissenschaft, Bd. 28, 1977, S. 1 ff.

Schwächen"[3]) liegen. Am Lehrsatz von Heckscher-Ohlin, nach dem der Handel auf Unterschiede in der Faktorausstattung zurückgeführt wird, bemängelt man z. B. die Annahmen identischer Produktionsfunktionen, gleicher Nachfragebedingungen, eindeutiger Faktorintensitäten, homogener Produktionsfaktoren usw. —, meistens mit dem Hinweis, „die reale Welt sei anders". Niemand wird diese (geradezu selbstverständliche) Behauptung ernsthaft bestreiten. Entscheidend dürfte indessen sein, daß dieser Prämissenkatalog von den Konstrukteuren des Faktorproportionentheorems nicht entwickelt worden ist, weil sie mit diesen Annahmen ein Abbild der Wirklichkeit vermitteln wollten, sondern weil sie, um die Bedeutung des Phänomens „Faktorausstattung" *in aller Reinheit* herauszuarbeiten, andere Faktoren, die *nach ihrer Ansicht* ebenfalls für den Außenhandel von Bedeutung sind, aus dem Gedankengang ausschalten mußten. Ein solches Verfahren macht die Theorie nur unbrauchbar, wenn empirische Tests erweisen sollten, daß die im Rahmen dieses Theorems herausgestellte Größe „Faktorausstattung" für den Außenhandel ohne irgendwelche Bedeutung ist. Dieser Schluß kann angesichts der sich widersprechenden empirischen Tests der Heckscher-Ohlin-Hypothese wohl kaum gezogen werden, es sei denn, man konstatiert — wiederum versehen mit den Weihen der methodologischen Unfehlbarkeit — daß bereits ein erfolgreicher Falsifikationsversuch zur Verdammung der Theorie ausreicht (welche ökonomische Hypothese würde nach diesem Kriterium wohl noch brauchbar sein?). Wohl aber macht die oben skizzierte Vorgehensweise deutlich, daß die Heckscher-Ohlin-Hypothese keineswegs als *allgemeine*, Ausschließlichkeit beanspruchende Theorie der Handelsströme, sondern nur als *Mosaikstein* innerhalb eines größeren Gebäudes verwendet werden sollte. Tatsächlich wurde in den vorhergehenden Kapiteln gezeigt, daß nicht nur Unterschiede in der Faktorausstattung, sondern z. B. auch Unterschiede in den Produktionsfunktionen (Ricardo-Hypothese) und den Nachfragebedingungen Außenhandelsströme induzieren können. Derartige Aussagen sind jede für sich genommen in ihrem Erklärungswert begrenzt und sicher nicht geeignet, Grundlage einer allgemeinen Theorie der Handelsströme zu sein, doch bilden sie Bausteine des gesuchten Gesamtsystems[4]). Echte Schwächen der reinen Theorie des Außenhandels liegen m. E. darin begründet, daß einige Elemente des Gesamtsystems — wie z. B. die Heckscher-Ohlin- und Ricardo-Hypothesen — in der Vergangenheit wohl über Gebühr Beachtung fanden, während andere, möglicherweise wichtigere Bestimmungsgründe des Außenhandels wie Produktdifferenzierungen, technologische Lücken, Verfügbarkeiten usw. (Vgl. Kapitel 2, I) bisher zu wenig berücksichtigt werden. Hinweise auf die Bedeutung solcher Faktoren, wie sie sich vor allem in empirischen Studien finden, haben bisher kaum zu einer theoretischen Verarbeitung im Rahmen logisch-konsistenter Systeme, geschweige denn zu einer Kombination mit den formal gut ausgefeilten Teilen der traditionellen Theorie geführt.

Zu 2): Die reine Theorie arbeitet mit der Vorstellung des allgemeinen Tausch- und Produktionsgleichgewichts, wie es z. B. in den Konstruktionen von Marshall, vor allem aber auch von Meade zum Ausdruck kommt. In jüngerer Zeit haben vor allem Kornai[5]) und Kaldor[6]) an der Konzeption des allgemeinen Gleichgewichts — nicht nur im Rahmen der Außenhandelstheorie — Kri-

---

[3]) A. Lemper, a. a. O., S. 23.
[4]) Vgl. z. B. die Skizze eines solchen Gesamtsystems bei Hesse, H., Bestimmungsgründe des Außenhandels — Ein Überblick, WISU, 3. Jahrgang, Heft 9 u. Heft 10, 1974.
[5]) Kornai, J., Anti-Equilibrium. On Economic Systems Theory and the Tasks of Research, Amsterdam 1971.
[6]) Kaldor, N., The Irrelevance of Equilibrium Economics, Economic Journal, Bd. 82, 1972.

tik geübt, so z. B. mit den Hinweisen (Kaldor), daß einige der Grundannahmen (Nutzen- und Gewinnmaximierungsstreben) nicht überprüfbar seien, andere Annahmen dagegen (z. B. vollständige Konkurrenz) durch die Tatsachen nicht bestätigt würden. Angriffe dieser Art rühren an der fundamentalen Frage — die hier nicht behandelt werden kann —, ob es lediglich Sinn und Zweck der theoretischen Analyse ist, empirische, also grundsätzlich überprüfbare Hypothesen mit Informationsgehalt hervorzubringen, oder ob nicht auch die Konstruktion von denkmöglichen Beziehungen auf dem Wege logischer Analyse — mag man auch solche Denknotwendigkeiten als tautologisch bezeichnen — ihren eigenen Wert hat[7]). Der Leser sei z. B. an die Fisher'sche Verkehrsgleichung erinnert, welche sicherlich — da sie nur denkmögliche Beziehungen zwischen der Geldmenge und anderen Variablen beschreibt — keinerlei empirische Hypothesen enthält und dennoch nützlich in dem Sinne ist, daß sie logische Implikationen aufdeckt und damit Beziehungen deutlich macht, die keineswegs a priori offensichtlich und selbstverständlich sind. Auch die Vorstellung des totalen Gleichgewichts in der Außenhandelstheorie hat ihren Sinn, weil es mit Hilfe dieses Konzepts z. B. möglich ist, Aufmerksamkeit auf die Frage zu lenken, wie die terms of trade und die ausgetauschten Mengen durch Datenänderungen (technische Fortschritte, Änderungen der Faktorbestände, Nachfragevariationen usw.) beeinflußt werden können. Auf real beobachtete Phänomene — wie z. B. den im 6. Kapitel erörterten Fall des „Immiserizing Growth" — kann dadurch zumindest neues Licht geworfen werden. Anzuerkennen bleibt indessen, daß die restriktive Annahme der vollständigen Konkurrenz den Erkenntniswert der terms of trade-Modelle schwächt. Tatsächlich dürfte die Berücksichtigung von Marktformen außerhalb der vollständigen Konkurrenz unbedingt notwendig sein, wenn Erklärungswert und Prognosekraft der Theorie erhöht werden sollen. Die im zweiten Kapitel erörterten Thesen von Posner, Kravis, Lorenz usw. bieten Ansätze in diese Richtung.

Zu 3): Kritisiert wird schließlich die Nützlichkeit der in der reinen Theorie verwendeten Instrumente, wobei das Instrument der „sozialen Indifferenzkurve" ganz oben auf der „Abschußliste" steht. Im 4. Kapitel haben wir auf Schwächen dieses Instruments mit allem Nachdruck hingewiesen und vor allem auch gezeigt, daß seine widerspruchsfreie Anwendung nur unter restriktiven Annahmen möglich ist. Fraglich erscheint allerdings, ob die Nichtverwendung dieses Instruments durch skeptische Autoren irgend etwas ändert: Diese Autoren gehen nämlich regelmäßig so vor, daß sie das Instrument der Indifferenzkurve durch die Annahme „gegebener Verbrauchsstrukturen" oder eines „gegebenen Konsumpunktes auf der Weltmarktpreisgeraden" ersetzen. Damit ist natürlich nichts gewonnen, denn die Fixierung des Verbrauchspunktes oder der Verbrauchsstruktur setzt selbstverständlich bestimmte Vorstellungen über das Konsumverhalten der Gesellschaft voraus, so daß sich gesellschaftliche Indifferenzkurven zwar nicht auf dem Schreibpapier, wohl aber in den Köpfen der jeweiligen Autoren finden. Im folgenden 8. Kapitel wird ferner auch zu zeigen sein, daß wichtige Aussagen auch bei sich schneidenden gesellschaftlichen Indifferenzkurven möglich sind.

Auch andere Instrumente unterliegen der Kritik. So wird die Tauschkurve z. B. mit dem Hinweis angegriffen, daß die Aufgabe der Konstruktion entsprechend empirisch fundierter Aggregate zumindest vorläufig unlösbar sei[8]).

---

[7]) Hinsichtlich der Makroökonomik habe ich zu dieser Frage im letzten Kapitel meines Beitrages „Einkommens- und Beschäftigungstheorie" Stellung genommen; Kompendium der Volkswirtschaftslehre, Bd. I, a. a. O.
[8]) Vgl. Lemper, A., S. 28 und S. 29.

Ganz abgesehen davon, daß gesamtwirtschaftliche Importnachfrageelastizitäten (die in diesen Kurven impliziert sind) im Rahmen der Überprüfung der Marshall-Lerner-Bedingung bereits mit mehr oder weniger Erfolg gemessen worden sind, kann man die Nützlichkeit eines Instruments wohl nicht nur daran messen, ob zufriedenstellende Meßmethoden bereits gefunden sind. Gerade Tauschkurven haben sich nicht nur in der Außenhandelstheorie, sondern auch in anderen Bereichen der Wirtschaftstheorie als sinnvolles analytisches Instrument zur Aufdeckung relevanter Zusammenhänge bewährt.

Diese wenigen Bemerkungen mögen genügen, um den Erkenntniswert, aber auch die Schwächen der reinen Theorie zu skizzieren. Niemand wird behaupten, daß dieser Teil der Außenwirtschaftstheorie — wie auch andere Gebiete der Wirtschaftstheorie, vor allem der Mikroökonomik — über jeden Zweifel und über jede Kritik erhaben ist. Andererseits dürfte es wohl kaum gerechtfertigt sein, das Gebäude der reinen Theorie mit einem Federstrich hinwegzuwischen, zumal bisher wohl kaum ein wirklich überlegenes, mit völlig anderen Bausteinen arbeitendes Theoriesystem an dessen Stelle gesetzt werden kann.

8. Kapitel:

Wohlstandseffekte des internationalen Handels

I. Die Gewinne aus dem Außenhandel

Es ließ sich auch in den vorangegangenen Kapiteln bisweilen nicht vermeiden, von „Vorteilen" des Außenhandels oder „Gewinnen" aus dem Güteraustausch zu sprechen. Tatsächlich ist es in der Theorie des internationalen Handels schwerer als in jedem anderen Zweig der Wirtschaftstheorie, zwischen positiver und normativer Ökonomik streng zu trennen. Dennoch soll nunmehr versucht werden, die Wohlstandseffekte des Außenhandels etwas präziser zu bestimmen, als dies bisher möglich war, und dem Begriff der „Außenhandelsgewinne" — der „gains from trade" der angelsächsischen Literatur — einen genauer bestimmten Gehalt zu geben.

In der Außenhandelstheorie sind zwei Fragestellungen möglich, wenn man die Vorteile des Tausches zu erfassen versucht. Einmal kann die Frage nach den Gewinnen eines Landes aufgeworfen werden, zum anderen kann nach den Wirkungen auf die „Weltwohlfahrt" gefragt werden. Daß beide Fragestellungen nicht identisch sind, daß die Wohlfahrt eines Landes und die der Welt sich nicht immer in gleicher Richtung bewegen, wird deutlich werden, wenn die Effekte von Handelsbeschränkungen zu untersuchen sind.

Die wohlstandsökonomische Analyse des Außenhandels beruht auf ähnlichen Annahmen wie die Theorie des Tausches zwischen zwei Personen. Dort wird gezeigt, daß es jedem der Wirtschaftssubjekte — verglichen mit dem isolierten Zustand — möglich ist, durch Hingabe und Erwerb von Gütern eine Indifferenzkurve zu „erreichen", die mit einem höheren Nutzenindex versehen ist. Ähnliche Aussagen sind auch beim Tausche zwischen Kollektiven (hier: Ländern) denkbar, wenn nur die Wohlfahrt der Gesellschaft durch ein eindeutig bestimmtes System sich nicht schneidender gesellschaftlicher Indifferenzkurven gemessen werden kann. Um eine eindeutige ordinale Nutzenfunktion zu erhalten, ist es aber notwendig, die eine oder andere der in Kapitel 4, Abschnitt I, 3, gemachten Voraussetzungen zu akzeptieren, am besten jene, die sich auf eine „optimale", durch Redistributionsmaßnahmen zu erstellende Einkommensverteilung bezieht. Über den konkreten Inhalt dieses Optimums kann natürlich sehr gestritten werden, und wir müssen uns deshalb stets vor Augen führen, daß Aussagen über die Gewinne aus dem Außenhandel, wenn überhaupt, so doch nur in sehr engen Grenzen möglich sind. Das aber ist ein Problem, welches die Außenhandelstheorie nicht allein betrifft. Sofern normative Aussagen — und die Wohlstandsökonomik ist normative Theorie — an die Stelle von Realaussagen oder auch tautologischen Beziehungen treten, fehlt der festgefügte Grund neutraler Konzepte, die nunmehr durch „wertgeladene" Formeln wie „gesellschaftliches Optimum" und „soziale Wohlfahrt" ersetzt werden[1]). Je

---
[1]) Selbst das Pareto-Optimum impliziert ein Werturteil. Daß die Wohlfahrt der Gesellschaft steigt, wenn nur einer mehr und keiner weniger besitzt, ist keineswegs selbstverständlich, denn die Höhe der Einkommensdifferenzen zwischen den einzelnen Mitgliedern der Gesellschaft kann das Wohlfahrtsniveau durchaus auch beeinflussen.

nachdem, mit welchem Inhalt man diese Begriffe füllt, wird dem einen als sozialer Gewinn erscheinen, was der andere als Verlust ansieht. Daher impliziert die Verwendung eines gesellschaftlichen Indifferenzkurvensystems, das einer bestimmten, als „optimal" bezeichneten Einkommensverteilung entspricht, in jedem Fall ein Werturteil derjenigen, die diese Einkommensverteilung fixieren. Eine solche Beschränkung ist beim gegenwärtigen Stand der Wirtschaftstheorie ganz unvermeidlich, und es wird wohl auch niemals möglich sein, verbindliche und objektiv gültige Regeln festzulegen, die es in jedem Fall erlauben würden, eine gegebene Situation als mehr oder weniger optimal zu klassifizieren.

1. Die traditionelle Analyse

Welches sind nun die Gewinne aus dem Außenhandel? Die Antwort fällt nicht schwer, wenn 1. nur ein System gesellschaftlicher Indifferenzkurven als relevant betrachtet wird und 2. der Nutzenindex, der diesen Kurven zugeordnet ist, um so höher wird, je weiter diese Kurven vom Ursprung entfernt sind.

a) Legt man diese Prämissen zugrunde, so ist es leicht möglich, die Freihandelsgewinne durch Verwendung der schon erörterten Marginalbedingungen abzuleiten. Wie aus den Diskussionen um die Paretianische Wohlfahrtsökonomik bekannt ist, wird ein „nationales" Tauschoptimum durch die Bedingung charakterisiert, daß die Grenzrate der Substitution zwischen zwei Gütern für alle Personen gleich ist, die diese Güter konsumieren. Überträgt man diese Regel auf den Fall des internationalen Gütertausches und unterstellt man zur Vereinfachung nur zwei Länder — Inland und Ausland —, so muß ein Tauschoptimum für die Welt als Ganze dadurch bestimmt sein, daß die gesellschaftliche Grenzrate der Substitution zwischen zwei Gütern für beide Länder gleich ist. Um den „H a n d e l s g e w i n n", der sich bei Realisierung dieser Bedingung einstellt, in reiner Form herauszuschälen, ist es zweckmäßig, von der Voraussetzung völliger Immobilität der Produktionsfaktoren auch im nationalen Rahmen auszugehen. Dadurch gelingt es, Spezialisierung und Arbeitsteilung als Quelle der Außenhandelsgewinne auszuschalten und die „eigentlichen" Vorteile aus dem Handel isoliert zu erfassen.

Wenn die Produktionsfaktoren unbeweglich und folglich nicht bereit sind, die Beschäftigung zu wechseln, wird die Produktionsmöglichkeitenkurve nicht die gewohnte konkave oder konvexe Form annehmen, sondern rechteckig verlaufen. So wird in Abb. 117 die Produktionsmöglichkeitenkurve des Inlandes durch den Linienzug ABC dargestellt. Vollbeschäftigung der Produktionsfaktoren ist nur im Punkte B gesichert — bei einer Produktion von AB an 1-Gütern und von BC an 2-Gütern —, da bei einer Einschränkung der Erzeugung des Gutes 1 (2) die Erzeugung des anderen Gutes auf Grund von Faktorimmobilitäten nicht gesteigert werden kann. Abb. 117 enthält ferner die Produktionsmöglichkeitenkurve des Auslandes DBF mit dem Ursprungspunkt $0'$, der so gelegt ist, daß beide Kurven mit den Spitzen — in den effizienten Produktionspunkten — aufeinanderstoßen. Die maximale Weltproduktion des Gutes 1 beträgt also AF, die des Gutes 2 ist gleich DC. Wenn beide Länder vor und nach der Aufnahme des Handels in B produzieren, was durch die Annahme der Vollbeschäftigung garantiert ist, kann der Außenhandel keine Spezialisierung bewirken, so daß die Möglichkeit von Spezialisierungsgewinnen entfällt.

Durch den Produktionspunkt B legen wir die gesellschaftlichen Indifferenzkurven J_i (Inland) und J_a (Ausland), welche die Wohlfahrtslage bezeichnen, die Inland und Ausland im autarken Zustand maximal erreichen können.

I. Die Gewinne aus dem Außenhandel

Da das Tauschverhältnis der Güter 1 und 2 unter Konkurrenzbedingungen der gesellschaftlichen Grenzrate der Substitution entspricht, wird der Inlandspreis des Gutes 1 (ausgedrückt in Einheiten 2) durch die Tangente P_i an J_i und der Auslandspreis durch die Tangente P_a an J_a angegeben. Beide Länder können aber durch Aufnahme des Handels ihre Lage verbessern, wenn ein Tauschpunkt innerhalb jenes Bereiches zustande kommt, der durch

Abb. 117

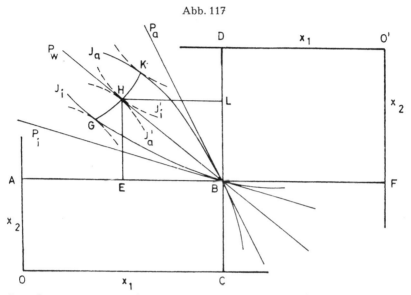

J_i und J_a umgrenzt wird. Erst wenn die Kontraktkurve GHK erreicht ist — hier stimmen die gesellschaftlichen Grenzraten der Substitution überein —, ist es nicht mehr möglich, die Position eines Landes zu verbessern, ohne die des anderen Landes zu verschlechtern. Die Kontraktkurve verbindet also alle Pareto-optimalen-Punkte für die Welt als Ganze.

Unterstellt man nun Freihandel und sieht man ferner von der Existenz von Transportkosten ab, so kommt ein Tausch in H zustande, da H der einzige Punkt auf der Kontraktkurve ist, der eine Übereinstimmung des (für beide Länder geltenden) Weltmarktpreisverhältnisses P_w mit der Grenzrate der Substitution sowohl im Inland als auch im Ausland erlaubt. (H ist also der Schnittpunkt der Marshallschen Tauschkurven.) Das Inland exportiert demnach die Menge EB des Gutes 1 und importiert die Menge HE des Gutes 2, während das Ausland BL (= HE) an Gut 2 exportiert und HL (= EB) an Gut 1 importiert. Obwohl jede Arbeitsteilung durch unsere Annahmen ausgeschlossen wurde, ziehen beide Länder aus dem Außenhandel einen Vorteil, der in dem Übergang von den Autarkie-Indifferenzkurven J_i und J_a zu den „höherwertigen" Indifferenzkurven J_i' und J_a' zum Ausdruck kommt. Diese Wohlstandsverbesserung bezeichnet den „eigentlichen" Handelsgewinn.

b) Gibt man nun die Annahme immobiler Produktionsfaktoren auf und unterstellt man statt dessen Transformationskurven, die konkav zum Ursprung verlaufen, so tritt neben den Handelsgewinn der Spezialisierungsgewinn, der sich aus der Regel für die optimale Arbeitsteilung herleiten läßt. Diese Marginalbedingung besagt, daß die optimale Arbeitsteilung zwischen zwei Betrieben oder — auf die Außenwirtschaft angewendet — zwischen zwei Ländern dann erreicht ist, wenn das Verhältnis der sozialen Grenzkosten zweier Güter (die soziale Grenzrate der Transformation) bei allen Produzenten — hier: Ländern — gleich ist, die diese Güter erzeugen. Diese Bedingung kann mit Hilfe von Abb. 118 erläutert werden. Hier ist der Produktionsblock des Auslandes DCO' (mit dem Ursprung O') so gezeichnet, daß er den inländischen Produktionsblock ABO in K schneidet. Wenn K der gemeinsame Produktionspunkt ist, wird die Welterzeugung des Gutes 1 durch $PK + KQ$ und die des Gutes 2 durch $KM + KN$ angegeben. In K stimmen die Grenzkostenverhältnisse (marginale Transformationsraten) nicht überein, da die Steigungsmaße der Transformationskurven unterschiedlich sind. Eine optimale Arbeitsteilung wäre aber dann verwirklicht, wenn wir den Produktionsblock z. B. in nordöstliche Richtung verschieben, bis ein Tangentialpunkt S erreicht ist, der ein Optimalpunkt ist, weil beide Kurven gleiche Steigungsmaße haben. Die mit dieser Verschiebung verbundene Produktionsumschichtung macht es möglich, die Weltproduktion auf RT ($> MN$) und UW ($> PQ$) zu steigern: Daher wird in einem Koordinatensystem mit dem Ursprung O die Welterzeugung nicht mehr durch die Koordinaten des Punktes O', sondern durch die des Punktes O'' gemessen.

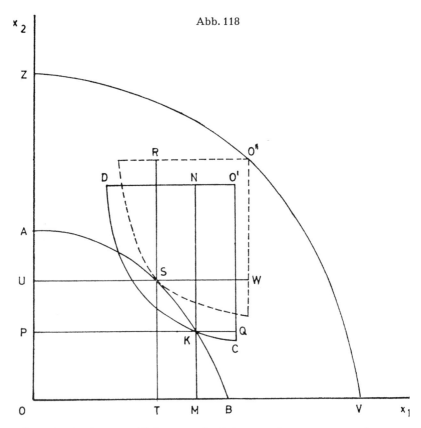

Abb. 118

Ähnliche Punkte wie O'' können abgeleitet werden, wenn man den ausländischen Produktionsblock derart an AB entlanggleiten läßt, daß die Seiten des Blocks stets parallel zu den Achsen verlaufen[2]). Der Ursprung des ausländischen Produktionsblocks beschreibt dann eine Welttransformationskurve ZV, welche die maximale Produktion des einen Gutes bei gegebener Erzeugung des anderen Gutes angibt. Da alle Punkte auf ZV aus Berührungspunkten der nationalen Transformationskurven abgeleitet sind, in jedem Punkte also die Bedingung für eine optimale Arbeitsteilung — die Gleichheit der marginalen Transformationsraten — erfüllt wird, ist es nicht mehr möglich, die Erzeugung des einen Gutes ohne Verminderung der Produktion des anderen Gutes zu erhöhen.

Solange die Länder den Außenhandel noch nicht aufgenommen haben, ist es normalerweise unmöglich, auf der Kurve ZV zu produzieren. Sofern man vollständige Konkurrenz in beiden Ländern annimmt, muß das jeweilige nationale Preisverhältnis dem Verhältnis der Grenzkosten gleich sein. Da nun bei Autarkie die nationalen Preise fast immer divergieren, müssen auch die Grenzkostenverhältnisse unterschiedlich sein, und es folgt mithin, daß sich die Transformationskurven nicht tangieren, sondern schneiden. Wird aber der Außenhandel aufgenommen und sieht man von Handelshemmnissen und Transportkosten ab, so gleichen sich die relativen Preise an; es findet so lange eine Produktionsumschichtung statt, bis die Grenzkostenverhältnisse einander und dem Preisverhältnis gleich sind. Daher ist es möglich, die Produktion zu steigern und die Wohlfahrt der Einwohner beider Länder, zumindest aber die Wohlfahrt eines Landes bei konstantem Wohlstand des anderen Landes, zu erhöhen. Neben die Gewinne aus dem Handel treten also die Gewinne aus der Arbeitsteilung, wenn außer der Optimierung des Handels auch die Maximierung der Produktion erreicht wird.

2. Freihandelsgewinne und Kompensationskriterien

Das Freihandelstheorem, welches hier in seiner traditionellen Form erörtert wurde, beruht auf einer Vielzahl einschränkender Voraussetzungen, deren Aufhebung das Ergebnis nicht unwesentlich modifiziert. Wir wollen in diesem Abschnitt fragen, ob die Wohlfahrtsimplikationen des Freihandelstheorems auch dann noch gelten, wenn mehrere Systeme gesellschaftlicher Indifferenzkurven möglich sind und diese Kurven sich folglich schneiden. Geht man nicht von der irrealen Prämisse aus, daß alle Bürger eines Landes identische Präferenzen haben und die Einkommens-Konsum-Linien Geraden sind, so werden sich gesellschaftliche Indifferenzkurven immer schneiden, wenn unterschiedliche Verteilungen des jeweiligen Gütervorrats zugelassen sind. Wir sehen also davon ab, daß eine optimale Einkommensverteilung existiert, die durch Transferzahlungen realisiert wird.

Läßt man nun Änderungen der Einkommensverteilung zu, so fällt sofort ins Auge, daß den Gewinnern aus dem Außenhandel auch Verlierer gegenüberstehen. Da sich das Preisverhältnis gegenüber dem autarken Zustand ändert, werden zwar die Produzenten des im Preis gestiegenen Gutes begünstigt, doch verschlechtert sich gleichzeitig die Lage jener, die an der Herstellung des im Preis gesunkenen Gutes beteiligt sind. In welchem Sinne kann man dann noch sagen, daß der Freihandel die Wohlfahrt eines Landes erhöht? Man könnte natürlich versuchen, den Nutzenzuwachs der Gewinner mit dem Nutzenabgang der Verlierer zu vergleichen und einen gesamtwirtschaftlichen „Wohlfahrtsüberschuß" zu konstruieren, doch bedarf es keines

---

[2]) Die Konstruktion geht zurück auf Lerner, A. P., The Diagrammatical Representation of Cost Conditions in International Trade, Economica, Bd. 12, 1932.

weiteren Hinweises, daß derartige interpersonelle Nutzenvergleiche allgemeinverbindlich niemals möglich sind. Glücklicherweise kann man jedoch trotz dieser Schwierigkeiten zeigen, daß der Freihandel die Wohlfahrt eines Landes erhöht — wenn man sich mit der Feststellung einer p o t e n t i e l l e n Wohlfahrtserhöhung begnügt und — um Samuelsons Terminologie zu verwenden — nicht Autarkie- und Freihandels p u n k t e (d. h. bestimmte Güterkollektionen), sondern Autarkie- und Freihandels s i t u a t i o n e n vergleicht.

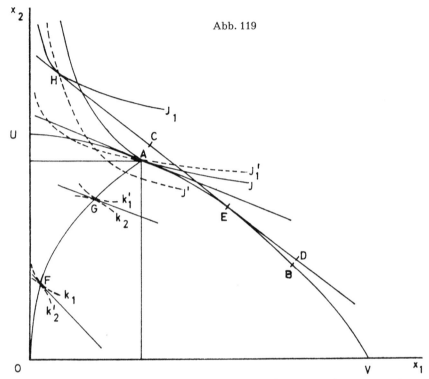

Abb. 119

a) Samuelson Nachweis, der sich nur auf ein Land bezieht, soll im folgenden erörtert werden[3]). In Abb. 119 ist die Transformationskurve UV eingezeichnet, welche zugleich die Konsummöglichkeiten bei Autarkie angibt. Greifen wir zunächst die durch den Punkt A gekennzeichnete Güterkollektion heraus, welche auf zwei Wirtschaftssubjekte I und II dann in optimaler Weise verteilt ist, wenn die Grenzrate der Substitution zwischen Gut 1 und Gut 2 für beide Wirtschaftssubjekte gleich ist. Diese optimalen Verteilungspositionen sind auf der Kontraktkurve $OFGA$ als dem geometrischen Ort aller Berührungspunkte der Indifferenzkurven des I (k_1 k_1') und II (k_2 k_2') abgetragen.
Übertragen wir die Kontraktkurve auf ein Nutzendiagramm (Abb. 120), in dem auf der Abszisse der (ordinal gemessene) Nutzen des II und auf der Ordinate der Nutzen des I abgetragen ist, so erhalten wir eine Nutzenmöglichkeitskurve aa, die den maximalen Nutzen eines Individuums bei gegebenem

---

[3]) Samuelson, P. A., The Gains from International Trade Once Again, Economic Journal, Bd. 72, 1962; ferner Kemp, M. C., The Pure Theory of International Trade, Englewood Cliffs, New Jersey 1964, S. 159 ff.; vgl. auch die interessante Analyse bei Sohmen, E., Flexible Exchange Rates, 2. Aufl., Chicago 1969, S. 240 ff.

I. Die Gewinne aus dem Außenhandel

Nutzen des anderen Individuums angibt. Da diese Kurve alle erreichbaren Wohlfahrtslagen anzeigt, wenn ein bestimmtes Güterbündel A in optimaler Weise — die Grenzraten der Substitution stimmen überein — auf die Individuen verteilt wird, das Güterbündel A aber durch einen Punkt auf der Transformationskurve repräsentiert wird, bezeichnet Samuelson eine solche Kurve auch als „utility possibility curve in the point sense". Sieht man von externen Effekten im Konsumbereich ab, so verläuft aa von links oben nach rechts unten, da bei Erreichen eines Tauschoptimums die Wohlfahrt eines Wirtschaftssubjektes nur erhöht werden kann, wenn die des anderen vermindert wird.

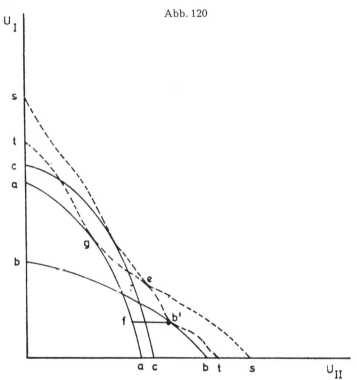

Abb. 120

Für andere Punkte, die bei Autarkie erreicht werden können, lassen sich andere Nutzenmöglichkeitskurven konstruieren. So werden die möglichen Nutzenniveaus, welche das Güterbündel B bei unterschiedlicher Verteilung stiftet, durch die Kurve bb angegeben. Da in B von Gut 1 eine größere Menge, von Gut 2 aber eine kleinere Menge als in A vorhanden ist, werden sich die Nutzenmöglichkeitskurven normalerweise schneiden, sofern die individuellen Präferenzen divergieren. Zu diesen Punkt-Nutzenmöglichkeitskurven zeichnen wir die Umhüllungskurve tt, welche als „Wohlstandsgrenze" oder „utility possibility curve in the situation sense" bezeichnet wird. Ihr Charakter wird durch folgende Überlegung deutlich: Betrachten wir zunächst Punkt f auf der Kurve aa, welcher der durch F in Abb. 119 determinierten Wohlfahrtsverteilung des Güterbündels A entsprechen soll. Bei gegebenem Güterkorb A ist es nicht mehr möglich, den Nutzen eines Individuums zu erhöhen, ohne den des anderen zu schmälern. Produziert man aber ein anderes Güterbündel B, das zu Wohlfahrtspositionen in der durch bb determinierten Weise führt, so kann der Nutzen des Individuums *II* bei gegebenem Nutzen von *I* erhöht werden, sofern die Nutzenverteilung auf *bb* durch *b'* angegeben ist. Wenn nun keine andere Punkt-Nutzenmöglichkeitskurve rechts von *b'* verläuft — der Nutzen von *II* kann dann nicht weiter bei gegebenem Nutzen von *I* gesteigert werden —, so ist *b'* ein Punkt auf der Wohlstandsgrenze *tt*. Auf ähnliche Weise können alle anderen Punkte der Wohlstandsgrenze konstruiert werden. Die Kurve *tt* gibt also an, welchen Nutzen ein Wirtschaftssubjekt bei gegebenem Nutzen des anderen Wirtschaftssubjektes höchstens erzielen kann, wenn verschiedene Güterbündel — die durch den Verlauf der Transformationskurve bestimmt sind — berücksichtigt werden. Insofern ist *tt* eine Situations- und keine Punkt-Nutzenmöglichkeitskurve, denn sie bezieht nicht nur einen Punkt auf der Transformationskurve (ein Güterbündel), sondern die gesamte Transformationskurve (eine Vielzahl von Güterbündeln) in die Betrachtung ein.

Alle Punkte auf tt sind nun nicht nur durch die Bedingung charakterisiert, daß die Grenzraten der Substitution für beide Individuen gleich sind (dies ist das Kriterium jeder Punkt-Kurve), sie erfüllen außerdem die Bedingungen eines Paretianischen „top-level"-Optimums, nämlich die der Übereinstimmung von Grenzrate der Substitution und Grenzrate der Transformation. Nehmen wir z. B. an, daß das Güterbündel *A* (Abb. 119) in der durch *F* determinierten Weise verteilt ist, und unterstellen wir ferner, daß die Grenzrate der Substitution in *F* 1 Einheit des Gutes 1 : 1 Einheit des Gutes 2 beträgt, während die Grenzrate der Transformation in *A* gleich 2 Einheiten des Gutes 1 : 1 Einheit des Gutes 2 ist. Weil ein „top-level"-Optimum noch nicht gegeben ist, kann der Wohlstand eines Individuums bei konstantem Nutzenniveau des anderen vergrößert werden, wenn die Produktion von Gut 2 um 1 Einheit vermindert wird und man die freigesetzten Faktoren verwendet, um zusätzlich 2 Einheiten des Gutes 1 zu erzeugen (gemäß der Grenzrate der Transformation von 2 Einh. 1 : 1 Einh. 2). Wir halten nun den Nutzen des Individuums *I* konstant. Da der Abgang von 1 Einh. des Gutes 2 durch den Zugang von 1 Einh. des Gutes 1 im Urteil des Individuums *II* gerade ausgeglichen wird (gemäß der Grenzrate der Substitution von 1 Einh. 1 : 1 Einh. 2), an Stelle von 1 Einh. des Gutes 2 aber 2 Einh. des Gutes 1 erzeugt worden sind, ist es möglich, das Individuum *II* auf ein höheres Versorgungsniveau zu heben. Solche Verbesserungen wären erst dann nicht mehr möglich, wenn die marginalen Substitutions- und Transformationsraten angeglichen sind. Daher sind alle Punkte auf der Wohlstandsgrenze durch dieses Kriterium bestimmt. Einer dieser Punkte ist z. B. *g* auf der Kurve aa. Diesem Punkt entspricht im Güterdiagramm der Abb. 119 die durch *G* bestimmte Verteilungsposition, denn das Anstiegsmaß der Tangente in *A* entspricht der Steigung der gemeinsamen Tangente an die Indifferenzkurven in G^4). Ist ein Punkt wie *g* (und *G*) erreicht, so wird es unmöglich, ein anderes Güterbündel zu erzeugen, welches ein Individuum ohne Beeinträchtigung des anderen besserstellt[5]).

b) Wir führen nun den Außenhandel ein und unterstellen, daß das Land nicht in der Lage ist, den Weltmarktpreis zu ändern[6]). Die in Abb. 119 gezeich-

---

[4]) Konstruiert man aus den individuellen Indifferenzkurven k_1' und k_2 eine gesellschaftliche Indifferenzkurve, so muß die Transformationskurve in *A* von einer solchen gesellschaftlichen Indifferenzkurve tangiert werden.
[5]) Eine eingehende Darstellung der Zusammenhänge findet sich z. B. bei Bator, F. M., The Simple Analytics of Welfare Maximization, American Economic Review, Bd. 47, 1957.
[6]) Diese Annahme wird aufgegeben, wenn die Problematik des Optimalzolls besprochen wird.

I. Die Gewinne aus dem Außenhandel 363

nete Preislinie *HCED*, deren Steigung die terms of trade repräsentiert, zeigt dann die Güterbündel an, welche bei unterschiedlichen Angebots- und Nachfragekonstellationen auf dem Weltmarkt konsumiert werden können. Wir greifen die Güterkollektion *C* heraus und zeichnen in Abb. 120 die entsprechende Nutzenmöglichkeitskurve *cc*. Da das Güterbündel *C* mehr von beiden Gütern als *A* enthält, muß *cc* in allen Punkten außerhalb von *aa* verlaufen; aus den gleichen Gründen verläuft eine (nicht eingezeichnete) Nutzenmöglichkeitskurve, die dem Punkte *D* entspricht, nordöstlich von *bb*. Alle diese Kurven lassen sich wieder durch eine Umhüllungskurve *ss* umgeben, welche die Wohlstandsgrenze angibt, die die Volkswirtschaft bei Freihandel zu erreichen vermag. Weil *HCED* die Transformationskurve im Nordosten passiert (nur in *E* berühren sich die Kurven), muß auch die Freihandels-Umhüllungskurve *ss* außerhalb von *tt* verlaufen, wenn sich beide Kurven auch berühren können. Ein solcher Berührungspunkt *e* würde sich z. B. dann ergeben, wenn die dem Güterbündel *E* entsprechende (nicht eingezeichnete) Nutzenmöglichkeitskurve in *e* an die Autarkie-Umhüllungskurve stößt, *E* also ein bei Autarkie möglicher Produktions- und Konsumtionspunkt ist. Das aber ist keineswegs notwendig. Wenn die Kontraktkurve, welche die Verteilungen des Güterbündels *E* angibt, nicht allzusehr gekrümmt verläuft, wäre es durchaus möglich, daß keine Verteilung der *E*-Kollektion zu finden ist, für die das marginale Substitutionsverhältnis der Grenzrate der Transformation in *E* entspricht. In diesem Falle scheidet *E* als Autarkiepunkt aus, und es folgt somit, daß die *ss*-Kurve überall außerhalb von *tt* verläuft.

Um nun die bei Autarkie erreichte Wohlfahrtslage mit der bei Freihandel zu vergleichen, nehmen wir an, daß im Autarkiezustand das Güterbündel *A* und in der Freihandelsposition das Güterbündel *H* konsumiert werden. Die zugehörigen Nutzenmöglichkeitskurven *aa* und *hh* sind in Abb. 121 abgetragen; zugleich sei der ordinale Nutzen durch die Punkte *g* und *h'* determiniert.

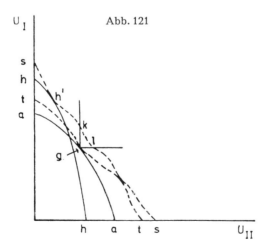

Da *h'* nordwestlich von Punkt *g* liegt, hat also der Handel in diesem Fall zur Folge, daß den Gewinnen des Individuums *I* Verluste des *II* gegenüberstehen. Wir wissen nun aber, daß interpersonelle Nutzenvergleiche nicht möglich sind; wollen wir auf Wohlstandsurteile dennoch nicht verzichten, so sind wir gezwungen, die in der Neuen Wohlstandsökonomik entwickelten Kompensationskriterien anzuwenden. Nach dem Kaldor-Hicks-Kriterium ist eine Position X (potentiell) besser als eine Position Y, wenn die durch die Änderung, d. h. den Übergang nach X, Gewinnenden in der Lage sind, die Verlierer voll zu kompensieren, und dann noch ein Gewinn verbleibt. Scitovsky[7]) hat jedoch gezeigt, daß das Kaldor-Hicks-Kriterium zu Widersprüchen führen kann, weil der Kaldor-Test auch für die Rückbewegung von X nach Y erfüllt sein mag. Daher hat sich nach Scitovsky der Wohlstand bei einem Übergang von Y nach X nur dann erhöht, wenn 1. diese Bewegung dem Kaldor-Test genügt und 2. die Wiederherstellung der ursprünglichen Position Y das Kaldor-Hicks-Kriterium nicht erfüllt. Der zweite Teil dieses Doppeltests wird als Scitovsky-Kriterium bezeichnet. Dieses Kriterium stellt sicher, daß der Zustand X nicht nur auf der Basis der alten Verteilung, sondern auch auf der der neuen Verteilung einen potentiellen Wohlfahrtszuwachs impliziert. Nur wenn das Kaldor-Hicks- und das Scitovsky-Kriterium zugleich erfüllt sind, kann der Übergang empfohlen werden, wird aber die Änderung nur durch einen Test gedeckt, ist ein Wohlfahrtsvergleich nicht möglich.

Exkurs: Für denjenigen Leser, dem die Gedankengänge der Neuen Wohlfahrtsökonomik nicht geläufig sind, seien diese Kompensationskriterien anhand der Abb. 122 und 123 kurz erläutert. In Abb. 122 repräsentiere A die Ausgangsposition auf der Nutzenmöglichkeitskurve aa. Durch eine wirtschaftspolitische Aktion ändere sich nun das Güterbündel derart, daß B die Nutzenposition auf der neuen Nutzenmöglichkeitskurve bb angibt. Während sich der Nutzen des Individuums I erhöht, hat sich die Wohlfahrt von II verringert. Die Position B wäre nun der Situation A nach dem Kaldor-Hicks-Kriterium überlegen, wenn der Gewinner I den Verlierer II für seinen Nutzenentgang voll kompensieren könnte und für ihn dann noch ein Gewinn verbliebe. Diese Bedingung ist im Fall der Abb. 122 erfüllt: Wird das neue Güterbündel

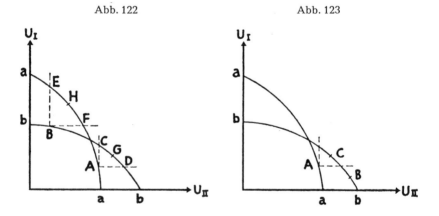

Abb. 122   Abb. 123

entlang bb derart umverteilt, daß C die neue Wohlfahrtslage angibt, so hat sich gegenüber A (der alten Verteilung) der Nutzen des I erhöht, während die Wohlfahrt von II konstant geblieben ist. Auch Nutzenpunkte zwischen C und D (wie z. B. G) erfüllen die Kriterien einer Wohlfahrtssteigerung, denn bei Realisierung solcher Punkte verbessert sich die Position von beiden Individuen. Es könnte demnach die Empfehlung ausgesprochen werden, die geplante wirtschaftspolitische Aktion zu vollziehen und Punkt A durch Punkt B zu ersetzen.

Die von Scitovsky erörterten Widersprüche stellen sich nun ein, wenn man die wirtschaftspolitische Aktion wieder rückgängig macht und die Nutzenlage B durch A ersetzt. Durch Umverteilung des existierenden Güterbündels entlang aa lassen sich

[7]) Scitovsky, T., A Reconsideration ... a. a. O.

I. Die Gewinne aus dem Außenhandel

dann Nutzenpositionen zwischen E und F realisieren, welche die Wohlfahrt beider Individuen gegenüber B verbessern. Das Kaldor-Hicks-Kriterium ist folglich auch für den Übergang von B nach A erfüllt. Geht man also von der neuen, durch B gekennzeichneten Verteilung aus, so ist A „besser" als B, weil von A aus Punkte zwischen E und F erreicht werden können. Legt man aber die alte Verteilung in A zugrunde, so ist B „besser" als A, denn von B aus können Positionen zwischen C und D angesteuert werden. Der Übergang von A nach B wird also durch das Kaldor-Hicks-Kriterium, nicht aber durch das Scitovsky-Kriterium gedeckt. Daher kann eine wirtschaftspolitische Aktion, die A durch B ersetzt, anhand des Doppeltests nicht empfohlen werden. Die gleiche Konsequenz würde sich ergeben, wenn eine Maßnahme zwar durch das Scitovsky-Kriterium, nicht aber durch das Kaldor-Hicks-Kriterium gedeckt ist.

Anders zu beurteilen ist dagegen der Übergang von A nach B im Fall der Abb. 123. Da von B aus ein Punkt wie C erreicht werden kann, sind die Bedingungen des Kaldor-Hicks-Kriteriums erfüllt. Gleichzeitig ist auch den Bedingungen des Scitovsky-Kriteriums Genüge getan, denn stellt man von B ausgehend die alte Nutzenposition in A wieder her, so gibt es keine Umverteilungsmöglichkeit des Güterbündels entlang aa, die beide Individuen in eine bessere Position als B bringt. Der Übergang von A nach B ist also zu empfehlen.

Wenden wir nun diese Überlegungen auf einen Vergleich der Punkte g und h' (Abb. 121) an, so fällt sofort ins Auge, daß die Realisierung des Freihandelspunktes h' das Kaldor-Hicks-Kriterium nicht befriedigt, denn es gibt keine Umverteilungsmöglichkeit des Güterbündels H (entlang hh), die beide Individuen besser als in g stellt[8]. Die Bewegung von g nach h' wird also durch den ersten Teil des Doppelkriteriums nicht gedeckt. Das Scitovsky-Kriterium dagegen ist erfüllt, weil bei einer Wiederherstellung von g keine Verteilung des A-Bündels auf aa gefunden werden kann, die beide Individuen auf ein höheres Nutzenniveau als h' bringt. Da aber nur die zweite Hälfte des Doppeltests erfüllt wird, ist der Wohlfahrtseffekt des Überganges nach h' unbestimmbar, und wir können schließen, daß das Güterbündel H dem Bündel A nicht überlegen ist. „Freihandel ist besser als Autarkie" — diese These scheint nun nicht mehr beweisbar, wenn man es nur auf einzelne Güterbündel abstellt, also Nutzenmöglichkeitskurven „in the point sense" vergleicht.

c) Die hier gewonnenen Ergebnisse können auch mit Hilfe gesellschaftlicher Indifferenzkurven abgeleitet werden. Daß das Kaldor-Hicks-Kriterium beim Ersatz des Güterbündels A durch die H-Kollektion nicht erfüllt ist, kommt in Abb. 119 durch den Verlauf der gesellschaftlichen Indifferenzkurven J und J_1 zum Ausdruck, welche in A und H die Transformationskurve bzw. die Weltmarktpreisgerade tangieren. Wenn sich die Kurven zwischen H und A schneiden, ist es nicht möglich, ihren Wohlfahrtsgehalt miteinander zu vergleichen, denn irgendeine Indifferenzkurve, welche von einer zweiten Kurve geschnitten wird, repräsentiert für das eine Individuum ein höheres und für das andere Individuum ein geringeres Nutzenniveau als die zweite Kurve. Es ist also notwendig, die Kompensationskriterien anzuwenden: Um beide Güterbündel zu bewerten, zeichnen wir durch H die Indifferenzkurve J', welche unterhalb von J liegt, und durch A die Indifferenzkurve J'_1, welche unterhalb von J_1 verläuft. Da auf irgendeiner gesellschaftlichen Indifferenzkurve, verglichen mit einer in allen Punkten tiefer gelegenen Kurve, die Wohlfahrt beider Individuen, zumindest aber eines Konsumenten (bei Nutzenkonstanz des anderen) höher ist, repräsentiert J_1 eine bessere Position als J'_1 und J ein höheres Wohlfahrtsniveau als J'. Vollzieht man nun den Übergang von A nach H, so kann H mit A nur dann verglichen werden,

---

[8]) Dies wäre nur der Fall, wenn hh — was durchaus möglich ist — den Punkt g im Nordosten passiert.

wenn wir zur Indifferenzkurve J durch A — als Bezugspunkt dient also die alte Verteilung — die mit J vergleichbare Kurve J' durch H konstruieren. Auf der Basis des J, J'-Systems (der alten Verteilung) ist aber H dem Güterbündel A unterlegen, d. h. es ist unmöglich, das Kaldor-Hicks-Kriterium für den Übergang nach H zu erfüllen, also durch eine Umverteilung, welche die Kurve J_1 durch J' ersetzt, den Nutzen beider Individuen zu erhöhen. Das auf die neue Verteilung abstellende Scitovsky-Kriterium ist dagegen befriedigt. Weil wir zur Kurve J_1 eine vergleichbare, auf tieferem Niveau liegende Kurve J'_1 zeichnen können, ist es auch bei Wiederherstellung des Autarkie-Zustandes ausgeschlossen, beide Individuen in eine bessere Position zu bringen. So wird es also möglich, daß für eine bestimmte Einkommensverteilung — jener, der das J, J'-System entspricht — das Güterbündel A gegenüber dem Bündel H vorgezogen wird, während für eine andere Verteilung, auf der das J_1, J'_1-System beruht, H „besser" ist als A[9)][10)].

d) Die genannten Widersprüche scheinen es nun unmöglich zu machen, die These von der Überlegenheit des Freihandels auch für den Fall zu vertreten, daß der Handel die Einkommensverteilung ändert. Glücklicherweise konnte Samuelson aber zeigen, daß das Bild sich wandelt, wenn man nicht Autarkie- und Freihandelspunkte (d. h. einzelne Güterbündel), sondern Autarkie- und Freihandelssituationen zum Gegenstand des Vergleiches macht. Auf das Nutzendiagramm der Abb. 121 übertragen, würde dies bedeuten, daß für den Vergleich die Nutzenmöglichkeitskurven „in the situation sense", nicht aber die Punkt-Kurven aa und hh relevant sind. Sicherlich ist es in dem erörterten Fall nicht möglich, das spezifische Freihandelsbündel H so umzuverteilen, daß beide Individuen in eine bessere Position als g gelangen. Betrachtet man aber die Freihandels s i t u a t i o n, wie sie in ss zum Ausdruck kommt, so gibt es eine Vielzahl von Punkten — nämlich jene zwischen k und l —, die beiden Individuen einen höheren Nutzen bringen als die Autarkielage g. Vorausgesetzt, daß Wohlstandspositionen zwischen k und l durch „ideal lump sum-transfers" realisiert werden können, kann man also sagen, daß der Freihandel einen potentiellen Wohlstandszuwachs mit sich bringt[11)]. Das Kaldor-Hicks-Kriterium ist nicht befriedigt „in the point sense". Da die Situations-Kurve ss aber nordöstlich von g verläuft, deckt das Kaldor-Hicks-Kriterium die Bewegung von g nach h', wenn es „in the situation sense" gedeutet wird und eine Umverteilung entlang ss als möglich erscheint. Zusätzlich genügt der Übergang nach h' auch Samuelsons „Alles- oder Nichts-Kriterium"[12)], welches eine Maßnahme nur dann

---

[9)] Auf diese Widersprüche, die bei sich schneidenden gesellschaftlichen Indifferenzkurven auftreten, hat vor allem Mishan aufmerksam gemacht; Mishan, E. J., The Principle of Compensation Reconsidered, Journal of Political Economy, Bd. 60, 1952, S. 314 ff.
[10)] Diese Widersprüche treten nicht auf — es gelten sowohl das Kaldor-Hicks- als auch das Scitovsky-Kriterium —, wenn J_1 im Nordwesten von H von J geschnitten wird. Es liegt dann die mit J vergleichbare Kurve J' durch H oberhalb von J. In Abb. 121 würde die Nutzenmöglichkeitskurve hh den Punkt g im Nordosten passieren.
[11)] Solche „lump sum-payments" — wenn sie wirklich durchgeführt werden — ersetzen die ursprüngliche Marshallsche Tauschkurve durch eine neue Tauschkurve, denn mit der Änderung der Verteilung wird auch ein neues System gesellschaftlicher Indifferenzkurven relevant. Die neue Tauschkurve erhalten wir dann durch Verbindung aller Tangentialpunkte zwischen Preisgeraden und den nunmehr relevanten Indifferenzkurven. Folglich ergibt sich auch ein neues Weltmarktgleichgewicht, dem ein anderes Güterbündel, also ein anderer Konsumtionspunkt als vor der Durchführung des Transfers entspricht. Die lump sum-payments sind dann richtig bemessen, wenn das neue Güterbündel die Position beider Individuen gegenüber dem Autarkie-Zustand verbessert.
[12)] Samuelson, P. A., Evaluation of Real National Income, a. a. O.

als wohlfahrtssteigernd ansieht, wenn die neue Situation für alle und nicht nur für bestimmte Verteilungen besser ist. Dieses Kriterium ist erfüllt, wenn die Freihandels-Wohlstandsgrenze — wie in Abb. 121 — an keiner Stelle im Südwesten der Autarkie-Umhüllungskurve liegt. Durch Anwendung einer Situationsbetrachtung ist es demnach möglich, die Schwierigkeiten zu umgehen, welche bei der Punktbetrachtung unvermeidlich sind.

Es bedarf wohl keiner ausführlichen Begründung, daß sich die These von der Überlegenheit des Freihandels immer nur auf p o t e n t i e l l e Wohlstandserhöhungen bezog. Wenn Kompensationszahlungen möglich sind, die beide Individuen in eine bessere Lage bringen, so heißt dies nicht, daß diese Zahlungen tatsächlich auch geleistet werden sollen. Diese Frage könnte nur entschieden werden, wenn aus der Vielzahl der die Wohlstandsgrenze bildenden effizienten Punkte jener Punkt herauszufinden wäre, der zugleich die optimale Einkommensverteilung anzeigt. (Wenn h' dieser Punkt ist, sind überhaupt keine Kompensationszahlungen notwendig.) Die Fixierung eines solchen Punktes ist aber nur möglich, wenn eine soziale Wohlfahrtsfunktion gefunden werden kann, welche die „einzig wahre" Rangordnung aller Alternativen zeigt. Wir dürfen jedoch getrost die Hoffnung fahren lassen, diesen „Stein der Weisen" jemals zu finden, es sei denn, man stellt sich auf den Standpunkt, daß nur ein Diktator weiß, was allen frommt.

II. Wohlfahrtsverluste durch den Außenhandel

In der reinen Theorie des Außenhandels ist es üblich, von einem Bündel „idealer" Voraussetzungen auszugehen, das unter anderem die Annahme der Vollbeschäftigung, der vollständigen Konkurrenz, der Flexibilität von Produkt- und Faktorpreisen sowie der Übereinstimmung von sozialen und privaten Kosten umschließt. Viele Autoren, die die segensreichen Wirkungen des Freihandels betonen, legen ihren Untersuchungen gewöhnlich diese Annahmen zugrunde. In diesem Abschnitt soll zunächst gefragt werden, wie der Wohlstand der Gesellschaft durch den Außenhandel beeinflußt wird, wenn Vollbeschäftigung und Flexibilität der Faktorpreise nicht mehr gewährleistet sind[13]). Um die Darstellung zu erleichtern, sei ein eindeutiges System sich nicht schneidender Indifferenzkurven angenommen, obwohl die Ableitung auch unter den Voraussetzungen des Abschnitts I, 2 möglich ist.

1. Unterbeschäftigung und starre Faktorpreise

Neben der Voraussetzung immobiler Produktionsverfahren, die eine rechteckige Transformationskurve (Abb. 124) ergibt, sei nunmehr angenommen, daß alle oder einige Faktorpreise nach unten unbeweglich sind. Bei starren Faktorpreisen muß aber die Änderung des Preisverhältnisses von I nach II, also die Verringerung des relativen Preises von Gut 2, eine Einschränkung der Produktion des Gutes 2 — etwa bis P — zur Folge haben, ohne daß die Erzeugung des Gutes 1 ausgedehnt werden kann. Beim internationalen Preisverhältnis III — das mit den durch II bestimmten relativen Preisen identisch ist — werden die dem Punkte C entsprechenden Mengen konsumiert. C liegt aber auf einer Indifferenzkurve mit geringerem Nutzenindex als

---

[13]) Die folgenden Ausführungen fußen auf Gedanken von H a b e r l e r. Vgl. H a b e r l e r, G., Some Problems in the Pure Theory of International Trade, Economic Journal, Bd. 60, 1950, S. 223 ff.

ihn J besitzt. Mithin bewirkt der Außenhandel nicht nur Unterbeschäftigung, er verringert auch die soziale Wohlfahrt gegenüber dem autarken Zustand A[14]).

Die Größe des Wohlfahrtsverlustes bestimmt sich nach der Lage des Punktes P — dem Grad der Unterbeschäftigung — und dem Stand des internationalen Austauschverhältnisses. Befindet sich der Produktionspunkt unterhalb von P, was ein größeres Maß an Unterbeschäftigung bedeutet, so wird bei gegebenem, mit III identischem Preisverhältnis (nicht eingezeichnete Parallele zu III) der Konsumtionspunkt auf einer Indifferenzkurve liegen, die ein noch geringeres Wohlfahrtsniveau bezeichnet als jene, die durch C läuft. Der gleiche Effekt tritt ein, wenn bei gegebenem Produktionspunkt P die Preislinie nicht durch III, sondern z. B. durch IV angegeben wird, das Austauschverhältnis sich also zuungunsten des Exportgutes 1 verändert hat. (Es sei hier vernachlässigt, daß den divergierenden Preislinien III und IV wahrscheinlich auch unterschiedliche Produktionspunkte zugeordnet sind). Da jetzt im Austausch gegen Gut 1 nur eine kleinere Menge von Gut 2 zu erhalten ist, verschlechtert sich die Position des Landes durch Übergang von C nach D.

Muß aber die Wohlfahrt immer sinken, wenn Unterbeschäftigung als Folge von Handelsbeziehungen besteht? Auf diese Frage ist eine eindeutige Antwort möglich: Nein, denn es wäre denkbar, daß der relative Preis des Exportgutes 1 so hoch, die Preislinie demnach so steil ist, daß auch von P aus ein „höherer" Verbrauchspunkt als A erreicht werden kann. Die durch Einschränkung der Produktion des Gutes 2 entstandenen Verluste können

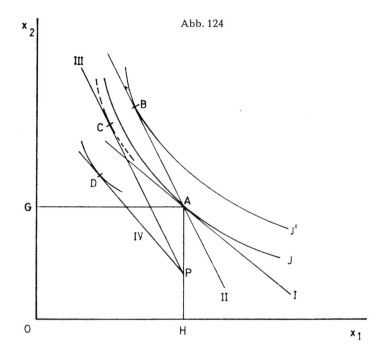

Abb. 124

[14]) Haberlers Analyse wurde durch Johnson verfeinert (J o h n s o n, H. G., Optimal Trade Intervention in the Presence of Domestic Distortion, in: Trade, Growth and the Balance of Payments, Chicago—Amsterdam 1965, S. 14 ff.)

dann dadurch überkompensiert werden, daß das betreffende Land im Austausch gegen eine nur kleine Menge seines Exportgutes eine große Menge von Gut 2 erhält.

Die unter Voraussetzung völliger Faktorimmobilität abgeleiteten Ergebnisse können auch aufrechterhalten werden, wenn man ein beschränktes Maß an Beweglichkeit erlaubt und die rechteckige durch eine konkave Transformationskurve ersetzt. Auch jetzt wird die Produktion des Gutes 2 stärker bei starren als bei flexiblen Faktorpreisen fallen. Zwar kann nun die Produktion des Gutes 1 gesteigert werden, doch begrenzen starre Faktorpreise die Aufnahmemöglichkeit dieses Sektors für die bei der Erzeugung von Gut 2 freigesetzten Produktionsfaktoren. Auch jetzt entsteht also Dauerarbeitslosigkeit. Der Produktionspunkt liegt dann innerhalb der Transformationskurve, und selbst der Austausch kann in vielen Fällen nicht verhindern, daß dem neuen Verbrauchspunkt ein geringeres Wohlfahrtsniveau als jener Güterkollektion zugeordnet ist, die bei Fehlen des Außenhandels produziert und konsumiert werden könnte.

2. Soziale und private Kosten; unvollständige Konkurrenz

a) Divergenzen zwischen sozialen und privaten Kosten treten auf, wenn Handlungen einer Wirtschaftseinheit die Gesellschaft begünstigen oder benachteiligen, ohne daß die positiven oder negativen Leistungen dieser Wirtschaftseinheit durch die Gesellschaft abgegolten werden. Solche Divergenzen sind vor allem durch die Existenz von externen Ersparnissen und externen Verlusten („external economies" und „external diseconomies") bedingt. Externe Ersparnisse entstehen, wenn die Produktion in einem Betrieb (Sektor) die Produktion eines anderen Betriebes (Sektors) begünstigt, ohne daß dieser die Leistungen des ersten Betriebes (Sektors) zu begleichen hat.

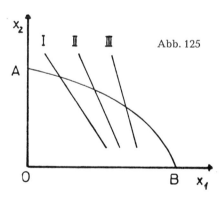

Abb. 125

Dazu ein häufig angeführtes Beispiel: Die in einem bestimmten Gebiet betriebene Forstwirtschaft begünstigt durch den Einfluß auf die klimatischen Verhältnisse die umliegende Landwirtschaft. Der begünstigte Sektor wendet dann weniger Kosten auf, als er tatsächlich verursacht hat: Seine privaten Kosten sind geringer als die sozialen Kosten. Umgekehrt ist es in der Forstwirtschaft, deren Existenz die Bedingungen der Agrarproduktion verbessert. Da die Leistungen, welche dieser Bereich für die Landwirtschaft tätigt, vom Markte nicht entgolten werden, liegen die sozialen höher als die privaten Erträge oder — was dem gleichkommt — die privaten über den sozialen Kosten.

Analoge Folgen haben externe Verluste, also negative Nebenwirkungen, die von einer Aktivität ausgehen. Oft angeführte Beispiele sind die Verschmutzung der Luft durch Abgase, Bodenerosion durch übermäßige Abholzung und Beschädigung von Straßen durch ein Transportunternehmen mit überschweren Lastwagen. Die der Gesellschaft zugefügten Schäden werden nicht von denen getragen, die sie verursachen: Hier liegen die sozialen über den privaten Kosten.

Die Wirkungen, die sich aus Divergenzen zwischen sozialen und privaten Kosten ergeben, können an Hand von Abb. 125 erläutert werden. Wie früher (S. 256 f.) schon betont worden ist, kann die Transformationskurve beim Vorliegen externer Effekte durchgängig konvex oder gemischt konkav-konvex verlaufen. Wir beschränken uns auf den zweiten Fall. Aus Gründen der Vereinfachung vernachlässigen wir den konvexen Teil und zeichnen in Abb. 125 lediglich den konkav verlaufenden Teil der Transformationskurve ein. Hier wird das Steigungsmaß der Transformationskurve *AB* durch das in jedem Punkt verschiedene Verhältnis der s o z i a l e n Grenzkosten bestimmt.

Im Gleichgewicht der vollständigen Konkurrenz entsprechen die relativen Güterpreise dem Verhältnis der p r i v a t e n Grenzkosten, aber nur dann auch dem der sozialen Grenzkosten, wenn diese mit den privaten Größen identisch sind. Weicht nun das Verhältnis der privaten von dem der sozialen Grenzkosten ab, so stimmen zwar die relativen Preise nach wie vor mit dem Verhältnis der privaten, nicht aber mit dem Verhältnis der sozialen Grenzkosten überein. Wir wollen annehmen, daß von der Produktion des Gutes 1 externe Ersparnisse ausgehen, die die sozialen unter die privaten Kosten drücken. Dann ist das Verhältnis der Preise von Nr. 1 und Nr. 2, das durch die Relation der privaten Grenzkosten bestimmt wird, größer als das Verhältnis der sozialen Grenzkosten von 1 und 2: Die Preislinien *I, II, III* sind steiler als die Anstiegsmaße der Transformationskurve in den Schnittpunkten — sie sind nicht mehr mit den Tangenten identisch. Das Preisverhältnis zwischen den Gütern 1 und 2 ist höher als in jenem Falle, in dem die privaten den sozialen Kosten entsprechen oder der relative Abstand zwischen privaten und sozialen Kosten in beiden Sektoren übereinstimmt.

Weil Divergenzen zwischen sozialen und privaten Kosten bestehen, können Grenzrate der Transformation und Grenzrate der Substitution nicht länger übereinstimmen[15]). Diese Marginalbedingung des Pareto-Optimums ist nicht mehr erfüllt, selbst dann nicht, wenn alle Voraussetzungen der vollständigen Konkurrenz erhalten bleiben. In Abb. 126 repräsentiert Punkt *A* die Gleichgewichtslage unter der Voraussetzung, daß soziale und private Grenzkosten übereinstimmen. Das Anstiegsmaß der Linie *I* mißt dann nicht nur das Verhältnis der sozialen, sondern auch das der privaten Grenzkosten und der Preise. Dagegen wird das Preisverhältnis durch die Preislinie *II* angegeben, wenn zwischen den privaten und sozialen Kosten die beschriebenen Unterschiede bestehen. *II* repräsentiert zwar weiterhin die Relation der privaten, aber nicht mehr die der sozialen Grenzkosten. Daher ist *A* noch Produktionsgleichgewicht (Preise = private Grenzkosten), aber nicht länger Konsumtionsgleichgewicht, denn Austauschverhältnis und marginale Substitutionsrate weichen voneinander ab. Gut 1 ist bei diesem Preis „zu teuer", so daß die Nachfrage und folglich auch die Produktion vermindert wird, bis ein neues Verbrauchsgleichgewicht, z. B. in Punkt *B* gefun-

---

[15]) Dazu vor allem B a u m o l , W. J., Welfare Economics and the Theory of the State, London—New York—Toronto, 1952, S. 32 ff.

II. Wohlfahrtsverluste durch den Außenhandel

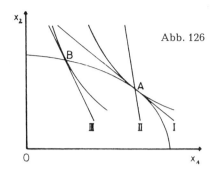

Abb. 126

den ist. Hier tangiert die Preislinie *III* eine Indifferenzkurve. Der Leser beachte jedoch, daß Linie *III* flacher als *II* verläuft; Nachfrage- und Produktionseinschränkung haben also bewirkt, daß der relative Preis (wegen der abnehmenden Nachfrage) und die relativen privaten Grenzkosten von Gut 1 (wegen der fallenden Produktion) verringert wurden.

Durch Vergleich des Produktionspunktes *B* mit der durch *A* bestimmten, Pareto-optimalen Produktionsstruktur kann festgestellt werden, daß die Produktion des Gutes 1 zu klein und die Produktion des Gutes 2 zu groß ist, wenn von der Erzeugung des Gutes 1 externe Ersparnisse ausgehen. Die Erklärung ist einfach: Wenn ein Unternehmen (oder ein Wirtschaftsbereich) Leistungen für die Gesellschaft tätigt, die nicht abgegolten werden — die sozialen Erträge (Kosten) also über (unter) den privaten Erträgen (Kosten) liegen —, so hat dieses Unternehmen keinen Grund, seine Produktion in einem Maße auszudehnen, bis die sozialen Grenzkosten dem Preis entsprechen; denn dies würde bedeuten, daß die für unternehmerische Entscheidungen allein bestimmenden privaten Grenzkosten den Preis übersteigen. Weil ein Unternehmen normalerweise seine Produktion nicht deshalb ausdehnt, um die Erträge anderer Firmen zu vergrößern, liegt das privatwirtschaftliche Optimum — der Punkt des maximalen Gewinns — bei kleineren Mengen als das gesellschaftliche Optimum.

b) Welche Konsequenzen ergeben sich nun aus diesen Überlegungen für den Außenhandel? In Abb. 127 ist *B* der Produktionspunkt und *I* die Preislinie vor Aufnahme des Außenhandels[16]). Wenn die Erzeugung des Gutes 1 externe Ersparnisse verursacht — die sozialen also unter den privaten Grenzkosten liegen —, repräsentiert das Anstiegsmaß der Linie *I* zwar die relativen Preise und somit auch das Verhältnis der privaten, aber nicht das der sozialen Grenzkosten. Unter der Voraussetzung, daß die Preislinie im Ausland vor Aufnahme des Außenhandels flacher als *I* ist, verändert sich nach Öffnung der Grenzen das Tauschverhältnis zugunsten von Gut 2 und zuungunsten von Gut 1. Folglich wird die Produktion von Nr. 1 eingeschränkt, bis ein neuer Produktionspunkt wie *F* erreicht ist, wo das Verhältnis der privaten Grenzkosten mit dem Weltmarktpreisverhältnis übereinstimmt — Linie *II* also Kosten- und Preisrelation zugleich angibt. Da die Verbrauchsstruktur durch den Berührungspunkt *E* der Preislinie *II* mit einer Indifferenzkurve bestimmt wird, wird vom Inland die Menge *FG* des Gutes 2 im Austausch gegen die Menge *GE* des Gutes 1 exportiert. Zwar steigt die Wohlfahrt gegenüber *F* — aber sie sinkt gegenüber dem autarken Zustand *B*, weil *E* auf einer Indifferenzkurve mit geringerem Nutzenindex liegt als *B*.

---

[16]) Vgl. die ähnliche Darstellung bei H a b e r l e r , der allerdings keine Indifferenzkurven verwendet. H a b e r l e r , G., Some Problems ... a. a. O., S. 236 f.

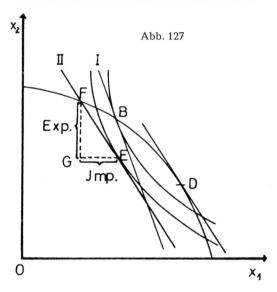

Abb. 127

In ähnlicher Weise lassen sich die Wirkungen von externen Verlusten behandeln. Abb. 128 beruht auf der Annahme, daß von der Produktion des Gutes 1 externe Verluste ausgehen. Hier ist I das Preisverhältnis im isolierten Zustand, II das Weltmarktpreisverhältnis, B und E repräsentieren die Produktionspunkte vor und nach Aufnahme des Außenhandels, EG die Exporte und FG die Importe. Weil F auf einer tieferen Indifferenzkurve als B liegt, verschlechtert sich wiederum die Wohlfahrt, nachdem der Außenhandel aufgenommen ist.

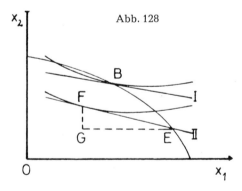

Abb. 128

Wie im Falle starrer Faktorpreise müssen wir auch hier wieder fragen, ob der Wohlstand nach Eröffnung der Handelsbeziehungen in jedem Falle sinkt. Als Vergleichsmodell dient Abb. 128: Gut 1 verursacht also externe Ersparnisse. Die Antwort lautet dann:

1. Nein, wenn sich der relative Preis des Gutes 1 über eine k r i t i s c h e   G r e n z e hinaus verringert.
2. Nein, wenn sich der relative Preis des Gutes 1 e r h ö h t.

II. Wohlfahrtsverluste durch den Außenhandel

Diese Antworten, die auf den ersten Blick paradox erscheinen, werden durch Betrachtung der Abb. 129 und 130 verständlich. Aus Abb. 127 übertragen wir die dem isolierten Zustand entsprechende Preislinie *I* und den zugehörigen Produktionspunkt *B*. Abb. 129 verdeutlicht Antwort 1. Hier hat sich das Tauschverhältnis *II* zuungunsten von Gut 1 so stark verändert, daß ein Konsumtionspunkt *E* erreicht werden kann, der nicht nur im Vergleich zu *E* in Abb. 127, sondern auch gegenüber dem autarken Zustand *B* eine bessere Position repräsentiert[17]). Dieser **Wohlstandsgewinn erklärt sich natürlich aus der Struktur des Außenhandels:** Weil Gut 1 importiert und Gut 2 exportiert wird, ist die Senkung des relativen Preises von Nr. 1, die ja zugleich eine

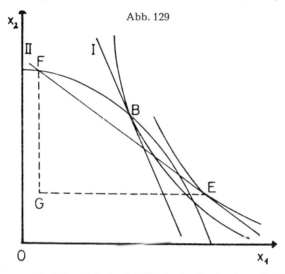

Abb. 129

Preiserhöhung von Nr. 2 impliziert, gleichbedeutend mit einer Verbesserung des Austauschverhältnisses für das betrachtete Land. Die negativen Wirkungen, die mit der Abweichung von sozialen und privaten Kosten verbunden sind, werden sozusagen gemildert, wenn das Austauschverhältnis für das betrachtete Land besonders günstig ist. Das kritische, die Indifferenzlage zwischen Gewinn und Verlust markierende Tauschverhältnis ist dann durch eine Preislinie bestimmt, die dieselbe Indifferenzkurve tangiert wie die Preislinie *I*.

Antwort 2 ist in Abb. 130 verdeutlicht. Hier wurde angenommen, daß der Preis des Gutes 1 gegenüber dem autarken Zustand steigt. Das neue Preisverhältnis von 1 und 2 wird dann größer sein als das in *B* gegebene Verhältnis der privaten Grenzkosten von 1 und 2. Daher erhöht sich die Produktion des Gutes 1, bis Grenzkosten- und Preisverhältnis in einem Punkt wie *F* übereinstimmen, wobei *II* die neue Preislinie ist. Der Konsumtionspunkt *E* liegt auf einer höheren Indifferenzkurve als *B*. Mithin hat sich der Wohlstand erhöht. Dies erklärt sich aus der Tatsache, daß Gut 1 — verglichen mit dem Idealzustand — in zu geringen Mengen erzeugt wird, der Außenhandel in diesem Falle aber dazu beiträgt, die Abweichungen vom Optimum zu korrigieren. Nur dann kann sich die Position der Gesellschaft

---

[17]) Der Produktionspunkt *F* liegt weiter links als in Abb. 127, weil der relative Preis des Gutes 1 geringer als im ersten Falle ist. Bei zu starker Preissenkung wird die Erzeugung des Gutes 1 völlig eingestellt und nur Gut 2 produziert.

durch den Handel verschlechtern, wenn der Preis der Güter, die externe Ersparnisse verursachen, gegenüber dem autarken Zustand sinkt. Steigt aber der Preis solcher Güter, dann verbessert sich die Lage der Gesellschaft, wenn auch der Gewinn zu klein ist, um jenen Wohlstand zu erzielen, der bei Gleichheit von sozialen und privaten Kosten zu erreichen wäre (siehe den Konsumtionspunkt C in Abb. 130, der auf einer Parallelen zu II liegt).

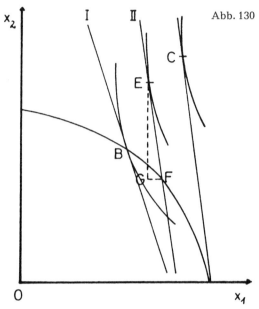

Abb. 130

Die Unterschiede zwischen den in Abb. 129 und 130 betrachteten Fällen lassen sich vielleicht am besten erklären, wenn man die Bewegung von B nach E in einen Spezialisierungseffekt und einen Handelseffekt aufspaltet. In Abb. 130 sind beide Effekte „positiv", weil die Bewegung von B nach F (Spezialisierung) und die Bewegung von F nach E (Handel) jeweils mit einem Übergang zu einer höheren Indifferenzkurve verbunden ist. In Abb. 129 dagegen müßte die Spezialisierung, also der Übergang von B nach F allein, einen Wohlstandsverlust bedeuten, wenn nicht die Spezialisierung den Grundstein für den Handel legen würde. Dieser macht es durch Übergang von F nach E möglich, den „Verlust" aus der Spezialisierung, der ohne Handel unvermeidlich wäre, mehr als auszugleichen. Daher würde sich die soziale Wohlfahrt nur verschlechtern, wenn der Handelsgewinn nicht ausreicht, um den Spezialisierungsverlust (ohne Handel) zu kompensieren (wie in Abb. 127): Der Austausch als solcher kann die Lage nur verbessern; es ist die Spezialisierung in der „falschen" Richtung, die als Übeltäter wirkt.

c) Divergenzen zwischen Preisen und sozialen Kosten sind auch möglich, wenn Marktkonstellationen existieren, die nicht den Bedingungen der vollständigen Konkurrenz entsprechen. Wenn man unterstellt, daß private und soziale Größen übereinstimmen, so übersteigen die Preise in solchen Marktformen nicht nur die privaten, sondern auch die sozialen Grenzkosten. Da aber lediglich die r e l a t i v e n Preise dem V e r h ä l t n i s der sozialen Grenzkosten entsprechen müssen, wenn der „Idealzustand" gewahrt bleiben soll, würde die Bedingung für eine optimale Produktionsstruktur nicht verletzt werden, wenn der Monopolisierungsgrad — der relative Abstand

II. Wohlfahrtsverluste durch den Außenhandel

zwischen Preisen und Grenzkosten — in allen Bereichen der gleiche ist[18]). Aus dieser Sicht ist jene Gleichheit zwischen relativen Preisen und Grenzkosten, die sich bei Übereinstimmung von absoluten Preisen und Grenzkosten in jedem Bereich ergibt (vollständige Konkurrenz), nur ein Spezialfall des allgemeineren Falles gleicher Monopolisierungsgrade. Auch hier ist die optimale Produktionsstruktur deshalb garantiert, weil der Monopolisierungsgrad der gleiche, nämlich überall gleich Null ist.

Bestehen jedoch in den verschiedenen Bereichen unterschiedlich große Divergenzen zwischen Preisen und Grenzkosten, so weichen Preisverhältnis und Verhältnis der sozialen Grenzkosten voneinander ab. Das Steigungsmaß der Preislinien unterscheidet sich vom Steigungsmaß der Tangenten in den entsprechenden Punkten der Transformationskurve. Jene handelstheoretischen Überlegungen, die für den Fall externer Effekte angestellt worden sind, würden ihre Gültigkeit indessen nur dann behalten, wenn die Marktmacht der monopolistischen Anbieter durch den Außenhandel nicht beschränkt oder beseitigt wird. Tatsächlich ist es aber sehr wahrscheinlich, daß der Außenhandel, der ja eine Ausweitung der Märkte bewirkt, die Monopolmacht der Anbieter schwächt.

Nehmen wir z. B. an, B sei der ursprüngliche Produktionspunkt und I die nationale Preislinie (Abb. 127). Das Preisverhältnis der Güter 1 und 2 ist dann größer als das Verhältnis der (privaten und sozialen) Grenzkosten, weil etwa der Preis des Gutes 1 die Grenzkosten dieses Gutes übersteigt, während etwa beide Größen im Sektor 2 übereinstimmen. Nun kann aber der internationale Handel das Konkurrenzverhalten derart fördern, daß B nicht durch F, sondern einen anderen Produktionspunkt, näher bei D, ersetzt wird. (Die Tangente an D entspricht dem Weltmarktpreisverhältnis II). D würde dann erreicht werden, wenn die Anbieter des Wirtschaftszweiges 1 durch die Öffnung der Grenzen gezwungen sind, sich als Mengenanpasser zu verhalten.

d) Welche Konsequenzen würden sich nun für die Wirtschaftspolitik ergeben, wenn der Außenhandel — bedingt durch Abweichungen von den idealen Bedingungen — Wohlstandsverluste mit sich bringt? Grundsätzlich bestehen zwei Möglichkeiten: Einschränkung und Behinderung des Außenhandels wäre die eine (vgl. das Kapitel über Zollpolitik), Einsatz der Binnenwirtschaftspolitik zur Verwirklichung optimaler Bedingungen die andere.

Es läßt sich nun leicht zeigen, daß der Einsatz binnenwirtschaftspolitischer Maßnahmen der Auferlegung eines Zolls vorzuziehen ist, wenn Preise und soziale Grenzkosten, z. B. auf Grund von externen Ersparnissen, divergieren, und man ferner unterstellt, daß das betrachtete Land den Weltmarktpreis nicht ändern kann[19]). Sieht man zunächst von wirtschaftspolitischen Eingriffen ab, so bedeutet das Vorhandensein externer Ersparnisse, daß die Grenzrate der Substitution zwar dem gegebenen Weltmarktpreisverhältnis, also der

---

[18] Durch Abweichungen zwischen Preisen und Grenzkosten können aber andere Marginalbedingungen des Pareto-Optimums verletzt werden. Vgl. dazu etwa Giersch, H., Allgemeine Wirtschaftspolitik, Erster Band, Wiesbaden 1960, S. 128 ff.

[19] Vgl. Bhagwati, J. und Ramaswami, V. K., Domestic Distortions, Tariffs and the Theory of Optimum Subsidy, Journal of Political Economy, Bd. 71, 1963. Zur Systematik der „Domestic Distortions" vgl. Bhagwati, J., The Generalized Theory of Distortions and Welfare, in: Bhagwati, J. u. a. (Hrsg.), Trade, Balance of Payments, and Growth, Amsterdam 1971.

Grenzrate der Transformation durch den Handel[20]) entspricht, diese Raten aber von der Grenzrate der Transformation durch die Produktion verschieden sind. Durch Einführung eines Zolls wird nun der Inlandspreis um den Betrag der Zollbelastung über den gegebenen Weltmarktpreis erhöht. Sofern die Zollbelastung der Divergenz zwischen privaten und sozialen Grenzkosten genau entspricht, steigt die Erzeugung in jenen Wirtschaftszweigen, in denen externe Ersparnisse existieren, bis die sozialen Grenzkosten mit dem Weltmarktpreis und die (höheren) privaten Grenzkosten mit dem (höheren) Inlandspreis übereinstimmen. Die Grenzrate der Transformation durch die Produktion entspricht nunmehr der Grenzrate der Transformation durch den Handel (dem Weltmarktpreisverhältnis), doch stimmt die Grenzrate der Substitution nicht mehr mit diesen Raten überein, da die Konsumentscheidungen der Verbraucher durch das interne Preisverhältnis determiniert sind. Die bei Freihandel bestehenden Unterschiede zwischen den marginalen Raten werden also nach Einführung eines Zolls durch andere Divergenzen ersetzt; Wohlfahrtsvergleiche zwischen beiden Fällen sind demnach nicht möglich. Andererseits werden Inlandspreis und Weltmarktpreis nicht divergieren, wenn jene Aktivitäten, die externe Ersparnisse verursachen, durch Subventionen gefördert werden. Durch Zahlung von Subventionen wird die Produktion bis zu einem Punkte erhöht, wo Preise und soziale Grenzkosten einander entsprechen. Alle marginalen Raten stimmen also überein; die Bedingungen des Pareto-Optimums sind vollständig erfüllt, sofern die Unterschiede zwischen sozialen Grenzkosten und Preis durch Subventionen beseitigt werden.

Literatur zum III. Teil

Allgemeine Literatur und Literatur zum 7. Kapitel

Batra, R. N., The Pure Theory of International Trade under Uncertainty, London 1975.

Bhagwati, J., The Pure Theory of International Trade, Economic Journal, Bd. 74, 1964.

Bhagwati, J. u. Johnson, H. G., Notes on Some Controversies in the Theory of International Trade, Economic Journal, Bd. 70, 1960.

Caves, R. E., Trade and Economic Structure. Models and Methods, Cambridge/Mass. 1961.

Chipman, J. S., A Survey of the Theory of International Trade, Teil 1—2, Econometrica, Bd. 33, 1965, Teil 3, Econometrica, Bd. 34, 1966.

Findlay, R., Trade and Specialisation, London 1972.

Freeman, A. M., International Trade, An Introduction to Method and Theory, New York 1972.

Grossekettler, H., Ist die neoklassische Theorie wirklich nur l'art pour l'art? Jahrbuch für Sozialwirtschaft, Bd. 28, 1977.

---

[20]) Die Grenzrate der Transformation durch den Handel gibt die Mengen des Exportgutes an, die ein Land für eine Einheit des Importgutes im Austausch hingibt. Sofern der Weltmarktpreis ein Datum, die Tauschkurve des Auslands also eine Gerade ist, stimmt diese marginale Rate mit dem konstanten Tauschverhältnis — dem in allen Punkten gleichen Anstieg der ausländischen Tauschkurve — überein.

Haberler, G., Die Gleichgewichtstheorie des internationalen Handels, Schriften des Vereins für Sozialpolitik, N. F., Bd. 10, Berlin 1954.

Heller, R. H., Internationaler Handel, Theorie und Empirie, Würzburg-Wien 1975.

Johnson, H. G. u. Kenen, P. B., Trade and Development, Genf 1965.

Kemp, M. C., Three topics in the theory of internationale trade: Distribution, welfare and uncertainty, Amsterdam 1976.

Linder, St. B., An Essay on Trade and Transformation, New York 1961.

Marshall, A., The Pure Theory of Foreign Trade (Reprints of Scarce Tracts on Political Economy), London 1949.

Meade, J. E., Trade and Welfare. The Theory of International Economic Policy, Vol. II, New York 1964.

Ders., A Geometry of International Trade, London 1961.

Melvin, J. R. und Warne, R. D., Monopoly and the Theory of International Trade, Journal of International Economics, Bd. 3, 1973.

Mosak, J., General-Equilibrium Theory in International Trade, Bloomington/Ind 1944.

Ohlin, B., International and Interregional Trade, Cambridge/Mass. 1967.

Robinson, J., The Pure Theory of International Trade, Review of Economic Studies, Bd. 14, 1946—47.

Samuelson, P. A., An Exact Hume-Ricardo-Marshall-Model of International Trade, Journal of International Economics, Bd. 1, 1971.

Sohns, R., Theorie der internationalen Arbeitsteilung, Stuttgart 1976.

Theberge, J. D. (Hrsg.), Economics of Trade and Development, New York — London — Sydney — Toronto 1972.

Travis, W. P., The Theory of Trade and Protection, Cambridge/Mass. 1964.

Literatur zum 2. und 3. Kapitel

Balassa, B., The Factor-Price Equalization Controversy, Weltwirtschaftl. Archiv, Bd. 87, 1961.

Batra, R. N., Casas, F. R., Intermediate Products and the Pure Theory of International Trade: A Neo-Heckscher-Ohlin Framework, American Economic Review, Bd. 63, 1973.

Batra, R. N., Casas, F. R., A Synthesis of the Heckscher-Ohlin and the Neoclassical Models of International Trade, Journal of International Economics, Bd. 6, 1976.

Diab, M., The United States Capital Position and the Structure of the Foreign Trade, Amsterdam 1956.

Duesberg, P., Zur praktischen Bedeutung der reinen Theorie des internationalen Handels, Zeitschrift für die gesamte Staatswissenschaft, Bd. 123, 1967.

Findlay, R., Factor Proportions and Comparative Advantage in the Long Run, Journal of Political Economy, Bd. 78, 1970.

Ford, J. L., The Ohlin-Heckscher Theory of the Basis of Commodity Trade, Economic Journal, Bd. 73, 1963.

Haberler, G., Die Theorie der komparativen Kosten und ihre Auswertung für die Begründung des Freihandels, Weltwirtschaftliches Archiv, Bd. 32, 1930.

Ders., Real Cost, Money Cost, and Comparative Advantage, International Social Science Bulletin, Bd. 3, 1951.

Harrod, R. F., Factor Price Relations under Free Trade, Economic Journal, Bd. 68, 1958.

Heckscher, E., The Effect of Foreign Trade on the Distribution of Income, Economisk Tidskrift, Bd. 21, 1919, wiederabg. in: Readings in the Theory of International Trade, London 1958.

Hesse, H., Die Bedeutung der reinen Theorie des internationalen Handels für die Erklärung des Außenhandels in der Nachkriegszeit, Zeitschrift für die gesamte Staatswissenschaft, Bd. 122, 1966.

Ders., Strukturwandlungen im Welthandel 1950—1960/61, Tübingen 1967.

James, S. F. und Pearce, J. F., The Factor Price Equalization Myth, Review of Economic Studies, Bd. 19, 1950—51.

Johnson, H. G., Factor Endowments, International Trade and Factor Prices, The Manchester School of Economic and Social Studies, Bd. 25, 1957, wiederabg. in: International Trade and Economic Growth, London 1961.

Jones, R. W., Factor Proportions and the Heckscher-Ohlin Model, Review of Economic Studies, Bd. 24, 1956—57.

Klein, R. W., A Dynamic Theory of Comparative Advantage, American Economic Review, Bd. 63, 1973.

Kravis, I. B., Availability and Other Influences on the Commodity Composition of Trade, Journal of Political Economy, Bd. 64, 1956.

Lancaster, K., The Heckscher-Ohlin Trade Model: A Geometric Treatment, Economica, N.S., Bd. 24, 1957.

Laursen, S., Production Functions and the Theory of International Trade, American Economic Review, Bd. 42, 1952.

Lemper, A., Handel in einer dynamischen Weltwirtschaft, München 1974.

Leontief, W., Domestic Production and Foreign Trade: The American Capital Position Re-Examined, Proceedings of the American Philosophical Society, 1953, wiederabg. in: Economia Internazionale, Bd. 7, 1954.

Ders., Factor Proportions and the Structure of American Trade: Further Theoretical and Empirical Analysis, Review of Economics and Statistics, Bd. 38, 1956.

Lerner, A. P., The Diagrammatical Representation of Cost Conditions in International Trade, Economica, Bd. 12, 1932.

Ders., Factor Prices and International Trade, Economica, N.S., Bd. 19, 1952.

Lorenz, D., Dynamische Theorie der internationalen Arbeitsteilung, Berlin 1967.

Mackscheidt, K., Der internationale Ausgleich der Faktorpreise, Berlin 1967.

Martin, J. P., Variable Factor Supplies and the Heckscher-Ohlin-Samuelson Model, Economic Journal, Bd. 86, 1976.

Matthews, R. C. O., Reciprocal Demand and Increasing Returns, Review of Economic Studies, Bd. 17, 1949—50.

Meade, J. E., The Equalization of Factor Prices: The two-country, two-factor, three-product case, Metroeconomica, Bd. 2, 1950.

Meier, G. M., The Theory of Comparative Costs Reconsidered, Oxford Economic Papers, N.S., Bd. 1, 1949.

Melvin, I. R., Increasing Returns to Scale as a Determinant of Trade, in: Canadian Journal of Economics, Bd. 2, 1969.

Michaely, M., Factor Proportions in International Trade: Current State of the Theory, Kyklos, Bd. 17, 1964.

Minabe, N., The Heckscher — Ohlin Theorem, the Leontief Paradox, and Patterns of Economic Growth, American Economic Review, Bd. 56, 1966.

Ders., Heckscher-Ohlin and Harrod on the Law of Comparative Costs, Weltwirtschaftliches Archiv, Bd. 106, 1971.

Minhas, B. S., An International Comparison of Factor Costs and Factor Use, Amsterdam 1963.

Ders., The Homohypallagic Production Function, Factor Intensity Reversals, and the Heckscher-Ohlin Theorem, Journal of Political Economy, Bd. 70, 1962.

Mookerjee, S., Factor Endowments and International Trade. A Statement and Appraisal of the Heckscher-Ohlin Theory, Bombay 1958.

Mundell, R. A., International Trade and Factor Mobility, American Economic Review, Bd. 47, 1957.

Ohlin, B., Die Beziehungen zwischen internationalem Handel und internationalen Bewegungen von Kapital und Arbeit, Zeitschrift für Nationalökonomie, Bd. 2, 1931.

Posner, M. V., Technical Change and International Trade, Oxford Economic Papers, Bd. 13, 1961.

Robinson, R., Factor Proportions and Comparative Advantage, Quarterly Journal of Economics, Bd. 70, 1956

Rose, K., Die Bedeutung der Faktorausstattung für die Struktur des Außenhandels, in: Besters, H. (Hrsg.), Theoretische und institutionelle Grundlagen der Wirtschaftspolitik, Festschrift für Wessels, Berlin 1967.

Ders., Heckscher-Ohlinsches Theorem und technischer Fortschritt, in: Bombach, G. (Hrsg.), Beiträge zur Theorie der Außenwirtschaft. Berlin 1970.

Rybczynski, T. M., Factor Endowment and Relative Commodity Prices, Economica, N.S., Bd. 22, 1955.

Samuelson, P. A., International Trade and the Equalization of Factor Prices, Economic Journal, Bd. 58, 1948, deutsche Übersetzung in: Rose, K. (Hrsg.), Theorie der internationalen Wirtschaftsbeziehungen, Köln—Berlin 1965.

Ders., International Factor-price Equalization Once Again, Economic Journal, Bd. 59, 1949, deutsche Übersetzung in: Rose, K. (Hrsg.), Theorie der internationalen Wirtschaftsbeziehungen, Köln—Berlin 1965.

Ders., Prices of Factors and Goods in General Equilibrium, Review of Economic Studies, Bd. 21, 1953—54.

Ders., Summary on Factor-Price Equalization, International Economic Review, Bd. 8, 1967.

Sauernheimer, K. H., Zwischenprodukte in der Theorie des internationalen Handels: Ein Neo-Ricardianischer Ansatz, Jahrbuch für Sozialwissenschaft, Bd. 28, 1977.

Savosnick, K. M., The Box Diagramm and the Production Possibility Curve, Ekonomisk Tidskrift, Bd. 60, 1958.

Vanek, J., Variable Factor Proportions and Inter-Industry Flows in the Theory of International Trade, Quarterly Journal of Economics, Bd. 77, 1963.

Viner J., The Doctrine of Comparative Costs, Weltwirtschaftl. Archiv, Bd. 36, 1932.

Warne, R. D., Intermediate Goods in International Trade with Variable Proportions and two Primary Inputs, Quarterly Journal of Economics, Bd. 85, 1971.

Whitin, T. M., Classical Theory, Graham's Theory and Linear Programming in International Trade, Quarterly Journal of Economics, Bd. 67, 1953, deutsche Übersetzung in: Rose, K. (Hrsg.), Theorie der internationalen Wirtschaftsbeziehungen, Köln—Berlin 1965.

Literatur zum 4. Kapitel

Baumol, W. J., The Community Indifference Map: A Construction, Review of Economic Studies, Bd. 17, 1949—50.

Gorman, W. M., Community Preference Fields, Econometrica, Bd. 21, 1953.

Kenen, P. B., Distribution, Demand, and Equilibrium in International Trade: A Diagrammatic Analysis, Kyklos, Bd. 12, 1959.

Leontief, W., The Use of Indifference Curves in the Analysis of Foreign Trade, Quarterly Journal of Economics, Bd. 47, 1933, wiederabg. in: Readings in the Theory of International Trade, London 1958, deutsche Übersetzung in: Rose, K. (Hrsg.), Theorie der internationalen Wirtschaftsbeziehungen, Köln—Berlin 1965.

Lerner, A. P., The Diagrammatical Representation of Demand Conditions in International Trade, Economica, N.S., Bd. 1, 1934.

Mishan, E. J., A Survey of Welfare Economics, 1939—1959, Economic Journal, Bd. 70, 1960.

Samuelson, P. A., Foundations of Economic Analysis, Cambridge, Mass. 1963.

Ders., Evaluation of Real National Income, Oxford Economic Papers, N.S., Bd. 2, 1950.

Ders., Social Indifference Curves, Quarterly Journal of Economics, Bd. 70, 1956.

Scitovsky, T., A Reconsideration of the Theory of Tariffs, Review of Economic Studies, Bd. 9, 1942, wiederabg. in: Readings in the Theory of International Trade, London 1958.

Stolper, W. F., A Method of Constructing Community Indifference Curves, Schweiz. Zeitschrift f. Volkswirtschaft u. Statistik, Jhg. 86, 1950.

Literatur zum 5. und 6. Kapitel

Amano, A., International Factor Movements and the Terms of Trade, Canadian Journal of Economics and Political Science, Bd. 32, 1966.

Ders., Stability Conditions in the Pure Theory of International Trade: A Rehabilitation of the Marshallian Approach, Quarterly Journal of Economics, Bd. 82, 1968.

Baldwin, R. E., Equilibrium in International Trade: A Diagrammatic Analysis, Quarterly Journal of Economics, Bd. 62, 1948.

Benham, F. C., The Terms of Trade, Economica, N. S., Bd. 7, 1940, deutsche Übersetzung in: Rose, K. (Hrsg.), Theorie der internationalen Wirtschaftsbeziehungen, Köln—Berlin 1965.

Bensuan-Butt, D. M., A Model of Trade and Accumulation, American Economic Review, Bd. 44, 1954.

Bhagwati, J., Immiserizing Growth: A Geometrical Note, Review of Economic Studies, Bd. 25, 1958.

Ders., International Trade and Economic Expansion, American Economic Review, Bd. 48, 1958.

Black, J., Economic Expansion and International Trade: A Marshallian Approach, Review of Economic Studies, Bd. 23, 1955—56.

Corden, W. M., Economic Expansion and International Trade: A Geometrical Approach, Oxford Economic Papers,, N.S., Bd. 8, 1956.

Ders., The Effects of Trade on the Rate of Growth, in: Bhagwati, J. N. u. a. (Hrsg.), Trade, Balance of Payments and Growth, Amsterdam—London 1971.

Findlay, R. und Grubert, H., Factor Intensities, Technological Progress, and the Terms of Trade, Oxford Economic Papers, N.S., Bd. 11, 1959.

Gabisch, G., Außenhandel und Wirtschaftswachstum, Tübingen 1976.

Ikema, M., The Effect of Economic Growth on the Demand for Imports: A Simple Diagram, Oxford Economic Papers, Bd. 21, 1969.

Johnson, H. G., Economic Development and International Trade, in: Money, Trade and Economic Growth, London 1962.

Ders., Economic Expansion and International Trade, Manchester School of Economic and Social Studies, Bd. 23, 1955, wiederabg. in: International Trade and Economic Growth, London 1961.

Ders.,The Theory of Trade and Growth: A Diagrammatic Analysis, in: Bhagwati, J. N. u. a. (Hrsg.), Trade, Balance of Payments and Growth, Amsterdam—London 1971.

Ders., Trade and Growth: A Geometrical Exposition, Journal of International Economics, Bd. 1, 1971.

Jones, R., Stability Condition in International Trade: A General Equilibrium Analysis, International Economic Review, Bd. 2, 1961.

Kemp, M. C., Technological Change, the Terms of Trade and Welfare, Economic Journal, Bd. 65, 1955.

Ders., The Relation Between Changes in International Demand and the Terms of Trade, Econometrica, Bd. 24, 1956.

Ders., International Trade Between Countries with Different Natural Rates of Growth, Economic Record, Bd. 46, 1970.

Ders. u. Jones, R., Variable Labour Supply and the Theory of International Trade, Journal of Political Economy, Bd. 70, 1962.

Krüper, M., Wachstum und Terms of Trade, Berlin 1973.

Luckenbach, H., Wirtschaftswachstum und internationaler Handel, Freiburg 1970.

Meier, G. M., International Trade and Development, New York 1963.

Mundell, R. A., The Pure Theory of International Trade, American Economic Review, Bd. 50, 1960.

Pryor, F. L., Economic Growth and the Terms of Trade, Oxford Economic Papers, Bd. 18, 1966.

Samuelson, P. A., The Transfer Problem and Transport Costs, Economic Journal, Bd. 62, 1952 und Bd. 64, 1954.

Schumann, J., Ein dynamischer Ansatz zur reinen Theorie des internationalen Handels: Effizientes Wachstum offener Volkswirtschaften, Zeitschr. f. die ges. Staatswiss., Bd. 121, 1965.

Södersten, B., A Study of Economic Growth and International Trade, Stockholm-Göteborg-Uppsala 1964.

Takayama, A., Economic Growth and International Trade, Review of Economic Studies, Bd. 31, 1964.

Vanek, J., Economic Growth and International Trade, Quarterly Journal of Economics, Bd. 85, 1971.

Literatur zum 8. Kapitel

Baldwin, R. E., A Comparison of Welfare Criteria, Review of Economic Studies, Bd. 21, 1953—54.

Ders., The New Welfare Economics and Gains in International Trade, Quarterly Journal of Economics, Bd. 66, 1952.

Batra, R., Pattanaik, P. K., Domestic Distortions and the Gains from Trade, Economic Journal, Bd. 80, 1970.

Baumol, W. J., Welfare Economics and the Theory of the State, New York 1952.

Bhagwati, J., The Gains from Trade Once Again, Oxford Economic Papers, Bd. 20, 1968.

Ders., The Generalized Theory of Distortions and Welfare, in: Bhagwati, J. N. u. a. (Hrsg.), Trade, Balance of Payments and Growth, Amsterdam—London 1971.

Bhagwati, J. u. Ramaswami, V. K., Domestic Distortions, Tariffs and the Theory of Optimum Subsidy, Journal of Political Economy, Bd. 71, 1963.

Boulding, K., Welfare Economics, in: A Survey of Contemporary Economics, hrsg. von B. F. Haley, Homewood, Ill. 1952.

Enke, S., Welfare and Trade, Kyklos, Bd. 15, 1962.

Graaff, J. de V., Theoretical Welfare Economics, Cambridge 1967.

Haberler, G., Some Problems in the Pure Theory of International Trade, Economic Journal, Bd. 60, 1950.

Hazari, B. R., Factor Market Distortions and Gains from Trade Revisited, Weltwirtschaftliches Archiv, Bd. 110, 1974.

Hicks, J. R., The Foundations of Welfare Economics, Economic Journal, Bd. 49, 1939.

Johnson, H. G., Optimal Trade Intervention in the Presence of Domestic Distortions, in: Trade, Growth and the Balance of Payments, Amsterdam 1965.

Kaldor, N., Welfare Propositions in Economics, Economic Journal, Bd. 49, 1939.

Kemp, M. C., The Gains from International Trade, Economic Journal, Bd. 72, 1962.

Ders., Some Issues in the Analysis of Trade Gains, Oxford Economic Papers, Bd. 20, 1968.

Ders. u. Wan, H. Y., The Gains from Free Trade, International Economic Review, Bd. 13, 1972.

Little, J. M. D., A Critique of Welfare Economics, London (Oxford) 1963.

Magee, St., Factor Market Distortions, Production and Trade: A Survey, Oxford Economic Papers, NS., Bd. 25, 1973.

Samuelson, P. A., Welfare Economics and International Trade, American Economic Review, Bd. 28, 1938, deutsche Übersetzung in: Rose, K. (Hrsg.), Theorie der internationalen Wirtschaftsbeziehungen, Köln—Berlin 1965.

Ders., The Gains from International Trade, Canadian Journal of Economics and Political Science, Bd. 5, 1939, wiederabg. in: Readings in the Theory of International Trade, London 1958.

Ders., The Gains from International Trade Once Again, Economic Journal, Bd. 72, 1962.

Scitovsky, T., A Note on Welfare Propositions in Economics, Review of Economic Studies, Bd. 9, 1941—42.

A Symposium on the Gains from Trade, Journal of International Economics, Bd. 2, 1972.

Stephen, P., International Trade and Distortions in Factor Markets, New York 1976.

Teil IV

Die Zolltheorie

Vorbemerkungen

Während die Erörterungen in den vorhergehenden Kapiteln von der Voraussetzung freien und ungestörten Handels ausgingen, wollen wir nunmehr die Wirkungen von Handelsbeschränkungen in die Analyse einbeziehen. Wohl das älteste und am ausgiebigsten diskutierte Instrument der Handelspolitik ist der Zoll. Seine Wirkungen sollen in diesem Teil behandelt werden. Allerdings ist es hier nicht möglich, die historischen, politischen, institutionellen und strategischen Aspekte der Zollpolitik zu untersuchen. Wir werden uns darauf beschränken, den Einfluß der Zölle auf einige der wichtigsten ökonomischen Variablen wie Preise, Einkommensverteilung, Beschäftigung und Zahlungsbilanz zu erörtern.

Zölle sind staatliche Abgaben, die erhoben werden, wenn Waren die Grenzen des Staats- bzw. Zollgebiets überschreiten, also exportiert, importiert oder nur durchgeschleust werden. Dementsprechend unterscheidet man zwischen Ausfuhr-, Einfuhr- und Durchfuhrzöllen, von denen Einfuhrzölle heute die bei weitem größte Bedeutung haben. Nach der Bemessungsgrundlage trennt man zwischen spezifischen Zöllen und Wertzöllen. Während spezifische Zölle als Abgabe je Einheit eines Gutes erhoben werden, richtet sich die Höhe der Abgabe beim Wertzoll nach dem Wert des Gutes; dementsprechend wird der Zoll als Prozentsatz angegeben. Zwischen beiden Zollformen sind mannigfaltige Kombinationen denkbar — in Form von Mischzöllen oder Gleitzöllen —, die zwar für die praktische Handelspolitik von großer Bedeutung sind, bei der Analyse von Zollwirkungen aber vernachlässigt werden können.

1. Kapitel:
Grundlegende Bemerkungen

I. Die wichtigsten Zollwirkungen im Überblick

Die wichtigsten Zollwirkungen lassen sich mit Hilfe eines einfachen Diagramms verdeutlichen (Abb. 131).

Abb. 131

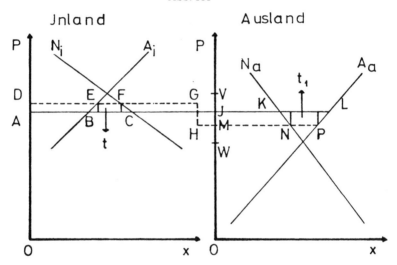

Dort sind die Angebots- und Nachfragekurven eines Gutes, N_i und A_i für das Inland und N_a und A_a für das Ausland dargestellt. Der Wechselkurs wird als konstant angenommen, so daß die auf den Ordinaten abgetragenen Preise für beide Länder in den gleichen Geldeinheiten ausgedrückt werden können.

Da der Inlandspreis vor Aufnahme des Außenhandels den Auslandspreis übersteigt, wird das Inland das betrachtete Gut importieren. Nach Öffnung der Grenzen sinkt der Inlandspreis und steigt der Auslandspreis, bis die beiden Preise aneinander angeglichen sind, denn bei Freihandel bilden die beiden Länder einen einheitlichen Markt. Dieser neue, zwischen den nationalen Preisen liegende Weltmarktpreis wird durch die Linie AL angegeben: Im Inland wird die Menge AC nachgefragt, aber nur AB angeboten. Die Differenz BC stellt folglich die inländische Importnachfrage dar. Dieser entspricht ein ausländisches Exportangebot von KL, da bei einer Auslandsproduktion von JL nur die Menge JK im eigenen Land verbraucht wird. Linie AL repräsentiert den Gleichgewichtspreis offenbar nur dann, wenn die Importwünsche des einen Landes den Exportangeboten des anderen entsprechen. Geometrisch läßt sich der Gleichgewichtspreis durch Verschiebung der Linie AL nach oben oder unten bestimmen, bis die Strecken BC und KL übereinstimmen.

Führt das Inland nun einen Importzoll ein, so wird der Weltmarkt zu einem unvollkommenen Markt, auf dem das Gesetz der Unterschiedslosig-

I. Die wichtigsten Zollwirkungen im Überblick

keit der Preise durchbrochen ist. Auch der Außenhandel kann jetzt nicht verhindern, daß die Preise in beiden Ländern differieren, und zwar wird der Inlandspreis den Auslandspreis um die Höhe der Zollbelastung übersteigen. Normalerweise werden beide Länder gezwungen sein, einen Teil des Zolles zu tragen: Während sich die Ware im Inland verteuert, wird der Preis im Ausland sinken, weil die ausländischen Produzenten in dem Bestreben, die Zollbarrieren zu überspringen, einen geringeren Preis ihres Exportgutes akzeptieren müssen. In Abb. 131 wurde z. B. angenommen, daß ein Zoll in Höhe von GH den Inlandspreis um DA steigen und den Auslandspreis um JM sinken läßt[1]). Die Preislinie AL wird also durch eine neue Linie $DGHP$ ersetzt, deren Sprungstelle zwischen G und H deutlich macht, daß die nationalen Preise um die Zollbelastung voneinander abweichen. Diese Linie ist so konstruiert, daß Importe des Inlandes (EF) und Exporte des Auslandes (NP) einander entsprechen. Diese Bedingung bestimmt den Verlauf der Preislinie, sie entscheidet darüber, ob der Zoll zum größten Teil vom Inland oder vom Ausland getragen wird. Im ersten Falle würde bei gegebenem Zoll GH die Linie $DGHP$ stärker nach oben, im zweiten Falle mehr nach unten verschoben sein. Offensichtlich hängt es von den Angebots- und Nachfrageelastizitäten in beiden Ländern ab, in welchem Maße sich die Handelspartner in die Preiswirkungen des Zolls zu teilen haben. Der Inlandspreis (Auslandspreis) wird um so weniger (stärker) steigen (sinken), je elastischer Angebot und Nachfrage im Inland und je kleiner die entsprechenden Elastizitäten im Ausland sind. Trotz Einführung des Zolles könnten größere Preissteigerungen vermieden werden, weil bei stark steigendem Inlandsangebot die Nachfrage in größerem Umfange schrumpft, während gleichzeitig die ausländischen Produzenten ihr Angebot nur in geringerem Maße einschränken, ohne ein Absatzventil im eigenen Land finden zu können. Der Leser kann sich die Zusammenhänge geometrisch leicht verdeutlichen, wenn er die Angebots- und Nachfragekurven des Inlandes in den relevanten Bereichen flacher und die des Auslandes steiler zeichnet.

Die Preiswirkungen des Zolles bestimmen nun die Veränderungen anderer ökonomischer Größen. Erstens geht der Inlandsverbrauch des Gutes von AC auf DF zurück. Zweitens steigt die inländische Produktion von AB auf DE, was man den Schutzeffekt des Zolles (Kindleberger) nennen könnte. Drittens wächst die Produzentenrente (die Fläche zwischen Preislinie, Angebotskurve und Ordinate) um die Fläche $DAEB$, während gleichzeitig die Konsumentenrente (die Fläche zwischen Preislinie, Nachfragekurve und Ordinate) kleiner geworden ist; man könnte das als Umverteilungseffekt (Kindleberger) bezeichnen. Schließlich hat der Zoll einen Einnahmeeffekt: Die Zolleinnahmen entsprechen dem Inhalt der durch t und t_1 gekennzeichneten Rechtecke, also dem Produkt von Importmenge EF ($= NP$) und Zollbelastung GH. Konsumtions-, Schutz- und Umverteilungseffekt gewinnen bei steigenden Preisen an Bedeutung. Sie werden also um so stärker sein, je größer entweder bei gegebenem Zoll GH der Teil der vom Inland zu tragenden Belastung (Strecke DA) ist, oder je höher bei gegebener Verteilung der Lasten der Zoll selbst angesetzt wird. Dagegen nehmen jenseits einer bestimmten Grenze die Staatseinnahmen mit höheren Preisen ab. Das wird besonders deutlich, wenn ein Zoll in Höhe der Differenz VW zwischen den nationalen Gleichgewichtspreisen eingeführt wird. Ein solcher Zoll wirkt prohibitiv: Die Nachfrage wird voll aus der inländischen Produktion gedeckt, und die Im-

---

[1]) Bei einem Wertzoll ist die Zollbelastung u. a. von der Höhe des Preises abhängig. Daher ist die Strecke GH auch bei gegebenem Zollsatz unterschiedlich groß, je nachdem wie hoch die Preise sind. Diese Schwierigkeit läßt sich aber umgehen, wenn man die Preise auf der Ordinate logarithmisch mißt.

porte hören auf. Gleichzeitig schrumpfen auch die Zolleinnahmen, die Rechtecke t und t_1, auf Null zusammen. Der Einnahmeeffekt fällt fort, dagegen werden Schutz- und Umverteilungswirkung durch völlige Unterbindung der Importe in beträchtlichem Maße gesteigert.

Die Analyse der Zollwirkungen bildet die Grundlage für das Verständnis der Forderungen nach Zollschutz, die von den verschiedensten Gruppen vorgebracht werden. Von besonderer Bedeutung ist hierbei der Schutzeffekt, also die Steigerung der Inlandsproduktion, die durch den preiserhöhenden Zoll bewirkt wird. In der Tat steht hinter der Forderung nach Importzöllen meistens die Absicht, kleineren Teilbereichen der Volkswirtschaft Vorteile zu verschaffen. Die Gründe dafür können sehr verschieden sein: Oft wird der Schutzeffekt als Voraussetzung des Umverteilungseffekts angesehen; man fordert also den Zoll, um die Einkommen der in der geschützten Industrie beschäftigten Produktionsfaktoren — einschließlich der Gewinne — zu erhöhen. Der Zoll kann aber auch dem Ziel dienen, dem Land aus allgemeinen politischen Gründen einen Wirtschaftszweig zu erhalten, der ohne Zollschutz nicht lebensfähig wäre. Gibt man solchen Argumenten nach, so zeigt sich allerdings sehr schnell die Kehrseite der Zollpolitik: Die Konsumenten, die für die betreffenden Güter mehr zu zahlen haben, werden geschädigt, ebenso die Exportgüterindustrien, deren Absatz evtl. durch Vergeltungszölle geschmälert wird. Nicht ausgeschlossen ist auch, daß die wirtschaftliche Initiative hinter Zollmauern erschlafft und manche Gelegenheiten zur Verbesserung der Produktionsmethoden nicht genutzt werden. Schließlich wird die **Monopolbildung durch Zölle erleichtert**; Kartelle sind nicht nur „Kinder der Not", sondern auch „Kinder des Schutzzolls", weil die Absperrung der nationalen Grenzen den Zusammenschluß von Produzenten, ungestört durch ausländische Wettbewerber, nicht unbeträchtlich erleichtert. Man muß also immer prüfen, ob die durch den Zoll erreichte Wohlfahrtssteigerung der Begünstigten schwerer wiegt als die Wohlfahrtsverluste anderer Gruppen und die Einbußen an ökonomischer Effizienz, die in den geschützten Bereichen selbst auftreten.

II. Zölle und Importkontingente

Da neben den Zöllen die Beschränkung der Einfuhr durch Importkontingente stark an Bedeutung gewonnen hat, sollen die Wirkungen der Im-

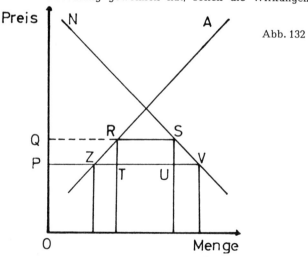

Abb. 132

portzölle mit denen der direkten Einfuhrbeschränkungen kurz verglichen werden. Kontingente sind entweder als Mengen- oder als Wertkontingente denkbar. Beim Mengenkontingent erfolgt die Beschränkung der Einfuhr auf direktem Wege, also durch Festsetzung der Stückzahl, des Gewichts oder der Maße. Im Falle des Wertkontingents wird eine Einfuhr nur in Höhe einer bestimmten Wertsumme zugelassen; ist dieser Wert in Auslandswährung festgesetzt, so teilt der Staat den Importeuren nur eine bestimmte Devisenmenge zum Kauf von Auslandsgütern zu.

Die Wirkungen eines Mengenkontingents können an Hand von Abb. 132 erörtert werden. Bei völlig ungestörtem Handel wird zu einem Weltmarktpreis OP die der Differenz zwischen Nachfrage und Inlandsangebot entsprechende Menge ZV importiert. Nun führt der Staat ein Mengenkontingent in Höhe von RS ein. Dadurch steigen die Inlandspreise auf OQ, das Inlandsangebot wächst auf QR, und die Nachfrage sinkt auf QS. Die Wirkungen eines Kontingents entsprechen also völlig denen eines vergleichbaren Importzolles[2]). Ebenso wie der Zoll hat auch die direkte Einfuhrbeschränkung einen Konsumtions-, Schutz- und Preiseffekt.

Allerdings besteht ein wesentlicher Unterschied. Im Falle des Importzolles würde der Inhalt des Rechteckes $RSUT$ — also das Produkt aus Importmenge und Zoll — dem Staat als Zolleinnahme zugute kommen. Bei direkten Einfuhrbeschränkungen fließt aber diese Summe nur dann dem Fiskus zu, wenn der Staat die von den Importeuren begehrten Einfuhrlizenzen an die Meistbietenden versteigert. Die Staatseinnahmen aus den Kontingenten werden dann den Einnahmen aus einem vergleichbaren Zoll genau entsprechen. Normalerweise — wenn keine Gebühren an den Staat zu zahlen sind — fließen diese Einnahmen aber den Importeuren oder den Exporteuren zu. Die Importeure werden diese Summe dann erhalten, wenn die ausländischen Anbieter nicht monopolistisch organisiert sind, die Importeure aber über eine starke Position am Markt verfügen. Umgekehrt mögen die Exporteure dann den ganzen Vorteil haben, wenn es ihnen durch Ausnutzung ihrer starken Marktstellung möglich ist, die Weltmarktpreise bis in die Nähe der Inlandspreise heraufzusetzen. Sofern schließlich Exporteure und Importeure ein Monopol besitzen, entsteht eine Situation des bilateralen Monopols, die keine eindeutige Aussagen über das Ergebnis zuläßt.

Da die Wirkungen des Zolls mit denen des Einfuhrkontingents größtenteils identisch sind, fragt es sich, warum die Kontingentierung gegenüber dem Zoll so stark an Bedeutung gewonnen hat. Es gibt dafür mehrere Gründe, von denen in theoretischer Sicht die Unelastizität des Auslandsangebots wohl am interessantesten ist. In diesem Falle wird der Zoll die terms of trade so stark verbessern, daß der Inlandspreis nur wenig steigt und die angestrebte Importbeschränkung durch den Zoll nicht zu erreichen ist. Aus diesem Grunde ist es nicht erstaunlich, daß die Importkontingentierung den Zöllen vor allem vorgezogen wird, wenn eine Beschränkung der Agrareinfuhr erreicht werden soll.

Für die Bevorzugung der Kontingente ist auch von Bedeutung, daß der Verlauf von Angebots- und Nachfragekurven nicht hinlänglich genau bekannt ist. Unter diesen Umständen kann die Wirkung eines Zolles auf Preise und importierte Mengen nur ganz grob geschätzt werden, und auch dann sind schwerwiegende Irrtümer nicht ausgeschlossen. Was liegt da also

---

[2]) Wenn man zur Vereinfachung einen konstanten Weltmarktpreis (unendlich elastisches Auslandsangebot) unterstellt, wird der vergleichbare Importzoll gleich QP sein.

näher, als die mangelnde Kenntnis der Daten durch quantitative Beschränkung zu umgehen, das im Marktmechanismus liegende Risiko dadurch zu vermeiden, daß man diesen Mechanismus selbst außer Kraft setzt? Dadurch entstehen aber negative Wirkungen anderer Art, deren Behandlung den Rahmen dieses Buches sprengen würde.

2. Kapitel:
Der Schutzeffekt der Zölle (Der Effektivzoll)

Die im 1. Kapitel nur kurz angedeuteten Wirkungen der Zölle auf Produktion, Preise, Verteilung und Staatseinnahmen sollen in diesem und in den folgenden Kapiteln gründlicher erörtert werden. Zunächst sei der Schutzeffekt der Zölle diskutiert. Unterstellt man, daß ein Wirtschaftszweig des Inlands in Konkurrenz mit homogenen Auslandsgütern steht, so soll die zollinduzierte Binnenpreiserhöhung des betrachteten Gutes nach den Aussagen der traditionellen Zolltheorie zu einer Produktionserhöhung führen (von AB auf DE in Abb. 131), die zusätzliche Produktionsfaktoren an den geschützten Wirtschaftszweig bindet (Allokationseffekt). Diese Aussage ist jedoch nur dann unbestritten, wenn lediglich das Endprodukt des Wirtschaftszweiges, nicht aber die in diesem Bereich verarbeiteten Zwischenprodukte, also die Vorleistungen, einem Zollschutz unterliegen. Sind hingegen auch die Vorprodukte durch Zölle belastet, so kann der durch den Zoll auf das Endprodukt gegebene Preisvorteil durch die Kostennachteile, welche sich als Folge der Verteuerung der inputs ergeben, möglicherweise sogar überkompensiert werden, so daß ein negativer Schutzeffekt und damit eine Produktionseinschränkung die Folge ist. Da die Höhe des Zolls auf das Endprodukt des betrachteten Wirtschaftszweiges (Nominalzollkonzept) folglich allein kein Maßstab für das Ausmaß des tatsächlich erreichten Schutzes ist, stellt sich die Frage nach den Kriterien der effektiven Protektion. Diese Frage sucht die *Theorie des Effektivzolls* zu beantworten[1].

Die Schutzwirkung des Zollsystems soll im folgenden durch die zollbedingte Änderung der Wertschöpfung eines Wirtschaftszweiges gemessen werden, so daß ein effektiver Schutz nur dann vorliegt, wenn sich die Wertschöpfung dieses Bereichs erhöht. Zur Vereinfachung sei angenommen, daß der betreffende Wirtschaftszweig sein Gut 1 mit Hilfe nur eines Zwischenprodukts 2 (und mit Hilfe von Arbeit und Sachkapital) erzeugt. Der technische Koeffizient a_{21}, welcher die Einsatzmengen des Zwischenprodukts Nr. 2 je Einheit des Endprodukts Nr. 1 angibt, wird als konstant angenommen. Ferner ist es üblich, die Mengen des Zwischen- und Endprodukts in Einheitswerten auszudrücken — den Preis beider Güter also jeweils mit DM 1,— anzusetzen. Der Koeffizient a_{21} mißt dann auch den Wert der Einsatzmengen des Gutes 2 je Werteinheit (eine Mengeneinheit zum Preis von DM 1,—) des Gutes 1. a_{21} wäre z. B. gleich 0,6, wenn die Herstellung eines Endprodukts Nr. 1 mit dem Preis von DM 1,— den Einsatz des Zwischenprodukts Nr. 2 im Wert von DM 0,60 erfordert. Da die Wertschöpfung generell als Differenz zwischen Bruttoproduktionswert und Vorleistungen

---

[1] Die Diskussion des Effektivzolls geht zurück auf J o h n s o n , H. G., The Theory of Tariff Structure with Special Reference to World Trade and Development, in: Trade and Development, Institut Universitaire des Hautes Etudes Internationales, Genf 1965; B a l a s s a , B., Tariff Protection in Industrial Countries: An Evaluation, Journal of Political Economy, Bd. 73, 1965; C o r d e n , W. M., The Structure of a Tariff System and the Effective Protective Rate, Journal of Political Economy, Bd. 74, 1966. In deutscher Sprache findet sich eine Zusammenfassung der Diskussion bei H i e m e n z , U., H o f f m a n n , L., v. R a b e n a u , K., Die Theorie der effektiven Protektion, Weltwirtschaftliches Archiv, Bd. 107, 1971 II.

Der Schutzeffekt der Zölle (Der Effektivzoll)

(Wert der Zwischenprodukte) definiert ist, ergibt sich die Wertschöpfung bei einem Bruttoproduktionswert in Höhe von DM 1,— (eine Einheit[2]) zum Preise von DM 1,—) nach dem Gesagten als

$$w = 1 - a_{21}$$
$$0{,}40 = 1 - 0{,}60. \tag{1}$$

Wenn w die Wertschöpfung im Zustand des Freihandels bezeichnet, so liegt bei Einführung von Zöllen auf das End- und Zwischenprodukt ein effektiver Schutz nur dann vor, wenn sich w vergrößert. Aus den Ausführungen im 1. Kapitel wurde nun deutlich, daß nach Auflegung eines Zolls der Weltmarktpreis (Auslandspreis) des betreffenden Gutes normalerweise sinkt, der Inlandspreis hingegen steigt. Unterstellt man dagegen ein kleines Land, das von sich aus den Weltmarktpreis wegen seines geringen Marktanteils nicht beeinflussen kann, so führt der Zoll zu einer Erhöhung des Inlandspreises um den vollen Zollbetrag. Daher ändert sich bei Einführung eines Wertzolls auf Gut 1 in Höhe von t_1 (z. B. 80 %) und auf Gut 2 in Höhe von t_2 (z. B. 30 %) die Wertschöpfung auf

$$w^* = 1 + t_1 - (a_{21} + a_{21} t_2)$$
$$1{,}02 = 1 + 0{,}8 - (0{,}60 + 0{,}18). \tag{2}$$

In diesem Fall kann offenbar von effektiver Protektion gesprochen werden, denn die Wertschöpfung hat sich gegenüber der Freihandelssituation vergrößert. Ein solcher „Verbesserungseffekt" in Höhe von $\Delta w = w^* - w$ liegt offenbar immer dann vor, wenn die Zunahme des Bruttoproduktionswertes um $t_1 = 0{,}8$ größer als die Erhöhung des Geldwertes der Vorleistungen um $a_{21} t_2 = 0{,}18$ ist:

$$\Delta w = w^* - w = t_1 - a_{21} t_2 = \text{positiv}.$$

Setzt man diese Änderung der Wertschöpfung zur ursprünglichen Wertschöpfung gemäß Gleichung (1) in Beziehung, so erhält man einen Ausdruck, der als Effektivzoll für Gut 1 bezeichnet wird:[3])

$$T_1 = \frac{t_1 - a_{21} t_2}{1 - a_{21}} \tag{3}$$

Ist T_1 positiv, so hat sich die Wertschöpfung des Wirtschaftszweiges 1 erhöht ($t_1 > a_{21} t_2$). Da die Differenz zwischen Bruttoproduktionswert und Vorleistungen der Summe aus Faktorkosten und Gewinn entspricht[4]), steigen bei zunächst unveränderten Faktoreinsatzmengen die Gewinne. Produktionsfaktoren werden über steigende Faktorpreise aus anderen Bereichen abgezogen, so daß sich die Produktion im geschützten Bereich erhöht. Die Produktionsausdehnung wird dabei umso größer sein, je höher der Effektivzoll ist.

---

[2]) Wir unterstellen lineare Homogenität der Produktionsfunktion. Die gesamte Wertschöpfung ergibt sich daher bei gegebenen Preisen durch Multiplikation von w mit der Menge des Endprodukts.

[3]) Für den allgemeinen Fall des Einsatzes mehrerer Zwischenprodukte gilt:

$$T_j = \frac{t_j - \sum_i a_{ij} t_i}{1 - \sum_i a_{ij}}, \text{ wobei } j \text{ das geschützte Gut bezeichnet.}$$

[4]) Von Abschreibungen und indirekten Steuern wird abgesehen.

T_1 ist immer dann positiv, wenn gilt:

a) $t_1 > t_2$

b) $t_1 = t_2$

c) $t_1 < t_2$ unter der Nebenbedingung $t_1 > a_{21} t_2$.

Für den Grenzfall $t_1 = t_2$ wird (3) zu

$$T_1 = \frac{t_1 (1 - a_{21})}{1 - a_{21}} = t_1$$

Der Effektivzoll T_1 ist also gleich dem Nominalzoll t_1, so daß der Schutzeffekt nur im Spezialfall $t_1 = t_2$ nach der Höhe des Nominalzolls bemessen werden kann.

Für den Fall

d) $t_1 < t_2$ unter der Nebenbedingung $t_1 < a_{21} t_2$ ergibt sich ein negativer Schutzeffekt ($T_1 < 0$). Zwar steigt auch hier der Bruttoproduktionswert, doch haben sich die Zwischenprodukte durch massive Zollbelastung in einem solchen Ausmaß verteuert, daß die Wertschöpfung schrumpft und damit ein Anreiz zur Einschränkung des Produktionsvolumens gegeben wird. Diese Bedingung charakterisiert insbesondere die Produktion von Exportgütern, welche bei einem Zoll von Null ihrerseits inputs erfordert, die einem Zollschutz unterliegen.

Aus der Höhe des Nominalzolls auf die Produkte einer Industrie können mithin keine Konsequenzen in bezug auf das Ausmaß der effektiven Protektion gezogen werden, solange nicht der Zoll auf die Vorprodukte berücksichtigt wird.

Die Theorie des Effektivzolls kann in vielfacher Hinsicht modifiziert und den Gegebenheiten der Realität besser angepaßt werden, so z. B. durch Berücksichtigung der Tatsache, daß die Weltmarktpreise nach Einführung eines Zolles durch ein großes Land sinken, die Inlandspreise also nicht um den vollen Betrag der Zollbelastung steigen (vgl. 3. Kap.). Variationen der Ergebnisse folgen ferner aus der Annahme substituierbarer Produktionsfaktoren. Während der Inputkoeffizient a_{21} bisher als konstant angenommen wurde, ist es im Falle substituierbarer Faktoren möglich, daß bei Erhöhung des Preises für das Zwischenprodukt Nr. 2 dieser Einsatzfaktor z. B. teilweise durch Sachkapital ersetzt wird und a_{21} nach Einführung des Zollschutzes folglich einen geringeren Wert annimmt. Obwohl die Theorie des Effektivzolls auch in anderer Weise verfeinert und verbessert werden kann, ist die wirtschaftspolitische Relevanz dieses Konzepts schon jetzt unbestritten. So wirft die Theorie vor allem auch ein neues Licht auf die Zollpolitik der Industriestaaten gegenüber Entwicklungsländern: Indem industrialisierte Staaten relativ hohe Zölle auf Fertigprodukte und geringe oder keine Zölle auf importierte Rohstoffe legen — angeblich mit dem Ziel, den rohstoffexportierenden Entwicklungsländern zu helfen —, schaffen sie damit für ihre Industrien einen besonders hohen effektiven Zollschutz und erschweren mithin den Industrialisierungsprozeß in den weniger entwickelten Ländern.

3. Kapitel:
Zölle und reales Austauschverhältnis

I. Die Preiseffekte von Zöllen

Im 1. Kapitel wurde gezeigt, daß ein Importzoll normalerweise Preiserhöhungen im Inland und Preissenkungen im Ausland zur Folge hat. Das Inland kauft also die Ware nach Erhebung eines Zolles billiger als im Zustand des Freihandels, wenn natürlich auch die Ware nicht zum geringeren Weltmarktpreis, sondern um den Zollaufschlag verteuert an den Konsumenten weitergegeben wird. Diese Wirkungen auf den Weltmarktpreis sollen nun näher erörtert und ihre wohlfahrtstheoretischen Implikationen — die dem terms of trade-Argument[1]) für Zölle zugrunde liegen — aufgedeckt werden.

Zur Darstellung der Preiswirkungen eines Zolles bedienen wir uns der Werkzeuge, die in der güterwirtschaftlichen Theorie des Außenhandels verwendet werden. Auch sonst sind die Voraussetzungen die gleichen. Unterstellt wird ein Modell mit zwei Ländern und zwei Gütern, die zwischen diesen Ländern ausgetauscht werden. Da von der Existenz des Geldes abgesehen wird, muß nicht nur der Preis des einen Gutes in Einheiten der anderen Ware gemessen, sondern auch der Zoll in Einheiten der exportierten oder importierten Ware ausgedrückt werden. Schließlich soll in beiden Ländern das Idealmodell der vollständigen Konkurrenz verwirklicht sein.

In der traditionellen Analyse wird ferner unterstellt, daß der Staat die Zolleinnahmen selbst verbraucht, also weder Steuern senkt noch Subventionen verteilt und auch sonst den Nutzen der Bürger nicht beeinflußt. Diese Annahmen werden im II. Abschnitt aufgegeben.

a) In der Abb. 133 sind die bei Freihandel geltenden Tauschkurven der beiden Länder, T_i für das Inland und T_a für das Ausland, dargestellt. Sie schneiden sich im Punkte P, so daß die (nicht eingezeichnete) Linie OP das Tauschverhältnis bei Freihandel repräsentiert. Nun belegt das Inland den Import des Gutes 2 mit einem 100 %igen Wertzoll, der in Einheiten des Gutes 1 zu zahlen ist. Auf die Einführung dieses Zollsatzes reagieren die Inländer mit einer Änderung ihres Angebots-Nachfrageverhaltens am Weltmarkt, die durch eine neue Tauschkurve T_{ip} widergespiegelt wird. Das wird deutlich, wenn man von einem beliebigen Punkt auf der Freihandels-Tauschkurve, z. B. C, ausgeht. Herrscht das durch die Linie OC angegebene Preisverhältnis, so werden die Inländer unter der Voraussetzung ungestörten Handels eine Menge AC an Exportgütern im Austausch gegen AO Importgüter hingeben wollen. Nach Einführung eines 100 %igen Zolles schrumpft jedoch ihr Weltmarktangebot auf AB, weil bei einem Kaufpreis von AB Einheiten des Gutes 1 für OA Einheiten Nr. 2 noch einmal die gleiche Menge von Gut 1 — nämlich $BC (= AB)$ — als Zoll abgeführt werden muß. B ist also ein Punkt auf der Tauschkurve des privaten Sektors T_{ip} — kurz: der privaten Tauschkurve —, die das Angebots-Nachfrageverhalten der Privaten nach Erhebung eines Zolles kennzeichnet. Sie zeigt, daß die

---

[1]) Dieses Argument war schon J. St. Mill bekannt; durch die Arbeiten von Scitovsky (A Reconsideration... a. a. O.) und Kaldor (A Note on Tariffs and the Terms of Trade, Economica, N. S., Bd. 7, 1940) hat es in der theoretischen Diskussion an Bedeutung gewonnen.

I. Die Preiseffekte von Zöllen

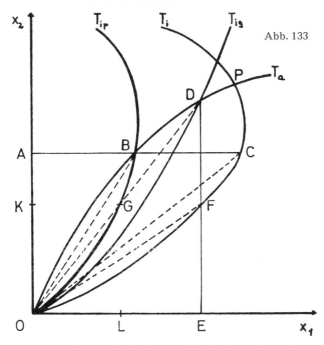

Abb. 133

Einwohner des Inlandes für OA Einheiten Nr. 2 nicht mehr AC, sondern nur noch die Hälfte, nämlich AB Einheiten Nr. 1 anbieten, weil die andere Hälfte BC dem Staat zufällt. Daher wird der (100 %ige) Wertzollsatz durch das Verhältnis $\frac{BC}{AB}$ repräsentiert. Auf die gleiche Weise können alle anderen, T_{ip} bestimmenden Punkte abgeleitet werden. Die horizontalen Distanzen zwischen T_i und T_{ip} messen jeweils die absolute Zollbelastung oder — zu den durch T_{ip} bestimmten Exportmengen in Beziehung gesetzt — die Höhe des in Prozenten ausgedrückten Wertzolles.

Der Ableitung lag die Annahme zugrunde, daß der Import des Gutes 2 mit einem in Einheiten von Nr. 1 gemessenen Wertzoll belastet wird. Alle unsere Schlußfolgerungen bleiben aber gültig, wenn der Importzoll durch einen vergleichbaren Exportzoll auf Gut 1 ersetzt wird. Wiederum werden Angebot und Nachfrage auf dem Weltmarkt durch die Kurve T_{ip} bestimmt, denn wenn der Staat für jede Einheit des Gutes 1, die die Grenzen passiert, eine weitere Einheit Nr. 1 als Zoll beansprucht, werden die Exporteure im Austausch gegen OA Einheiten Nr. 2 nicht mehr AC, sondern nur noch AB Einheiten Nr. 1 anbieten. Daher ist es völlig gleichgültig, ob man sich die Strecke BC als Importzoll vorstellt, der von den Importeuren für die Einfuhr von OA Einheiten Nr. 2 gezahlt wird, oder als Exportzoll, der von den Exporteuren für die Ausfuhr von AB Einheiten Nr. 1 zu entrichten ist[2]).

Nicht gleichgültig für die weitere Ableitung ist jedoch, wie der Staat die Zolleinnahmen verwendet. Es wäre z. B. denkbar, daß er die aus Einheiten des Gutes 1 bestehenden Einnahmen vollständig oder zum Teil am Welt-

---

[2]) Auf die analogen Wirkungen von Export- und Importzöllen hat vor allem L e r - n e r aufmerksam gemacht. Vgl. L e r n e r, A. P., The Symmetry between Import and Export Taxes, Economica, N. S., Bd. 3, 1936.

markt gegen Auslandsgüter eintauscht. Dann würde T_{ip} zwar Weltmarktangebot und -nachfrage der Privaten, nicht aber des gesamten Landes widerspiegeln (vgl. die folgenden Abschnitte b und c). Sodann könnte der Staat einen Teil der ihm zufließenden Einnahmen verwenden, um den Bürgern Subsidien irgendwelcher Art zu zahlen. Die einfachste Annahme wäre natürlich die, daß der Staat den Zoll gleich in der Güterart erhebt, die er zum eigenen Verbrauch benötigt, daß er also — auf Abb. 133 bezogen — seinen Verbrauch auf Einheiten des Gutes 1 beschränkt. Unter dieser Voraussetzung würde der Staat nicht als Käufer auf dem Weltmarkt auftreten, und T_{ip} wäre nicht nur die private, sondern auch die gesamtwirtschaftliche Tauschkurve.

Geht man von dieser Annahme aus, so kann die Wirkung des Zolles auf das Weltmarkttauschverhältnis unmittelbar aus Abb. 133 abgelesen werden. Die Kurve T_{ip}, die unter der Voraussetzung gilt, daß der Staat seine Zolleinnahmen nur in Einheiten des Gutes 1 erhebt **und verbraucht**, schneidet die ausländische Tauschkurve T_a im Punkt B. Diesem Gleichgewichtspunkt entspricht ein durch die Linie OB angegebenes Tauschverhältnis, bei dem Angebot und Nachfrage auf dem Weltmarkt ausgeglichen sind. Das Inland (Ausland) exportiert (importiert) AB Einheiten Nr. 1 und importiert (exportiert) AO Einheiten Nr. 2. Dagegen wird das Binnentauschverhältnis durch die Linie OC repräsentiert: Für OA Einheiten Nr. 2 bezahlen die Inländer zwar nur AB Einheiten Nr. 1 an das Ausland, aber zusätzlich BC an den Staat. Da im Beispiel von einem 100 %igen Wertzoll ausgegangen wurde, ist der Kaufpreis für eine Einheit des Gutes 2 am Binnenmarkt doppelt so hoch wie auf dem Weltmarkt $\left(\frac{AC}{AO} = 2 \cdot \frac{AB}{AO}\right)$.

Durch diese Analyse werden die Ergebnisse des 1. Kapitels bestätigt. Der Zoll wird zwar den Inlandspreis des Importgutes 2 gegenüber dem Freihandelszustand erhöhen (Linie OC ist flacher als OP), doch verbessert sich gleichzeitig das Weltmarkttauschverhältnis (das dem Tauschverhältnis im Ausland entspricht) zugunsten des zollerhebenden Landes. Für eine Einheit Nr. 1 erhält das Inland eine größere Menge Nr. 2 als im Zustand völlig freien Handels. Diese Wirkung tritt nur dann nicht ein, wenn die Importnachfrage des Auslandes völlig elastisch, T_a also eine durch den Nullpunkt laufende Gerade ist. Umgekehrt wird der „terms of trade-Effekt" um so stärker sein, je geringer die Elastizität der ausländischen Tauschkurve in dem von den Schnittpunkten mit T_i und T_{ip} umgrenzten Bereich ist.

b) Es soll jetzt angenommen werden, daß die Zolleinnahmen ausschließlich mit einem Wertzoll belastet werden, der nicht in Einheiten des Gutes 1, sondern des Gutes 2 zu zahlen ist. Die zollmodifizierte Tauschkurve wird dann durch T_{ig}' angegeben. Das ist leicht zu zeigen, indem man wieder von einem beliebigen Punkte, etwa F, auf der Freihandelstauschkurve T_i ausgeht. Bei dem durch die Linie OF angegebenen Tauschverhältnis sind die Inländer bereit, für EF Einheiten Nr. 2 eine bestimmte Menge des Gutes 1, nämlich OE Einheiten Nr. 1 hinzugeben. Erhebt der Staat jedoch einen 100 %igen Wertzoll, so verlangen sie für OE Einheiten Nr. 1 nicht mehr EF, sondern die doppelte Menge, nämlich ED Einheiten Nr. 2, da für jede importierte Einheit eine weitere Einheit Nr. 2 an den Staat abgeliefert werden muß. D ist also ein Punkt auf der zollmodifizierten Tauschkurve T_{ig}, die das Angebots-Nachfrageverhalten auf dem Weltmarkt nach Erhebung eines Zolles widerspiegelt. Wir bezeichnen sie als gesamtwirtschaftliche Tauschkurve, weil die Auslandsgüter nicht nur zum Verbrauch durch Private, sondern auch — und zwar als Zolleinnahmen — zum Staatsverbrauch bestimmt sind.

I. Die Preiseffekte von Zöllen 399

Diese Zollbelastung selbst entspricht der Strecke DF und der Wertzollsatz folglich dem Verhältnis $\frac{DF}{EF}$. Auf die gleiche Weise lassen sich alle anderen T_{ig} bildenden Punkte ableiten; weil von einem 100 %igen Wertzoll ausgegangen wird, muß der Abstand zwischen T_{ig} und Abszisse jeweils doppelt so groß sein wie die Distanzen, die in den entsprechenden Punkten zwischen T_i und Abszisse bestehen. Daher muß T_{ig} die Kurve T_i an einem Punkte schneiden, in dem T_i nach links geneigt, die Importelastizität des Inlandes also kleiner als 1 ist.

Durch den Verlauf von T_{ig} ist nun das Weltmarkttauschverhältnis festgelegt. Dieses wird durch die Linie OD angegeben, weil die ausländische Tauschkurve im Punkte D von T_{ig} geschnitten wird. Das Land exportiert OE Einheiten Nr. 1 und erhält dafür ED Einheiten Nr. 2, von denen allerdings DF Einheiten für den Staat bestimmt sind. Dagegen wird das Binnentauschverhältnis durch die Linie OF ausgedrückt; die Einfuhrgüter sind also doppelt so teuer wie am Weltmarkt, weil man wegen des 100 %igen Zolles für OE Einheiten Nr. 1 nicht DF, sondern nur die Hälfte, nämlich FE Einheiten Nr. 2 kaufen kann. Wie im Falle a) zeigt sich auch jetzt, daß der relative, in Einheiten von Nr. 1 gemessene Preis des Importgutes Nr. 2 am Weltmarkt geringer und im Inland höher ist als im Zustand des Freihandels, wo das Preisverhältnis durch die Linie OP angegeben wird. Darüber hinaus macht Abb. 120 jedoch deutlich, daß das Weltmarkttauschverhältnis ganz entscheidend von der Verwendung der Zolleinnahmen beeinflußt wird. Obwohl in beiden Fällen ein Wertzoll von 100 % angenommen wurde, verbessert sich das Tauschverhältnis zugunsten des Inlandes stärker, wenn der Staat sich auf den Verbrauch des Inlandsgutes beschränkt (Fall a), anstatt die Zolleinnahmen zum Kauf des Importgutes zu benutzen (Fall b). Geometrisch werden diese unterschiedlichen Ergebnisse durch die Anstiegsmaße der Preislinien OB und OD angezeigt.

Wiederum ist es notwendig zu betonen, daß der Verlauf der zollmodifizierten Tauschkurven und damit das Tauschverhältnis zwar von der Verwendung der Zolleinnahmen bestimmt werden, nicht aber davon, ob der Zoll auf Importe oder Exporte und in Einheiten des einen oder anderen Gutes erhoben wird. So könnte T_{ig} auch unter der Voraussetzung abgeleitet werden, daß der Zoll nicht in Einheiten des Gutes 2, sondern in Einheiten des Gutes 1 erhoben wird, diese Zolleinnahmen aber vollständig für den Kauf von Importgütern (Nr. 2) Verwendung finden. Die Bürger des Inlandes würden z. B. bei einem Weltmarkttauschverhältnis, das durch die Linie OD repräsentiert ist, für OK Einheiten Nr. 2 nur KG Einheiten Nr. 1 hingeben, da sie die gleiche Menge des Gutes 1, nämlich GF, an den Staat abzuliefern hätten. Verwendet der Staat nun seine Zolleinnahmen zum Kauf von Importgütern, so erhält er am Weltmarkt gegen GF Einheiten Nr. 1 DF Einheiten Nr. 2, da das Weltmarkttauschverhältnis durch den Anstieg der Linie OD bestimmt ist[3]). Es ist also völlig gleichgültig, ob der Zoll in Einheiten Nr. 2 erhoben und verbraucht oder in Einheiten Nr. 1 erhoben und in Einheiten Nr. 2 verbraucht wird: In beiden Fällen erhält man die gleiche, durch Punkt D laufende Tauschkurve. Als Schnittpunkt zwischen in- und ausländischer Tauschkurve repräsentiert D auch jetzt einen Zustand internationalen Gleichgewichts, bei dem Auslandsangebot (DE) und Inlandsnachfrage sowie Auslandsnachfrage ($OE = KF$) und Inlandsangebot übereinstimmen. Sowohl Inlandsnachfrage als auch Inlandsangebot setzen

---

[3]) Dabei ist vorausgesetzt, daß der Staat seine eigenen Einfuhren nicht verzollt.

sich allerdings aus einem privaten und einem staatlichen Teil zusammen: Die private Nachfrage beträgt GL, die Staatsnachfrage DF, das private Angebot ist gleich KG und das Angebot des Staates gleich GF. So rechtfertigt sich also unsere Unterscheidung von T_{ip} und T_{ig} — die Differenzierung zwischen privater und gesamtwirtschaftlicher Tauschkurve —, weil T_{ip} das Angebots-Nachfrageverhalten der Privaten, T_{ig} hingegen das entsprechende Verhalten der Gesamtwirtschaft, einschließlich des Staates, zum Ausdruck bringt.

c) In den Abschnitten a) und b) wurde unterstellt, daß die Zolleinnahmen entweder zum Kauf von Einheiten des Gutes 1 oder des Gutes 2 verwendet werden. Näher liegt nun allerdings die Annahme, daß der Staat beide Güter zu erwerben wünscht. Dies kann einmal dadurch geschehen, daß die Zolleinnahmen sowohl in Einheiten des nationalen als auch des importierten Gutes erhoben werden. Andererseits besteht die Möglichkeit, den Zoll zwar nur in einer Ware zu erheben, einen Teil dieser Zolleinnahmen aber gegen Einheiten des anderen Gutes auszutauschen.

Abb. 134 ist unter der Voraussetzung konstruiert, daß der Import von OA Einheiten Nr. 2 mit einem Zoll von BC Einheiten Nr. 1 belastet wird. Dann entspricht dem Punkte C auf der Freihandelstauschkurve T_i ein Punkt B auf der Tauschkurve des privaten Sektors T_{ip}. Die Bürger des Inlandes würden also OD Einheiten Nr. 1 gegen OA Einheiten Nr. 2 hingeben wollen, wenn ein Weltmarkttauschverhältnis existiert, das durch die Linie OB angegeben wird. Da andererseits Auslandsangebot und Auslandsnachfrage den Strecken

Abb. 134

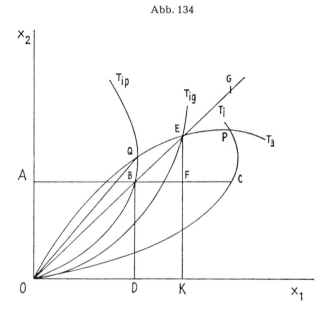

EK und OK entsprechen, müßten Weltmarktangebot und -nachfrage bei diesem Preisverhältnis auseinanderklaffen, wenn nur der private Sektor auf dem Weltmarkt auftritt: Während die Auslandsnachfrage um DK größer ist als das private Inlandsangebot, übersteigt das Auslandsangebot die In-

I. Die Preiseffekte von Zöllen

landsnachfrage um EF. Diese Lücke könnte aber geschlossen werden, wenn der Staat die ihm aus Zolleinnahmen zugeflossenen Einheiten des Gutes 1 (BC) nicht vollständig verbrauchen, sondern zu einem Teil, nämlich in der Menge BF, am Weltmarkt gegen EF Einheiten Nr. 2 eintauschen würde. Linie OB repräsentiert in diesem Fall das Gleichgewichtstauschverhältnis, weil der Staat einen Teil seiner Zolleinnahmen zum Kauf von Importgütern verwendet und so die Lücken schließt, die vom privaten Sektor offengelassen werden.

Durch E läßt sich eine gesamtwirtschaftliche Tauschkurve T_{ig} legen, die neben den Angebots- und Nachfragedispositionen des privaten Sektors auch das Marktverhalten des Staates widerspiegelt. T_{ig} verbindet Punkte, die in ähnlicher Weise wie E konstruiert, also durch bestimmte Annahmen über die Verteilung der Zolleinnahmen determiniert sind. Die Kurve läßt sich finden, indem man bei alternativen Preisrelationen von der ursprünglichen Kurve T_i die Menge von Nr. 1 (etwa FC) abzieht und die Menge des Gutes 2 (etwa EF) hinzufügt, die für die Zolleinnahmen gekauft werden. Je größer der Anteil der Importgüter ist, desto mehr bewegt sich T_{ig} nach rechts, und die Kurve würde durch G laufen, wenn die gesamten Zolleinnahmen zum Kauf von Gut 2 ausgegeben werden. Je größer andererseits der Anteil der nationalen Güter ist, desto näher liegt T_{ig} bei T_{ip}, und sie würde mit dieser zusammenfallen, wenn der Staat nur Einheiten des Gutes 1 verbraucht, so daß nur die Privaten als Anbieter und Nachfrager auf dem Weltmarkt auftreten.

Wie schon in den Fällen a) und b) zeigt sich auch jetzt, daß es dem Inland durch Einführung eines Zolles möglich ist, die terms of trade zu seinen Gunsten zu verändern: Die Preislinie OB verläuft steiler, impliziert also einen höheren (geringeren) Preis des Gutes 1 (2) als die Preislinie OP, die bei Freihandel gelten würde. Nimmt man die (nicht völlig elastische) Tauschkurve des Auslandes als gegeben hin, hängt die Verbesserung des Tauschverhältnisses, die ein Zoll bewirkt, von zwei Faktoren ab, erstens von der Höhe des Zolles und zweitens vom Verwendungszweck der Zolleinnahmen. **Diese Verbesserung wird ceteris paribus um so kleiner sein, je größer der Teil der Zolleinnahmen ist, der für Importgüter verausgabt wird;** geometrisch: Je mehr sich T_{ig} von T_{ip} nach rechts entfernt, um so weiter rechts liegt auch der Schnittpunkt mit T_a, um so kleiner ist das Anstiegsmaß der Preislinie, die diesen Schnittpunkt mit dem Ursprung des Koordinatensystems verbindet[4]). Es bedarf keiner weiteren Erklärung, daß die Importgüterpreise um so weniger sinken, je mehr der Rückgang der privaten Nachfrage, der durch den Zoll bedingt ist, von der Staatsnachfrage nach Importgütern ausgeglichen wird.

Beachtet man diese Zusammenhänge, so wird ferner deutlich, daß ein Zoll das Austauschverhältnis in Sonderfällen auch unverändert lassen oder gar verschlechtern kann, nämlich dann, wenn der Rückgang der privaten Importgüternachfrage durch die Staatsnachfrage voll ausgeglichen oder gar überkompensiert wird, so daß die Gesamtnachfrage trotz des Zolles konstant bleibt oder steigt. Abb. 135 demonstriert den Fall, daß der Zoll das Tauschverhältnis unverändert läßt. Hier ist OP die bei Freihandel gültige Preislinie. Sie ändert ihre Lage nicht, wenn der Staat die ihm zufließenden Zolleinnahmen von BC zum Teil, nämlich im Betrag BD, verwendet, um PD

---

[4]) Gibt der Staat seine Zolleinnahmen voll zum Kauf von Importgütern aus, so läuft T_{ig} in Abb. 134 durch den Punkt G. Daher liegt ihr Schnittpunkt mit T_a rechts von E, und die Gleichgewichtspreislinie verläuft flacher als OE.

Abb. 135

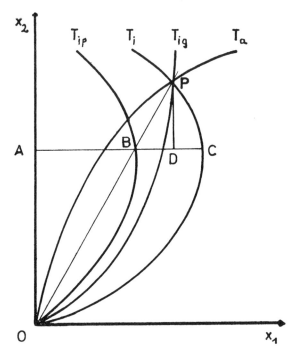

Einheiten des Importgutes zu kaufen. Mithin wird die ausländische Tauschkurve von T_{ig} im selben Punkt (P) geschnitten wie von T_i. Zwar hat der Zoll private Nachfrage und privates Angebot auf AO bzw. AB reduziert, doch bleibt dieser Rückgang ohne Einfluß auf das Preisverhältnis, weil die Differenzen PD und BD zu Freihandelsangebot und -nachfrage durch die Dispositionen des Staates beseitigt werden: An die Stelle der privaten tritt die staatliche Nachfrage und an die Stelle des privaten das staatliche Angebot.

Wird nun der Anteil der Importgüter $\left(\frac{BD}{DC}\right)$ bei der Verwendung der Zolleinnahmen größer, so verschiebt sich T_{ig} und damit auch der Schnittpunkt mit T_a nach rechts. Das Gleichgewichtstauschverhältnis verändert sich zuungunsten des Inlandes, weil die Abnahme der privaten von der Zunahme der staatlichen Importnachfrage mehr als ausgeglichen wird, die Gesamtnachfrage also trotz des Zolles nicht kleiner, sondern größer geworden ist.

II. Der Optimalzoll

1. Definition und Ableitung

a) Wenn es durch Einführung eines Zolles gelingt, das Weltmarkttauschverhältnis zwischen Export- und Importgütern zugunsten des Inlands zu verschieben, erhält das Inland für jede exportierte Gütereinheit eine größere Menge an Importgütern als in der Freihandelssituation. Daher kann der terms of trade-Effekt die Wohlfahrt des Landes erhöhen. Gegen diese positive Wohlfahrtswirkung muß aber abgewogen werden, daß auch das Handelsvolumen durch den Zoll beeinflußt wird: Während die Exporte regelmäßig sinken, werden die Importmengen entweder steigen oder fallen. Die Importe

II. Der Optimalzoll

— der Gesamterlös des Inlands aus dem Verkauf von Exportgütern — nehmen zu, wenn die Elastizität der ausländischen Nachfrage kleiner als 1 ist, da das Ausland auf die Erhöhung des relativen Exportgüterpreises nur mit einer unterproportionalen Verminderung seiner Nachfrage reagiert und folglich größere Gesamtausgaben tätigt (gemessen in Mengen der vom Inland bezogenen Importgüter). Ist die ausländische Nachfrage jedoch elastisch, so hat die Einführung eines Zolls eine Verminderung des Imports zur Folge.

Wenn es einem Land gelingt, die Weltmarktpreise zu seinen Gunsten zu verändern — der Preis demnach kein Datum ist —, so liegt es nahe, die Ergebnisse der Monopolpreistheorie für die Analyse der Zollpolitik zu verwenden. Auf dieser Überlegung fußt die Theorie des Optimalzolls[5]): Zwar ist Freihandel der beste Zustand für die Welt als Ganze, doch ist es dem einzelnen Lande durch Erhebung eines Zolls möglich, die nationale Wohlfahrt über den bei Freihandel erreichten Wohlstand zu erhöhen, ebenso wie der Monopolist durch eine restriktive Politik gewinnen kann. Wie noch nachzuweisen ist, gilt ein Zoll dann als Optimalzoll, wenn die Grenzkosten des Exportgutes (gemessen in Mengen des Importgutes, auf die man verzichten muß) dem Grenzerlös aus dem Handel entsprechen; ferner wird verlangt, daß die Grenzrate der Substitution, welche im Tauschoptimum für alle Individuen gleich ist, mit diesen Größen übereinstimmt.

b) Wir folgen zunächst der traditionellen Analyse und unterstellen, daß ein konsistentes System gesellschaftlicher Indifferenzkurven existiert. Ferner wird — anders als in Abschnitt I — unterstellt, daß der Staat die Zolleinnahmen nicht verbraucht — sein Budget wird aus anderen Quellen finanziert —, sondern diese Einnahmen in Form von Subsidien an die Bürger verteilt.

Der Sinn dieser Annahme ergibt sich aus dem wohlfahrtsökonomischen Gehalt der Optimalzolltheorie: Werden nämlich die Zolleinnahmen nicht an die Bürger verteilt, so erleidet der private Sektor normalerweise einen Wohlfahrtsverlust, weil die Weltmarktpreise der Importe nicht um den Gesamtbetrag des Zolles sinken, die Inlandspreise demnach steigen: Gesunkener Weltmarktpreis plus Zoll ergeben einen Inlandspreis, der den Preis vor der Zollerhebung übersteigt und insofern einen Konsumverzicht erzwingt. Den Möglichkeiten der Konsumausdehnung auf Grund des terms of trade-Effekts (Weltmarktpreissenkung) steht demnach eine stärkere Konsumeinschränkung als Folge der Zollabgaben gegenüber. Diese Konsumeinschränkung wird jedoch vermieden — es bleibt allein der terms of trade-Gewinn —, wenn der Staat die Zolleinnahmen als Subsidien an den privaten Sektor verteilt.

Da diese Annahmen mit denen Meades identisch sind, können die Meadeschen Konstruktionen für die Darstellung der Optimalzollpolitik verwendet werden. In Abb. 136 sind im 1. Quadranten die Tauschkurven T_i und T_a zweier Länder *OBP* (Inland) und *OGP* (Ausland) abgetragen, deren Schnittpunkt *P* das Freihandelsgleichgewicht bezeichnet. Da *OP* als Weltmarktpreisgerade die Handels-Indifferenzkurve *h* in *P* berührt, bestimmt ihn die Kurve *h* — die aus einer (nicht eingezeichneten) gesellschaftlichen Indifferenzkurve im „nordwestlichen" Quadranten abgeleitet ist — das unter Freihandel erreichbare Wohlfahrtsniveau. Da aber die Preislinie *OP* auch eine (nicht eingezeichnete) *h*-Kurve des Auslandes berührt, charakterisiert *P* ein Pareto-Optimum für die Welt als Ganze: Jedes Land erreicht in *P* einen Grad an kollektiver Wohlfahrt, den es nicht verbessern kann, ohne die Wohlfahrt eines anderen

---

[5]) Die Vorstellung eines Optimalzolls war schon Auspitz und Lieben geläufig: Untersuchungen über die Theorie des Preises, Leipzig 1889, S. 415 ff.

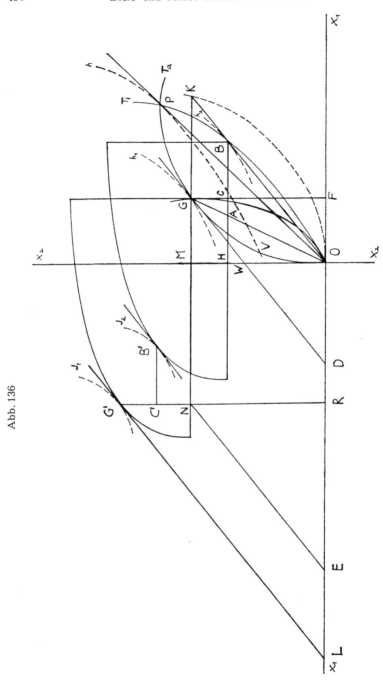

Abb. 136

Landes zu verschlechtern. Da aber Außenhandelspolitik gewöhnlich unter nationalen Gesichtspunkten betrieben wird, besteht für kein Land ein Grund, sich mit der bei Freihandel erreichten Position zufrieden zu geben, wenn es ihm durch Einführung eines Zolles möglich ist, seine Wohlfahrt auf Kosten des Handelspartners zu vergrößern.

Im Falle des Freihandels wird der Wohlfahrtsgrad des Inlandes durch eine Indifferenzkurve h gekennzeichnet, welche die ausländische Tauschkurve T_a in den Punkten P und V schneidet. Zwischen V und P verläuft T_a aber oberhalb von h, so daß jeder Punkt auf dem durch V und P eingegrenzten Bereich der ausländischen Tauschkurve auf einer Indifferenzkurve des Inlandes liegen muß, die einen höheren Wohlfahrtsgehalt als h repräsentiert. Daher müßte sich die Position des Inlandes verbessern, wenn es gelingen würde, den Gleichgewichtspunkt P durch einen anderen, auf dem Kurvenabschnitt VP liegenden Tauschpunkt zu ersetzen. Das ist möglich durch Einführung eines Zolles, der eine neue, T_a zwischen V und P schneidende Tauschkurve entstehen läßt. Erhöht man diesen Zoll — von Null ausgehend — in kleinen Schritten, so entfernt sich die inländische Tauschkurve von T_i in Richtung auf die Ordinate. Es entstehen neue, links von P liegende Gleichgewichtspunkte auf T_a, die ein günstigeres Tauschverhältnis, aber ein kleineres Importvolumen für das Inland repräsentieren als P^6). Weil diese Punkte auf einer höheren Indifferenzkurve als h liegen, überwiegen zunächst die Wohlfahrtsgewinne, die durch die Verbesserung des Tauschverhältnisses bedingt sind. Das Land erreicht sein Wohlfahrtsmaximum, wenn es einen Zoll in solcher Höhe einführt, daß seine Tauschkurve OG die des Auslandes in G schneidet. Dieser Zoll heißt Optimalzoll. G repräsentiert ein Wohlfahrtsmaximum, weil dieser Punkt auf der höchsten, gerade noch erreichbaren Indifferenzkurve h_1 des Inlandes liegt, die hier die ausländische Tauschkurve tangiert. Übersteigt die Zollbelastung diesen Satz, so verringert sich die Wohlfahrt gegenüber G — die wohlfahrtsmindernden Effekte des Importrückganges überwiegen jetzt —, wenn dem Land auch noch eine höhere Wohlfahrt bleibt als in der Situation völlig freien Handels. Erst wenn die Tauschkurve des Inlands die ausländische Tauschkurve links von V schneidet, würde der Zoll die Lage der Gesellschaft so verschlechtert haben, daß der Freihandelszustand vorzuziehen wäre.

c) Offenbar wird G nur dann ein Tauschpunkt sein, wenn die ausländische Importnachfrage MG dem Exportangebot des Inlands und das ausländische Exportangebot MO der inländischen Importnachfrage entspricht. Diese Bedingung ist erfüllt, wenn man 1. einen Zoll in Höhe von GK ($= DO$) erhebt und 2. der Staat den Bürgern Subsidien zahlt, die dem Betrag des Zolls entsprechen. Um dies zu zeigen, legen wir den Produktionsblock mit seinem Ursprung nach G. Da jede Handels-Indifferenzkurve aus einer gesellschaftlichen Indifferenzkurve abgeleitet ist, wird der Block im Punkt G' von einer solchen gesellschaftlichen Indifferenzkurve J_1 berührt, wobei das Steigungsmaß von h_1 in G der Steigung des Produktionsblocks und der Kurve J_1 in G' entspricht. G' kann nur dann Konsum- und Produktionspunkt sein, wenn das interne Preisverhältnis durch den Anstieg einer Geraden LG' bestimmt ist, die den Produktionsblock und J_1 in G' tangiert[7]). Folglich muß auch die Tangente an h_1 (Linie DG) dieses Preisverhältnis zeigen (LG' und DG sind Parallelen).

---

[6]) Wenn die Elastizität der ausländischen Importnachfrage in der Umgebung von P kleiner als 1 ist, nimmt das Importvolumen nach Einführung eines Zolls zu.

[7]) Das Preisverhältnis stimmt dann mit der Grenzrate der Substitution und der Grenzrate der Transformation überein.

Betrachtet man G' zunächst als Produktionspunkt, so entspricht die Strecke LD dem in Einheiten des Gutes 1 ausgedrückten Wert des Sozialprodukts zu Faktorkosten: Während der Wert der Produktion von Gut 1 ED (= NG) beträgt, ist LE der Wert der Produktion von 2, wenn man die Produktion des Gutes 2 G'N in Einheiten des Gutes 1 bewertet und als Bewertungsmaßstab das interne Preisverhältnis ansieht. Soll nun G' zugleich der Konsumtionspunkt sein, so reicht das Sozialprodukt LD nicht aus, um diesen Konsumpunkt zu erreichen. Da die Konsumenten RO an Gut 1 und G'R an Gut 2 verbrauchen wollen, der Gesamtverbrauch — in Einheiten von 1 gemessen — demnach gleich LO ist, kann der Verbrauchspunkt G' nur dann verwirklicht werden, wenn den Bürgern dieses Landes Subsidien im Wert DO zufließen. Sofern wir mit Meade ein ausgeglichenes Budget annehmen, ist die Zahlung von Subsidien aus den Einnahmen eines Zolles möglich, die ebenfalls DO betragen.

Unter diesen Voraussetzungen muß G' der Konsumtionspunkt und G der Tauschpunkt sein: Konsumiert werden G'R von Gut 2 und RO von Gut 1. Da die Produktion G'N und NG beträgt, werden GF Einheiten des Gutes 2 importiert und OF Einheiten des Gutes 1 exportiert. (Die Gerade OG repräsentiert demnach das Weltmarktpreisverhältnis.) Schließlich ist der Zollsatz gleich DO/OF, denn der relative, in Einheiten des Gutes 1 gemessene Inlandspreis des importierten Gutes (DF/GF) ist stets um den Zollsatz höher als der Weltmarktpreis (OF/GF) des Gutes. Für GF Einheiten des Gutes 2 werden also insgesamt DF Einheiten des Gutes 1 gezahlt, von denen DO dem Staat als Zoll zufallen.

An dieser Stelle ist es wichtig zu bemerken, daß die zollmodifizierte Tauschkurve OG anders als unter den Voraussetzungen des Abschnitts I abgeleitet ist. Sofern der Staat die Zolleinnahmen selbst verbraucht, erhält man diese Kurve, wenn man von der ursprünglichen Tauschkurve die Menge des Gutes 1 horizontal abzieht und die Menge des Gutes 2 vertikal hinzufügt, die der Staat mit den Zolleinnahmen kauft. Werden aber die Zolleinnahmen als Subsidien verteilt, so ist die zollmodifizierte Tauschkurve durch die Bedingung fixiert, daß bei gegebenem Zollsatz DO/OF in jedem ihrer Punkte — wie G — die Grenzrate der Substitution mit dem internen Preisverhältnis übereinstimmt[8]).

d) Die Erhebung eines Zolls bei gleichzeitiger Zahlung von Subsidien hat die interessante Konsequenz, daß der zollmodifizierten, durch G gelegten Tauschkurve eine subsidienmodifizierte Tauschkurve entspricht, die rechts von der Freihandelskurve OBP verläuft[9]). Im 1. Quadranten zeichnen wir die Parallele OK zu GD, die wie diese das Inlandspreisverhältnis anzeigt. K ist dann ein Punkt auf der subsidienmodifizierten Tauschkurve: Diese Kurve zeigt die Menge an Einheiten des Gutes 1 an, welche die Bürger bei bestimmten, in Importgütereinheiten gemessenen Preisen anbieten wollen, wenn der Staat Subsidien aus den Zolleinnahmen bei gegebenem Zollsatz zahlt. Bei dem durch OK angegebenen Inlandspreisverhältnis sind die Individuen also bereit, im Austausch gegen OM (= FG) Einheiten des Importgutes die Menge MK (= DF) an Exportgütern hinzugeben, wovon GK (= DO) als Zoll dem Staat zufließt. Der Optimalzollsatz ist also gleich GK/GM (= DO/OF).

---

[8]) Zur Ableitung dieser zollmodifizierten Tauschkurve vgl. M e a d e , J. E., A Geometry . . . a. a. O., S. 68 ff.

[9]) Ist das Importprodukt ein inferiores Gut, so liegt die subsidienmodifizierte Tauschkurve links von OBP. Beide Tauschkurven sind identisch, wenn die Einkommenselastizität der Importnachfrage null ist. Vgl. V a n e k , J., International Trade . . . , a. a. O., S. 280 ff.

II. Der Optimalzoll

e) In den vorhergehenden Abschnitten wurde angenommen, daß die Subsidienzahlung nur in Form von Exportprodukten erfolgt. Wir haben ferner unterstellt, daß nur der private Sektor als Käufer auf dem Weltmarkt auftritt. Es läßt sich nun aber zeigen, daß die Optimalzollpolitik auch dann erfolgreich ist — G' (G) wäre dann der Konsumtionspunkt (Tauschpunkt) —, wenn die Zoll-Subsidien-Politik in anderer Form gestaltet wird. Sieht man zunächst von einer Subsidienzahlung ab — es gilt also die Tauschkurve OBP —, so wird der private Sektor bei dem durch OK angegebenen Inlandspreisverhältnis willens sein, für HO Einheiten des Importgutes die Menge HB des Exportgutes abzugeben. Da aber das Weltmarktpreisverhältnis der Steigung der Geraden OG entspricht, erhält das Ausland nur HA, während AB dem Staat als Zoll zufließt. Nun wird G als Optimum zugleich der Tauschpunkt sein, wenn der Staat von seinen Zolleinnahmen die Menge des Gutes 1 AC verwendet, um sie gemäß dem Weltmarktpreisverhältnis in CG Einheiten des Gutes 2 einzutauschen. Der Gesamtimport ist dann MO, der Gesamtexport beträgt MG. Sollte der Staat die Zolleinnahmen nicht verteilen, so konsumiert der private Sektor in B', denn der Handelsindifferenzkurve h_2 durch B entspricht eine gesellschaftliche Indifferenzkurve J_2, welche den Produktionsblock in B' berührt. Indessen ist es von B' aus möglich, den Konsumtionspunkt G' zu erreichen, wenn der Staat die Zolleinnahmen CB und GC verwendet, um Subsidien C'B' (= CB) und G'C' (= GC) an die Bürger zu verteilen.

Vergleicht man die zwei hier dargestellten Fälle, so fällt sofort ins Auge, daß die Zollbelastung — absolut gemessen — unterschiedlich ist, denn den Zolleinnahmen GK im ersten Fall stehen Einnahmen von nur AB im zweiten Fall gegenüber[10]. Diese Unterschiede erklären sich natürlich aus der differierenden Form der Subsidienzahlung. Da sich der Staat Importprodukte ohne Zoll verschafft, die Bürger dagegen diese Güter zum Inlandspreisverhältnis tauschen, müssen die Zolleinnahmen größer sein, wenn nur Exportprodukte — wie im ersten Fall — als Subsidien an die Bürger fließen.

f) Unsere Analyse des Optimalzolls beschränkte sich bisher auf die Frage, welche Zoll- und Subsidienpolitik der Staat ergreifen muß, um die Wohlfahrt eines Landes so weit zu erhöhen, daß G' als „beste" Position der Konsumtionspunkt ist. Nach Klärung dieser Frage fällt es nun nicht schwer, die Kriterien eines Optimalzolls zu beschreiben. Zunächst ist sofort ersichtlich, daß die Grenzrate der Substitution in G' der Grenzrate der Transformation entspricht — eine Bedingung, die allerdings auch in der Freihandelssituation erfüllt ist. Von größerer Bedeutung ist dagegen, daß die Grenzrate der Transformation in G' auch mit dem Anstieg der ausländischen Tauschkurve in G übereinstimmt. Nun ist die Grenzrate der Transformation in G' gleich den Grenzkosten des Gutes 1, ausgedrückt in Einheiten des Gutes 2 (opportunity costs). Da die ausländische Tauschkurve ferner den Gesamterlös des Inlands an Importgütern aus dem Verkauf von Exportgütern anzeigt, entspricht die Steigung dieser Kurve dem in Einheiten 2 gemessenen Grenzerlös, der durch den Verkauf einer weiteren Einheit des Exportgutes anfällt. Jener Zollsatz ist also der Optimalzollsatz, der die Grenzkosten des Exportgutes dem Grenzerlös aus dem Außenhandel gleich macht. Wir stellen weiter fest, daß der relative Weltmarktpreis des Gutes 1 — die Steigung der Linie OG — sowohl den Grenzerlös als auch die Grenzkosten dieses Gutes übersteigt. So erklärt also das Monopolpreistheorem auch das Verhalten eines Landes, das seine Monopolmacht gegenüber den Handelspartnern einsetzt. Dagegen impliziert das Freihandelstheorem die Verhaltensweise des Mengenanpas-

---

[10]) Hingegen sind die Zoll s ä t z e identisch, da GK/GM = AB/HA ist.

sers, denn die Grenzkosten entsprechen in diesem Falle dem Weltmarktpreis (der größer ist als der Grenzerlös).

g) Nach diesen Erörterungen ist es nicht schwer, eine Formel [11]) für den Optimalzoll zu entwickeln, die vor allem zum Ausdruck bringt, daß ebenso wie der Monopolpreis auch der Optimalzoll durch die Höhe des Grenzerlöses, also letztlich durch die Elastizität der Nachfrage bestimmt ist. Wie gezeigt worden ist, tauschen sich am Binnenmarkt DF Einheiten des Gutes 1 gegen GF Einheiten des Gutes 2 bzw. MG Einheiten des Gutes 1 gegen MW Einheiten des Gutes 2. Dagegen ist der Weltmarktpreis des Gutes 2 geringer, denn für MG Einheiten Nr. 1 erhält man mehr als MW, nämlich MO Einheiten Nr. 2. Daher gilt es, die Höhe des Zollsatzes zu finden, der bei einem Weltmarktpreis des Gutes 2 von $\frac{MG}{MO}$ einen Inlandspreis von $\frac{MG}{MW}$ möglich macht.

Weil der Inlandspreis des importierten Gutes stets um die Zollbelastung höher als der Weltmarktpreis des Gutes ist, gilt auch für den Optimalzollsatz t:

$$\frac{MG}{MW} = (1+t)\frac{MG}{MO}$$

oder — nach t aufgelöst:

$$t = \frac{MG}{MW} : \frac{MG}{MO} - 1$$

$$t = \frac{MO}{MW} - 1. \tag{1}$$

Für $\frac{MO}{MW}$ kann man nach Erweiterung auch schreiben:

$$\frac{MO}{MW} = \frac{MO}{OW} : \frac{MW}{OW}.$$

Weil $MW = MO - OW$ ist, gilt:

$$\frac{MO}{MW} = \frac{MO}{OW} : \frac{MW}{OW} = \frac{MO}{OW} : \frac{MO-OW}{OW} = \frac{MO}{OW} : \left(\frac{MO}{OW} - 1\right). \tag{2}$$

$\frac{MO}{OW}$ ist aber gleich der Elastizität der ausländischen Importnachfrage η_a in G, so daß man Gleichung (2) auch in der Form

$$\frac{MO}{MW} = \frac{\eta_a}{\eta_a - 1} \tag{3}$$

schreiben kann. Einsetzen von Gleichung (3) in (1) ergibt:

$$t = \frac{\eta_a}{\eta_a - 1} - 1 \tag{4}$$

$$t = \frac{1}{\eta_a - 1}. \tag{5}$$

[11]) Vgl. Johnson, H. G., Optimum Welfare and Maximum Revenue Tariffs, Review of Economic Studies, Bd. 18, 1950—51.

Der Optimalzollsatz ist also gleich dem reziproken Wert der um 1 verminderten Elastizität der ausländischen Importnachfrage.

Setzt man für η_a verschiedene Werte ein, so zeigt sich, daß der Optimalzoll um so kleiner wird, je größer die Elastizität der ausländischen Importnachfrage ist. Der Optimalzoll wäre Null, wenn η_a unendlich ist $\left(\dfrac{1}{\infty-1}=0\right)$

Dagegen wäre t unendlich, wenn η_a einen Wert von 1 annimmt. Alle relevanten, durch den Schnittpunkt von ausländischer und inländischer Tauschkurve bestimmten Gleichgewichtspunkte müssen also auf dem ansteigenden Ast von T_a liegen, denn nur hier ist η_a größer als 1. Das folgt natürlich aus dem Verlauf der inländischen Indifferenzkurven, die nach links oben geöffnet sind und deshalb den fallenden Teil von T_a nur schneiden, aber nicht tangieren können.

2. Optimalzoll und Kompensationskriterien

a) Wir haben in Abb. 136 den optimalen Tauschpunkt und einen ihm entsprechenden Optimalzollsatz bestimmt. Wir benutzten dazu ein System gesellschaftlicher Indifferenzkurven (dem ein bestimmtes Handels-Indifferenzkurvensystem entspricht), dessen Eindeutigkeit auf der Annahme basiert, daß eine bestimmte Einkommensverteilung in jeder Situation durch interne Transfers gesichert wird. Lassen wir diese Annahme nunmehr fallen, so gibt es eine Vielzahl von Verteilungssituationen, denen unterschiedliche, sich schneidende Indifferenzkurvensysteme entsprechen. Auf die Problematik, die sich daraus für die Optimalzollpolitik ergibt, hat bereits Scitovsky hingewiesen, wenn er betont, daß sich die Verteilung in der ursprünglichen, d. h. in der Freihandelsposition, von jener Verteilung unterscheidet, die nach Einführung des Zolls zustande kommt. Deshalb kann die Indifferenzkurve h des Freihandelspunktes P die durch G gelegte h_1-Kurve zwischen P und G schneiden (entsprechendes gilt für die zugehörigen gesellschaftlichen Indifferenzkurven), und Scitovsky zieht daher den Schluß[12]), daß ein Vergleich zwischen P und G nicht möglich ist, weil das Kaldor-Hicks-Kriterium nicht erfüllt wird[13]). (Die Begründung entspricht jener, die bei der Analyse der Wohlfahrtseffekte des Freihandels an Hand von Abb. 119 gegeben wurde.

b) Der gordische Knoten der Verteilungsfrage kann jedoch durchschlagen werden, wenn wir nicht Freihandels- und Optimalzoll p u n k t e wie P und G (bestimmte Güterbündel), sondern Freihandels- und Optimalzoll s i t u a t i o - n e n vergleichen, also den gleichen Weg einschlagen, den wir schon bei der Behandlung des Freihandelstheorems (S. 360 f.) beschritten haben. Es läßt sich dann zeigen, daß das Kaldor-Hicks-Kriterium zwar nicht im Bündelsinn, aber doch im Sinne des Situationsvergleichs gilt, wenn eine Optimalzollpolitik gewählt wird.

Wie wir gesehen haben, wird die Höhe des Optimalzolls durch den Berührungspunkt einer Indifferenzkurve mit der Tauschkurve des Auslands bestimmt. Läßt man aber Änderungen der Verteilung zu, so wird die Tauschkurve an einer Vielzahl von Stellen von Indifferenzkurven tangiert, so daß

---

[12]) S c i t o v s k y , I., A Reconsideration . . ., a. a. O., S. 371.
[13]) Zur Analyse dieses Falles vgl. R o s e , K., Freihandel, Optimalzoll und wirtschaftlicher Wohlstand: Eine geometrische Analyse, Weltw.-Archiv, Bd. 96, 1966, S. 38 ff

es im Prinzip nicht einen Optimalzoll, sondern viele Optimalzollsätze gibt. An die Stelle eines Optimalzollpunktes tritt dann die Optimalzollsituation. In Abb. 137 haben wir zwei solcher Punkte G und H auf der ausländischen Tauschkurve herausgegriffen. Wir legen den Produktionsblock mit seinem Ursprung nach G und H und finden die Verbrauchspunkte G' und H' dort, wo die Grenzrate der Transformation durch den Handel z. B. in G (Grenzerlös) der Grenzrate der Transformation durch die Produktion und der Grenzrate der Substitution in G' entspricht. Entsprechendes gilt für H und H'. Das Anstiegsmaß der Tangente in G (H), welches zugleich das interne Preisverhältnis anzeigt, entspricht also der Steigung der (nicht eingezeichneten) Tangente in G' (H'). Durch analoge Überlegungen finden wir den Punkt B', der mit B auf der Tauschkurve korrespondiert.

Durch Verbindung solcher Punkte erhalten wir die Umhüllungskurve AC, welche die Konsummöglichkeiten bei verschiedenen Optimalzöllen anzeigt und insofern die Optimalzollsituation bezeichnet. Der in seine ursprüngliche Lage gebrachte Produktionsblock DEB wird in B' von AC berührt, was besagt, daß das Handelsvolumen Null ist (vgl. den korrespondierenden Punkt B). Allen Tauschpunkten oberhalb von B entsprechen Konsumpunkte oberhalb von B', denn die Tauschkurve im 1. Quadranten steigt um weniger als der Produktionsblock in B'. Das Inland importiert dann Gut 2 und exportiert Gut 1. Wenn aber Gut 1 das Importgut und Gut 2 das Exportgut ist, der Tauschpunkt demnach im südwestlichen Quadranten liegt, befinden sich die relevanten Konsumpunkte auf AC südwestlich von B', weil die Steigung des Blocks in B' geringer als die Steigung der Tauschkurve unterhalb von B ist.

Die Konsum-Optimalzollkurve AC ist mit einer von Baldwin konstruierten Kurve identisch[14]). Unsere Konstruktion unterscheidet sich dagegen in der

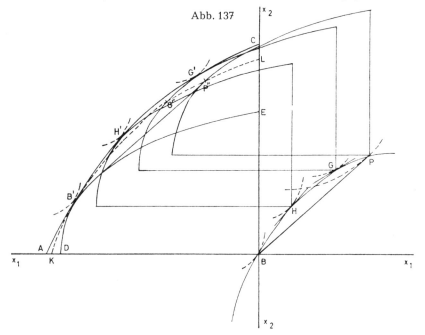

Abb. 137

---

[14]) B a l d w i n , R. E., The New Welfare Economics and Gains in International Trade, **Quarterly Journal of Economics** Bd. 66, 1952; ferner: Equilibrium in International

II. Der Optimalzoll

Art der Herleitung: Während wir den Produktionsblock an der Tauschkurve des Auslands entlang verschieben, läßt Baldwin die Tauschkurve über die Transformationskurve gleiten. Doch läßt sich die Kurve AC auch in unserem Diagramm gewinnen, wenn wir die Tauschkurve mit ihrem Ursprung B auf irgendeinen Punkt von DE legen und die Tauschkurve entlang DE verschieben.

Wollen wir das Wohlstandsniveau der Optimalzollsituation mit dem der Freihandelssituation vergleichen, so müssen wir zusätzlich eine Kurve konstruieren, welche die Konsummöglichkeiten bei Freihandel angibt. Zunächst nehmen wir an, daß das Freihandelsgleichgewicht in P liegt (die inländische Tauschkurve würde also durch P laufen). Der mit seinem Ursprung nach P gelegte Produktionsblock wird dann in P'' von einer Geraden berührt, die das Weltmarktpreisverhältnis (= Inlandspreisverhältnis) angibt und parallel zur Geraden BP verläuft. P'' ist ein möglicher Konsumtionspunkt, weil die Grenzrate der Substitution (das Anstiegsmaß der Indifferenzkurven in P'' oder P) der Grenzrate der Transformation durch die Produktion entspricht. Ein solcher bei Freihandel zu realisierender Verbrauchspunkt unterscheidet sich jedoch von entsprechenden Optimalzollpunkten dadurch, daß der Anstieg der ausländischen Tauschkurve in P, also der Grenzerlös aus dem Handel, von den anderen marginalen Raten abweicht, so daß kein vollständiges Optimum erreicht wird.

P (P'') wird nur dann der Tauschpunkt (Verbrauchspunkt) sein, wenn die inländische Tauschkurve die des Auslands in P schneidet, was ein bestimmtes System von Handels-Indifferenzkurven, also eine bestimmte Ausgangsverteilung, voraussetzt. Für andere Indifferenzkurvensysteme (Verteilungen) werden sich Tauschkurven ergeben, welche die Tauschkurve des Auslands links oder rechts von P schneiden. Im Prinzip sind daher viele Punkte auf der Tauschkurve des Auslands als Freihandelstauschpunkte denkbar, je nachdem, welche Verteilung im Freihandelszustand vorherrscht. Nehmen wir an, G sei ein solcher Tauschpunkt. Die Verbrauchsmöglichkeiten werden dann durch G'' bestimmt, denn die (nicht eingezeichnete) Tangente an G'' hat die gleiche Steigung wie die (nicht eingezeichnete) Weltmarktpreisgerade, welche durch B und G läuft. Verbindet man nun G'', P'' und ähnliche Punkte, so erhält man eine Kurve LK, welche die Konsummöglichkeiten in der Freihandelssituation bezeichnet. Diese Kurve tritt an die Stelle der Geraden $HCED$ in Abb. 119, wenn das Land durch Variation seines Handelsvolumens die terms of trade beeinflußt, diese also nicht, wie in Abb. 119, gegeben sind. Wie $HCED$ verläuft aber auch KL außerhalb der Autarkiekurve DE, was — wie wir wissen — besagt, daß in der Freihandelssituation, verglichen mit der Situation bei Autarkie, die Wohlfahrt aller Konsumenten erhöht werden kann. Gleichzeitig muß KL rechts und unterhalb von AC verlaufen — nur B' ist ein Berührungspunkt —, weil bei Freihandel die Grenzkosten nur dem Weltmarktpreis, nicht aber dem Grenzerlös (wie auf AC) entsprechen. Daher ist die Optimalzollsituation — nicht aber notwendig ein einzelner Optimalzollpunkt — der Freihandelssituation überlegen. Wenn ein Land sich auf dem Weltmarkt monopolistisch verhält, erzielt es — allerdings auf Kosten anderer Länder — einen „Gewinn", der den „Gewinn" bei Mengenanpassung übersteigt.

Trade: A Diagrammatic Analysis, Quarterly Journal of Economic, Bd. 62, 1948; vgl. auch K e n e n, P. B., On the Geometry of Welfare Economics, Quarterly Journal of Economics, Bd. 71, 1957, S. 442 ff.

Das Nutzendiagramm der Abb. 138 zeigt die Zusammenhänge in aller Deutlichkeit[15]). Hier ist hh die Nutzensmöglichkeitskurve „in the point sense", welche die unterschiedlichen Verteilungen z. B. des Optimalzollbündels H' anzeigt. Diese und andere Kurven bilden die Umhüllungskurve ac, die Nutzenmöglichkeitskurve der Optimalzollsituation. Auf jeder Punkt-Kurve stimmen die Grenzraten der Substitution für beide Individuen überein, aber nur eine Verteilung, nämlich jene, die auf der Umhüllungskurve liegt, erfüllt auch die Bedingung, daß die Grenzraten der Substitution den Grenzkosten und dem Grenzerlös entsprechen.

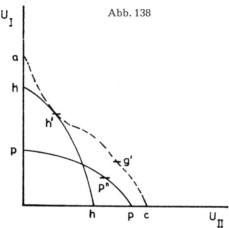

Abb. 138

Wir zeichnen ferner die Nutzenmöglichkeitskurve pp, welche die Wohlfahrtsverteilungen der Freihandelskollektion P'' bestimmt. Zusätzlich ließe sich eine Freihandels-Umhüllungskurve konstruieren, welche pp z. B. in p'' tangiert. Für die verschiedenen Güterbündel und Verteilungspunkte, welche den Verlauf dieser Kurve bestimmen, muß die Gleichheit von Grenzrate der Substitution, Grenzkosten und Weltmarktpreis (nicht Grenzerlös) erfüllt sein. Eine solche Umhüllungskurve muß innerhalb von ac verlaufen — wenngleich Berührungspunkte möglich sind —, da auch die Konsumkurve KL (Abb. 137) innerhalb von AC liegt.

Daher ist das Kaldor-Hicks- und Scitovsky-Kriterium „in the situation sense" befriedigt. Durchbricht man den Freihandel durch eine Politik des Optimalzolls, so daß ein Übergang z. B. von p'' nach h' erfolgt (P'' und H' in Abb. 137), so gibt es eine Verteilungslage g'[16]), die es erlaubt, beide Individuen in eine bessere Position zu bringen als p''[17]). Die potentielle Wohlfahrt wird also durch den Zoll erhöht, obwohl sich die Indifferenzkurven durch H und P (H' und P'') schneiden — eine Situation, von der Scitovsky meinte, daß sie keine Wohlfahrtsurteile mehr zulassen würde. Mit diesen Feststellungen ist natürlich nicht die Empfehlung verbunden, h' tatsächlich durch g' zu ersetzen. Eine solche Empfehlung wäre im Prinzip nur

---

[15]) B a l d w i n , R. E., A Comparison of Welfare Criteria, Review of Economic Studies, Bd. 21, 1953—1954, S. 128.

[16]) g' zeigt z. B. die Verteilung des Güterbündels G' (Abb. 137) an. Da G' von beiden Gütern mehr als P'' enthält, verläuft die Punkt-Nutzenmöglichkeitskurve, auf der g' liegt, überall nordöstlich von pp. Weil sich ferner in g' beide Individuen besser stehen, können sich die gesellschaftlichen Indifferenzkurven durch G' und P'' nicht schneiden.

[17]) Vorausgesetzt, daß „lump sum-payments" durchgeführt werden können.

II. Der Optimalzoll

dann am Platze, wenn es mit Hilfe einer sozialen Präferenzrangfolge möglich ist, aus der Vielzahl von effizienten Punkten auf ac den besten Zustand auszuwählen. Eine solche Rangskala existiert jedoch nicht. Allenfalls können wir sagen, daß die Erfüllung der Marginalbedingungen des Pareto-Optimums (einschließlich jener des Außenhandelsoptimums) eine notwendige — aber keine hinreichende — Bedingung für ein Maximum an sozialer Wohlfahrt ist. Wir wissen nur, daß dieses Maximum irgendwo auf ac liegt.

c) Die Optimalzolltheorie will den Nachweis führen, daß Freihandel für das einzelne Land nur in Ausnahmefällen zu einem optimalen Zustand führt und daß deshalb die Wohlfahrt durch eine restriktive Handelspolitik erhöht werden kann. Wie jedoch oft betont worden ist, scheitert die Anwendung des Theorems an der Vielzahl restriktiver Prämissen, was aber nicht verhindert, daß es Wasser auf die Mühlen des Protektionismus ist und von interessierten Kreisen allzu leicht mißbraucht wird.

Zwei Annahmen sollte man vor allem bedenken. So wird vollständige Konkurrenz zwischen den heimischen Unternehmungen unterstellt. Wenn sich die Exportgüterproduktion jedoch in den Händen eines Monopolisten befindet, ist es durch Erhebung eines Zolles nicht mehr möglich, den Wohlstand über die Freihandelslage zu vergrößern[18]. Agiert aber der Staat als Monopolist — weil auf den Märkten Konkurrenz herrscht —, so kann er eine Optimalzollpolitik nur dann betreiben, wenn er die Tauschkurve des Auslands und folglich die Elastizitäten auf dem Weltmarkt kennt, die die Festsetzung eines Optimumzolls gestatten. Diese Frage wiegt noch schwerer, wenn mehr als zwei Güter die Grenzen überschreiten. In diesem Falle wäre ein System von Optimumzöllen erforderlich, das die unterschiedlichen Elastizitäten bei den einzelnen Gütern in Rechnung stellt[19].

Auf eine weitere Gefahr sei besonders hingewiesen: Das Operieren mit einem Zwei-Länder-Modell führt oft zu einer grotesken Überschätzung der Möglichkeiten eines Landes, die terms of trade durch Auflegung eines Zolls zu seinen Gunsten zu verändern. Wenn der Welthandelsanteil eines Landes nicht sehr groß ist, werden sich die terms of trade nur wenig oder gar nicht ändern, und es erscheint nicht unrealistisch anzunehmen, daß der Weltmarktpreis für dieses Land ein Datum, die ausländische Importelastizität demnach unendlich ist. In diesem Falle gibt es keinen Optimalzoll, wie man sich leicht klarmachen kann, wenn man die Gerade BP in Abb. 137 als Tauschkurve des Auslandes ansieht. Da im Weltmarktgleichgewicht durch den Schnittpunkt zwischen BP und inländischer Tauschkurve bestimmt ist, entspricht der relative Weltmarktpreis des Gutes 1 dem Grenzerlös aus dem Handel (der Steigung der ausländischen Tauschkurve BP), ebenso wie Preis und Grenzerlös für ein einzelnes Unternehmen dann identisch sind, wenn die Elastizität der Nachfrage unendlich ist. Bei Freihandel ist nun der relative Weltmarktpreis gleich dem relativen Inlandspreis, der seinerseits den Grenzkosten und der Grenzrate der Substitution entspricht. Daher sind unter unseren speziellen Annahmen alle Marginalbedingungen im Freihandelsgleichgewicht erfüllt. Ein solches Optimum wird durch die Einführung eines Zolls gestört, weil das Inlandspreisverhältnis nunmehr vom Weltmarktpreisverhältnis abweicht. Da der Inlandspreis mit den Grenzkosten übereinstimmt, der Grenzerlös jedoch dem Weltmarktpreis entspricht, sind die Grenzkosten (= Grenzrate der Substitution) nicht mehr länger gleich dem Grenzerlös, und ein vollständiges

---

[18]) Vgl. P o l a k , J., The Optimum Tariff and the Cost of Exports, Review of Economic Studies, Bd. 19, 1951—1952.

[19]) G r a a f f , J. de V., On Optimum Tariff Structures, Review of Economic Studies, Bd. 17, 1949—50.

Optimum wird nicht erreicht. Die sich bei Freihandel ergebende Wohlstandsgrenze liegt also im Nutzendiagramm außerhalb der Zoll-Umhüllungskurve[20], wenn der Weltmarktpreis vom Volumen der Importe und Exporte eines Landes nicht beeinflußt wird. Jedoch sind die Schutzwirkungen eines Zolls in diesem Falle groß — der Inlandspreis steigt um den vollen Zollbetrag —, und wir können daher folgern, daß jener Zoll, der einen maximalen Schutz bestimmter Wirtschaftszweige garantiert, niemals zugleich ein Optimalzoll ist. Wir sollten auch aus diesem Grunde gegenüber allen Versuchen skeptisch sein, massiven Schutzinteressen mit dem Mäntelchen der Optimalzolltheorie den Anschein der „Wissenschaftlichkeit" und „Objektivität" zu geben.

Neben weiteren Einwendungen, die die praktische Bedeutung der Optimalzolltheorie verringern, muß schließlich vor allem die Annahme, daß nur das eine, nicht aber das andere Land einen Zoll erhebt, als unrealistisch zurückgewiesen werden. Weil das zollerhebende Land seine Wohlfahrt nur auf Kosten des Handelspartners vermehren kann, muß immer mit der Möglichkeit von Gegenzöllen gerechnet werden, die den Zweck haben, eingetretene Wohlfahrtsverluste ganz oder teilweise rückgängig zu machen. So kann es zu einem Zollkrieg kommen.

III. Optimalzolltheorie und Retorsionszölle

Die Möglichkeit des Zollkrieges ist in Abb. 139 dargestellt. Hier wird angenommen, daß sich die Freihandelstauschkurven in P_0, dem Punkt des Welt-

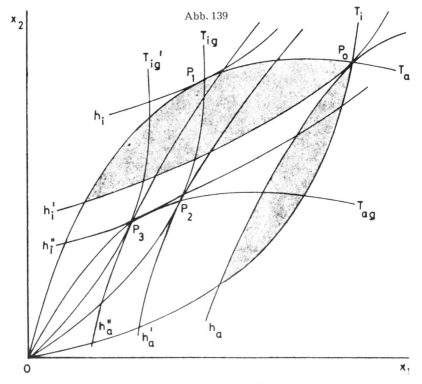

Abb. 139

---

[20] Kemp, M. C., The Pure Theory, ... a. a. O., S. 170.

III. Optimalzolltheorie und Retorsionszölle

marktgleichgewichts schneiden. Tauschen die Länder die P_0 entsprechenden Mengen aus, so erlangt das Inland einen Wohlfahrtsgrad, der durch die Indifferenzkurve h'_i gekenzeichnet ist, und das Ausland erreicht eine Wohlfahrtslage, die durch seine Indifferenzkurve h_a angezeigt wird. Von P_0 aus ist es nicht mehr möglich, die Wohlfahrt der Welt als Ganze zu verbessern, wohl aber die Wohlfahrt eines Landes, wenn diese Verbesserung auch zu Lasten des andern geht. Wir wollen annehmen, daß das Inland diese Möglichkeit zuerst erkennt und daher einen Optimalzoll einführt, der seine gesamtwirtschaftliche Tauschkurve T_{ig} so weit nach links verschiebt, daß deren Schnittpunkt P_1 mit T_a zugleich ein Punkt ist, wo T_a von einer inländischen Indifferenzkurve, und zwar von h_i tangiert wird. Während das Inland seine Wohlfahrt so verbessern konnte, hat sich die Position des Auslandes verschlechtert, denn P_1 liegt auf einer Indifferenzkurve mit geringerem Wohlfahrtsgehalt als h_a. Das Ausland wird daher versuchen, seine Verluste soweit als möglich rückgängig zu machen. Das gelingt durch Einführung eines Vergeltungszolles; derjenige aller Gegenzölle ist für das Ausland optimal, der eine neue gesamtwirtschaftliche Tauschkurve T_{ag} möglich macht, die die neue Tauschkurve des Inlandes in P_2' schneidet, wobei P_2 als Berührungspunkt von T_{ig} und h'_a die unter den gegebenen Umständen bestmögliche Position anzeigt, die das Ausland zu erreichen vermag. Das Ausland erzielt in P_2 ein relatives Wohlfahrtsmaximum; es minimiert seine Verluste, die bei gegebener Zollpolitik des Inlandes unvermeidlich sind, wenn es auch nicht jene Wohlfahrt zurückerlangen kann, die ihm bei Freihandel sicher wäre. Das Inland sieht sich dagegen um seine Erfolge betrogen. Die (nicht eingezeichnete) inländische Indifferenzkurve, die durch den Punkt P_2 gelegt ist, zeigt nämlich an, daß nicht nur der ganze durch den Optimalzoll angestrebte Gewinn, sondern auch die Wohlfahrtslage der

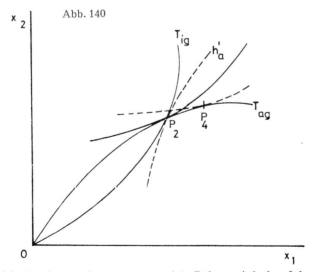

Abb. 140

Freihandelssituation verlorengegangen ist. Daher wird das Inland überlegen, ob es nicht seinerseits mit Retorsionszöllen antworten soll. Die Zweckmäßigkeit solcher Gegenmaßnahmen hängt davon ab, ob T_{ag} in P_2. links von P_2 oder rechts von P_2 von einer inländischen Indifferenzkurve berührt wird. Liegt der Berührungspunkt in P_2 (vgl. die ausgezogene Indifferenzkurve in Abb. 140), so erübrigen sich alle Gegenmaßnahmen, da das Inland unter den gegebenen Umständen, d. h. bei gegebener Kurve T_{ag}, seine Lage nicht verbessern kann. Es wird dagegen seinen Zoll senken, wenn T_{ag} rechts von P_2, z. B. in P_4 von einer inländischen Indifferenzkurve (gestrichelte Kurve in Abb. 140) berührt wird. Gelingt es, T_{ig} so weit nach rechts zu schieben, daß P_4 der neue Tauschpunkt ist, so führt der Weg zur Wohlfahrtssteigerung über eine Zollsenkung. Diese verschlechtert zwar die terms of trade, vergrößert aber gleichzeitig das Importvolumen, und es ist in diesem Falle die Vergrößerung des Handelsvolumens, die bei der Wohlfahrtsentwicklung ausschlaggebend ist. Schließlich wird das Inland seinen Zoll erhöhen, wenn T_{ag} — wie in Abb. 139 — links von P_2, z. B. in P_3 von einer inländischen Indifferenzkurve (h_i'') berührt wird. Dadurch kommt eine neue Tauschkurve T_{ig}' zustande, die die des Auslandes in P_3 schneidet. In Abb. 139 wurde aber angenommen, daß nicht nur T_{ag} von einer inländischen, sondern auch T_{ig}' von einer ausländischen Indifferenzkurve (h_a'') tangiert wird, neben dem Inland also auch das Ausland ein (relatives) Wohlfahrtsmaximum erreicht hat. Daher wäre es für das Ausland ganz unmöglich, seine Lage durch weitere zollpolitische Maßnahmen, seien es Zollsenkungen oder Zollerhöhungen, zu verbessern. P_3 ist also ein Punkt zollpolitischen Gleichgewichts, von dem abzuweichen kein Land Veranlassung hat. Nach wieviel Schritten dieses Gleichgewicht erreicht wird, kann generell nicht gesagt werden, weil seine Lage von dem Verlauf der gesellschaftlichen Indifferenzkurven bestimmt ist. Johnson hat sogar gezeigt, daß unter bestimmten sehr rigorosen Annahmen ein solches Gleichgewicht niemals verwirklicht wird und statt dessen ein Zollzyklus entsteht, bei dem der Zoll abwechselnd erhöht und gesenkt wird[21]).

Von der Lage des Gleichgewichtspunktes hängt es ab, wie sich der Wohlfahrtsgrad der Länder verändert. Führt der Zollkrieg zu einem Austauschpunkt, der innerhalb der schraffierten Bereiche (Abb. 139) liegt, so ist zwar die Weltwohlfahrt vermindert, die Position jeweils eines Landes aber verbessert worden. Diesem Land ist es dann möglich, auf eine höhere Indifferenzkurve als bei Freihandel (h_i' oder h_a) zu gelangen. Im allgemeinen wird jedoch der Wohlfahrtsgrad j e d e s Landes geringer als bei Freihandel. Das ist immer dann der Fall, wenn Tauschpunkte innerhalb des nicht schraffierten Bereichs zwischen T_a und T_i zustande kommen, jedes Land also eine Indifferenzkurve erreicht, deren Wohlfahrtsgehalt geringer ist als der von h_i' und h_a. Nimmt man z. B. an, daß am Ende des Zollkrieges ein Tauschpunkt steht, der auf der (nicht eingezeichneten) Linie OP_0 liegt, so bleibt das Austauschverhältnis gegenüber dem Freihandel unverändert, während das Importvolumen beider Länder zurückgegangen ist: ein klarer Wohlfahrtsverlust für beide. Für alle anderen Punkte, die innerhalb der nicht schraffierten Fläche liegen, hat sich zwar das Tauschverhältnis zugunsten eines Landes etwas verbessert, doch reicht dieser Gewinn nicht aus, um den wohlfahrtsmindernden Effekt des Importrückganges auszugleichen.

Führt der Zollkrieg zu Wohlfahrtsverlusten für beide Länder, so liegt es nahe, auf dem Wege internationaler Vereinbarungen den Freihandel wiederherzustellen: Erhebt nur ein Land Zölle, dann kann es seine Lage verbessern, erheben aber alle Zölle, so wird seine Position (und die des anderen Landes) verschlechtert. Keinem Land ist es dann möglich, die terms of trade erheblich zu seinen Gunsten zu verändern. Die Rückkehr zum Frei-

---

[21]) J o h n s o n , H. G., Optimum Tariffs and Retaliation, Review of Economic Studies, Bd. 21, 1953—54; wiederabgedr. in: J o h n s o n , H. G., International Trade ... a. a. O., S. 31 ff.

III. Optimalzolltheorie und Retorsionszölle

handel erlaubt es aber beiden Ländern, Exporte und Importe zu erhöhen und somit an der internationalen Arbeitsteilung in stärkerem Maße Teil zu haben. Das ist die rationale Erklärung für Maßnahmen zum reziproken Zollabbau, wie sie dem „General Agreement on Tariffs and Trade" als Ziel vorschwebten.

4. Kapitel:
Zölle und Einkommensverteilung

Der terms of trade-Effekt von Zöllen läßt sich auch als Umverteilungseffekt bezeichnen, da das Welteinkommen anders als bei Freihandel auf die Länder verteilt wird. Zölle ändern aber nicht nur die Verteilung des Welteinkommens zwischen einzelnen Nationen, sondern auch die Verteilung des Nationaleinkommens zwischen einzelnen Gruppen. Diese Umverteilungswirkung kann in zwei Varianten auftreten: Zölle erhöhen erstens die Staatseinnahmen zu Lasten des privaten Sektors und ändern zweitens die Verteilung zwischen den Produktionsfaktoren.

I. Finanzzölle und Staatseinnahmen

Von Finanzzöllen wird dann gesprochen, wenn die Erhebung eines Zolles dem Ziele dient, dem Staate Einnahmen zu verschaffen. Diese Einnahmen werden bei steigenden Zöllen von zwei Seiten beeinflußt. Einmal steigt die Einnahme pro importierter Einheit, weil mit wachsender Zollbelastung auch die Differenz zwischen Inlands- und Auslandspreisen größer wird. An-

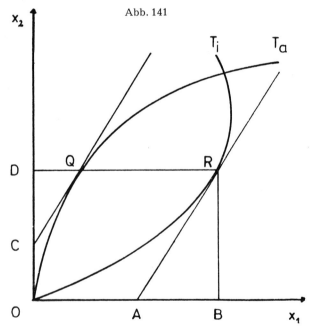

Abb. 141

dererseits gehen die Einnahmen zurück, denn wenn der Zollsatz steigt, wird das Importvolumen schrumpfen. Das zollerhöhende Land befindet sich also in der Lage eines Monopolisten, der seinen Gewinn durch Preiserhöhungen nur in dem Maße vergrößern kann, wie nicht der gewinnmindernde

I. Finanzzölle und Staatseinnahmen

Rückgang der Nachfrage die Gewinnzunahme pro verkaufter Einheit übersteigt. Ebenso wird ein Staat, der seine Einnahmen zu maximieren sucht, danach trachten müssen, daß die einnahmensteigernde Wirkung des Preiseffekts nicht von der einnahmenmindernden Wirkung des Mengeneffekts übertroffen wird. Zwischen Null-Zoll und Prohibitiv-Zoll, die beide keine Einnahmen bringen, gilt es also einen Zoll zu finden, der die Staatseinnahmen maximiert. In den folgenden Ausführungen wird vorausgesetzt, daß der Staat seine Zolleinnahmen selbst verbraucht.

Ausgangspunkt ist wieder ein Modell mit zwei Gütern und zwei Ländern, deren Tauschkurven in Abb. 141 dargestellt sind. Es wird weiter angenommen, daß nur das Inland Zölle erhebt, also keine Vergeltungsaktion des Auslandes zu erwarten sind. Wenn die Zolleinnahmen nur aus Einheiten des Gutes 1 bestehen, ist das Ertragsmaximum durch die größtmögliche, horizontal gemessene Distanz zwischen T_i und T_a fixiert. Man findet die entscheidenden Punkte auf den Tauschkurven (Q und R in Abb. 141), indem man parallel verlaufende Tangenten an T_i und T_a bestimmt, die beide Kurven in gleicher Höhe berühren. Das wird durch folgende Gleichung ausgedrückt:

$$\frac{DC}{DQ} = \frac{RB}{AB}$$

$$\frac{AB}{RB} \cdot \frac{DC}{DQ} = 1. \tag{1}$$

Der Staat erzielt jetzt maximale Einnahmen, wenn es ihm gelingt, die inländische Tauschkurve soweit nach links zu schieben, daß ein neues Weltmarktgleichgewicht in Q zustande kommt. Das wird erreicht durch einen Zollsatz $QR:DQ$, wobei allerdings unterstellt werden muß, daß der Staat seinen Verbrauch nur auf Inlandsgüter beschränkt. In diesem Fall fällt T_{ig} mit T_{ip} zusammen.

Die Höhe des Maximumzolles läßt sich arithmetisch bestimmen[1]. Weil das Weltmarkttauschverhältnis durch die Gerade OQ und das entsprechende Binnenpreisverhältnis durch die Gerade OR angegeben wird, ist der Weltmarktpreis (= Auslandspreis) des Gutes 2 gleich $\frac{DQ}{OD}$ und der Inlandspreis gleich $\frac{OB}{RB}$. Zwischen beiden Preisen gilt die Beziehung:

$$\frac{OB}{RB} = (1+z)\frac{DQ}{OD}, \tag{2}$$

da bei gegebenem Zollsatz z der Inlandspreis den Auslandspreis stets um die Zollbelastung übersteigt. Umformung von Gleichung (2) ergibt

$$\frac{OB}{RB} \cdot \frac{OD}{DQ} = 1 + z. \tag{3}$$

Gleichung (3) wird jetzt durch Gleichung (1) dividiert:

$$\frac{OB \cdot OD}{RB \cdot DQ} \cdot \frac{RB \cdot DQ}{AB \cdot DC} = \frac{1+z}{1}.$$

Nach Kürzung und Umstellung der einzelnen Glieder erhält man die Formel für den Zollsatz mit maximalen Einnahmen:

$$z = \frac{OB}{AB} \cdot \frac{OD}{DC} - 1.$$

---

[1] Vgl. Johnson, H. G, Optimum Welfare and Maximum Revenue Tariffs, a. a. O.

Aus der Ableitung des Optimalzollsatzes wissen wir aber, daß $\frac{OD}{DC}$ dem Ausdruck $\frac{\eta_a}{\eta_a - 1}$ entspricht (vgl. Gleichung [3] auf S. 408), wobei η_a die Elastizität der ausländischen Importnachfrage im Punkte Q ist. Analog kann $\frac{OB}{AB}$ durch die Formel $\frac{\eta_i}{\eta_i - 1}$ ersetzt werden, wenn η_i die Elastizität der inländischen Importnachfrage im Punkte R ist. Daher kann man auch schreiben:

$$z = \frac{\eta_i}{\eta_i - 1} \cdot \frac{\eta_a}{\eta_a - 1} - 1. \tag{4}$$

Diese Gleichung unterscheidet sich von der Formel für den Optimalzoll $\left(t = \frac{\eta_a}{\eta_a - 1} - 1 = \frac{1}{\eta_a - 1}\right)$ nur durch den Ausdruck $\frac{\eta_i}{\eta_i - 1}$. Weil R auf dem ansteigenden Ast der inländischen Tauschkurve liegt, ist η_i und damit auch $\frac{\eta_i}{\eta_i - 1}$ größer als 1. Setzt man diesen Wert in die Gleichung (4) für den Maximalzoll ein, so sieht man, daß der Maximalzoll, der die größten Einnahmen erbringt, über dem Satz des Optimalzolles liegt. Das gilt streng genommen allerdings nur dann, wenn η_a in den Formeln für den Maximalzoll und den Optimalzoll übereinstimmt. Diese Voraussetzung ist sicher nicht erfüllt, weil der Tauschpunkt, der ein Wohlfahrtsoptimum erbringt, auf einer anderen Stelle von T_a liegt als der Tauschpunkt, der den maximalen Ertrag garantiert. Der Nachweis, daß beide Zölle voneinander abweichen, läßt sich jedoch leicht auf andere Weise erbringen. Der Leser sei dazu auf die Ausführungen Johnsons verwiesen[2].

II. Zölle und Faktorpreise

Bei der Darstellung des Ohlinschen Handelsmodells wurde gezeigt, daß jedes Land sich auf die Produktion der Güter spezialisiert, die den reichlich vorhandenen Faktor besonders stark beanspruchen und andere Waren importiert, bei deren Herstellung der knappe Faktor dominiert. Daher ist bei freiem Außenhandel zu erwarten, daß der Preis des knappen Faktors sinkt und der der „Überschußfaktoren" steigt, denn wenn der Außenhandel die Produktionsstruktur in der geschilderten Weise ändert, muß sich die Nachfrage nach dem seltenen Faktor verringern und nach dem Überschußfaktor vergrößern. Man kann diese Argumentation auch umkehren: Wenn der Freihandel den knappen Faktor benachteiligt und den weniger seltenen begünstigt, muß die Einschränkung des Handels durch Zölle dazu führen, daß die Einkommensverteilung sich zugunsten des knappen Faktors ändert. Das ist der Kern der von Stolper und Samuelson entwickelten Theorems[3]. In primitiver Form findet sich diese These in einem oft vertretenen Schutzzollargument, nach welchem Handelsbeschränkungen mit der Begründung gefordert werden, den hohen Lebensstandard der inländischen Arbeitnehmer vor dem Druck der Auslandskonkurrenz zu schützen. In dieser groben Formulie-

---

[2] J o h n s o n , H. G., Optimum Welfare ... a. a. O., S. 33 f.
[3] S t o l p e r , W. F. und S a m u e l s o n , P. A., Protection and Real Wages, Review of Economic Studies, Bd. 9, 1941, wiederabgedr. in: Readings in the Theory of International Trade, a. a. O.

rung ist das Argument sicherlich unzutreffend und auch von Stolper und Samuelson niemals vertreten worden. Ihre Folgerungen stützen sich auf subtilere Überlegungen.

a) Das Modell beruht auf ähnlichen Annahmen, wie sie dem Faktorpreisausgleichstheorem zugrunde liegen. Unterstellt sind zwei Länder (In- und Ausland), die zwei Güter (Tuch und Weizen) mit zwei Faktoren (Arbeit und Boden) erzeugen. Das Inland verfügt über relativ mehr Boden und weniger Arbeit als das Ausland, so daß sich die Inlandsproduzenten auf die Produktion von bodenintensivem Weizen, die Auslandsproduzenten auf die Erzeugung von arbeitsintensivem Tuch spezialisieren. Allerdings ist die Spezialisierung unvollständig; auch bei freiem Handel werden beide Güter in beiden Ländern erzeugt. Ferner werden unterstellt: Linear-homogene Produktionsfunktionen, vollständige Konkurrenz auf Faktor- und Warenmärkten sowie Vollbeschäftigung aller Produktionsfaktoren.

Ausgangspunkt der Analyse ist die Annahme, daß das Inland einen Zoll auf seine Tuchimporte einführt. Da der Inlandspreis des Tuches dessen Weltmarktpreis um die Zollbelastung übersteigt, muß sich das Binnenaustauschverhältnis zugunsten des Tuches verändern, der Tuchpreis also steigen, vorausgesetzt natürlich, daß der Weltmarktpreis für Tuch nicht allzusehr gesunken ist, die Verbesserung der terms of trade sich demnach in Grenzen hält. Wenn aber der Inlandspreis für Tuch relativ zum Weizenpreis gestiegen ist, wird die Tucherzeugung ausgedehnt und die Weizenerzeugung eingeschränkt[4]. In der Weizenerzeugung werden deshalb Produktionsfaktoren freigesetzt, jedoch relativ mehr Boden und weniger Arbeit, als von der Tucherzeugung bei gegebenen Faktorpreisen benötigt werden. So entstehen auf den Faktormärkten Diskrepanzen zwischen Angebot und Nachfrage — Angebotsüberschüsse auf dem Boden- und Nachfrageüberschüsse auf dem Arbeitsmarkt —, die den Preis der Arbeit relativ zur Rente steigen lassen. Dies bedeutet aber, daß auch die Lohnquote am Volkseinkommen gewachsen ist. Weil nämlich das Einkommen eines Faktors dem Produkt aus Faktorpreis und Einsatzmenge entspricht, impliziert die Änderung der relativen Faktorpreise auch eine andere Verteilung des Gesamteinkommens, vorausgesetzt natürlich, daß Vollbeschäftigung gewahrt bleibt, die Einsatzmengen vor und nach dem Zoll mithin die gleichen sind.

Auf die Änderung der relativen Faktorpreise reagieren nun die Produzenten mit einer Änderung der Produktionsmethoden. Sie substituieren die teurer gewordene Arbeit durch den im Preis gesunkenen Boden, so daß das Verhältnis zwischen Arbeits- und Bodeneinsatz in beiden Wirtschaftszweigen kleiner wird. „Überfluß" an Boden und Knappheit an Arbeitskräften, die bei der Produktionsumschichtung auftreten, können nur beseitigt werden, wenn die Faktoreinsatzproportionen sich zugunsten des Bodens verschieben. Nun folgt aus der Annahme linear homogener Produktionsfunktionen, daß das Grenzprodukt eines Faktors nicht von der absoluten Produktmenge — dem Produktionsniveau —, sondern lediglich vom Verhältnis zwischen Boden- und Arbeitseinsatzmengen bestimmt ist. Das Grenzprodukt eines Faktors nimmt zu oder ab, je nachdem, ob dieser Faktor mit größeren oder kleineren Mengen des anderen Faktors kombiniert wird. Daraus kann geschlossen werden, daß eine Substitution von Arbeit durch Boden das Grenzprodukt der Arbeit erhöht und das Grenzprodukt des Bodens vermindert. Da die Faktorproportionen sich in der Tuch- und Weizenproduktion in glei-

---

[4] Da Zölle auf Zwischenprodukte nicht berücksichtigt werden, impliziert der Nominalzoll auf Tuch zugleich eine effektive Protektion (vgl. 2. Kapitel).

cher Weise ändern, gilt dies für beide Wirtschaftszweige, unabhängig davon, daß das Produktionsvolumen in einem Sektor schrumpft und im anderen expandiert. Es sind nur die Faktorproportionen, die Bedeutung haben, nicht aber die absoluten Produktmengen. Nun entspricht aber der Reallohn dem Grenzprodukt der Arbeit und der reale Bodennutzungspreis dem Grenzprodukt des Bodens. Folglich ist der Reallohn — gleichgültig, ob man ihn in Einheiten Weizen oder Einheiten Tuch mißt — nicht nur relativ zur Rente, sondern auch absolut gestiegen. Dies ist der Kern des Stolper-Samuelson-Theorems: Die Einführung eines Zolles begünstigt den knappen Faktor Arbeit relativ und absolut zugleich; sie vergrößert seinen Anteil am Volkseinkommen auf Kosten des Bodens, macht es aber auch möglich, das absolute Arbeitseinkommen selbst zu erhöhen. Dieses Ergebnis ist vor allem von Bedeutung, wenn der Zoll das Volkseinkommen reduziert, denn dann läßt sich folgern, daß der Arbeit nicht nur ein größerer Teil des geschrumpften Volkseinkommens zufällt, sondern dieser Teil auch — absolut gemessen — größer ist als die kleinere Quote an jenem höheren Volkseinkommen, das bei Freihandel zu erzielen war.

b) Die vorgetragenen Überlegungen können mit Hilfe eines Box-Diagrammes verdeutlicht werden (Abb. 142), dessen Konstruktion uns aus früheren

Abb. 142

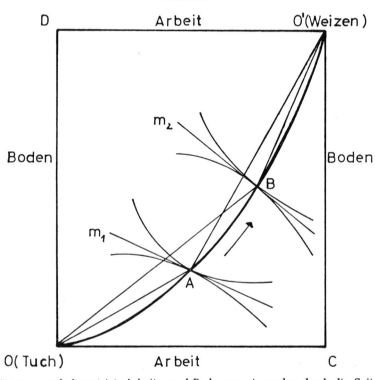

Erörterungen bekannt ist. Arbeits- und Bodenvorrat werden durch die Seiten des Rechtecks gemessen; von O ausgehend sind die in der Tucherzeugung, von O' ausgehend die in der Weizenproduktion eingesetzten Faktormengen abgetragen. Daher verlaufen die Tuch-Isoquanten konvex zum Ursprung

O und die Weizen-Isoquanten konvex zum Ursprung O'. Die Berührungspunkte aller Isoquanten werden durch eine Kontraktkurve verbunden, deren Verlauf durch die Annahme bestimmt ist, daß Tuch bei jedem Faktorpreisverhältnis unter Aufwand von relativ mehr Arbeit und weniger Boden erzeugt wird als Weizen.

Es soll jetzt angenommen werden, daß A, der Produktionspunkt bei Freihandel, durch den Produktionspunkt B ersetzt wird, die Tucherzeugung (Weizenerzeugung) also steigt (sinkt), weil Importzölle den Inlandspreis des Tuches erhöhen. Die Konsequenzen dieser Maßnahmen können aus Abb. 142 abgelesen werden; sie bestätigen in vollem Maße die Ergebnisse der verbalen Deduktion. So zeigt sich zunächst, daß eine durch B gelegte Linie m_2, die als Tangente an Tuch- und Weizen-Isoquanten das Verhältnis der Grenzprodukte von Arbeit und Boden, gleichzeitig also auch das Faktorpreisverhältnis widerspiegelt, eine stärkere Steigung als die entsprechende Faktorpreislinie m_1 in A aufweist. In B tauscht sich also Arbeit gegen eine größere Bodenmenge als in A: Der Preis der Arbeit ist relativ zur Rente höher. Diese Änderung der relativen Faktorpreise ist von einer Änderung der Faktorproportionen begleitet. Das wird deutlich, wenn man A und B durch gerade Linien mit den Eckpunkten O und O' verbindet. Die von O ausgehenden Verbindungslinien bilden Winkel mit der Bodenseite OC, welche das Verhältnis zwischen Boden- und Arbeitseinsatz messen, das vor und nach Einführung des Zolles in der Tucherzeugung existierte. Da OB steiler als OA ist, hat sich das Boden-Arbeitsverhältnis nach Abkehr vom Freihandel vergrößert. Gleiches gilt für die Faktorproportionen in der Weizenproduktion, die durch $O'A$ und $O'B$ bestimmt sind. $O'B$ ist weniger stark zur Seite $O'D$ geneigt als $O'A$, d. h. der Zoll hat bewirkt, daß das Verhältnis von Boden zu Arbeit auch in der Weizenproduktion gewachsen ist. Diese Faktorsubstitution beeinflußt aber Grenzprodukte und reale Faktorentgelte in der geschilderten Weise.

c) Ebenso wie das Optimalzollargument ist auch die Stolper-Samuelson-These nicht als Richtschnur praktischen Handels geeignet, denn jede Empfehlung, die Realeinkommen des knappen Faktors durch Zölle zu verbessern, würde offenbar vergessen, daß der Modellbeweis auf einer Fülle rigoroser und vereinfachender Annahmen beruht, die in der Wirklichkeit oft nicht erfüllt sind. Diese Annahmen stimmen im wesentlichen mit denen des Faktorpreisausgleichstheorems überein, so daß wir es uns hier ersparen können, an ihnen längere Kritik zu üben. Der Leser sei auf die entsprechenden Ausführungen im III. Teil, Kap. 3 verwiesen.

Einige Punkte sind jedoch erwähnenswert, weil sie besonders deutlich zeigen, wie stark das Theorem von einer Änderung seiner Fundamente beeinträchtigt wird. So läßt sich das Theorem nicht aufrechterhalten, wenn die Annahme vollständiger Konkurrenz auf den Faktormärkten aufgegeben wird. Im Beispiel wurde unterstellt, daß der Nachfrageüberhang auf den Arbeitsmärkten die Löhne steigen und ein Angebotsüberschuß auf den Bodenmärkten die Renten sinken läßt, wodurch die Produzenten veranlaßt werden, relativ mehr Boden und weniger Arbeit einzusetzen. Was aber geschieht, wenn die relativen Faktorpreise unbeweglich sind, weil der Wettbewerb nicht funktioniert? Offensichtlich werden dann die Produzenten nicht geneigt sein, Arbeit durch Boden zu substituieren; das aber hat zur Folge, daß sich Grenzprodukte und reale Faktorentgelte nicht in der Weise verändern, wie es vom Stolper-Samuelson-Theorem beschrieben wird.

Der Preis des knappen Faktors wird ferner dann nicht steigen, wenn das Land nur ein Produkt erzeugt und die Spezialisierung auch voll erhalten bleibt, nachdem ein Zoll die Importe verteuert hat. Da das Inland in diesem Falle nur Weizen und kein Tuch produziert, kommt eine Produktionsumstellung nicht zustande, so daß auch die Grenzproduktivitäten der Faktoren unverändert bleiben. Eine Einkommensumverteilung findet dann nur insofern statt, als sich Tuch relativ zum Weizen verteuert hat und folglich jener Faktor geschädigt wird, der sein Einkommen hauptsächlich für Tuch ausgibt.

d) Auf eine weitere Einschränkung hat Metzler in einem interessanten Aufsatz hingewiesen[5]). Das Stolper-Samuelson-Theorem setzt voraus, daß der Inlandspreis des Tuches nach Einführung eines Zolles steigt, denn nur in diesem Falle kann man folgern, daß die Tucherzeugung expandiert und die Einkommenslage der Arbeiter sich verbessert. Diese Verbesserung wird natürlich um so größer sein, je mehr der Zoll die Tucherzeugung anregt, d. h. aber, je mehr der Zoll das importierte Gut verteuert. Da aber Inlandspreis und Weltmarktpreis um die Zollbelastung differieren, impliziert die Erhöhung des Inlandspreises — je nach ihrer Stärke — entweder eine Erhöhung, ein Gleichbleiben oder eine nur kleinere Reduktion des Weltmarktpreises, d. h. die terms of trade müssen sich verschlechtern, konstant bleiben oder nur wenig verbessern. Daraus ergibt sich der paradoxe Schluß, daß der Zoll die Arbeitnehmer um so mehr begünstigt, je weniger der Weltmarktpreis des Tuches sinkt, je weniger also mit dem Weltmarkttauschverhältnis auch die Gesamtwohlfahrt zugunsten des betrachteten Landes verändert wird. Um so mehr muß dann nämlich der Inlandspreis steigen. Dann ist natürlich auch der Umkehrschluß zulässig: Je stärker ein Zoll die terms of trade verbessert, desto geringer ist die Redistributionswirkung zugunsten des knappen Faktors, obwohl sich die Wohlfahrt des gesamten Landes durch den terms of trade-Effekt in beträchtlichem Maße vergrößert hat. Das wird besonders unter der extremen Annahme deutlich, daß der Zoll den Inlandspreis des Tuches unverändert läßt, was dann der Fall ist, wenn dieser Zoll vom Ausland voll getragen wird, die Verbesserung der terms of trade mithin sehr stark ist. Es fehlt dann jeder Anreiz zur Umschichtung der Produktionsstruktur, so daß auch die Löhne unverändert bleiben.

Die Löhne werden schließlich sogar sinken, wenn das Weltmarkttauschverhältnis durch Einführung eines Zolles so stark verbessert wird, daß der Inlandspreis des Tuches sinkt. Weit davon entfernt die Tucherzeugung zu begünstigen, wird dann die Zollbelastung dazu führen, daß sich mit der Produktion des importierten Gutes auch die Knappheit der Arbeit vermindert und der Redistributionseffekt nicht die Arbeit, sondern den Boden begünstigt. Auch jetzt kann gesagt werden, daß ein Zoll das Realeinkommen des Faktors vergrößert, der bei der Produktion des im Inland teurer gewordenen Gutes der wichtigere ist. Nur wäre es jetzt nicht die Importgüterindustrie, sondern der Exportgütersektor und daher nicht die Arbeit, sondern der Boden, die durch den Zoll gewinnen. Man sollte diesen abnormen Fall sicherlich nicht überbewerten, doch erlaubt er zumindest den allgemeinen Schluß, daß sich das Realeinkommen des knappen Faktors um so weniger erhöht, je mehr der Zoll die terms of trade verbessert.

---

[5]) Metzler, L. A., Tariffs, the Terms of Trade, and the Distribution of National Income, The Journal of Political Economy, Bd. 57, 1949, S. 1—29.

5. Kapitel:

Der Erziehungseffekt von Zöllen

a) Der Ableitung des Distributionseffekts lag die Annahme zugrunde, daß die durch den Zoll erreichte Verteuerung des Einfuhrgutes der zollgeschützten Industrie den Anreiz gibt, das Produktionsvolumen über die Freihandelsmenge zu vergrößern. Durch diese Änderung der Produktion vermindert sich die Weltwohlfahrt; denn vom kosmopolitischen Standpunkt wäre es vorzuziehen, die Produktion von zollgeschützten Gütern dem dafür besser geeigneten, weil zu geringeren Kosten erzeugenden Ausland zu überlassen. Doch gibt es eine Ausnahme von dieser Regel: Es wäre nämlich denkbar, daß die durch den Zoll bedingte Produktionsausdehnung zu sinkenden Kosten erfolgt, bis das Produktionsklima so verbessert ist, daß das Ausland seinen Produktionsvorteil verliert und die zollgeschützte Industrie auch ohne Zollschutz in der Lage ist, dem Wettbewerb des Auslandes standzuhalten. Eine solche Überlegung liegt dem Erziehungsargument für Zölle zugrunde. Die Vertreter dieses Arguments fordern einen Zollschutz mit dem Ziel, jungen Industrien eine ungestörte Periode wirtschaftlichen Aufbaues zu verschaffen und es ihnen somit zu ermöglichen, einen Zustand wirtschaftlicher Reife zu erreichen, der sich in nichts mehr von dem des Auslandes unterscheidet. Sobald dieser Zeitpunkt erst gekommen ist — und er wird natürlich nur dann kommen, wenn der Kostenvorteil des Auslandes durch die größere Produktionsmenge, nicht aber durch klimatische und naturgebundene Eigenarten bedingt ist —, hat der Zoll seinen Zweck erfüllt. Seinem Abbau steht um so weniger im Wege, wenn die „gereifte" Industrie nicht nur den Produktivitätsvorsprung des Auslandes einholen, sondern gar ihrerseits einen komparativen Vorteil erzielen konnte.

Das auf der Ausnutzung von komparativen Kostenvorteilen beruhende Prinzip der internationalen Arbeitsteilung widerspricht nicht den Forderungen nach Erziehungszöllen. **Die komparativen Kosten werden durch solche Zölle nur geändert, die Handelsströme nur in andere Betten umgelenkt, aber es sind die (neuen) komparativen Kostendifferenzen, die die Richtung der neuen Ströme bestimmen.** Daher ist es nicht erstaunlich, daß die Argumente für Erziehungszölle grundsätzlich selbst von Ökonomen akzeptiert werden, die für den Freihandel plädieren. Friedrich List, der im Prinzip dem Freihandel zuneigte, war zugleich der wohl eifrigste Verfechter der Erziehungszollidee in Deutschland, und selbst einem J. St. Mill fiel es trotz aller liberalen Gesinnung nicht schwer, dem temporären Zollschutz für junge Industrien sein Placet zu geben. „Der einzige Fall", so schreibt er, „in dem, auch nach rein wirtschaftlichen Grundsätzen, ein Schutzzoll sich verteidigen läßt, liegt dann vor, wenn er nur für eine Zeitlang (insbesondere bei einem jungen und aufstrebenden Volke) in der Hoffnung eingeführt wird, eine ausländische Industrie einzubürgern, die den Verhältnissen des Landes an sich vollkommen entspricht. Die Überlegenheit eines Landes in einem Produktionszweig rührt oft nur daher, daß dieses früher mit seiner Pflege begonnen hat. Das eine Land braucht an sich kein besonderes Übergewicht zu haben, das andere sich in keiner besonders ungünstigen Lage zu befinden, sondern es braucht nur eine gegenwärtige Überlegenheit an erworbenen Kenntnissen und Erfahrungen vorzuliegen. Ein Land, das diese Kenntnisse und Erfahrungen erst noch erwerben muß, kann in anderer Hinsicht für einen bestimmten Produktionszweig besser geeignet sein als diejenigen, die ihn schon früher aufgegriffen haben; und außerdem wirkt nach einer zutreffenden Bemerkung von Rae nichts mehr dahin, Verbesserungen in einem Produktionszweige zu fördern, als die Anstellung von Versuchen unter neuen Bedingungen. Aber man kann nicht erwarten, daß Privatpersonen auf ihr eigenes Risiko oder besser auf ihren sicheren Verlust hin einen neuen Industriezweig einführen und so lange die hiermit verbundene Last tragen, bis die Produzenten denselben Grad der Ausbildung erlangt haben, wie die, bei denen der Industriezweig schon eingebürgert ist. Ein auf angemessene Zeit eingeführter Schutzzoll kann bisweilen die am wenigsten nachteilige Art und Weise sein, in der ein Volk sich zur Förderung derartiger Versuche besteuern kann. Aber wesentlich ist, daß der Schutz auf diejenigen Fälle beschränkt bleibt, bei denen man guten Grund zu der Annahme haben kann, daß die durch den Schutzzoll geförderte Industrie nach einiger Zeit imstande ist, ohne ihn auszukommen; auch sollte man den heimischen Produzenten nicht die Hoffnung geben, man werde ihnen den Schutz länger gewähren, als für den Versuch zur Feststellung ihrer Leistungsfähigkeit billigerweise notwendig ist[1])."

Der Erziehungszollgedanke ist in diesen Worten mit aller wünschenswerten Klarheit ausgedrückt.

b) Eine exakte Interpretation des Erziehungseffektes ermöglicht Abb. 143[2]). Die Freihandelsproduktion wird hier durch Punkt P auf der Transformationskurve AB repräsentiert. Bei einem Preisverhältnis I wird das Land CP Einheiten des Gutes 1 exportieren und DC Einheiten Nr. 2 importieren, denn D ist der optimale Konsumtionspunkt. Nach Einführung eines Zolles soll nun

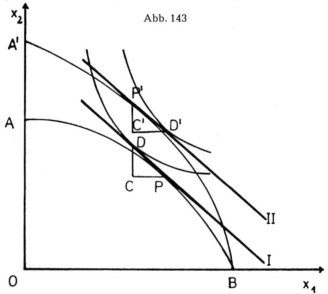

Abb. 143

---

[1]) Mill, J. St., Grundsätze der politischen Ökonomie; deutsch von W. Gehrig, Jena 1921, Bd. 2, S. 648—650.
[2]) Vgl. Haberler, G., Some Problems in the Pure Theory... a. a. O., S. 238 bis 239.

der Inlandspreis der importierten Güter steigen, so daß deren Produktion zunimmt. Wenn diese Produktionsausdehnung zu steigenden Kosten erfolgt, muß sich der Produktionspunkt P auf der Kurve AB so weit nach links verschieben, bis der Berührungspunkt der nationalen (flacher verlaufenden) Preislinie mit der Transformationskurve AB erreicht ist. Dem Erziehungszollargument liegt nun aber die Idee zugrunde, daß die Produktionserhöhung sich nicht durch eine Bewegung auf gegebener Kurve, sondern durch eine Verschiebung der Kurve selbst — z. B. nach $A'B$ — darstellen läßt, d. h. die Mehrerzeugung des Importgutes geht nicht auf Kosten des Exportgutes, weil eben diese Mehrerzeugung von Ersparnissen irgendwelcher Art begleitet wird, die dem Wirtschaftszweig nur zufallen, wenn dieser eine bestimmte Größe überschritten hat.

Der Zoll hat seinen Zweck erfüllt, wenn der Anpassungsprozeß beendet, die Transformationskurve $A'B$ demnach erreicht ist. Nach Rückkehr zum Freihandel gleicht sich das Binnentauschverhältnis dem Weltmarkttauschverhältnis an, von dem wir annehmen wollen, daß es dem ursprünglichen Tauschverhältnis entspricht (Linie II läuft parallel zu I). Unter dieser Annahme produziert das Land in P'[3]) und konsumiert in D'. Es importiert also $C'D'$ Einheiten des Gutes 1 und exportiert $P'C'$ Einheiten des Gutes 2: Die ursprünglich der Importkonkurrenz ausgesetzte Industrie hat ihre Lage so verbessert, daß sie nicht nur ohne Zollschutz existieren, sondern gar selbst exportieren kann. Dieses Ergebnis kann indessen nicht verallgemeinert werden. Bei einer anderen Lage von Transformations- und Indifferenzkurven wäre es möglich, daß das Land überhaupt keinen Außenhandel mehr betreibt oder gar das gleiche Gut ausführt, das es auch schon vorher exportiert hat. In jedem Fall erreicht aber das Land eine höhere Indifferenzkurve, nachdem der Anpassungsprozeß beendet und das neue Gleichgewicht erreicht ist. Der Politik des temporären Zollschutzes ist es zuzuschreiben, wenn der Freihandelszustand, der vor dem Zoll bestand, durch ein neues optimales Freihandelsgleichgewicht ersetzt werden konnte. Insofern ist der Zoll die Voraussetzung eines Freihandels auf gehobener Wohlfahrtsbasis.

c) Die Forderung nach Erziehungszöllen setzt voraus, daß es der zollgeschützten Industrie durch Expansion des Produktionsvolumens möglich ist, Ersparnisse zu realisieren, die bei nur kleinen Mengen nicht erzielt werden können. In neueren Versionen der Theorie des Erziehungszolls[4]) wird der Gedanke vertreten, daß solche Ersparnisse vor allem die Ergebnisse von Lernprozessen sind: Zunächst — so sei angenommen — liegen die inländischen Durchschnittskosten des Importguts über dem Kostenniveau bei den Handelspartnern, da es den Unternehmern an Erfahrung fehlt. Die Einführung eines Importzolls erlaubt es nun den Unternehmern, die Produktion zu vergrößern, neue Techniken zu entwickeln und bessere Verfahren anzuwenden, so daß die Durchschnittskosten als Folge der mit der Produktionsausdehnung verbundenen Lernprozesse sinken. Der Zoll wäre dann gerechtfertigt — so könnte man meinen —, wenn sich nach Abschluß der Lernperiode Kostenersparnisse in einer Höhe ergeben, welche die Gesellschaft für die hohen Kosten des Protektionismus während der Anlaufzeit zumindest entschädigen.

---

[3]) Wenn sich der Weltmarktpreis von Nr. 2 relativ zu Nr. 1 erhöht (vermindert) hat, liegt der Produktionspunkt links (rechts) von P'.

[4]) Kemp, M. C., The Mill-Bastable Infant Industry Dogma, Journal of Political Economy, Bd. 68, 1960; Johnson, H. G., Optimal Trade Intervention in the Presence of Domestic Distortions, a. a. O., S. 26 ff.

Indessen reicht dieses Argument allein nicht aus, um einen Erziehungszoll als sinnvoll nachzuweisen. Wird auf die Einführung eines Zolls verzichtet, so müssen die betrachteten Unternehmen während der Anlaufperiode zwar Verluste erleiden, doch erwirtschaften sie später Gewinne, welche die Verluste mehr als kompensieren. Unter solchen Umständen erweist sich die Produktionsausdehnung auch als privatwirtschaftlich sinnvoll, ohne daß es eines Anstoßes durch den Zollschutz bedarf. Die zu Beginn der Lernperiode notwendigen Anlaufkosten können dann als Aufwendungen für Investitionen betrachtet werden, die aus den später anfallenden Gewinnen zum landesüblichen Zinssatz zu verzinsen sind.

Jedoch trifft dieses Argument, welches die Notwendigkeit eines Erziehungszolls zur Überbrückung der Anlaufperiode negiert, nicht in jedem Falle zu. Es ist nämlich für jeden einzelnen Fall zu prüfen, ob die dynamischen Ersparnisse, welche durch Lernprozesse induziert werden, externer[5]) oder interner Natur sind. Der Lernprozeß hat interne Ersparnisse zur Folge, wenn nur das betrachtete Unternehmen aus seinen Erfahrungen gewinnt, die während der Expansion gewonnenen Erkenntnisse und Fertigkeiten also nur diesem, nicht aber anderen Unternehmen zugute kommen. Dagegen führt der Lernprozeß zu externen Effekten, sofern andere Produzenten die Erfahrungen, welche in einem Unternehmen gewonnen wurden, kostenlos übernehmen können. In solchen Fällen übertrifft der soziale Ertrag der Investitionen den privaten Ertrag, denn die aus den erworbenen Kenntnissen resultierenden Vorteile fallen nicht nur dem Pionierunternehmen, sondern auch anderen Produzenten zu. Diese sind folglich in der Lage, zu den gleichen niedrigen Kosten zu erzeugen wie das betrachtete Unternehmen, ohne daß sie wie jenes Unternehmen hohe Anlaufkosten zu tragen hatten. Da sich unter diesen Umständen die Intensität des Wettbewerbs verschärft, der Pionierunternehmer die Früchte der Investition mit anderen teilen und eine Verminderung seiner Gewinne hinnehmen muß, kann man wohl kaum erwarten, daß ein Unternehmer als erster den Entschluß zur Expansion faßt, denn trotz der Anfangsverluste, welche nur er zu tragen hat, wächst der Erfolg primär nicht ihm, sondern anderen Produzenten zu. Neue Kenntnisse können folglich nur dann erworben, kostensenkende Verfahren nur dann entwickelt werden, wenn es durch wirtschaftspolitische Datenänderungen, z. B. einen Zollschutz gelingt, irgendwelchen Unternehmern auch die privatwirtschaftliche Vorteilhaftigkeit einer Produktionsausdehnung dadurch vor Augen zu führen, daß der Zoll Verluste während der Lernperiode verhindert.

Dagegen entfällt die Notwendigkeit von Schutzmaßnahmen, wenn die dynamischen Ersparnisse interner Natur sind, jeder Unternehmer also seine eigenen Erfahrungen sammeln muß und nicht in der Lage ist, Kenntnisse von anderen Produzenten zu übernehmen. Im Pionierunternehmen entspricht dann der soziale dem privaten Ertrag; da der betrachtete Unternehmer die Gewinne aus seinen Investitionen nicht mit anderen teilen muß, wird er bereit sein, die hohen Anfangskosten zu tragen, vorausgesetzt natürlich, daß er die Verzinsung aus den später anfallenden Gewinnen als ausreichend betrachtet. Selbstverständlich ist es möglich, daß auch in diesen Fällen die Investition nicht vorgenommen wird, weil es den Unternehmern an Voraussicht mangelt oder die zur Überbrückung der Anlaufperiode notwendigen Mittel fehlen. Entscheidet man sich jetzt für einen Zoll, um den Unternehmern den Entschluß zur Expansion zu erleichtern, so ist dieser Zoll allerdings kaum mit der Existenz einer Lernperiode zu begründen; seine Ursachen sind vielmehr fehlende Voraussicht oder Unvollkommenheiten des Kapitalmarkts.

---

[5]) Diese Ersparnisse sind nicht mit den statischen externen Effekten zu verwechseln, welche im 8. Kapitel des III. Teils behandelt wurden.

d) Auch wenn man das Erziehungszollargument grundsätzlich akzeptiert, muß doch in jedem Falle neu geprüft werden, ob und auf welche Weise die Ausdehnung einer Industrie externe Ersparnisse mit sich bringt. Solche Vorhersagen sind oft nur schwer möglich. Haberler betont daher zu recht: „Es ist verhältnismäßig leicht, die Möglichkeit externer Ersparnisse einzusehen, und die daraus folgenden Schlüsse für die Wirtschaftspolitik theoretisch abzusehen. Es ist jedoch unendlich schwieriger, das tatsächliche Vorhandensein solcher Möglichkeiten ex ante zu diagnostizieren ... Zwischen der Theorie der Wirtschaftspolitik und ihrer halbwegs rationellen praktischen Durchführung besteht ein Abgrund, der nur schwer zu überbrücken ist[6]." Hat man sich aber geirrt und das Vorhandensein externer Ersparnisse überschätzt, so kann der Zoll die ihm zugewiesene Erziehungsfunktion nicht oder doch nur unvollkommen erfüllen. Aus dem temporären Zollschutz entwickelt sich ein permanenter Erhaltungszoll, denn das „unerzogene" Kind wird niemals erwachsen und bedarf des ständigen Schutzes gegen die Umwelt. Die Einführung eines Zolles stößt kaum auf große Schwierigkeiten, doch wird sein Abbau fast unmöglich, wenn man sicher sein kann, daß die geschützte Industrie dem Auslandswettbewerb nicht standzuhalten vermag. Das theoretisch so einleuchtende Argument verliert daher viel an praktischer Bedeutung.

---

[6] Haberler, G.: Die Gleichgewichtstheorie des internationalen Handels, Schriften des Vereins für Sozialpolitik, N. F., Bd. 10, Berlin 1954, S. 49.

6. Kapitel:
Zölle, Zahlungsbilanz und Volkseinkommen

I. Die Wirkung von Zöllen auf die Zahlungsbilanz

Während die bisher untersuchten Zolleffekte mit Hilfe von Instrumenten der reinen Theorie behandelt wurden, empfiehlt es sich, die Zahlungsbilanzwirkungen im Rahmen einer monetären Analyse, also unter Anwendung der Ergebnisse des II. Teils zu erörtern. In den einfachen Modellen der reinen Theorie wird nämlich regelmäßig unterstellt, daß die Zahlungsbilanzen der Handelspartner ausgeglichen sind. Da Importzölle im Hinblick auf die Zahlungsbilanz aber mit der Zielsetzung erhoben werden, Defizite zu verkleinern oder Überschüsse zu vergrößern, bietet sich die im II. Teil behandelte Theorie des Zahlungsbilanzausgleichs als theoretische Grundlage der folgenden Erörterungen an.

a) Wenn ein Land die Gütereinfuhr mit einem Zoll belegt, steigen die Inlandspreise der betroffenen Waren. Dadurch wird die Nachfrage nach Auslandsgütern zurückgedrängt, so daß die Importmenge sinkt. Gleichzeitig kommt es zu einem Rückgang der Weltmarktpreise der importierten Güter, wenn man nicht den Extremfall eines völlig elastischen Auslandsangebots unterstellt. Die Leistungsbilanz wird somit verbessert, denn es sinkt der Importwert als Produkt von importierter Menge und Weltmarktpreis (Inlandspreis ohne Zollbelastung) der importierten Güter.

Diese einfachen Zusammenhänge lassen sich in klarer Form mit Hilfe der Kurven des Importangebots und der Importnachfrage (vergleiche II. Teil, 2. Kapitel) demonstrieren. In Abb. 144 bestimmt der Schnittpunkt A der Kurve des Importangebots JA mit der Kurve der Importnachfrage JN den Importwert als Produkt der Koordinaten des Punktes A (Importmenge mal Preis). Wird nun ein Wertzoll von 25 % eingeführt, so erhält man die zollmodifizierte Kurve der Importnachfrage JN', indem man die Ordinatenwerte aller Punkte auf JN um 20 % verkürzt. Für 100 Einheiten des Importgutes, die ohne Zoll zum Weltmarktpreis von z. B. DM 5,— gekauft werden, bieten die Inländer nunmehr nur DM 4,—, da sie pro Einheit einen Wertzoll von 25 %, also von DM 1,— zu zahlen haben. Somit wird A durch den Gleichgewichtspunkt A' ersetzt, dem ein geringerer Weltmarktpreis und eine kleinere Menge zugeordnet ist. Mithin hat sich der Importwert gegenüber A verringert[1]. Die Abnahme des Importwertes wird ceteris paribus um so größer sein, je elastischer die Importnachfrage ist. Nimmt man z. B. an, daß die Elastizität der Importnachfrage unendlich ist (Kurve JN_1), so bedeutet ein 25 %iger Wertzoll (die Ordinatenwerte der Kurve JN_1' sind um 20 % geringer), daß der neue Importwert nicht durch A', sondern durch die Koordinaten von B angegeben wird. Aus zahlungsbilanzpolitischen Gründen empfiehlt es sich also nicht, alle Güter mit einem einheitlichen Wertzoll zu

---

[1] In Abb. 144 sinkt der Importwert zu Weltmarktpreisen auf DM 400,—. Für die Zahlungsbilanz ist nur dieser Einfuhrwert von Bedeutung. Dagegen verändern sich die gesamten Importausgaben (einschließlich Zollbelastung) auf DM 500,—, da pro importierter Einheit ein Zoll von DM 1,— bezahlt wird. Diese Importausgaben können kleiner oder größer als der Importwert vor Einführung des Zolles sein, je nachdem, ob die Kurve JN im relevanten Bereich elastisch (wie in Abb. 144) oder unelastisch ist.

I. Die Wirkung von Zöllen auf die Zahlungsbilanz

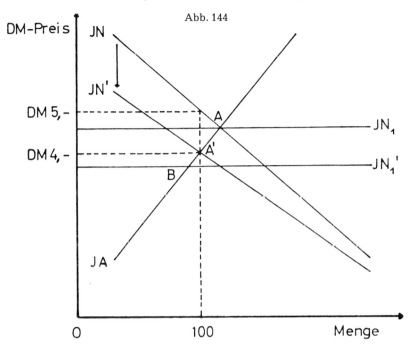

Abb. 144

belegen. Da der Zoll besonders wirkungsvoll bei solchen Gütern ist, die einer elastischen Nachfrage gegenüberstehen, kann der Importwert durch eine Differenzierung der Zollsätze mit stärkerer Belastung dieser Güter stärker vermindert werden als bei einem für alle Waren gleichen Zollsatz. Gleichzeitig wird dann die positive Wirkung auf die terms of trade verstärkt — die Weltmarktpreise sinken besonders stark —, so daß auch eine größere Erhöhung der Inlandspreise zu vermeiden ist.

Die durch den Zoll bedingte Senkung des Importwertes gibt aber nur den Primäreffekt des Zolles an. Wie wir aus der Untersuchung der Multiplikatoreffekte wissen, kann die Abnahme des Imports einen expansiven Prozeß zur Folge haben, in dessen Verlauf mit der Gesamtnachfrage auch die Importnachfrage steigt, so daß sich die Leistungsbilanz verschlechtert und der Primäreffekt des Zolles teilweise aufgehoben wird. Unter welchen Voraussetzungen wird es nun zu einem solchen Aufschwung kommen? Wir wollen annehmen, daß das Inland vor Einführung des Zolles Importe im Werte von DM 100,— tätigt. Ist nun die Elastizität der Importnachfrage größer als 1, so reagieren die Inländer auf eine durch den Zoll bedingte Preiserhöhung mit einer überproportionalen Einschränkung ihrer Nachfrage; somit sinken ihre Ausgaben für Importgüter (einschließlich Zollabgaben), z. B. von DM 100,— auf DM 90,—. Damit stehen DM 10,— für eine zusätzliche Nachfrage nach Inlandsgütern zur Verfügung, die — wenn sie ausgegeben werden — einen Expansionsprozeß bewirken[2]).

---

[2]) Wahrscheinlich steigen die Ausgaben in noch stärkerem Maße, da der Zoll das Realeinkommen mindert und insofern zu einem Rückgang des Sparens bei gegebenem Geldeinkommen führen kann.

In diesem Zusammenhang ist auch von Bedeutung, was mit den Zolleinnahmen geschieht, die in der Ausgabesumme von DM 90,— enthalten sind. Werden sie vom Staate vorwiegend für Inlandsprodukte ausgegeben oder zur Senkung der Steuern verwendet, so entsteht ein zusätzlicher Nachfragestoß, der zu einer weiteren Verstärkung des Aufschwungs beiträgt.

Für eine Importelastizität, die kleiner als 1 ist, müssen unsere Ergebnisse etwas modifiziert werden. Zwar sinkt auch in diesem Falle der Einfuhrwert zu Weltmarktpreisen, doch steigt zur gleichen Zeit der (die Zollbelastung einschließende) Importwert zu Inlandspreisen. Die Inländer haben also weniger Einkommensteile zum Kauf von Inlandsgütern zur Verfügung. Unter diesen Umständen kommt es nur dann zu einer Erhöhung des Volkseinkommens, wenn der Staat von seinen Zolleinnahmen — direkt oder durch Steuersenkung — so viel ausgibt, daß die kontraktive Wirkung des Nachfrageausfalles mehr als ausgeglichen wird. Ein solches Verhalten kann wohl in den meisten Fällen — und zwar aus beschäftigungspolitischen Gründen — als wahrscheinlich angesehen werden.

Der weitere Ablauf kann unter diesen Voraussetzungen leicht abgeleitet werden. Die Zunahme der Ausgaben für Inlandsgüter bedingt eine Erhöhung des Volkseinkommens, die sich bei Unterbeschäftigung zu konstanten Preisen, bei Vollbeschäftigung zu steigenden Preisen vollzieht. In beiden Fällen kommt es zu einer Erhöhung der Importe. Einmal werden durch den Einkommenszuwachs steigende Importe induziert, deren Wert sich durch die marginale Importquote bestimmt, zum anderen wird die Einfuhr durch steigende Inlandspreise angeregt. Eine Beeinträchtigung der Exporte ist gleichfalls zu erwarten, denn eine Preissteigerung bei den Ausfuhrgütern führt bei elastischer Auslandsnachfrage zu einer Verminderung der Exporterlöse. Zu beachten sind auch die Zollwirkungen auf das ausländische Volkseinkommen. Da durch den Zoll der inländische Import, also der Export des Auslandes sinkt, schrumpft dort das Volkseinkommen, so daß auch die Nachfrage nach den Exportgütern des Inlandes abnimmt. Der Verbesserungseffekt der Zollerhebung ist also nicht von Dauer; die endgültige ist geringer als die primäre Verbesserung, wenn auch normalerweise nicht erwartet werden kann, daß der zunächst erreichte Vorteil vollständig beseitigt wird. Die primäre Verbesserung kann um so eher über die Runden gerettet werden, je geringer die marginalen Importquoten und die Importelastizitäten in beiden Ländern sind.

Die endgültige Verbesserung der Leistungsbilanz hängt allerdings auch davon ab, ob das Ausland auf die Zollerhebung mit Retorsionsmaßnahmen reagiert. Ist dies der Fall, so werden die Ausfuhren des Inlands durch Importbeschränkungen des Auslandes vermindert, und es ist jetzt durchaus möglich, daß der zunächst erreichte Vorteil nicht nur teilweise, sondern völlig verlorengeht oder der Saldo der Leistungsbilanz gegenüber dem Ausgangszustand gar verkleinert wird.

b) Die für die Zollerhebung angestellten Überlegungen gelten auch dann, wenn man die Leistungsbilanz durch Zahlung von Exportsubventionen zu verbessern sucht. Diese Maßnahmen werden jedoch nur dann erfolgreich sein, wenn die Elastizität der ausländischen Exportnachfrage größer als 1 ist; denn nur in diesem Fall führt die Verbilligung der Inlandsgüter (in Auslandswährung) zu einer prozentual stärkeren Erhöhung der Exportnachfrage, die den Exportwert vergrößert. Auch diese Bilanzverbesserung wird allerdings kaum von Dauer sein; die gestiegene Ausfuhr induziert nämlich eine Zunahme des Volkseinkommens — evtl. auch der Preise —, so daß sich die

Leistungsbilanz erneut verschlechtert und der zunächst geschaffene Vorteil zum Teil verlorengeht.

c) Da die Leistungsbilanz nicht nur durch Zölle oder Exportsubventionen, sondern vor allem auch durch eine Abwertung verbessert werden kann, liegt die Frage nahe, welche Maßnahme einen größeren Erfolg verspricht[3]). Diese Frage ist nicht generell zu lösen; ihre Beantwortung hängt von den relevanten Elastizitätswerten ab. Wie wir im II. Teil (2. Kapitel) gesehen haben, führt eine Abwertung stets zu einer Verminderung des Importwertes in Auslandswährung, aber nur dann auch zu einer Erhöhung des Exportwertes in Auslandswährung, wenn die Elastizität der Exportnachfrage größer als 1 ist. In diesem Falle ist die Abwertung dem Importzoll überlegen, denn der Zoll verringert nur den Import, die Abwertung vergrößert aber zusätzlich auch den Export. Ist die Elastizität der Exportnachfrage dagegen kleiner als 1, so verringert die Abwertung den Wert des Exports, so daß sich die Leistungsbilanz auf der Importseite zwar verbessert (der Importwert sinkt immer), auf der Exportseite aber verschlechtert. Unter diesen Umständen ist der Zoll das wirksamere Mittel, denn er entlastet die Leistungsbilanz auf der Importseite, ohne den Wert des Exports zu verringern (zu beachten sind allerdings die Fernwirkungen).

Dagegen ist die Abwertung der Exportsubvention fast immer überlegen: Bei elastischer Exportnachfrage bedingt die Exportsubvention sicherlich eine Steigerung der Exporterlöse, doch hat die Abwertung nicht nur diesen, sondern zusätzlich noch einen importvermindernden Effekt. Ist die Exportnachfrage dagegen unelastisch, so führt die Subvention zu einer Abnahme des Exportwertes, also zu einer Verschlechterung der Leistungsbilanz (es wäre jetzt ein Exportzoll am Platze). Zwar wird der Exportwert durch eine Abwertung gleichfalls verringert, doch sinkt zumindest der Importwert, so daß sich die Leistungsbilanz — bei stärkerer Abnahme des Importwertes — per Saldo dennoch verbessern kann.

Importzoll und Exportsubvention würden einer Abwertung nur dann gleichwertig sein, wenn man beide Maßnahmen kombiniert. So entspricht ein 10 %iger Einfuhrzoll auf alle Waren, der mit einer einheitlichen Ausfuhrsubvention von 10 % gekoppelt ist, genau einer 10 %igen Abwertung — abgesehen davon, daß die Abwertung auch den Kapitalverkehr berührt. Diese Übereinstimmung ist allerdings nur theoretischer Natur; vom praktisch-administrativen Standpunkt mögen erhebliche Unterschiede existieren.

II. Die Wirkung von Zöllen auf die Beschäftigung

Nach den vorangegangenen Ausführungen ist es leicht, die Beschäftigungswirkungen von Zöllen abzuleiten. Werden die Einfuhrgüter durch den Zoll verteuert, so sinkt der Wert des Imports bei konstantem Wert des Exports; mithin steigt ceteris paribus das Volkseinkommen und folglich die Beschäftigung. Die Einkommens- und Beschäftigungszunahme wird um so größer sein, je kleiner erstens marginale Importquote und marginale Sparquote des betrachteten Landes sind, und je weniger zweitens der Export durch die von den Handelspartnern ausgehenden Rückwirkungen beeinträchtigt wird (vgl. S. 123 ff.). Daher scheint der Importzoll ein geeignetes Instrument der Beschäftigungspolitik zu sein.

[3]) Dazu M e a d e , J. E., The Balance of Payments, a. a. C., S. 309 ff.

Der Enthusiasmus wird aber erheblich durch die Überlegung gedämpft, daß der Beschäftigungszuwachs im zollerhebenden Land auf Kosten des Auslandes geht; denn der Exportüberschuß des einen Landes ist zugleich der Importüberschuß des anderen Landes, der dort einen Kontraktionsprozeß bewirkt. Die Arbeitslosigkeit wird also im Rahmen der „beggar my neighbour — policy" in das Ausland exportiert. Die anderen Länder haben deshalb allen Grund, Gegenmaßnahmen in Form von Importbeschränkungen zu ergreifen. Daher erweist sich der Zoll letztlich doch als schwaches Mittel der Beschäftigungspolitik, und das um so mehr, je stärker das Volkseinkommen im Ausland durch den Zoll vermindert, der Export des Inlands also durch Rückwirkungen und Retorsionsmaßnahmen verkleinert wird. Diese wenigen Worte mögen hier genügen; die genauen Ergebnisse liefern die im II. Teil entwickelten Multiplikatormodelle.

Literatur zum IV. Teil

Alexander, S. S., Devaluation Versus Import Restriction as an Instrument for Improving Trade Balances, International Monetary Fund, Staff Papers, 1951.

Balassa, B. A., The Theory of Economic Integration, Homewood/Ill. 1961.

Ders., Tariff Protection in Industrial Countries: An Evaluation, Journal of Political Economy, Bd. 73, 1965.

Baldwin, R. E., The Effect of Tariffs on International and Domestic Prices, Quarterly Journal of Economics, Bd. 74, 1960.

Ders., The Case Against Infant-Industry Tariff Protection, in: Journal of Political Economy, Bd. 77, 1969.

Bhagwati, J., On the Equivalence of Tariffs and Quotas, in: Trade, Growth and the Balance of Payments, Amsterdam 1965.

Ders., Protection, Real Wages and Real Incomes, Economic Journal, Bd. 69, 1959.

Ders. und Johnson, H. G., A Generalized Theory of the Effects of Tariffs on the Terms of Trade, Oxford Economic Papers, N.S., Bd. 13, 1961.

Ders. und Srinivasan, T. N., The General Equilibrium Theory of Effective Protection and Resource Allocation, Journal of International Economics, Bd. 3, 1973.

Ders., Trade, Tariffs and Growth, London 1969.

Bickerdike, C. F., The Theory of Incipient Taxes, Economic Journal, Bd. 16, 1906.

Black, J., Arguments for Tariffs, Oxford Economic Papers, N.S., Bd. 11, 1959, deutsche Übersetzung in: Rose, K. (Hrsg.)., Theorie der internationalen Wirtschaftsbeziehungen, Köln—Berlin 1965.

Bruno, M., Protection and Tariff Change under General Equilibrium, Journal of International Economics, Bd. 3, 1973.

Clemhout, S., Wan, H. Y., Learning by Doing and Infant Industry Protection, Review of Economic Studies, Bd. 37, 1970.

Corden, W. M., Tariffs, Subsidies and the Terms of Trade, Economica, N.S., Bd. 24, 1957.

Ders., Monopoly, Tariffs and Subsidies, Economica, N.S., Bd. 34, 1967.

Ders., The Structure of a Tariff System and the Effective Protective Rate, Journal of Political Economy, Bd. 74, 1966.

Ders., Protection and Foreign Investment, Economic Record, Bd. 43, 1967.

Ders., The Theory of Protection, Oxford 1971.

Ders., The Substitution Problem in the Theory of Effective Protection, Journal of International Economics, Bd. 1, 1971.

Donges, J. B., Zur Theorie der effektiven Protektion, Zeitschrift für die gesamte Staatswissenschaft, Bd. 131, 1975.

Evans, H. D., A General Equilibrium Analysis of Protection, Amsterdam — London 1972.

Giersch, H., Das Handelsoptimum, Weltwirtschaftl. Archiv, Bd. 76, 1956.

Graaff, J. de V., On Optimum Tariff Structures, Review of Economic Studies, Bd. 17, 1949—50.

Grubel, H. G., Johnson, H. G. (Hrsg.), Effective Tariff Protection, Genf 1971.

Hagen, E. E., An Economic Justification of Protectionism, Quarterly Journal of Economics, Bd. 72, 1958.

Hiemenz, U., Hoffmann, L., von Rabenau, K., Die Theorie der effektiven Protektion, Weltwirtschaftliches Archiv, Bd. 107, 1971 II.

Hiemenz, U., v. Rabenau, K., Effektive Protektion, Tübingen 1973.

Johnson, H. G., Optimum Welfare and Maximum Revenue Tariffs, Review of Economic Studies, Bd. 18, 1950—51.

Ders., Optimum Tariffs and Retaliation, Review of Economic Studies, Bd. 21, 1953—54, wiederabg. in: International Trade and Economic Growth, London 1961.

Ders., Income Distribution, The Offer Curve, and the Effects of Tariffs, The Manchester School of Economic and Social Studies, Bd. 28, 1960.

Ders., The Cost of Protection and the Scientific Tariff, Journal of Political Economy, Bd. 68, 1960.

Ders., The Theory of Tariff Structure with Special Reference to World Trade and Development, in: Trade and Development, Genf 1965.

Ders., The Standard Theory of Tariffs, in: Canadian Journal of Economics, Bd. 2, 1969.

Ders., A New View of the Infant Industry Argument, in: McDougall, I. A., Snape, R. H. (Hrsg.), Studies in International Economics, Amsterdam—London 1970.

Jones, R. W., Effective Protection and Substitution, Journal of International Economics, Bd. 1, 1971.

Kahn, R. F., Tariffs and the Terms of Trade, Review of Economic Studies, Bd. 15, 1947—48.

Kaldor, N., A Note on Tariffs and the Terms of Trade, Economica, N.S., Bd. 7, 1940, deutsche Übersetzung in: Rose, K. (Hrsg.), Theorie der internationalen Wirtschaftsbeziehungen, Köln—Berlin 1965.

Kemp, M. C., Tariffs, Income and Distribution, Quarterly Journal of Economics, Bd. 70, 1956.

Ders., The Mill-Bastable Infant Industry Dogma, Journal of Political Economy, Bd. 68, 1960.

Ders. und Negishi, T., Domestic Distortions, Tariffs and the Theory of Optimum Subsidy, Journal of Political Economy, Bd. 77, 1969.

Kenen, P. B., On the Geometry of Welfare Economics, Quarterly Journal of Economics, Bd. 71, 1957.

K r e i n i n , M. E., More on the Equivalence of Tariffs and Quotas, Kyklos, Bd. 23, 1970.

K r a u s s , M. B., Recent Developments in Customs Union Theory: An Interpretative Survey, Journal of Economic Literature, Bd. 10, 1972.

K ü n g , E., Zölle oder Kontingente, Außenwirtschaft, Bd. 9, 1954.

L a n c a s t e r , K., Protection and Real Wages — A Restatement, Economic Journal, Bd. 67, 1957.

L e r n e r , A. P., The Symmetry Between Import and Export Taxes, Economica, N.S., Bd. 3, 1936, deutsche Übersetzung in: R o s e , K. (Hrsg.), Theorie der internationalen Wirtschaftsbeziehungen, Köln—Berlin 1965.

L i p s e y , R. G., The Theory of Customs Unions: A General Survey, Economic Journal, Bd. 70, 1960.

L i t t l e , J. M. D., Welfare and Tariffs, Review of Economic Studies, Bd. 17, 1949—50.

Mc C u l l o c h , R., When are Tariff and a Quota equivalent? Canadian Journal of Economics, Bd. 6, 1973.

M e a d e , J. E., The Theory of Customs Unions, Amsterdam 1955.

M e t z l e r , L. A., Tariffs, International Demand and Domestic Prices, Journal of Political Economy, Bd. 57, 1949.

Ders., Tariffs, the Terms of Trade and the Distribution of National Income, Journal of Political Economy, Bd. 57, 1949.

M i n a b e , N., The Stolper-Samuelson Theorem under Conditions of Variable Returns to Scale, Oxford Economic Papers, Bd. 18, 1966.

N e g i s h i , T., Protection of the Infant Industry and Dynamic Internal Economies, Economic Record, Bd. 44, 1968.

O z g a , S. A., An Essay in the Theory of Tariffs, Journal of Political Economy, Bd. 63, 1955.

R o s e , K., Freihandel, Optimalzoll und wirtschaftlicher Wohlstand, Weltwirtschaftliches Archiv, Bd. 96, 1966.

S c h l i e p e r , U., Eine Verallgemeinerung des Optimalzolltheorems, Zeitschrift für die gesamte Staatswissenschaft, Bd. 125, 1969.

S c i t o v s k y , T., A Reconsideration of the Theory of Tarifs, Review of Economic Studies, Bd. 9, 1942, wiederabg. in: Readings in the Theory of International Trade, London 1958, deutsche Übersetzung in: R o s e , K. (Hrsg.), Theorie der internationalen Wirtschaftsbeziehungen, Köln—Berlin 1965.

S t e r n , R., Tariffs and Other Measures of Trade Control: A Survey of Recent Developments, Journal of Economic Literatur, Band 11, Nr. 3, 1973.

S t o l p e r , W. und S a m u e l s o n , P. A., Protection and Real Wages, R e v i e w of Economic Studies, Bd. 9, 1941—42, wiederabg. in: Readings in the Theory of International Trade, London 1958, deutsche Übersetzung in: R o s e , K. (Hrsg.), Theorie der internationalen Wirtschaftsbeziehungen, Köln—Berlin 1965.

S u z u k i , K., The Deterioration of the Terms of Trade by A Tariff, Journal of International Economics, Bd. 6, 1976.

V a n e k , J., General Equilibrium of International Discrimination, Cambridge/Mass. 1965.

W i l l g e r o d t , H., Handelsschranken im Dienste der Währungspolitik, Düsseldorf-München 1962.

Sachregister

Absorption 27 ff., 75, 138 f., 141 ff., 151 f., 190
  autonome und induzierte – 138, 141 f., 147 f.
  s. Gesamtausgaben
  absorption-approach 148
  s. Absorptionstheorie
Absorptionsfunktion 140 ff.
Absorptionsquote 142
  durchschnittliche – 140 f., 142
  marginale – 122, 138, 140 ff.
  u. Zinseffekte 143
  s. Ausgabenquote
Absorptionstheorie 137 f.
  s. absorption approach
Abwertung 41 f.
  u. Beschäftigung 149
  u. Devisenposition 41 f., 54
  u. Einkommenseffekt 53 f., 137 ff
  u. Exportangebot u. -nachfrage 54 f.
  u. Exportwert in DM 48 ff.
  u. Exportwert in Dollar 54 ff.
  u. Importangebot u. -nachfrage 55 ff.
  u. Importwert in DM 51 ff.
  u. Importwert in Dollar 55 ff.
  u. Leistungsbilanz 45 ff., 57 ff.
  u. Leistungsbilanz in DM 45 ff., 51 ff., 57 ff., 64 f., 65 f.
  u. Leistungsbilanz in Dollar 54 ff., 64 ff., 73
  u. Preiseffekte 73 ff.
  Primär- u. Sekundäreffekte der – 53 f., 73 f.
  u. Tauschverhältnis 149 ff.
  u. terms of trade-Effekte 150 ff.
  Vergleich mit Importzöllen und Exportsubventionen 432 ff.
  u. Volkseinkommen 53, 66, 73 ff.
  s. Währungsabwertung
Abwertungspessimismus
  s. Elastizitätspessimismus
Alles-oder-Nichts-Kriterium 366
Allokation der Produktionsfaktoren
  s. Produktionsfaktoren, Verteilung der –
Angebotselastizität
  s. Elastizität des Angebots
Anpassungsinflation 92, 93 f.
  s. Preisanpassung, Prozeß der –
Anpassungstransaktionen 17 ff., 41
  u. Reservetransaktionen 18 f.
Arbeitsteilung 2, 356
  internationale – 226 ff., 417
  interpersonale 230
  optimale – 357, 359
Arbeitswertlehre und Theorie der komparativen Kosten 225
Arbitrage
  s. Zinsarbitrage

Arbitragegleichgewicht 199 ff., 208 ff.
Arbitragemöglichkeitskurve 200, 207 ff.
Arbitragewunschkurve 200, 207 ff.
Aufwertung 14, 42, 45, 53, 58 f., 96
  s. internationaler Preiszusammenhang und –
Ausfuhrzoll 387
Ausgabenmultiplikator 122
Ausgabenquote, marginale – 122 f., 138, 190 f.
  s. Absorptionsquote, marginale
Ausgleichsmechanismen 35 ff.
  der Zahlungsbilanz
  Kombination der – 36
Auslandsinflation 91 f., 93 f., 95 f.
Auslandspreisniveau 92
  s. Binnenpreisniveau, Zusammenhang zwischen – und –
Außenhandel 238, 242 f., 306, 308, 312, 314, 388 f.
  s. Außenwirtschaft
  s. Freihandel
  s. Handel
Außenhandelsgewinn 355
  eigentlicher – und Spezialisierungsgewinn 356
  Nachweis des – 355 ff.
Außenhandelsmultiplikator
  s. Exportmultiplikator
Außenhandelsoptimum 411 ff.
  s. Optimum
Außenhandelssubvention 403 ff.
  s. Subvention
Außenhandelstheorie 225, 231, 296, 355
  s. Außenwirtschaftstheorie
Außenwirtschaft
  s. Außenhandel
Außenwirtschaftspolitik
  s. beggar my neighbour-policy
  s. Zollpolitik
Außenwirtschaftstheorie
  s. Außenhandelstheorie
  monetäre – 35 ff.
  reine 233 ff., 367
Austauschgleichgewicht 316, 322, 333
  s. Tauschgleichgewicht
Austauschhandel 228
Autarkie
  u. Freihandelssituation 360 ff.
  s. Wohlfahrt bei –
Autarkiekurve 411 ff.
Autarkie-Umhüllungskurve 363, 367
Autonome Transaktionen 17 ff., 39, 41

beggar my neighbour-policy 129, 434
Beschäftigung
  s. Abwertung u. –

u. Kapitalexport 186
s. Unterbeschäftigung
s. Wechselkurs, flexibler – und –
s. Zölle und –
u. Zollpolitik 388 f., 433
Bestandsgleichgewicht 178 ff.
Bilanz der Anpassungstransaktionen 17 ff.
Bilanz der autonomen Transaktionen 17 ff.
Binnenpreisniveau 92, 94
Zusammenhang zwischen – und Auslandspreisniveau 91 ff.
Bondmarkt 178 ff.
Box-Diagramm 248, 260, 282, 285
u. Ableitung des Gleichgewichtsverhältnisses 316 f., 319
u. Darstellung des Stolper-Samuelson-Theorems 420 ff.
s. Faktorausstattung und –
u. Faktorpreisausgleich 264, 265 f., 269
in der Konsumtheorie 296
in der Produktionstheorie 251 f., 271 f., 284
Bruttotransformationskurve 288 ff.

cif. 6 f.

Datenänderung und Weltmarktgleichgewicht 330 ff.
s. Handelsvolumen und –
Deport 196 ff.
Devisenangebot 19, 35, 38 ff., 81, 196, 201 ff., 204 f.
autonomes – 41
normale Reaktion des – 44
Quellen des – 40 f., 88 f.
s. Wechselkurs und –
Devisenarbitrage 38
Devisenbilanz 8 ff., 15
Devisenkassakurs 195 ff.
erwarteter – 200, 209
gegenwärtiger – 200 f.
Devisenkassamarkt 195 ff.
Devisenmarkt 20, 38 ff., 45, 88, 195 ff.
s. Devisenterminmarkt
s. Gleichgewicht auf dem Devisenmarkt u. Gütermärkte 56
u. Stabilitätsproblem 40 ff., 45
Devisennachfrage 19, 35, 38 ff., 81, 196, 200, 204 f.
autonome – 41
Quellen der – 40, 88 f.
s. Wechselkurs und Devisenangebot und –
Devisenspekulation 195, 201 ff.
– stabilisierende 177
– und Liquiditätsbedarf 202
Devisenterminkurs 195 ff.
Devisenterminmarkt 37, 195 ff.

Devisentransaktionen
– der Arbitrage 196 ff.
– der Exporteure und Importeure 204 ff.
– der Spekulanten 200 ff.
Devisentransaktionskurven 196 ff., 204
– der Arbitrageure 200, 204
– der Exporteure und Importeure 205
– der Spekulanten 201, 205
– auf dem Kassamarkt 202
– auf dem Terminmarkt 201
Dienstleistungsverkehr 4
direkter internationaler Preiszusammenhang
s. internationaler Preiszusammenhang
Durchfuhrzoll 387

Effektivzoll 393 ff.
u. Nominalkonzept 393 ff.
Einfuhrzoll 387, 388 ff.
Einkommenseffekt
s. Abwertung und Einkommenseffekt
s. Einkommensmechanismus
s. Tauschverhältnis und Einkommenswirkungen
Einkommenselastizität
der Importnachfrage 332 f., 343
s. Produktionselastizität
Einkommens-Konsum-Kurve 259, 295, 305 ff.
Einkommensmechanismus 35, 106 ff., 141
Einkommensumverteilung
s. Einkommensverteilung, optimale
Einkommensverteilung 366, 418 ff.
s. Faktorpreisausgleich
u. internationaler Handel 262 ff.
u. Konstruktion der gesellschaftlichen Indifferenzkurven 298, 300 f.
optimale – 302 f., 355 f., 359, 367
s. Redistribution und optimale –
s. Zölle und –
Einnahmeeffekt der Zölle 389 f., 418 ff.
elasticity approach 57 f.
s. Elastizitätsanalyse
Elastizität 318
des Angebots 47 f.
s. Einkommenselastizität
des Exportangebots 47 f., 68 f., 71, 72, 76 ff.
der Exportnachfrage 47 f., 49, 51, 56 ff., 66 ff., 71, 76 ff., 82, 85 f., 432 f.
der Exportgüterpreise 78 f.
des Exportwertes 58 f., 60 f., 68 f., 70, 71
des Importangebots 55, 67 f., 69, 76 ff., 82, 85
der Importnachfrage 51, 57 ff., 67 f., 75 ff., 85, 93, 324, 326, 329, 398, 430 ff.
der Importgüterpreise 78

Sachregister

des Importwertes 58 ff., 71
u. Marshall-Lerner-Bedingung 66 ff.
s. Mengenelastizität
   der Nachfrage 46, 318, 324 f.
u. Robinson-Bedingung 69 ff.
u. Stabilität des Weltmarktgleichgewichts 323 ff.
   der Tauschkurve 324 ff., 333, 396 ff.
s. Wertelastizität
u. terms of trade 75 ff.
u. Zollwirkungen 389, 396 f., 402 ff., 430 ff.
Elastizitätsanalyse 73, 137
Elastizitätsoptimismus und − pessimismus 74 f., 138
Entwicklungsmonopol 227
Erfolgsrechnung eines Unternehmens 22
Erhaltungszoll 429
Erträge
   private und soziale − 369 ff., 427 ff.
Erziehungszoll 425 ff.
u. externe Esparnisse 427 ff.
Expansionslinie 247, 258, 266
Export
   autonomer und induzierter − 109, 121, 122 ff., 183
s. Gleichgewichtsexport
   unsichtbarer − 4
Exportangebot 46, 54 f., 303, 306, 314, 315 ff., 321, 323, 328, 335
Exportmultiplikator 114 ff., 131
s. Abwertung und −
s. Elastizität des −
   dynamische Analyse des − 117 ff.
   bei zinsabhängiger Investition 132
   im Zwei-Länder-Modell 125 f.
Exportnachfrage
s. Abwertung und −
s. Elastizität der −
Exportsubvention
s. Abwertung. Vergleich mit Importzöllen und −
Exportüberschuß 29 ff., 62, 65, 110, 127
Exportwert 40 f., 43 ff., 93, 96
s. Abwertung und −
   in DM 43 f., 48 f.
   in Dollar 43 f.
s. Elastizität des −
u. Preisänderungen 85 ff.
s. Wechselkurs und −
Exportzoll
s. Importzoll, Analogie zum −
externe Effekte 224, 427 ff.
externe Ersparnisse 369 f., 372, 374
s. Erziehungszoll und −
u. interne Ersparnise 427 f.
s. Subvention bei −
externe Verluste 369, 372

Faktorangebot
   variables − 284 ff.

Faktorausstattung
u. Box-Diagramm 248 f., 260 f., 272 f., 285
   gleiche − 239, 258
   konstante − 265, 330
   unterschiedliche − 257, 260 ff., 270 f., 277, 282, 284
Faktoreinsatzverhältnis 287
s. Faktorproportionen
   gesamtwirtschaftliches und partielles − 263, 279 ff., 287
Faktorintensitäten 248, 255, 258, 274, 280 ff.
   Abhängigkeit der − vom Faktorpreisverhältnis 278 f.
   Annäherung der − durch Außenhandel 264 f.
   Einfluß auf Kontraktkurve und Transformationskurve 274 ff.
s. Faktorpreisausgleich und −
   identische − 248 ff., 255 f., 281
   umschlagende − 272 ff., 276, 283
   unterschiedliche − 251 f., 271
Faktormarkt 241, 264, 420 ff.
Faktornachfrage
s. Spezialisierung und −
Faktorpreisausgleich
   bei inversem Handel 210
s. Box-Diagramm und −
u. Faktorintensitäten 264
u. Harrod-Johnson-Diagramm 278
   Hindernisse des − 270 ff., 281 ff.
   vollständiger − 271
   Voraussetzungen des − 276 f.
Faktorpreisausgleichstheorem 262, 265 ff., 272, 276 ff., 310, 420 ff.
s. Faktorpreisausgleich und Harrod-Johnson-Diagramm
Faktorpreisdifferenzen
   Vergrößerung der − durch Außenhandel 279
Faktorpreise 241, 267 f., 275 ff., 279, 302
   Einfluß der Produktionsspezialisierung auf die − 263 ff., 285
Faktormobilität und − 263 f., 367
s. Grenzproduktivität und −
   konstante − 341
u. Produktionsstruktur 279 f.
s. Spezialisierung und −
s. Unterbeschäftigung und starre −
   unterschiedliche − 258
s. Wohlstandseffekte und starre −
s. Zölle und −
Faktorpreisverhältnis 247, 250 f., 253, 260 f., 263, 272, 279, 339, 422 f.
u. Preiskurve 279 f., 283
Faktorproduktivität 239
   partielle − 257
   globale 257 ff.,
Faktorproportionen 251, 260, 263 f., 272, 274, 280, 284, 421 f.
s. Faktoreinsatzverhältnis

Faktorproportionentheorem 261, 265, 272 f., 276, 284, 310
fas 6
Finanzzoll und Staatseinnahmen 418 ff.
Fiskalpolitik
Effizienz der – bei festen und flexiblen Kursen 164 f.
– bei flexiblen Kursen 163 ff.
s. policy mix, zur Theorie des
Flow-Effekte 180
fob 6 f.
Freihandel 225, 271, 357, 363, 367, 388, 399, 405, 411 ff., 414 ff.
s. Außenhandel
s. Tauschkurve bei –
s. Wohlfahrt bei –
Freihandelsgewinne und Kompensationskriterien 359 ff.
Freihandelssituation 409 ff.
s. Autarkie und –
u. Konsummöglichkeiten 409 ff.
s. Optimalzollsituation
Freihandelstheorem 359
Freihandelsumhüllungskurve 363, 412

Gegenzoll 414 ff.
s. Retorsionszoll
Geldillusion 141 ff.
Geldmarkt 97 ff.
Geldmenge, wirksame
s. Gesamtnachfrage
Geldmengen-Preismechanismus 35, 87 ff., 91 f.
s. Goldautomatismus
Geldnachfrage
spekulative – 90, 145
Geldpolitik
– bei flexiblen Kursen 166 f.
Effizienz der – bei festen und flexiblen Kursen 167
s. policy mix, zur Theorie des
Geldvermögen 30
Gesamtangebot 109
Gesamtausgaben 27 f., 119 ff.
u. Volkseinkommen 27 f.
s. Absorption
Gesamtausgabenkurve
u. Tauschkurve 318, 325
Gesamtausgabenmultiplikator 119 ff.
Gesamterlöskurve
u. Tauschkurve 318, 407
Gesamtnachfrage 92, 94 ff., 109 f.
Gleichgewicht
s. Austauschgleichgewicht
außenwirtschaftliches – 19
s. externes –
auf dem Devisenmarkt 40 ff., 41, 44 f.
auf dem Geldmarkt 97 ff., 144 f.
externes – 155 f.
externes und internes – 120 f., 130, 155 ff.

Zielkonflikte zwischen – 120, 155 ff.
bei flexiblen Kursen 162 ff.
bei stabilen Kursen 155 ff.
güterwirtschaftliches und monetäres –
s. Gleichgewicht, internes
inneres und äußeres –
s. externes und internes –
internes – 155, 162
multiples – 323
s. Nachfragegleichgewicht
s. Produktionsgleichgewicht
stabiles – 40, 42, 323, 331
totales – 313 ff., 323, 330 ff.
unstabiles 323 f., 326 f.
s. Weltmarktgleichgewicht
der Zahlungsbilanz 14 ff., 19 f., 40, 103
zollpolitisches – 414 ff.
Gleichgewichtsbedingung 306
für die offene Wirtschaft 106 ff.
für zwei Länder 123
Gleichgewichtseinkommen 110 f.
u. Leistungsbilanzsaldo 111
in der offenen Wirtschaft 106 ff., 116
im Zwei-Länder-Modell 122 ff., 128
Gleichgewichtsaustauschverhältnis 322
s. Box-Diagramm und Ableitung des
– s. Preisverhältnis
Gleichgewichtswechselkurs
s. Wechselkursgleichgewicht
Gleitzoll 387
Goldarbitrage 88
Goldautomatismus 36
s. Geldmengen-Preis-Mechanismus
Gold- und Devisenbestand 8, 15 ff.
Gold- und Devisenbewegungen 15 ff., 36, 90, 114, 190
s. Goldexport
s. Goldimport
u. Preisniveau 90 f.
Gold- und Devisenbilanz 8 ff.
Goldexport 10, 12, 88 ff.
induzierter – 41
Goldimport 10, 88 f.
Goldkernwährung 90, 181
Goldmechanismus 183
s. Geldmengen-Preis-Mechanismus
Goldpunkt, oberer und unterer – 88 ff., 181
Goldstandard 89, 90 f.
Grenzkosten 241 f., 262, 402 ff.
konstante – 235
monetäre – 241 f.
private und soziale – 304, 358, 370 ff., 375 f.
Grenzkostenverhältnis 241 f., 305, 359
Grenzneigung
zur Absorption

Sachregister 441

s. Absorptionsquote, marginale
zum Horten
s. Hortungsquote, marginale
zum Import 110, 348
s. Importquote, marginale
zur Investition
s. Investitionsquote, marginale
zum Sparen
s. Sparquote, marginale
Grenzproduktivität 247, 249 f., 262, 265, 267 f.
u. Faktorpreise 253, 268 f., 271, 278
s. Niveaugrenzprodukt
partielle – 247
Grenzrate
der Substitution 293, 295, 298 f., 301 f., 304, 316, 356 ff., 360 ff., 370, 376, 403, 411 ff.
der Transformation 235, 239 f., 241, 259, 287, 304, 362, 370, 376, 409 ff.
Grundbilanz, Konzept der – 15

Handel
s. inverser Handel
s. normaler Handel
Optimierung des – 359
Handelsbeschränkungen 355
Handelsbilanz 3
Handelseffekt und Spezialisierungseffekt 374
Handelsgewinn 356
Handelsindifferenzkurven 320, 333, 402 ff.
s. h-Kurve
s. Indifferenzkurven, gesellschaftliche und Ableitung der –
Handelsvolumen
u. Datenänderungen 330
u. terms of trade 411 f.
u. Wachstumsformen 335
s. Zölle und –
Harrod-Johnson-Diagramm
s. Faktorpreisausgleich und Harrod-Johnson-Diagramm
h-Kurve 402 ff.
u. Ableitung der Tauschkurven 321 f.
s. Handelsindifferenzkurven
Hortungsfunktion 102 f.
Hortungsquote, marginale 139

Imitationsprozeß 227
Immiserizing Growth 334, 353
Import
autonomer und induzierter – 108 ff., 116 f., 119, 122, 126, 183
s. Leistungsverkehr
unsichtbarer – 5
Importangebot 50, 85, 430 f.
s. Abwertung und –
s. Elastizität des –

Importanteil in den Exportgütern 27 f., 114, 119, 126
Importelastizität
s. Elastizität der Importnachfrage
Importfunktion 108 ff., 111, 115, 130
Importkontingent
s. Importzoll und –
s. Kontingente
Importmultiplikator, negativer – 134
Importnachfrage 43, 85, 303, 314 ff., 323, 329, 335, 388 f., 430 f.
s. Abwertung und –
s. Elastizität der –
Kreuzpreiselastizität der – 73
Wachstum und – 343 ff.
Importquote
durchschnittliche – 153
marginale – 108 f., 112 f., 114 f., 120 f., 126, 136, 152, 183, 184, 348, 432
s. Grenzneigung zum Import
Importüberschuß 29 ff., 64, 89
Importwert 40 f., 43 ff., 93, 96
u. Bewertung des Leistungsverkehrs 6 f.
s. Abwertung und –
s. Elastizität des –
u. Preisänderungen 84 ff.
s. Wechselkurs und Exportwert und –
Importzoll 387 ff., 418 ff., 430 ff.
s. Abwertung und Vergleich mit –
Analogie zum Exportzoll 397
u. Importkontingent 390
Indifferenzkurven 310 f., 313 ff., 320, 330, 360
gesellschaftliche – 295 ff., 303, 333, 355 ff., 362, 365, 403 ff.
u. Ableitung der Handelsindifferenzkurven 319 f.
Ableitung der – aus den individuellen Indifferenzkurven 296 ff.
u. Beurteilung von Wohlstandseffekten des Außenhandels 302
s. Nutzenmöglichkeitskurve und –
Rechtfertigungsmöglichkeiten der – 301 ff.
sich schneidende – 300 f., 359, 366, 409 ff.
s. Transformationskurve und –
individuelle – 302, 362
s. Konsumindifferenzkurven
Indifferenzkurvensystem 294 f.
Inflation
s. Anpassungsinflation
s. Auslandsinflation
s. Leistungsbilanzdefizit und –
s. Leistungsbilanzüberschuß und –
Politik der – 91
schleichende – 91
Inflationsimport 91 ff., 94 f.
– durch ein relativ kleines Land 95 ff.
s. Preisanpassung, Prozeß der –
u. monetäre Zahlungsbilanztheorie 97 ff.

u. Verschlechterung der Leistungsbilanz 92 ff., 94
Inflationstrend, internationaler 94
internationale Nachfrage 236, 270, 272
s. Weltmarktpreis und –
internationaler Preiszusammenhang, direkter 91 ff.
u. Aufwertung 96
s. Binnenpreisniveau, Zusammenhang zwischen – und Auslandspreisniveau
s. Inflationsimport
s. Leistungsbilanz, Beeinflussung der – durch Preiserhöhung im Ausland
s. Leistungsbilanz, normale und anomale Reaktion der –
s. Leistungsbilanz, Saldeneffekte der –
s. Preisanpassung, Prozeß der –
s. Preiseffekte, unmittelbare
Internationale Werte, Theorie der – 225
interne Ersparnisse
s. externe Ersparnisse
Interventionspunkt, oberer und unterer – 91 f., 181
inverser Handel 265, 309 f., 322
Investitionen
autonome und induzierte – 119 ff.
u. Zahlungsbilanz 28 f.
Investitionsmultiplikator
im Ein-Land-Modell 119 ff.
im Zwei-Länder-Modell 128 ff., 187
Investitionsquote, marginale – 138, 144
Isoquanten 247, 273 ff., 279
Isoquantensystem 247 f., 251, 258, 261, 273

Kaldor-Hicks-Kriterium 365 ff., 409 ff.
Kapitalbewegung 8 ff., 37, 114, 330, 347
autonome – 88, 181 ff.
s. Preise und –
s. Volkseinkommen und –
s. Wechselkurse und –
s. Zahlungsbilanz und –
induzierte – 144
s. Kapitalexport
s. Kapitalimport
s. Transfer
kursgesicherte – 196 ff., 204 f., 205 ff.
kurzfristige – 37, 195 ff.
spekulative – 200 ff.
s. Devisenspekulation
zinsinduzierte –
s. Zinsarbitrage
Kapitalbilanz 3, 8 ff., 12, 15
Saldo der – 29 ff.
Kapitalexport 9 ff., 29 ff., 40 f.
autonomer – 181 f., 183 f., 187
s. Beschäftigung und –
s. Kapitalbewegungen
s. Rückwirkungen des –
u. Warenimport 9

Kapitalimport 9 ff., 29 ff., 40 f.
autonomer – 181 f.
s. Kapitalbewegungen
u. Warenexport 9
Kapitalintensität 341
partielle – 341 ff.
gesamtwirtschaftliche 341 ff.
Kapitaltransaktionen
s. Kapitalbewegungen
kurzfristige –
s. kurzfristige Kapitalbewegungen
kursgesicherte –
s. kursgesicherte Kapitalbewegungen
Kapitalübertragungen
s. Tauschverhältnis und –
Kassakurs
s. Devisenkassakurs
Kassamarkt
s. Devisenkassamarkt
Kassamarktspekulation
s. Devisenspekulation
Kassenhaltungskoeffizient 145
Kaufkraftparitätentheorie 81 ff.
komparative Form der – 82 ff.
s. Wechselkursänderung und –
komparative Kosten 230, 239, 284, 288, 309
Theorie der – 226 ff., 231 ff., 259
s. Arbeitswertlehre und Theorie der –
s. Nachfragebedingungen und Theorie der –
klassische Version 229 ff.
u. Ohlinsche Handelstheorie 261 f.
bei sinkenden Kosten 244 f.
bei steigenden Kosten 239 ff.
Kompensationskriterien 363, 365
s. Alles-oder-Nichts-Kriterium
s. Kaldor-Hicks-Kriterium
s. Optimalzoll und –
s. Scitovsky-Kriterium
Kompensationspolitik 171
Konjunkturbewegungen
internationale Übertragung von – 152 ff.
Konsumentenpräferenzen 269
s. Präferenzstruktur
Konsumindifferenzkurven 320 f.
Konsummöglichkeit 360
s. Freihandelssituation und –
u. Optimalzollsituation 409 ff.
Konsum-Optimalzollkurve
s. Tauschkurve und –
s. Transformationskurve und –
Konsumpunkt 238, 306 f., 312, 321
s. Verbrauchspunkt
Konsumquote 107 ff.
Konsumtheorie
s. Box-Diagramm in der –
s. Kontraktkurve in der –
s. Pareto-Optimum in der –

Sachregister

Konsumtionseffekt
der direkten Einfuhrbeschränkungen 390 f.
der Zölle 388 ff.
Kontingente
Arten der – 390
Wirkungen der – 390 ff.
Kontraktkurve 250 f., 255, 274, 285 ff., 422 ff.
s. Faktorintensität und –
konkave – 274
in der Konsumtheorie 299 f., 302
konvexe – 252, 263, 266, 274
lineare – 255
in der Produktionstheorie 258, 266, 269, 274
u. Transformationskurve 251, 261, 269, 279
korrespondierende Punkte 259, 269, 298, 300
Kosten
s. komparative Kosten
s. Spezialisierung und –
s. Tauschverhältnis bei –
sinkende – 243, 311, 425 ff.
s. Spezialisierung und –
s. Transformationskurve und –
soziale und private – 224, 367 ff.
steigende – 239 f.
s. Spezialisierung und –
s. Tauschverhältnis und –
Kostendifferenz
s. Spezialisierung ohne –
Ursachen der komparativen – 257 f.
Kostennachteil
absoluter und komparativer – 259
Kostenvorteil
absoluter und komparativer – 229, 238, 258, 310
Kurssicherungskosten 197

Leistungsbilanz 3 ff., 15, 31
s. Abwertung und –
in Auslandswährung 54 ff.
Beeinflussung der – durch Einkommensänderungen 92, 106 ff.
Beeinflussung der – durch Preiserhöhungen im Ausland
in Inlandswährung 45 ff.
s. Marshall-Lerner-Bedingung
normale und anomale Reaktion der – 36, 45 f., 51 f., 60 ff., 74 f., 80 f., 91, 92 ff., 176
u. Preisänderungen 84 ff., 91 ff.
s. Preiseffekte und –
s. Robinson-Bedingung
Saldeneffekte der – 92, 94, 96
s. Liquiditätseffekt
s. Nachfrageeffekt
Saldo der – 7, 29 ff., 35, 65 f., 110. 125
s. Ungleichgewicht der –
Verbesserung der – 60 ff., 64 f., 73, 81,
86, 96, 120, 152
Verschlechterung der – 62, 64, 74 f., 81, 92, 94 f., 96, 152
u. Volkseinkommen 21 ff., 35, 106, 112 ff.
s. Inflationsimport und –
Leistungsbilanzdefizit 45, 62, 91, 94, 96
u. Inflation 91
s. Leistungsbilanz, Saldo der –
Leistungsbilanzeffekte
s. Leistungsbilanz, Saldeneffekte der –
Leistungsbilanzmultiplikator 116, 120 f., 126 f.
in bezug auf Exportänderungen 126 ff.
in bezug auf Investitionsänderungen 130, 188
Leistungsbilanzsaldo
u. Bewertung des Leistungsverkehrs 6
s. Gleichgewichtseinkommen und –
s. Leistungsbilanz, Saldo der –
s. Preisfortwälzung und –
s. Wachstum 331 f.
Leistungsbilanzüberschuß 10, 14, 30, 91, 96
u. Inflation 91
s. Liquiditätseffekt und –
s. Nachfrageeffekt und –
Leistungsverkehr 3, 42, 44
s. Importwert und Bewertung des –
s. Leistungsbilanzsaldo und Bewertung des –
s. Zahlungsbilanz und Bewertung des –
s. Zahlungsbilanz und Erfassungsmethoden des –
Leontief-Paradoxon 224, 261
Liquiditätsbilanz 16 f.
Liquiditätseffekt 94
u. Leistungsbilanzüberschuß 92
u. Zins 92 f., 94

Marshall-Lerner-Bedingung 36, 57, 66, 72, 140, 149, 152
s. Elastizität und –
s. Robinson-Bedingung
Maximalzoll 418 ff.
s. Optimalzoll und –
Mengenelastizität 57, 66 ff.
Mischzoll 387
Monopolpreis, Analogie zum Optimalzoll 402 ff.
Multiplikator
s. Ausgabenmultiplikator
s. Exportmultiplikator
s. Gesamtausgabenmultiplikator
s. Importmultiplikator, negativer –
s. Investitionsmultiplikator
s. Leistungsbilanzmultiplikator
Multiplikatoranalyse 134, 137, 138

Multiplikatorprozeß 112 f.
dynamischer – 117
negativer – 188
Multiplikatorwirkung
s. Nachfrageeffekt
u. variabler Zins 130 ff.
Nachfrage
s. Indifferenzkurven, individuelle
– und Ableitung der individuellen Nachfrage s. internationale Nachfrage
Nachfragebedingungen 225, 226 ff., 259, 263, 272, 293 ff., 303 ff.
s. Nachfragestruktur
s. Präferenzstruktur
u. Theorie der komparativen Kosten 293
Nachfrageeffekt 94 f.
u. Leistungsbilanzüberschuß 92
Nachfragegleichgewicht 303
Nachfragestruktur 237, 309, 310
s. Präferenzstruktur
Nettotransformationskurve 288
Neutralisierungspolitik 171
Verzicht auf – 171 ff.
Neutralität des Geldes 223
new welfare economics
s. Wohlstandsökonomik
Netto-Auslandsvermögen 8, 11
Niveaugrenzprodukt
s. returns to scale
normaler Handel 310, 315
normative und positive Theorie 225 f., 355 ff.
Nutzen 300
kardinaler – 300
ordinaler – 300, 363
sozialer und privater – 224
s. Wohlstand
Nutzenfunktion 295
homogene – 302
ordinale – 355
Nutzenmessung
kardinale – 300
ordinale – 300, 360
Nutzenmöglichkeitskurve 299 f., 360 ff.
u. gesellschaftliche Indifferenzkurve 299
in the point sense 361 ff., 412 f.
in the situation sense 361, 366, 412 f.
Nutzenniveau 298, 320
Nutzenvergleiche, interpersonelle 300, 360, 363

offer curve 314
s. Tauschkurve
Ohlin-Modell 224
u. klassische Außenhandelstheorie 261 ff.
s. komparative Kosten und –

u. Produktionseffekte des Wachstums 338
u. Stolper-Samuelson-Theorem 420 ff.
opportunity-costs 231, 235, 239 ff., 261, 311, 407
marginale – 235, 240 f.
steigende – 239, 255 f.
s. Substitutionskosten
Optimalzoll 402 ff.
s. Elastizität und Zollwirkungen
u. Kompensationskriterien 409 ff.
s. Monopolpreis, Analogie zum –
u. Maximalzoll 318 ff.
u. Retorsionszoll 414 ff.
Optimalzollbündel 412
Optimalzollpunkt 402 ff.
Optimalzollsituation 409
s. Konsummöglichkeit und –
Optimalzolltheorie
u. Retorsionszölle 414 ff.
Optimum
s. Außenhandelsoptimum
gesellschaftliches – 296, 355, 371
s. Pareto-Optimum
privatwirtschaftliches – 371
s. Tauschoptimum

Pareto-Optimum 296 f., 306, 356 ff., 370 f., 402 ff.
in der Konsumtheorie 298
P-Block 320 ff., 333
s. Produktions-Möglichkeiten-Block
policy mix
zum Begriff des – 158 ff.
zur Theorie des – 157 ff.
Präferenzen 302, 309, 323
identische – 292, 306 f., 309, 310, 359
unterschiedliche – 306 ff., 312
Präferenzstruktur 347
internationaler Handel bei identischer – 305 ff.
s. Konsumentenpräferenzen
s. Nachfragestruktur
Preisänderungen
s. Exportwert und –
s. Importwert und –
s. Leistungsbilanz und –
s. Wechselkursänderung und –
Preisanpassung, Prozeß der – 92
Preisansteckung 92, 96
Preise
u. autonome Kapitalbewegungen 181
s. Faktorpreise
s. Zahlungsbilanz und –
Preiseffekte
s. Abwertung und –
s. Leistungsbilanz 91 ff., 136 ff.
unmittelbare – 94, 95
der Zölle 388 ff., 396 ff.
Preisfortwälzung 94
u. Leistungsbilanzsaldo 94

Sachregister

Preislinie
s. Transformationskurve und –
Preisniveau
s. Gold- und Devisenbewegungen und –
u. Kaufkraftparitätentheorie 81 ff.
Preisverhältnis 314, 317, 318, 321, 325, 330
s. Faktorpreisverhältnis und Preiskurve
s. Gleichgewichtsaustauschverhältnis
s. Tauschverhältnis
s. Weltmarktpreisverhältnis
Preiszusammenhang
s. internationaler
Produktdifferenzierung 312
s. Austauschhandel
Produktion
Maximierung der – 359
Produktionsbedingungen 223, 229, 246, 271, 307, 310, 313, 319, 323
identische – 307, 310
Produktionselastizität
des Importgüterangebots 336 ff.
der Importnachfrage 343 ff.
der Nachfrage 343 f.
Produktionsfaktoren
limitationale – 251 ff.
Produktivität der – 257 ff.
Reallokation der – 249
substitutionale – 251, 255 ff.
Verteilung der – 250 ff., 254
Verwendung der – 253
Produktionsfunktion 246, 253
s. Expansionslinie
homogene – 1. Grades 247, 255, 268
identische – 260 f., 265, 271
linear-homogene – 247, 251, 255, 266 ff., 271, 277, 338
Maximierung der – 249
nichtlineare – und Transformationskurve 255 ff.
s. Transformationskurve und –
Produktionsgleichgewicht 303 f.
s. Wachstum 337
Produktionskonto 22 ff.
Produktionsmaximum 198
relatives – 249
Produktionsmittel
spezifische und nichtspezifische 239, 241
Produktions-Möglichkeiten-Block 320 ff.
s. P-Block
Produktionsmöglichkeitskurve 234, 356
s. Transformationskurve
Produktionspunkt 241 f., 248, 252, 255, 264 f., 269 f., 274 f., 282, 285, 287, 303, 306 f., 314, 319 ff., 337, 356, 369 ff., 373, 402 ff.

Produktionsstruktur 280, 304, 323, 371, 420
s. Faktorpreis und –
optimale – 304, 306, 371
Produktivität
gleiche – 260
globale Faktor – 257
partielle Faktor – 257
s. Produktionsfaktoren, Produktivität der –
Produktivitätsveränderungen
s. Realeinkommen und –
u. Weltmarktgleichgewicht 330
s. Wohlstand eines Landes und –
Produktivitätsniveau 330
Produktivitätsunterschiede 231
internationale – 233 ff.
Prohibitivzoll 419

Realeinkommen 314
u. Produktivitätsänderungen 330 ff.
u. Zölle 420 ff.
Redistribution
s. Kaldor-Hicks-Kriterium
s. optimale Einkommensverteilung
s. Stolper-Samuelsen-Theorem
Redistributionseffekt der Zölle 420 ff.
Report 196, 198
Retorsionszoll 414 ff.
s. Gegenzoll
s. Optimalzoll und –
s. Vergeltungszoll
returns to scale 247, 255, 265, 277
s. Niveaugrenzprodukt
Robinson-Bedingung 36, 69 ff., 137, 140
Ableitung der – 69 ff.
s. Elastizität und –
s. Marshall-Lerner-Bedingung und –
Rückwirkungen, internationale 137, 187, 433 f.
der Exportänderung 123 ff.
der Investitionsänderungen 128 ff.
des Kapitalexports 187
Rybczynski-Theorem 286 ff., 339, 341

Schutzzoll 393 ff., 425 ff.
s. Effektivzoll
s. Erziehungszoll
Scitovsky-Kriterium 364 f., 412
Selbstverstärkung des internationalen Handels 285
Sonderziehungsrechte 8 f.
Sparfunktion 111 ff.
Sparquote, marginale 114 ff.
Spekulation
s. Devisenspekulation
Spezialisierung 232 ff., 256 f., 286, 420 ff.
abnehmende – durch Außenhandel 307
u. Faktornachfrage 263 ff., 281
u. Faktorpreise 263 ff., 281 f.

bei konstanten Kosten 234 ff.
bei sinkenden Kosten 243 ff., 311
bei steigenden Kosten 239 ff.
ohne ursprüngliche Kostendifferenzen 244, 311 f.
vollständige und unvollständige – 237, 242 ff., 271 ff., 279, 281 f., 319, 332 f., 335
Spezialisierungseffekt
s. Handelseffekt und –
Spezialisierungsgewinn 356
spezifische Zölle 387
Stabilität
innere und äußere – 112 f., 120 f.
des Weltmarktgleichgewichts 327
analytische Ableitung der –
geometrische Ableitung der – 324 ff.
Stabilitätsbedingung 370
des Weltmarktgleichgewichts 329
für die offene Wirtschaft 110
für die Zahlungsbilanz 66 ff., 331
Standorttheorie
s. Außenwirtschaftstheorie und –
stock-shift-Effekte 180
Stolper-Samuelson-Theorem 420 ff.
s. Box-Diagramm und Darstellung des –
s. Ohlin-Modell und –
Substitution
s. Grenzrate der Substitution
Substitutionselastizität 276
Substitutionskosten 231
s. opportunity-costs
Substitutionsrate
marginale – 293, 301, 304, 306, 316, 323, 362, 370
Subventionen
s. Außenhandelssubventionen
bei externen Ersparnissen 375 f.
Swapsatz 196, 198 ff.
Zinsdifferenz und –
s. Zinsarbitrage

Tauschgleichgewicht
s. Austauschgleichgewicht
Stabilität des – 326 ff.
s. Tauschkurve und Darstellung des –
Tauschkurve 314 ff., 320, 333, 357
Beziehung zu Angebots- und Nachfragekurven 317 f.
u. Darstellung des Tauschgleichgewichts 313 ff.
u. Elastizität der Importnachfrage 324 f.
s. Elastizität der –
bei Freihandel 396 ff.
s. Gesamtausgabenkurve und –
s. Gesamterlöskurve und –
gesamtwirtschaftliche – 398 ff.
s. h-Kurven und Ableitung der –
Konstruktion der 313 ff.
u. Konsum-Optimalzollkurve 410 f.

s. offer-curve
private – 396 ff.
subsidienmodifizierte – 402 ff.
transfermodifizierte – 348
u. Wachstumseffekte 347
zollmodifizierte – 398 ff., 406
Tauschoptimum 298, 304, 356, 402 ff.
Tauschpunkt 316, 322, 350, 357, 406, 411
Tauschverhältnis 229, 232 ff., 240, 269, 287, 295, 304, 306, 309, 325, 331, 350, 371, 373
s. Abwertung und –
u. Einkommenswirkungen 149 ff.
u. Kapitalübertragungen 347
bei konstanten Kosten 313 ff.
s. Preisverhältnis
reales – 313 ff., 330
bei steigenden Kosten 319 ff.
u. terms of trade
Verbesserung und Verschlechterung des – 80 f.
bei vollständiger Konkurrenz 232 ff.
u. Wechselkursänderungen 75 ff.
u. Wachstum 332 ff.
s. Zölle und –
technischer Fortschritt 335, 339
arbeitsparender – 341 f.
kapitalsparender – 342 f.
neutraler – 339 ff.
Terminkurs
s. Devisenterminkurs
Terminmarkt
s. Devisenterminmarkt
Terminmarktspekulation
s. Devisenspekulation
terms of payments 14
terms of trade 75, 150 ff., 183, 286, 363, 396 ff.
s. Elastizität und –
s. Tauschverhältnis
Verbesserung und Verschlechterung der – 77 f., 80 f.
durch Wachstum 332 ff.
s. Wohlstand eines Landes und –
terms of trade-Effekt
s. Abwertung und –
Theorie des Inflationsimports
s. Inflationsimport
top-level-Optimum 304, 362 f.
s. Pareto-Optimum
Transaktionskasse,
Nachfrage nach – 98, 145
Transfer
monetärer – 181 f., 183, 187, 189, 191
realer – 181 f., 183, 187, 189, 191
Transferkosten 81 f.
s. Transportkosten
Transfermechanismus
klassischer – 182 ff., 192
Keynes'scher – 184 ff.
Transfertheorie, klassische 347 ff.

Sachregister

Transformation
s. Grenzrate der Transformation
Transformationsfunktion,
lineare – 251
Transformationskurve 234 ff., 237 ff.,
243 ff., 255 ff., 271, 282, 287 f., 290,
303 ff., 311, 313 ff., 320, 330, 358 ff., 370,
425 ff.
s. Bruttotransformationskurve
s. Faktorintensität und –
u. gesellschaftliche Indifferenzkurve
303 ff.
identische – 244, 307 f.
konkave – 255 f., 369 ff.
u. Konsum-Optimalzollkurve 410 f.
s. Kontraktkurve und –
konvexe – 244 f., 256
lineare – 235, 255 f., 313 f.
u. lump-sum-Tansfers 366
s. Nettotransformationskurve
u. Preislinie 235
u. Produktionsfunktion 246 ff.
s. Produktionsfunktion, nichtlineare
und –
s. Produktionsmöglichkeitskurve
u. sinkende Kosten 243 ff.
u. Wachstum 337
s. Welttransformationskurve
Transformationsrate 234 ff., 239, 259,
262
durchschnittliche – 234
marginale – 234 f., 304, 306, 358 f., 362
Transformationsverhältnis 240 f., 251
internes und externes – 240
Transportkosten 46, 81 f., 88, 93, 236,
265, 305, 316, 357, 359
s. Transferkosten

Überbeschäftigung
u. Zahlungsbilanzdefizit 162
u. Zahlungsbilanzüberschuß 160 f.
Überschußangebot, transferbedingtes
369 f.
Übertragungsbilanz 3, 5, 14 ff., 30 f., 111
s. unentgeltliche Leistungen
Ungleichgewicht
der Leistungsbilanz 110
Möglichkeiten zur Beseitigung
externen und internen –
s. policy mix, zur Theorie des –
totales – 110
Unentgeltliche Leistungen 5, 14 ff., 30 f.
Unentgeltliche Übertragungen 30 ff., 39
ungeklärte Beträge in der Zahlungsbilanz 8, 13 f.
Unmittelbarer Preiszusammenhang
s. internationaler –
Unterbeschäftigung
s. Beschäftigung
u. starre Faktorpreise 367 ff.
s. Wohlstandseffekte des Außenhandels bei –

u. Zahlungsbilanzdefizit 157 ff.
u. Zahlungsbilanzüberschuß 160

»Vent for Surplus«-Theorie 227
Verbrauchspunkt 243, 342 f.
s. Konsumpunkt
Verbrauchsstruktur 323
optimale – 306
Verfügbarkeiten 226 ff.
Vergeltungszoll 414 ff.
s. Retorsionszoll
Volkseinkommen 21 ff.
s. Abwertung und –
u. autonome Kapitalbewegungen
181 ff.
Exportänderungen und –112 ff.
s. Gesamtausgaben und –
s. Gleichgewichtseinkommen
Importänderung und – 112 ff.
s. Leistungsbilanz und –
s. Wechselkurs und –
s. Wechselkursänderung und–
s. Zahlungsbilanz und –
s. Zölle und –
Zusammensetzung des – 21 ff.
Volkseinkommensgleichung 26 ff.

Wachstum 284
u. Außenhandel 330 ff.
Gesamteffekt des – 344 ff.
s. Importnachfrage und –
Konsumeffekte des – 336, 343 ff.
s. Leistungsbilanzsaldo und –
negativ handelsorientiertes – 336 f.,
343 ff.
neutrales – 337, 343
s. Ohlin-Modell und Produktionseffekte des –
positiv handelsorientiertes – 337,
343 ff.
Produktionseffekte des – 337, 343 ff.
s. Produktionsgleichgewicht und –
stark negativ handelsorientiertes 337,
341 f., 343 f.
stark positiv handelsorientiertes 337,
341 f., 343 f.
s. Tauschverhältnis und –
s. terms of trade und –
s. Transformationskurve und –
Wachstumseffekte
s. Tauschkurve und –
Wachstumsformen
s. Handelsvolumen und –
Wachstumsrate 332
Währungsabwertung 187
s. Abwertung
Wechselkurs 35, 38 ff., 88
u. autonome Kapitalbewegungen
181 ff.
u. Devisenangebot und -nachfrage
39 ff., 41 ff., 52, 195, 200
u. Export- und Importwert 43 ff.

flexibler – auf Kassa- und Terminmärkten 196
flexibler – und Beschäftigung 152 ff.
flexibler und fixierter – 40 f.
-gleichgewicht auf Kassa- und Terminmarkt 182 ff., 205 ff.
permanenter – 176
u. Preisänderungen 136 f.
realer –82
und Volkseinkommen 136 f.
u. Zahlungsbilanz 38 ff.
Wechselkursänderung 41 ff.
u. Kaufkraftparitätentheorie 81 ff.
u. Leistungsbilanz 45 ff.
u. Preisniveau 81 ff.
s. Tauschverhältnis und –
u. Volkseinkommen 53
Wechselkurseffekte
u. variable Geldeinkommen 137 ff.
Wechselkursmechanismus 35
Wechselkursrisiko 195
Wechselkurstheorie 74
welfare economics 225
s. Wohlstandsökonomik
Weltinflation
s. Auslandsinflation
Weltmarkt
s. Tauschverhältnis am –
unvollkommener – durch Zölle 388 f.
vollkommener – 236
Weltmarktgleichgewicht
s. Datenänderungen und –
s. Elastizität und Stabilität des –
s. Produktivitätsänderungen und –
s. Stabilität des –
Weltmarktpreis 337, 363, 388, 396 ff.
Weltmarktpreisverhältnis 282, 323, 333, 357, 373, 396 ff.
s. Preisverhältnis
Weltproduktion, maximale 356
Welttransformationskurve 359
Wertelastizität 57 f., 66 ff.
Wertzoll 387, 396 ff.
Wirtschaftskreislauf
s. Zahlungsbilanz und –
Wissenschaftstheorie des kritischen Rationalismus 351 f.
Wohlfahrt 295 ff.
bei Freihandel und Autarkie 363
s. Wohlstand
Wohlfahrtserhöhung, potentielle 360, 367
Wohlfahrtsfunktion, soziale 367
Wohlfahrtsverluste
durch Außenhandel 367 ff.
durch Zölle 413 f., 416 f.
Wohlstand 320
gesellschaftlicher – eines Landes 300 f.
u. Produktivitätsveränderungen 333 ff.
u. terms of trade 75

s. Nutzen
einer Volkswirtschaft 224 f.
der Welt 416 f.
Wohlstandseffekte
des Außenhandels 300 f., 303, 355
bei Unterbeschäftigung 367
bei starren Faktorpreisen 367
s. Indifferenzkurven, gesellschaftliche – und Beurteilung von–
des Wachstums 335
Wohlstandsgrenzen 361, 367, 414
Wohlstandsmaximum 411 ff.
eines Landes 405
relatives – 415
Wohlstandsniveau 299, 303, 320
Wohlstandsökonomik 355, 363
Wohlstandssteigerung
Definition der gesellschaftlichen – 295
Wohlstandsverlust 375

Zahlungsausgänge
s. Zahlungsbilanz und –
Zahlungsbilanz 3 ff.
aktive – 15
s. Ausgleichsmechanismen der –
in Auslandswährung 40
autonome – 35, 39, 89 ff., 114
autonome und induzierte Transaktionen in der –17 ff.
u. autonome Kapitalbewegungen 181 ff.
u. Bewertung des Leistungsverkehrs 6 f.
s. Einkommensmechanismus
u. Erfassungsmethoden des Leistungsverkehrs 7 f.
s. Geldmengen-Preis-Mechanismus
s. Gleichgewicht der –
s. Gold- und Devisenbilanz
s. Handelsbilanz
in Inlandswährung 40
s. Investition und –
s. Kapitalbilanz
s. Leistungsbilanz
normale und anomale Reaktion der – 42
passive – 15, 19
u. Preise 136 f.
u. Preisveränderungen 36, 84 ff.
u. Sparen und Investieren 28 ff.
s. Stabilitätsbedingungen für die –
statistische – 19
statistischer Ausgleich der – 10 ff.
s. Übertragungsbilanz
s. ungeklärte Beträge in der –
Verbesserung und Verschlechterung der – 41 f.
u. Volkseinkommen 21 ff., 136 ff.
s. Wechselkurs und –
s. Wechselkursmechanismus

Sachregister

u. Wirtschaftskreislauf 21 ff.
u. Zahlungseingänge und -ausgänge 5, 9f., 18
s. Zölle und –
Zusammensetzung der – 3 ff.
Zahlungsbilanzdefizit 14 ff., 41 f., 84
Zahlungsbilanzgleichgewicht 19 f., 40
s. Gleichgewicht der Zahlungsbilanz
Zahlungsbilanzgleichung 31
Zahlungsbilanzkonzepte 15 ff.
Zahlungsbilanzsaldo 15
Zahlungsbilanzstatistik 3, 14, 18
Zahlungsbilanztheorie, monetäre – 97 ff.
Zahlungsbilanzüberschuß 14 ff., 41
Zahlungseingänge
s. Zahlungsbilanz und –
zentrale Währungsreserven
Veränderungen der – 15
s. Zahlungsbilanzkonzepte
Zins
s. Liquiditätseffekt und –
s. Multiplikatorwirkung und –
Zinsarbitrage 195, 196 ff.
gedeckte – 198
Zinselastizität der Investitionen 145
Zinszahlungen 100
Zölle 46, 81, 93, 385 ff.
Arten der – 387
s. Ausfuhrzoll
u. Beschäftigung 433 f.
s. Durchfuhrzoll
s. Effektivzoll
s. Einfuhrzoll
u. Einkommensverteilung 418 ff.
s. Einnahmeeffekt der –
s. Erhaltungszoll
Erziehungseffekt der – 425 ff.
s. Erziehungszoll
s. Exportzoll
u. Faktorpreise 420 ff.
s. Gegenzoll
s. Gleitzoll

u. Handelsvolumen 402 ff., 409 ff., 416
s. Importzoll, Analogie zum Exportzoll
s. Konsumeffekt der –
s. Kontingente und –
s. Preiseffekte der –
Primär- und Sekundäreffekt der – 431 ff.
s. Prohibitivzoll
s. Realeinkommen und –
s. Redistributionseffekt der –
s. Retorsionszoll
s. Schutzeffekt der –
s. Schutzzoll
s. spezifische Zölle
u. Tauschverhältnis 396 ff.
s. terms of trade-Effekt der –
Umverteilungseffekt der – 389. 418 ff.
s. Vergeltungszoll
u. Volkseinkommen
s. Weltmarkt, unvollkommener durch –
s. Wertzoll
u. Zahlungsbilanz 430 ff.
Zollargumente 396, 425 ff.
Zolleinnahme 388 ff., 418 ff.
Bedeutung ihrer Verwendung 397 ff.
Zollkrieg 414 f.
Zollpolitik 388 ff., 403 ff., 418 ff.
Analogie zur monopolistischen Preispolitik 402 ff.
– und Entwicklungsländer 395
s. Beschäftigung und –
s. Gleichgewicht, zollpolitisches
Zollsatz 396 f., 407 ff., 418 ff.
Zollschutz 389 ff.
Zolltheorie 385 ff.
Zoll-Umhüllungskurve 418
Zollwirkungen 388 ff.
s. Elastizität und –
Zollzyklus 416 ff.
Zwischenprodukte 288 ff.
Zwischenprodukthandel 288 ff., 393 ff.

II. Elastizitäten

$\eta_{X_{DM}}$ Elastizität des Exportwertes in DM in bezug auf den Wechselkurs w.

$\eta_{X_{DM}}^{w_1}$ Elastizität des Exportwertes in DM in bezug auf den DM-Kurs w_1.

$\eta_{M_{DM}}$ Elastizität des Importwertes in DM in bezug auf den Wechselkurs w.

$\eta_{X_\$}$ Elastizität des Exportwertes in Dollar in bezug auf den Wechselkurs w.

$\eta_{M_\$}$ Elastizität des Importwertes in Dollar in bezug auf den Wechselkurs w.

η_m Elastizität der mengenmäßigen Importnachfrage des Inlands in bezug auf den DM-Preis der Importe.

η_x Elastizität der mengenmäßigen Exportnachfrage des Auslandes in bezug auf den Dollar-Preis dieser Exporte.

ε_m Elastizität des ausländischen Angebots an Importgütern in bezug auf den Dollar-Preis dieser Güter.

ε_x Elastizität des inländischen Angebots an Exportgütern in bezug auf den DM-Preis dieser Güter.

η_{P_m} Elastizität der Importgüterpreise in bezug auf den Wechselkurs.

η_{P_x} Elastizität der Exportgüterpreise in bezug auf den Wechselkurs.

Anhang

Zusammenstellung der im II. Teil, 2. Kap. verwendeten Symbole

I. Absolute Größen

w	Wechselkurs oder Dollar-Kurs: Preis für einen Dollar ausgedrückt in DM.
w_1	DM-Kurs: Preis für eine DM ausgedrückt in Dollar.
X_{DM}	Exportwert in DM
$X_\$$	Exportwert in Dollar
M_{DM}	Importwert in DM
$M_\$$	Importwert in Dollar
D_{DM}	Leistungsbilanzsaldo des Inlandes in DM
$D_\$$	Leistungsbilanzsaldo des Inlandes in Dollar
n_m	mengenmäßige Importnachfrage des Inlandes
n_x	mengenmäßige Exportnachfrage des Auslandes
x	mengenmäßiges Exportangebot aus dem Inland
P_m^{DM}	DM-Preis der Importe
$P_m^\$$	Dollar-Preis der Importe
P_x^{DM}	DM-Preis der Exporte
$P_x^\$$	Dollar-Preis der Exporte